Erich Thiel

DIE MONGOLEI

Veröffentlichungen des Osteuropa-Institutes München

Herausgeber: Hans Koch

Band XIII

ERICH THIEL

DIE MONGOLEI

Land, Volk und Wirtschaft der Mongolischen Volksrepublik

ISAR VERLAG MÜNCHEN

VORWORT

Die Mongolen und ihre Heimat haben mich schon seit jeher interessiert. Ich habe die Menschen kennengelernt und ihr Land bereist, doch blieben mir weite Gebiete verschlossen. Hier mußte die Literatur weiterhelfen. So fußt die vorliegende Arbeit sowohl auf eigenen Kenntnissen als auch auf dem eingehenden Studium aller mir erreichbaren Quellen.

Der Terminus „Mongolei" wird im geographischen Schrifttum auch oft in einem weiteren Sinne angewendet. Hier umschließt er jedoch nur die Mongolische Volksrepublik, wie es auch im Untertitel zum Ausdruck kommt; denn schließlich umfaßt dieser Staat den Hauptraum, in dem die Mongolen das Grundelement der Bevölkerung bilden und in dem sie eine eigene staatliche Organisation gefunden haben.

Die Mongolei, vor kurzem noch ein völlig unbekanntes Land, ist in den letzten Jahren durch sowjetische und in jüngster Zeit auch durch mongolische Gelehrte sehr intensiv und vielseitig durchforscht worden. Das Hauptverdienst ist hierbei dem Wissenschaftlichen Komitee der Mongolischen Volksrepublik zuzuschreiben. Seine Arbeiten fanden ihren Niederschlag in den Veröffentlichungen der Mongolischen Kommission der Akademie der Wissenschaften der UdSSR, von denen mir 69 Titel zur Durcharbeit zur Verfügung standen. Darüber hinaus liegt eine große Anzahl von Spezialarbeiten älteren und jüngeren Datums vor. Doch von allen diesen wissenschaftlich hervorragenden Leistungen ist außerhalb der Sowjetunion recht wenig bekanntgeworden. So habe ich mir in der vorliegenden Arbeit die Aufgabe gestellt, eine weitere Öffentlichkeit mit den Ergebnissen dieser Forschungen bekannt zu machen, soweit dies im Rahmen einer zusammenfassenden Darstellung überhaupt möglich ist.

Viele Gründe veranlaßten mich, über den allgemeinen Rahmen einer Landeskunde hinauszugehen, mich auch mit dem Volk, seiner Wirtschaft und dem Staat zu befassen, da gerade diese Fragen heute stärker im Vordergrund des Interesses stehen denn je. Die alte Mongolei, wie sie noch vielfach die Vorstellungen weiter Kreise bestimmt, hat ihr Gesicht völlig gewandelt. Heute tritt uns in ihr ein Staat entgegen, der von politischen und wirtschaftlichen Ideen geformt wurde und beherrscht wird, die gegenwärtig im Mittelpunkt der Weltdiskussion stehen. Diese Entwicklung darzustellen, war mir ein Hauptanliegen. Daß hierbei die wirtschaftlichen Verhältnisse in den Vordergrund gestellt wurden, ist darum verständlich und lag mir als Wirtschaftgeographen auch am nächsten. Wenn hierzu die natürliche Ausstattung der Mongolei in der Darstellung einen weiten Raum einnimmt, so ist dieses eine Notwendigkeit. Es gibt selten ein Land, in dem die Natur sich so stark zur Geltung bringt und Lebensformen hat entstehen lassen, wie sie in der Welt wohl einmalig dastehen.

5

Der zur Verfügung stehende Raum ließ es nicht zu, auf die historische Entwicklung wie auch auf die Einzelgebiete so ausführlich einzugehen, wie es vielleicht zu wünschen gewesen wäre. So wurde die Behandlung bewußt auf das Wesentliche beschränkt, um in einer Gesamtschau ein klares Bild geben zu können. Dabei mußte auf manches verzichtet werden, und manche ins einzelne gehende Untersuchung im Interesse des Ganzen wegbleiben.

Bei der botanischen Nomenklatur habe ich mich ausschließlich an W. I. G r u b o w gehalten, dessen jüngste Arbeit aus dem Jahre 1955 mir vorlag und sich im Literaturverzeichnis findet. Zum letzteren sei bemerkt, daß die Quellenangaben im Text aus Gründen der Einheitlichkeit und Platzersparnis in Klammern angeführt werden, wobei die erste Ziffer die Nummer im Literaturverzeichnis und die zweite die Seite angibt.

Bei der Abfassung der Arbeit war es mir möglich, auch die neuesten Veröffentlichungen und wirtschaftlichen Unterlagen bis zum September 1957 zu verwenden. Dies verdanke ich dem Entgegenkommen verschiedener Institutionen und Persönlichkeiten. An erster Stelle möchte ich Prof. Dr. E. M. M u r s a j e w, Moskau, nennen, der wohl als der beste Kenner der Mongolei angesehen werden muß und der meine Interessen weitgehend gefördert hat. Mein Dank gilt neben anderen sowjetischen Wissenschaftlern weiterhin dem Präsidenten der Geographischen Gesellschaft der UdSSR, Akademiemitglied E. N. P a w l o w s k i j, Leningrad, der mir schwer erreichbare Literatur zukommen ließ. Weites Entgegenkommen und größtes Interesse fand meine Arbeit auch bei dem Rektor der Mongolischen Staatsuniversität, D. Z y b e g m i d, Ulan-Bator, von dem ich nicht nur seltene Veröffentlichungen, sondern auch statistische Unterlagen erhielt.

Für mancherlei Rat und Anregungen danke ich Prof. Dr. F. M a c h a t s c h e k, München, der vor kurzem nach Vollendung seines 81. Lebensjahres verstarb, und Prof. Dr. W. F u c h s, Berlin, der mir in Fragen der mongolischen Sprache seine Hilfe lieh. Nicht zuletzt möchte ich noch Prof. Dr. Dr. H. K o c h nennen, dem ich für verschiedene Ratschläge und für die Aufnahme der Arbeit in die Reihe der Veröffentlichungen des Osteuropa-Institutes, München, meinen Dank sagen möchte.

Erich Thiel

München, Dezember 1957

INHALTSÜBERSICHT

D. Landschaften und Städte

E. Anhang

ALLGEMEINES

Größe, Lage, Bedeutung

Der Name der Mongolen ist weithin in der Welt bekannt. Doch von ihrem einstigen Weltreich ist nichts geblieben, als daß es in der Tradition des Volkes noch eine gewisse Rolle spielt. Abgesehen von kleinen Volkssplittern, die von den großen gemeinsamen Zügen nicht zurückkehrten und irgendwo verblieben, sind die Mongolen heute auf ihre eigentlichen Heimatgebiete beschränkt, und auch diese bilden politisch keine Einheit. Weite Teile sind abgetrennt und gehören zur Sowjetunion oder zu China. Allein die Äußere Mongolei, die heutige Mongolische Volksrepublik, ist noch das eigenste Land der Mongolen geblieben, in dem sie — im Hauptstamm zu den Chalcha-Mongolen gehörend — mit einem Anteil von rund 90 Prozent der Gesamtbevölkerung die überragende Mehrheit bilden und das staatstragende Volk sind.

Die Mongolische Volksrepublik (MVR) umfaßt eine Fläche von 1 531 000 qkm, eine gewaltige Größe, die etwa der Fläche der in der Montan-Union zusammengeschlossenen sechs Länder plus Schweiz, Österreich und Großbritannien entspricht. Zwischen dem nördlichsten Punkt der MVR (52°06') und dem südlichsten (41°32') liegt eine Entfernung von 1260 km, zwischen dem westlichsten und östlichsten eine solche von 2368 km. Auf Europa übertragen, würde die MVR sich etwa zwischen Münster in Westfalen im Norden und Neapel im Süden erstrecken und in der Ost-West-Richtung etwa von Madrid bis nach Bukarest reichen.

Das Gebiet der MVR wird allgemein zu Zentralasien gerechnet. Wenn wir uns der Aufgliederung Asiens in zentrale und periphere Gebiete, wie sie Richthofen durchgeführt hat, anschließen, so entspricht diese Zuteilung der Mongolei nicht ganz den tatsächlichen Verhältnissen, denn nur zwei Drittel der Fläche der MVR gehören zu den abflußlosen Räumen Asiens, aus denen kein Tropfen Wasser, der als Niederschlag zu Boden geht, den Weg zum Meer findet, aus denen vom fließenden Wasser keine Produkte der Verwitterung und Abtragung hinausbefördert werden, sondern den Räumen erhalten bleiben, Hohlformen ausfüllen, während Hochformen abgetragen werden. Nur die äolische Form der Abtragung und Verlagerung kann sich über die Grenzen dieser Räume hinwegsetzen. Ein Drittel der Landesfläche, insbesondere der zentrale Norden und der Nordosten, sind zu den peripheren Landschaften oder zumindest zu den Übergangsgebieten zu rechnen, denn sie haben Abfluß zum Eismeer oder zum Pazifischen Ozean. In ihnen wirkt das Wasser talbildend, transportierend, immer neue Formen schaffend und stellt Verbindungen nach außen her, letzten Endes bis zum Meer. Diese Gegenüberstellung der sich aus der Lage ergebenden Folgerungen ist von nicht zu unterschätzender Bedeutung. In dem zentralen Teil, charakterisiert durch außerordentliche Trockenheit und starkes Überwiegen der Verdunstung, ist der Pflanzen- und Tierwelt nur ein kümmerliches Dasein gestattet und darum die Existenz des Menschen weit mehr erschwert als in dem peripheren Übergangsgebiet, wo die Charakteristik der zentralen Räume abgeschwächt ist und eine stärkere Mannigfaltigkeit der natürlichen Bedingungen dem Menschen relativ bessere Möglichkeiten bietet, so daß auch heute schon dort der Schwerpunkt von Siedlung und Wirtschaft liegt.

Das Gebiet der MVR umfaßt jedoch nur die Quellgebiete der nach außen abfließenden Gewässer, die weit entfernt von den Weltmeeren und als Verkehrsverbindungen zu diesen kaum geeignet sind. So bleibt vom Standpunkt des Gesamtkontinentes aus die Abgelegenheit ein besonderes Merkmal der Mongolei. Nur der äußerste Ostzipfel der MVR kommt dem Pazifischen Ozean auf etwas weniger als 1000 km nahe, so daß der Gesamtraum, ozeanischen Einflüssen entzogen, nur schwer Anregungen von außen erhielt und sich in kontinentaler Eigenheit entwickelte mit besonderen Zügen, die in ihrer Form vieles Altertümliche bis in die jüngste Zeit bewahrten und, betont seit dem Eindringen des Buddhismus, vielfältige Anzeichen der Erstarrung enthielten. Erst in neuester Zeit, seitdem die Russen den sibirischen Raum stärker erfaßten, in ihm Kultur und Wirtschaft entwickelten und diese in erkennbarer Absicht in die Grenzgebiete vorschoben, macht sich ein immer stärker werdender Einfluß von Norden her geltend, erleichtert durch den natürlichen Übergang des sibirischen Raumes zu den mongolischen Landschaften. Ein Einfluß von Süden, vom Kulturraum des chinesischen Volkes, ist wohl immer vorhanden gewesen, doch gehemmt durch den verkehrs- und menschenfeindlichen Zug der Gobi, war er beschränkt, blieb an der Oberfläche und tritt heute gegenüber der russisch-sowjetischen Geltung weit zurück.

Umschlossen von der Sowjetunion und China ist die Mongolische Volksrepublik trotz ihrer vorher geschilderten beachtlichen Größe gegenüber diesen Mammutstaaten ein Zwerg. Die Sowjetunion ist mehr als fünfzehnmal, China sechsmal so groß. Die Abschnürung von der übrigen Welt und die Einengung zwischen den beiden Großmächten ist charakteristisch und entscheidend für die Lage der MVR auf der politischen Karte Asiens.

Von den Grenzen der MVR mit einer Gesamtlänge von rund 7000 km entfallen 2730 km auf die Sowjetunion und 4270 km auf China. Der mathematisch überwiegende Grenznachbar ist also die Chinesische Volksrepublik, doch es ist nicht das eigentliche „China der achtzehn Provinzen", das in direkter Berührung mit der MVR steht, sondern es sind im eigentlichen Sinne nur Außenländer, Randländer Chinas mit einer zumeist sehr dünn gesäten Bevölkerung, an der die Chinesen selbst nur einen mehr oder minder großen Anteil haben. Von der chinesischen Grenze der MVR entfallen 1200 km auf die Provinz Sinkiang, 730 km auf Ninghsia und, seitdem im Januar 1954 die Provinz Suiyuan (Grenzanteil 620 km) dem Autonomen Gebiet der Inneren Mongolei einverleibt wurde, rund 2320 km auf das letztere. Abgesehen von ihrem Verlauf auf der Wasserscheide im nordwestlichen Altai und gelegentlichen sonstigen Ausnahmen, ist die mongolisch-chinesische Grenze größtenteils nicht durch natürliche Gegebenheiten vorgezeichnet, sondern verläuft willkürlich durch beiderseits gleichartige Landschaften — Steppen, Halbwüsten und Wüsten — und trennt dabei Völker gleicher Kultur und Sprache voneinander. Das betrifft hier besonders die Mongolen. Nach dem Zensus von 1953 gibt es, wie Peking bekanntgab, innerhalb der Chinesischen Volksrepublik 1 462 900 Mongolen, d. h. mehr als eineinhalbmal soviel wie in der Mongolischen Volksrepublik, deren Einwohnerzahl insgesamt nur etwa eine Million beträgt. Von diesen Mongolen in China entfallen allein mehr als 1 060 000 auf die Innere Mongolei, wobei aber bemerkt werden muß, daß ihre Zahl wohl in Wirklichkeit noch höher sein dürfte. Die Mongolen bilden in der Gesamtbevölkerung des Autonomen Gebietes von 4 698 600 (1953) eine Minderheit von 22,5 Prozent, besitzen jedoch den größten Teil der Landesfläche, und zwar die Gegenden entlang der Grenze der MVR von der Barga im Norden bis Suiyuan im Süden. In diesem Raum stellen sie auch die überwiegende Bevölkerung und sind hier unmittelbare Nachbarn ihrer Stammesgenossen in der MVR. Die Chinesen dagegen halten die China zugewandten Gegenden besetzt und weisen hier auf engerem Raum infolge vorherrschenden Ackerbaues eine weit höhere Siedlungsdichte auf als die Mongolen in ihrem Teil. Sie besitzen die günstigsten Gebiete, während die Mongolen sich mit den trockenen Steppen und Halbwüsten begnügen müssen.

Die Grenze zwischen der MVR und der Sowjetunion ist weit mehr durch natürliche Gegebenheiten bestimmt. Sie folgt zumeist hohen Gebirgskämmen, Wasserscheiden oder auch Flüssen und begrenzt im größten Teil ihres Verlaufes auch das Verbreitungsgebiet der Mongolen. Nur in Transbaikalien finden wir jenseits der Grenze der MVR im Sowjetbereich auch Mongolen, und zwar die Burjato-Mongolen, die im Anschluß an den Raum der MVR vor allem im Einzugsgebiet der Selenga siedeln und zusammen mit einigen zerstreuten Gruppen rund 290 000 zählen. Die jahrhundertelange Zugehörigkeit zum Russischen Reich hat sie weitgehend der russischen Kultur und auch dem Christentum zugänglich gemacht, sie fernerhin im Hauptteil zur Seßhaftigkeit und zu einem fortschrittlichen Ackerbau geführt, so daß von den Burjato-Mongolen, die innerhalb der Sowjetunion eine eigene Autonome Sowjetrepublik besitzen, ein beträchtliches Kulturgefälle über die Grenze hinweg zu den Chalcha-Mongolen vorhanden war und ist. Darum kann es nicht verwunderlich erscheinen, daß schon in vorsowjetischer Zeit der russische Einfluß von Norden her besonders groß war und daß bei der Entstehung und dem Aufbau der Mongolischen Volksrepublik gerade Burjaten eine wesentliche Rolle spielten.

Die heutige Grenzziehung und die damit verbundene Aufteilung des mongolischen Volkes und Siedlungsraumes ist letzten Endes nichts anderes als das Ergebnis der Politik der ostasiatischen Großmächte, für die die Mongolei in erster Linie Objekt ihrer Wünsche und Handlungen war. An Hand der verschiedensten Staatsverträge läßt sich die Entwicklung auf dieser Ebene sehr leicht nachweisen. Wenn man aber weiter und tiefer zurückschaut, so bleibt die Tatsache doch erstaunlich, wie ein so aktives Volk, das die Mongolen unwiderleglich einst waren, zu einer solchen Passivität absinken konnte. Als Hauptgrund kann hier unzweifelhaft die Einführung des Buddhismus in der Form des Lamaismus angesehen werden, und die These verschiedener Historiker, daß der Lamaismus im Sinne der Politik zur Umerziehung und Entmachtung des Volkes nicht nur eingeführt, sondern auch benutzt wurde, läßt sich nicht so ganz von der Hand weisen. Fast ohne Zahl sind die vernichtenden Urteile objektiver Beobachter, die den Lamaismus für die allgemeine Rückständigkeit und die fast unglaublichen Verhältnisse verantwortlich machten. Man lese einmal nach, was *Douglas Carruthers* (52), *Chapman Andrews* (23) und *L. Forbath* (66) zu dieser Frage sagen! Noch 1928 gab es in der MVR 94 900 Lamas, d. h. fast 40 Prozent der erwachsenen männlichen Bevölkerung waren den Produktivkräften der Wirtschaft und des Volkes entzogen. Weit schlimmer waren die geistigen Einflüsse des Lamaismus mit seiner passiven Philosophie. „Er ist seinem Wesen und Charakter nach eine Religion der Verzweiflung und Hoffnungslosigkeit . . . Er ruft den Menschen nicht zum Leben, sondern zum Tod, er verheißt Rettung nicht durch Handlungen, sondern durch Betrachtungen", schrieb *Majskij* (164/298). *Carruthers*, der nur den russischen Einfluß aus der Zeit vor dem ersten Weltkrieg kannte, sagte voraus, daß dieser die Macht des Lamaismus schwächen und die Mongolei aus einem Land der Stagnation und Unterdrückung zu einem solchen der Aktivität und des Fortschritts machen werde. *Maxim Gorki*, der sich mit der gleichen Frage intensiv befaßt hat, gab den mongolischen Schriftstellern in einem an sie gerichteten Brief 1925 den Rat: „Die Propagierung des Grundsatzes der Tatenfreudigkeit wäre für euer Volk von allen Dingen das Nützlichste. Ein aktives Verhältnis zum Leben ist die Grundlage all der wunderbaren Dinge, die Europa besitzt und die wert sind, von allen Völkern der Erde aufgenommen zu werden. Buddha hat gelehrt, daß Begierden die Quelle des Leidens sind. Europa ist den anderen Völkern in der Welt auf dem Gebiete der Wissenschaften, Künste und der Technik voraus, eben weil es das Leiden niemals gefürchtet hat und stets begierig war zu verbessern, was es schon besaß" (zit. 117/152). Nun, mit dem Lamaismus ist in der MVR seit 1929 gründlich aufgeräumt worden. Sein Einfluß ist so gut wie verschwunden. Damit sind auch die Hemmungen gefallen, und vor uns steht die Frage nach der zukünftigen Entwicklung der Mongolei zu einem „Land der Aktivität und des Fortschritts". In der MVR besitzen die Mongolen einen eigenen Staat und gewinnen immer mehr Vertrauen zu ihm (187/158). Dieser Staat ist auf die Weltbühne getreten und hat schon 1946 den Antrag um Aufnahme in die Vereinten Nationen gestellt,

14

der sowohl 1946 als auch Ende 1955 diskutiert, aber abgelehnt wurde. Neben den Verbindungen zu den Volksdemokratien hat die MVR Ende 1955 diplomatische Beziehungen zur Indischen Union und 1956 auch zu Burma aufgenommen. Aber die MVR umfaßt nur etwa ein Drittel der mongolischen Stämme, während andererseits ohne jeden Zweifel das Bewußtsein aller Mongolen, ein Volk zu sein, gewachsen ist. Wird dieser Staat, wenn die Zeit reif ist, eines Tages die mongolische Frage, die Vereinigung aller Mongolen in einem Staat, zur Aussprache stellen? Diese Frage läßt sich zwar nicht beantworten, aber das Problem bleibt bestehen.

Das Erwachen des mongolischen Nationalismus und die Idee des Panmongolismus haben in der Entwicklung der letzten Jahrzehnte eine nicht unwesentliche Rolle gespielt. Dabei darf nicht übersehen werden, daß der Gedanke des Panmongolismus auch von Außenmächten im Sinne ihrer eigenen Zweckbestimmung vielfach gefördert wurde. Die Sowjetunion mußte sich mit dem mongolischen Nationalismus der Burjaten auseinandersetzen, dem man in der Verurteilung *Jerbanows* und seiner Anhänger 1937 ein offizielles Ende bereitete. Auch im Freiheitskampf der Mongolen seit 1911, der schließlich zur Begründung der MVR führte, war der panmongolische Gedanke eine der wesentlichen Triebkräfte, bis er dann später als schädlich verurteilt wurde. Entscheidend für die Beurteilung dieser Frage ist jedoch das Verhältnis, in dem die durch politische Grenzen getrennten mongolischen Volksteile zueinander stehen. *Ivor Montagu*, der die MVR 1954 bereiste, berichtet, daß die Chalcha-Mongolen für die Kultur der Burjaten sehr empfänglich sind. In Ulan-Bator werden vom Ballett burjatische Tänze geboten und in der Oper burjatische Lieder gesungen. Der Chalcha-Mongole betrachtet die Burjaten wenn nicht als Brüder, so doch als Vettern (187/158). Weit wichtiger sind jedoch auf Grund der Bevölkerungszahlen die Beziehungen der Mongolen der MVR zu denen der Inneren Mongolei. Während die Mongolen in der MVR seit 1921 in einer eigenen politischen Organisation ihren eigenen Weg gehen — mag dieser auch noch so stark von außen beeinflußt sein —, mußten die Mongolen der Inneren Mongolei noch die verschiedensten Entwicklungen mitmachen und unter mannigfachen Wirren leiden. Das Autonome Gebiet der Inneren Mongolei in der Chinesischen Volksrepublik wurde erst am 1. Mai 1947 geschaffen und seitdem noch verschiedentlich innerlich und äußerlich umgebaut. Daß in dieser Zeit aber der Wille der Mongolen zu einem Staat, insbesondere zum Anschluß an die MVR, recht lebendig war, beweisen Tatsachen, die *Dylykow* in seiner 1954 erschienenen Arbeit „Die demokratische Bewegung des mongolischen Volkes in China" anführt. Einen klaren Ausdruck fanden diese Bestrebungen in zahlreichen Briefen und Eingaben, die 1945/46 aus Kreisen der Inneren Mongolei an die Regierung der MVR und an Marschall *Tschoibalsan* gingen (63/54). Die günstige Gelegenheit zum Zusammenschluß am Ende des zweiten Weltkrieges wurde aber verpaßt. Eine beachtenswerte Triebkraft für den Zusammenschluß der Mongolen war in der Inneren Mongolei die „Volksrevolutionäre Partei". 1925 in Kalgan gegründet, bestand sie größtenteils aus mongolischer Intelligenz. In der Besatzungszeit arbeitete sie zunächst mit den Japanern, um sich dann gegen sie zu wenden. Auf dem Kongreß 1945 in Wangyehmiao gab sie die Losung für die Befreiung der Völker der Inneren Mongolei aus, obgleich — wie *Dylykow* sarkastisch bemerkt — die Innere Mongolei bereits durch sowjetische Truppen befreit war (63/64). Im März 1946 wurde die Partei wegen schädlicher Ausnutzung nationalistischer Momente aufgelöst (63/63). Trotz Verbotes zeigten sich auch weiterhin Bestrebungen, die kommunistischen Mongolen, wie *Dylykow* sagt, von der Kommunistischen Partei Chinas zu trennen und die wachsende volksdemokratische Ordnung im Rahmen Chinas zu zerstören. Sogar noch im Vereinigungskongreß im April 1947 trat diese Richtung hervor und sprach sich dagegen aus, daß die Regierung des Autonomen Gebietes der Inneren Mongolei unter der Führung der Kommunistischen Partei Chinas arbeite, und vertrat die These einer selbständigen Inneren Mongolei unter Abtrennung von der Chinesischen Volksrepublik (63/97).

Obgleich die MVR und die Innere Mongolei unter dem Zeichen des gleichen Sozialismus stehen, so gehen sie doch verschiedene Wege. Die Teilnahme des Dalai-Lama und des Pantschen-Lama an der Aktivität des neuen China kann dazu führen, so meint *Montagu* (187/159), daß der Lamaismus in der Inneren Mongolei nur eine Modifikation erfährt und nicht zum völligen Verschwinden gebracht wird wie in der MVR. So wird das Gesicht der Inneren Mongolei wohl weichere, infolge der Volkszusammensetzung mehr chinesische Züge tragen. Daß hier aber auch auf seiten der Mongolen etwas getan wird, zeigt der Beschluß des Volksrates der Inneren Mongolei vom August 1955, in dem bekanntgegeben wurde, daß der Rat sich entschlossen habe, ein phonetisches Alphabet auf der Basis der kyrillischen Buchstaben zu schaffen, um die Differenzen zwischen den Dialekten in der Inneren Mongolei und der Sprache der Nachbarn in der MVR zu homologisieren (187/159). Damit werden in einiger Zeit die Literatur und das Schrifttum der MVR auch den Mongolen der Inneren Mongolei zugänglich sein. Wirtschaftlich folgen die lokalen Behörden den Experimenten in der MVR. Daß die letztere weitaus im Vorrang ist, bedarf auf Grund der längeren Existenz und der erheblichen Förderung durch die Sowjetunion wohl keiner näheren Ausführung. Das betrifft auch besonders die Frage der Volksbildung. Wie diese Differenzen zwischen der MVR und der Inneren Mongolei in materieller und kultureller Beziehung sich in Zukunft auswirken werden, kann man nicht abschätzen. Gegenwärtig spielt sich alles in Freundschaft ab. Die Grenzen sind verhältnismäßig offen. Man trifft sich an ihnen, zieht auch gelegentlich über sie hinweg*). Das bedeutet jedoch keine Lösung

---

*) Im Winter 1956/57 wurden (NCNA 16. 1. 1957) 350 000 Stück Vieh aus dem Hulunbuir-Distrikt (Barga, Innere Mongolei) zur Überwinterung in den Aimak Tschoibalsan der MVR getrieben. Zur gleichen Zeit weideten 100 000 Stück Vieh aus den MVR im Aimak Silingol der Inneren Mongolei.

der mongolischen Frage, obgleich eine solche wohl möglich wäre. Aber hier spielen die schwer deutbaren Interessen der beiden nachbarlichen Großmächte mit, die die Mongolei allseits umfassen und von denen auch das Schicksal des mongolischen Volkes abhängt.

Die Mongolei ist das Gebiet traditioneller russisch-chinesischer Rivalität. Das Vordringen des Sowjeteinflusses folgt hier, wie es die Geschichte zeigt und wie es durch Dokumente der verschiedensten Staatsverträge belegt werden kann, den Spuren der Ausbreitung der russischen Vormachtstellung in Asien. Über den politischen Sinn der als Folge dieses Einflusses entstandenen Mongolischen Volksrepublik ist mancherlei geschrieben worden. Ursprünglich hat man die MVR als Sowjetmodell für Asien gedeutet, und verschiedene Äußerungen weisen darauf hin. So schrieb *Bohumír Šmeral*, seinerzeit im Weltkommunismus eine bekannte Persönlichkeit, im Jahre 1930: „Die Kolonien können viel davon lernen, was in der unabhängigen Mongolischen Volksrepublik vor sich geht. Die MVR ist ein interessanter Beweis dafür, wie ein rückständiges Volk, das noch vor kurzem ein Nomadenleben führte, unter Vermeidung der Hölle des Kapitalismus sehr schnelle Fortschritte machen kann, weil es von einer nationalen revolutionären Partei geführt wird, die von den Erfahrungen der russischen Oktoberrevolutionen profitiert hat"[*]. Doch diese Hoffnungen haben sich nicht erfüllt. Weder machten die Vorgänge in der MVR einen besonderen Eindruck, noch nahm man überhaupt Notiz von ihnen. Andererseits entsprach die Entwicklung der MVR in ihrer revolutionären Neuformung auch nicht den Erwartungen, weil eben das entsprechende Proletariat nicht da war, das die sichere Führung hätte übernehmen können. Darum mußte von außen Hilfestellung gegeben werden. So „sicherte die ständige uneigennützige Hilfe wie auch die ideologische und politische Unterstützung der Sowjetunion die notwendige proletarische Führung für das mongolische Volksregime", wie der sowjetische Akademiker *E. M. Shukow*, der Direktor des Orientalischen Institutes der Akademie der Wissenschaften der UdSSR, es 1952 aussprach[**].

Heute, nach einer Rückschau auf die letzten Jahrzehnte, erscheint es klar, daß der Mongolei niemals eine Erstbedeutung zugedacht war, weder in wirtschaftlicher, noch in politischer und selbst nicht in militärischer Hinsicht. Der Hauptangriff gegen die japanische Stellung in der Mandschurei erfolgte zu Ende des zweiten Weltkrieges vom sowjetischen Sibirien und vom Fernen Osten aus, während man der Mongolei nur die Aufgabe der Flankendeckung überließ. Seitdem die Sowjetunion und die Volksrepublik China sich auf gleicher politischer Basis befinden, kann auch von einer Rivalität beider Staaten nicht mehr die Rede sein. Ganz klar tritt hier die Aufgabe der Mongolei hervor, Bindeglied und Durchgangsland für beide Staaten zu sein. Die neuerbaute Transmongolische

[*] International Press Correspondence 1944, Nr. 10—11, S. 84—86.
[**] Iswestija Ak. d. Wiss., Serie Geschichte und Philosophie 1952, Nr. 1, S. 80 bis 87.

Bahn folgt der historischen Linie der uralten Handelsstraße Peking—Kjachta und hat für die Sowjetunion und China eine weitaus größere Bedeutung als für die MVR selbst. Bei den Eröffnungsfeierlichkeiten wurde dies nicht ohne Grund von beiden Seiten besonders betont.

Die Mongolische Volksrepublik wird oft als Satellit der Sowjetunion bezeichnet. Doch wenn man unter diesem Begriff einen Staat versteht, der in der Interessensphäre eines anderen liegt, auf dessen Hilfe und Förderung er sowohl in politischer als auch in wirtschaftlicher Hinsicht angewiesen ist, so darf man sagen, daß die Mongolei von 1911 bis 1920 bereits ein Satellit des Zarenreiches war und darum zum ersten Satelliten der Sowjetunion geworden ist, deren Vorherrschaft bis in die jüngste Zeit unbestritten war. Erst durch die Aufnahme diplomatischer und wirtschaftlicher Beziehungen zwischen der MVR und China und weitere Maßnahmen, die im Freundschaftsvertrag von 1952 zum Ausdruck kommen, ist die einseitige sowjetische Vorherrschaft in gewissem Sinne durchbrochen. Die MVR wird sich in ihren außenwirtschaftlichen Beziehungen nach beiden Seiten ausrichten oder auch ausrichten lassen. Das wird in Frieden und Freundschaft so lange geschehen, als sich die beiden großen Nachbarn über ihren eigenen gemeinsamen Weg einig sind, im anderen Fall wird die Mongolei wieder zum ersten Spannungsfeld zwischen diesen beiden Großmächten werden.

Einführung und Charakteristik

Die Mongolei gehört insgesamt zum innerasiatischen Festlandblock. Hieraus ergibt sich für das ganze Land eine Höhenlage, die mit von bestimmender Bedeutung für die biologischen Bedingungen ist. Mursajew hat errechnet, daß die mittlere Höhe der Oberfläche der MVR 1580 m über dem Meeresspiegel beträgt. Rund 40% der Fläche liegen zwischen 1000 und 1500 m und mehr als 40% zwischen 1500 und 3000 m*). Die Gebiete mit geringster Höhe der MVR finden sich im äußersten Nord- osten und Osten, wo im kleinen Salzsee Chuchu-Nur südlich von Solo- wjewsk der tiefste Punkt mit 532 m ü. M. liegt, dem auch der Buir-Nur an der Grenze zur Barga mit 581 m nur um weniges nachsteht. Der höchste Punkt der MVR ist dagegen im äußersten Nordwesten gelegen, wo der Chuitun im Tabun-Bogdo, einer Gebirgsgruppe im Altai, bis zu 4653 m aufragt.

Eingespannt zwischen diesen extremen Höhenlagen, zeigt die Mon- golei im Gesamtbild ein durchaus abwechslungsreiches Relief, das nur hier und da durch die sich oft über weite Gebiete erstreckende Gleichartigkeit der Formen den Eindruck einer Eintönigkeit macht. Hohe Gebirge, in ihren höchsten Teilen mit Gletschern bedeckt, treten ebenso auf wie typisch innerasiatische Gebirgsruinen, die in ihrem eigenen Verwitterungs- schutt zu ertrinken scheinen, und hochgelegene Gebirgsplateaus mit ein- geschnittenen Talkerben und Schluchten. Charakteristisch für den größ- ten Teil der Gebirge sind flache, tafelartige Gipfel, die von plötzlichen, stark zentralen Steilabfällen umgeben sind. Der plateauartige Charakter wird in manchen Gebirgsmassiven durch Basaltergüsse betont, deren Fläche mehr oder minder gut erhaltene Vulkankegel überragen. Im südlichen Teil des äußersten Ostens findet sich im Gebiet Dariganga sogar eine ausgeprägte Vulkanlandschaft, die von jungem Vulkanismus zeugt.

Zwischen den einzelnen Rücken und Gebirgsmassiven aber dehnen sich breite Täler, weite eingesenkte Strecken, in deren tiefsten Stellen nicht selten schilfumrandete Seen lagern, oft versalzen, oder auch Salzpfannen, die in der Regenzeit sich mit Wasser bedecken und Salzsümpfe bilden, in der Trockenzeit dagegen schon von weitem durch ihre weißlich leuch- tenden Salzausblühungen auffallen. Insgesamt kann man die Mongolei als ein gebirgiges Land bezeichnen, selbst die Senken sind zumeist hügelig,

*) Nach Mursajew: Die Mongolische Volksrepublik, Moskau 1952, gliedert sich die Oberfläche der MVR nach Höhenstufen wie folgt:

von			
	532—1000 m	233 350 qkm	15,24 %
	1000—1500 m	611 750 qkm	40,01 %
	1500—2000 m	305 140 qkm	19,92 %
	2000—3000 m	342 640 qkm	22,40 %
	3000—4000 m	36 760 qkm	2,41 %
	4000—4653 m	360 qkm	0,02 %
		1 530 000 qkm	100,00 %

kleinkuppig oder langwellig. „Selten kann man sehen, daß sich die Ebene in der Ferne verliert und mit dem Horizont verschmilzt. Fast überall erhebt sich im Norden oder Süden, im Westen oder Osten in einiger Entfernung ein Berg oder sogar ein Gebirgszug. Nur im äußersten Osten der Mongolischen Volksrepublik kann es vorkommen, daß man während einer ganzen Tagesreise weder Berge noch Hügel sieht. Hier erstreckt sich eine wirkliche, wenn auch räumlich nicht allzu große Ebene" (196/105).

So vielgestaltig das Relief ist, so mannigfaltige Züge zeigt auch die Natur des Landes. Im Norden sind die Grenzgebirge von dichten Wäldern des sibirischen Taiga-Typus bedeckt, in denen noch der Elch und der Braune Bär leben und das Rentier gehalten wird. Im weiten Süden breiten sich trostlose Wüsten aus, nicht selten mit panzerartiger Kies- oder Steinoberfläche von gleicher Art, wie sie uns in der Hammada in Afrika entgegentritt. Hier und da sind gelbleuchtende Sandflächen eingestreut mit aufgewehten Barchanen, ohne oder mit sehr geringer Vegetation. Nur in den tieferen, dem salzigen Grundwasser nahen Trockentälern zeigen sich die phantastischen Krüppelformen des Saksauls. Hier in den Wüsten und Halbwüsten sind die leichtfüßige Saiga-Antilope und die schnelle Dsheren-Gazelle heimisch. Gelegentlich kann man auch den flüchtenden Kulan (Wildesel) und das menschenscheue Prshewalskij-Wildpferd antreffen. So überspannen die Mongolei außerordentliche Gegensätze, die durch die ausgedehnten Steppen überbrückt werden, im Norden mehr zur günstigen Waldsteppe neigend, im Süden sich zur Halbwüste wandelnd. Diese Landschaften nehmen den Hauptteil des Landes ein.

Wenn die Mongolei im allgemeinen auch nicht mit üppiger Vegetation ausgestattet ist, so reicht diese doch aus, um die Weidewirtschaft der Mongolen zu ermöglichen, bei der je nach dem Charakter und der Güte des Graswuchses in den einzelnen Gegenden entweder Großvieh oder Schafe und Ziegen den Hauptanteil der Herden bilden. Widerstandskraft und außergewöhnliche Genügsamkeit der Tiere, Härte und Anspruchslosigkeit der Menschen schließen selbst die wasserarmen, wüstenhaften Gegenden nicht vom Weidegang der Herden aus. Wassermangel und Unzulänglichkeit des Winterfutters sind die größten Sorgen, die die Natur den nomadisierenden Mongolen auferlegt.

Die kontinentale Lage bringt dem Lande außergewöhnliche Gegensätze zwischen den Temperaturen des Sommers und des Winters, und die starke Ausstrahlung bewirkt auch erhebliche Unterschiede zwischen Tag und Nacht. Es gibt in der Mongolei Gegenden, auf der Breite von Süddeutschland gelegen, in denen die Kälte des Winters die Quecksilbersäule zum Erstarren bringt. Die Niederschlagsmenge ist allgemein gering. Trockenheit beherrscht das Land. Ochsenkarren- und Kamelkarawanen machen sich im Sommer auf eingegangenen Wegen schon von weitem durch Staubentwicklung bemerkbar, die der Tritt der Tiere verursacht. Hinter jedem Kraftwagen steigt eine Staubsäule auf. Charakteristisch für das Klima ist jedoch seine Unbeständigkeit von Jahr zu Jahr und auch von Tag zu Tag. Schneestürme kommen ganz unverhofft, Staub-

und Sandstürme sind unangenehme Überraschungen, ein Regenguß bis zu der Art eines Wolkenbruches weicht die Wege auf und macht aus flachen Becken in kürzester Zeit Seen. Solche Erscheinungen ziehen, ja rasen oft durch das Land, doch dann beherrscht die Ruhe wieder die Natur. Hoch wölbt sich ein klarer blauer Himmel über der Landschaft, und dies ist die Regel. Die schlimmste Zeit des Jahres ist der Winter. Große Not für Mensch und Tier sind stets in seinem Gefolge. Regelmäßig gehen auch heute noch Hunderttausende Stück Vieh ein, insbesondere Jungtiere; in ungünstigen Jahren fallen dem Hunger und den Unbilden der Witterung Millionen Tiere zum Opfer. Im harten Winter 1944/45 waren es nach amtlichen Angaben mehr als 3 Millionen. Diese jährlichen Verluste zu verhindern, ist heute in erster Linie das Bemühen der MVR.

Die Mongolische Volksrepublik ist groß, doch das Land ist leer. Was sind schon eine Million Menschen in dieser Weite, wenn noch dazu fast 20 Prozent davon sich in den größeren Orten zusammendrängen! Es ist das Gefühl einer grenzenlosen Einsamkeit, das den Reisenden beschleicht, wenn er sich mit herkömmlichen Transportmitteln durch das Land bewegt, aber auch das Gefühl der Kleinheit des Menschen gegenüber dieser eigenartigen und der Großartigkeit nicht entbehrenden Natur. Nur selten trifft man auf eine Gruppe strickumwundener Jurten, umweidet von den zottigen Gestalten einiger Kamele, in der Nähe dicht gedrängt und ruhig weidend eine Herde schwarzköpfiger Schafe, untermischt mit Ziegen, und in größerer Entfernung eine Koppel kleiner struppiger Pferde, die sich neugierig nähern. Gern und gastfreundlich wird der Reisende empfangen, denn auch der Mongole freut sich der Gesellschaft, und die Ankunft eines Gastes kommt dem Eintreffen einer Zeitung gleich.

Die Grundlage der mongolischen Wirtschaft bildet die Viehzucht. In dieser Beziehung muß man die MVR als reich an Tieren bezeichnen, nicht so sehr im Dichtevergleich zur allgemeinen Fläche als vielmehr in bezug auf die Bevölkerung, denn auf den Kopf derselben entfallen in der MVR mehr Tiere als in jedem anderen Land der Erde. Der Ackerbau spielt noch keine bedeutende Rolle, wird jedoch stark gefördert. Das gleiche gilt für die gewerbliche Wirtschaft, Handwerk und Industrie, die sich im Hauptteil auf die Verarbeitung von Tierzuchtprodukten beschränkt. An Bodenschätzen werden Kohle, Salz und Gold gewonnen.

Die MVR steht jetzt im 4. Jahrzehnt ihrer Existenz, und alle Reisenden, die die alte Mongolei kannten und in die neuen Verhältnisse der MVR Einsicht gewannen, müssen auch bei pessimistischster Grundhaltung den Fortschritt zugeben, den das Land gemacht hat. Die Menschen werden medizinisch betreut, so daß die natürliche Bevölkerungszunahme ansteigt. Schulen der verschiedensten Art dienen der allgemeinen Bildung und der Berufserziehung. Für die Bekämpfung von Tierseuchen und zur Pflege des Viehs sind Veterinärstationen über das ganze Land verstreut. Tausende von Brunnen wurden gegraben und Wasserstellen erbohrt. Um die Winternot zu überwinden, werden die Mongolen zur Anlage von Viehställen und schützenden Hürden angeeifert und zur Heugewinnung erzogen. Heumähstationen sind als Muster eingerichtet. Von allen diesen Dingen, und nur die wichtigsten sind hier angeführt, muß Notiz genommen werden, auch wenn die MVR nach ihrem politischen Programm sich zum Sozialismus sowjetischer Prägung bekennt und auf ihrem Wege Hemmungen ohne Rücksichtnahme beseitigt hat. Doch die MVR befindet sich, wie sie selbst erklärt, auf dem Wege zum Sozialismus. Sie spricht hier die Wahrheit. Und das ist das Erstaunliche an der Gesamtwirtschaft, die sonst in allen ihren Zweigen sozialisiert oder kollektiviert ist, daß sich die Grundbasis, nämlich die Viehzucht, noch nicht in das Gesamtsystem hat einfügen lassen. Von allen in der MVR vorhandenen Tieren gehören gegenwärtig nur etwa 18 Prozent dem kollektiven oder staatlichen Sektor an, während der weit überragende Teil sich noch in den Händen der Araten, d. h. der nomadischen Viehzüchter, befindet, die mehr als 75 Prozent der ganzen Bevölkerung ausmachen und die, wenn auch durch Gesetze geführt und eingeengt, doch ihr altes Wanderleben weiterführen und sich ihre privatwirtschaftliche Basis erhalten haben. Das macht die Entwicklung der MVR besonders interessant.

DIE NATÜRLICHEN GRUNDLAGEN

Allgemeiner Überblick

Das Zentrum und der Norden der Mongolei sind räumlich am weitesten von Gebirgen angefüllt, die einerseits nach Westen zum Altai stoßen und andererseits nach Nordosten über die Grenze hinweg sich in den Transbaikalischen Gebirgen fortsetzen. Auch nach Norden ergeben sich gebirgsmäßige Zusammenhänge mit dem Tannu-Ola und den Ausläufern des Sajan. Innerhalb der Mongolei bilden der Changai und Chentei einen bogenförmigen Abschluß, so daß man mit Berechtigung das ganze von diesen Hauptzügen umgrenzte Gebiet als das des Changai und Chentei zusammenfassen darf. Weit markanter sowohl in seinem Gebirgscharakter als auch in seiner linienmäßigen Erstreckung tritt der Mongolische Altai hervor. Er soll in dem nachfolgenden Überblick über das Land zuerst behandelt werden, gefolgt von dem Gebirgsgebiet des Changai-Chentei. An die beiden letzteren schließt sich nach Osten die ausgedehnte Ostmongolische Hochebene an.

Alle übrigen Teile der MVR können, da sie landschaftlich zum Gobi-Typus der Halbwüsten und Wüsten gehören, als die Gobi-Gebiete der MVR zusammengefaßt werden, wobei sich folgende Weitergliederung durchführen läßt. Zwischen dem Mongolischen Altai und dem Changai erstreckt sich die Voraltaiische Gobi, die in das Becken der Großen Seen und in das Tal der Seen aufgeteilt werden kann. Südlich des Mongolischen Altai breitet sich die Transaltaiische Gobi aus. Diese und auch die Voraltaiische Gobi ziehen weiter nach Osten und bilden die Ostmongolische Gobi. Die beigegebene Kartenskizze soll die Aufgliederung der MVR in die Gebiete veranschaulichen, wie sie nachfolgend behandelt werden.

Der Mongolische Altai

Der Mongolische Altai (Altyn-Nuru) ist das markanteste und längste Gebirge der Mongolei. Vom Changai und Chentei, die einen mehr massigen, hochplateaumäßigen Bau zeigen, unterscheidet er sich durch seinen linearen Verlauf und in der konsequenten Entwicklung seiner Formen von seinem gebirgsknotenartigen Beginn im Nordwesten bis zu seinem Ende in der Gobi. Der Mongolische Altai nimmt seinen Anfang im äußersten Nordwesten der MVR, wo er sich vom Russischen Altai löst und zunächst von Nordwesten nach Südosten verläuft, um sich dann in einem leicht geschwungenen Bogen über Süd-Südosten zum Schluß nach Osten zu wenden, wo er im Süden der Gobi nach einem Verlauf von mehr als 1600 km endet. Der Hauptkamm läßt sich als geschlossener Zug etwa 1000 km verfolgen. Der sich östlich anschließende Teil wird gewöhnlich als Gobi-Altai bezeichnet.

Der Mongolische Altai bildet ein ganzes System von Gebirgsketten und -zügen mit dazwischenliegenden langgestreckten Senken. Im Ausgangsgebiet zeigt sich noch ein enger Zusammenschluß zwischen zwei und drei Ketten, doch daneben ziehen sich parallele Ketten hin, die eine stärkere Abtrennung vom Hauptkamm aufweisen und auch durch Quersenken aufgegliedert sind, so daß sie den Charakter von einzelnen aufeinanderfolgenden Gebirgen oder Bergzügen erhalten, die auch besondere Namen tragen. Alle aber verbleiben in der allgemeinen Hauptrichtung, nur selten weichen Ausläufer von ihr ab. Im Gobi-Altai ist die Auflösung am weitesten fortgeschritten. Er besteht nur mehr aus einzelnen, eine Verbindung lediglich andeutenden Gebirgszügen.

Die höchste Erhebung erreicht der Mongolische Altai im Bergmassiv der Tabun-Bogdo-Gruppe, die an der Dreiländerecke liegt. In ihr ragt der Chuitun 4653 m auf und übertrifft mit dieser Höhe selbst den höchsten Punkt im Russischen Altai (Bjelucha 4620 m). Hier im nordwestlichen Altai finden wir auch zahlreiche Gletscher, unter denen der Potanin-Gletscher mit einer Länge von rund 20 km als der bedeutendste gilt. Nach Südosten nimmt die Höhe des Altai allmählich ab, doch einzelne Gipfel übertreffen auch hier oft noch bedeutend das allgemeine Niveau, selbst noch im Gobi-Altai, wo aus einem räumlich nur wenig ausgedehnten Massiv der Iche-Bogdo sich bis 4000 m erhebt.

Im Querschnitt zeigt der Mongolische Altai einen unsymmetrischen Bau. Nach Osten zur Mongolei steigt er zum Tal des Kobdo-Flusses und zum Becken der Großen Seen zwar kurz, aber nicht sehr steil ab. Der Kobdo-See liegt in einer Höhe von 1153 m und der tiefste Punkt des vorgenannten Beckens, der Chirgis-Nur, immerhin noch in einer solchen von 1034 m. Nach Westen, zur Dsungarei hin, ist der Abfall steiler und der Abstieg größer. Der See Uljungur, der unweit vom Gebirgsfuß liegt, hat nur mehr eine Meereshöhe von 480 m. Hier im nördlichsten Teil des Mongolischen Altai verläuft die Grenze zwischen der MVR und der chinesischen Provinz Sinkiang auf der Wasserscheide. Alle Gewässer, die nach Westen abfließen, erreichen den Kara Irtsch, den Quellfluß des großen Irtysch-Stromes. Auch der Sajljugem, der sich von dem Gebirgsknoten der Tabun-Bogdo-Gruppe nach Nord-Nordosten löst, bildet mit seinem Hauptkamm sowohl die Grenze der MVR als auch die Wasserscheide. Die nach Norden abströmenden Gewässer fließen zur Bija und zum Katun, den beiden Quellflüssen des gewaltigen Ob. Nach Osten, zur mongolischen Seite des Altai, werden die Gewässer vom Kobdo-Fluß, dem Bujantu und Zencher gesammelt, doch alle drei verenden in der Trockenheit der Vorebene bzw. im Becken der Großen Seen, obgleich ihr Einzugsbereich fast den gesamten breiten Nordteil des Mongolischen Altai (Kobdo-Altai) umfaßt. Es zeigt sich hier die klimatische Auswirkung des die Wasserscheide bildenden Gebirgskammes, der im Mittel mehr als 3000 m hoch ist und der die feuchten Luftmassen aus dem Westen vom Eindringen in die Mongolei abhält. Auf den außerhalb der Wasserscheide gelegenen Hängen des Altai ist die Waldentwicklung weit stärker, während das Innere des Mongolischen Altai ausgeprägte Merkmale der Trockenheit an sich hat und trotz der Höhenlage nur geringe Wälder und höchstens Gebirgssteppen zu entwickeln vermag. Von der Stelle ab, wo der Hauptkamm des Mongolischen Altai die Grenze verläßt und zum vollen Eigentum der Mongolei wird, kommt er gleichzeitig allseits in den Bereich der abflußlosen Gebiete Zentralasiens. Je weiter wir nach Osten gehen, um so stärker macht sich die Trockenheit bemerkbar. Der Gobi-Altai zeigt schließlich ausgesprochenen Wüstencharakter.

Auch die morphologischen Formen des Mongolischen Altai ändern sich im Verlauf seiner außergewöhnlichen Länge. Im Nordwesten hat die quartäre Vereisung eine wesentliche Rolle in der Ausgestaltung der Gebirgslandschaft gespielt. Hier finden wir in den höchsten Teilen durch Karausräumung verschmälerte Kämme, zugespitzte Gipfel, Trogtäler, Moränen und zahlreiche Seen, vor allem im Einzugsbereich des Kobdo-Flusses. Sie sind von den verschiedensten Forschern besucht und beschrieben worden, insbesondere auch von *J. G. Granö*. Doch schon südlich des Bujantu, eines rechten Zuflusses des Kobdo, findet man sie nicht mehr. Salzpfannen und Andeutungen ihrer Reste charakterisieren das Gelände. Oberflächenformungen, die mit Wüstenverwitterung zusammenhängen, sind im ganzen Altai anzutreffen, denn er ist ja insgesamt ein Trockengebiet. Im nordwestlichen Teil sind sie mehr an die unteren Lagen gebunden, steigen dann nach Südosten an, um im Gobi-Altai selbst die mittleren und höheren Lagen zu beherrschen. Charakteristisch sind hier die Schutthalden, die die Sockel der Berge umgeben und verschiedene Entwicklungsstadien zeigen. Im Nordwesten umkränzen sie nur den Fuß der Berge, rücken dann um so mehr an den Hängen hinauf, je weiter wir nach Süden kommen, bis sie im Gobi-Altai zur vollen Herrschaft gelangen, wo sie teilweise auch in den höheren Lagen dominieren, so daß sie fast das ganze felsige Grundgerüst der Berge verdecken und weiche, abgerundete Formen schaffen. Doch auch im Mongolischen Altai zeigt die Gipfelform oft an die geologische Vergangenheit erinnernde, mehr oder weniger ausgedehnte Hochflächen, selbst im Gobi-Altai. Begrenzt von steil abfallenden, von Wüstenschutt umgebenen Felswänden, sind sie dort von reiner Wüste umschlossen, während sie selbst Halbwüsten- und teilweise Steppenvegetation tragen.

Die Talformen sind verschieden. Vorwiegend sind es breite, zwischen die Berge eingelagerte Kessel, die nicht selten in sich abgeschlossen sind, zumeist aber Auswege haben, die dann die Form von engen, manchmal schluchtartigen Bildungen annehmen. Letztere findet man besonders zahlreich im Norden, wo der Gegensatz zwischen den meist mit Seen angefüllten Hochtälern, in denen die Flüsse langsam und ruhig fließen, und den tiefen Bergschluchten, in denen die Flüsse in Kaskaden hinabbrausen, besonders auffällig ist.

Der trockene Charakter des ganzen Mongolischen Altai bringt es mit sich, daß er infolge der geringen Vegetation innerhalb der MVR zu den Gebieten mit der geringsten Bevölkerung gehört. Ein gewisser Schwerpunkt innerhalb des gesamten Altai liegt im Norden, wo die Bergsteppen und almartige Wiesen recht gute Weidemöglichkeiten bieten. Hier finden wir fast im Zentrum den Aimak-Hauptort Ulegei und am Ostfuß des

Gebirges, wo der Bujantu dasselbe verläßt, die altbekannte Stadt Kobdo, die zwar ihren Namen von dem Fluß übernommen hat, an dem sie einst lag, dann aber wegen steter Überschwemmungsgefahr an den ruhigen Bujantu verlegt wurde. Kobdo ist der bedeutendste Ort und wichtigste Handelsplatz der Westmongolei. An den Südhängen des mittleren Teiles des Mongolischen Altai unweit der Grenze ist eine etwas stärkere Bewohnung festzustellen, da hier die nach Süden abströmenden Flüsse (Bulugun, Uintschi, Bodomtschi) verhältnismäßig wasserreich sind, so daß hier sogar Ackerbau getrieben wird. Im südlichen und im Gobi-Altai ist auf mehr als 10 qkm kaum ein Mensch anzutreffen. Die nomadisierenden Mongolen bevorzugen die Umgebung der Gebirge und halten sich aus Gründen der Wasserversorgung mehr an den Gebirgsfluß. Als wichtigster Ort im Gobi-Altai ist Dalan-Dsadagad zu nennen, das Verwaltungszentrum des Aimaks Süd-Gobi.

Das Gebiet des Changai-Chentei

Das Zentrum und den Norden der Mongolei nimmt ein abwechslungsreiches Gebirgs- und Bergland ein. Das Rückgrat und gleichzeitig die südliche Umrahmung des von verschiedenen Gebirgszügen und -massiven ausgefüllten Rahmens bilden der Changai und der Chentei. Die Gesamtlänge dieses Gebirgsbogens in seiner äußeren Erstreckung vom westlichen Beginn des Chan-Chuchei bis zum Übertritt des Chentei auf russisches Gebiet beträgt mehr als 1500 km. Innerhalb dieses Bogen liegt das Stammland der Mongolei und heute der wirtschaftlich wichtigste Teil der MVR.

Im *Changai* hat sich die alte Rumpffläche, wenn auch gehoben, so doch fast ununterbrochen und verhältnismäßig wenig verändert erhalten. Infolgedessen herrschen weiche, abgerundete Formen vor, die in der Richtung von den zentralen Teilen zur Peripherie das Bild zunehmend bestimmen, wobei die absoluten und relativen Höhen sich vermindern. Im Gegensatz hierzu ist der Hauptkamm, der auch die Wasserscheide trägt und im Mittel 3000 m hoch liegt, steil und felsig. Manchmal bildet er gigantische Abstürze. Er verläuft fast parallel zum Mongolischen Altai. Die Gipfelreihe (3200 bis 3500 m) wird vom Otchon-Tengri überragt, einem kuppelförmigen Berg, der mit 4031 m die höchste Erhebung des Changai darstellt. Er ist im Changai der einzige Berg, der mit ewigem Schnee bedeckt ist und einen kleinen Firngletscher trägt. Indessen sind Spuren einer ehemaligen Vergletscherung zahlreich und stellenweise sehr deutlich vorhanden, besonders im Wasserscheidegebiet, wo sich der zentrale Teil des Vereisungsfeldes befunden hat. Am Paß Egin-Daba zeigen sich unter der Wand steiler Bergrücken Karbildungen. Granitwände sind geglättet, mächtige Blöcke bedecken die Oberfläche oft so dicht, daß sie die Fortbewegung des Menschen erschweren. Vor allem erinnern die Versumpfung und zahlreiche kleine Seen auf Hochflächen an diese geologische Vergangenheit. Die Vereisung hat sich vom Hauptkamm sowohl nach Norden als auch nach Süden ausgebreitet, die Talformen umgestaltet und

Endmoränen zurückgelassen, doch sind die vorherrschend weichen Formen hierdurch kaum beeinträchtigt worden.

Einige Abwechslung bringen vulkanische Erscheinungen in das Relief. Nördlich und südlich des Hauptkammes haben sich verschiedene Vulkankegel erhalten, sonst sind Basaltdecken weit verbreitet, die zwar die Ebenheit der Oberfläche nicht verändern, in die aber die Flüsse tiefe Schluchten mit steilen Wänden eingegraben haben. So fließt der nach Süden gerichtete Tuin-Gol teilweise durch Basalt, und auch der nach Norden abströmende Tscholutu. Eine kleine ausgeprägte Vulkanlandschaft ist die Gegend des Sees Terchin-Zagan, wo neben kleinen Vulkankegeln auch Lavaströme erkennbar hervortreten, die Flüsse abgedämmt und Seenbildungen verursacht haben.

Vom Hauptkamm, der in der Regel nach beiden Seiten steil abfällt, senkt sich das Gelände allmählich nach Norden und Süden. Der Norden ist dabei stärker zergliedert und durch das gehäufte Auftreten von Hügeln charakterisiert. Erst in größerer Entfernung tritt der Hochflächencharakter mehr hervor. Im Süd-Changai gibt es wohl auch zahlreiche Erhebungen und Hügelketten, doch fällt die Ebenheit des Geländes mit einem langsamen Gefälle nach Süden weit mehr auf. Insgesamt bildet so der Süd-Changai ein umfangreiches nach Süden geneigtes Plateau, in das sich die Flüsse Baidarik, Tuin-Gol und Tazain-Gol verhältnismäßig geräumige Täler gegraben haben, die nur dort schmal und schluchtartig werden, wo Basalte lagern. Zur Gobi-Senke fällt das Changai-Plateau mit einer hohen, sehr steil ausgeprägten Stufe ab.

Die westliche Fortsetzung des Changai bildet der Chan-Chuchei, der die Becken des Chirgis-Nur vom Ubsa-Nur trennt. Er ist ein scharf umgrenztes und aus der Ebene steil aufragendes Gebirge, dessen obere Teile jedoch abgerundete Formen, sanfte Hänge und breite Täler zeigen. Auch die kurzen Flüsse fließen im Innern in breiten Tälern mit geringem Gefälle ruhig dahin, und erst am Rande haben sie sich in tiefe Täler, nicht selten steinige Schluchten eingeschnitten. Der höchste Berg des Chan-Chuchei mit 2919 m liegt im Osten, nach Westen senken sich die Gipfelhöhen. Alleinstehend zwischen zwei ausgedehnten Becken zeigt der Chan-Chuchei äußerst scharf, wie sehr die Natur des Nordhanges sich von der des Südhanges unterscheidet. Auf dem ersteren finden wir Wälder, Wiesen und eine üppige Steppenvegetation. Der Südhang zeigt größtenteils das nackte Gestein und ist nur gelegentlich mit kümmerlichem Pflanzenwuchs bestreut. Auch die steinigen Täler liegen trocken da, selten nur findet sich ein kleines Wässerlein, das aber auch bald verschwindet. Alles in allem ist dies die Auswirkung des zentralasiatischen Wüstenklimas, das von Süden gegen die Berge vordringt.

Im Norden besitzt der Changai umfangreiche Vorberge, die entweder als Ausläufer vom Hauptkamm abstreben, wie der Tarbagatai zwischen den Flüssen Tscholutu und Ider, oder auch den Charakter eines selbständigen Gebirgszuges annehmen können, wie der Bolnai, der sich von Westen nach Osten erstreckt. Er ist das beste Beispiel der im Gebiet des

Nord-Changai auftretenden Asymmetrie der Bergrücken. Die Nordhänge sind ausgesprochen steil und bis zum Fuß mit Wald bestanden, die Südhänge dagegen fallen flachwellig langsam ab und sind vorwiegend mit Waldsteppen und Steppen bedeckt. Im Südwesten und Westen des Bolnai bildet der nach Norden abfallende Changai ein ausgesprochenes Seenhochplateau. Hier finden sich Hunderte kleiner und auch einige größere Wasserbecken, die in sich abgeschlossen und abflußlos und darum zumeist salzig sind. Auch im Norden des Bolnai zeigen sich ähnliche flache Kessel. Das Relief dieser hochgelegenen Seenplatte ist mild. Zwischen den einzelnen Seenbecken sind gelegentlich noch die Spuren ehemaliger Wasserläufe zu erkennen, die darauf deuten, daß die Seen ihre Verbindung zum hydrographischen Netz des Landes erst in jüngster Zeit verloren haben.

Die Täler im gesamten Nordteil des Changai sind gewöhnlich sehr breit und stehen oft in keinem Verhältnis zu den sie durchziehenden kleinen Wasserläufen. Vielfach treten die Berge weit zurück und geben geräumige Talkessel frei, in denen man gelegentlich noch kleine Wassertümpel finden kann.

Weiter nördlich schließen sich an den Changai die Gebirge des Chubsugul-Raumes an. Sie füllen den großen Vorsprung aus, den das Staatsgebiet der MVR nach Norden schiebt. Orographisch besteht zwischen diesen Bergzügen und dem Changai wohl ein Zusammenhang, doch sie gehören bereits einem anderen System an, nämlich dem Tannu-Ola im Westen und dem Ostsajan im Norden. Drei meridional gerichtete Tiefenzonen sind hier eingesenkt, von hohen verschiedenartigen Gebirgen eingefaßt, nämlich der Darchat-Kessel im Westen, der Chubsugul in der Mitte und die Senke des Uri-Flusses im Osten. Am markantesten tritt der Gebirgszug westlich des Chubsugul hervor, der im nördlichen Teil den Namen Bajan trägt und in der größeren südlichen Hälfte als Chardyl-Sardyk bezeichnet wird. Steil ragen die steinigen Hänge aus dem See heraus und erheben sich sehr rasch zu einem wilden Gebirge mit gezacktem Grat und hohen felsigen Spitzen bis zu 3189 m Höhe. Von tiefen, steilen, mit Blöcken und Geröll ausgefüllten Schluchten zerrissen, gehört der Chardyl-Sardyk zu den am schwersten zugänglichen Gebirgen der Mongolei. Fast genau nördlich des Chubsugul erhebt sich in der Berggruppe des Munku-Sardyk, auf der Grenze gelegen, die hier der Wasserscheide folgt, der Burin-Chan mit 3460 m. Er trägt ewigen Schnee und auch kleine Gletscher. Der Chubsugul selbst liegt in einer Höhe von 1624 m. Das Gebiet ostwärts des Sees wird von einem hochgelegenen Plateau eingenommen, das sich nach Süden und Südosten senkt und hier ähnlich weiche Formen zeigt, wie sie für den Changai typisch sind. Die Gewässer sammeln sich in der breiten Talsenke des Uri. Der Darchat-Kessel, der im Westen von Ausläufern des Tannu-Ola begrenzt wird, ist dem Gesamtgebiet insofern fremd, als er zum Chakem, einem Quellfluß des Jenissei, entwässert wird, während alle übrigen Gewässer zum Einzugsbereich der Selenga gehören.

Das weite Gebiet zwischen dem Changai und dem Chentei wird von einer Mittelgebirgslandschaft eingenommen, die durch breite Täler und flache, geglättete Bergformen gekennzeichnet ist. Ein reichentwickeltes Gewässernetz mit den beiden Hauptflüssen Selenga und Orchon überzieht das ganze Gebiet. Die direkte Verbindung zwischen dem Hauptkamm des Changai und dem Chentei stellt eine wenig ausgeprägte, kuppige Berg- und Hügellandschaft dar, auf der auch die Wasserscheide verläuft.

Der *Chentei* bildet den Ostflügel des gewaltigen Gebirgsbogens, in dessen Schwerpunkt der Changai eingespannt ist. Er geht in die Baikalischen Gebirge jenseits der Grenze über, deren Hauptrichtung Südwest-Nordost er auch folgt. Er trägt die Wasserscheide zwischen dem Nördlichen Eismeer und dem Pazifischen Ozean. Nach Westen fließen die Gewässer der Selenga zu, auf der Ostseite entsteht der Onon, ein Quellfluß des Amur, dem von hier auch der Kerulen Wasser zuführt. Gegenüber dem Changai zeigt der Chentei wesentliche Formenunterschiede. Die Höhe der Berge ist geringer. Die Gipfelflur liegt im allgemeinen zwischen 2200 und 2400 m. Der höchste Gipfel, der Asaraltu, erreicht nur 2751 m. Die Berge sind mit dichten Wäldern bedeckt, aus denen die höchsten Erhebungen als abgerundete, nackte Felsen (Golzy) herausragen. Diese kahlen, abgeplatteten Gipfel, vielfach mit Gesteinsschutt übersät, sind das einzige, was an den Changai-Typus erinnert. Häufig fallen sie steil ab.

Im Chentei gibt es weder ewigen Schnee noch Gletscher, doch sind die Spuren alter Vereisung viel stärker ausgeprägt als im Changai, besonders im zentralen Teil. Trogtäler, Moränen und glaziale Seen sind charakteristische Merkmale des Chentei. Der Hauptgebirgszug ist kurz und schroff. Er entsendet Ausläufer nach allen Seiten. Eigenartig ist hierbei die asymmetrische Ausbildung. Die Westhänge sind kurz und steil, stark zerschluchtet und versumpft und die Täler mit Felsbrocken ausgefüllt. Das betrifft besonders die Täler des Iro und der Chara. Die Südosthänge dagegen steigen langsam ab, die Talflächen, nur im obersten Teil schmal, dehnen sich in die Breite und sind trocken. Insgesamt bilden sich die Ausläufer in dieser Richtung bald zu einer Mittelgebirgslandschaft um mit weiten Talflächen und dazwischenliegenden sanft ansteigenden Bergen, die allmählich nach der Ostmongolei zu in langwellige Erhebungen übergehen. Eine solche langgestreckte, zum Teil hügelartig umgestaltete Erhebung stellt auch der Eren-Daba dar, der den Einzugsbereich des Onon auf der rechten Seite beschneidet und von einem abflußlosen Gebiet trennt.

Das Gesamtgebiet innerhalb des Changai-Chentei-Gebirgsbogens gehört mit Ausnahme des Teiles westlich des Bolnai und sonstiger kleiner Gebiete zum Einzugsbereich der Selenga, wird also zum Baikalsee entwässert. Die bedeutendsten Flüsse sind der Egin-Gol, der dem Chubsugul entfließt und von links in die Selenga mündet, dann der Orchon, der vom Changai kommt und sich mit der Selenga vereinigt, kurz bevor diese die Mongolei verläßt. Der Orchon nimmt von rechts die lange, auf dem

31

Chentei entspringende Tola auf, an der die Hauptstadt des Landes, Ulan-Bator, liegt. Das Gewässernetz, das dauernd Wasser führt, ist verhältnismäßig dicht und übertrifft in dieser Beziehung bei weitem alle übrigen Gegenden der Mongolei. Daneben gehört dieses Gebiet zu den niederschlagsreichsten Teilen der Mongolei, so daß sich bei allgemein guter Bodenbildung, die im größten Teil des Raumes der berühmten Schwarzerde etwa ähnlich ist, auch ein für mongolische Verhältnisse recht dichter Pflanzenwuchs entwickeln konnte.

Die Berge des Chubsugul-Gebietes und der sich östlich an sie anschließende, parallel zur Grenze verlaufende Chantai sind in ihren nördlichen Teilen mit dichten Wäldern vom Taiga-Typus Sibiriens bedeckt. Auch der Chentei zeigt einen ähnlich dichten Waldbestand. Der Großteil dieser Gegenden ist noch nicht erschlossen, so daß die Holzbestände bisher kaum genutzt werden, obgleich der größte Teil der Mongolei sehr holzarm ist. In diesen Wäldern leben Tiere, wie sie für die sibirischen Wälder üblich sind: Elch, Brauner Bär, Rentier und andere.

Das Hauptgebiet zwischen dieser Gebirgswaldzone und dem Hauptkamm des Changai wird der Gebirgssteppenzone zugerechnet, die man mit der Waldsteppe im europäischen Rußland etwa vergleichen kann, nur daß sich die Wälder und Steppen nicht auf ebener Fläche durchdringen, sondern daß hier die Verteilung von Wald und Steppe nach morphologischen Prinzipien erscheint, die natürlich auf klimatische Gründe zurückzuführen sind. Die Nordhänge sind in der Regel mit Wald bestanden, während die der Sonne zugekehrten Seiten der Berge baumlos sind und Steppenvegetation tragen. Dieses typische Landschaftsbild erfährt von Norden nach Süden einen allmählichen Wandel, indem der Waldbestand immer geringer und lichter wird. Doch erst außerhalb des Gebirgsbogens, im Changai auf dem Südhang und im Chentei auf dem Südosthang, gelangt die reine Steppe zur Herrschaft. In der Lücke zwischen den beiden genannten Gebirgen dringt sie sogar weiter nach Norden vor.

Die im Vergleich zu den übrigen Räumen der Mongolei verhältnismäßig günstigen Naturbedingungen im Changai-Chentei-Gebiet machen dieses, wie schon anfangs erwähnt wurde, zum wirtschaftlich wichtigsten Teil der MVR. Auf einem Raum von weniger als einem Drittel der Gesamtfläche wohnt mehr als die Hälfte der Bevölkerung. Im Aimak Nord-Changai erreicht die Bevölkerungsdichte mehr als das Doppelte des Staatsdurchschnittes, nämlich rund 14 Menschen auf 10 qkm gegenüber 6 im allgemeinen Mittel. Auch die Tierdichte, abgesehen von Kamelen, ist hier am größten. Vor allem ist es von Bedeutung, daß hier infolge des verhältnismäßig guten Graswuchses die Haltung von Großvieh, insbesondere von Rindern, alle anderen Gegenden der MVR übertrifft. Die Verhältnisse liegen so günstig, daß sie einer Weiterentwicklung der Tierzucht, vor allem der Rinderhaltung, erfolgversprechende Aussichten bieten. Das betrifft außerdem auch den Ackerbau, für den hier die Perspektiven einer Ausweitung nicht schlecht sind, günstiger jedenfalls als in allen übrigen Räumen der Mongolei. Das dauernd fließende Gewässernetz reicht überdies die Hand zu künstlicher Bewässerung dar.

Auf Grund der vorgeschilderten Tatsachen ist es deshalb verständlich, daß innerhalb dieses Raumes auch die Zahl der bedeutenden Städte am größten ist. Hier liegen an der Tola, kurz nach ihrem Austritt aus dem Chentei, Ulan-Bator, die Hauptstadt der MVR, im Changai Zezerleg und Ujassutai, über die der Weg von der Hauptstadt nach Kobdo führt, im mittleren Norden Bulgan und Muren an der Straße von Ulan-Bator nach Chadchal am Südende des Chubsugul, weiterhin Suche-Bator, der Umschlagsort zur regelmäßigen Selenga-Schiffahrt, und zuletzt Altan-Bulak, das ehemalige Maimatschen, als wichtigster Grenzhandelsplatz der MVR, dem sowjetischen Kjachta gegenüber gelegen.

Das Hochplateau der Ostmongolei

Das Hochplateau der Ostmongolei umfaßt den gesamten Osten der MVR und erstreckt sich südlich des Chentei in breitem Zuge bis zum Ostfuß des Changai. Im Mittel hat es eine Höhenlage zwischen 800 und 1100 m. Der tiefste Punkt mit 532 m ist bereits genannt worden. Die höchsten Erhebungen erreichen nicht 1800 m. So sind der Bogdo-Ula bei Tschoiren nur 1731 m und der Bogdo-Ula in der Landschaft Dariganga 1760 m hoch.

In den Oberflächenformen zeigt das Hochplateau eine ausgeprägte Einförmigkeit. Reine Ebenen sind vorhanden, doch sie sind räumlich beschränkt. Weit mehr charakteristisch sind langgestreckte Schwellen, weitgedehnte Einsenkungen, flache Mulden, immer weiche Formen und sanfte Linien. Auch die magere Steppenvegetation, die alles überzieht und nur selten an Talhängen von helleuchtenden Sanden unterbrochen wird, trägt zu dem allgemeinen Eindruck einer langweiligen Eintönigkeit bei. Doch zuweilen ragen aus der allgemeinen Flachheit Granitmassive steil auf, vielfach nur zerstörte Reste, doch manchmal auch sich höher erhebend in der Form von schroffen Bergen. Oft zeichnen sich derartige Bildungen schon von weither am Horizont ab.

Zur allgemeinen Charakteristik aber gehören auch Vertiefungen, in denen sich Salzpfannen, nicht selten sogar Seen mit Süßwasser finden. Genauere Beobachtungen zeigen, daß viele der langgestreckten Senken, toten Täler und Kessel in einem geordneten System, linienartig aufeinanderfolgend, die Ebenen durchziehen. Schon früh hat man sie darum als ein altes hydrographisches Netz gedeutet. Als Spuren ehemaliger Täler sind sie meistens nur sehr schwer zu verfolgen. Doch im Raum südlich des Chalchin-Gol und des Buir-Nur treten sie noch sehr klar hervor. *Mursajew* (196) ist diesen Spuren der Vergangenheit nachgegangen und hat vielfache Beweise für einen früheren Zusammenhang erbracht. Im Tal des Tamzag-Gol, das teilweise auch heute noch mit fließendem, dann im Sande versickerndem Wasser angefüllt ist, weiterhin stellenweise trocken liegt und dann wiederum mit stehendem Wasser am Boden bedeckt ist, konnte er einen solchen ehemals oberflächlichen Wasserlauf über 250 km verfolgen. Auch in anderen Fällen machte er ähnliche Feststellungen. Als Grund für die leicht erkennbare Erhaltung dieser Täler vermutet *Mursajew* ihren tektonischen Ursprung (196/116). Doch neben den vorgenannten Erscheinungen treten auch völlig isolierte Kessel und Senken auf, die am Grunde klares Süßwasser beherbergen und die durch den Wind ausgeblasen worden sind. „Die sandigen Kessel sind manchmal sehr tief. Oft fanden wir Kessel mit einer relativen Tiefe von 12 bis 14 m; die Ränder fallen steil ab, und auf dem Grunde glänzt rein und ruhig der Spiegel eines zur Hälfte mit Schilfrohr bewachsenen Sees. Dabei fanden sich in den Kesseln keinerlei Spuren von Flußbetten oder Quellen, die diese Seen speisten. Danach ist anzunehmen, daß das Ausblasen des Sandes hier nur bis zum Grundwasser energisch vor sich ging; das Grundwasser bildete dann diese schönen, stillen Süßwasserseen und verhinderte ein weiteres Auswehen. Solche Kessel haben in der Regel eine ovale Form. Die große Achse zeigt von Nordwesten nach Südosten. Sie sind ein typisches Beispiel dafür, welch große Rolle die äolische Erosion spielt" (196/130).

Im äußersten Ostzipfel des Gebietes erreicht das Territorium der MVR fast den Großen Chingan. Vorberge desselben treten, zumeist in der Form langer, flacher Rücken, weit in das Gebiet der MVR und geben dieser Gegend ein besonderes Gepräge, das dem einer Mittelgebirgslandschaft ähnlich sieht. Die höheren Teile und Hänge sind vielfach mit Wald bestanden, sonst herrscht auch hier Steppe vor, in der aber schon Vertreter der mandschurischen Flora vorkommen. Verschiedene Flüsse, die das Gelände stark zerschnitten haben, fließen nach der mongolischen Seite ab, wobei die größeren den Chalchin-Gol erreichen. In diesen Vorbergen des Großen Chingan spielen Sande eine große Rolle. Sie bedecken die Hänge und füllen die Täler. Schon *Potanin* (1901) hat sich mit der Frage der Herkunft dieser Sandmassen beschäftigt. Er lehnt ihre rein äolische Herkunft ab. Da die Sande sich aber meist an die Flußtäler halten oder die niedrigen Hänge, zumeist auch den Fuß der Berge einhüllen, so kommt *Mursajew* zu dem Schluß ihrer alluvialen Herkunft (196/132), doch wäre, da die Sande häufigst an der Luvseite auftreten, ein beschränktes Aufwehen auf die Hänge wohl möglich. Die Sande sind fast überall durch Bewuchs festgelegt.

Auch sonst kommen Sande im Bereich des Ostmongolischen Plateaus vor, doch sind sie auch hier zumeist an Flüsse oder an Hänge alter Täler gebunden und treten höchst selten als freie, bewegliche Sande hervor. Zumeist sind sie bewachsen, wenn auch ihre Form zuweilen an ihre bewegte Vergangenheit erinnert.

In der Landschaft Dariganga, im Südosten des Gebietes etwa von Jugodsyr in der Richtung nach Baischintu gelegen, tritt uns ein durch Vulkanismus bestimmter Raum entgegen, der darum eine besondere Erwähnung verdient. Hier erscheinen in einer überwiegend welligen Graslandschaft plötzlich, über ein ausgedehntes Gebiet zerstreut, zahlreiche Vulkankegel, die schroff über das allgemeine Niveau ansteigen. Sie erreichen eine Höhe bis zu 1425 m. Einzelne haben sich ihre regelmäßige Kegelform bis zur Gegenwart erhalten, andere sind zu Ruinen zusammengestürzt. Auch Lavaströme lassen sich nicht selten kilometerweit verfolgen, wie auch der Steppenboden weithin mit Bomben und Lapilli bestreut ist.

Das Ostmongolische Hochplateau ist ein ausgeprägtes Steppengebiet. Die Niederschläge sind gering und liegen im langjährigen Durchschnitt zwischen 200 und 300 mm. Es sind nur wenige Dauerflüsse vorhanden, die typischen Steppencharakter haben. Ihr Tal ist breit, am Grunde mit Wiesen bedeckt und stellenweise auch mit Holzgewächsen bestanden. Die Flüsse selbst sind ebenfalls breit und von geringer Tiefe. Begrenzt werden die Talflächen von hohen Terrassen, die von der Steppenoberfläche vielfach als Abbruchufer steil zum Talboden überleiten. Oft zeigen sich hier Sande. Die größten Flüsse sind der Kerulen und der Chalchin-Gol. Der Kerulen sammelt seine Gewässer im Südostteil des Chentei. Von Undur-Chan an fließt er einsam als Fremdling durch weite trockene Steppen. Auch das ausgedehnte Gebiet nördlich des Kerulen ist abflußlos. Er mündet nach einem Lauf von 1254 km schon außerhalb der MVR in den Dalai-Nur, der nur gelegentlich überschüssiges Wasser an den Argun, den rechten Quellfluß des Amur, abgibt. Der Chalchin-Gol, der durch die Kämpfe zwischen japanisch-mandschurischen und sowjetisch-mongolischen Streitkräften im August 1939 weltbekannt wurde, kommt von den Westhängen des Großen Chingan und endet im Buir-Nur, von dem ein Abfluß zum Dalai-Nur führt, wie überhaupt das allgemeine Gefälle des Hochplateaus in Richtung auf den letztgenannten See geht.

Die Bevölkerung ist gering. Innerhalb der Viehherden überwiegen die Schafe. Der Anteil der Rinder ist bedeutend kleiner als im Changai-Gebiet. Der Mangel an Wasser für Mensch und Tier muß durch Brunnen behoben werden. Die Möglichkeit dazu bietet das Grundwasser, das vielerorts dicht unter der Erdoberfläche erreicht werden kann. Von großer wirtschaftlicher Bedeutung sind Kohlenlager, die in der Nähe von Undur-Chan und im Bezirk Jugodsyr und Dsun-Bulak abgebaut werden. Die wichtigste Stadt des Ostens ist Tschoibalsan, das frühere Bajan-Tumen, am Kerulen gelegen. Von hier führt eine Breitspurbahn über den russischen Grenzort Solowjewsk nach Borsja zur sowjetischen Transbaikalbahn. Von Tschoibalsan gehen zwei Schmalspurbahnen aus. Die eine verläuft nach Nordwesten bis Uldsa, die andere nach Südosten bis Tamzag-Bulak. Der Westteil des Steppengebietes wird von Nordwesten nach Südosten von der alten Karawanenstraße Ulan-Bator—Kalgan und jetzt auch von der neuen Transmongolischen Eisenbahn durchquert. Die Landschaft entlang der Bahnlinie ist von vielen Forschern durchzogen worden und am meisten bekannt. In ihr vollzieht sich in südöstlicher Richtung ein langsamer Übergang von den Steppen zu den Halbwüsten und Wüsten.

Die Gobi-Gebiete

Die Gobi-Gebiete nehmen einen beträchtlichen Teil der MVR ein. Sie umfassen einmal die große Senke zwischen dem Mongolischen Altai und dem Changai, die aus Gründen der Übersichtlichkeit mit *Gerassimow* als die Voraltaische Gobi zu bezeichnen sind, weiterhin den ganzen Grenzraum südlich des Altai, den man gewöhnlich die Transaltaische Gobi nennt, und drittens den ausgedehnten Raum ostwärts des Gobi-Altai, wo die beiden vorher genannten Landschaftszüge sich vereinigen und in breiter Ausdehnung sich über Sain-Schanda nach Osten erstrecken. Dieser Teil soll unter dem Namen Ostmongolische Gobi zusammengefaßt werden. Damit ergibt sich eine übersichtliche Großgliederung. Schon hier am Anfang sei gesagt, daß diese Gebiete keineswegs durchgängig Wüsten sind. Es soll nur bei dem Namen, der sich in der Geographie eingebürgert hat, verblieben werden. Die Voraltaische Gobi und auch die größere Nordhälfte der Ostmongolischen Gobi sind als Wüstensteppen charakterisiert, und nur am Südrand der MVR überwiegen wüstenhafte Erscheinungen, wenn auch hier die Landschaft sehr unterschiedlich ausgestattet ist und vegetationslose Gegenden, also Vollwüsten, noch immer in der Minderheit sind. Erwähnt muß hierbei noch werden, daß der Großteil der eigentlichen Gobi außerhalb der MVR liegt. Nur der nördliche Teil der Gobi ragt in das Staatsgebiet der MVR. Im einzelnen wird später bei der Behandlung der Landschaftszonen auf alle diese Fragen näher eingegangen werden.

Die *Voraltaische Gobi* gliedert sich in die Senke der Großen Seen im Norden und das Tal der Seen im Süden, wie *M. W. Pewzow* diesen Teil treffend benannt hat. Als Grenze zwischen beiden kann das Taischiri-Gebirge angesehen werden, wozu eine starke Einengung der großen Längssenke die Berechtigung gibt.

Die *Senke der Großen Seen* liegt zwischen dem sich langsam nach Westen senkenden Changai und den verhältnismäßig schärfer aufsteigenden Bergen des Altai. Sie zerfällt in mehrere für sich abflußlose Becken, die durch leichte Schwellen voneinander getrennt sind.

Im Norden beginnt die Reihe mit dem Becken des Ubsa-Nur, das von *Mursajew* zu der Senke der Großen Seen gerechnet wird, im eigentlichen Sinne jedoch eine selbständige Landschaft darstellt, denn es liegt bereits nördlich des zum Changai-System gehörenden Chan-Chuchei, und zwar zwischen diesem und dem Nordbogen des Tannu-Ola. Weiterhin ist die Trennung vom südlich folgenden großen Becken durch die hoch aufragende schmale Gebirgsmauer des Chan-Chuchei sehr stark ausgeprägt, während die Verbindung über eine niedrige Schwelle zwischen dem Westende des Chan-Chuchei und dem Charchira-Gebirge, die auch der Weg von Kobdo nach Ulan-Gom benutzt, sehr schmal ist. Immerhin haben diese Seen eine gleiche Vergangenheit und sind heute nur mehr Relikte ehemals weit größerer Gewässer. Der Ubsa-Nur ist mit 3350 qkm der größte See der MVR. Mit einer Meereshöhe von 743 m bildet er den tiefstgelegenen

Raum der ganzen Senke, denn alle übrigen Gewässer, selbst die im Tal der Seen, liegen über 1000 m hoch, was auch als ein Zeichen der Sonderstellung des Ubsa-Nur-Beckens gewertet werden darf. Das Wasser ist sehr stark salzig und übertrifft selbst die Mineralisierung des Kaspisees, woraus seine völlige Untauglichkeit für wirtschaftliche Zwecke hervorgeht. Das Ubsa-Becken ist von Westen nach Osten länglich gestreckt und in der Umgebung des Sees eben, während sonst von Flüssen zerschnittenes Gebirgsvorland den Raum einnimmt. Ein breiter Sandzug ist vom See in östlicher Richtung entwickelt. Der Hauptfluß ist der Tes, der vom Bolnai kommt. Die guten Böden und auch die Möglichkeit, die Flüsse zur Bewässerung zu benutzen, haben im Becken einen beachtlichen Ackerbau entstehen lassen, dessen Mittelpunkt die Stadt Ulan-Gom bildet, während die natürliche Vegetation nur zur Bildung einer Wüstensteppe ausreicht.

Das sich südlich des Chan-Chuchei anschließende Becken hat eine bedeutende Ausdehnung und stellt im allgemeinen ein von allen Seiten sich langsam zu den tiefsten Stellen senkendes Gelände dar, das stellenweise eben, zum größten Teil jedoch flachhügelig, kleinkuppig oder wellig ist. Auffallend sind aus der allgemeinen Fläche auftauchende Felsen, die zuweilen nur als Klippen aufragen, aber auch zu Bergen mit schroffen Formen emporwachsen oder sogar steile Berggruppen bilden, die linienhaft angeordnet sind. Ein charakteristisches Merkmal sind ferner die Sandflächen, die entlang dem Chungui und noch breiter entlang dem Dsabchan sich erstrecken. Sie nehmen eine Gesamtfläche von mehreren Tausend Quadratkilometer ein. Am Dsabchan sind weite Barchanfelder bekannt. Fünf große Seen enthält das Becken, die alle miteinander in Verbindung stehen. Der Kobdo-Fluß ergießt sich in den inselreichen Chara-Ussu, von dem ein Abfluß zum Chara-Nur führt, der noch Süßwasser enthält. Doch ein fast abgeschnürter Teil desselben, der Durge-Nur, ist bereits salzig. Vom Chara-Nur fließt ein kleiner Arm zum Dsabchan, dem Hauptfluß des Beckens. Dieser kommt von den höchsten Stellen des Changai, fließt nach dem Verlassen der Berge, nachdem er seinen Gebirgscharakter verloren hat, langsam zwischen oft versandeten Ufern durch die Ebene, bis er nach einem Lauf von 808 km den Chirgis-Nur erreicht, der 1034 m hoch liegt und die tiefste Stelle des Beckens einnimmt. Kurz vor der Mündung vereinigt er sich mit dem Chungui, der einen kleinen Süßwasser enthaltenden Vorsee bildet. Der Chirgis-Nur selbst ist salzig. Außer den genannten Seen enthält das Becken noch Dutzende kleiner, unscheinbarer Seen und Salzpfannen. In der Umgebung der großen Seen sind in mehr oder minder großer Entfernung vom gegenwärtigen Ufer deutlich Strandwälle und Terrassen zu erkennen, die der Forschung wertvolle Hinweise zum Studium der geologischen Vergangenheit der Mongolei geben. Aus diesem Grund ist gerade dieses Becken das Ziel zahlreicher Forscher gewesen. Von den alten berühmten Erforschern Asiens weilten hier *G. N. Potanin* (238), *M. W. Pewzow* (227) und *P. K. Koslow* (122, 123). In neuerer Zeit arbeiteten im gleichen Gebiet neben anderen die Geologen *I. P. Ratschkowskij* (248),

S. A. Lebedewa (150) und *M. F. Nejburg* (200), der Geochemiker *W. A. Smirnow* (261), der Botaniker *A. A. Junatow* (106, 107), und der Geograph *E. M. Mursajew* (196).

Natürliche Reize hat das Gebiet wenige zu bieten, denn es überrascht durch eine ausgesprochene Wüstenhaftigkeit, die sich nicht nur in der allgemeinen Trockenheit und anderen klimatischen Faktoren ausdrückt, sondern auch im Landschaftsbild durch die Kahlheit verwitterter Gebirge, die Nacktheit hervortretender Felsen und die sichtbare Verbreitung heller Sandflächen mit wandernden Barchanen.

Südlich des Beckens mit den großen Seen schließen sich weitere ausgedehnte geschlossene Einsenkungen an, die in ihren Zentren oft nur Salzpfannen oder unbedeutende Salzseen bergen. Das wichtigste dieser isolierten Becken ist die Schargain-Gobi, die fast auf allen Seiten von Gebirgen umgeben ist. Auch hier findet man ein fast allseitiges Gefälle zum Mittelpunkt, am Rande zerschnittenes Gebirgsvorland, nach der Mitte zu Takyre, Salzpfannen, Sandflächen und im tiefsten Punkt einen dem Austrocknen nahen kleinen See. Wie die vorherigen Becken ist auch die Schargain-Gobi eine ausgeprägte Wüstenlandschaft. Hier wächst in großflächiger Verbreitung der Saksaul-Strauch, den es im Ubsa-Becken nicht gibt und der erst in Einzelexemplaren im Süden der Chirgis-Senke auftritt.

Der geringere und armselige Pflanzenwuchs macht weite Teile der vorgeschilderten Becken für eine Weidewirtschaft ungeeignet. Dagegen bieten die Uferflächen oft in großer Breite günstige Weidemöglichkeit, so daß an den Seen, soweit sie Süßwasser enthalten, immer Jurten und Herden anzutreffen sind. Der Fischreichtum der Seen und die große Zahl von Wasservögeln kommen den Menschen auch zugute.

Das *Tal der Seen* bildet die Fortsetzung der Senke der Großen Seen, nur sind die Verhältnisse hier etwas anders. Es fehlt die scharfe Aufgliederung in einzelne selbständige Becken. Die Schwellen zwischen den verschiedenen Einsenkungen sind nur sehr schwach ausgeprägt, so daß die Gesamtlandschaft mehr den Eindruck eines sich fortsetzenden Tales macht. Die morphologische Ausbildung erscheint auch insofern einheitlich, als die tiefsten Stellen insgesamt einseitig zum Altai hin gelagert sind. Die Senke verläuft hier, wenn auch in einzelne Vertiefungen aufgegliedert, doch linienhaft parallel zum Gobizug, wobei die allgemeine Höhenlage von Westen nach Osten regelmäßig abnimmt.

Das charakteristische Merkmal dieses Tales sind die Seen, beginnend im Westen mit dem Bon-Zagan (1336 m hoch), gefolgt vom Adagin-Zagan (1299 m) und Orok-Nur (1198 m), und endend mit dem Ulan-Nur (1008 m). Doch das sind nur die größten Gewässer. Dazwischen liegen noch weitere Seen oder von Salzpfannen eingenommene Vertiefungen. So gibt *Mursajew* (196/161) an, daß sich zwischen dem Bon-Zagan und Adagin-Zagan noch 15 Seen befinden, von denen 12 Süßwasser enthalten. Ihre Mineralisation schwankt von Jahr zu Jahr und sogar innerhalb des Jahres und ist abhängig von der Zufuhr an Wasser, die sie erhalten. Die

Zuflüsse kommen hauptsächlich aus dem Changai, der Gobi-Altai kann nur gelegentlich etwas beisteuern. Die größten Flüsse aus dem Changai sind der Baidarik, der Tuin-Gol, Tazain-Gol, Arguin-Gol und Ongin-Gol. Doch nur die beiden ersten erreichen die Seen regelmäßig, während die anderen wie auch zahlreiche kleinere Flüsse schon vorher versickern, so aber doch zur Ergänzung des Grundwassers im Tal der Seen ihren Beitrag leisten. Der Ongin-Gol erreicht in feuchten Jahren den Ulan-Nur und füllt ihn auf, so daß er dann einschließlich der Inseln eine Fläche bis zu 175 qkm mit Wasser bedeckt (196/427), während er in dürren Jahren dem Austrocknen nahe ist. So sind die Flächenmaße der Seen, die alle nicht tief sind, schwankend, und damit zusammenhängend auch der Salzgehalt. Der Orok-Nur, der vom Tuin-Gol gespeist wird, enthält nur schwach mineralisiertes Wasser, das in manchen Jahren selbst für den Menschen trinkbar ist. Er ist fischreich und seine Fläche und die weite Schilfumrandung werden von einer Unzahl von Wildgänsen, Enten und Möwen belebt.

Die Umgebung der Seen ist meist flach, vor allem im Norden, wo der Boden großenteils aus mehr feinkörnigem Material besteht, das die Changai-Flüsse herangetragen haben. Doch im Süden steigen aus der Ebene infolge der Nähe der Altai-Berge bald die schiefen Ebenen der Schuttkegel auf, die durch die gelegentlich niedergehenden Regengüsse stark zerrissen sind. Der breite Raum zwischen dem eigentlichen Seental und dem Changai wird von welligem und schwachhügeligem Gelände eingenommen. Überall herrschen weiche Linien vor. Auffallend sind in diesem Raum die zahlreichen Trockentäler, die von Norden nach Süden ziehen. Bei den vorgenannten Flüssen, deren Wasser das Tal der Seen heute nicht erreichen, kann man Trockentäler als Fortsetzung der eigentlichen Täler sehr gut verfolgen.

Die jährliche Niederschlagsmenge im Tal der Seen liegt zwischen 100 und 200 mm. Die Pflanzendecke ist dürftig und überzieht vielfach nicht einmal den Boden. Nur an den Seen und Flüssen ist sie besser entwickelt. Allgemein ist die Landschaft den Wüstensteppen zuzurechnen.

Das Tal der Seen hat auf Grund seiner Eigenart viele Forscher angelockt. So weilten hier neben anderen *M. W. Pewzow* (227), von dem der Name der Landschaft stammt, *G. N. Potanin* (238), *P. K. Koslow* (122, 123), *A. J. Tugarinow* (294), *Berkey* und *Morris* (44), *E. M. Mursajew* (196 u. a.) und *A. A. Juatow* (106 u. a.). Als Ergebnis ihrer Forschungen kann jetzt gesagt werden, daß die Gewässer im Tal der Seen ebenso wie in der Senke der Großen Seen nur Relikte eines früheren hydrographischen Netzes darstellen, wobei sogar vermutet werden darf, daß hier mit Hilfe des Dsabchan, der früher auch zum Tal der Seen gerichtet war, ein bedeutender zusammenhängender Abfluß nach Süden vorhanden gewesen ist, über dessen weiterem Schicksal noch der Schleier des Geheimnisses liegt. Auch die *Sowjetische Paläontologische Expedition* in den Jahren 1946, 1948 und 1949 hat im Tal der Seen wertvolle Funde gemacht.

Die *Transaltaische Gobi* weist viele Ähnlichkeiten mit der Voraltaischen auf. Das Gesamtgebiet ist hier eingespannt zwischen dem Altai im Norden und dem Tienschan im Süden. Doch gehört nur ein Teil dieser gewaltigen Einsenkung zur MVR.

Im Westen tritt uns hier ein verhältnismäßig selbständiger Raum entgegen, der im Süden von den Gebirgen Baitag-Bogdo (3187 m) und Tachin-Schara (2395 m), auf denen auch die Staatsgrenze verläuft, abgeschlossen wird und im Westen an den Bergen des Chubtschin-Nuru sein Ende findet. Zahlreiche bergige Erhebungen, die von den Gebirgen ausgehen, erstrecken sich in das Land. Vor allem aber sind es die Schotterebenen, die sich weit ins Vorland schieben und besonders dort, wo die Flüsse vom Altai in die Ebene vorstoßen, ausgedehnte Schuttkegel und Sandflächen bilden. Die Hauptflüsse kommen vom Altai, so der Bulugun, der Uintschi, Bodomtschi u. a. Der erstere führt dauernd Wasser und fließt in die Dsungarei ab, wo er im See Uljungur endet. Alle anderen Flüsse aber versiegen im Sande oder verschwinden in der zentralen Ebene, die 1058 m hoch liegt und von außerordentlich großen Salzpfannen eingenommen wird, in denen sich eingestreute kleine Salzseen mühsam halten. Von den südlichen Gebirgen erreicht das Wasser nur selten die zentrale Ebene. Abgesehen von den Südhängen des Altai, wo der Pflanzenwuchs noch reichlicher ist, so daß man das Vorland hier noch zur Wüstensteppe rechnen kann, zeigt der Hauptteil ausgeprägte Merkmale einer Vollwüste. Die Berge und die Oberflächen der zerfurchten Schotter- und Kiesebenen sind fast vollkommen kahl und öde. Nur gelegentlich zeigt sich Pflanzenwuchs, wobei in den Furchen und Rinnen der Sajanische Saksaul als Charakterpflanze sich zahlreich angesiedelt hat. Weit verbreitet sind Stein-, Geröll- und Kieswüsten. Reine Sande sind dagegen selten.

Der mittlere Teil der Transaltaischen Gobi ist durch die Ausläufer verschiedener Gebirgszüge stark gegliedert. Im Mittelpunkt steht der zum Altai gehörende Adshi-Bogdo (3761 m). Die Wüstenverwitterung ist außerordentlich stark. Zerschluchtete Schotterfelder umgeben die Berge in weitem Umkreis. Einzelne Restberge ragen nur mehr mit ihren höchsten Teilen aus dem Schutt.

Im Ostteil tritt, von der Einsenkung der Nomin-Gobi in der Dsungarei kommend, eine Senke über die Grenze, die sich rund 400 km nach Osten in das Land erstreckt. Beim Eintritt in die MVR rund 700 m hoch, hebt sich das Niveau nach Osten allmählich auf 1500 m. Die Senke ist in einzelne Kessel zerlegt, zeigt im übrigen aber ein leicht bergiges und kleinkuppiges Relief. Das umgebende Gelände fällt vielfach mit einer zerfallenen Stufe zur Senke ab, wobei die Hänge stark zerrissen und oft hügelartig umgebildet sind. Nördlich der Senke ist das Gelände flachwellig und geht nach den Gebirgen zu in Schotter- und Kiesebenen über. Südlich der Senke treten verschiedene Gebirgs- und Bergzüge auf, die von Westen nach Osten streichen und wahrscheinlich zum System des Tienschan gehören, hier aber eigene Namen tragen, wie der Atas (2702 m) und der

Zagan-Bogdo (2380) m. Die Wüstenverwitterung hat sie zu Gebirgsruinen umgestaltet. Im übrigen herrscht kleinkuppiges Hügelland vor, aus dem gelegentlich felsiges Gestein und Berge hervorschauen, während die Umgegend mit felsigem Geröll übersät ist.

Weiter östlich gehört noch zur MVR ein Ausläufer der Zentral-Gobi. Das Gefälle ist hier nach Süden gerichtet zu den außerhalb der MVR gelegenen Endseen des Edsin-Gol. Es sind zumeist geneigte Ebenen, die oft mit einem Schuttpanzer und Sandinseln bedeckt sind, vielfach aber einen tonigen Charakter tragen. Gewöhnlich wird diese Landschaft mit dem Namen Edsugei-Gadsar bezeichnet. Den Abschluß bildet die östlich folgende Landschaft Ontschi-Chjar. Zahlreiche kleine Gebirgsstöcke und Höhenrücken durchziehen das Land. Vorherrschend aber sind steinige Flächen, die der afrikanischen Hammada ähneln, sehr häufig auch Sandinseln, Takyre und Salzpfannen.

Die wüstenhafte Landschaft bietet dem Menschen wenig. Die ganze Transaltaische Gobi gehört zu den Gebieten der MVR mit der geringsten Bevölkerung.

Die *Ostmongolische Gobi* ist ein sehr umfangreiches Gebiet. Sie umfaßt den ganzen Raum des Südostens. Ihre Nordgrenze verläuft etwa in Breitenrichtung auf der Linie der Orte Mandal-Gobi und Baischintu. Sie fällt mit der Grenze zwischen der Steppe und Wüstensteppe zusammen, wobei die letztere den Großteil der Landschaft einnimmt und nur im Süden Wüste verbreitet ist.

Das Relief ist allgemein charakterisiert durch das abwechselnde Auftreten von größeren und kleineren langgezogenen Tälern und Becken und dazwischenliegenden Wällen und Hügeln, deren Ausdehnung und Höhenlage ganz verschieden sind. Ideale Ebenen sind selten. Eine solche ist im Süden von Dsamyn-Ude ausgebreitet. Bemerkenswert ist, daß die allgemeine Richtung der langen Reliefformen sich von Westen nach Osten erstreckt, also parallel zu den orographischen Hauptlinien verläuft. Die Sohle der Vertiefungen ist auf weite Strecken zumeist eben, sonst wird sie von kleinen, oft felsigen Aufragungen und Hügeln unterbrochen. Größere Einsenkungen bergen in ihren tiefsten Stellen Salzseen, Salzpfannen oder Salzböden. Die Umrahmung der Vertiefungen ist oft stark durch Windausblasungen aufgegliedert oder durch Regenrinnen zerrissen. Die so entstandenen Kerben, die manchmal bis zu schluchtartigen Bildungen ausarten können, lösen die Landschaft hie und da in einzelne tafelförmige Erhebungen mit welliger Oberfläche auf.

Auffallend in den sonst weichen Linien sind die zahlreich auftretenden felsigen Berg- und Hügelketten, die zum Teil schroff aufsteigen und einen starken Kontrast zu der vorherrschenden horizontalen Linie darstellen. Oft sind es nur aus dem Untergrund herausragende Felsen oder kleine Berge, die dann zumeist in Reihen auftreten. Manchmal nehmen sie aber auch die Form kleiner Gebirgsketten an, die meist reich an steilen Felsabstürzen sind, während die flachen Hänge mehr oder weniger bewachsen und reichlich mit Gestein und Schutt überdeckt sind. Ihre relative Höhe beträgt im allgemeinen 200 m, in Ausnahmefällen 500 m. Ebenso schwankt ihre Länge und Breite. Manchmal treten Massive auf, über die einzelne Felskämme emporragen. Die Streichrichtung verläuft überwiegend von West-Südwesten nach Ost-Nordosten.

Der Anteil der Sandflächen an der Gobi ist wesentlich kleiner als von früheren Autoren angenommen wurde. Geringe und räumlich beschränkte Sande treten manchmal an aufgerissenen Rändern der Vertiefungen auf, doch größere Sandflächen sind innerhalb unseres Gebietes selten. Weiter im Süden und Südosten sind solche in ausgedehntem Maße wohl vorhanden (245/12, 227/169), doch sie liegen außerhalb des Gebietes der MVR. Wo in der Ostmongolischen Gobi Sandböden und Sandanhäufungen auftreten, sind sie meistens mit einer verhältnismäßig reichen Vegetation bewachsen, woraus zu ersehen ist, daß die Sande aus einer früheren trockeneren geologischen Periode stammen. Die heutige Bildung von losen Sanden und Barchanen ist vielfach auf menschlichen Einfluß — Zerstörung der Vegetationsdecke durch Pferde und Karren und übermäßiges Weiden — zurückzuführen (71/32). Harte Kiesböden sind weit verbreitet. Nach Süden und Südwesten tritt der Wüstencharakter immer mehr hervor. Es treten dort auch schon gelegentlich steinige Wüsten auf.

Das ganze Gebiet der Ostmongolischen Gobi besitzt nicht einen einzigen dauernd fließenden Fluß, doch sind Trockentäler zahlreich zu beobachten. Man kann sie oft über zehn und mehr Kilometer klar verfolgen. Die ausgedehntesten nehmen ihre Richtung in der Regel auf die große flache Einsenkung, die sich aus dem Raum von Sain-Schanda nach Südwesten hinzieht. Die Trockentäler sind oft tief eingeschnitten und bieten dem Verkehr nicht selten Hindernisse.

Innerhalb des Gebietes liegen die Orte Sain-Schanda und Dsamyn-Ude, die von der Transmongolischen Bahn berührt werden. Bei Sain-Schanda werden Kohlen gefördert. Die nomadisierende Bevölkerung ist gering. Wassermangel und geringe Vegetation hemmen die Entwicklung. Innerhalb der Herden nehmen die Kamele einen wichtigen Platz ein, sonst bilden die Schafe die Überzahl.

42

Geologische Geschichte und morphologische Gestaltung

Das Relief der Mongolei ist außerordentlich vielgestaltig und bietet dem Studium der Geomorphologie ein weites und überaus reiches Feld, doch beschränkte sich, wie selbst *Mursajew* sagt (196/123), die bisherige Forschung vorwiegend auf die Beschreibung der Orographie, während das Prinzip der genetischen Geomorphologie nicht überall zur Anwendung gelangte. Das ist verständlich, denn die Erforschung des Raumes im Sinne einer Durchdringung desselben ist noch so jung, daß man mit den vorliegenden Ergebnissen sehr wohl zufrieden sein darf, wenn sie auch nicht auf alle Fragen schon eine Antwort enthalten. Das Gebiet ist eben zu groß und das Relief recht kompliziert.

Nichtsdestoweniger haben verschiedene Forscher sich zu Einzelfragen der Geomorphologie geäußert, insofern diese in den Gebieten ihrer Reisen oder innerhalb ihres Forschungsraumes an sie herantraten. Auch vereinzelte Expeditionen der letzten Zeit haben sich im Zusammenhang mit der geologischen Entwicklungsgeschichte der Mongolei auch mit der Entstehung des Reliefs beschäftigt und die tätigen Kräfte der Vergangenheit und Gegenwart aufzuzeigen versucht. Neben zahlreichen anderen Forschern aber ist es das besondere Verdienst von *Mursajew*, daß er die Fragen der Geomorphologie in den Vordergrund stellt. In seiner Arbeit (196) bietet er in dem ausführlichen Abschnitt über die Elemente der Geomorphologie und Paläogeographie eine tiefschürfende Darstellung von Einzelgebieten der Mongolei, wobei er neben eigenen Erkenntnissen auch alles sonst nur erreichbare Material anderer Forscher mit verwendet. Damit beginnt auch das Gesamtbild immer klarer herauszutreten. Dieses in seinen großen Zügen zu beschreiben, soll auch die Aufgabe der folgenden zusammenfassenden Darstellung sein.

Die wichtigsten Gesetzmäßigkeiten des Oberflächenbaues der Mongolei herauszustellen, kann — wie schon *I. P. Gerassimow* sagt (74) — nur auf historisch-geologischer Grundlage durchgeführt werden. Eine Analyse der Gegebenheiten darf dabei das Gebiet der Mongolei nicht isoliert behandeln, sondern muß es als Teil des zentralasiatischen Raumes betrachten, da sich hieraus die Zusammenhänge am besten erkennen lassen. Der erste Versuch, den Aufbau Zentralasiens in einem Gesamtbild darzustellen, wurde von *Alexander von Humboldt* unternommen („Asie Centrale" (1843). Einen wesentlichen Beitrag zum Fortschritt hat *Ferdinand von Richthofen* (251) geleistet, und *Eduard Sueß* faßte dann in seinem berühmten Werk „Das Antlitz der Erde" (263) alle Ergebnisse zusammen und kommt damit der gegenwärtigen Kenntnis schon sehr nahe. Die Hauptarbeit in der weiteren Erschließung ist in der Folgezeit russischen Forschern zu danken, und hier muß an erster Stelle *W. A. Obrutschew* genannt werden, der schon mit Eduard Sueß, was vielleicht nicht bekannt ist, in enger wissenschaftlicher Zusammenarbeit stand. Die wichtigsten seiner Veröffentlichungen sind im Literaturverzeichnis enthalten. Aus der großen Zahl jüngster Arbeiten, die zumeist Spezialuntersuchungen darstellen, verdient die zwar kurze, aber klare Übersicht über die Grundzüge der Natur der MVR von *I. P. Gerassimow* und *J. M. Lawrenko* (74) besonders hervorgehoben zu werden.

Ein Blick auf die Karte der Mongolei zeigt in der Ausrichtung der Gebirge deutlich zwei Merkmale. Einmal tritt der enge Zusammenhang der mongolischen Gebirgszüge mit den Gebirgssystemen Mittelsibirens klar hervor. Dazu kommt ein zweites auffallendes Charakteristikum, daß die orographischen Hauptelemente nach einem bestimmten geographischen Plan geordnet erscheinen, wie es besonders deutlich auf der dieser Arbeit beigegebenen Kartenskizze (Das orographische Schema der MVR) zu erkennen ist. Dieses Schema zeigt, daß das Changai- und Chentei-Hochland in seiner Struktur zwar einen mannigfaltigen Bau besitzt, der durch seitliche Abzweigungen mit verschiedenen Streichrichtungen noch komplizierter gestaltet wird, aber andererseits ist übersichtlich erkennbar, daß die Hauptgebirgszüge einen gewaltigen, nach Süden konvexen Bogen beschreiben. Klarer noch tritt eine ähnliche Anordnung beim Mongolischen Altai hervor. Mit erstaunlicher Konsequenz verfolgen seine Hauptzüge und auch die parallelen Nebenzüge zunächst die Richtung von Nordwesten nach Südosten, um dann im Gobi-Altai sich nach Osten zu wenden. Doch damit endet noch nicht der Gesamtzug, denn er setzt sich in den inselhaft auftretenden Gebirgen und Bergzügen und in Reihen angeordneten felsigen Aufragungen auch weiterhin fort, nur daß diese morphologischen Bildungen hier die Richtung von Südwesten nach Nordosten einschlagen. „Auf diese Weise bildet das System der Ketten des Mongolischen Altai zusammen mit den orographischen Elementen des Ostens, ebenso wie Changai und Chentei, einen gewaltigen Gebirgsbogen, dessen Wölbung nach Süden weist. Dieser Bogen ist der äußere, der den nördlichen, inneren Bogen des Changai und Chentei gewissermaßen umrandet" (74/31). Dieses uns heute entgegentretende Relief ist in der Hauptsache das Ergebnis junger gebirgsbildender Vorgänge im Tertiär und Quartär, doch es spiegelt Linien wider, die weit in die Vergangenheit zurückreichen und von der geologischen Geschichte vorgezeichnet waren.

Wenn auch die Fragen der ältesten geologischen Vergangenheit noch nicht endgültig geklärt sind, so lassen die bisherigen Kenntnisse doch gewisse Deutungen zu. Wie schon die bogenförmige Anordnung der heutigen Gebirgszüge es verraten, muß im Norden des Gebietes der Mongolei ein Widerstandskern dieser Bogenbildung zugrunde liegen. Unschwer läßt sich hier als solcher die alte Sibirische Masse erkennen, um die sich die ältesten Anfaltungen vollzogen. Zu diesen gehören aus dem Bereich der Mongolei das Chubsugal-Gebiet und der Raum auf der linken Seite der Selenga, die auch im orographischen Schema von heute durch ihre besondere Eigenart auffallen. Die Bildung dieser Faltenzone ging bereits im Kambrium vor sich. Eingeschlossen in sie lassen sich zwei alte Schollen ausgliedern, die aus Gneis und kristallinen Schiefern archaischen und proterozoischen Alters bestehen. Es sind dieses die Chamar-Daban-Scholle

44

ostwärts des Chubsugal-Gebietes und die sogenannte Mongolische Scholle zwischen der Selenga und der Dshida. In den übrigen Gebieten dieser Faltungszone sind vor allem Schiefer, Sandsteine und Kalke des Kambriums entwickelt. Die zweite nach Süden anschließende Faltungszone umfaßte bereits die Gebiete des Changai und Chentei. Sie ist charakterisiert durch mächtige, stark dislozierte Gesteinsschichten aus Schiefern, Sandsteinen, Konglomeraten und Spiliten, die wahrscheinlich dem unteren Paläozoikum angehören. Gewöhnlich bezeichnet man diese Zone als jungkalendonisch, einige Geologen rechnen sie jedoch zur altherzynischen Faltung. Die dritte, die herzynische Faltungszone tritt nur im südöstlichen Teil des Landes, im Bereich der Gobi, stärker hervor. In ihr herrschen Sandsteine, Schiefer und Kalke vor, die dem Gotlandium, Devon, Unterkarbon und Perm angehören, und die sowohl in einer Zeit vor dem Karbon als auch zu Ende des oberen Paläozoikums einer Faltung unterworfen wurden. Eine neuere Untersuchung von *N. A. Marinow* und *R. A. Chassin* (17) verlegt sogar eine Hebung und Aufwölbung des Chentei in die herzynische Phase.

Eine gewisse Sonderstellung im Verhältnis zu den vorgenannten strukturellen Zonen nehmen der Mongolische Altai und die Senke der Großen Seen ein, und zwar insofern, als sie kein analoges Gegenstück im Osten des Landes aufweisen. Hier lassen sich zwei Zonen der kaledonischen Faltenstruktur erkennen, die durch die Entwicklung mächtiger, stark gestörter Schichten phyllitisierter Sandsteine und Schiefer des Silurs charakterisiert sind. Die eine Zone umfaßt den Hochgebirgsbezirk des Altai und das Gebirgsmassiv des Adshi-Bogdo, die zweite den Gobi-Altai und das in seiner Fortsetzung nach Nordwesten liegende Taischiri-Gebirge. In den zwischen den beiden Zonen gelegenen Gegenden des Altai wie auch im Großen Becken und im Tal der Seen ist das Gneis-Grundgebirge stellenweise sehr stark gehoben und tritt örtlich unmittelbar an die Oberfläche, während es an anderen Stellen von schwach dislozierten Schichten des Kambriums, Silurs und mittleren Paläozoikums überdeckt ist, deren Aufschlüsse vor allem Kalke zeigen. Insgesamt kann festgestellt werden, daß dem heutigen Raum des gesamten Altais ein alter, groß angelegter Faltenwurf zugrunde liegt.

Zusammenfassend kann nach der vorstehend gegebenen Übersicht über die älteste geologische Geschichte gesagt werden, daß schon die alten Strukturlinien der Mongolei sich bogenförmig entwickelten. Wenn manche Fragen hier noch nicht exakt beantwortet werden konnten, so liegt das vor allem im heutigen Stand der Erforschung begründet. Viele Probleme harren noch der Lösung. Besser bekannt ist die Entwicklung seit dem Mesozoikum.

Von entscheidender Bedeutung für die Bildung des heutigen Reliefs und seiner Formen sind die Vorgänge, die sich seit der Zeit abspielten, als der Raum der Mongolei zum Festland wurde. Nach *Obrutschew* (210 u. a.) war die Überflutung durch das Meer bereits im frühen Paläozoikum beschränkt. Im Devon beherrschte das Meer nur den westlichen Teil des

Landes, rückte im Karbon von Zentralasien aus gegen die Bezirke des Gobi-Altai und südlichen Changai vor, um im Perm dann das ganze Gebiet der MVR freizugeben. Seitdem können höchstens noch einzelne Randgegenden von seichten Meerbusen bedeckt gewesen sein. Damit stellte sich das kontinentale Regime Ende des Paläozoikums ein, um bis zur Gegenwart an der Herrschaft zu bleiben.

In dieser Zeit der endgültigen Festlandwerdung war durch Hebung das Gebiet der Mongolei zu einem gewaltigen gebirgischen Hochland geworden. Hierbei erfolgten ausgedehnte Granitintrusionen, die in verschiedenen, jedoch nicht geklärten Phasen vor sich gingen. Sie bilden stellenweise inmitten der paläozoischen Schichten bedeutende Massive und sind ein wesentliches geologisches Element im Oberflächenbau der Mongolei, das in einzelnen Bezirken entscheidend für das Relief ist. Die weite Verbreitung der Granite und ihr Auftreten in ausgedehnten Massiven haben seinerzeit die amerikanischen Geologen *Berkey* und *Morris* zu der Ansicht geführt, daß das geologische Fundament der Mongolei insgesamt von einem einheitlichen granitnen Batholith gebildet wird. „Die neuesten geologischen Daten bestätigen die Theorie von Mongolischen Batholithen nicht *(Obrutschew* u. a.), aber die große Wichtigkeit der Granitintrusionen und der verschiedenen effusiven Bildungen im Bau des Paläozoikums der Mongolei steht unbestreitbar fest. Diese Bildungen haben anscheinend eine große Rolle bei der Konsolidierung der paläozoischen und der vorpaläozoischen Gesteinsschichten gespielt, indem sie ihnen neben den Prozessen der allgemeinen Metamorphisierung die Eigenschaften eines kristallinen Fundaments verliehen sowie aller Wahrscheinlichkeit nach eine allgemeine ,schildförmige‘ Aufwölbung bedingten, wodurch das Gebiet der Mongolei schon am Ende des Paläozoikums zu einem höher gelegenen gewaltigen Hochland gehörte" (74/32).

Der Beginn der kontinentalen Epoche brachte für das gesamte Gebiet der Mongolei eine sehr lang anhaltende Periode der Denudation. Als hochgelegenes Gebirgsland unterlag das Gebiet im überwiegenden Teil seiner Fläche der Abtragung und der allmählichen Umwandlung in eine ausgedehnte Rumpffläche. Da Triasablagerungen in unserem Raum fast ganz fehlen und, wo sie örtlich auftreten, nur sehr schwach entwickelt sind, ist der Schluß wohl berechtigt, daß am Anfang dieser Denudationsphase die Abtragungsprodukte aus dem Gebiet der MVR hinausgetragen wurden. Dagegen sind die Ablagerungen des Jura und der unteren Kreide nicht nur weit verbreitet, sondern zeigen auch örtlich eine bedeutende Mächtigkeit. Da beide sich zugleich auf bestimmte Flächen konzentrieren, so ergibt sich für diese Zeit, daß schon im Jura und noch mehr in der unteren Kreide der Raum der Mongolei in Gebiete der Abtragung und Zonen der Akkumulation differenziert war. „Es ist sehr wahrscheinlich, daß eben in dieser Zeit auf der Fläche der heutigen Mongolei die Anlage der ersten Umrisse der jetzigen Orographie begonnen hat. Zur Zeit der oberen Kreide und im Tertiär waren sie schon ganz klar festgelegt. Darauf deuten der Charakter der oberkretazeischen und tertiären Ablagerungen und ihre geographische Verbreitung hin" (74/32).

Die Ablagerungen der Kreide und des Tertiärs finden sich vor allem in den tiefgelegenen Zonen nördlich und südlich des Altai und im Osten der Mongolei, wo sie in Gestalt von Streifen, die ebenfalls mit tiefer gelegenen Zonen verknüpft sind, sowohl im ostmongolischen Hochland wie auch in der östlichen Gobi auftreten. Die vorgenannten Gebiete waren also schon in jener Zeit betontes Gebiet der Akkumulation, während die Gebiete des Mongolischen Altai, Changai, Chentei und die hochgelegenen Flächen im Osten des Landes bevorzugte Abtragungsräume waren. Im Verlauf der Kreide und des Tertiärs bildete sich allmählich ein Ausgleich, so daß im Gesamtraum eine verhältnismäßig einheitliche Rumpffläche entstand, deren Anfänge schon an der Grenze des Paläozoikums zum Mesozoikum liegen. Als Nachweis hierfür kann die Tatsache gelten, daß auf den Rumpfoberflächen des Mongolischen Altai, des Changai und Chentei häufig Verwitterungsprodukte roter Farbe auftreten, die mit den buntfarbigen vom Gobi-Typus genetisch in engem Zusammenhang stehen.

Die vorgeschilderten Vorgänge vollzogen sich nicht bei stabilen Verhältnissen, worauf ja schon die Differenzierung in Denudations- und Akkumulationsgebiete hinweist, sondern wurden durch tektonische Bewegungen und Klimaänderungen kompliziert. *Obrutschew* weist in seinen Arbeiten darauf hin, daß das Gebiet in der Trias starken Spannungen mit Faltenbildungen unterworfen war, wobei er die Hauptintrusionen der Granite in diese Zeit verlegt. Im Jura bildeten sich die mächtigen Ablagerungen in Seenbecken, deren Grund sich periodisch senkte, während das Wachstum der Gebirge noch anhielt. Tektonisch ruhige Zeiten wechselten mit bewegten. Auch in der Kreide kam es noch zu Faltungen, Verwerfungen und Einbiegungen, wobei sich in den Zentren der Depressionen größere Seen bildeten, deren Ablagerungen Reste von Dinosauriern der Kreidezeit und auch von Säugetieren des Tertiärs enthalten. Doch waren alle diese tektonischen Bewegungen, wie *Gerassimow* sagt (74/33), zumindestens für die Kreide und das Tertiär von keiner besonders großen Intensität, da sie kaum grundlegende Änderungen in der allgemeinen Richtung der Denudation bewirkten. Als Nachweis hierfür kann auch angeführt werden, daß die Kreide- und Tertiärablagerungen nur eine verhältnismäßig geringe Mächtigkeit besitzen und durch das Vorhandensein feinerdiger Fazies charakterisiert sind. Auch die weite Ausdehnung von Ergußgesteinen deutet darauf hin. Am Ende dieser Epoche werden die höher gelegenen Teile etwa das Aussehen einer niedrigen Mittelgebirgslandschaft gehabt haben, die tiefer gelegenen ein flaches Relief mit inselartigen Erhebungen.

Einen ganz anderen Charakter haben die jüngsten tektonischen Bewegungen, die am Ende des Tertiärs und zu Anfang des Quartärs begannen, in denen sich das heutige Relief mit seinen hohen Gebirgszügen und dazwischen eingeschobenen Senken herausbildete, und die auch heute noch nicht abgeschlossen sind. Im Gegensatz zu den feinen Bildungen der Kreide und des Alttertiärs herrschen Schuttbildungen in der Form von Geröll- und Schotteraufschüttungen entschieden vor und zeugen von der erheblichen Intensität der Vorgänge. Die Hauptzonen der Akkumulation sind die Gebirgsvorländer, die Gebirgstäler und ihre Ausgänge, während in den zentralen Zonen der Gobi-Ebenen die Ablagerung junger Sedimente aufhört und in ihnen dafür örtliche Denudation, vor allem äolischer Art, sich entwickelt und dabei selbst die Umlagerung von tertiärem und kretazeischem Material bewirkt.

In den heutigen Gebirgsräumen wurde die alte Denudationsoberfläche gehoben und deformiert. Sie hat sich in dem Formtypus der flachen Gipfel, der ein Charakteristikum der mongolischen Gebirge ist, vielfach erhalten. Im Altai entstanden als Haupttyp der Gebirgsbildung große Faltungsstrukturen in der Form von Antiklinalen und Synklinalen, die Gebirgszüge und Senken in linearer Erstreckung darstellen. Doch die Festigkeit des paläozoischen Unterbaues ließen diese Art der Gebirgsbildung nur selten in reiner Form erscheinen, so daß es zu Zerreißungen und Brüchen kam, zuweilen selbst zu Staffelbrüchen. Der größte Teil dieser Erscheinungen betrifft die Flügel der Antiklinalen. Die Sprunghöhe ist verschieden, erreicht aber mit mehr als hundert Metern oft beträchtliche Ausmaße. Heute werden diese Brüche und Verschiebungen in den vielfältigen Stufen sichtbar, die die Gebirge umschließen, die Senken begrenzen und auch manchmal schneiden. Sie werden von vielen Forschern als auffallende morphologische Erscheinung beschrieben.

Etwas anders verliefen die Vorgänge im Changai und Chentei. Die höhere Festigkeit des Fundamentes, wohl begründet in dem Vorhandensein größerer Granitmassen und mächtigerer Schichten des Paläozoikums und vielleicht auch älteren Gesteines, war so stark, daß in diesem Bereich Brüche und Schollenbewegungen zum Haupttypus der Gebirgsbildung wurden. Ausgedehnte Horste wurden herausgehoben, die heute den Kern der Gebirge bilden. Daneben kam es auch zu bedeutenden Einbrüchen, wie z. B. die Becken des Chubsugul und des Ubsa-Nur. Die differenzierte Bewegung der einzelnen Schollen ergab sowohl im Changai als auch im Chentei groß angelegte Stufen. Faltenbildungen sind überhaupt nicht festzustellen, höchstens könnte man von flachen Aufwölbungen und Einsenkungen sprechen, wobei die ersteren die bogenförmige Anlage des ganzen Gebirgssystems hervorheben und seine Zusammengehörigkeit zu einer Einheit andeuten. Aus allen diesen Vorgängen ergaben sich für dieses Gebiet die Vorherrschaft weicher Formen, die flachen breiten Kämme, die für den Changai besonders charakteristisch sind, und die außerordentliche Breite der Täler, deren Anlage, wie zahlreiche Forscher betonen, sich aus dem frühen Mesozoikum, ja vielleicht sogar aus dem Paläozoikum erhalten konnten.

In der Ostmongolei waren die Auswirkungen der gebirgsbildenden Kräfte der gleichen Zeit von milderer Natur. Sie äußerten sich nur in einer leichteren Faltung, wobei diese die alte, ererbte Richtung von Südwest nach Nordost einhielt. Sie förderten die wallförmigen Erhebungen und dazwischenliegenden breiten Einsenkungen, wie sie für die südöstliche Gobi besonders typisch sind. *Obrutschew* betont es mehrmals und auch *Mursajew* (196/135 u. 136) hebt hervor, daß die langgestreckten Einsenkungen und Kessel nach den orographischen Hauptlinien, nämlich von Südwesten nach Nordosten, ausgerichtet sind.

Der Unterschied in der Ausgestaltung der Nordmongolei und des Südens führt *Obrutschew* (210) darauf zurück, daß der Norden Zentralasiens im allgemeinen eine Aufwölbung bildet und dabei auch verblieb, während der mittlere Teil, also hier einschließlich der Südmongolei, einen gewaltigen Einbruch darstellt, aus dem sich zwei schmale, komplizierte Horste, der Mongolische Altai, hier besonders der Gobi-Altai, und der östliche Tienschan mit zahlreichen kleineren Gebirgen scharf herausheben.

Die im Quartär einsetzende Vereisung, die in dieser Arbeit an anderer Stelle noch näher behandelt wird, erfaßte die höchsten Stellen des Altai, Changai, Chentei und noch zahlreiche andere Gebirge. Sie führte zur Verschärfung des Hochgebirgsreliefs, belebte die Erosion und trug zur Verjüngung der morphologischen Formen bei. Andererseits schuf sie Ablagerungsformen, aus denen der Wind im Verlauf einer langwährenden Periode große Mengen an Sand und feinkörnigem Material hinaustrug. Doch mit der quartären Vereisung lassen sich nur beschränkte Teile des Hochgebirgsreliefs erklären. Daneben traten vor allem in den Seitenausläufern, parallelen oder selbständigen Gebirgszügen des Altai, betont im Gobi-Altai, steile Hänge, scharfe Grate, stark zergliederte Konturen auf, und zwar eigenartigerweise bei niedrigeren Bergketten, die eine Vergletscherung nie erfahren haben. Dieser Gegensatz zwischen erhaltenen Resten von Rumpfflächen und stark zergliederten Formen andererseits „erklärt sich am ehesten nicht nur aus der verschiedenen Höhe der letztgenannten Erhebungen, sondern auch daraus, daß in verhältnismäßig schmalen Erhebungen die junge Erosion rasch die Wasserscheiden erreicht und junge reife Formen schafft, während in den breiten Horsten sich noch die greisenhaften Formen der früheren Zeiten erhalten haben. Diese Verbindung beider Formen in ein und demselben Gebiet zeugt ebenfalls von der Jugendlichkeit des Erosionszyklus sowie davon, daß die Erhebungen Zentralasiens vor kurzem entstanden sind" (210/142).

Gleichzeitig mit den vorwiegend vertikalen Dislokationen kam es im Changai verschiedentlich zu vulkanischen Ausbrüchen und Basaltergüssen. Jüngste Bildungen dieser Art haben sich hier noch in Form von Kegeln und Lavaströmen gut erhalten, deren Bildung *Shelubowskij* (258a/25) ins späte Quartär verlegt. Jünger noch als diese sind die Vulkanausbrüche im Dariganga-Gebiet. Der Erhaltungsgrad der Kegel und der Lavaströme, die sich den vorhandenen Geländeformen einfügten und noch keine geschlossene Pflanzendecke tragen, zeugen von ihrer Jugendlichkeit. *Mursajew* (196/182) nimmt an, daß diese Vulkane noch in althistorischer Zeit tätig waren.

Die intensiven tektonischen Bewegungen, die Ende des Tertiärs einsetzten, sind bis zur Gegenwart nicht zur Ruhe gekommen. Als Anzeichen einer gewissen Unfertigkeit ist die seismische Aktivität in verschiedenen Gebieten der MVR bemerkenswert. 1905 entstand bei einem Erdbeben im Nordwesten der Mongolei eine linienförmige Spalte, die man über 300 km verfolgen konnte. Sie bestand aus einer Kette von Vertiefungen, die durch Gräben verbunden waren. Infolge der Denudation ist sie heute vielerorts bereits wieder ausgelöscht (196/279). Der „Mongolyn Sonin" vom 7. Februar 1957 meldet aus Ulan-Bator Erdstöße, die 8 bis 10 Sekunden andauerten und in manchen Häusern Wandrisse verursachten. Doch diese Vorgänge, die bisher nicht systematisch erfaßt wurden und über die nur gelegentlich Nachrichten vorliegen, sind morphologisch von keiner Bedeutung. Von größerer Wichtigkeit sind dagegen die jungen tektonischen Bewegungen, die, wie *Obrutschew* sagt, von größtem theoretischem und praktischem Interesse sind. *N. T. Kusnezow,* der in einem Aufsatz (140) die Angaben über jüngere tektonische Bewegungen zusammenfaßt, beruft sich in erster Linie auf die Terrassenbildung der Flüsse. Im Tal der Selenga erscheinen bis zu vier Terrassen, während der Onon, Kerulen und Chalchin-Gol nur drei Terrassen besitzen. Am Südhang des Changai hat der Tuin-Gol sich 187 m in das Basaltplateau eingegraben, wobei sich deutlich zwei Terrassen abzeichnen (294/155). Auch im Tal des Baidarik sind von *Mursajew* Terrassen festgestellt, die bis 65 m hoch liegen, ebenso am Tazain- und Arguin-Gol (196/167). Im Altai zeigt der Kobdo-Fluß drei Terrassen, die nach Südwesten abfließende Bulungun- und Uintschi-Gol dagegen nur zwei. Hieraus ergibt sich, daß die Intensität und auch der Charakter der tektonischen Bewegungen in den einzelnen Gebieten unterschiedlich ist. An der Selenga steigt die Höhe der Terrassen flußabwärts im allgemeinen an, was besonders schön unterhalb des Zusammenflusses der beiden Quellflüsse Ider und Muren zu beobachten ist. Die Zunahme der Erosionskraft ist hier jedoch in erster Linie auf ein Absinken der Erosionsbasis, nämlich des Baikalsees, zurückzuführen, worauf schon *Obrutschew* (206) hingewiesen hat. Doch oberhalb hat sich der Beltesin, ein Zufluß des Muren, tief in das Grundgestein eingegraben, woraus sich für dieses Gebiet auf eine energische Hebung schließen läßt. Im Vergleich zum Changai ist das Aufsteigen der Gebirge um den Chubsugul von geringerer Intensität. *Kusnezow* hat hier nirgends hohe Erosionsterrassen gefunden. Die höchste Hebungsenergie unter den Gebirgen der Mongolei scheint der Altai zu besitzen. Der Kobdo-Fluß hat kurz nach dem Austritt aus dem Unteren Kobdo-See sich tief eingegraben. Die Erosionsterrasse liegt hier mehr als 100 m über dem Fluß, erniedrigt sich dann am Mittellauf auf die Hälfte, um beim Austritt aus dem Gebirge ganz zu verschwinden. Die gleiche Erscheinung einer Abnahme der Höhe der Erosionsterrasse vom Kern des Gebirges zum Rand ist auch bei anderen Altai-Flüssen zu beobachten. *Kusnezow* schließt daraus, daß die Hebung des Altai sehr energisch abgelaufen ist und diese sich noch im Aufsteigen befindet, wobei die zentralen Teile ein etwas schnelleres Tempo zeigen als die Hügel. Auch der

50

Boden der Ebenen ist noch in junger Bewegung begriffen. *Gerassimow* und *Lawrenko*, die das Becken der Großen Seen untersucht haben, schreiben hierzu: „Schließlich verdienen die von uns bemerkten charakteristischen Besonderheiten mehrerer großer mongolischer Seen Erwähnung, die manchmal fälschlich als Anzeichen für deren fortschreitende Austrocknung gedeutet werden. Als Beispiel hierfür mag der See Chara-Ussa-Nur (in den der Kobdo-Fluß mündet) dienen, an dessen südlichem, sich hebendem Ufer es eine ganze Serie alter Strandwälle gibt, die weit vom Ufer entfernt liegen. Aber am nördlichen, sich senkenden Ufer desselben Sees gibt es keine Strandwälle, und der See hat hier an mehreren Stellen eine Abrasionsplattform" (74/32).

Von jungen Bewegungen des Altai, und zwar unterschiedlicher Art, zeugen auch die Schotterflächen, die die Gebirge umschließen, wie sie für den Altai und hier besonders für den Gobi-Altai mit seinen inselhaften Bergzügen oder einzelnen Gebirgsketten charakteristisch sind. „Falls der Bergzug in der Zone ganz junger Hebung liegt, so erhält sein ‚Bel' (mongolische Bezeichnung der Schotterfläche, Gebirgsvorlandsebene) erklärlicherweise den Charakter eines hohen Sockels, oft mit terrassenförmigen Stufen, der von den tiefen Tälern der ‚Saire' (periodische Trockentäler) zerschnitten wird. In den Zonen ganz junger Senkung hat der ‚Bel' eine fast horizontale Oberfläche, und das Gebirgsmassiv scheint in seinen eigenen Abtragungsprodukten zu ‚ertrinken'. Sehr charakteristisch sind auch die Formen der Gebirgstäler in den Zonen ganz junger Hebung und Senkung. Im ersten Teil sind es Schluchten und Cañons mit unausgearbeitetem, treppenförmigem Profil und mit Hängen, die von Halden mit grobem Schuttmaterial verschüttet sind. Im zweiten Fall haben die Gebirgstäler das Aussehen von ‚Sairen' mit flachem Boden, auf dem man mit dem Kraftwagen, völlig unbehindert sogar, tief im Inneren des Gebirges umherfahren kann" (74/32).

Auch die negativen Formen der Landschaft verdanken den tektonischen Bewegungen seit dem Ende des Tertiärs ihre Existenz und Formung. Nicht nur, daß sich hierbei die großen Senken der Vor- und Transaltaischen Gobi bildeten, deren ursprüngliche Anlagen in weite Vergangenheit zurückreichen, geht auch ihre weitere Aufgliederung auf junge und jüngste tektonische Bewegungen zurück. Es sind dieses die heutigen abflußlosen Becken, Kessel und langgestreckten Senken. Wir finden sie in gehobener Lage zwischen den Gebirgszügen des Altai, vor allem aber in der großen Senkungszone zwischen Altai und Changai. Fast alle diese Becken waren früher Seen. Wie heute als nachgewiesen gelten kann, bildeten diese in der Gobi ein großangelegtes hydrographisches System, das später durch Absterben der Flüsse und Austrocknung infolge trockenen Klimas zerfiel, wobei aber auch tektonische Prozesse mitwirkten (232/68). Auch *Mursajew* spricht von Riegeln, die die angegebenen Becken abschließen. Überhaupt waren die jungen tektonischen Bewegungen von großer Bedeutung für die Hydrographie des Landes. Neue Wasserscheiden entstanden, andere wurden durch Anzapfung der Oberläufe der Flüsse verschoben., Veränderungen im Lauf der Flüsse traten ein usw. Gerade für den letztgenannten Vorgang finden sich zahlreiche Beispiele. Das beste ist wohl der Dsabchan. Er führte ursprünglich sein Wasser nach dem Austritt aus dem Gebirge dem Bon-Zagan im Tal der Seen zu, doch dann änderte er in jüngster Zeit seine Richtung nach Westen zum Becken der Großen Seen. Das alte, jetzt tote Tal läßt sich in seiner Gesamtlänge noch sehr gut im Gelände verfolgen. Der Bulugun, der vom Altai nach Südwesten abfließt, endete früher in einem See in der Transaltai-Gobi, doch dann wandte er sich plötzlich nach Westen, wobei er sich zwischen hohen Bergen einen neuen schwierigen Weg suchen mußte. Der Grund für diese Richtungsänderung kann hier nach *Kusnezow* (137/296) nur in einer jungen tektonischen Bewegung zu suchen sein. Es ist überhaupt ein besonderes Merkmal der Gobi-Teile und auch der Ostmongolei, daß infolge der langwährenden kontinentalen Entwicklung und der vorherrschenden Trockenheit des Klimas sich das alte Gewässernetz, selbst noch aus der Zeit des Mesozoikums, erkennbar erhalten hat, wobei der Grad der Erhaltung von Westen nach Osten zunimmt. Die alten Senken lassen sich besonders im Osten ungeachtet jüngerer Veränderung und Komplizierung des Reliefs sehr leicht verfolgen und sind ein typisches Merkmal der Oberflächengestaltung der Ostmongolei. Diese in ihren Grundlagen tektonischen Elemente gehören hier wie in der Gobi-Zone zu den Leitlinien des hydrographischen Netzes nicht nur in der Vergangenheit, sondern auch in der Gegenwart (196/137), nur daß sie heute größtenteils trocken liegen oder nur periodisch Wasser führen.

Überblicken wir das gesamte Geschehen der vorgeschilderten geologisch-tektonischen Entwicklung des mongolischen Raumes, so ergibt sich eine auffallende Gesetzmäßigkeit, auf die schon *Gerassimow* und *Lawrenko* hingewiesen haben. „Der bogenförmige Verlauf der orographischen Hauptelemente der Mongolei ist alten Ursprungs, und seine Ursache liegt in der allgemeinen geologischen Struktur des asiatischen Kontinents, namentlich in dem ablenkenden Einfluß des kristallinen Sibirischen Schildes auf die alten und jungen Faltensysteme, die ihn an seiner Südseite umsäumen" (74/36). Infolgedessen besteht auch ein enger genetischer Zusammenhang zwischen den mongolischen Gebirgen und den Gebirgssystemen Mittelsibiriens und Transbaikaliens. Die letzten gebirgsbildenden Vorgänge, die das heutige Bild der Mongolei formten, folgten einem alten, ererbten Plan.

Der tiefgreifende Umbau des Reliefs am Ende des Tertiärs und zu Beginn das Quartärs hat auf dem Gebiet der Mongolei auch sehr weittragende und grundlegende Veränderungen der physisch-geographischen Verhältnisse verursacht. Diese zu kennen, ist von größter Wichtigkeit, da ihr Einfluß auf die morphologische Ausgestaltung der Großformen unbestreitbar ist, wie auch die Entwicklung der Landschaften ein wesentliches Ergebnis dieser Entwicklung darstellt. Die allgemeinen physisch-geographischen Verhältnisse sind um so bedeutungsvoller, als die Umformung und Herausbildung des heutigen morphologischen Bildes, wie schon früher gesagt wurde, seit dem Perm sich unter kontinentalen Bedingungen vollzog.

W. A. *Obrutschew* hat schon frühzeitig auch die große Bedeutung der Paläontologie betont und besonders auf die Beckenlandschaften der Mongolei hingewiesen, da sie, wie er hervorhebt, Schätze für die Wissenschaften enthalten, die auf ihre Erforschung warten. Die Arbeiten verschiedener Forscher, unter denen die beiden Amerikaner *Ch. P. Berkey* und *F. K. Morris* genannt werden müssen, haben diese Mutmaßungen bestätigt. Die größten Erfolge jedoch erbrachten die sowjetischen paläontologischen Expeditionen, die 1946, 1948 und 1949 in der Mongolei arbeiteten. Ihre Forschungen galten vor allem dem Gobi-Teil der MVR, wo sie zwischen Sain-Schanda im Osten und dem Dsergen-Becken, südöstlich von Kobdo gelegen, im Westen an elf Plätzen überaus reiche und wertvolle Funde machten, die wissenschaftlich von außerordentlicher Bedeutung sind, nicht zuletzt auch für die Paläogeographie. Über die Ergebnisse, die aber noch als vorläufige zu werten sind, haben *J. A. Orlow* (216), *N. M. Janowskaja* (98), *N. I. Nowoshilow* (202), *A. K. Roshdestwenskij* (253) und *I. A. Jefremow* (100, 101, 103) berichtet, wobei die Veröffentlichungen des letzteren besonders hervorgehoben werden sollen. Sie bilden die Grundlagen der nachfolgenden Darstellung.

Wir wissen wohl, daß etwa vom oberen Perm an die Mongolei endgültig zum Festland wurde, daß seit dieser Zeit das kontinentale Regime den Raum beherrschte, aber von den Naturbedingungen während der Trias und des Jura läßt sich wenig sagen. Erst von der Kreide ab beginnen sich auf Grund der vorgenannten Forschungen die Verhältnisse zu lichten. Die Ergebnisse der Arbeiten zeigen ganz klar, wie *Jefremow* (103/11) sagt, daß die Hypothese vom Wüstencharakter Zentralasiens in der Kreide fallengelassen werden muß. Dafür spricht die bedeutende Anhäufung von Resten von Wasserschildkröten, Krokodilen u. a. Die reiche und verschiedenartige Fauna der Dinosaurier, sowohl pflanzen- als auch fleischfressender Arten, bezeugt das Vorhandensein einer üppigen und hochwüchsigen Vegetation als Ernährungsbasis der Tierwelt. Erwähnt werden müssen hier die gigantischen Sauropoden und Trachodonten, die erstmalig in Zentralasien in großer Zahl gefunden wurden und deren Existenz unter Wüstenverhältnissen nicht möglich gewesen wäre. Es gelang den Forschern, durch Funde von versteinerten Baumresten den Nachweis zu erbringen, daß in der unteren Kreide mächtige Wälder von Taxodiaceen existiert haben müssen. Es wurden aufrechtstehende Baumstümpfe mit Durchmessern bis zu 3,5 m gefunden (103/11). Die Ablagerungen bildeten sich in ausgedehnten Becken, die im Norden von weiten versumpften Ebenen eingerahmt waren, die eine dichte, üppige Pflanzenwelt bedeckte. Durchzogen wurden diese Ebenen von breiten, langsam fließenden Strömen und Altwässern. Das Landschaftsbild könnte man etwa mit dem ufernaher tropischer Ebenen vergleichen, die ungefähr auf Meereshöhe liegen und oft vom Hochwasser überflutet werden (103/12). Diese Landschaft war in dem ganzen Gobi-Teil der

heutigen MVR verbreitet. Das Klima war tropisch-feucht. Auf Jura-
schichten auflagernd, wurde eine Kruste typischer Lateritverwitterung
festgestellt, die örtlich eine Mächtigkeit bis 60 m erreicht. In der gleichen
Zeit bildeten sich in der Mitte der Mongolei und im Osten Kohlenlager,
so die von Nalaiche bei Ulan-Bator, über deren Entstehung man zwar
nichts sagen kann, die aber auf Grund von Fossilien zur Unterkreide gerechnet werden.

In der Mittleren Kreide beginnt sich das Land zu senken, und der
Rand der Seenbecken schreitet nach Norden vor, wo zahlreiche Eier von
Dinosauriern verschiedenster Art gefunden werden, Körperreste dagegen
weniger, doch treten neue Formen auf. Trotz allem schließt *Jefremow*
(103/15) auf eine reichhaltige Fauna und Flora und führt den Mangel
an Funden auf die geringe Erhaltungsmöglichkeit zurück. In den Seenbecken lagern sich mächtige Sandsteine ab, dazwischen auftretende Basaltergüsse bezeugen kräftigere Erdbewegungen.

In der Oberen Kreide vollzieht sich ein langsamer Wandel. Die Seen
treten nach Süden zurück, die Erosion verstärkt sich. Es beginnt ein
trockeneres, kontinentales Regime. Grobes Geröll und Schutt werden abgelagert, worunter man Windkanter findet. Die Flüsse schneiden sich tief
ein und folgen den zurückweichenden Seen. Bemerkenswert ist das Auftreten von Panzertieren, die einem trockenen Klima angepaßt sind. Von
ihnen sind ganze Skelette erhalten, doch ist die Frage der Spätkreide-
fauna noch nicht geklärt. Diese Periode dauert jedoch nicht lang. Bald
wird das Material wieder feinkörniger. Sande treten auf, wobei sich Andeutungen von zusammengewehten Dünen zeigen.

Für den Übergang von der Kreide zum Tertiär konnten von den Expeditionen keine zusammenhängenden Schichtfolgen gefunden werden, so
daß über diese Zeit nichts gesagt werden kann.

Der Beginn des Tertiärs läßt sich schon besser überschauen. Es setzt mit
einem trockenen Klima ein. Im unteren Eozän liegen die Funde von Tierresten in verhältnismäßig schmalen, höchstens ein bis zwei Kilometer
breiten Flußbetten, die in Breitenrichtung verlaufen und sich in die
Kreideablagerungen quer zur Richtung der Flüsse der Kreidezeit ein-
schneiden (216). Doch schon im mittleren Eozän scheint sich eine Rück-
wandlung zu vollziehen. Es bilden sich wieder Seen, die alle Becken
füllen und weit nach Norden vordringen. Die Umgebung der Seen ist aber
jetzt vollkommen anders als zur Kreidezeit. Nicht Sümpfe umrahmen
und trennen sie, sondern es ist eine Art Steppen- oder Savannenlandschaft
mit gelegentlichem Baumbestand und trockenen, lichten Wäldern. Die
Tierwelt, die zu Anfang des Eozäns noch der der Kreidezeit glich, ändert
sich. Sie paßt sich der trockenen Landschaft an. Charakteristisch für das
Ende des Miozäns und den Anfang des Pliozäns ist das dreizehige
Pferd, das Hipparion. Außerdem sind vertreten das Nashorn, verschiedene Arten von Giraffen, Antilopen, Gazellen, Hyänen und andere
heute für das trockene tropische Afrika typische Tiere. Doch das Klima
war im mongolischen Raum kühler, was vor allem daraus zu ersehen

ist, daß hier die Stelle der in südlicheren Gebieten zusammen mit der Hipparion-Fauna auftretenden Affen der Hirsch einnimmt. Im mittleren Oligozän treten die Nager stark in den Vordergrund, von denen man zwanzig Arten gefunden hat. Trotz leichter Schwankungen herrscht die Tendenz in der Richtung auf eine Verstärkung der Trockenheit vor, denn schon im oberen Oligozän und unteren Miozän beginnen die Seen abzunehmen, und es zeigt sich sogar eine Entwicklung der Vegetation zur Wüste hin (132).

Die Tertiärlandschaft haben wir uns als eine Seenlandschaft vorzustellen, wobei die Seen das charakteristische Element dieser Epoche waren und auch das Landschaftsbild bestimmten. „Diese Seen, ihrem Typus nach unbeständig, waren solche mit und ohne Abfluß, Süß- und Salzwasserseen. Aber nach den Ablagerungen zu urteilen, überwogen die ersteren und waren beständiger. Die Seen lagen in linear angeordneten Senken, die oft durch Flüsse, Flußarme und Kanäle miteinander verbunden waren. Eine solche Lage der alten Senken schließt auch den Gedanken nicht aus: die Existenz alter Flußtäler, die durch die letzten radialen Bewegungen in einzelne Teile zerrissen wurden" (196/269). Diese Vorstellung von der tertiären Seenlandschaft widerspricht der Trockenheit, die im Tertiär ein wesentlicher Zug des Klimas war, und auch der steppen-, ja wüstenhaften Ausbildung des festen Landes nicht. Es gibt hierfür zahlreiche Beispiele aus der Gegenwart, wo Trockenlandschaft und Seenreichtum sich sehr gut miteinander vertragen. Ein Hinweis auf die westsibirischen Steppen mag hier genügen. Aus der mechanischen Zusammensetzung der Ablagerungen dieser Zeit ist ersichtlich, daß die Seen zumeist flach waren, und daß sich das Relief des südlichen Teiles der Mongolei im Tertiär vom heutigen nur durch das Fehlen der Hochgebirge unterschied. Das Land hatte eine wellig-hügelige Oberfläche vom Aussehen eines schwachen Mittelgebirges.

Schon im unteren Oligozän machte sich die beginnende Hebung des Changai-Massivs durch Belebung der Erosion in dem nördlichen Gobi-Teil bemerkbar. Die heutigen horstartigen Gebirge des Gobi-Altai bestehen in der Regel aus zwei verschiedenen Elementen, und zwar aus einem alten, abgetragenen und geglätteten Wasserscheideteil, etwa dem Changai-Typ ähnlich, und einem jüngeren mit scharf zersägten Formen und tief eingeschnittenen Tälern. Die Teile der ersten Art begannen sich wahrscheinlich schon Ende des Miozäns zu heben, die der zweiten aber erst in der zweiten Hälfte des Postpliozäns (103/25). Im Westen der MVR setzten die gebirgsbildenden Vorgänge jedoch weit früher ein, vermutlich schon Ende des Miozäns. Sie vollzogen sich rasch und kräftig. Es bildeten sich Vorlandsebenen mit einzelnen Seen und Flußbetten. Den Nachweis hierfür liefern die Funde der paläontologischen Expedition im Raum des Altai, und zwar im Becken des Beger-Nur und im Dsergen-Tal. Die Tierreste wurden hier in die Schuttebenen hinausgetragen und dort, flächenhaft weit verstreut, in solchen Massen angesammelt, daß *Jefremow* von einem Massensterben der Tiere spricht, die infolge „periodischer Überschwemmungen des Bergtypus" den Tod fanden (103/25).

Auch Reste von Nashornarten und Schildkröten wurden haufenweise an den Rändern der ehemaligen Seen gefunden, und zwar dort, wo die Geröll- und Kiesablagerungen aufhören und die braunen Lehme beginnen, was auf einen kräftigen Lauf des transportierenden Wassers schließen läßt. Stratigraphisch gehören diese Funde zum oberen Miozän und unteren Pliozän.

Im Quartär formten sich endgültig die großen morphologischen Züge des Landes. Mit dieser gebirgsbildenden Phase sind auch die Ausbrüche von Basalten an verschiedenen Stellen der Mongolei verknüpft. Die entstandenen Gebirge wurden der Vergletscherung unterworfen. Diese hängt sowohl mit der Heraushebung der Massive als auch mit einer relativen Zunahme der Feuchtigkeit zusammen. Die letztere läßt sich aus dem Vorhandensein fossiler Böden, vor allem in der Ostmongolei, und auch durch die Zuwanderung von verschiedenen Pflanzen und Tieren aus dem Norden nachweisen. Diese Zunahme der Feuchtigkeit, die gleichzeitig mit einer geringen Temperaturminderung verbunden war, brachte wohl einige Verschiebungen in die gesamtklimatische Situation, aber diese überschritten nicht den Rahmen der Aridität. *Gerassimow*, der sich mit den gleichen Fragen der klimatischen Auswirkungen der Eiszeit im Becken von Turan eingehend beschäftigt hat, kommt für dieses Gebiet zu der Erkenntnis, daß die Vorstellung von dem Pluvial als einer humiden Phase für Turan fallengelassen werden muß (73/36). Auch *B. A. Fedorowitsch* kommt bei der Behandlung des gleichen Gebietes zu dem Schluß, daß die Eiszeiten wohl eine Zunahme der Feuchtigkeit und eine geringe Senkung der Temperaturen brachten, die Entwicklung der Wüstenvegetation aber nicht unterbrachen (64/51). Das trifft nach allem, was bekannt ist, in vollem Maße auch auf den mongolischen Raum zu. Die Anhäufung von großen Schnee- und Eismassen in den Gebirgen belebte das hydrographische Netz, verstärkte die Erosion, füllte die Seen, förderte die Vegetation, so daß diese und auch die Tierwelt sich durch Zuwanderung bereichern konnte, aber die Existenz der vorherrschenden Steppen- und Wüstenflora wurde nicht gefährdet. Sie überstand diese Periode, wobei die tiefen Beckenlandschaften und Senken die Hauptrolle spielten.

Die Zunahme der allgemeinen Trockenheit in der Mongolei seit dem oberen Oligozän ist auch daraus zu erklären, daß im unteren Pliozän das Turan-Meer in das Pontische und Kaspische Meer und den Aralsee zerfiel und im oberen Pliozän hier laufend eine weitere Abnahme der Wasserflächen erfolgte. Weiterhin zog sich das Westsibirische Meer, das noch in der ersten Hälfte des Tertiärs mit dem Turan-Meer in Verbindung stand, in der zweiten Hälfte ganz nach Norden zurück. Damit versiegten für den mongolischen Raum zwei wichtige Feuchtigkeitsquellen oder zogen sich weit nach Westen zurück. Fast im Anschluß an diese Vorgänge, nämlich Ende des Tertiärs und Anfang des Quartärs, wuchs im Nordwesten und Westen der Mongolei der Altai empor und wurde mit seiner hohen Gebirgsmauer zum Fänger der Feuchtigkeit, die an und für sich schon sehr gering war. Während der Zeit der allgemeinen Feuchtigkeitszunahme konnten er und auch die anderen mongolischen Gebirgsmassive in ihren höchsten Stellen sich wohl mit Schnee und Eis bedecken, doch im Rahmen der Gesamtentwicklung war dies nur eine Episode. Unzweifelhaft steht fest, daß die jungen Gebirgsbildungen im Westen des Landes, wobei neben dem Altai auch der Sajljugem und der Westteil des Tannu-Ola genannt werden müssen, zur Verstärkung der Trockenheit im Lande beigetragen hat. Darum ziehen sich im Windschatten des Mongolischen Altai die zentralasiatischen Wüsten am weitesten nach Norden hin, deshalb ist der Westteil des Changai trockener, wüstenhafter als der Osten und hat selbst die Vereisung in geringerem Maße erfahren als das Zentrum und der Osten. Als Auswirkung des Altai könnte man, zumindest für den Hauptteil der Mongolei, eine fast gesetzmäßige Zunahme der Feuchtigkeit von Westen nach Osten feststellen.

Innerhalb des Landes selbst haben die jungen Gebirgsbildungen wohl zu einer Differenzierung der einzelnen Landschaften und ihrer Ausstattung geführt, doch die allgemeine Entwicklung vollzog sich so, daß in der Nacheiszeit, in der sich die Erscheinungen der Austrocknung häufen, zahlreiche Vertreter zentralasiatischer Wüstenflora und -fauna in den Depressionen nach Norden vordrangen, während Vertreter des Nordens, die während der Eiszeit zumindest auf den Höhen der Berge sich nach Süden ausgebreitet hatten, den Rückzug nach Norden antraten oder auch hier und da als interessante Relikte zurückblieben. Doch je mehr das Material der Forschung sich ansammelt, um so mehr tritt die Erkenntnis hervor, daß die Pflanzen- und Tierwelt der Mongolei nicht nur aus Immigranten besteht, sondern daß sie selbst ein gewisses Zentrum der Artenbildung darstellt, wozu das alte kontinentale Regime und die lange Dauer gleichartiger physisch-geographischer Bedingungen beigetragen haben.

In jüngster Zeit wurde die Frage nach der heutigen Tendenz der Klimaentwicklung in den Vordergrund gestellt. Hierüber liegen zahlreiche Forschungen vor, die ein außerordentlich reiches Material zusammengetragen haben. Sie alle führen zu dem eindeutigen Ergebnis, daß man von einer Austrocknung Zentralasiens in historischer Zeit nicht sprechen kann, daß im Gegenteil viele Anzeichen vorhanden sind, die auf eine Zunahme der Feuchtigkeit zur Gegenwart hin deuten.

Klimatische Verhältnisse

Allgemeine Charakteristik

Die Mongolische Volksrepublik, in die im Norden die sibirische Gebirgstaiga hineinragt, umfaßt im Süden noch einen Teil des zentralasiatischen Wüstengürtels, so daß sich innerhalb ihres Gebietes bei einer größten Ausdehnung von Norden nach Süden mit 1260 km die klimatischen Verhältnisse vom Gebirgstaigatyp zum Wüstentyp wandeln. Man kann die MVR in dieser Beziehung darum als das klimatische Übergangsgebiet zwischen beiden bezeichnen.

Erscheint somit die MVR in das Gesamtsystem der asiatischen Klimate entsprechend der allgemeinen Ordnung eingelagert, so zeigt der Charakter des mongolischen Klimas doch viele ausgesprochene Eigenheiten und in manchen Zügen bemerkenswerte Besonderheiten, die sich sonst auf der Welt wohl kaum wiederholen und darum das Studium der klimatischen Verhältnisse in der Mongolei besonders interessant gestalten. Hier liegt im Winter das Maximum des Luftdruckes, das für die atmosphärische Zirkulation des ganzen Kontinentes von bestimmendem Einfluß ist. Hier in der Mongolei erreicht im Becken der Großen Seen die Ausdehnung der Trockenwüsten in einer Breite von 50,5 Grad den nördlichsten Punkt auf der Erde, gleichzeitig aber dringt der Ewige Eisboden im Gebiet der MVR bis zum 47. Breitengrad nach Süden vor und gelangt damit an seinen südlichsten Punkt. Alles das sind, um sich mit den vorstehenden Beispielen zu begnügen, Erscheinungen, die nur aus der Eigenart des mongolischen Klimas zu erklären sind und die auf die besonderen hier herrschenden Verhältnisse hinweisen, die um so bemerkenswerter sind, wenn man bedenkt, daß sich — auf den europäischen Raum übertragen — die MVR etwa von Münster in Westfalen im Norden bis über Rom hinaus nach Süden erstreckt.

Nun muß hier gleich am Anfang gesagt werden, daß die Erforschung der klimatischen Verhältnisse erst in der jüngsten Vergangenheit begonnen hat. Lediglich die meteorologische Station in Ulan-Bator kann auf eine Tätigkeit von etwa 30 Jahren zurückblicken. Alle übrigen Stationen existieren erst seit 10 bis 15 oder weniger Jahren. Ihre Ergebnisse sind nur zum Teil bekanntgegeben worden. Doch sind die Resultate der Auswertung sowjetischen Wissenschaftlern zugänglich, so daß wir uns in den meisten Fällen auch ohne eigene Unterlagen auf diese stützen müssen. Die Kürze der Beobachtungszeit und die im Verhältnis zur Größe des Landes relativ geringe Anzahl von Wetterstationen ermöglichen es noch nicht, ein exaktes Bild der Verhältnisse zu geben. Es ist zu erwarten, daß manche in den folgenden Ausführungen gegebenen Mittel- und Extremwerte spätere Korrekturen erfahren werden. Hierauf sind auch die verschiedenen Angaben in den einzelnen Werken zurückzuführen. Zukünftige Feststellungen werden in regionalen Bereichen und auch allgemein wohl graduell genauere Werte bringen, aber am Gesamtbild und seinen Grundlagen ist keine wesentliche Änderung zu erwarten. Die bisherigen Ergebnisse haben neben verschiedenen neuen Erkenntnissen zu einer im allgemeinen recht klaren Übersicht der klimatischen Verhältnisse geführt, und darauf kommt es hier an. Wissenschaftliche Einzelfragen mögen in späteren Spezialuntersuchungen geklärt werden.

Daneben steht zum Studium der Witterungsverhältnisse in der Mongolei eine große Anzahl von Berichten zur Verfügung, die von Expeditionen und Forschungsreisenden stammen. Es sei hier neben den Arbeiten bekannter wissenschaftlicher Forscher, wie *Potanin, Prshewalskij, Grumm-Grshimajlo, Koslow* u. a., auch auf die Veröffentlichungen von *Sven Hedin, Andrews, Granö, Gherzi* und *Larson* verwiesen. Die entsprechenden Arbeiten sind im Literaturverzeichnis angeführt. Manche von ihnen enthalten exakte tägliche Wetterbeobachtungen, andere dagegen mehr allgemeine Bemerkungen und Beschreibungen von Witterungserscheinungen besonderer Art und extremer Fälle, aber ihr Studium ist unerläßlich, weil sie zu den Angaben der wissenschaftlichen Klimatologie die Illustrationen bieten, den lebendigen Witterungsablauf mit seinen Auswirkungen auf Natur und Mensch schildern und so zu Vorstellungen der realen Verhältnisse verhelfen. In allen diesen Darstellungen tritt ein Charakteristikum des mongolischen Klimas stark in den Vordergrund, und es sei deshalb an den Anfang der allgemeinen Behandlung des Klimas gesetzt. Es ist die Ungleichheit, ja Regellosigkeit im Ablauf bis zur Launenhaftigkeit im täglichen Wechsel. Das betrifft nicht nur die zeitliche Folge, sondern auch die räumliche Verteilung. Kein Jahr gleicht dem anderen, aber daneben können selbst benachbarte Räume sehr unterschiedlichen und wechselnden Witterungseinflüssen unterliegen. Es gibt schneereiche und schneearme Winter, aber in beiden Fällen auch schneereiche und schneearme Gegenden, es können trockene und feuchte Jahre vorkommen, aber gleichzeitig neben dürren auch relativ gut durchfeuchtete Gebiete. Viele Faktoren wirken hier mit, so daß das Gesamtbild recht bunt und wechselnd erscheint, wie noch gezeigt werden wird.

Die wichtigsten Merkmale des Klimas der Mongolei sind die folgenden: eine scharf ausgeprägte Kontinentalität, ein langer und kalter Winter, ein kurzer und relativ warmer Sommer, ein vorwiegend heller Himmel, besonders ausgeprägt im Winter, allgemeine Lufttrockenheit und geringe Niederschlagsmengen, schroffe Übergänge zwischen den Jahreszeiten.

Der kontinentale Charakter des Klimas ist nicht allein in der Entfernung vom Meer, sondern auch in der Isoliertheit von demselben begründet, wobei der Große Chingan, der Inschan und die sich in der Richtung auf den Nordbogen des Hoangho fortsetzenden Gebirge, wie neuere Feststellungen gezeigt haben, eine wesentliche Rolle spielen. Es finden sich im Raume der MVR alle klimatischen Merkmale einer betonten Kontinentalität. Die jährlichen Schwankungen der Monatsmittel liegen im allgemeinen zwischen 40 bis 45 Grad, die Amplitude der absoluten Maxima und Minima kann örtlich 80 Grad übersteigen. Damit ist der kontinentale Charakter wohl recht stark ausgebildet, erreicht jedoch nicht die Schroffheit, wie sie in den Gebieten von Jakutsk und Wercho-jansk festgestellt worden ist.*)

Außerordentlich hoch sind auch die täglichen Temperaturschwankungen, die 30 Grad und mehr erreichen können und damit den extremen Ver-hältnissen ausgesprochener Wüsten nahekommen.

Wenn die systematische Klimaforschung auch erst auf eine kurze Zeit ihres Bestehens zurückblicken kann, so hat sie doch bereits jetzt zu einer sehr wichtigen Erkenntnis geführt, nämlich daß der Einfluß des ostasia-tischen Monsuns räumlich weit mehr beschränkt ist, als man bisher an-genommen hat. Der berühmte russische Klimatologe *A. I. Wojejkow* teilte in seinen Arbeiten, die kurz vor 1900 erschienen, die Mongolei bis zum 104. Längengrad, also über Ulan-Bator hinaus, der westlichen Rand-zone des ostasiatischen Monsuns zu, und seine Autorität ließ diese Mei-nung lange bestehen (310). Selbst der nicht weniger verdienstvolle For-scher *W. B. Schostakowitsch* erklärte noch 1926 (269/13), daß in der Ost-mongolei ein System von Monsunwinden herrscht, die einen beträcht-lichen Anteil von Feuchtigkeit mit sich führen und die für die Mongolei charakteristischen reichlichen Sommerregen hervorrufen. Auch andere For-scher hielten noch lange an dieser Theorie fest, *Alissow* sogar bis 1940 (20/213). Doch die Ergebnisse der Forschung der letzten Jahrzehnte be-weisen, daß die Mongolei im Hauptteil nicht zum Bereich des ostasia-tischen Monsuns zu rechnen ist.

Die starke Abkühlung des Kontinents im Winter führt zur Bildung eines Hochdruckgebietes, das über den Raum der Mongolei zu liegen kommt und die Polarfront nach Süden verschiebt, so daß über der MVR kontinentale polare Luftmassen lagern, die an klaren sonnigen Tagen be-ständigen Frost und vorherrschende Windstille bringen. Im Frühjahr löst sich das Hoch auf, wobei starke, aus verschiedenen Richtungen wehende Winde auftreten. Infolge der sommerlichen Erhitzung des Kontinentes entwickelt sich in den Wüsten Zentralasiens kontinentale Tropenluft, die, allmählich nach Norden vordringend, auch die Mongolei umfaßt. Die Polarfront liegt nun nördlich derselben. Das barische Minimum des Kon-tinentes liegt südlich des Gebietes der MVR, über die Luftmassen aus Westen, Nordwesten und Norden dorthin abfließen. Früher hatte man angenommen, daß die Winde der Mongolei eng mit der monsualen Luft-zirkulation zusammenhängen. Die neuen Ergebnisse zeigen jedoch ein-deutig, daß in allen Gegenden der Mongolei tatsächlich nordwestliche,

*)   Mitteltemperaturen

Ulan-Bator	— 27 Grad	+ 18 Grad	45 Grad
Jakutsk	— 42,8 Grad	+ 18,8 Grad	61,6 Grad
Werchojansk	— 50,1 Grad	+ 15,1 Grad	65,2 Grad

Nach der Formel der Kontinentalität von Z e n k e r würde diese für Ulan-Bator 89,5 Prozent, für Jakutsk 99 Prozent und für Werchojansk 96,6 Prozent betragen. Auch bei Gegenüberstellung der absoluten Extremwerte übertreffen sowohl Jakutsk als auch Werchojansk die entsprechenden Amplituden der Tem-peraturen in der Mongolei.

nördliche und westliche Winde vorherrschen, wenn auch das Relief des Landes und seine große Ausdehnung das wirkliche Bild der Verteilung und Richtung der Winde kompliziert gestalten, besonders an der Erdoberfläche. Als Bestätigung dieser Feststellungen führt *Mursajew* (196/196) die Ergebnisse der aerologischen Beobachtungen in Ulan-Bator an, die vom Irkutsker geophysikalischen Observatorium in den Jahren 1925 bis 1927 angestellt und von *Trutnewa* und *Karamyschew* 1928 veröffentlicht worden sind (285). In den unteren Luftschichten überwiegen Winde, die aus Südwest im Winkel von 11 Grad kommen. In 2000 m Höhe verstärken sich die Nordwestwinde bedeutend und erreichen einen Anteil von 62 Prozent. In 2500 m Höhe erfolgt eine weitere Verstärkung der nordwestlichen Strömung, deren Geschwindigkeit im Mittel 5,8 m/sec. und im Maximum 21 m/sec. erreicht, wobei sich der Anteil auf 72 Prozent erhöht. Die Südostwinde, die auf dem Boden, z. T. auf Grund örtlicher Verhältnisse, noch eine bestimmte Rolle spielen, verschwinden in 3000 m vollkommen, die Beständigkeit der Nordwestwinde erreicht 74 Prozent und in 4000 m sogar 79 Prozent, wobei die maximale Geschwindigkeit auf 31 m/sec. ansteigt. Hieraus kann geschlossen werden, daß in 3000 m die örtlichen Einflüsse aufhören und die Vorherrschaft der über die Mongolei streichenden nordwestlichen Luftströmung voll in Erscheinung tritt. Ähnliche Feststellungen sind auch in Sain-Schanda, dem Verwaltungsort des Aimaks Ost-Gobi, gemacht worden. Dieser Ort liegt im Südosten des Landes auf der Linie von Ulan-Bator nach Kalgan und nur etwa 125 km von der Grenze zur Inneren Mongolei entfernt. Hier müßte sich nach bisherigen Annahmen der Monsun besonders bemerkbar machen. Doch das ist nicht der Fall. In den drei Jahren 1941 bis 1943 ergab sich an der Erdoberfläche folgendes Bild der prozentualen Anteile der Windrichtungen (196/196):

	Nord- und Westwinde	Süd- und Südostwinde
Mai	51%	13%
Juni	47%	14%
Juli	34%	22%
August	32%	31%
September	44%	19%

In höheren Luftschichten wird auch hier der Anteil der Nordwestwinde größer. So betrug er im Laufe der Monate Juli, August, September in 3000 m absoluter Höhe durchschnittlich 37 Prozent, während der Anteil der Süd- und Südostwinde nur 18 Prozent erreichte. In 5000 m Höhe wurde im August 1943 das gleiche Verhältnis festgestellt (196/197). Aus den vorstehenden Angaben geht hervor, daß die monsunalen Richtungen aus Süden und Osten merklich hinter den anderen zurückstehen, wobei noch ein Teil derselben auf die geringe Stabilität der örtlichen Witterungsverhältnisse, also auf lokale Gründe, zurückzuführen ist.

Wenn nun nur mehr geringe Meeresluftmassen das Gebiet der Mongolei erreichen, so muß dabei noch in Betracht gezogen werden, daß sie unterwegs ihren monsunalen Charakter fast vollkommen verlieren und hier mit ganz anderen physikalischen Eigenschaften ankommen als in den Küstengebieten Chinas und der Mandschurei. Den größten Teil ihrer Feuchtigkeit haben sie bereits auf dem langen Weg eingebüßt, wobei durch steigende Erwärmung die relative Luftfeuchtigkeit abnimmt. Viel zu wenig wird dabei beachtet, daß diese Luftmassen noch den Großen Chingan, den Inschan und die sich nach Westen anschließenden Gebirge überschreiten müssen, ehe sie in die Mongolei gelangen, wo sie zu einem Aufsteigen und folgendem Abstieg gezwungen sind. Wie sehr sich dieses auswirkt, habe ich bei der Auswertung der klimatischen Daten in der Barga feststellen können, die landschaftlich ja schon zur Mongolei gehört. Während Harbin noch jährlich 596 mm Niederschläge hat, betragen diese in Hailar, das westlich des Großen Chingans liegt, nur noch 306 mm und in Manchuria 256 mm. Noch schärfer tritt der Gegensatz der vorherrschenden Windrichtungen hervor. Während in Harbin in den Monaten Juni, Juli und August der Anteil der monsunalen Windrichtungen 51,7 Prozent beträgt und West- und Nordwestwinde nur zu 18,4 Prozent beteiligt sind, erreicht der Anteil der Süd- und Südostwinde in dem gleichen Zeitraum in Manchuria nur 16,3 Prozent, wobei hier West- und Nordwestwinde mit 23,2 Prozent sogar überwiegen (5/44). Auch auf meinen sommerlichen Reisen in der Inneren Mongolei habe ich von einem monsunalen Charakter wenig bemerkt, der in der Mandschurei und Nordchina so eindrucksvoll hervortritt.

Wir müssen uns hier der Meinung von *L. S. Berg* anschließen, der das Klima der Mongolei als ein solches der Hochsteppen und Halbwüsten innerhalb der gemäßigten Breiten bezeichnete (36/360). Auf seiner Karte der Klimate der Erde zieht er die Grenze des monsunalen Typus auf dem Kamm des Großen Chingan. Auch *Alissow* hat sich 1950 (20a/101) zu dieser Ansicht bekehrt. Interessant ist hierbei auch die Meinung *Mursajews*, der folgendes schreibt: „Über Wladiwostok erreicht der Monsun im Sommer eine Mächtigkeit von 1500 bis 2000 m, und natürlich fällt seine Mächtigkeit von der Küste zum Inneren ab. In diesem Falle kann man schwerlich erwarten, daß der rasch hereinbrechende Sommermonsun die Gebirgszüge, von denen die Mongolei umgeben ist, zu überwinden vermag" (196/198—199). Damit würden sich die gewonnenen Erkenntnisse der Luftbewegung über der Mongolei sehr gut in das allgemeine Bild des Monsuns einordnen, das wir in den letzten Jahrzehnten erworben haben.

Ein wesentliches Kennzeichen des typischen Monsunklimas ist, daß die relative Luftfeuchtigkeit im Sommer, also in der Zeit der größten Niederschlagsmenge, höher ist als im Winter. Auch dieses trifft für den Raum der Mongolei allgemein nicht zu. Hier ist die Luftfeuchtigkeit im Winter größer, wie später noch gezeigt werden wird.

Mit vorstehenden Ausführungen ist aber die Frage noch nicht geklärt, wie es zu den höheren Sommerniederschlägen in der Mongolei kommt. Obwohl *Wojejkow* den Großteil der Mongolei noch zum monsunalen

Klimabereich rechnet, bemerkt er, „daß man das Überwiegen sommerlicher Niederschläge als einen Wesenszug des kontinentalen Klimas betrachten kann" (310a/281). Sie sind also kein absoluter Beweis für die Monsunalität des Klimas. Der bekannte russische Klimatologe *Kaminskij*, der sich mit dem Klima der Nordwestmongolei besonders befaßt hat, erkannte bereits 1915, daß der Witterungsablauf hier vorwiegend unter dem Einfluß von Zyklonen steht, sowie von Antizyklonen, die die Luftmassen über dem mittleren Teil Sibiriens in Bewegung setzen (111/25). Gegenwärtig ist man in Kreisen der russischen Forscher der Ansicht, daß dieses auch für den weiteren Teil der Mongolei zutrifft. Während die Monsunfront über Nordchina und der Mandschurei liegt, verläuft durch Sinkiang und die Mongolei die Polarfront, die die kontinentale tropische Luft des asiatischen Inneren von der kontinentalen Polarluft sibirischer Herkunft trennt. Es ist dabei natürlich anzunehmen, daß es im Zuge dieser Front auch zu einer Zyklonentätigkeit kommt, wobei die Zyklonen hier sich der allgemeinen Luftzirkulation einordnen und von Westen nach Osten ziehen. Diese Zyklonentätigkeit in der Mongolei erscheint im Sommer verhältnismäßig schwach. Im Winter wird sie durch die mächtige Antizyklone, die über der Mongolei zu liegen kommt, fast vollkommen ausgeschaltet. Hieraus ergibt sich, daß die sommerlichen Niederschläge in der Mongolei nichts mit der monsunalen Luftzirkulation zu tun haben, sondern auf das Auftreten von Zyklonen zurückzuführen sind. Leider stehen uns die Ergebnisse der Wetterbeobachtung nicht zur Verfügung, so daß wir *Mursajew* folgen müssen, wenn er sagt: „Dieser Gedanke wird nunmehr durch die Analyse der synoptischen Prozesse, die sich in Ostasien abspielen, bestätigt" (196/200).

Temperaturen

Entsprechend dem kontinentalen Charakter des Landes sind die Temperaturen im Jahresablauf durch eine äußerst starke Amplitude gekennzeichnet. Dabei wird der Gegensatz zwischen Sommer und Winter weniger durch die sommerlichen Temperaturen verursacht, die im allgemeinen infolge der Höhenlage des Landes nicht sehr hoch ansteigen, als durch das tiefe Absinken derselben im Winter.

Die mittlere Jahrestemperatur in der MVR schwankt zwischen $+3,9^0$ im äußersten Süden und $-6,6^0$ im Norden. Die 0^0-Jahresisotherme durchquert das Land von Osten nach Westen ungefähr in der Mitte, wobei sie sich den Gebirgszügen etwas anpaßt. Im allgemeinen besitzen der Osten und der Gobi-Teil positive, die Zentralgebiete und der Norden negative Jahrestemperaturen.

Der kälteste Monat ist überall der Januar, der wärmste der Juli. Aus der beigegebenen Tabelle sind die unreduzierten Monatsmittel zu ersehen. Leider stehen mir für die angeführten Orte nur die Daten aus einer Beobachtungszeit von 7 bis 16 Jahren zur Verfügung (235). Einzelne Angaben sind nach neueren Veröffentlichungen berichtigt.

Die niedrigsten Temperaturen finden wir im allgemeinen im Norden, in der gebirgigen Mongolei, wobei im einzelnen jedoch wesentliche Unterschiede auftreten. Das tiefste Januarmittel ist bisher in Ulan-Gom mit —35⁰ festgestellt worden. Leider gibt *Mursajew* (196/204) nicht die Beobachtungszeit an, aus der dieses Mittel errechnet wurde; denn es ist für die Breite von 50⁰ außerordentlich niedrig. Aber auch Einzelbeobachtungen aus dem gleichen Raum berichten von außergewöhnlich niedrigen Wintertemperaturen, so daß man im Becken der Großen Seen wohl den kältesten Teil der Mongolei zu suchen hat. Eine gewisse Bestätigung hierfür liefern auch die dreijährigen Beobachtungen in Durektschi-Wan, am Oberlauf des Tes (ca. 98⁰ ö. L.) gelegen, die ein Januar-Mittel von —30,6⁰ ergaben (154/111). Einen beachtlichen Gegensatz in den Januartemperaturen weisen Uljassutai und Zezerleg auf. Der erste Ort (siehe Tabelle!) hat ein Januarmittel von —25⁰, der zweite nach zweijähriger Beobachtung nur ein solches von —14,8⁰ (154/111). *Mursajew* gibt für den letzteren —16⁰ an (196/219). Uljassutai (1630 m) und Zezerleg (1687 m) liegen fast in gleicher Höhe, das erstere an der Süd-, das letztere an der Nordabdachung des Changai. Doch während Uljassutai am Boden eines von waldlosen Bergen umgebenen, fast geschlossenen breiten Gebirgstales liegt, erhebt sich Zezerleg über die Talsohle und erstreckt sich direkt vor dem steil aufstrebenden baumlosen Sonnenhang eines hohen Berges, während die Schattenseiten der das Tal umschließenden Höhen mit Lärchenwald bedeckt sind. Diese örtliche Besonderheit der Lage verschafft Zezerleg einen relativ milden Winter. Dalan-Dsadagad (Tabelle!) verdankt seiner Hanglage ebenfalls den gleichen Charakter des Winters. Ulan-Bator, das etwa die gleiche Breitenlage wie Uljassutai und Zezerleg hat, jedoch am Boden eines tiefen Talkessels liegt, zeigt wiederum ein Januarmittel von —27⁰. Es ließen sich noch zahlreiche Orte anführen, die nachweisen, wie stark die Temperaturen des Winters von den örtlichen Bedingungen abhängig sind. Aus allem ergibt sich ein wesentliches Merkmal in der Verteilung der Wintertemperaturen in der gebirgigen Mongolei. Die tiefsten Temperaturen haben die Örtlichkeiten, die am Boden von Becken, Talkesseln oder halbgeschlossenen Tälern liegen. Schon eine Lage am Hang führt zur Milderung. Die bisher bekannten tiefsten absoluten Minima sind darum auch in entsprechenden Orten festgestellt worden. Sie betrugen in Uljassutai — 52⁰, Kobdo —48⁰, Ulan-Bator —48⁰, in Muren und Chara —47⁰.

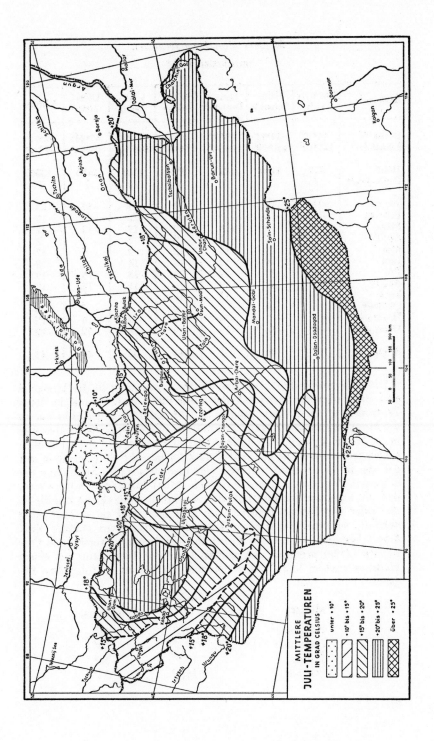

MITTLERE
JULI-TEMPERATUREN
IN GRAD CELSIUS

unter + 10°
+ 10° bis + 15°
+ 15° bis + 20°
+ 20° bis + 25°
über + 25°

Mittlere Monatstemperaturen
unreduziert in C[0]

Station	Dsamyn-Ude	Sain-Schanda	Dalan-Dsadagad	Tschoi-balsan	Ulan-Bator	Uljas-sutai	Kobdo
Breite N	44°30'	44°52'	43°35'	48°03'	47°55'	47°44'	48°02'
Länge E	111°14'	110°09'	104°29'	114°29'	106°50'	96°52'	91°39'
Höhe	910	1180	1471	850	1309	1630	1300
Beob. Jahre	7	7	7	7	16	7	7
Januar	-18	-17	-16	-23	-27	-25	-23
Februar	-14	-14	-13	-20	-22	-22	-19
März	- 6	- 4	- 3	- 9	-13	-12	-12
April	7	4	5	2	1	- 1	2
Mai	14	13	13	12	5	6	12
Juni	21	19	18	18	14	12	18
Juli	23	23	22	21	18	15	19
August	21	18	19	16	15	13	17
Sept.	14	13	13	10	8	5	11
Oktober	5	4	5	0	- 1	- 2	2
November	- 7	- 7	- 4	- 7	-12	-16	-12
Dezember	-14	-13	-13	-19	-24	-22	-22
Ampl.	41	40	38	44	45	40	42

Die außergewöhnlich niedrigen Wintertemperaturen in der Mongolei sind eine Folge der Herrschaft der winterlichen Antizyklone, in deren Zentrum etwa Ulan-Bator gelegen ist (196/203). Sie spielt nicht nur in der Mongolei, sondern in ganz Zentralasien eine wichtige Rolle, aber hier in der Mongolei mit ihrem zergliederten Gebirgsrelief und den zahlreichen eingelagerten tiefen Becken und Talkesseln bewirkt sie gemeinsam mit der von ihr geförderten Inversion eine besonders starke Abkühlung der unteren Luftschichten. Schon *Wojejkow* (310a) hat darauf hingewiesen, daß die kalte und schwere Luft der asiatischen Antizyklone ständig in die Täler Ostsibiriens abgleitet, sich dort staut und sie so übermäßig abkühlt, während die darüber lagernden Luftschichten wärmer sind. *Schostakowitsch* hat in seiner Arbeit über die Temperaturumkehr in Ostsibirien (269a) errechnet, um wieviel Grad die Temperatur bei einem Höhenunterschied von 1000 m zunimmt. Er kommt zu folgendem Ergebnis:

Monat	Zunahme im Mittel	maximal
November	5,2[0]	25[0]
Dezember	13,0[0]	20[0]
Januar	19,9[0]	36[0]
Februar	16,4[0]	34[0]

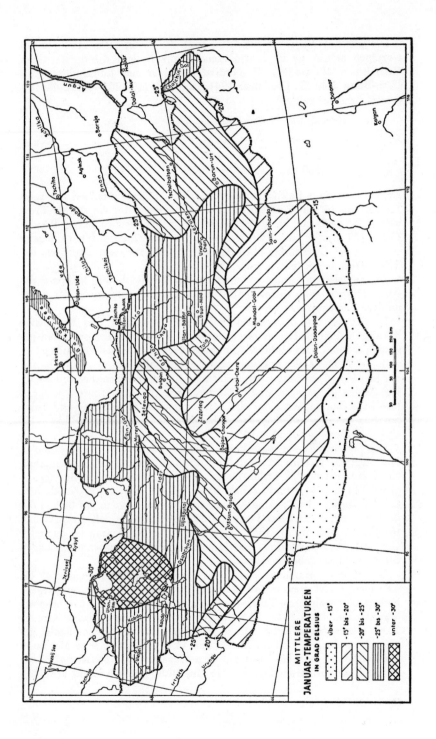

MITTLERE
JANUAR-TEMPERATUREN
IN GRAD CELSIUS

über -15°
-15° bis -20°
-20° bis -25°
-25° bis -30°
unter -30°

Die gleichen Vorgänge betreffen auch das Gebiet der MVR, ja im einzelnen mögen sie in ihrer Gegensätzlichkeit noch die ostsibirischen Verhältnisse übertreffen. Als Nachweis sei hier eine Luftsondierung in Ulan-Bator vom 27. Dezember 1941 angeführt (196/203—204), die folgendes Ergebnis zeitigte:

Höhe	Lufttemperatur	Zunahme
1309 m	—35,0^0	—
2000 m	—20,8^0	14,2^0
2500 m	—15,0^0	20,0^0

Demnach stieg die Lufttemperatur bei einem Höhenunterschied von rund 1200 m um 20^0 an. Während in der Stadt Ulan-Bator ein starker Frost von —35^0 herrschte, hatte der Gipfel des nahegelegenen Berges Bogdo-Ula (2273 m) nur eine Kälte von —17,3^0. Über 2500 m hinaus begann die kritische Luftschicht, über der dann nach oben ein Absinken der Temperatur festgestellt wurde.

Die niedrigsten Temperaturen treten bei Windstille auf, während das Auftreten von Winden infolge Mischung der Luftschichten in der Regel mildere Temperaturen bringt.

Im Gegensatz zu dem gebirgigen Teil der Mongolei sind in den Ebenen des Ostens und Südostens nirgends derartig niedrige Temperaturen gemessen worden. Das absolute Minimum erreicht in diesen Gegenden niemals —40^0. Der äußerste Osten scheint etwas kälter zu sein. Tschoibalsan hat hier ein Januarmittel von —23^0 und Jugodsyr ein solches von —20^0. Der Süden ist dagegen schon wärmer, denn die Januarmittel betragen hier in Tschoiren, etwa auf der Mitte zwischen Ulan-Bator und Sain-Schanda gelegen, —18^0, in Sain-Schanda — 17^0, in Dsamyn-Ude —18^0 und in Dalan-Dsadagad —16^0.

Der Sommer ist am wärmsten in der ebenen Ost- und Südmongolei. Hier liegt das Julimittel überall über 20^0 (Tschoibalsan 21^0, Sain-Schanda 23^0, Dsamyn-Ude 23^0, Dalan-Dsadagad 22^0), während es in dem gebirgigen Teil nie 20^0 erreicht (Ulan Bator 18^0, Uljassutai 15^0, Kobdo 19^0, Durektschi-Wan 15,7^0). Eine Ausnahme bildet im Norden das Becken der Großen Seen, in dem das Julimittel 20^0 übersteigt, so daß dieses Gebiet sowohl das kälteste als auch das wärmste der Nordmongolei darstellt. Über den Verlauf der Juli- und Januarisothermen orientieren die beiden der Arbeit beigegebenen Karten.

Das absolute Maximum erreicht in der Ost- und Südmongolei 38 bis 39^0. Diesen Gebieten stehen in dieser Beziehung einzelne tiefgelegene Becken des gebirgigen Teils nur wenig nach. So beträgt das absolute Maximum in Ulan-Bator 38,9^0, in Kjachta an der sowjetischen Grenze 38,4^0. Die höchsten Temperaturen sind sogar in der Nordmongolei gemessen worden, so z. B. in Muren mit 40,4^0 (196/214). Eine Moskauer Handelskommission hat sogar auf dem Wege nach Ulan-Bator 42,3^0 beobachtet, jedoch ist der Ort der Messung nicht genau bekannt (160/73).

Durch einen ausnahmsweise kühlen Sommer fällt die Umgegend des Chubsugul auf, für welche die Station von Chadchal maßgebend ist. Diese hat nach einer dreijährigen Beobachtungszeit ein Julimittel von nur 11,7° (154/111), *Mursajew* gibt sogar nur rund 10° an (196/214). Diese niedrige Sommertemperatur ist nicht allein in der Höhenlage (1624 m) begründet, sondern vor allem auf die kühlende Wirkung des 2620 qkm großen Chubsugul zurückzuführen, dessen Zuflüsse vor allem von Gletschern stammen. Im Winter wirkt der zugefrorene See wie Festland, so daß das Januarmittel in Chadchal auf —21,8° absinkt. Immerhin wirkt sich der Einfluß des Sees in einer relativ niedrigen Jahresamplitude von 33,5° aus.

Über die täglichen Temperaturschwankungen liegen keine systematischen Beobachtungen vor. Doch zahlreiche Forscher geben Einzeldaten, die von erheblichen Tagesamplituden zeugen. *Kondratjew* erlebte am 23. September 1928 im Changai einen Anstieg des Thermometers innerhalb von 24 Stunden von —19,4° auf +12,1° (120), *Prshewalskij* im Süden der Mongolei im Gebiet des Edsin-Gol Schwankungen von 30° (244). *Ma Ho-tien* (160/73) berichtet, daß eine russische Handelskommission auf dem Wege nach Urga um Mitternacht des 1. Juni 1910 eine Temperatur von +1,8° gemessen hätte und um 14 Uhr des nächsten Tages +42,3°. Die höchste Tagesschwankung mit dem außerordentlich hohen Wert von 42,4° innerhalb von 24 Stunden wurde von *Koslow* im Becken des Orok-Nur festgestellt. Vom 28. zum 29. März 1926 stieg die Temperatur von —14,2° auf 28,2° (196/237). Im allgemeinen sind die Tagesschwankungen im Frühjahr und Herbst am größten, doch liegen sie meist unter 30°. Aus den zahlreichen Berichten kann geschlossen werden, daß die Tagesamplituden nach Süden, d. h. in der Richtung auf Zentralasien, zunehmen.

Infolge der erheblichen Tagesschwankungen der Temperatur sind die Nächte in allen Gebieten der Mongolei stets kühl. Im Zusammenhang damit steht auch das Auftreten von Frösten. *Granö* berichtet, daß er auf seinen Reisen festgestellt hat, daß nur im Juli das Thermometer stets über Null bleibt (79/16). Doch können in manchen Gegenden des Nordens, so im Tal des Tes (Durektschi-Wan) und in den Bergen selbst im Juli Fröste auftreten (196/202). Nach *Junatow* (106/21) fiel Ende Juli 1945 in den südlichen Vorbergen des Chan-Chuchei Schnee, der sich zwei Tage hielt. Doch sind Fröste im Juli nur eine seltene und zumeist örtliche Erscheinung. Dagegen kommen Fröste im Juni und August im Norden des Landes öfters vor, wie folgende Tabelle zeigt (154/110).

Frosttage im Norden der Mongolei

	Mai	Juni	Juli	August	Sept.	Beob. Jahre
Chadchal	25	6	0	4	16	3
Durektschi-Wan	20	5	2	5	21	3
Zezerleg	10	0	0	0	8	2
Uljassutai	4	0	0	0	6	3

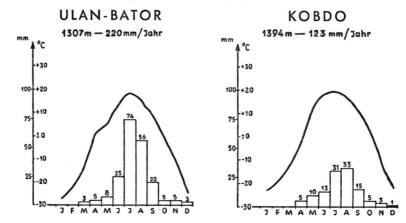

ULAN-BATOR
1307m — 220mm/Jahr

KOBDO
1394m — 123 mm/Jahr

Wenn vorstehende Tabelle auch nur auf einer kurzen Beobachtungszeit von wenigen Jahren fußt, so gibt sich doch eine Orientierung, die zeigt, daß der größte Teil der MVR drei und mehr Monate mit frostfreien Tagen besitzt. Das betrifft auch Ulan-Bator, das mit Uljassutai etwa gleichzusetzen ist, jedoch hat es im September bereits 11 Frosttage (196/217). In Dalan-Dsadagad ist der letzte Frost Mitte Mai beobachtet worden. Überall treten im September schon wieder Frosttage auf. Unklar sind die Verhältnisse im Nordwesten der Mongolei. Doch wenn wir den allgemeinen Angaben von *Granö* folgen (79/16), der diese Gebiete 1906, 1907 und 1909 durchforscht hat, so muß angenommen werden, daß in diesen höher gelegenen Gegenden nur der Juli frostfrei ist. Einzelne Becken können hier günstiger gestellt sein. So ist in Kobdo der letzte Frost am 28. Mai beobachtet worden (196/211). Doch mögen hier auch örtliche Verhältnisse mitsprechen.

Niederschläge

Die Mongolei gehört zum asiatischen Trockengürtel und ist im ganzen arm an Niederschlägen, was sich in der Vorherrschaft von Steppen, Halb-wüsten und Wüsten dokumentiert. Die größten Niederschlagsmengen erhalten wohl die hochgelegenen Gebirgsteile im Norden und Nord-westen. Doch läßt sich hierüber nichts Genaues sagen, da in diesen Gegen-den keine systematischen Beobachtungen durchgeführt worden sind. Die wenigen Wetterbeobachtungsstationen liegen fast ausschließlich in Becken,

70

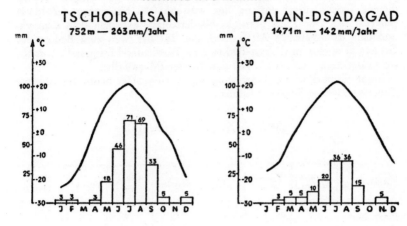

KLIMADIAGRAMME

TSCHOIBALSAN
752 m — 263 mm/Jahr

DALAN-DSADAGAD
1471 m — 142 mm/Jahr

Tallandschaften oder in den ebenen Gebieten der Mongolei. Doch aus dem physisch-geographischen Charakter der Gebirge, vor allem aus dem Auftreten von Versumpfungen, von feuchten Tälern, ferner aus den zahlreichen relativ wasserreichen Flüssen und einer verhältnismäßig hohen Schneedecke kann mit Sicherheit geschlossen werden, daß bestimmte Teile der Gebirge eine Niederschlagsmenge von 400 bis 500 mm empfangen, örtlich vielleicht sogar mehr. Das betrifft vor allem die Westhänge des Mongolischen Altai im äußersten Nordwesten, ferner die hochgelegenen Randgebirge des Chubsugul-Gebietes, die höchsten Teile des Chentei und wahrscheinlich auch die des Changai. Doch sind es räumlich engbegrenzte Gebiete. Selbst die Teile der MVR, die mehr als 300 mm Jahresniederschlagsmenge erhalten, haben nur geringe Ausmaße und umfassen nur die höher gelegenen gebirgigen Teile der Mongolei. Eine orientierende Übersicht über die Verteilung der mittleren Jahresniederschläge vermittelt die der Arbeit beigefügte Kartenskizze.

Im allgemeinen nimmt die Niederschlagsmenge von Norden nach Süden ab, um innerhalb der Gobi-Zone entlang der Südgrenze der MVR ihr Minimum zu erreichen, das hier überall unter 100 mm liegt und am Grenzsaum zwischen 40 und 60 mm schwankt. Im Raum des Edsin-Gol fielen in den Jahren 1928 und 1929 nur 25 mm (196/205). Die geringsten Niederschläge erhält die Transaltaische Gobi in ihrem Westteil, wo in einzelnen Jahren wohl 40 mm gemessen wurden. Doch können hier auch

Jahre auftreten, die überhaupt keine Niederschläge bringen. Neben diesem Trockengürtel entlang der wüstenhaften Südgrenze der MVR erstreckt sich eine Zone geringer Niederschläge zwischen dem Changai und dem Mongolischen Altai durch das Tal der Seen zum Becken der Großen Seen, wo im Chirgis-Becken eine Trockeninsel festgestellt worden ist, in der auch weniger als 100 mm Niederschläge fallen.

Einen Einblick in den Jahresgang der Niederschläge bietet die folgende Tabelle einiger wichtiger Stationen:

Mittlere Niederschlagsmenge

in mm

Station	Dalan-Dsadagad	Tschoi-balsan	Ulan-Bator	Zezerleg	Uljas-sutai	Kobdo *)	Chad-chal *)
Beob. Jahre	7	7	16	2	7	7	3
Januar	+	3	+	1	+	+	0
Februar	3	3	+	1	+	+	0
März	5	+	3	7	3	+	2
April	5	3	5	13	10	5	6
Mai	10	18	8	28	36	10	11
Juni	20	46	25	58	46	13	63
Juli	36	71	74	95	69	31	78
August	36	69	56	22	56	33	58
Sept.	15	33	20	18	20	15	51
Oktober	+	5	5	9	8	5	5
November	5	+	5	5	8	3	5
Dezember	+	5	3	3	5	5	2
Jahres-menge	142	263	220	262	268	123	284

*) Angaben für Kobdo und Chadchal nach Leimbach (154/110), sonst nach Pond (235)

+ Niederschlagsmenge nicht meßbar

Wie die vorstehende Tabelle zeigt, überwiegen bei weitem die sommerlichen Niederschläge. Im allgemeinen fallen vom Mai bis einschließlich September 80 bis 90 Prozent der Jahresmenge. Zur Ergänzung und weiteren Illustration obiger Tabelle seien anschließend noch einige andere Stationen genannt (196/206).

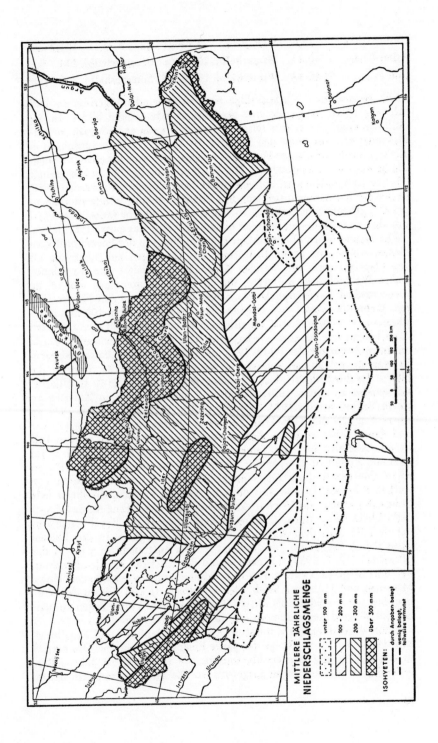

MITTLERE JÄHRLICHE
NIEDERSCHLAGSMENGE

unter 100 mm
100 - 200 mm
200 - 300 mm
über 300 mm

ISOHYETEN: durch Angaben belegt
wenig belegt,
teilweise vermutet

Undur-Chan	1937	DezFebr.	3,1 mm	Juni-Aug.	171,2 mm
Arbai-Chere	1940/43	Winterhalbj. 10 mm		Sommerhalbj. 234 mm	
Muren	1940/43	Winterhalbj. 16 mm		Sommerhalbj. 203 mm	

Die winterlichen Niederschläge sind verschwindend gering, so daß sich sehr selten im Lande eine geschlossene Schneedecke bildet. In der südlichen Gobi gibt es sehr selten Schnee, und wenn er doch fällt, so verschwindet er meist unter den Strahlen der Sonne. Vielfach verdunstet er direkt, ohne in die flüssige Form überzugehen und ohne die oberste Bodenschicht auch nur anzufeuchten. Die Hauptursache hierfür ist die geringe relative Luftfeuchtigkeit, auf die später noch eingegangen werden wird. In den Bergen sammeln sich jedoch, vielfach auch vom Winde zusammengeweht, größere Schneemassen an, die erst im Frühjahr tauen, manchmal sich aber auch bis in den Sommer hinein oder über das ganze Jahr halten.

Die sommerlichen Niederschläge gehen meistens in der Form von Regen nieder, wobei eine große Bedeutung den Gewittern zukommt, die oft von Hagelschauern und heftigen Regengüssen begleitet sind. Es können wahre Wolkenbrüche auftreten, die zu Überschwemmungen und oft zu einem raschen, katastrophalen Ansteigen des Wassers in den Flüssen führen. Wenn die monatlichen Niederschläge im Mittel selten 100 mm überschreiten, so konzentrieren sie sich zumeist auf wenige Tage, an denen dann bedeutende Mengen niedergehen. Die höchste Regenmenge wurde an einem Augusttag des Jahres 1929 mit 123 mm in Ulan-Bator gemessen. Es war ein gewaltiger Sturzregen, der innerhalb von 24 Stunden die Hälfte der durchschnittlichen Jahresmenge brachte (196/216). In Uljassutai wurden an einem Julitag 1940 28,9 mm gemessen, in Zezerleg an einem Tag im August 1943 37,9 mm und in Bulgan im August 1941 an einem Tag 52,7 mm (196/216). Schneefall kommt im Juli sehr selten vor und dann höchstens in den Bergen des Nordens. Auf einen solchen Fall ist im Abschnitt über die Temperatur bereits hingewiesen worden. Im Juni und August ist dagegen der Schnee in den Bergen und auf den Pässen schon eine gewöhnliche Erscheinung. Zahlreiche Forscher berichten von starken Schneefällen und von dichten, feuchten Flocken, die ihnen jede Sicht nahmen und das Vorwärtskommen erschwerten. Eine solche Schneedecke bleibt jedoch nur selten längere Zeit liegen. In der Regel verschwindet sie bald nach dem Aufhören des Schneefalles. Auch in den Ebenen kann jedoch Schnee im Juni und im August auftreten. So wird in der „Prawda" (17. 7. 1954) aus der Gegend des mittleren Kerulen berichtet, daß dort Mitte Juni 1953 ein heftiger Schneesturm ausbrach, in dem einige Menschen und Hunderte Stück Vieh umkamen. In den Bergen des Nordens beginnt der Schnee ab Mitte Oktober für den Winter liegen zu bleiben, im Süden dagegen zumeist erst ab Mitte November.

Schon am Anfang des Kapitels ist auf die Ungleichheit und Regellosigkeit des Klimas in der Folge der Jahre hingewiesen worden. Das betrifft in erster Linie die Niederschlagsmenge, die von Jahr zu Jahr außerordentlichen Schwankungen ausgesetzt ist. Die Mittelwerte haben darum fast nur theoretischen Wert. Es gibt in dieser Beziehung nur selten ein „normales" Jahr, und das macht den Ackerbau unter natürlichen Verhältnissen außerordentlich schwierig und risikoreich, da man niemals mit einer bestimmten Niederschlagsmenge rechnen kann. In Ulan-Bator fielen im Jahr 1943 381 mm aus, im nächsten Jahr waren es dagegen nur insgesamt 137,1 mm, d. h. nur etwas mehr als der Juli 1943 allein mit 108,5 mm brachte. Kobdo erhielt 1937 178 mm, 1939 dagegen 68 mm, Dalan-Dsadagad 1939 179,2 mm, 1941 74,1 mm (196/192). In Ula (111°E, 42°30'N), unweit der Grenze, aber schon außerhalb der MVR in der Inneren Mongolei gelegen, gab es 1923 während 10 Monaten weder Regen noch Hagel noch Schnee, 1928 dagegen regnete es in einer Woche (17.—24. Juli) volle 5 Tage (235/8). Nach den verschiedensten Berichten scheint im allgemeinen der Schluß berechtigt, daß die jährlichen Schwankungen der Niederschlagsmengen in der Richtung nach der Gobi, also nach Zentralasien hin, zunehmen. Auch die Form der Niederschläge scheint sich in der gleichen Richtung zu ändern, wobei der Anteil konzentrierter Regengüsse zunimmt. Andauernde Landregen sind in der Gobi-Zone sehr selten. Vielleicht könnte als weiteres Charakteristikum für diese Gebiete noch angeführt werden, daß die Regengüsse fast ausschließlich am Tage niedergehen, denn die meisten Forscher bemerken diese Tatsache ausdrücklich, daß mit dem Eintritt des Abends in der Regel der Wind sich legt und der Regen aufhört.

Die Jahresschwankungen der Niederschlagsmenge betreffen nun wiederum nicht das ganze Gebiet der MVR, was bei der Größe auch nicht zu erwarten wäre. In der Regel treten die Regen nur fleckenhaft auf oder durchziehen das Land in begrenzter Breite. *Mursajew* gibt über ein solches Erlebnis einen anschaulichen Bericht (196/193): „Im Somon Matad des Aimaks Tschoibalsan gab es am 23. August 1943 um 18 Uhr ein Gewitter, das 40 Minuten dauerte. Das Gewitter wurde von einem schweren Sturm und von heftigem Hagel begleitet. Es erfaßte einen Streifen von 15 bis 25 km Breite, seitlich von dem es still, sonnig und ruhig war. Der Hagel tötete viel Kleinvieh, da die Hagelkörner die Größe von Taubeneiern erreichten. Der Orkan riß Jurten fort, die 15 km weit rollten, Kleidungsstücke fand man 15 bis 25 km vom Lager entfernt. Mehrere mongolische Viehzüchter wurden verletzt. Nach dem Gewitter wurde es wieder ruhig, die Sonne strahlte, nur die von einer Eisschicht bedeckte Erde erinnerte an die Katastrophe. Der Hagel begann rasch zu schmelzen, alle Senken und kleinen Kessel füllten sich mit Wasser. Es ist klar", so bemerkt *Mursajew* zum Schluß, „daß keine meteorologische Station, die nicht gerade in diesem schmalen Gewitterstreifen von 15 bis 20 km Breite lag, diese lokale, jedoch verheerende Erscheinung verzeichnen konnte." Welche schreckliche Folgen derartige mit großer Gewalt auftretende Naturerscheinungen haben, davon gibt der sonst so nüchtern beobachtende Schwede *Larson* einen lebendigen Bericht (5. Juli 1929): „Ich muß da oben (auf einem Hügel) etwa eine halbe Stunde gewesen sein, als ich in einer Entfernung von ein bis zwei Meilen eine Staubwolke aufwirbeln sah. Diese Staubwolke näherte sich mit fürchterlicher Geschwindigkeit, so rasch, daß man nicht sehen konnte, was dahinter war. 200 oder 300 Yards unterhalb unserer Siedlung raste sie vorbei, dahinter kam eine wirbelnde Wasserhose — ein mächtig rauschender Fluß, der erbarmungslos alles vor sich mitriß, zum Glück waren unsere Zelte weit genug von dem Weg entfernt, den das Wasser nahm. Mehrere Stunden dauerte das Schauspiel, und schließlich, gegen Abend, beruhigten sich die Wogen. Am folgenden Tag ritten wir den Weg entlang, den der geheimnisvolle Fluß genommen hatte. Er war besät mit Leichen von Männern, Frauen, Kindern, Tausenden von Schafen, Rindern und Pferden, dazu kamen Zelte, Ochsenkarren und Körper toter Chinesen sowie eine Unmenge durchgeweichter Filzjurten, gestickte Schuhe, silberne Haarspangen und anderes mehr.

Die Natur, die so grausam Menschen und Menschenwerk hinweggeschwemmt hatte, ließ danach dichte Grasweide mit lieblichen Blumen innerhalb weniger Stunden im Sonnenschein hervorsprießen. Die Springflut verschwand so geheimnisvoll wie sie gekommen war — denn ihre Ursache war kein gebrochener Damm, sondern eine Öffnung himmlischer Schleusen. Und heute, von der Sekunde des Wolkenbruches an, ist die ganze Ebene, bis vor 48 Stunden noch ausgebrannter Wüstenboden, bis zum Horizont eine grüne und fruchtbare Weide. Friedlich grasen die Schafe. Die Kühe hatten heute abend volle Euter. Die Kinder tummeln sich vergnügt auf dem weichen Rasen und freuen sich, wieder so reichlich Milch zu haben" (142/226—227).

Wenn Naturerscheinungen mit derartigen Folgen, wie sie *Larson* schildert, auch selten vorkommen mögen, so zeigt der Bericht doch, welche belebende Wirkung der Regen auf Vegetation und Tierwelt ausübt. Die strichweise oder fleckenhaft ausfallenden Niederschläge sind ein besonderes Charakteristikum der ebenen Teile der Mongolei. Sie bewässern meist nur eine verhältnismäßig geringe Fläche und führen so zu einer räumlich verschiedenen Entwicklung der Vegetation. Dürren treten größtenteils nur in einzelnen Gebieten auf. So gibt die wechselnde Befeuchtung in den verschiedenen Gegenden viehzüchtenden Nomaden die Möglichkeit, mit ihren Herden in bessere Weidegebiete zu wechseln. Treten Dürren dagegen in größeren Gebieten auf, dann sind für das Vieh Hungersnöte die Folge, besonders im folgenden Herbst und Winter, in denen dann nicht selten Millionen Stück Vieh vor Hunger und Erschöpfung elend zugrunde gehen.

Luftfeuchtigkeit

Die relative Luftfeuchtigkeit und ihre Veränderungen im Laufe des Jahres haben infolge der Eigenart des mongolischen Klimas ihr besonderes Gepräge. Einen Überblick gibt die folgende Tabelle, die nach verschiedenen Quellen zusammengestellt ist (196, 70, 76):

Mittlere monatliche relative Luftfeuchtigkeit
in Prozent

	Ulan-Bator	Tschoibalsan	Sain-Schanda	Kobdo
Mai	52	45	35	41
Juli	66	61	67	43
August	62	63	52	48
Sept., Okt., Nov.	64—72	42—64	50—54	51—54
Dez., Jan., Febr.	76—78	75—78	63—72	61—72
Jahresmittel	66	60	55	53

Die relative Luftfeuchtigkeit ist allgemein im Frühjahr am geringsten und erreicht im Mai ihr Jahresminimum. Der rasche Anstieg der Temperaturen und die minimalen Niederschläge verursachen eine außerordentliche Lufttrockenheit, die im Süden größer ist als im Norden, wo die Luft noch kühler ist und aus der Schneeschmelze mehr Feuchtigkeit aufnehmen kann. Die geringste Luftfeuchtigkeit weist die Gobi-Zone auf, speziell der Gobi-Altai. In Dalan-Dsadagad, das ein Jahresmittel von nur 42 Prozent besitzt (196/213), hat man im Mai 1941 das kaum glaubhaft erscheinende absolute Minimum der relativen Luftfeuchtigkeit von nur 2 Prozent gemessen. Im April des gleichen Jahres war sie schon auf 4 Prozent gesunken (196/213 und 235/9). Beide Angaben sind unter der Voraussetzung, daß die Messungen korrekt durchgeführt wurden, als ein metereologisches Unikum anzusehen. In Kobdo, das durch seine allgemeine Lufttrockenheit besonders auffällt, wirken sich lokale Verhältnisse und die Nähe des Beckens der Großen Seen aus. Auch hier brachte das Jahr 1941 bemerkenswerte absolute Minima: im März 22 Prozent, im April 17 Prozent und im Mai 13 Prozent (196/213). Im Sommer führen die reichlicheren Niederschläge trotz der sich erhöhenden Temperaturen zu einem Anstieg der Luftfeuchtigkeit, wobei ein Maximum in manchen Gegenden im Juli, in anderen im August auftritt. Im allgemeinen ist der relative Feuchtigkeitsgehalt der Luft im Norden größer als im Süden. In höheren Lagen der Gebirge ist hier die Luftfeuchtigkeit größer, als sie die Talstationen angeben. Im Hochgebirge, wo Sümpfe und feuchte Täler im Sommer nie ganz austrocknen, kommt es sogar häufig zu Nebelbildungen. Auch in der Gobi-Zone nimmt die Luftfeuchtigkeit im Sommer zu, erreicht im Juli einen Höhepunkt, um dann rasch wieder abzusinken. Als Nachweis seien hier drei Stationen angeführt, die jedoch nur auf eine dreijährige Beobachtungszeit zurückblicken können (196/216):

Mittlere monatliche relative Luftfeuchtigkeit

	Juni	Juli	August
Sain-Schanda	47	67	52
Dsamyn-Ude	47	69	58
Baischintu	49	61	60

Mit dem August beginnt ein Absinken der relativen Luftfeuchtigkeit zum herbstlichen Minimum, das im Norden zumeist Anfang September, im Süden jedoch später erreicht wird. In Dalan-Dsadagad, das sich wiederum durch einen besonders trockenen Herbst auszeichnet, sinkt die relative Luftfeuchtigkeit im Oktober bis auf 35 Prozent (196/218). Dann beginnt im ganzen Gebiet der MVR infolge des raschen Absinkens der Temperaturen ein Anstieg der Luftfeuchtigkeit zum Winter, in dem in den Monaten Januar und Februar das Jahresmaximum erreicht wird. Selbst in Dalan-Dsadagad steigt die Luftfeuchtigkeit bis auf 69 Prozent an.

Winde und lokale Erscheinungen

Das Auftreten von Winden ist jahreszeitlich verschieden. Das Frühjahr ist die windreichste Jahreszeit, in der es nur selten einen windstillen Tag gibt. Über die Windrichtung läßt sich nur wenig sagen. Aus allen Berichten geht hervor, daß sie sehr veränderlich ist. Im gebirgigen Teil des Altai, Changai und Chentei überwiegen lokale Einflüsse, so daß Hänge und Rücken von starken Stürmen weit mehr heimgesucht werden als Becken und Talkessel, in denen Windstillen häufiger sind. Die Unterschiede zwischen Windhäufigkeit und -stärke sind darum in diesem Teil der MVR am größten. Weit besser können sich die Winde in den vorwiegend ebenen Teilen der MVR entfalten, wo sie auch eine größere Stetigkeit erhalten. Durch heftige Stürme sind die Gobi-Zone und der Gobi-Altai berüchtigt. Die Kahlheit der Hänge und die Versandung mancher Gebiete führen hier zur Entstehung von Staubstürmen, die oft längere Zeit anhalten und von Menschen sehr unangenehm empfunden werden. In Dalan-Dsadagad hat man Windgeschwindigkeiten bis zu 28 m/sec gemessen, in Kobdo solche bis 23 m/sec (196/212). Doch können diese Angaben nicht allgemein als Maßstab gelten, da nach Einzelerlebnissen von Forschern die Windstärke gelegentlich weit größer sein muß. Der April gilt für das Frühjahr als der Monat mit der heftigsten Luftbewegung.

Zum Sommer hin fällt die Windstärke ab, die Zahl der windstillen Tage nimmt zu. Die durchschnittliche Windgeschwindigkeit ist in den drei Sommermonaten nur halb so groß wie im Mai. Nach dreijähriger Beobachtungszeit (1941—1943) erreichte die mittlere Windgeschwindigkeit während der Sommermonate Juni, Juli, August in Kobdo 2—5 m/sec, in Jugodsyr 3—5 m/sec und in Ulan-Bator 3—6 m/sec (196/214). Doch sind auch im Sommer Winde recht häufig. Im Zusammenhang mit dem Auftreten von Gewittern entstehen vielfach heftige Böen, die sich bis zu Windhosen entwickeln und strichweise außerordentliche Verheerungen anrichten können. Derartige Erscheinungen sind vor allem für die eheneren Teile der MVR charakteristisch. Die Winde erreichen im Sommer im Laufe des Tages in der Regel um die Mittagszeit ihre maximale Geschwindigkeit, um zum Abend abzuflauen. Nachts herrscht meistens Windstille.

Zum Herbst nimmt die Windgeschwindigkeit allgemein etwas zu, erreicht jedoch nicht die Stärke des Frühjahrs. Während im Sommer meist westliche und nordwestliche Winde als vorherrschend angesehen werden, ist die Windrichtung im Herbst ähnlich wie im Frühjahr unbeständig und stark wechselnd. Örtlich können auch im Herbst sehr heftige Stürme auftreten, die in der Regel schon Schnee bringen und den Menschen oft einen Tag oder länger zum Verbleiben in der Jurte zwingen. So unerwartet schnell solche Stürme hereinbrechen, so plötzlich entschwinden sie auch, um einem ruhigen, sonnigen Wetter das Feld zu räumen. Die Gobi-Zone und der Gobi-Altai sind auch im Herbst durch derartig rasche Wechsel ausgezeichnet. Doch gegen Ende des Herbstes, vielfach schon Anfang Oktober, läßt die Stärke des Windes nach, lange Windstillen oder höchstens leichte Luftbewegungen herrschen dann vor. Die winterliche Antizyklone beginnt sich zu entwickeln.

Der Winter bringt mit seinem hohen Luftdruck stabile Verhältnisse mit seltenen und schwachen Luftbewegungen. Selbst lokale Erscheinungen werden auf ein Minimum herabgedrückt, so daß sie sich für den Menschen kaum bemerkbar abspielen. Am stärksten wirkt sich die Hochdrucklage in den Monaten Dezember, Januar und Februar aus. Mit dem Beginn des März deuten unregelmäßige Luftbewegungen schon den Abbau an. Im Gegensatz zu den stabilen und ruhigen Verhältnissen in den übrigen Gebieten der MVR steht der Mongolische Altai, der sogar im Winter als ein Gebiet erhöhter Luftzirkulation hervortritt. Obgleich auch hier im Vergleich mit den übrigen Jahreszeiten im Winter Windstillen stärker vertreten sind, kommt es doch zu heftigen Stürmen. Wahrscheinlich hängt diese Luftzirkulation im Altai mit lokalen Störungen zusammen, die infolge der unterschiedlichen Erwärmung der Süd- und Nordhänge, der Becken und Gipfel und durch die Kahlheit des Geländes hier besonders zum Ausdruck kommen.

Wie schon mehrfach hervorgehoben wurde, sind lokale Einflüsse auf die Winde überall und sehr deutlich zu beobachten. Die großen Talungen und langgezogenen Becken zwingen die Luftströmungen, sich dem Relief anzupassen. Dies betrifft aber nicht allein die Gebirgsgegenden, sondern selbst breite Talflächen von Flüssen, die keine hohe und scharf profilierte Begrenzung aufweisen. In Undur-Chan, das im Tal des Kerulen liegt, der hier von Südwesten nach Nordosten fließt, hat man nach einer Beobachtungszeit von drei Jahren (1941—1943) ermittelt, daß Südwestwinde mit einem Anteil von 30 Prozent und Nordostwinde mit 15,4 Prozent absolut vorherrschen (196/200).

Unter den eigentlichen lokalen Winden sind in der MVR Berg- und Talwinde, See- und Landwinde und der Föhn zu nennen. Wenn die ersteren auch in allen gebirgigen Gegenden vorkommen, so verdienen sie wegen ihrer Intensität in der Mongolei doch eine besondere Erwähnung. Die starke Tagesamplitude der Lufttemperaturen weist darauf hin, wie gegensätzlich schon allgemein die Einstrahlung am Tage und die Ausstrahlung des Nachts ist. In den Gebirgsgegenden müssen sie sich je nach

Exposition noch schärfer auswirken. So sind Berg- und Talwinde hier überall anzutreffen und besonders an Orten, die in Talflächen und Becken liegen, die von Gebirgszügen umrahmt sind. In langgestreckten, aufsteigenden Tälern können sie manchmal einen fast sturmartigen Charakter annehmen. Es gibt kaum Reiseberichte, in denen diese Erscheinung nicht erwähnt wird. Bekannt sind in dieser Beziehung die Orte Ulan-Bator, Uljassutai, Muren und Chara. Zuweilen bildet sich im Sommer über den größeren Beckenebenen ein lokales Tief, das sich über das Becken hinaus auswirkt und zur Unregelmäßigkeit des Klimas beiträgt.

Die großen Seen in der Mongolei müssen sich selbstverständlich irgendwie klimatisch auf die Umgebung auswirken. Am Chubsugul hat *Kondratjew* (121/41—44) regelmäßig wehende Land- und Seewinde festgestellt, wie überhaupt von einem „unzweifelhaften klimatischen Einfluß des Kosso-Gol (Chubsugul)" spricht. Dieser wirkt sich, wie schon bei früherer Gelegenheit betont wurde, in Chaddhal dahin aus, daß dieser Ort die niedrigste Sommertemperatur in der MVR und eine auffallend geringe Jahresamplitude der Lufttemperatur hat. *Granö* berichtet, daß an den Ufern der Ubsa-Nur eine Art von Land- und Seewinden herrschte (Juli). Die Wirkungen der letzteren waren noch in dem etwa 30 km entfernten Ulan-Gom bemerkbar. Nach Beobachtungen des gleichen Forschers verursachen die großen Seen (Ubsa-Nur, Chirgis-Nur) in der näheren Umgebung eine Herabminderung der täglichen Temperaturschwankungen (78/8).

Auch Berichte über Föhnwinde finden sich zahlreich in der Literatur. Am bekanntesten sind sie in Kobdo. *Granö* schreibt (78/8), als er von Kobdo aus das Bujantu-Tal aufwärts in den Altai reiste (13. September), wehte ein warmer Fallwind als starker Sturm von den schneebedeckten Bergrücken her. An den Tagen vorher war es in Kobdo sehr warm gewesen. Die meteorologische Station im gleichen Ort beobachtete am 4. Januar 1940, daß die Temperatur innerhalb von 12 Stunden von — 18,3° auf +4,8°, d. h. um 23,1° anstieg. Gleichzeitig verminderte sich die relative Luftfeuchtigkeit von 35 Prozent auf 11 Prozent (196/201). Kobdo verdankt dem Föhn seine bemerkenswert hohen mittleren Monatstemperaturen im Frühjahr und im Herbst (siehe Tabelle!), die darum im Vergleich zu den übrigen Stationen als Ausnahme hervorstechen.

Die Jahreszeiten

Der *Frühling* ist kühl, außerordentlich trocken und sehr windig. Obwohl die Sonne im März bereits recht warm scheint, friert es im Schatten. Tauwetter ist in diesem Monat im Altai und Changai noch sehr selten, in der Gobi-Zone taut es schon fast täglich. Der April ist als der erste eigentliche Frühlingsmonat anzusehen. Die Temperaturen erhöhen sich und überschreiten am Tage schon regelmäßig den Nullpunkt, aber nachts herrscht immer noch Frost vor. Eine positive Tagestemperatur stellt sich im Norden der MVR erst in der zweiten Hälfte des April ein, in der

Gobi-Zone dagegen schon Ende März oder Anfang April. Der rasche Anstieg der Temperaturen erfolgt im Norden besonders schroff vom März
zum April, was sich auch in den mittleren Monatstemperaturen ausdrückt
(siehe Tabelle!). Im Süden vollzieht sich der Anstieg nicht ganz so scharf.

Obgleich auch ein allgemeiner Anstieg der Temperaturen im Frühling
erfolgt, ist ihr Regime sehr unbeständig. Oft kehrt der Frost wieder.
Schneefall ist im Mai noch eine gewöhnliche Erscheinung. Im Mai hat man
in Kobdo noch einen Temperaturabfall bis zu —9⁰ gemessen, in der Gobi
in Baischintu und Sain-Schanda einen solchen bis —12⁰ (196/211). Dabei
beziehen sich die Temperaturschwankungen oft auf eine kurze Zeit. Die
Tagesamplitude ist im Frühjahr groß und erreicht die absoluten Werte
31⁰ bis 44⁰ (Kobdo im April 1941).

Die ansteigende Erwärmung kann jedoch die Entwicklung des Pflan-
zenlebens noch nicht veranlassen, weil der Boden zu trocken ist, und die
äußerst geringe Luftfeuchtigkeit, die im Frühjahr ihren Jahrestiefststand
erreicht, tut ein übriges, um den oberen Bodenschichten noch Feuchtigkeit
zu entziehen. Niederschläge fallen so gut wie keine. So beginnt die Vege-
tationsperode erst mit dem Ausfall des ersten Regens, doch dann entwickelt sich die Pflanzenwelt sehr schnell und ist in buchstäblich ein bis
zwei Wochen vollendet (106/22). Nur im Süden der MVR fällt dieser
Zeitpunkt noch in den Frühling, d. h. in die Mitte des Mai, und rückt
dann nach Norden vor, wo die Pflanzenwelt erst Anfang Juni, d. h. schon
im Sommer, zur Entfaltung kommt. Wenn die ersten Frühlingsregen sich
verspäten, verschiebt sich auch der Beginn der Vegetation. Es gehört
darum zu einer Eigenart der mongolischen Vegetation, was *Junatow*
(106/22) besonders betont, daß das Stadium der Frühlingspflanzen über-
sprungen wird, ein Charakteristikum, das auch auf die Steppen und
Wüsten Mittelasiens zutrifft. Diese Besonderheit für die Steppen der
Nordmongolei hat zuerst *Pawlow* (221) festgestellt. *Popow* (235a) hat
dann das Fehlen von Frühjahrsephemeren weiterhin untersucht und ist
zu dem Ergebnis gekommen, daß hier ein gesetzmäßiger Zusammenhang
mit der Besonderheit des mongolischen Klimas besteht.

Die verzögerte Entwicklung der Pflanzenwelt macht den Frühling zu
einer Hungerszeit für die Tiere, die in der MVR größtenteils das ganze
Jahr hindurch auf Weidefutter angewiesen sind. Die durch den langen
und kalten Winter entkräfteten Tiere sind im Frühjahr besonders an-
fällig und haben dann vielfach nicht mehr die Kraft, weiteren Hunger
und den starken Wechsel der Temperatur und die heftigen Stürme zu ertragen. So bringt in der Regel der Frühling die meisten Verluste an
Tieren, die um so größer werden, je mehr der Eintritt der Vegetationsperiode durch eine Verspätung des Frühjahrsregens hinausgezögert wird.

Auch für den Menschen ist das Frühjahr die unangenehmste Zeit des
Jahres. Neben den nie vorauszusehenden Temperaturschwankungen sind
es besonders die stetig wehenden Winde und Stürme, die ihm das Leben
beschwerlich machen.

Der *Sommer* ist in der Mongolei kurz und warm. Er ist die Vegetationsperiode, die im Norden die Monate Juni, Juli und August umfaßt, im Süden jedoch schon Mitte Mai beginnt und bis Mitte September dauert. In dieser Zeit sind die Temperaturen überall hoch, ja sie steigern sich nicht selten zu übermäßiger Hitze. Der Juli gilt im allgemeinen als der wärmste Monat, wenn die höchsten Temperaturen des Jahres auch manchmal im Juni oder August vorkommen können. Die Nächte sind überall verhältnismäßig kühl. Im Norden sind Nachtfröste im Juni und August keine Seltenheit, doch insgesamt sind die täglichen Temperaturschwankungen nicht so groß wie im Frühling. Sie verringern sich allmählich, um dann mit der Annäherung des Herbstes wieder zuzunehmen. Die relativ reichen Niederschläge, die in den Sommermonaten niedergehen, fallen mit den höchsten Temperaturen zusammen und bringen den Höhepunkt des Pflanzenwachstums. Die Steppen und Wüsten der Mongolei erleiden darum nicht die Austrocknung, das „sommerliche Ausbrennen", wie man es sonst in den Trockengebieten der Erde zumeist findet. Die Entwicklung des Pflanzenkleides ist abhängig von dem zeitlichen Auftreten der ersten Frühlingsregen. Fallen diese spät aus, so kann sich die Pflanzenwelt in der kurzen Vegetationszeit nicht voll entwickeln, so daß in der kalten Jahreszeit Futtermangel eintreten muß. So ist die sommerliche Zeit in wirtschaftlicher Hinsicht entscheidend für das ganze Jahr.

Verbunden mit den jahreszeitlichen Niederschlägen, ist im Sommer die Bewölkung häufiger als in den anderen Jahreszeiten. Im Norden gibt es im Juni und Juli oft trübe Tage. Doch im allgemeinen herrscht auch im Sommer Sonnenschein bei klarem, nur wenige Wolken aufweisendem Himmel vor. Die von heftigen Böen und oft von Hagelschlag begleiteten Gewitterregen sind nur kurzfristige Erscheinungen. So schnell sie kommen, so rasch sind sie auch vorüber und machen wieder hellem, warmem Sonnenschein Platz. Die Niederschläge bringen das Wasser der Flüsse zum Steigen, und selbst Trockenbetten füllen sich dann mit Wasser. In den Monaten Juni und Juli haben die Flüsse die höchste Wasserführung des Jahres. Im August klingen alle heftigeren Erscheinungen ab. Er bringt die meisten klaren und ruhigen Tage, die im Süden des Landes sich bis Mitte September ausdehnen. Dies ist die Zeit des Jahres, in der Mensch und Tier sich am wohlsten fühlen.

Der *Herbst* ist nur kurz und kündet seine Ankunft schon früh durch das Auftreten von Nachtfrösten an, die im Norden manchmal schon Ende August, in der Regel Anfang September erscheinen. Im Süden werden sie erst in der zweiten Septemberhälfte häufiger. Eine mitbestimmende Rolle für das Auftreten von Nachtfrösten spielen örtliche Verhältnisse, wie Höhen- und Beckenlage, Vegetationsdecke u. a. Die Temperaturen am Tage aber bleiben infolge der starken Isolation noch lange positiv und können an einzelnen Tagen im September noch sommerliche Grade erreichen. Der Erwärmung am Tage ist es zu danken, daß die mittleren Septembertemperaturen in der Mongolei noch überall positiv sind. Selbst die mittleren Temperaturen des Oktober liegen im Süden der MVR noch über 0^0, während sie im Norden schon unter den Gefrierpunkt absinken.

82

Wie im Frühjahr, so haben wir im Herbst einen zweiten Teil des Jahres, in dem die Kurve der Tagesamplitude der Temperaturen bedeutend ansteigt, um dann zum Winter wieder abzusteigen. Dabei übertreffen die regelmäßig zu beobachtenden täglichen Temperaturschwankungen des Herbstes die des Frühjahrs, so daß man mit Berechtigung den Herbst als die Jahreszeit mit den höchsten täglichen Temperaturamplituden bezeichnen kann. In welchen Ausmaßen diese liegen, sollen die Beobachtungen von *P. K. Koslow* (123/77) zeigen, der bei regelmäßigen täglichen Messungen im Mongolischen Altai folgende Extremwerte festgestellt hat:

	Absol. Max.	Absol. Min.	Amplitude
September	$+25,1^0$	-15^0	$40,1^0$
Oktober	$+15,1^0$	-26^0	$41,1^0$
November	$+ 4,2^0$	-25^0	$29,2^0$

Dabei gilt der Mongolische Altai noch als ein mildes Gebiet der MVR. *Mursajew* schreibt (196/217), daß die Extremwerte im Oktober-November eine Differenz von 50^0 erreichen können.

Der tägliche Wechsel zwischen Wärme und Kälte, die ungleichmäßig auftretenden Winde, die sich gelegentlich zu heftigen Stürmen mit Schneetreiben entwickeln können, geben der herbstlichen Jahreszeit einen unruhigen, ungleichmäßigen Charakter, der in allen Reiseberichten erwähnt wird. So schreibt *Gerassimow* (74/27): „Am 4. September 1951 verbrachten wir in der Nähe des Sees Chirgis-Nur im Nordwestteil des Landes einen heißen und klaren Tag; am Abend desselben bezog sich der Himmel mit Wolken, und es kam ein orkanartiger Sturm auf. Am Morgen des 5. September waren unsere Zelte auf der windzugewandten Seite von feuchtem Schnee verweht, von dem zu Mittag keine Spur mehr vorhanden war." Derartige Beispiele schroffen Wetterwechsels ließen sich noch zahlreiche anführen.

Im November wird es allgemein ruhiger. Man könnte diesen Monat schon zum Winter rechnen. Die Kälte gewinnt die Oberhand. Die Flüsse frieren jedoch verhältnismäßig spät zu, selbst im gebirgigen Norden bedecken sie sich infolge des größeren Gefälles erst Mitte November mit Eis.

Das Auftreten der herbstlichen Nachtfröste bringt den Abschluß der Vegetationsperiode. Die minimalen Niederschläge und das Absinken der relativen Luftfeuchtigkeit führen zu einer Austrocknung der Pflanzendecke, die sich ab September braun zu färben beginnt, sich jedoch weiterhin relativ lange und gut als Viehfutter erhält.

Der *Winter* wird in der Mongolei durch ein stabiles, klares Wetter bei ständiger Herrschaft des Frostes charakterisiert. Die Sonne scheint zwar verhältnismäßig warm, doch im Schatten friert es. In der Nacht sinken die Temperaturen sehr tief ab. Der klare, wolkenlose Himmel begünstigt die Wärmeabgabe und intensive Abkühlung. Am tiefdunklen Himmel wirken die Sterne besonders leuchtend und nah, eine Erscheinung, die von vielen Reisenden als bemerkenswert hervorgehoben wird. Der Mond scheint so hell, daß man ohne Schwierigkeit in seinem Lichte lesen kann (132/72). Jeder Laut ist in der klaren Luft weithin hörbar. Sehr ruhig sind besonders die Becken und Talflächen, in denen die schwere und kalte Luft sich anstaut und mit außerordentlicher Beständigkeit verharrt, während in höherer Lage der Gebirge, vor allem im Altai, auch Winde und selbst Stürme auftreten können, die gelegentlich auch den gering ausfallenden Schnee in Schluchten und Vertiefungen anhäufen und Schneeverwehungen auf Pässen und Wegen verursachen. Doch allgemein sind die winterlichen Niederschläge so gering, daß es nur selten zur Bildung einer geschlossenen Schneedecke kommt. Schlitten sind aus diesem Grunde in der Mongolei unbekannt. Auch im Winter dienen Karren dem Verkehr. Die Straßen sind dabei genauso trocken und staubig wie im Sommer. In der Gobi-Zone ist der Winter etwas milder als im Norden. Hier können auch im Januar und im Februar Tage mit positiver Lufttemperatur vorkommen (106/24). Die Lufttrockenheit ist hier im Süden besonders groß, so daß die geringe Schneemenge, die außerdem nur selten anfällt, vielfach direkt verdunstet. Der Boden ist so trocken, daß er nicht gefriert, obgleich negative Temperaturen in ihm herrschen. Im Januar und Februar kann man den Boden mit dem Spaten ohne Schwierigkeit umgraben. Neben dem trockenen Herbst ist es der windlose Winter, der für die Erhaltung der Pflanzen als Viehfutter sorgt. Die Pflanzen vertrocknen auf der Wurzel, ohne zusammenzufallen und ohne Teile zu verlieren, so daß das Vieh sie auch im Winter fressen kann.

Ungeachtet der Gegensätzlichkeit des kontinentalen Klimas erträgt es der Mensch leicht. Im eisigen Winter sind es die Trockenheit der Luft und die vorherrschende Windstille, die ihm die strenge Kälte weniger fühlbar erscheinen lassen. Auch im Sommer erleichtert die relative Lufttrockenheit dem Menschen das Ertragen der Hitzegrade des Tages, während die Nachtkühle ihn erfrischt. Als angenehm wird der reichliche Sonnenschein empfunden, der das ganze Jahr hindurch vorherrscht. Die Mongolei hat eine sehr lange Sonnenscheindauer, die sich auf etwa 3000 Stunden im Jahr beläuft (196/210).

Hydrographie

Allgemeine Übersicht

Aus der Betrachtung der klimatischen Verhältnisse geht hervor, daß die Mongolei insgesamt ein trockenes Land ist. Im Gesamtgebiet übersteigt das Maß der Verdunstung die Menge der Niederschläge (138/47). Nur die hohe Wasseraufnahmefähigkeit des Bodens, die relativ reichen und intensiv ausfallenden sommerlichen Niederschläge und die starke Zergliederung des Reliefs ermöglichen einen Abfluß in Form von Flüssen.

Nur rund ein Drittel der Fläche der MVR besitzt jedoch ein voll ausgebildetes Gewässernetz, das über die großen Ströme des Kontinents einen Ausweg zu den Weltmeeren findet. Es ist dabei nicht uninteressant, daß der Amur (Onon, Kerulen), der Jenissei (Selenga) und teilweise auch der Irtysch-Ob (Dshelty-Gol) in ihrem Ursprung weitesten Sinnes aus der trockenen Mongolei stammen. Zwei Drittel des Landes gehören aber zu den abflußlosen Gebieten Zentralasiens.

Zum Einzugsbereich des Nördlichen Eismeeres gehört in erster Linie die Selenga, die das ausgeprägteste Flußnetz in der Mongolei besitzt und alle abfließenden Gewässer aus dem Westteil des Chentei, den Nordhängen des Changai und dem Hauptgebiet des Chubsugul sammelt. Sie umfaßt die zentrale Nordmongolei. Die im Vergleich zu den anderen Gegenden relativ reiche Bewässerung macht diese zum wirtschaftlich wichtigsten Gebiet der MVR. Zum Einzugsbereich des Jenissei gehört außer der Selenga noch der Schischchid, der den Westteil des Chubsugul-Gebietes entwässert und zum Cha-Kem, einem Quellfluß des Jenissei, stößt. Im äußersten Westen gehört dann noch ein kleines Gebiet an der Grenze der Dsungarei zum Einzugsbereich des Nördlichen Eismeeres. Es ist das Quellgebiet des Dshelty-Gol, der zur Korunda abfließt, einem Nebenfluß des Schwarzen Irtysch.

Vom Pazifischen Ozean reicht nur der Amur mit seinen obersten Zuflüssen in die Mongolei hinein. Die Flüsse, die ihm ihr Wasser zuführen, sind der Onon, der Kerulen und der Chalchin-Gol. Wenn ihr Einzugsgebiet auch insgesamt recht groß erscheint, so liegen innerhalb desselben, insbesondere zwischen dem Kerulen und dem Onon, schon weite Gegenden, die keinerlei Abfluß nach außen haben. Hierzu ist schon die Uldsa (Uldsa-Gol) zu rechnen, die den gesamten Osthang des Eren-Daba entwässert und in einem Salzpfannengebiet im Süden von Solowjewsk endet. Selbst die Zugehörigkeit des Kerulen und Chalchin-Gol zum Amur ist nicht beständig. Beide entsenden wohl ihr Wasser in den Dalai-Nur, doch aus diesem fließt nur in höchst seltenen Fällen Wasser über den Mutnyj Pritok zum Argun, oft mit Unterbrechungen von mehr als 10 Jahren (112/97 f.).

Im Großteil des abflußlosen Gebietes fehlen dauernd fließende Gewässer überhaupt. In verschiedenen Gegenden gibt es hier wohl Flüsse, die in den Gebirgen ihre Quellen haben, mit dem Austritt aus den Bergen aber an Wasserführung abnehmen und entweder im Sande versickern oder

in meist unbedeutenden Seen enden. Jeder dieser Flüsse oder jedes Flußsystem bildet ein abflußloses Becken für sich. Charakteristisch für diesen
Teil der Mongolei sind trockene Flußtäler, die sogenannten Saire, die nur
nach bedeutenden Regenfällen kurzfristig Wasser führen. Sie sind in allen
Gegenden der abflußlosen Mongolei anzutreffen. Ihnen beigeordnet sind
oft kleine Bäche, die an Austrittsstellen des Grundwassers sich bilden und
den Sairen zufließen. Ihre Länge erreicht selten 2 bis 3 km, manchmal sind
sie nur einige hundert Meter lang. Zahlreicher treten sie in dem Gebirgsteil der Gobi auf, seltener dagegen in den ebenen Gebieten, und dann zumeist auch nur in den äußeren Randzonen abflußloser Becken. Andererseits
kann es auch vorkommen, daß Grundwasserströme in ihrem Verlauf an
die Oberfläche treten und als richtiger und viele Kilometer langer Fluß
erscheinen, um dann wieder zu verschwinden. Im Prinzip entspricht diese
Art der Flüsse den vorher genannten Bächen, nur daß hier das Ausmaß
und die Bedeutung größer sind. Im Abschnitt über das Grundwasser wird
auf diese Frage noch näher eingegangen.

Immerhin besitzt auch das abflußlose Gebiet der Mongolei recht bedeutende Flüsse. Hier sind vor allem der Dsabchan (808 km) und der
Kobdo-Fluß (516 km) zu nennen, die dem Becken der Großen Seen zufließen. Weiterhin wäre auf den 568 km langen Tes hinzuweisen, der in
den Ubsa-Nur mündet.

Die kontinentale Wasserscheide, die die peripheren Gebiete Asiens von
den abflußlosen Teilen trennt, ist auf der Karte des orographischen
Schemas der MVR eingezeichnet. Sie ist teilweise scharf ausgeprägt, und
zwar dort, wo sie auf dem Kamm hoher Gebirge verläuft, wie z. B. auf
dem Tannu-Ola, dem Sajljugem und weiterhin im äußersten Westen des
Mongolischen Altai. Doch andererseits ist die Wasserscheidelinie infolge
der Denudationsprozesse oft recht verschwommen und dann auch recht
schwer oder überhaupt nicht genau feststellbar, wenn sie durch Gegenden
mit wenig ausgeprägten Elementen der Orographie verläuft. Das letztere
betrifft z. B. das Gebiet zwischen Kerulen und Tola, wo beide Flüsse nach
Osten bzw. nach Westen auseinanderstreben und gleichzeitig in demselben
Raum die Wasserscheidelinie zwischen dem Pazifischen Ozean und dem
Nördlichen Eismeer nach Norden einsetzt. Auch auf dem Rücken des
Changai ist nicht immer der höchste Teil die Wasserscheide. *Prshewalskij*
(245) hat den Paß Gangyn-Daba, über den der Weg von Ulan-Bator nach
Dalan-Dsadagad führt, als eine markante Lokalität beschrieben, weil er
das hydrographische System des Nördlichen Eismeeres von dem abflußlosen Gebiet Zentralasiens trenne. Obgleich die Höhe des Passes wie auch
die klar ausgeprägte Kammlinie diese Annahme zu rechtfertigen scheinen,
hat man jedoch jetzt, wie *Mursajew* mitteilt (196/221), festgestellt, daß
die Wasserscheide viel weiter südlich verläuft, und zwar durch eine hügelige Ebene, in der es unmöglich ist, eine klare Grenzlinie zu ziehen.

Im Chentei und Changai wird die Wasserscheide oft von Plateauflächen
gebildet, die mit ihrem weichen und geglätteten Relief bemerkenswerte
Erscheinungen hervorgerufen haben. So hat *Kondratjew* im Gebiet des

Baga-Chentei auf einer solchen Hochfläche einen kleinen, versumpften See angetroffen, von dem Bäche ausgehen, die einerseits zum Kerulen, andererseits zur Tola abfließen, somit zum Einzugsbereich zweier verschiedener Ozeane gehören. Auch auf dem Changai findet sich zwischen den Oberläufen der Flüsse Tes und Buchsai ein Sumpfgebiet, aus dem Wasser sowohl in die abflußlosen Becken als auch zum Nördlichen Eismeer abströmt (196/221).

Ein genaues Studium des hydrographischen Netzes der Mongolei führt zu der Erkenntnis, daß sowohl die kontinentalen Hauptwasserscheiden als auch die Wasserscheiden zweiter Ordnung im Laufe der Vergangenheit sich wesentlich verlagert haben und noch über die Gegenwart hinaus einer ständigen Veränderung unterworfen sind. Infolge der geologisch langen kontinentalen Entwicklung der Mongolei lassen sich diese Vorgänge hier weit zurückverfolgen und stellen der Forschung sehr interessante und aufschlußreiche Aufgaben. Leider steht die Wissenschaft in dieser Beziehung erst in den Anfängen ihrer Arbeit, so daß viele Fragen noch als offen betrachtet werden müssen. Insgesamt kann hierzu nur gesagt werden, daß das heutige Gewässernetz eine sehr komplizierte Entwicklungsgeschichte durchgemacht hat.

Das Grundschema des heutigen hydrographischen Systems entstand wahrscheinlich schon zu Beginn des Mesozoikums, als das heutige Relief Zentralasiens sich allmählich zu bilden begann. In der Kreidezeit existierten zahlreiche breite Täler, ausgefüllt mit Seen und verbunden durch Flüsse, wobei diese nicht immer in der gleichen Richtung flossen wie heute. Diese mesozoischen Täler haben sich besonders im Osten und Süden an verschiedenen Stellen ausgezeichnet erhalten. Aber auch im Norden bis nach Transbaikalien hinein sind sie noch in der heutigen Morphologie klar zu erkennen. Sie sind im allgemeinen sehr breit, heute teilweise abgestorben, zeigen aber in ihrer ganzen Anlage Zusammenhänge mit dem alten mongolischen Seen- und Flußnetz. Ende des Mesozoikums und im Tertiär müssen wir uns, wie schon an anderer Stelle gesagt worden ist, die Mongolei im Hauptteil als eine Seenlandschaft vorstellen, wobei die Seen in bestimmten Richtungen angeordnet, dem Typus nach verschieden und in ihrer Größe und örtlichen Lage unbeständig waren, sich jedoch über die trockenen Perioden der Kreide und des Tertiärs im wesentlichen erhalten haben, wobei in den einzelnen Zeitläufen erhebliche Schwankungen auftraten. In der Nacheiszeit setzte ein energischer Prozeß der Umbildung der hydrographischen Verhältnisse ein, insbesondere ein Rückgang der Seen, ihre Verkleinerung, Aufgliederung und Isolierung in einzelne Becken, wobei parallel mit diesen Vorgängen auch die Flußgebiete auf die Becken aufgeteilt und voneinander abgeschnürt wurden, so daß, insgesamt gesehen, sich als Endergebnis das heutige Bild der Beckenlandschaften ergab.

Wesentlich in der ganzen Entwicklung waren dabei die lang und stark wirkenden Kräfte der Denudation, besonders auch in der letzten Phase der Entwicklung. Obgleich die Niederschlagsmengen in der Mongolei sehr gering sind, verursachen die heftig auftretenden Regengüsse des Sommers eine sehr starke Abspülung und Erosion. Das betrifft aber nicht nur die oft von Überschwemmungen heimgesuchten Gebiete des Nordens, sondern auch die abflußlosen Gegenden der übrigen Mongolei, wo Sturzbäche außerordentliche Ausmaße erreichen und in der Art von Muren in kurzer Zeit große Schwemmkegel entstehen lassen können. *Potanin* (238) beschreibt ihre Wirkung, und *Prshewalskij*, wohl ein erfahrener Forscher Innerasiens, schildert lebhaft, wie er in Alaschan durch einen plötzlichen Sturzbach nach einem Regen beinahe seine ganze Expeditionsausrüstung verloren hätte (245/294). *Mursajew* gibt von einer solchen Sturzbachflut, die er in den Gobi-Bergen des Zagan-Bogdo erlebte, ein packendes Bild: „Am 2. August 1943 regnete und hagelte es heftig zwanzig Minuten lang. Infolgedessen begann das Wasser in dem Flußbett 0,6 bis 1,0 m hoch mit einer Geschwindigkeit von 6 bis 8 m/sec zu strömen. Eine gewaltige Menge trüben Wassers von schokoladebrauner Farbe stürzte in die Talbecken hinab. Das Geräusch des schäumenden Wassers, der auf dem Boden mitrollenden Steine und das Hinabstürzen von Erdbrocken von der Kante des Flußbettes ins Wasser übten auf meine Begleiter, die schon einen Monat in den trockenen Ebenen der Gobi verbracht hatten, einen bezaubernden Eindruck aus. Doch bald verminderte sich das Wasser, und schon nach einer halben Stunde rieselte nur ein kleiner Bach auf dem Grund des Sairs" (196/225).

Die mitgeführten Sinkstoffe sind während des Hochwassers außerordentlich groß. In der Selenga an der Einmündung des Egin-Gol erhöht sich die Menge im Vergleich zum Winter um das Tausendfache (196/225), und das in einem Gebiet, in dem die verhältnismäßig dichte Pflanzendecke der Abspülung einen recht hohen Widerstand entgegensetzt. Wo diese Hemmung nicht so stark besteht, wie z. B. in der Gobi, ist anzunehmen, daß die Menge des mitgeführten Materials um ein Mehrfaches größer sein wird, wenn auch Unterlagen hierüber nicht vorliegen. Wie die kräftige Erosion zur Anzapfung und somit zur Veränderung der Wasserscheiden führen kann — *Polynow* und *Krascheninnikow* haben Beispiele nachgewiesen (231) — so ist die starke Mitführung von Geröll und Sinkstoffen oft der Grund zur Verlagerung des Flußlaufes. Beide Vorgänge, insbesondere der letztere, sind hervorstechende Merkmale des hydrogeographischen Netzes der Mongolei. Nicht nur, daß solche Flußverlagerungen, wie z. B. beim Dsabchan und anderen Flüssen, in der Vergangenheit nachgewiesen werden konnten, spielen sich gleiche Vorgänge auch in der Gegenwart fast vor den Augen der Menschen ab, so z. B. die Gabelung des Baidarik in seinem Unterlauf. Der linke, längere Arm wird nur noch bei Hochwasser gespeist und ist im Absterben begriffen. Er erreicht den See Adagin-Zagan nur mehr gelegentlich, so daß dieser sich darum zu einer Salzpfanne wandelt. Der rechte, wasserreiche Arm speist den See Bon-Zagan und erhält ihn am Leben. Der auf dem bis zu 4231 m hohen Munku-Chairchan im Mongolischen Altai entstehende Fluß Zencher bietet ein ähnliches Beispiel. Ein Arm endet im Salzsee Dsergen, während der

Ulan-Bator - die moderne Hauptstadt der Mongolischen Volksrepublik

Der Ort Chara - Station der Transmongolischen Bahn

Regierungsgebäude in Ulan-Bator - Tag einer Militärparade

Ulan-Bator - Alter Tempel, heute Museum

Mongolische Filzjurte - Der Eingang ist mit einem Teppich verhängt
Aufbau einer Jurte - Das aus Holzstäben bestehende Gerüst

andere in entgegengesetzter Richtung fließende Arm in den großen Süßwassersee Chara-Ussu mündet. Auch Abschnürungen einzelner Flüsse sind bis in die Gegenwart zu verfolgen. Alle diese Vorgänge zeigen, welche Kräfte bei der Entstehung des heutigen hydrographischen Netzes in der Vergangenheit wirksam waren.

Wie es den Flüssen gelungen ist, in der langen Zeit der kontinentalen Entwicklung sich ein relativ ausgeglichenes Längsprofil zu schaffen, zeigt die erstaunliche Tatsache, daß es in der Mongolei trotz des gebirgigen Charakters der meisten Flüsse keine ausgesprochenen Wasserfälle gibt, eine Merkwürdigkeit, auf die erst vor kurzem *Kusnezow* aufmerksam gemacht hat (139/98). Eine Ausnahme hiervon bildet allein der Orchon in seinem Oberlauf, wo in jüngster geologischer Vergangenheit ein Lavastrom sein Tal sperrte, den der Fluß noch nicht durchschnitten hat, so daß er sich über ihn hinabstürzen muß (139/98).

Neben zahlreichen gemeinsamen Zügen, wie sie aus der Entwicklung der hydrographischen Verhältnisse erklärbar sind, zeigen die einzelnen Gebiete aber auch wesentliche Unterschiede. Sie sollen in den folgenden Abschnitten bei der Behandlung von Einzelelementen und Spezialfragen zum Ausdruck kommen. In einem jedoch stimmen die Gewässer der Mongolei überein, nämlich darin, daß sie alle der Macht des Winters unterliegen. Fast sechs Monate lang verharren alle Seen und Flüsse unter Eisverschluß. Selbst das Grundwasser gefriert, soweit es von dem bis zu 2 m tief in den Boden eindringenden Frost erreicht wird.

Abflußverhältnisse

Die Untersuchungen über die Speisung der Flüsse, ihre Wasserführung, wie überhaupt über die oberflächlichen Abflußverhältnisse im allgemeinen und in den einzelnen Gebieten der MVR im besonderen sind nicht nur von rein theoretisch-wissenschaftlichem Wert, sondern haben auch eine außerordentliche praktische Bedeutung. Erst auf Grund ihrer Kenntnis lassen sich Pläne entwerfen und durchführen, die das Ziel haben, durch künstliche Wasserverteilung die Basis des Ackerbaues und der Viehzucht zu sichern und, was noch wesentlicher ist, zu verbreitern. Die wirtschaftliche Zukunft der MVR hängt in bedeutendem Maße von der Lösung dieser Frage ab. Aus diesem Grunde soll den Abflußverhältnissen hier etwas mehr Raum gewidmet sein.

Untersuchungen zu dieser Frage liegen bisher nur vereinzelt vor, zum Teil wurden sie als Nebenaufgabe bei der Erforschung von Einzelgebieten der MVR behandelt, so bei *Makkawejew* (165) und *Mursajew* (192), des weiteren von *Iwanow* (92) und *Kusnezow* (138). Eine Arbeit von *Lwowitsch*, die 1945 über den gleichen Gegenstand erschienen ist, war mir nicht zugänglich. *Kusnezow* hat neben einer Spezialarbeit über das Becken der Großen Seen (135) dann 1955 eine kurze Zusammenfassung der bisherigen Ergebnisse veröffentlicht, die insofern von größerer Bedeutung ist, als sie sich auf die Messungen von 11 Beobachtungsstationen stützt, die in der MVR eingerichtet wurden und auf eine Arbeitszeit von zwei bis sechs Jahren zurückblicken können. Erweitert wurden diese Ergebnisse durch die Beobachtungsreihen der sowjetischen Wassermeßstation von Ust-Kjachta an der Selenga über 12 Jahre. Die Wasserführung der Flüsse, die den abflußlosen Becken der MVR angehören, ist geschätzt worden. Für die Grenzgebiete im Norden wurden die Beobachtungen herangezogen (138).

Die Flüsse des Chentei und Changai werden hauptsächlich durch Regen gespeist. Der Grund hierfür liegt weniger darin, daß die meisten Niederschläge im Sommer niedergehen, als vielmehr in der Tatsache, daß diese Bergländer im Winter nur eine sehr geringe Schneedecke tragen. Dies kommt klar zum Ausdruck, wenn man etwa die Selenga mit dem Orchon vergleicht. Im Einzugsbereich des letzteren ist die Schneedecke geringer als in dem der Selenga. Die Folge ist, daß der Anteil des Regens bei der Speisung des Orchon und seiner Zuflüsse 50 bis 65 Prozent beträgt, während er bei der Selenga und ihren Nebenflüssen dagegen nur 40 bis 45 Prozent erreicht. Für die Wasserversorgung der einzelnen Flüsse spielt die absolute Höhe des Einzugsgebietes eine grundlegende Rolle, da von diesem einerseits die Höhe der Gesamtniederschlagsmenge, andererseits auch das Verhältnis zwischen festen und flüssigen Niederschlägen abhängig ist.

Für die Flüsse des Altai liegen keine entsprechenden Beobachtungen vor, doch wird als wahrscheinlich angenommen, daß der Anteil des Regens bei der Speisung kaum 40 Prozent übersteigt.

Eine Besonderheit der Flüsse im Einzugsbereich der Selenga ist der unerwartet hohe Anteil der Grundwasserspeisung, der zwischen 20 Prozent und 40 Prozent schwankt, während er beim Orchon nur 17 Prozent bis 25 Prozent beträgt. Dabei ist die allgemeine Feststellung interessant, daß der Anteil der Speisung der Flüsse, der aus dem Grundwasser stammt, nach Süden zunimmt. So werden die kleinen Flüsse der Gobi fast ausschließlich durch Grundwasser genährt. Das ist verständlich, da ja die Niederschlagsmenge allgemein nach Süden abnimmt. Gleichzeitig verringert sich nach Süden auch die absolute Menge der Grundwasserspeisung, da die Wasserführung dieser Flüsse nur gering ist, obwohl sie über verhältnismäßig ausgedehnte Einzugsgebiete verfügen.

Wenn die Grundwasserspeisung der Flüsse in der Mongolei insgesamt eine so große Rolle spielt, so liegt dies vor allem an der weiten Verbreitung von trockenen Aufschüttungen verschiedenster Herkunft, die einen erheblichen Teil der Niederschläge aufnehmen. Zumeist haben sie noch eine höherere Lage, wo sie größere Niederschlagsmengen erhalten.

Wenn die wichtigsten Flüsse der Mongolei trotz Ewiger Gefrornis und trotz des strengen, lang andauernden Winters nicht bis zum Boden durchfrieren, sondern weiterfließen, so ist dies nur dem Grundwasserzustrom zu verdanken. Und wenn andererseits bei kleineren Flüssen ein Durchfrieren bis zum Boden festgestellt wird, ist dies wiederum nicht auf das Versiegen des Grundwassers zurückzuführen, da dieses sich dann vielfach selbst einen anderen Weg an die Oberfläche bahnt und zu Aufeisbildung führt, mit der besonders die Täler kleiner Flüsse ausgezeichnet sind.

Bei der Speisung der Flüsse in der kalten Jahreszeit kommt den Überflutungswiesen eine bedeutende Rolle zu. Sie bestehen zumeist aus kiesigsandigen, mit Geröll durchsetzten Schichten und können zur Zeit des Hochwassers einen erheblichen Teil des übertretenden Wassers aufnehmen und aufspeichern. Dies konnte dadurch nachgewiesen werden, daß weiter unterhalb solcher Stellen der maximale Abfluß zurückging (138/47). Das aufgespeicherte Wasser kehrt nach dem Absinken der Wasserführung in den Fluß zurück, jedoch langsam und weit später, zum Teil sogar erst im Winter.

Die Speisung durch Schmelzwässer hat im allgemeinen eine geringe Bedeutung. Im Chentei und Changai liegt ihr Anteil immerhin zwischen 15 Prozent und 20 Prozent, bei einzelnen Flüssen im Chubsulgebiet sogar bis zu 25 Prozent (138/47). Die der Arbeit beigegebene Kartenskizze gibt einen schematischen Überblick über den oberflächlichen Abfluß im Vergleich zur Fläche. Hierzu können einzelne noch folgende Ausführungen gemacht werden.

Bei der Verteilung der jährlichen Abflußmenge ergeben sich für die Flüsse des Chentei-Changai-Gebietes etwa von Osten nach Westen verlaufende Zonen, innerhalb derer sich wiederum die vertikale Gliederung durch einen erhöhten Abfluß bemerkbar macht. Beim Mongolischen Altai gruppieren sich die Gebiete gleicher Abflußmenge, von einem Kern im äußersten Nordwesten ausgehend, von Nordwesten nach Südosten. Die größere Abflußmenge ist in den höher gelegenen Gebieten neben der größeren Niederschlagsmenge auf die geringere Verdunstung und stärkere Anhäufung von Schnee zurückzuführen.

Im Chentei beträgt der mittlere jährliche Abfluß bis zu 6 l/sec je qkm, wird jedoch im Oberlaufgebiet der Flüsse Iro, Onon und Mensa darüberliegen und bis 8 Liter erreichen. Als günstige Faktoren sind hier neben den verhältnismäßig reichen Niederschlägen das Vorhandensein der Ewigen Gefrornis, die weite Waldbedeckung und die allgemein gute Durchfeuchtung des Bodens zu nennen. Niederschläge von verhältnismäßig geringer Dauer führen hier schon zu einer verstärkten Wasserführung, wie die Beobachtungen am Iro es klar gezeigt haben (138/49). Wie stark die Abflußmenge im Oberlaufgebiet des Iro ist, zeigt ein Vergleich mit dem Orchon. Obgleich das Einzugsgebiet des Orchon mehr als zehnmal so groß ist als das des Iro, ist die jährliche Wassermenge, die der letztere dem Orchon zuführt, nur um weniges geringer, als der Orchon vorher selbst besitzt.

Vom Kerngebiet des Chentei aus nimmt die Höhe der Abflußmenge nach allen Richtungen ab, wobei die Verminderung nach Süden am stärksten ist. Bereits auf der Breite von Ulan-Bator beträgt sie nur noch 1 l/sec. Nach Osten nimmt die Menge langsam ab. Die Isolinie für 0,5 l/sec verläuft am Ostfuß des Rückens Eren-Daba.

Im Gebiet westlich des Chentei, das Mittelgebirgscharakter trägt, und im größten Teil des Changai sind die Abflußverhältnisse, im großen gesehen, ziemlich gleichförmig und liegen etwa zwischen 1,2 und 2,0 l/sec. Lediglich der höchste Teil des Changai mit dem Oberlaufgebiet der Flüsse Baidarik, Bujantu und Ider weisen höhere Beträge auf, die über 20 l/sec liegen. Ähnlich dürften auch die Verhältnisse im Hochgebirgsteil des Chan-Chuchei sein, vor allem auf der Nordseite. Geringer dagegen sind die Abflußmengen um den Rücken Bolnai im Norden des westlichen Changai, wo die Menge unter 1,0 l/sec absinkt. Hier finden sich zwar zahlreiche größere und kleinere Salzseen, der oberflächliche Abfluß ist kaum nennenswert.

Auf der Südabdachung des Changai nimmt die Abflußmenge nach Süden rasch ab und geht bis auf den Nullwert zurück. Die dorthin abfließenden Flüsse verlieren an Wasser, das teilweise verdunstet, versickert oder in Salzseen und -pfannen endet.

Für die Beurteilung des Chubsugul-Gebietes müssen die benachbarten Gebiete der Sowjetunion herangezogen werden. Die Abflußwerte nehmen von Norden mit mehr als 8 l/sec nach Süden bis 2 l/sec ab. Die höchsten Abflußwerte haben die Gegenden im Norden des Chubsugul und des Oberlaufes des Uri, der dem Egin-Gol zufließt (138/50).

Im Mongolischen Altai besitzen die höchsten mittleren Abflußwerte mit 8 bis 10 l/sec das Quellgebiet des Kobdo und die Oberlaufgebiete seiner Zuflüsse Zagan und Suok. Abflußwerte von 8 bis 4 l/sec schließen sich nach Osten an und reichen etwa bis zum Meridian Bajan-Ulegei. Dieser Raum insgesamt zeichnet sich neben reichen Niederschlägen, niedrigen Temperaturen im Sommer durch das Vorhandensein bedeutender Gletscher und Firnfelder aus.

Von Bajan-Ulegei verschlechtern sich die hydroklimatischen Bedingungen nach Osten und Südosten. Die Abflußmenge sinkt nach dem Becken der Großen Seen rasch ab, nur das bis 4116 m hoch aufragende Gebirge Charchira im Norden besitzt in seinen höchsten Teilen einen Abfluß von 2 l/sec. Auf der Hauptkette des Mongolischen Altai sind die Abflußverhältnisse besser und halten sich noch über 2 l/sec. Die Isolinie für 0,5 l/sec umfaßt noch das Gebirge Tschigigini-Nuru und damit den ganzen Mongolischen Altai.

In dem Becken der Großen Seen, der ganzen Gobi-Zone sowie in den Ebenen der Südost- und Ostmongolei kann man praktisch von keinem oberflächlichen Abfluß sprechen. Die Speisung der kleinen und kleinsten Wasserrinnen erfolgt in diesen Räumen fast ausschließlich durch unterirdisches Wasser, das zum größten Teil aus den diese Gebiete umgebenden Gebirgen und Rücken und nur zu einem geringen Teil aus der unmittelbaren Umgegend stammt. Stellenweise werden derart große Mengen unterirdischen Wassers zusammengeführt, daß es unter günstigen Umständen zur Entstehung von richtigen Flüssen kommt, wie es z. B. beim Zagan- und Legin-Gol südlich des Iche-Bogdo und auch bei einigen Flüssen der Ostmongolei der Fall ist.

Wasserführung der Flüsse

Der jährliche Ablauf der Wasserführung der Flüsse in der Mongolei ist abhängig von folgenden Faktoren: Aufnahmefähigkeit des Bodens, Luftfeuchtigkeit, Menge, Häufigkeit und Intensität der Regenfälle.

Der Herbst ist in der Mongolei trocken. Die minimalen Niederschläge und die geringe Luftfeuchtigkeit führen zu einer Austrocknung der Böden, so daß die Wasseraufnahmefähigkeit trotz der langen Kälteperiode über den Winter hinaus erhalten bleibt und die Böden im Frühjahr in der Lage sind, große Mengen an Feuchtigkeit zu binden. Daher werden in normalen Jahren die Schmelzwässer in Mittelgebirgslagen fast vollständig vom Boden aufgenommen. Ein Teil verdunstet natürlich. In tiefer gelegenen Teilen des Landes, wo eine Schneedecke nur in geringem Ausmaß oder überhaupt nicht vorhanden ist, bleibt der Boden auch im Frühjahr trocken. Nur in Hochgebirgsteilen kommt es infolge größerer Schneemengen und schon gut durchfeuchteten Bodens zu einem oberflächlichen Abfluß.

Zumeist sind die geringen Schmelzwässer selbst in mittleren Gebirgshöhen nicht in der Lage, den Boden zu durchfeuchten, so daß es infolge der außergewöhnlichen Lufttrockenheit und der heftigen Winde im April und in der ersten Hälfte des Mai allgemein zu einer weiteren, verstärkten Austrocknung der Böden kommt, und — wie schon an anderer Stelle gesagt worden ist — die Vegetation sich nicht entwickeln kann.

Die Niederschläge der zweiten Maihälfte gehen dem Abfluß praktisch verloren, da sie auf ausgetrocknete Böden fallen, dienen jedoch dem Aufleben der Vegetation. Erst die reichlicheren Niederschläge des Juni

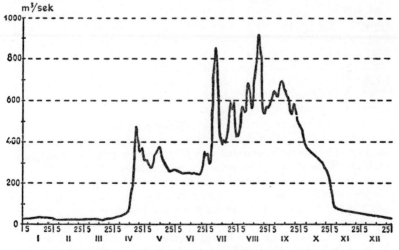

Die Wasserführung der Selenga bei Ust-Kjachta im Jahre 1933
(nach N. T. Kusnezow)

führen zu einem oberflächlichen Abfluß, obgleich der Bedarf der Pflanzenwelt an Feuchtigkeit sehr groß ist. Im Juni werden die Böden in der Regel schon so gut durchfeuchtet, daß die Niederschläge des Juli und August wesentlich der Wasserführung der Flüsse zugute kommen. Zur gleichen Zeit schalten sich auch die Grundwässer ein, deren Niveau sich im Mai und Juni gehoben hat. Begünstigt wird der oberflächliche Abfluß in den Monaten Juli und August auch dadurch, daß die Niederschläge zeitlich konzentriert sehr intensiv sind.

Im September lassen die Niederschläge schon beträchtlich nach, bald fallen sie als Schnee aus, der in den Hochgebirgen schon früh liegen bleibt. Gleichzeitig erhöht sich ab September die Wasseraufnahmefähigkeit des Bodens. In den folgenden Monaten gehen die Niederschläge bei sich steigernder Wasseraufnahmefähigkeit der Böden bis zum Winter auf ein Minimum zurück. Der oberflächliche Abfluß wird in dieser Zeit unterbrochen. Im Winter erfolgt die Speisung der Flüsse in der Hauptsache durch das Grundwasser. In kleineren Becken hört jeder Abfluß auf. Die Grundwasservorräte stehen jedoch den Flüssen nicht voll zur Verfügung, da ein großer Teil derselben durch Bodenfrost gebunden wird.

Das Zusammenwirken der geschilderten Faktoren drückt sich im Jahreslauf der Wasserführung bei den Flüssen des Chentei und Changai wie folgt aus.

In der zweiten Hälfte des April setzt ein Ansteigen der Wasserführung ein, das bis Mitte Mai anhält. Dieser Frühjahrshochwasserstand ist in erster Linie durch die Schmelzwässer der Hochgebirge bestimmt. In der zweiten Hälfte des Mai geht die Wassermenge etwas zurück und verbleibt dann in verhältnismäßig gleicher Höhe bis Anfang Juli. Die Monate Juli und August bringen das sommerliche Hochwasser, das mehrere Male, zumeist zwei- bis siebenmal, steil ansteigt, wobei die maximale Wasserführung des Frühjahrshöchststandes eineinhalb bis dreimal übertroffen wird (138/52). Ist der letzte sommerliche Höchststand vorbei, so sinkt die Wasserführung sehr rasch ab (siehe graphische Darstellung!). Im Winter behalten die Flüsse des Chentei-Changai eine verhältnismäßig niedrige, aber beständige Wasserführung, deren Höhe allein durch das Grundwasser sichergestellt ist.

Die vorgeschilderte mittlere Wasserführung während eines Jahres gilt im Prinzip für weite Gebiete. Doch entsprechend den großen Differenzen, die in den Niederschlagsmengen von Jahr zu Jahr auftreten können, ist auch die Wasserführung bedeutenden Schwankungen unterworfen. In besonders trockenen und heißen Sommern entfallen die sommerlichen Hochwasserstände. In solchen Jahren hält sich die Wasserführung ziemlich gleichmäßig. In besonders regenreichen Jahren umfaßt der Hochwasserstand den größten Teil der warmen Jahreszeit, d. h. er zieht sich auseinander, so daß praktisch den ganzen Sommer über Hochwasser herrscht. In beiden extremen Fällen treten die für Normaljahre so charakteristischen Spitzen zurück.

Da die Niederschläge auch in ihrer räumlichen Verteilung von Jahr zu Jahr schwanken, kann es in dieser Beziehung ebenfalls zu bemerkenswerten örtlichen Unterschieden in der Wasserführung kommen. So hatten die Flüsse des Chentei (Kerulen, Onon, Tola, Chara u. a.) z. B. im Jahre 1946 vom Juni bis zum Eisverschluß einen relativ niedrigen, gleichbleibenden Wasserstand, während die Flüsse des Changai im Frühjahr mehrmals Hochwasser aufzuweisen hatten (138/53). 1944 hinwiederum hatten die Flüsse des Changai im Frühjahr mehrere Hochwasser, die das Sommermaximum des gleichen Jahres übertrafen, während im Chentei die sommerlichen Hochwasser normal, also höher als die Wasserführung im Frühjahr waren. Selbst innerhalb einzelner Flußgebiete können von Jahr zu Jahr räumlich schwankende Differenzen auftreten.

Im Altai verläuft der Jahresgang der Wasserführung anders. Das Frühjahrshochwasser umfaßt den Mai und Juni, in welcher Zeit auch das Maximum des Jahresabflusses liegt. Die lange Dauer des Hochwassers kommt von der langsamen Schneeschmelze. Der Wechsel zwischen Erwärmung und Abkühlung im Verlauf des Frühjahrs verursacht nur leichte Hochwasserschwellen. Ende Juni werden diese wahrscheinlich schon durch Regen verursacht. Die Wasserführung im Sommer ist abhängig von dem Ausfall der Niederschläge.

Die beigegebene Tabelle des mittleren monatlichen Abflusses zeigt, daß im Jahresablauf im allgemeinen zwei Maxima und zwei Minima auftreten. Das erste Maximum zeigt in der Regel der Mai, das zweite der Juli oder August. Wenn der Einzugsbereich hoch liegt und Schmelzwässer eine größere Rolle spielen, wie z. B. beim Muren und beim Ider, übertrifft der Mai zumeist den Juli oder August. Wenn der Einzugsbereich im allgemeinen niedriger liegt, übertrifft der Juli-August hinwiederum den Mai. Den niedrigsten Abfluß zeigen die Monate Januar und Februar, in denen der Abfluß vielfach unter 1 Prozent der Jahresmenge absinkt. Nur der Egin-Gol verbleibt das ganze Jahr über 2 Prozent, was auf die regulierende Wirkung des Chubsugul zurückzuführen ist, dem der Fluß entströmt.

Mineralgehalt und Mineralisation der fließenden Gewässer

Über den Mineralgehalt der Flüsse in der Mongolei liegen einige neuere Untersuchungen vor, die sehr interessante Ergebnisse erzielt haben. Insbesondere haben sich *Iwanow* und *Kusnezow* (92) mit dieser Frage beschäftigt, wobei sie sich auf eigene Untersuchungen stützen können, die sie an 97 Punkten in den verschiedensten Teilen des Landes durchgeführt haben. *Kusnezow* hat 72 Proben aus großen und kleinen Flüssen der gebirgigen Nordmongolei entnommen, und zwar bei Mittelwasser, d. h. zum Zeitpunkt der höchsten Mineralisation. *Iwanows* Proben von 25 Punkten stammen aus den Becken und der Gobi-Zone. Weiterhin enthält eine Arbeit von *Bespalow* (46) sehr viel wertvolles Material, das er aus der Untersuchung von 16 größeren Flüssen der Mongolei gewonnen hat.

Mittlerer monatlicher Wasserabfluß einiger Changai-Chentei-Flüsse

in % des jährlichen Abflusses (nach Kusnezow)

Fluß	Beob. Punkt	Beob. Jahre	Jan.	Febr.	März	April	Mai	Juni	Juli	Aug.	Sept.	Okt.	Nov.	Dez.
Muren	2 km oberhalb der Mdg.	2	0,4	0,8	1,4	2,4	21,6	27,4	17,0	13,2	7,4	4,6	2,6	1,2
Ider	2 km oberhalb der Mdg.	2	1,0	1,2	2,3	6,3	19,3	14,9	16,9	14,9	9,9	7,7	3,7	1,9
Tschulutu	6 km oberhalb der Mdg.	2	1,0	1,8	2,0	6,7	17,6	12,0	17,4	18,6	13,2	6,8	2,0	0,9
Selenga	Zusammenfluß von Muren und Ider	3	1,1	1,0	1,4	5,3	19,6	15,8	23,8	14,0	9,0	6,0	2,1	0,9
Selenga	3 km oberhalb der Mdg. d. Egin	3	1,5	1,3	1,8	7,6	18,4	13,5	23,9	12,8	8,7	6,6	2,5	1,4
Egin	2 km oberhalb der Mdg.	2	2,2	2,1	2,1	6,0	15,0	13,4	13,5	16,8	13,0	9,2	4,2	2,0
Selenga	6 km unterhalb der Mdg. d. Egin	7	1,3	1,0	1,2	4,6	12,5	11,3	20,6	19,8	13,6	8,5	3,6	1,6
Orchon	oberhalb der Mdg. der Tola	2	0,3	0,2	0,3	4,3	11,0	5,9	29,2	25,1	12,9	7,8	2,0	1,0
Orchon	unterhalb der Mdg. der Tola	3	0,3	0,2	0,3	4,0	13,6	10,6	23,6	21,7	12,7	9,6	2,8	0,6
Iro	3 km oberhalb der Mdg.	2	0,2	0,1	0,2	7,8	17,2	21,0	21,0	10,8	4,8	6,8	2,2	0,9
Orchon	75 km oberhalb der Mdg.	4	0,4	0,2	0,3	6,0	13,1	10,2	17,4	20,6	16,9	4,2	2,8	0,8
Orchon	Dorf Schamar	4	0,3	0,2	0,3	4,0	13,3	9,6	25,2	24,0	12,6	7,3	2,4	0,8
Selenga	Stadt Ust-Kjachta	12	0,9	0,7	0,8	6,1	14,0	15,4	16,4	16,5	13,5	10,0	3,9	1,8

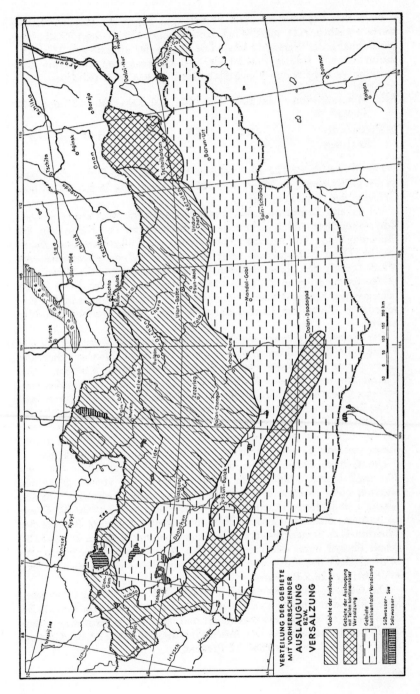

VERTEILUNG DER GEBIETE
MIT VORHERRSCHENDER
AUSLAUGUNG
BZW.
VERSALZUNG

Gebiete der Auslaugung

Gebiete der Auslaugung
mit Teilen kontinentaler
Versalzung

Gebiete
kontinentaler Versalzung

Süßwasser-   See
Salzwasser-

7

Nach den Ergebnissen dieser Forschungen liegen die Mineralgehalts-
werte zwischen 30,1 mg/l (Fluß Kobdo) und 1592,3 mg/l (Bäche am
Nordabhang des Nemegetu-Ula). Die Stärke der allgemeinen Mineralisation verteilt sich in Prozent der 91 Analysen von *Kusnezow* und
Iwanow — sechs waren Kontrollanalysen — wie folgt (92/29):

Allg. Mineralisation in mg/l	bis 100	100-200	200-300	300-500	über 500
In Prozent der Analysen	21,0	36,5	15,5	14,2	12,8

Die Werte bis zu 100 mg/l gehören meist den Oberläufen der Flüsse
in den Gebirgen an, die Werte über 500 mg/l treten nur in den abflußlosen
Gebieten der Gobi-Zone auf.

Bei näherer Betrachtung der Forschungsergebnisse zeigt sich eine deutlich ausgeprägte Abhängigkeit des Mineralgehaltes der Flüsse von der
Höhenlage, so daß *Iwanow* von vertikalen hydrochemischen Zonen
spricht. Diese Abhängigkeit zeigt sich darin, daß im allgemeinen der
Mineralgehalt der Flüsse von den Wasserscheiden gegen die ihnen vor-
gelagerten niedrigeren Teile des Landes zunimmt. Aus der dieser Arbeit
beigegebenen Kartenskizze, die die Höhe des Mineralgehaltes in den verschiedenen Teilen des Landes darstellt, gehen diese Beziehungen klar
hervor.

Die Gebiete mit einem verhältnismäßig niedrigen Mineralgehalt der
Flüsse unter 100 mg/l treten als vier große Inseln auf. Hierher gehört der
Chentei mit den Oberlaufgebieten der Flüsse Onon, Kerulen, Tola,
Chara, Iro und Mensa, dann der Changai mit den Oberläufen von
Selenga, Orchon, Tuin-Gol, Baidarik, Dsabchan und Tes. Die dritte Insel
bildet der nordwestliche Altai mit dem Quellgebiet des Kobdo im Norden
und dem des Bulugun im Süden. Das vierte Gebiet ist das des Chubsugul,
das bis zum Südende dieses Sees nach Süden reicht. Die Fläche, die zu
diesen Gebieten gehört, nimmt 14,5 Prozent der gesamten MVR ein.

Die Gebiete, deren Flüsse einen Mineralgehalt zwischen 100 und
200 mg/l besitzen, umrahmen beinahe überall die vorher genannten
Gegenden und gehören den mittleren und niedrigeren Lagen des Chentei,
Changai und Mongolischen Altai an. Außerdem sind hierher die Flüsse
zu rechnen, die vom Großen Chingan kommen, wie zum Beispiel der
Chalchin-Gol. Bemerkenswert ist in dieser Zone der Kerulen, dessen Salz-
gehalt überall unter 200 mg/l liegt. Der Anteil dieser Zone mit einem
Mineralgehalt der Flüsse von 100 bis 200 mg/l an der Gesamtfläche der
MVR beträgt 26,5 Prozent.

Die Gebiete, deren Werte sich zwischen 200 und 300 mg/l bewegen,
liegen über den Chentei und Changai inselhaft verstreut. Im Bereich des
Altai treten sie zusammenhängend auf und legen sich in Form eines engen
Streifens um das Gebirge. Der Anteil aller dieser Gebiete an der Gesamtfläche der MVR erreicht rund 12 Prozent.

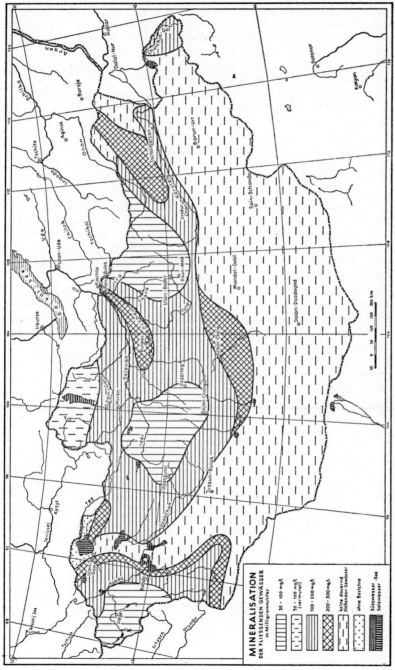

MINERALISATION
DER FLIESSENDEN GEWÄSSER
in Milligramm/Liter

- 30 - 100 mg/l
- 50 - 100 mg/l (vermutet)
- 100 - 200 mg/l
- 200 - 300 mg/l
- keine dauernd fliessenden Gewässer
- ohne Berichte
- Süsswasser -See
- Salzwasser

7*

Alle vorgenannten Gebiete, deren Werte insgesamt zwischen 30 mg/l
und 300 mg/l liegen, nehmen also zusammen etwas mehr als die Hälfte
(53 Prozent) der Gesamtfläche der MVR ein. In der zweiten Hälfte fehlt
praktisch ein ausgebildetes Flußnetz. Treten doch Flüsse oder Bäche auf,
so beträgt der Mineralgehalt mehr als 300 mg/l, zumeist liegt er jedoch
zwischen 400 und 700 mg/l (92/31).

Die vorgeschilderte Aufgliederung des Landes nach dem Mineralgehalt
der Flüsse steht, worauf schon hingewiesen wurde, natürlich in engem
Zusammenhang mit den physisch-geographischen Bedingungen der betreffenden Gebiete. Entfernt man sich von den Wasserscheiden in Richtung
zu den niedrigeren Landesteilen, so ändern sich die klimatischen Bedingungen, ebenso der Charakter der Ablagerungen als Folge der Auswaschung durch das abfließende Wasser. Es ändern sich ferner die Böden,
und zwar dahingehend, daß ihr Salzgehalt sich allmählich erhöht. Schließlich treten in der gleichen Richtung auch Veränderungen im Gefolge des
Wasseraustausches zwischen den Flüssen und dem Grundwasser auf. Alle
diese Verhältnisse wirken sich auf die Qualität des Wassers überwiegend
ungünstig aus, d. h. sie tragen dazu bei, daß sich der Salzgehalt in der
Regel flußabwärts vergrößert. So beträgt z. B. der Mineralgehalt des
Kerulen 40 km nördlich von dem Punkt, wo er die Straße von Ulan-Bator
nach Undurchan kreuzt, 42 mg/l, unterhalb von Undurchan 92 mg/l und
unterhalb von Tschoibalsan bereits 145 mg/l. Eine Ausnahme von dieser
allgemeinen Regel bildet der Orchon, dessen Mineralgehalt infolge reicher,
schwach salziges Wasser führender Zuflüsse in seinem Unterlauf nach der
Mündung zu abnimmt.

Was die chemische Zusammensetzung der Flußwasser anbetrifft, so
ergeben sich auch hier interessante, räumlich zu erfassende Gesetzmäßigkeiten (92/32).

Die Mineralisation in Prozent der 91 Analysen

Bestand	Allgemeine Mineralisation in mg/l					
	bis 100	100-200	200-300	300-500	über 500	insgesamt
HCO₃'—Ca ··	21	32,1	13,3	4,5	1,9	72,8
HCO₃'—Mg ··	—	1,1	1,1	—	—	2,2
HCO₃'—Na ·	—	2,2	1,1	6,4	3,3	13,0
SO₄''—Na ·	—	1,1	—	3,3	5,4	9,8
Cl' —Na ·	—	—	—	—	2,2	2,2

Die vorstehende Tabelle zeigt, daß der größte Teil der Flußwässer als
dominierende Bestandteile Karbonate und Calcium enthält. Diese Zusammensetzung weisen alle Flüsse der Gebirgslandschaften und Talbecken
im Norden auf. Die Flüsse und Bäche der abflußlosen Gobi-Zone enthalten überwiegend Karbonate, Sulfate und Chloride der Natrium-

gruppe. Verhältnismäßig gering ist der Anteil der Magnesiumsalze, die räumlich beschränkt vor allem in einigen Zuflüssen des Orchon auftreten.

Die Tabelle zeigt als weitere interessante Tatsache, daß zwischen dem allgemeinen Mineralgehalt der Flüsse und der Zusammensetzung ihres Wassers eine beinahe gesetzmäßige Beziehung besteht. Die Wässer der Natrium-Gruppe gehören zum größten Teil den Flüssen an, die über einen verhältnismäßig hohen Mineralgehalt verfügen, diejenigen der Calcium-Gruppe dagegen Flüssen mit relativ niedrigem Mineralgehalt. Ähnlich liegen die Dinge bei der Verteilung der Sulfat- gegenüber der Karbonat-Gruppe, wobei die Sulfate bei den stärker, die Karbonte bei den schwächer mineralisierten Wässern vorherrschen.

Der Mineralgehalt der Flüsse und vor allem die Zusammensetzung ihrer Wässer, die — wie wir gesehen haben — bis zu einem gewissen Grad in einer gesetzmäßigen Abhängigkeit voneinander stehen, sind ihrerseits wiederum in hohem Maße von der Zusammensetzung der von ihnen durchflossenen Gesteins- und Bodenbildungen abhängig. Diese Gesetzmäßigkeit geht sogar noch weiter und schließt in ihren Kreis auch die Landschaftstypen ein, so daß schließlich ein gewisser Zusammenhang zwischen Landschaftstyp, vorherrschender Gesteins- und Bodenbildung und chemischen Eigenschaften der dazugehörigen Flüsse festzustellen ist.

Die Flüsse der am höchsten gelegenen Teile des Chentei, Changai und Altai, die vornehmlich aus Massen- und kristallinen Gesteinen, groben Verwitterungsprodukten und glazialen Ablagerungen bestehen, enthalten vorwiegend Hydrogenkarbonate der Calcium-Gruppe Der Anteil an Silikaten entspricht etwa dem an Sulfaten oder übersteigt diesen. Die Flüsse der gebirgigen Waldsteppe und Steppenzone, deren Untergrund und Böden sich vor allem aus Kalkgestein und lößähnlichen mit CaCO₃ angereicherten Sandlehmen zusammensetzen, enthalten ebenfalls vorwiegend Karbonate der Calcium-Gruppe, doch fällt hier der Anteil der Kieselsäure hinter den der Sulfate zurück. Diese beiden Zonen entsprechen sowohl in ihrer Gesteinszusammensetzung als auch in den chemischen Eigenschaften ihrer Flüsse weitestgehend den „Geochemischen Landschaften", wie sie *Polynow* in einer gleichlautenden Arbeit dargestellt hat (233). Doch die dritte Zone, die die Halbwüsten und Wüsten der Mongolei umfaßt, weist auf Grund der Untersuchungen von *Iwanow* und *Kusnezow* gegenüber dem allgemeinen Typ einer Trockenlandschaft erhebliche Abweichungen auf. Während im Bereich dieser Zone sowohl bei der Zusammensetzung der Gesteine als auch bei der des Flußwassers Chloride und Sulfate vorherrschen sollten, lieferten die bisherigen Forschungsergebnisse ein ganz anderes Bild. In den Wüstensteppen und Wüsten der Mongolei herrschen kontinentale Ablagerungen des Meso- und Känozoikums vor, die stellenweise stark versalzen sind. Daneben sind grobe, bruchstückartige Reste von verwitterten Massen- und kristallinen Gesteinen mit verbreitet. Im Wasser der zu dieser Zone gehörenden Flüsse dominieren Karbonate und Sulfate der Natrium-Gruppe, nur in äußerst seltenen Fällen haben Chloride die Oberhand. Auffallend ist dabei das

Auftreten von Natriumkarbonaten, die in Flußwässern sonst äußerst selten zu finden sind. Wie aus allem ersichtlich ist, unterscheiden sich die Flüsse des Gobi-Teiles von denen der gebirgigen Mongolei in erster Linie durch das starke Auftreten von Natrium. Dieses entspricht auch vollkommen den Gesteinsverhältnissen dieser beiden Teile. Während im nördlichen, gebirgigen Teil der Mongolei, der ein gut ausgebildetes Flußnetz besitzt, die Hauptmasse des Natriums bereits ausgewaschen und aus dem Gebiet hinausgetragen worden ist, konnte es sich in der Verwitterungsrinde der Gobi nicht nur erhalten, sondern es wurde hier noch angehäuft. Der Grund hierfür liegt in der verschiedenen geologischen Entwicklung der beiden Teile.

Seitdem die Mongolei eine kontinentale Entwicklung aufweist, d. h. etwa seit dem Ende des Paläozoikums, scheint die Gobi, wie im geologischen Teil dieser Arbeit noch näher ausgeführt ist, ohne Abfluß nach außen gewesen zu sein. Sie bestand in dieser Zeit aus gewaltigen Becken, deren Höhenlagen und Ausmaße infolge tektonischer Bewegungen ständigen Schwankungen unterworfen waren. In diesen Becken konnten sich große Mengen von Salzen anhäufen. Während der nördliche Teil durch gebirgsbildende Kräfte herausgehoben wurde und durch Auswaschung die Hauptmasse seines Natriums verlor, konnte ein Teil desselben der Gobi zugeführt und dort abgelagert werden. Dazu kommt, wie *Gerassimow* (74) bemerkt, die Tatsache, daß durch jüngste tektonische Hebungen im Bereich der Gobi neue, mit Natrium angereicherte Gesteinsmassen an die Oberfläche gebracht wurden. Dieses und wohl auch der Umstand, daß die Gobi nur über sehr geringe Niederschläge verfügt, sind weitere Gründe für das Dominieren der Natrium-Gruppe in der Zone der Wüstensteppen und Wüsten der Mongolei.

Der Grund dafür, daß in einzelnen Flüssen, abweichend vom Gesamtcharakter der fließenden Gewässer der betreffenden Landschaft, sonst nur schwach vertretene Ionengruppen besonders stark in Erscheinung treten, liegt meist darin, daß die Gesteine des betreffenden Gebietes diese Gruppen in erhöhtem Maße enthalten. Hierher gehört das starke Hervortreten von Sulfaten im Tenuin-Gol oder das Überwiegen der Magnesium-Gruppe in einigen Zuflüssen des Orchon (92/35). Es ist jedoch, wie im Fall des Tuin-Gol, nicht ausgeschlossen, daß in einzelnen Fällen das Grundwasser das verstärkte Auftreten einer bestimmten Ionengruppe veranlaßt.

Die Beziehungen zwischen oberflächlich abfließendem Wasser und dem Grundwasser ändern sich im Lauf der mongolischen Flüsse sehr stark. In der Gebirgsregion besteht in der Zusammensetzung von Grundwasser und Flußwasser dank aktiver Beteiligung des ersteren am Abfluß und ungehinderten Austausches kein Unterschied. Erreichen die Flüsse jedoch die Ebene, so befinden sich Grund- und Flußwasser in zwei nur lose in Verbindung stehenden Horizonten, so daß es hier sehr leicht möglich ist, daß sie sich in ihrer Zusammensetzung wesentlich unterscheiden. Ein Austausch findet jedoch auch hier statt, und zwar in der Form, daß im Norden mit seinen gemäßigten Bedingungen die Flüsse auch vom Grundwasser genährt werden, während in den Trockengebieten umgekehrt die Grundwässer von den Flüssen gespeist werden. Eigenartig und interessant zugleich ist, daß Hochgebirgslandschaft und ausgesprochene Wüste, die sonst kaum gemeinsame Züge aufweisen, in diesem Zusammenhang ähnliche Verhältnisse zeigen. In beiden besteht kein oder höchstens ein geringfügiger Unterschied zwischen oberflächlich und unterirdisch fließendem Wasser. Die Voraussetzungen sind jedoch prinzipiell verschieden. Im Hochgebirge besteht, wie bereits erwähnt wurde, zwischen beiden ein ungehinderter Austausch, in der Wüste dagegen kommt es zu einem oberflächlichen Abfluß in der Regel nur dort, wo das Grundwasser aus irgendeinem Grund an die Oberfläche tritt.

Wie sehr sich die beiden Hauptgebiete der Mongolei unterscheiden, zeigt auch das gegensätzliche Verhalten im Schwanken der Mineralisation. Die Analysen im Norden haben allgemein gezeigt, daß bei Hochwasser der Mineralgehalt abnimmt und sich manchmal auf die Hälfte bis zu einem Drittel vermindert, der Typ des Wassers aber der gleiche bleibt. Im Süden dagegen hat *Makkawejew* (165) bei Dalan-Dsadagad, dem Zentrum des Aimaks Süd-Gobi, festgestellt, daß mit zunehmender Wasserführung auch der Mineralgehalt wächst. Hier sind, so folgert *Makkawejew,* im Boden größere Mengen an Salzen vorhanden, die durch Regenfälle stärker ausgewaschen werden.

Die Forschungsergebnisse auf dem Gebiet des Mineralgehaltes der mongolischen Flüsse und der chemischen Zusammensetzung ihres Wassers haben gezeigt, daß die Flußwässer im gebirgigen Teil der Mongolei für alle Zwecke des Menschen genutzt werden können. Doch auch die Bäche der Gobi-Zone haben in der Regel einen nicht zu starken Mineralgehalt, so daß auch ihr Wasser für die verschiedensten Zwecke gebraucht werden kann: als Trinkwasser für den Menschen, zum Tränken des Viehes und auch zur Bewässerung.

Seen

Die Mongolei ist verhältnismäßig reich an Seen. 16 haben eine Größe von mehr als 100 qkm und rund 80 eine Fläche von über 4 qkm (196/227). Wenn man jedoch alle Gewässer mitrechnet, die großen und die kleinen Seen, die ständig oder nur zeitweise Wasser enthalten, dann ist ihre Gesamtzahl kaum abzuschätzen und dürfte, wenn es auch gewagt erscheint, überhaupt eine Zahl zu nennen, weit über tausend liegen.

Wie schon in der Einführung in die Hydrographie gesagt wurde, waren Seen einst ein wesentlicher Bestandteil der mongolischen Landschaft. Was uns jedoch heute in dieser Form in der Mongolei entgegentritt, ist trotz der vorhergenannten Vielzahl von Seen nur ein spärlicher Rest, der insgesamt enttäuschend wirkt. Doch bei fast allen Seen sind deutliche Spuren eines früher höheren Wasserstandes vorhanden, die in Form von ausgedehnten Ablagerungen, Strandwällen und Terrassen darauf hinweisen, daß die Seen einst viel größer und wasserreicher waren. Das Studium dieser Zeugen der Vergangenheit ist von größtem wissenschaftlichem

Interesse nicht nur für die Mongolei, sondern für ganz Zentralasien, da wir in ihnen den Schlüssel finden zum Verständnis der physisch-geographischen Vorgänge, die sich in diesen Räumen in geologischer Zeit abgespielt haben. Sie führen uns mit Sicherheit bis in das Quartär, vielleicht sogar noch weiter zurück. Leider sind Untersuchungen in dieser Richtung nur in Teilgebieten der Mongolei durchgeführt, und die Ergebnisse lassen darum zunächst nur allgemeine Schlüsse zu.

Sicher ist, was schon oben behauptet wurde, daß die Seen im Gebiet der Mongolei in geologischer Vergangenheit und selbst noch im Quartär zahlreicher, größer und wasserreicher waren. Es ist darum auch richtig, die Mehrzahl der heutigen Seen als Relikte anzusehen, von denen Teile nicht mehr vorhanden sind. Doch viele Seen sind überhaupt verschwunden, ohne daß auch nur ein kleiner Rest zurückgeblieben ist. Das betrifft den Chentei, Changai und auch den Altai, also besonders den gebirgigen Norden der Mongolei. Als bemerkenswertes Beispiel, das *Mursajew* anführt (196/228), sei hier die Mandal-Senke im Oberlaufgebiet der Chara genannt. Sie ist vollkommen von hohen Bergen umgeben und hat nur einen einzigen schluchtartigen Ausgang. Inmitten der Senke erhebt sich der Hügel Mandal-Obo, der aus feinen homogenen schlammigen Sanden besteht, die nur in einem See abgelagert sein können. Der See ist heute nicht mehr vorhanden, der Boden der Senke von Sumpf eingenommen, dem ein kleines Bächlein entfließt.

Auch am Oberlauf des Tscholutu gab es einst einen See, der durch einen Lavastrom aufgestaut worden war. Die energische Erosion hat die Lavamassen durchschnitten und den See zum Abfließen gebracht (196/228). Im Süden des Chubsugul ist, wie *Tolstichin* festgestellt hat (280), der kleine See Erchi in jüngster Vergangenheit durch den Egin-Gol und der Sangin-Dalai durch den Buchsai abgeflossen. Ein Beispiel für das gegenwärtige Abfließen eines Sees bietet der Terchin-Zagan im Changai, der jetzt dadurch, daß der Fluß Sumein-Gol sich einschneidet, seinen Wasserstand laufend senkt. Terrassen weisen darauf hin, daß sein Niveau bereits um drei Meter abgesunken ist (196/228).

Es ließen sich noch viele ähnliche Beispiele anführen, die den Nachweis erbringen, daß ein Teil der einstigen Seen durch rückschreitende Erosion zum Abfließen gebracht worden ist. Andere sind aus dem gleichen Grund im Abfluß begriffen, was an verschiedenen Seen auch im Altai nachgewiesen worden ist.

Vorstehende Erklärung für die Abnahme der Seen sowohl an Zahl als auch an Größe kann natürlich nur für einen beschränkten Raum und auch hier nur bedingt gelten. In den großen Becken und in der Gobi-Zone bestanden derartige Voraussetzungen überhaupt nicht, da diese wahrscheinlich schon seit der Kreidezeit abflußlos waren. Hier gibt es für die Abnahme der Seen nur eine Erklärung: eine Klimaänderung mit dem Endergebnis einer Wasserminderung durch Austrocknung.

Über das Alter des Wüstenklimas in Zentralasien gibt es viele Ansichten. Unzweifelhaft steht fest, daß es weit zurückreicht, vermutlich sogar, wie *Markow* meint (174/237), bis in die Kreide. Auf diese Frage wird noch an anderer Stelle näher eingegangen werden. Sicher ist jedenfalls auch, daß seitdem gewisse Schwankungen aufgetreten sind. Unwiderleglich brachte die quartäre Eiszeit eine gewisse Abkühlung und auch eine Feuchtigkeitszunahme und damit für die Seen der Mongolei einen besonderen Höhepunkt ihres Wasserstandes. Das nacheiszeitliche Klima entwickelte sich zu einer schroffen Trockenheit und verstärkten Wüstenbildung. In dieser Zeit erlitt das Land eine starke Austrocknung. Seen schrumpften zusammen, lösten sich zu kleinen Beckengewässern auf. Flußgebiete wurden voneinander abgeschnürt, teilweise vor Erreichung der Seen zum Absterben gezwungen, so daß viele Seen ihre Speisung vollkommen verloren oder sich mit zeitweiligem Zufluß begnügen mußten, kurz: Es entwickelte sich durch die allmähliche Austrocknung der heutige Bestand und der heutige Charakter der stehenden Gewässer.

Im Gegensatz zu dem relativ geringen Mineralgehalt der Flüsse ist das Wasser der meisten Seen in der Mongolei salzig. Das betrifft alle Endseen und ist eine Folge des Austrocknungsprozesses. Süßwasser enthalten in der Regel nur solche Seen, die einen Abfluß haben. Als bedeutendster unter diesen ist der Chubsugul (2620 qkm) zu nennen, dem der Egin-Gol entströmt. Einen wahren Komplex von Süßwasserseen faßt das Flußsystem des Kobdo zusammen. Der Wasserreichtum des Kobdo-Flusses füllt den Chara-Ussu (1760 qkm) und erhält auch den angeschlossenen Chara-Nur (530 qkm) süß, der einen Abfluß zum Dsabchan besitzt. Der See Durge, der mit dem Chara-Nur in Verbindung steht, aber nur Wasser von ihm aufnimmt, ist degegen salzig. Auch der Airik-Nur (117 qkm), der Mündungssee des Dsabchan und Chungui, ist süß, während der angeschlossene Chirgis-Nur (1360 qkm), der das überschüssige Wasser des Airik-Sees empfängt, als Endsee salzig ist. Eine interessante Erscheinung in dieser Beziehung ist der Chunguin-Chara-Nur (nicht zu verwechseln mit dem obengenannten Chara-Nur). Dieser See, in den der Chunguin mündet, hat, obgleich er in einem Gebiet mit ausgesprochenem Wüstenklima liegt und keinen oberflächlichen Abfluß besitzt, merkwürdigerweise Süßwasser. *Mursajew*, der dieses auffallende Phänomen untersucht hat, konnte feststellen, daß das überschüssige Wasser des Sees in den Sanden versickert, die ihn umgeben, und unterirdisch in südwestlicher Richtung abfließt, wo es im Tal des Chungui wieder zutage tritt, um den letzteren zu speisen (191/338). Zeitweilige Süßwasserseen können selbst in der Gobi auftreten. Als Beispiel sei hier der Ulan-Nur genannt, der auf den Karten zumeist als ausgetrocknet eingezeichnet ist. Er wird vom Ongin-Gol gespeist, dessen Wasser ihn aber nicht immer erreicht. In feuchten Jahren jedoch kann der See, wenn auch die ihm zufließenden Saire sich mit Wasser füllen, einschließlich zahlreicher flacher Inseln eine Fläche von 175 qkm erreichen (196/427). *Bespalow* bezeichnet das Wasser als süß. Eine Probe, die er dem See am 12. Oktober 1940 entnommen hatte, ergab einen Trockenbestand an Salzen von 0,37 Gramm je Liter (46). Zeitweise trocknet der See vollkommen aus und bildet dann eine Salzpfanne (196/427).

Der bedeutendste Salzsee der Mongolei, der größte See der MVR überhaupt, ist der Ubsa-Nur (3350 qkm). Die nächstgrößten, der Chirgis-Nur und der Durge-Nur, sind bereits genannt worden. Der Ubsa-Nur zeichnet sich neben seiner Größe vor allem durch seine außergewöhnliche Versalzung aus. Nach *Smirnow* (262) haben die größten Salzseen folgenden Mineralgehalt

Ubsa-Nur	18,7419 g/l
Chirgis-Nur	7,5395 g/l
Durge-Nur	3,9920 g/l
Urjuk-Nur	5,0750 g/l

Der Ubsa-Nur übertrifft also alle anderen bei weitem. Er ist stärker mineralisiert als das Kaspische Meer und darum für jede wirtschaftliche Nutzung untauglich. Bei der Größe dieser Seen und ihrer geringen Tiefe kommt es vor, daß der Salzgehalt nicht überall gleich ist. In der Regel ist er in der Mitte geringer und erhöht sich nach dem Rande, insbesondere in den flachen Buchten. Vom abflußlosen salzigen Sangin-Dalai (150 qkm) im Changai wird berichtet, daß in feuchten Jahren das Wasser in der Mitte des Sees wohl salzig, aber doch trinkbar, an den Ufern und in den Buchten jedoch ungenießbar ist (196/377).

Der Hauptteil der Salzseen findet sich im Gebiet der Wüstensteppen im Osten und im Süden. Ihre Zahl ist hier außerordentlich groß, doch ihr Umfang zumeist sehr gering. Sie finden sich in der Regel in den tiefsten Stellen der zahlreichen Senken und Becken und haben entsprechend dem Relief die verschiedenartigsten Formen, in der Mehrzahl sind sie lang-gestreckt oder rund. Manchmal haben sie einen größten Durchmesser von ein bis zwei Kilometern, gewöhnlich jedoch nur einen solchen von einigen hundert Metern (212/224). Fast alle sind bittersalzig und mit schmutzigem gelbmilchigem Wasser ausgefüllt, das ungeeignet zum Trinken ist. In verschiedenen Fällen kann man es örtlich zum Tränken des Viehs verwenden. Der unterschiedliche Salzgehalt führt zu verschiedenen Arten der Ausscheidung und des Absatzes. Größere Seen mit bedeutenderen Wassermengen sind nur entlang den Ufern von einer dichten und feuchten Masse Salzes umgeben, das langsam trocknet und Ende des Sommers steinhart wird. Andere Seen dagegen bedecken sich mit einer dünnen, zähen, gelb-weißen Schlammschicht, so daß sie sich dem Typ von Solontschak-Salzsümpfen nähern. Bei den meisten ist das Ufer wie der Boden sumpfig, schlammig und klebrig, so daß man nicht zur eigentlichen Wasserfläche gelangen kann (201/199). Viele der kleinen Seen füllen sich nur nach größeren Regengüssen mit Wasser und bilden sonst Salzsümpfe oder trocknen ganz aus, wobei dann nur noch der milchig-weiße Salzboden an ihre Existenz erinnert. Alle diese Seen werden vom Grundwasser oder zeitweilig vom oberflächlichen Zufluß gespeist. Wie schon früher gesagt wurde, können in diesen abflußlosen Gebieten auch gelegentlich, örtlich bedingt, Süßwasserseen auftreten, doch ist ihre Zahl gering.

Die meisten Seen sind noch kaum untersucht, so daß nur über wenige genauere Auskunft gegeben werden kann. Zu den Seen tektonischen Ursprungs rechnet man den Chubsugul, Ubsa-Nur, Urjuk-Nur und Chirgis-Nur. Doch nur der erste erinnert mit einer bisher festgestellten größten Tiefe von 238 m (196/375) an seine Herkunft. Die Nachrichten von den anderen Seen besagen nur, daß sie sehr flach sind. Im gebirgigen Norden, besonders in den ehemaligen Vereisungsgebieten, ist die Zahl der Stauseen anteilsmäßig recht groß. Hierzu gehören die meisten Seen im Einzugsgebiet des Kobdo-Flusses. Daneben kommen im Changai auch einige Seen vor, die durch Lavaströme abgedämmt worden sind. Der größte Teil der mongolischen Seen gehört zu den Relikt- und Beckenseen der Gobi.

Da die meisten Seen Salzwasser enthalten, ist ihre allgemeine wirtschaftliche Bedeutung gering. An einigen Stellen wird Salz gewonnen. Der Fischfang ist, obgleich die Seen verhältnismäßig fischreich sind, wenig entwickelt. Dem Verkehr dient nur der Chubsugul, auf dem eine regelmäßige Dampfschiffahrt eingerichtet ist.

Das Grundwasser

Die wirtschaftliche Bedeutung des Grundwassers in der Mongolei kann nicht genügend hervorgehoben werden. Das betrifft vor allem die Gobi, die Ostmongolei und das Becken der Großen Seen. Im Großteil haben diese Gebiete überhaupt keinen oberflächlichen Abfluß, so daß Brunnen hier zumeist die einzige Wasserquelle darstellen. Eigentliche Quellen sind in der Regel an den Fuß der Gebirge gebunden. In flachem oder hügeligem Gelände sind sie äußerst selten. Flüsse, die aus dem Gebirge in die Ebenen hinaustreten, enden meistens blind. Ein Teil des Wassers verdunstet, der Rest stößt zum Grundwasser.

Obgleich die Bedeutung des Grundwassers sehr wohl bekannt ist, sind Untersuchungen darüber in größerem Maßstab noch nicht durchgeführt worden. So kann man sich hier nur auf Einzelangaben verschiedener Forscher stützen.

Die Voraussetzung zur Sammlung von Grundwasser und zur Entstehung von Grundwasserströmen ist in den meisten Gebieten durchaus günstig, da infolge der weiten Verbreitung fester paläozoischer Gesteine und der starken Zerschneidung des Gebirgsreliefs, wie *Gerassimow* sagt, Geröll- und Schotterdecken fast durchgehend vertreten sind (74). Insbesondere umgeben sie als Schuttmaterial die Gebirgszüge und erleichtern so das Einsickern der von ihnen abströmenden Niederschläge, die dann unterirdisch ihren Weg nach den einzelnen Becken nehmen.

Wie sowjetische Forscher es schon in Turkestan nachgewiesen haben, so scheinen auch hier in der Mongolei die Grundwasserströme den alten Trockenbetten zu folgen. *Mursajew* hat dies bei verschiedenen Tälern in der Ostmongolei nachgewiesen, wobei er interessante Übergänge zwischen oberflächlichem Abfluß und Grundwasserstrom festgestellt hat (196/128 f.). Als bestes Beispiel hierfür ist das alte Talbett des Tamzag-Gol zu nennen. Als Mogotyn-Gol, der dauernd Wasser führt, beginnt der Lauf in den mehr als 1000 m hohen Bergen des Großen Chingan und wird zum Muchur-Gol, der nicht in allen Jahren oberflächlich Wasser führt und in einer Sackgasse endet. Unterhalb dieser Stelle läßt sich das alte Tal sehr leicht verfolgen. Wo es sich verengt, tritt das Grundwasser hervor und bildet auf 10 bis 15 km wiederum kleine Flüsse. Ein solcher ist der Schine-Gol, der 30 km östlich von dem Ort Tamzag-Bulak und auch nur in feuchten Jahren fließt. So versiegten im Jahre 1942 sowohl der Muchur- als auch der Schine-Gol. Weiter unterhalb des letzteren entsteht noch ein oberflächlich fließendes Gewässer, das nach etwa 25 km wieder versiegt. Das heutige Trockental endet im Buir-Nur.

Als weiteres Beispiel soll ein solches aus dem Gobi-Bezirk angeführt werden, und zwar das Tal des Zagan- und Legin-Gol, die beide von dem mehr als 4000 km hohen Iche-Bogdo kommen. Dieses alte Tal läßt sich über 220 km verfolgen und endet in einer weiten Talsenke, dem Cholai-Kessel. Beide Flüsse führen nur stellenweise Wasser, stellenweise versiegt es. *Mursajew* urteilt hierüber: „Eigentlich ist es ein Fluß, der bald in den lockeren rezenten Ablagerungen verschwindet und dort als Grundwasserstrom fließt, bald wieder an der Oberfläche erscheint" (196/169). *Potanin*, der diese Gegend durchzog, schreibt, daß am Legin-Gol sich eine Steppe von mehr als 20 km Breite hinzieht. Das Bett des Flusses ist bis zu 40 m breit. Die Mongolen benutzen das Wasser zur Bewässerung und säen Gerste und Weizen (238/490 f.).

Aus obigen Beispielen, denen man noch viele anfügen könnte, geht hervor, daß ausgedehnte Teile der trockenen Gebiete der Mongolei, insbesondere solche, die die Gebirge und Rücken umgeben, von Grundwasserströmen durchzogen werden, die den Trockentälern folgen. Dabei können letztere selbst zeitweilig sogar oberflächliches Wasser führen. Alle diese Ströme streben den tiefsten Stellen der Becken zu. Der Salzgehalt vergrößert sich zwar allmählich, erreicht jedoch erst in den Endgebieten eine solche Höhe, daß das Wasser nicht mehr von Mensch und Tier genutzt werden kann. Im Südosten und Osten der Mongolei, wo Gebirge und höhere Rücken als Grundwasserlieferanten fehlen, hängt das Niveau des oberen Horizontes des Grundwassers, seine Menge und Qualität von der Höhe der Niederschläge ab. Auch hier wirken die oft anzutreffenden Kessel als Akkumulatoren des unterirdischen Wassers, das sich am Grund zumeist als Süßwasser ansammelt.

Im allgemeinen kann man sagen, daß die Trockengebiete der Mongolei, die ein dauernd fließendes Gewässernetz entbehren, über ausreichend Grundwasser verfügen, das zumeist von guter Qualität ist und nicht tief liegt. In den meisten Forschungsberichten wird hervorgehoben, daß man in Trockentälern und Becken schon in einer Tiefe von 1 bis 3 m Grundwasser erreichen kann. Doch es muß gehoben werden. Darum bilden in allen diesen Gebieten die vom Grundwasser gespeisten Brunnen die

Hauptquelle für die Versorgung von Mensch und Tier mit Wasser. Die Ergiebigkeit der Brunnen ist sehr unterschiedlich. Die zumeist primitiv angelegten Schachtbrunnen der Mongolen liefern oft sehr wenig, so daß sie bald erschöpft sind und man oft längere Zeit warten muß, bis sich genügend Wasser angesammelt hat. Moderne, nach hydrogeologischen Untersuchungen geschaffene Anlagen können dagegen sehr viel Wasser liefern. So berichtet *W. A. Obrutschew* (212/223), daß eine mit einem Windmotor ausgestattete moderne Pumpanlage im Aimak Ost-Gobi täglich im Mittel 148 000 Liter Wasser lieferte und kleinere, jedoch gut ausgebaute Brunnenschachtanlagen es auf 36 800 Liter in 24 Stunden brachten. *Gerassimow* (74) und andere Forscher schreiben auch von artesischen Becken in der Mongolei, doch liegen bisher noch keinerlei Nachrichten vor, daß solche gefunden und erbohrt worden sind.

Daneben gibt es in den obengenannten Gebieten, und hier vor allem in der Gobi-Zone, fleckenhaft auftretende Bezirke wie auch ausgedehnte Becken, deren Grundwasser stark salzhaltig und darum ungenießbar ist. Oft kann sich aber auch entsprechend den wechselnden hydrogeologischen Verhältnissen Salz- und Süßwasser in benachbarten Becken finden. So berichtet *Mursajew* (196/161), daß zwischen den beiden Salzseen Bon-Zagan und Adagin-Zagan, die nur 60 km voneinander entfernt sind, 15 Seen liegen, von denen 12 Süßwasser enthalten. Auch das von verschiedenen Forschern aufgesuchte Goitscho-Tal, das schon in der Zentral-Gobi liegt, hebt sich aus seiner Umgebung scharf heraus. Von ihm berichtet *Tschernow* (289/133), daß der Wasserreichtum, der die Bedingungen für eine relativ reiche Pflanzen- und Tierwelt bietet, es zu einer wahren Oase macht. Das süße Grundwasser reicht hier stellenweise ein bis zwei Meter unter die Erdoberfläche, obwohl der Kessel mitten in der Wüste liegt.

Im gebirgigen Norden der Mongolei ist nutzbares Grundwasser überall reichlich vorhanden, doch gibt es auch hier, insbesondere im Umkreis des Gebirgsrückens Bolnai, zahlreichere kleinere abflußlose Gegenden, in denen es zu Salzseebildung kommt. Im allgemeinen ist der Grundwasserabfluß an den Nordhängen der Berge infolge der vorherrschenden Waldbedeckung größer als an den Südhängen, die meist Steppenvegetation tragen. In zahlreichen Quellen tritt es dort zutage und fließt in kleinen Bächen den Flüssen zu. Auch Aufeisbildungen, die ihrer Entstehung nach auf Druckwasserbildungen unter der zugefrorenen Erdoberfläche zurückzuführen sind, treten nur in den nach Norden gerichteten Tälern auf. Im allgemeinen spielt das Grundwasser in der direkten Nutzung durch Brunnen im Norden eine geringere Rolle als in den übrigen Gebieten der Mongolei.

Die diluviale Vereisung und die heutige Vergletscherung

Gletscher sind heute in der MVR nur im nordwestlichen Teil des Mongolischen Altai vorhanden, wo sich in seinen höchsten Gebieten ein Zentrum der Vereisung bis zur Gegenwart erhalten hat. Daneben ist auf dem Otchon-Tengri, dem mit 4031 m höchsten Berg des Changai, noch ein Firnfeld festgestellt. Weit verbreitete Formen des Reliefs und Ablagerungen, wie Moränen, Moränenfelder, Tröge, Hängetäler, abgeschliffene Findlinge, Stauseen und anderen Spuren, weisen jedoch darauf hin, daß die Vereisung in der Vergangenheit viel größer gewesen sein muß. Zahlreiche Forscher haben sich in den letzten Jahrzehnten mit dieser Frage befaßt und im Endergebnis den Nachweis erbracht, daß in der Diluvialzeit alle höheren Gebirge der Mongolei ausgedehnte Firnfelder und Gletscher getragen haben. Wenn viele Einzelfragen auch noch ungeklärt sind, so ist es auf Grund der heutigen Kenntnisse doch schon möglich, ein übersichtliches Bild der Vereisungsgebiete zu geben, wie es in der dieser Arbeit beigegebenen Karte dargestellt ist. Dabei haben Forschungen der jüngsten Zeit die wertvollsten Ergebnisse erzielt. Nachstehend sollen die einzelnen Gebiete der Vereisung behandelt werden.

Das Chubsugul-Gebiet

Eiszeitliche Ablagerungen und Spuren sind hier allgemein sehr weit verbreitet, sowohl in den Gebirgen als auch in den einzelnen Becken und Tälern. Insgesamt ist dieses Gebiet verhältnismäßig gut erforscht. Die ersten Nachrichten von den diluvialen Vereisungen dieser Gegenden stammen von *Peretoltschin* (223, 224) und von *Hennig-Michelis* (88), die den Südabfall des Munku-Sardyk zum Chubsugul durchforschten und feststellten, daß sich die Gletscher hier bis zum Niveau des Chubsugul (1624 m) hinabgelassen hatten. Weiter arbeiteten in diesem Gebiet die russischen Forscher *L. Kudrjawzew, M. S. Selinskij* und *M. A. Anpilow.* Die beiden ersten durchforschten den Teil westlich des Sees, der letztere den Osten. Die jüngste Arbeit stammt von *A. Ch. Iwanow* aus dem Jahr 1949 (91). Alle Autoren schließen auf zwei Vereisungen für dieses Gebiet.

Die erste Vereisung erfaßte das ganze Tal des Iche-Choro-Gol bis zum Fuße des Munku-Sardyk und läßt sich auch im Tal des Chancha-Gol nachweisen. Sie ließ ihre Spuren in Form von Blöcken und Geröll zurück, die in eine Schicht von groben roten Lehmen und Lehmsanden eingelagert sind. Die großen Blöcke bestehen fast ausschließlich aus Graniten und Pegmatiten, selten aus Basalten und Gneisen, und haben einen Durchmesser bis zu 5 m. Die Mächtigkeit dieser Moränenablagerungen erreicht 100 Meter.

Das Ausmaß der zweiten Vereisung ist weit geringer, doch die Spuren haben sich viel deutlicher erhalten. Im Hochbecken des Schischchid-Gol bestehen die eiszeitlichen Ablagerungen nach den Angaben von *Kudrjawzew* (173) aus größeren und kleineren Blöcken zusammen mit Sandlehmen

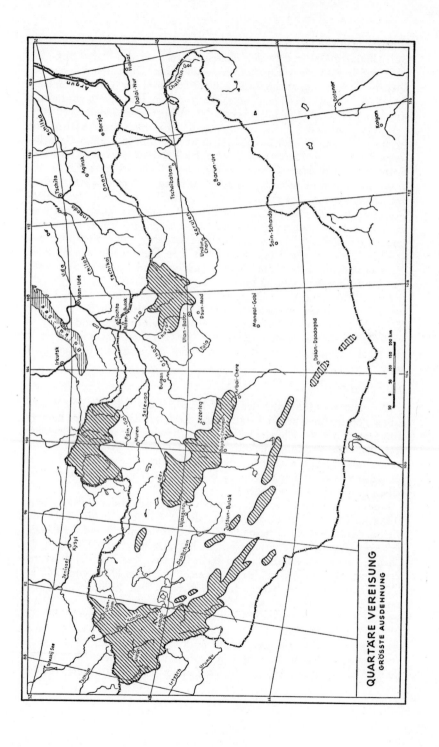

QUARTÄRE VEREISUNG

GRÖSSTE AUSDEHNUNG

und lehmigen Sanden, wie sie in den Tälern der Flüsse Tschshaschemitsch-
Gol, Chulagtu-Gol und in den oberen Talgebieten des Tschshiblik-Gol,
Iche- und Baga-Sarig-Gol gefunden worden sind. Die untere Grenze der
Gletscherverbreitung zeichnet sich sowohl im Profil der Täler als auch im
steilen Abfall der Moränenhänge, die von den Flüssen durchschnitten
werden, deutlich ab. Die Mächtigkeit der Ablagerungen erreicht 100 m.

Im Gebiet ostwärts des Chubsugul findet man nach den Angaben von
Iwanow (91) im Tal des Dutulchu-Gol ausgewaschene Endmoränen, bestehend aus groben Kiesen und Gestein. Im Tal des Sarabsalag-Gol treten
Kare und guterhaltene Grund-, Seiten- und Endmoränen auf. Die aus
braunen Lehmen bestehende Grundmoräne liegt auf einer Terrasse über
den Überschwemmungswiesen. Das Längsprofil des Flusses Sarabsalag-
Gol zeigt deutlich drei Stufen, von denen die unterste 50 bis 60 m hoch
ist, während die anderen beiden bedeutend niedriger sind. Die Moränen
sind ungleichmäßig hügelig gebaut und bestehen aus rotbraunen an-
sandigen Lehmen, die Blöcke von 1 bis 2 m Durchmesser einschließen.
Auch in anderen Tälern des gleichen Gebietes sind Moränen verbreitet,
die eine Mächtigkeit von 30 bis 40 m erreichen (173/30).

Aus allem vorliegenden Material läßt sich schließen, daß das Chubsugul-Gebiet vereist gewesen ist, wobei Gletscher aus den höher gelegenen
Nährgebieten in den Tälern bis zu den Becken vordrangen und in diesen
teilweise die tiefsten Stellen erreichten. Die Gletscherablagerungen lassen
auf zwei Vereisungen schließen, von denen die erste die bedeutendere
war.

Der Chentei

Moltschanow (186) war der erste Forscher, der sich mit den eiszeitlichen Formen in Chentei befaßte und sie beschrieben hat. Er kam zu
dem Schluß, daß der Chentei während der Eiszeit zwar stark vergletschert
war, daß die Vereisung jedoch keine zusammenhängende Fläche dar-
stellte, sondern von einzelnen höheren Berggruppen ausging, von denen
Gletscher mit einer Länge von 10 bis 16 km strahlenförmig nach allen
Seiten in die Täler vordrangen.

Eines der stärksten Vereisungszentren befand sich in der Golez-Gruppe
Ojute im Oberlaufgebiet der Mensa, dessen Gletscher in die Täler der
Mensa, des Portsch-Cherchero (ein Zufluß des oberen Iro) und des Chaggi
abflossen. Ähnliche Vereisungszentren bildeten die Golez-Gruppen des
Chentei-Chan, des Assaraltu und Baga-Chentei. Zur Zeit der stärksten
Vereisung müssen die Gletscher bis zu einer absoluten Höhe von 1760 bis
1790 m hinabgereicht haben. Infolge Fehlens von Endmoränenspuren
kann diese Vereisungsperiode nicht lange angedauert haben. Doch konnten sich die Gletscher während des Rückganges lange in einer Höhe von
1950 bis 1980 m halten, da hier hohe Moränen angehäuft wurden. Nach
einem weiteren Rückzug blieben nur noch kleinere Kar- und Hängeglet-
scher bestehen, die zur Bildung von Kar- und Moränenseen führten. Obgleich *Moltschanow* (186) nur kurze Zeit im Chentei arbeitete, bleiben

seine detaillierten Berichte eine exakte Grundlage, die in jedem Fall den Nachweis einer Vereisung des Chentei sichern.

Einzelberichte liegen noch von verschiedenen Forschern vor. So beobachtete *Shelubowskij* (zit. 173) End- und Seitenmoränen im Tal des Iljur und der Scherente in einer Höhe von 1700 m. Sie bestehen aus Lehmsanden und enthalten Blöcke mit einem Durchmesser von 2 bis 3 m. Besonders deutlich treten Moränen im Tal des Chod-Gol auf, die *A. G. Timofejew* (zit. 173/32) untersucht hat. Der Fluß durchschneidet etwa zwei Kilometer südlich des Sees Chagyin-Char eine 80 m mächtige Endmoräne, hinter welcher der See Chara-Nur aufgestaut ist. *Marinow* (173/32) stellte Vereisungsspuren im Bereich des Granitmassivs Dshan-Schablin fest, also nur 60 km östlich von Ulan-Bator, und zwar in absoluten Höhen zwischen 1700 und 2000 m. Aus der Tatsache, daß im Mündungsgebiet des Elessutain-Gol, der aus dem Dshan-Schablin kommt, sandrähnliche Bildungen auftreten, die Gerölle aus dem gleichen paläozoischen Gestein enthalten, aus denen der Dshan-Schablin besteht, schließt man, daß dieses Gebiet in jüngster Zeit vergletschert war.

Auf Grund des jungen Alters aller vorbeschriebenen Ablagerungen und Bildungen schließt *W. A. Obrutschew* (212/196), daß es sich bei ihnen nur um Reste der letzten Vereisung handeln kann, der zumindest eine ältere, größere Vereisung vorausgegangen sein muß. Er stützt sich dabei auf *Granö* (77/191), der an dem Wege von Ulan-Bator nach Kjachta zwischen dem See Ugei-Nur und der Tola und auch im Tal der letzteren unweit von Ulan-Bator ungeschichtete Schottermassen gefunden hat, deren Herkunft sich am leichtesten durch glazialen Transport erklären läßt. Da diese Ablagerungen sich in einer absoluten Höhe von ungefähr 1090 m befinden, müßten sie aus einer älteren, großflächigeren Vereisung stammen. Ferner führt *Obrutschew* für seine Theorie einer zweimaligen Vereisung als Zeugen auch *Berkey* und *Morris* (44) an, die in den Bergen des Changin-Daba, 35 km südwestlich von Ulan-Bator, in einer Höhe von 1800 bis 2100 m im Oberlaufgebiet des Bolkuk-Gol zahlreiche karähnliche Bildungen gefunden haben, die die Entdecker selbst auf eine ältere Vereisung zurückführen. *Obrutschew* schreibt darum noch 1951: „Im allgemeinen kann man für den Chentei eine zweimalige Vereisung annehmen, wobei die erste bedeutend stärker war und sich auf eine größere Fläche erstreckte, z. B. auf das Tal der Tola bis zur Stadt Urga; aber ihre Spuren sind stark verwischt und erfordern ein besonders gründliches Studium" (214/116). *Mursajew* erklärt den Umstand, daß die eiszeitlichen Spuren im Chentei nicht jenen Umfang wie in den anderen Gebirgen der Mongolei aufweisen, auch damit, daß die reicheren Niederschläge des Chentei hier die Prozesse der Erosion fördern und eine Reihe von eiszeitlichen Formen glätten und zum Verschwinden bringen konnten (196/176). Auch der jüngste Forscher in diesem Gebiet, der mongolische Geologe *Zigmit*, gibt dies zu und schreibt, daß ein „idealer Moränenkomplex nach *Penck*" im Chentei nicht zu finden ist und daß er nur eine Phase der Vereisung habe feststellen können. In seiner 1954 veröffentlichten Arbeit (315) gab er seine Ergebnisse bekannt. Die Schneegrenze im Chentei lag während der Eiszeit in einer Höhe von 1900 bis 2000 m. Auf der Südseite des Baga-Chentei und Iche-Chentei hat er Endmoränenwälle und -hügel in einer absoluten Höhe von 1700 bis 1790 gefunden, auf der Nordseite dagegen reichten die Gletscher bis 1600 m hinab. Ihre maximale Länge betrug 12 km. Spuren einer älteren Vereisungsphase sind ihm nicht bekannt geworden.

Der Changai

Schon die Höhe des Changai läßt im Vergleich zu den anderen Gebirgen eine Vereisung erwarten, wie sie dann auch durch verschiedene Forscher nachgewiesen worden ist.

Granö (77, 78) ist unter ihnen wohl der erste gewesen, der auf Grund seiner eigenen Beobachtungen im Flußgebiet des Baidarik und des Tscholutu und der Angaben von *Potanin* (239), der im Oberlaufgebiet des Orchon Vereisungsspuren gefunden hatte, eine Vergletscherung des gesamten Changai annahm. Schon ihm war es gelungen, ein zentrales Vereisungsfeld auf dem Wasserscheidegebiet nachzuweisen, von dem Gletscher sowohl nach Süden im Tal des Baidarik als auch nach Norden in das Tal des Tscholutu abflossen. Die Länge des letzteren erreichte 60 km. Seitdem sind in zahlreichen anderen Tälern Spuren von Gletschertätigkeit festgestellt worden, wobei nach den erhaltenen Moränen die Gletscher nach Norden weiter vorstießen, während sie sich in den Tälern des Südhanges nur 8 bis 10 km verfolgen lassen (196/175). Die zumeist flach ausgebildete Wasserscheide muß ganz vereist gewesen sein. Am besten ist dies am Paß Egin-Daba zu beobachten, wo ein Jochgletscher gelegen ist (196/175). Am Nordhang sieht man große Amphitheater, an deren Wänden sich deutlich zwei Vorsprünge abzeichnen. Die dritte Stufe ist die ebene Oberfläche des Gebirgszuges. Am Austritt ist die Granitwand durch die Eismassen geglättet und läßt auf eine Mächtigkeit des Gletschers im Ursprungsgebiet von 350 bis 400 m schließen. Unterhalb im Tal liegen die Trogschultern 200 bis 250 m über dem Grund. Der Gletscher im Tal des Tscholutu reichte bis 2100 m hinab (196/175 f.). Im östlichen Changai fanden *Berkey* und *Morris* (44) im Talgebiet des Ongin-Gol zahlreiche Zirkusbildungen, Blockhalden und Moränenreste. Auf den Höhen, die den Oberlauf des Orchon begleiten, stellte *N. W. Pawlow* (220) mehrere End- und Seitenmoränen fest. Er nimmt an, daß von den Bergen Subur-Chairchan, Boro-Urgo und Zagan-Urgo mächtige Gletscher in die Täler hinabreichten. Die unteren Moränenwälle liegen hier in einer absoluten Höhe von 1830 m. *Obrutschew* rechnet sie zur letzten Vereisung (173/31). An die einstige Vereisung der Wasserscheidegebiete im Changai erinnern noch zahlreiche Seen und vor allem gewaltige Ansammlungen von Granitblöcken, die mancherorts so dicht liegen, daß man sich schwer fortbewegen kann.

Mursajew und andere Erforscher des Changai vertreten die Ansicht, daß derselbe eine zweimalige Vereisung erlebt hat. *Mursajew* bemerkt, daß er nirgends dreistufige Tröge angetroffen hat.

Die Nordgrenze der Vereisung im Changai stellt nach bisheriger Kenntnis etwa das Tal des Ider-Gol dar. Über das Gebirge Bolnai liegen bis jetzt keinerlei Nachrichten über Anzeichen einer ehemaligen Vergletscherung vor. Der Chan-Chuchei dagegen bildete ein isoliertes Vereisungszentrum. *W. A. Amontow* (zit. 173/31) hat ihn in dieser Hinsicht zuerst durchforscht und fand nur spärliche Spuren in den Tälern der Flüsse Barun-Gol, Zsun-Gol und Jarmatuin-Gol. Sie zeigten sich in schwachentwickelten Moränen mit einer Länge von 150 bis 200 m und einer Mächtigkeit von 2,5 bis 3,5 m. Einzelne Granitblöcke in ihnen hatten einen Durchmesser bis zu einem Meter. Das Hauptvereisungszentrum muß im Osten (2919 m) gelegen sein.

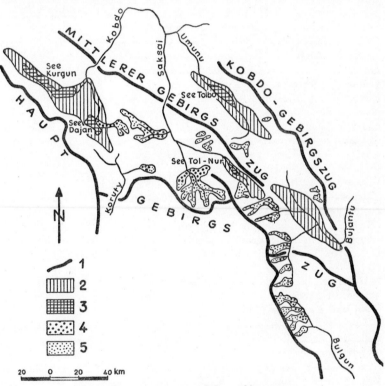

Verteilung quartäreiszeitlicher Ablagerungen im Nordwesten des Mongolischen Altais
(nach A. Ch. Iwanow)

1 Gebirgszüge
2 Senken
3 Seen

4 Endmoränen
5 End-, Grund- und Seitenmoränen
   der 3. Vereisung

Der Altai

Angaben über die Vereisung des nordwestlichen Altai liegen von verschiedenen Forschern vor. Schon *W. W. Saposhnikow* (258), der das Gebiet in den Jahren 1905 bis 1909 bereiste, stellte deutliche Spuren einer Vereisung in der Form von gut ausgebildeten Karen, erratischen Blöcken, Moränen und Glazialseen fest. Die größten Gletscher fanden sich in den Tälern des Saksai und Zagan. Im ersteren erreichten sie eine Länge von 80 bis 90 km, im zweiten eine solche von 70 km. Die untere Grenze lag nach seinen Beobachtungen in einer Höhe von 1896 m, die Mächtigkeit erreichte 500 m. Auch an den Südost-Hängen gab es Gletscher mit einer Länge bis zu 70 km, doch die meisten endeten schon in einer Höhe von 2000 bis 2200 m, nur einzelne ließen sich bis 1370 und 1400 m hinab. Auch im Gebiet des Sajljugem konnte eine ehemalige Vereisung festgestellt werden, die bis 1700 m hinabreichte. An einer Stelle erstreckt sich ein Moränenzug ununterbrochen über 12 km.

Auch *Granö* (77, 78) geht in seinen Arbeiten ausführlich auf die Vereisung des Altai ein. Nach seinen Feststellungen erreichte das eiszeitliche Firngebiet hier an der Grenze der Nordwestmongolei und Sibiriens seine größte Ausdehnung. Die Eisfelder des Sajljugem, des Russischen und Mongolischen Altai und wahrscheinlich auch des Sajan bildeten in den obersten Plateaugegenden eine zusammenhängende Decke von mehreren hundert Kilometern Länge und stellenweise bis zu 100 km Breite, aus der nur die höchsten Gipfel herausragten. Mit vollem Recht kann man, so sagt *Granö*, diese Vereisung zum Typ der Inlandvereisung rechnen (77/219). Von diesem gewaltigen Eisbehälter strahlten mächtige Gletscherströme nach allen Seiten aus. Im Mongolischen Altai waren die Täler des Kobdo-Flußsystems ihnen Wegweiser. Der Kobdo-Gletscher hatte eine Länge von 140 km, der Zagan-Gletscher eine solche von 100 km (77/90). Im südlichen Teil des Mongolischen Altai entsprechen die Gletscherbildungen mehr dem skandinavischen Typus, doch erreichten im Gebiet des Flusses Bujantu die Gletscher auch hier eine Länge bis zu 30 km (77/90).

Unter den Forschern, die in den letzten Jahren den Mongolischen Altai aufgesucht haben, sind vor allem zu nennen: *Iwanow* (91), *Mursajew* (196) und *Kusnezow* (136).

Iwanow (91) ist neben allgemeinen Feststellungen vor allem der Frage nach der Zahl der Vereisungen nachgegangen. Während *Granö* und andere Forscher mit Sicherheit zwei Vereisungen annehmen, kommt *Iwanow* außer der gegenwärtigen auf drei alte Vereisungen. Die erste war in ihren Ausmaßen die größte. Von ihr sind Reste von Grundmoränen erhalten, während die Seiten- und Endmoränen beinahe vollständig der Erosion zum Opfer gefallen sind. Eine solche Grundmoräne beschreibt *Iwanow* im Tal des Saksai, die Granitblöcke mit einem Durchmesser bis zu 2 m in sich einschließt. Unter Hinzuziehung von Beobachtungen von *Saposhnikow* (258) schätzt er die Länge des ältesten Gletschers im Saksai-Tal auf 100 km. Die Vereisung erfaßte damals nach der Meinung *Iwanows* auch die Becken der Seen Tolbo-Nur, Deljun-Nur und wahrscheinlich auch die Depressionen des Kurgun-Nur und Bajan-Nur.

Die Zeugen einer zweiten und dritten Vereisung sind in vielen Tälern anzutreffen. *Iwanow* hat hier außerordentlich reiches Material gesammelt. Meistens sind in markanten Tälern zwei Tröge zu erkennen, von denen der obere der zweiten, der untere der dritten Vereisung angehört. Die Moränen der zweiten Vereisung bestehen aus grauen und graublauen Lehmsanden und Sandlehmen und enthalten Blöcke, die einen Durchmesser von meist mehreren Metern erreichen. Sie bestehen größtenteils aus Granit, also aus dem gleichen Material wie die höchsten Teile der Gebirgszüge. Die Moränen der dritten Eiszeit zeichnen sich im Relief durch ihre klaren und guterhaltenen Formen aus. Die Gletscherlänge betrug während der zweiten Vereisung 40 bis 50 km, während der dritten nur bis zu 25 km. Auf die vierte, d. h. gegenwärtige Vereisung, mit der sich *Iwanow* auch befaßt, wird später eingegangen werden.

Von *Mursajew* (196) liegen einige interessante Nachrichten über die ehemalige Vereisung vor. Auf dem Wege von Kobdo nach Ulegei beobachtete er Trogtäler mit zwei ausgeprägten Schultern, doch im Tal des Oigur-Gol ergab sich ein anderes Bild. Hier konnte er im Tal drei Terrassen verfolgen, die mit Geschiebeblöcken bedeckt waren. Die unterste Stufe erhebt sich 10 bis 12 m über den flachen Grund des Tales. Im Tal des Zagan-Gol stellte er ebenfalls drei Stufen fest, die 150 bis 170 m über dem Talgrund liegen. *Mursajew* schließt daraus, daß manche Teile der Gebirge zwei, andere drei Vereisungen durchgemacht haben (196/174).

Während *Saposhnikow* (258) die tiefste Lage der Gletscher im Saksai-Tal mit 1896 m angibt, hat *Kusnezow* (136) Endmoränen weit unterhalb dieser Höhe gefunden, und zwar im Tal des Flusses Uljassutu in einer Höhe von 1550 bis 1600 m. Dieser Fluß mündet in den Kobdo. Der Gletscher erreichte hier fast den Rand des Beckens der Großen Seen (136/49).

Wolkowitsch (173/37) hat das Atschitu-Becken erforscht. Er fand hier Spuren zweier Quartärvereisungen. Die der ersten finden sich im Becken des Sees Atschitu-Nur als größere und kleinere Blöcke, die der Landschaft das Aussehen einer steinigen Steppe geben. Einzelne dieser zumeist aus Granit bestehenden Findlinge erreichen einen Durchmesser von 15 bis 20 m. Die Mächtigkeit der vom Flusse Buche-Muren durchschnittenen Moränenmasse beträgt 50 bis 60 m. Aus einer zweiten Vereisung stammen zahlreiche Moränen in den oberen Flußtälern des Churligiin-Sair, Schara-Chadain, Chundelen und im Becken des Sees Olon-Nur.

Über die Vereisung des mittleren Altai liegen nur spärliche Nachrichten vor. *Potanin* (239), der diese Teile durchreiste, stellte auch hier glaziale Ablagerungen in der Form von angehäuftem Geröll und Granitblöcken am Unterlauf des Barlyk und im Tal des Zizerin-Gol fest. Aus einer jüngeren Zeit berichtet *Kasnakow* (173/38) von ähnlichen Funden in dem Gebiet zwischen den Flüssen Barlyk und Bidshen. *W. A. Obru-tschew* hält diese für erratische Blöcke und schätzt die Länge der einstigen Gletscher in diesem Gebiete auf 20 bis 25 km. Von *M. F. Nejburg* (200) stammen Berichte über eine alte Vereisung des Batyr-Chairchan (Batyr-Nuru), die von einer weiten Verbreitung von glazialen Ablagerungen sprechen. Sie stieß in den Tälern des Bergan- und Morin-Gol auf angehäuftes Geröllmaterial und große Blöcke, daneben auch auf mächtige Moränen. Im Inneren der Gebirge fand sie zirkusförmige Bildungen und Täler der typischen Trogform.

Noch spärlicher sind die Berichte über die eiszeitlichen Verhältnisse im Gobi-Altai. Das liegt vor allem daran, daß die geologische Erforschung dieser Gebiete noch am weitesten zurücksteht. *Berkey* und *Morris* (44) berichten von zirkusförmigen Abschlüssen der größeren Täler im Iche-Bogdo, Baga-Bogdo und Arza-Bogdo. *S. A. Lebedewa* (151) stellte im Gurban-Saichan Anzeichen einer ehemaligen Vereisung fest. Sie fand auf den Hängen des Chongor-Obo gewaltige Blöcke, die aus Granit bestehen, der in unmittelbarer Nähe nirgends zutage tritt. Am Nordhang des Dundu-Saichan finden sich nach der gleichen Forscherin guterhaltene Trogschultern, die mit Blöcken bedeckt sind. Ähnliche Bildungen wurden auch am Nordhang des Bain-Boro festgestellt. Auf dem Südabfall des Dundu-Saichan in der Gegend des Brunnens Ulan-Bulak treten einzelne Anhäufungen von größeren Blöcken auf, die aus ortsfremdem Gestein bestehen. Der am weitesten im Südosten liegende Ort, der Anzeichen einer alten Vereisung zeigt, befindet sich im Massiv Churchu. Aus diesem Gebiet berichtet *M. A. Anpilow* (173/38) von zirkusförmigen Talabschlüssen und von Moränen, die eine Mächtigkeit von 18 bis 20 m haben.

Überblicken wir die diluviale Vereisung des Altai, so ergibt sich folgendes Bild: Das Ausmaß der ehemaligen Vereisung nahm von Westen nach Osten sehr rasch ab. Mächtige Eismassen krönten etwa bis zum Meridian der Stadt Kobdo den Nordwesten. Im mittleren Teil erreichten Talgletscher wahrscheinlich höchstens eine Länge von 25 km. Im Gobi-Altai wird es sich wahrscheinlich nur um örtliche Erscheinungen von Hängegletschern und kurzen Kargletschern gehandelt haben.

Zusammenfassung

Das vorliegende Material über die alten Vereisungen zeigt, daß im Quartär alle Gebirgszüge der Mongolei von einer gewissen Höhe an Gletscher getragen haben. Ihre Entstehung steht im engen Zusammenhang mit den tektonischen Ereignissen die Ende des Tertiärs und zu Beginn des Quartärs das ganze Gebiet in der Form von Schollenbewegungen erfaßten, in deren Verlauf es zur Bildung des Altai, Changai, Chentei und des Chubsugul-Gebirgslandes kam.

Mit Sicherheit kann heute gesagt werden, daß der Altai, Changai und das Chubsugul-Gebiet zwei Vereisungen erlebt haben, von denen die erste als die maximale anzusehen ist. Für den Altai besteht allerdings die Wahrscheinlichkeit einer dritten Vereisungsperiode. Doch ist der Nach-

118

weis hierfür noch nicht exakt und endgültig erbracht. Die Meinungen der sowjetischen Forscher gehen darüber noch auseinander. Das gleiche gilt auch für den Chentei, wo eine Vereisung als sicher, eine zweite dagegen als fraglich gilt. Eine endgültige Entscheidung muß hier noch notwendigen eingehenden Untersuchungen überlassen bleiben. Im Gobi-Altai gilt eine Vereisung als sicher. Es ist hier noch nicht gelungen, auch nur die Spuren einer zweiten Vergletscherung zu finden. *Berkey* und *Morris* (44) haben zwar versucht, bei den quartären Ablagerungen an den Hängen des Iche-Bogdo vier Glazialperioden nachzuweisen und sie sogar in Beziehung zu der Klassifikation der Eiszeit in Europa zu setzen, doch werden ihre Ergebnisse von den sowjetischen Forschern als fehlerhaft in der Methode und irrig in der Sache abgelehnt (196/173). Es ergibt sich also insgesamt über die quartäre Eiszeit in der Mongolei das folgende Bild, daß sie am stärksten im nordwestlichen Altai aufgetreten ist, wo drei Vereisungen als wahrscheinlich angenommen werden können, von wo die Intensität nach Osten und Südosten abgenommen hat, so daß die auf die maximale Eiszeit folgenden Vereisungen in diesen Richtungen schwächer und in ihren Auswirkungen geringer waren oder überhaupt nicht mehr in Erscheinung traten.

Im äußersten Nordwesten des Mongolischen Altai, wo er mit dem Russischen Altai und dem Sajljugem zusammenstößt, bestand in der diluvialen Eiszeit eine mächtige und flächenhaft weit ausgedehnte Inlandeisdecke, aus der nur die höchsten Berggipfel herausragten. Im übrigen herrschte im nordwestlichen Altai, wenn wir *Granö* folgen, eine Vereisung vom skandinavischen Typus. Das gleiche wäre vom Changai zu sagen. Abgesehen von einigen Schwerpunkten waren hier die flachen Wasserscheidegebiete größtenteils von ausgedehnten Firnmassen überlagert, die ihre Gletscher in die Täler entsandten. Im Chubsugul-Gebiet wie auch im Chentei stand der alpine Typus im Vordergrund. Die Vereisung ging von einzelnen, größtenteils isolierten Zentren aus und beschränkte sich im weiteren in der Ausbildung von Talgletschern. Noch viel stärker waren Isolierung und räumliche Beschränkung der Vereisungszentren im Gobi-Altai ausgeprägt, so daß dort nur wenig ausgedehnte und geringmächtige Gletscher zur Entwicklung kommen konnten.

Die heutige Vergletscherung

Wie schon früher gesagt wurde, trägt — abgesehen von einem Firnfeld auf dem Otchon-Tengri, dem höchsten Berg des Changai — in der Gegenwart nur der nordwestliche Altai Gletscher. Im Chentei gibt es weder Gletscher noch ewigen Schnee.

Das Ausmaß der heutigen Vergletscherung im Altai ist, verglichen mit den großen Flächen der diluvialen Vereisung, sehr bescheiden. Sie beschränkt sich im wesentlichen auf die Hauptkette, wo Schnee- und Firnfelder die Wasserscheidegebiete bedecken und im einzelnen Flächen von 5 bis 10 qkm bis zu 50 bis 75 qkm und mehr einnehmen. Im Oberlaufgebiet des Saksai liegt eine Fläche von 125 qkm unter ewigem Schnee und

Eis. Sie reicht bis zu einer Höhe von 3500 bis 3750 m, ja örtlich von 3000 bis 3200 m hinab (173/37) und entsendet mächtige und lange Gletscher in die Täler. Stark verfirnt und vergletschert ist auch der dem Bajan-Nuru gegenüberliegende Mustau, dessen Schnee- und Eisflächen 75 qkm bedekken. Noch größer sind die vereisten Flächen im Gebiet des Tabun-Bogdo, die *Saposhnikow* (258) ausführlich beschrieben hat, der ihre Ausdehnung auf rund 150 qkm schätzt. Der bedeutendste Gletscher, der den Namen „Potanin" trägt, ist 20 km lang und ist der größte Gletscher des ganzen Altai überhaupt (196/172). Weiterhin wäre noch der Prshewalskij-Gletscher zu nennen, der eine Länge von 12 km hat (250). Vergletschert sind auch das Tschichatschewa-Gebirge (4245 m), auf dem die mongolische Grenze verläuft, und das Gebirge Charchira (4116 m). Einen bedeutenden Vereisungskomplex bildet weiter im Süden des mongolischen Altai das Gebirge Munku-Chairchan, das bis zu 4231 m aufragt. Nach *Marinow* (173) soll die vereiste Fläche desselben rund 200 qkm umfassen. Doch ist dieses Gebiet im Gegensatz zu dem nördlichen Teil des Mongolischen Altai noch wenig erforscht.

Die Schneegrenze im Tabun-Bogdo-Gebiet liegt etwa zwischen 3100 bis 3500 m und steigt sowohl nach Osten wie nach Süden an (109). In der Eiszeit lag sie um 1000 bis 1500 m niedriger (77/219).

Nach Schätzungen von *Iwanow* (91) werden im Hauptkamm des Mongolischen Altai 350 qkm von Gletschern eingenommen, doch sind die Flächen des wenig bekannten Munku-Chairchan wohl nicht in dieser Zahl einbegriffen. Wenn *Tronow* die gesamte Gletscherfläche im Russischen Altai mit rund 600 qkm angibt (283/286), so erscheint im Vergleich dazu die Vergletscherung des Mongolischen Altai nicht einmal gering, wobei zu bedenken ist, daß im Russischen Altai die Voraussetzung zu Firn- und Gletscherbildungen infolge nördlicherer Lage und größerer Niederschläge weit günstiger ist. Die Ursachen für die verhältnismäßig starke Vergletscherung des Hauptkammes sind in seiner großen absoluten Höhe, dem langen Winter und kurzen Sommer und nicht zuletzt auch in seiner Richtung zu sehen, denn diese erstreckt sich in einem großen Teil von Westnordwest nach Ostsüdost, so daß West- und Nordwestwinde in das Gebiet eindringen können. Merkwürdig erscheint nur die Tatsache, daß sowohl der größte Gletscher des Altai-Gebirgslandes, der schon genannte Potanin-Gletscher, als auch eine Reihe anderer Gletscher größeren Ausmaßes sich nicht nach der feuchteren westlichen und nordwestlichen Seite entwickelt haben, sondern auf den trockeneren nach Nordosten und Osten gerichteten Hängen liegen. *Mursajew* hat auf diesen Umstand besonders aufmerksam gemacht (196/177) und erklärt ihn damit, daß die von Norden und Nordwesten wehenden Winde, die in diesen Hochregionen sogar im Sommer Schnee bringen können, diesen über die Grate wehen, wo er im Windschatten zur Ruhe kommt und sich anhäufen kann, weshalb hier, also auf der inneren Seite, die Voraussetzungen zur Firn- und Gletscherbildung besonders günstig sind.

Die Landschaftszonen

Allgemeiner Überblick

Bei der großen Ausdehnung der MVR von Nord nach Süd, die in der Luftlinie mehr als 1200 km beträgt, ändern sich in dieser Richtung auch die klimatischen Verhältnisse in bedeutendem Maße. Die Niederschläge nehmen ab, die Kontinentalität verstärkt sich, je weiter das Land in die Tiefe der zentralasiatischen Masse vordringt, wobei als verstärkender Faktor die allgemeine Höhenlage des Landes auftritt. Alle diese Gründe führen zu einem gesetzmäßigen zonalen Wechsel der Vegetation, mit dem auch eine Änderung der Böden verbunden ist. Selbst in der Tierwelt läßt sich ein entsprechender Wandel im Auftreten und in der Verbreitung bestimmter Arten beobachten. So können wir mit Recht von Landschaftszonen sprechen.

Die Erstreckung dieser Zonen in der Breitenrichtung läßt sich am besten in den vorherrschend ebenen Gebieten verfolgen. Hier tritt die Gesetzmäßigkeit im Wandel der Landschaft am besten hervor. Doch die morphologische Gestaltung der Mongolei mit ihrem verschiedenartigen Bergrelief gestaltet das Gesamtbild um und verschiebt die Grenzen der einzelnen Landschaftszonen in mannigfacher Richtung. Die Höhen der Gebirgszüge geben nördlichen Zonentypen die Möglichkeit, weit nach Süden vorzudringen, während umgekehrt in den Ebenen und großen Becken Wüstensteppen und selbst Wüsten nach Norden in hohe Breiten vorstoßen, so daß sich mancherorts die eigenartige Erscheinung ergibt, daß nördliche Nadelwälder in enge Berührung mit der Wüste kommen. Die Kompliziertheit des Gesamtbildes entsteht eben dadurch, daß neben der horizontalen Zonengliederung von Nord nach Süd in den gebirgigen Gegenden auch die vertikalen Faktoren zur Auswirkung kommen. Hieraus ergeben sich in diesen Gegenden auch gewisse Schwierigkeiten für die Begrenzung der einzelnen Zonen, die darum nur in einer großzügigen und übersichtlichen Weise durchgeführt werden kann. *Junatow* hat dies getan, und die dieser Arbeit beigegebene Kartenskizze der Landschaftszonen geht auf ihn zurück (105/55). Dabei sind die verschiedenen Meinungen, wie sie von *Junatow, Mursajew* und *Gerassimow* vertreten werden, ob man bei der von Junatow durchgeführten flächenhaften Aufgliederung der Mongolei zwischen Zonen und Regionen unterscheiden soll, belanglos.

Im Norden der MVR überschreitet an zwei Stellen — im Chubsugul-Gebiet und im Chentei — ostsibirische Taiga die Grenze, und zwar in der Form des Gebirgstypes, wie er den südsibirischen Gebirgszügen eigen ist. Ihre Ausdehnung ist an eine bestimmte Höhenlage gebunden und aus diesem Grunde auf die beiden vorgenannten Gebirgssysteme beschränkt. Mit Berechtigung kann man hier von der Region der Gebirgstaiga sprechen.

Südlich schließt sich eine nach ihrem Ausmaß recht bedeutende Übergangszone an, die in ihrer räumlichen Ausdehnung jedoch auch an eine bestimmte Höhe gebunden ist und darum nur den Chentei, Changai und einen Teil des Altai umfaßt. Die einschränkenden Faktoren des kontinentalen Klimas und die geringen Niederschläge lassen hier eine volle Entwicklung der Wälder nicht mehr zu. Diese treten nur in einzelnen lichten Lärchenbeständen in der Form von Inseln auf oder verschwinden ganz. Den Hauptteil der Zone jedoch nehmen Steppen ein, die in der Richtung nach Süden allmählich zur vollen Herrschaft gelangen. Durch das Auftreten zahlreicher alpiner und subalpiner Arten haben diese Steppen den Charakter von Gebirgssteppen, wie sie von *Krascheninnikow* (130) und *Junatow* (106) genannt werden. Die Verteilung der Wälder und Steppen ist eng an das Relief gebunden. Die ersteren finden sich ausschließlich an den Nordhängen der Berge, also in Schutzlagen. Darin unterscheidet sich diese Übergangszone wesentlich von der Waldsteppe, wie wir sie im europäischen Rußland kennen. Obgleich die Breitenerstreckung durch den Einbruch des Beckens der Großen Seen unterbrochen wird, können wir hier von einer Zone sprechen, und zwar von der Zone der Gebirgssteppen und Wälder.

Die folgende Steppenzone stellt, wie *Lawrenko* es mehrfach dargestellt hat (147, 148, 149), in der Form einer eigenen Provinz (daurisch-mongolisch) den östlichen Flügel des eurasiatischen Steppengürtels dar, der mit der Pusta in Ungarn beginnt und in der Mandschurei endet. Die Eigenart der mongolischen Steppen in der Zusammensetzung ihrer floristischen Elemente wird durch das strenge kontinentale Klima und vor allem durch die Höhenlage bestimmt. *Mursajew* bezeichnet sie deshalb auch als Hochsteppen (196/270 f.). Die Ausgliederung der mongolischen Steppen als spezifische Steppenprovinz ist wohl begründet, denn sie unterscheiden sich sowohl nach ihren physisch-geographischen Bedingungen als auch nach Bestand und historischer Herkunft ihrer Pflanzenwelt wesentlich von den westlichen Steppen des eurasiatischen Steppengürtels (106/49). Über die in der schematischen Karte der Landschaftszonen eingetragene generalisierende Grenze dringt die Steppe in mehr oder weniger ausgedehnten Zungen in den Herrschaftsbereich der Gebirgssteppen ein, wobei sie sich an die Talbecken hält und in der Regel unter der absoluten Höhe von 1500 m verbleibt. Im Mongolischen Altai ist die Steppe nur inselhaft verbreitet.

Wie schon bei der Steppe, so tritt der zonenhafte Charakter bei der Wüstensteppe und Wüste ebenso klar hervor. Die Entwicklung zur Wüste vollzieht sich nicht in der Richtung nach Süden, sondern mehr nach Südsüdwest, worin sich der zentralasiatische Einfluß deutlich zeigt.

Innerhalb der Gebirgstaiga und der Zone der Gebirgssteppen ist in den höchsten Teilen der Gebirge inselhaft Hochgebirgsvegetation verbreitet, über die hinaus sich die nackte Felsregion erhebt.

Über den Anteil der einzelnen Zonen bzw. Regionen an der Gesamtoberfläche der MVR hat *Junatow* Berechnungen angestellt, die er im Jahre 1950 in Form einer Tabelle veröffentlicht hat, welche nachstehend gegeben wird (106/66).

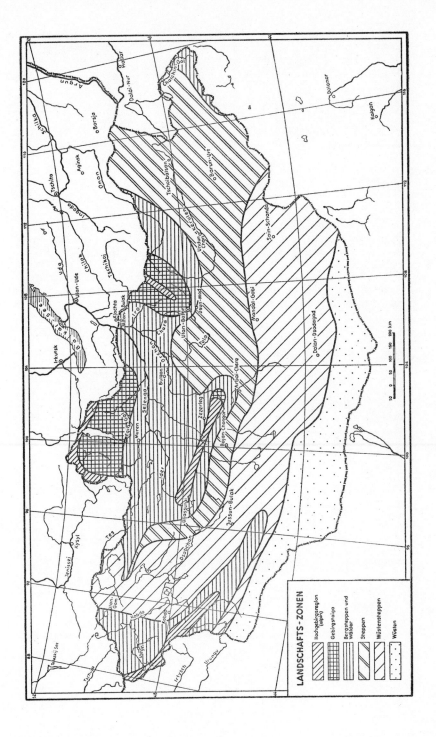

LANDSCHAFTS-ZONEN

Hochgebirgsregion (alpin)
Gebirgstaiga
Bergsteppen und Wälder
Steppen
Wüstensteppen
Wüsten

Zone bzw. Region	Prozent an der Gesamtoberfläche
Hochgebirgsregion	3,0
Region der Gebirgstaiga	4,1
Zone der Gebirgssteppe	25,2
Zone der Steppe	26,1
Zone der Wüstensteppe	27,1
Zone der Wüste	14,5
Insgesamt	100,0

Wie die Tabelle zeigt, nehmen die Steppen mit zusammen 51,3 Prozent mehr als die Hälfte der MVR ein. An zweiter Stelle stehen mit 27,1 Prozent die Wüstensteppen. Verhältnismäßig bedeutend ist auch der Anteil der Wüsten.

Mursajew (196/256) hat in einer Tabelle die quantitativen Werte zusammengestellt, die die einzelnen Zonen charakterisieren.

Zone	Breite	Mittl. abs. Höhe	Jährlicher Niederschlag mm	Temperaturen					
				Jahresm.		Jan.m.		Julim.	
				von	bis	von	bis	von	bis
Geb. wald- steppe	52°-46°	mehr als 2000 m	200-400	-6°	0°	-27°	-16°	10°	18°
Hoch- steppe	51°-45°	900-1500	140-320	0°	+1°	-24°	-18°	+19°	+22°
Halb- wüste	50°-43°	1000-1500	100-160	-3°	+3°	-15°	-35°	+19°	+24°
** Wüste	südl. 42°	1000-1500	weniger als 100 *	+2°	+6°	-10°	-20°	+22°	+26°

Anmerkungen *Mursajews:*

* In den Bergen des Chubsugul und des Chentei werden die Niederschläge wahrscheinlich größer sein.

** Zone innerhalb der MVR. Die klimatischen Daten wurden durch Interpolation ermittelt.

In vorstehender Tabelle entsprechen die Gebirgswaldsteppen den Gebirgssteppen und die Hochsteppen den Steppen, wie sie in dieser Arbeit bezeichnet werden. Zu bemerken wäre zu vorstehender Tabelle, daß die mittleren absoluten Höhen der einzelnen Zonen sehr schwer festzustellen sind, da sie entsprechend den klimatischen Bedingungen und der Exposition sehr verschieden liegen. So beginnen die Gebirgssteppen im Hauptverbreitungsgebiet, nämlich im Changai, zumeist schon in einer Höhe von 1500 m.

In den folgenden Abschnitten werden die Regionen und Zonen einzeln behandelt. Sehr interessant ist auch die vertikale Vegetationsgliederung in den Gebirgen, so daß ihr ein besonderer Abschnitt gewidmet ist.

Die Hochgebirgsregion

Infolge der absoluten Höhe der mongolischen Gebirgssysteme überschreiten Teile von ihnen die obere Grenze des Waldes. Der Chentei ist wohl das niedrigste dieser Gebirge (höchster Punkt 2751 m, Mittel 2400 bis 2500 m), und doch überragen hier die Hauptketten und einige Berggruppen die Waldgrenze und bilden typische Golzy. Das liegt vor allem daran, daß die obere Waldgrenze im Chentei besonders herabgedrückt ist. Sie erreicht nach *Kondratjew* (120, 121) im Westen des Gebirges 2200 m und sinkt im Osten auf 2000 bis 2050 m. Im Chubsugul-Gebirgsland (höchster Punkt 3460 m, Mittel 2800 bis 3000 m) liegt die obere Waldgrenze zwischen 2000 und 2200 m, so daß hier ein beträchtlicher Teil der Berge darüber hinausreicht. Am besten ist die alpine Hochgebirgsregion jedoch im Changai ausgeprägt. Derselbe hat im Hauptkamm nur Höhen, die zwischen 2700 und 3200 m schwanken, doch er bildet auf einer Länge von etwa 700 km ein Massiv mit breiten plateauförmigen Erhebungen, die alle über die untere Grenze des alpinen Hochgebirgsgürtels, die in einer Höhe von 2500 bis 2600 m verläuft, hinausreichen. Die Schneelinie überschreitet nur der Otchon-Tengri. Der Altai erreicht im äußersten Nordwesten im Tabun-Bogdo 4653 m und bleibt nach Osten und Südosten in Höhen von 3400 bis 3600 m. Die untere Grenze der alpinen Almenregion zieht sich hier zwischen 2300 und 2400 m hin, steigt jedoch nach Südosten allmählich an und erreicht im Gobi-Altai eine Höhe von 2700 bis 2900 m.

Gegenwärtig erscheinen zahlreiche Gebiete der Hochgebirgsregion isoliert. Während der Eiszeit standen sie miteinander in Verbindung, so daß die Bergtundraregion einst viel weiter nach Süden reichte. In der folgenden xerothermischen Epoche bildete sich die Hochgebirgsregion unter dem Einfluß der scharfen Kontinentalität und Trockenheit um, so daß Bergtundra — Moos- und Flechtentundra — sich heute nur noch in unbedeutenden Flecken im Chentei und Chubsugulgebiet findet. Einige Derivate in der Form von Moossümpfen sind im Changai an den Abhängen des Otchon-Tengri anzutreffen. *Baranow* (32) hat Moostundra auch im Mongolischen Altai festgestellt, und zwar im Quellgebiet des Buchu-Muren.

Insgesamt kann man aber sagen, daß die Bergtundra sehr wenig verbreitet ist.

Den Grundtyp der Hochgebirgsregion bilden *Cobresia-Wiesen,* die jedoch den Namen Wiesen im westeuropäischen Sinne absolut nicht verdienen und auch nicht mit den reich blühenden Matten zu vergleichen sind, wie sie für die Alpen, den Kaukasus oder selbst die Gebirge Mittelasiens typisch sind. Der Anblick dieser Cobresia-Wiesen ist, wie *Junatow* (106/64) sagt, monoton und wird während der ganzen Vegetationszeit vom Braun der vertrockneten Blätter der Cobresia und der Seggen beherrscht. Dabei muß noch erwähnt werden, daß beim Ausfall einer Region, wie dieses des öfteren in der Mongolei zu beobachten ist, die vorgeschilderte alpine Hochgebirgsregion in unmittelbare Berührung mit der Bergsteppe kommt und die erstere ihr Angesicht zum trockenen Typ der letzteren ändert.

Die Cobresia-Wiesen nehmen die untere Stufe der Hochgebirgsregion ein und überziehen die flachen Rücken und Hänge jeder Exposition, die Täler jedoch nur, falls sie nicht versumpft sind. Die Böden unter ihnen entsprechen dem der Bergwiesen, sind wenig mächtig, dunkel und etwas vertorft. In geringer Tiefe findet man schon Gestein und Geröll, während feinkörnige Teile nur die Zwischenräume ausfüllen.

Die Hauptvertreter der Pflanzenwelt sind: C.schoenoides (C. A.), Steudel (C.sibirica Turcz., C.myosuroides (Vill.) Fiori & Paol. (C.bellardi auct.), C.filifolia (Turcz.) C. B. Clarke und einige Vertreter der Seggen, wie Carex melanantha C. A. M., C.capitata L., C.pauciflora Lightf., C.angarae Steud. und C.microglochin Wahlbg. Die Zahl der Gräser ist gering. Zu nennen wären hier Ptilatrostis mongholica (Turcz.) Griseb., Trisetum spicatum (L.) Richt. und Poa altaica Trin. (106/64).

Mit zunehmender Höhe ändert sich das Normalbild. Der geschlossene Bewuchs verschwindet, wird zerrissen und löst sich auf. Es ist der Übergang zu den nackten Geröllhalden und zum unbedeckten Fels der Golzy. Doch wo sich Vegetation findet, herrschen immer Cobresia- und Carex-Arten vor. Gelegentlich erscheinen auch Ansätze von Flechten. Einzelne Pflanzen und kleine Gruppen, besonders im Mongolischen Altai, steigen bis zur Schneegrenze hinauf. Dort vegetieren noch Lagotis altaica P. Smirn., Sedum algidum Pall., Dracocephalum bungeanum Schischk. et Serg. (106/65).

Charakteristisch für die Hochgebirgsregion, besonders im Typ der Golzy, ist der Bewuchs mit Krüppelgehölzen, die in der Regel sich von der Waldgrenze an zumeist auf feuchteren Hängen oder in Tälern hoch hinaufziehen. Vertreten sind hier vor allem Birken- und Weidenarten, wie Betula rotundifolia Spach. (im Changai seltener), B.exilis Sukacz., Salix minutiflora Turcz., S.glauca L., S.berberifolia Pall. und Dasiphora fruticosa Rydb. Manchmal sind in der unteren Stufe auch verkrüppelte Einzelexemplare der Sibirischen Lärche, Larix sibirica Ldb., eingestreut. Der strauchartig dichte Bewuchs ist oft so stark verfilzt, daß er sehr schwer durchschreitbar ist.

In den Fällen, wo Bergsteppen mit den Cobresia-Wiesen sich berühren, kommt es zur Entwicklung „alpiner Steppen", wie sie *Junatow* nennt. In diesem Fall dringen Steppenelemente ein und verändern das Grundbild der Vegetation. So treten in diesen alpinen Steppen als Charakterpflanzen vor allem der Schafschwingel, Festuca ovina L. s. l. dazu, weiterhin Koeleria gracilis Pers., Poa subfastigiata Trin., Trisetum sibiricum Rupr., Bromus inermis Leyss., Androsace villosa L. und selbst Artemisia frigida Willd. Insgesamt bleibt aber der beherrschende Eindruck von Cobresia erhalten (106/67).

Abschließend kann folgendes gesagt werden: Im Changai ist die Hochgebirgsregion der Matten reich und voll entwickelt, im Mongolischen Altai dagegen infolge der südlicheren Lage und der größeren Trockenheit insgesamt ärmer. Vom Chentei sagt *Pawlow* (221), daß die Hochgebirgsregion ärmer als die des Changai ist, wenn einzelne Arten auch hier allein auftreten, wie Pinus pumila (Pall.) Rgl. und Rhododendron chrysanthum Pall. Neuere Forschungen von *Ikonnikow-Galizkij* (89a) erbrachten den gegenteiligen Nachweis. Er fand in der Golez-Region 250 Arten, das sind mehr als im Changai. Auch das allgemeine Bild bestätigt dies, denn im Changai treten mehr Geröll- und nackte Steinhalden auf als im Chentei, dann auch mehr Hochgebirgssümpfe, aber weniger Cobresia-Wiesen.

Die zahlreichen Geröllfelder, Blockhalden und nackten Felsen in der Hochgebirgsregion geben dieser ein düsteres und rauhes Aussehen. Im allgemeinen ist es kühl, und selbst an sonnigen Tagen, an denen man sich in den tiefgelegenen Tälern und Becken vor Hitze nicht schützen kann, ist man hier oben gezwungen, wärmende Kleidung zu tragen. Die alpinen Matten und Steppen werden von den Mongolen als Sommerweide für Rinder genutzt, besonders für den Yak und seine Kreuzungen, die sich in diesen Höhen heimisch fühlen. Unter den Wildtieren, die diese felsigen Landschaften lieben, ist das Moschustier (Moschus moschiferus Linnaeus) zu nennen, das vom Menschen gejagt wird.

Die Region der Gebirgstaiga

Gebirgstaiga größeren Ausmaßes gibt es in der Mongolei nur im Norden des Chubsugul-Gebietes und im Chentei. Im Changai treten nur auf den höchsten Stellen des Südostens und im Nordwesten kleine Flecken von Wäldern auf, die man zur typischen Bergtaiga mit Arven und Lärchen rechnen kann. Für den Altai hat schon *Saposhnikow* (258) nachgewiesen, daß er überhaupt arm an Wäldern ist und daß typische Taiga nur in einem beschränkten Gebiet des Südwest-Hanges verbreitet ist, und zwar im Oberlaufgebiet des Dshelty-Gol, der zum Schwarzen Irtysch abfließt.

Am besten entwickelt und auch eingehender bekannt ist die Bergtaiga im Chentei, während das Chubsugul-Gebiet noch weniger erforscht ist. Nach *Kondratjew* (120) liegt die untere Grenze im Chentei im Horizont von 1700 bis 1800 m, in den Chubsugul-Gebirgen soll sie sich etwa auf gleicher Höhe halten. Für den Changai liegen keine Feststellungen vor.

Als Hauptwaldbildner treten die Sibirische Arve (Pinus sibirica [Rupr.] Mayr) und die Sibirische Lärche (Larix sibirica Ldb.) auf, wobei die erstere der eigentliche Vertreter der Bergtaiga ist, da sie nur in dieser zu finden ist. Die Arve nimmt in der Regel nur die mittleren und höheren Lagen der Waldregion ein, während in der unteren Stufe die Lärche dazukommt und dann Arven und Lärchen gemeinsame Bestände bilden.

Da die Bergtaiga in den übrigen Gebieten noch wenig erforscht ist, sei im folgenden eine kurze Beschreibung derselben nach *Junatow* (106/5 f.) vom Chentei gegeben. Die Arvenwälder überziehen hier die flachen Rücken der zweitrangigen Höhen und mittleren Hänge der höheren Berge. Die hochwüchsigen schlanken Stämme stehen recht dicht und bilden fast reine Bestände, nur gelegentlich sind einzelne Exemplare der Lärche und der Sibirischen Fichte (Picea obovata (Ldb.) beigemischt, seltener auf trockenerem Boden auch die Föhre (Pinus silvestris L.). Das Stockwerk der Sträucher ist kaum entwickelt. Eingestreut trifft man hier und da Lonicera altaica Pall., Juniperus sibirica Burgsd., Rosa acicularis Lindl. und auf steilen Hängen Ribes altissimum Turcz. und Berberis sibirica Pall. an. Charakteristisch für den Großteil der Arvenwälder ist jedoch die Preißelbeere (Vaccinium vitis idaea L.), die den ganzen Boden mit einer dichten Decke überzieht. Die Moosdecke ist ziemlich gut entwickelt. Es kommen nur Hypnum-Arten vor. Gelegentlich finden sich auch Flechten. Im Nordwesten des Chentei, im Oberlaufgebiet des Iro und der linken Zuflüsse des Tschikoj tritt eine andere Variante der Arvenwälder auf. Hier sind die Berge niedriger und haben nur Höhen zwischen 1800 und 2000 m. Den Boden beherrscht die Heidelbeere (Vaccinium myrtillus L.). Das Unterholz ist dichter, wobei sehr oft die Strauch-Erle (Alnaster fruticosa [Rupr.] Ldb.) anzutreffen ist. Die Wälder überziehen hier die ganzen Berge, Golzy gibt es in diesem Raum nicht. Auf den Südhängen stellt sich in größerer Zahl die Föhre ein.

In höheren Teilen des Chentei, wo die Arvenwälder sich der Waldgrenze nähern, rücken die Bäume auseinander. Ihr Wuchs erscheint unterdrückt, oft verkrüppelt. Geröll und Blockhalden zerteilen den Wald in Einzelbestände. Für diese Arvenwälder sind der Steinbrech Bergenia crassifolia (L.) Fritsch, das verstärkte Auftreten von Rhododendron chrysanthum Pall. und der Hochgebirgsweiden Salix glauca L. und S. arbuscula L. u. a. charakteristisch (106/71).

Am Südrand des Chentei lockern sich die Arvenbestände und lösen sich auf, so daß eine Art Parklandschaft entsteht, wie sie uns auf dem Bogdo-Ula bei Ulan-Bator als bestes Beispiel entgegentritt.

Die Lärchen- oder öfter die Lärchen-Arven-Taiga umfaßt die untere Stufe der Waldregion. Sie ist in erster Linie auf den Nordhängen verbreitet. Zumeist beherrscht die Lärche das Feld, während Arven, Tannen (Abies sibirica Ldb.), Föhren und auch Birken beigemischt sind. Das Unterholz ist im Gegensatz zu den später zu behandelnden Lärchenwäldern der Gebirgssteppenzone reichhaltig und betont durch das Auftreten von Ribes altissimum Turcz., Lonicera altaica Pall., Spiraea media

Schmidt, Rosa acicularis Lindl. u. a. (106/72). Auch der Graswuchs ist reich.

Im West-Changai und im Mongolischen Altai bildet die Sibirische Lärche die obere Waldgrenze, wobei die Lärchenbestände sich wie der Arvenwald in einzelnstehende und schwach entwickelte Exemplare auflösen.

Die Sibirische Tanne, Abies sibirica Ldb., bildet im nordwestlichen Teil des Chentei gelegentlich kleine Wäldchen. Die Fichte Picea obovata Ldb. kommt sowohl im Chentei als auch im Chubsugul-Gebiet als Beimischling vor, doch füllt sie auch oft versumpfte Täler allein aus. Häufig sind im Chentei sumpfige Vertiefungen durch nur rutenartig gewachsene und außerordentlich dicht stehende Birken (Betula fruticosa Pall.) besetzt, die nur eine Höhe von 2 bis 3 m erreichen, eine Formation, die der Russe mit „Jernik" bezeichnet. Den Birken sind in geringem Maße Weiden beigemischt.

Die stärkste Entwicklung des Taigatypus tragen der nordwestliche Chentei und die Gebirge östlich des Sees Chubsugul. Im Changai ist Arven-Lärchen-Taiga im Südosten verbreitet, im Westen fällt die Arve vollkommen aus, nur im Chan-Chuchei findet man sie als Beimischung in den Lärchenwäldern wieder.

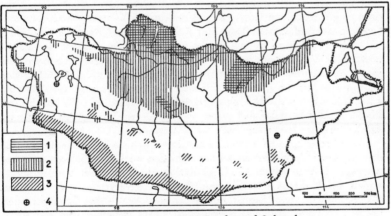

Verbreitung von Arve, Lärche und Saksaul

1 Arve (Pinus cembra);
2 Sibirische Lärche (Larix sibirica);
3 Sajan. Saksaul (Haloxylon ammodendron);
4 äußerste nordwestl. und nordöstl. Fundstellen des Sajanischen Saksaul

Der Charakter der Taiga der vorbeschriebenen Wälder wird durch die Tierwelt bestätigt, die alle Anzeichen der sibirischen Bergtaiga trägt. Hier leben der Maralhirsch, das Reh, das Wildschwein und ebenfalls auch der Elch; jedes Tier lebt in dem für dasselbe bezeichnenden Taigatyp. Nicht minder reich sind auch die Nager vertreten. Die Arvenwälder bevölkern Eichhörnchen, Beckenhörnchen (russ. Burunduk, Eutamias sibiricus) und Flughörnchen (Sciuropterus russicus). Überall ist der Taiga-Pfeifhase (Lagomys hyperboraeus oder Ochatana alpinus) anzutreffen. In den Wäldern des Nordens, nicht aber im Changai, kommt auch der Braune Bär vor. Bedeutungsvoll für den Menschen sind die wertvollen Pelztiere wie Marder, Zobel, Hermelin und Wiesel, die sich aber auch hier schon in die abgelegenen Gegenden zurückgezogen haben. Im allgemeinen sind die Taiga-Gebiete wenig bewohnt, vielfach menschenleer. Die hochwertigen Holzbestände werden nur in leicht zugänglichen Gegenden genutzt.

Die Zone der Gebirgssteppen und Wälder

Die Zone der Gebirgssteppen ist dem Relief angepaßt und umfaßt im wesentlichen den Chentei, Changai und Mongolischen Altai, wobei sie die Taiga und Hochgebirgsregion, soweit diese hier vorhanden sind, umschließt. Dank der Vorherrschaft weicher Formen und der vielfach plateauförmigen Oberfläche der Gebirge mit eingelagerten breiten Becken und Tälern ist es möglich, daß die Gebirgssteppe sich in weiter Erstreckung von Ost nach West hinzieht und damit den Charakter einer Zone erhält. Andererseits ist der Einfluß des Reliefs unverkennbar und führt im Zusammenhang mit dem extrem kontinentalen Klima zur Entwicklung einer Landschaft, die, wie *Gerassimow* sagt, „ein Mosaik einer eigenartigen trockenen Gebirgssteppe subalpinen Typs in Verbindung mit Strecken einer verarmten Taiga mit Reliktcharakter" darstellt (74/40).

Die Gebirgssteppe ist jedoch das vorherrschende Element der Landschaft. Ihre Verbreitung ist an eine bestimmte Höhenlage gebunden, die jedoch entsprechend den klimatischen Verhältnissen nicht überall gleich ist. Im Norden des Changai läßt sich die untere Grenze auf 1000 bis 1200 m hinab, am Südosthang dagegen liegt sie etwa bei 1400 bis 1500 m. Im Mongolischen Altai mit seiner weit größeren Trockenheit erhebt sie sich bis zu einer Höhe von 1800 bis 2000 m (106/75).

Die obere Grenze ist schwer zu bestimmen, da sie in Abhängigkeit von den örtlichen Verhältnissen sehr verschieden verläuft. Vielfach steht sie nach oben infolge der starken Degradation und öfteren Fehlens der Waldregion in direktem Kontakt mit der Hochgebirgsregion der alpinen Matten, so daß viele Elemente derselben sich auch in den Gebirgssteppen finden. *Polynow und Krascheninnikow* (231) weisen darum mit Recht darauf hin, daß man diese Steppen zum Typ der subalpinen Steppen rechnen kann, wie es auch oben *Gerassimow* tut. Doch die Trockenheit des Klimas begrenzt die Entwicklung der Vertreter der alpinen Region, worauf besonders *Krascheninnikow* (231) und *Pawlow* (221) verweisen. Andererseits haben die Gebirgssteppen auch eine gleiche Beziehung zu den trockenen Steppen der nächstfolgenden Region, so daß sich für die Gebirgssteppen ein Mischcharakter ergibt, in dem sowohl Züge der alpinen Hochgebirgsregion als auch solche der Wälder und trockenen Steppen enthalten sind (231). Aus diesem Grunde ist der Reichtum und die Buntheit der Gebirgssteppenregion verständlich und auch die Schwierigkeit gegeben, bestimmte Grenzen zu ziehen und Edifikatoren für sie und ihre Varianten festzustellen.

Auch bei der Waldvegetation verhält es sich ähnlich. Sie erreicht, wie schon gezeigt wurde, nur in ihrem klimatischen Optimum der Region der Gebirgstaiga ihre volle Entfaltung. Mit dem Hinabsteigen in niedrigere Horizonte und der Bewegung nach dem Süden erfährt sie durch den Einfluß des kontinentalen und trockenen Klimas eine starke Veränderung und Begrenzung. Dieser Umstand führt zu einer Zerstörung der Wald-zone als Ganzes und zu einer strengen Lokalisierung der Wälder auf solche Gegenden, die ihnen noch ein Minimum an Existenzmöglichkeit lassen. Das betrifft im besonderen nun die Wälder innerhalb der Gebirgs-steppenzone. Diese finden wir hier nur auf Hängen mit Nordexposition, ganz gleich, ob sie konkav oder flach sind. Dabei überziehen sie fast immer nur den oberen und mittleren Teil des Hanges, dagegen nicht den unteren Teil und den Boden des Tales, sei es, daß sie die Temperatur-inversion nicht ertragen oder die Trockenheit der Luft in abgeschlossenen Tälern meiden. Oft kommt es jedoch, z. B. im Chan-Chuchei, Süd-Chan-gai und Taimiri-Ula und in anderen Gebirgen, die von weiten trockenen und warmen Gegenden umschlossen sind, vor, daß die Wälder gezwungen sind, sich in bedeutenden Höhen anzusiedeln. Dann kann man kleine Waldstückchen in der Umgebung von Cobresia-Wiesen oder in der höch-sten Stufe der Gebirgssteppen antreffen.

Die Gesetzmäßigkeit der Beschränkung der Wälder auf die Nord-hänge und die Beherrschung der übrigen Reliefelemente durch die Steppe gibt dem Landschaftsbild in vielen Gegenden der Mongolei ein eigen-artiges Gepräge, so daß man auch vielleicht von einer Gebirgswaldsteppe sprechen könnte, wie dies *Mursajew* in seiner Arbeit tut. Dabei muß aber betont werden, daß sich diese „Waldsteppe" der Mongolei wesentlich von den gewöhnlichen Waldsteppen im europäischen Rußland und in Sibirien unterscheidet. Während bei den letzteren zahlreiche Ursachen den Wechsel vom Wald zur Steppe begründen, ist es hier allein das Relief, genauer gesagt, die Exposition. Andererseits muß aber auch gesagt wer-den, daß die mongolische Gebirgssteppe mit ihren Wäldern im System der Landschaftsgürtel den Platz zwischen Waldzone und Steppe ein-nimmt, der einer Waldsteppe zukommt.

Die Wälder in der Gebirgssteppe werden nach dem Süden immer lich-ter. Die Taiga-Elemente, insbesondere die der Gebirgstaiga, werden immer mehr zurückgedrängt und schließlich ganz ausgemerzt. Dafür dringen Steppenpflanzen ein, besonders feuchtigkeitsliebende Formen, die sich zu einer üppigen Grasdecke entwickeln.

Den Grundbestand der Gebirgssteppen bilden Gräser, unter denen der Schafschwingel Festuca ovina L. s. l. eine beherrschende Stellung ein-nimmt. Weiterhin sind mit einem bedeutenden Anteil zu nennen Koeleria gracilis Pers., gefolgt von dem Rispengras Poa botryoides Trin. und von Agropyron cristatum (L.) Gaertn. Von den Seggen ist Carex pediformis C. A. M. auch oft anzutreffen (106/77).

Außer den vorgenannten Grundformen kann man überall eingestreut finden: Aneurolepidium pseudoagropyrum Nevski, Avenastrum Schellianum (Hack) Roshev., ferner Androsace villosa L., Aster alpinus L., Artemisia frigida Willd., Potentilla acaulis L., P. sericea L., Thymus serpyllum L. s. l. Stellera chamaejasme L., Pulsatilla turczaninovii Kryl. et Serg. (106/78).

Der vorbeschriebene Grundbestand der Gebirgssteppe variiert natürlich in den Anteilen der einzelnen Formen, doch im allgemeinen bleibt überall der Eindruck einer Niedergrassteppe erhalten.

Unter Bedingungen einer etwas größeren Feuchtigkeit, wie z. B. an den Nordhängen und in der Nähe von Wäldern, treten hydrophile Formen mehr hervor, wie Pulsatilla turczaninovii Kryl. et Serg., P. flavescens (Zucc.) Juz., Aster alpinus L., Carex pediformis C. A. M., Artemisia tanacetifolia L.

Einen etwas abweichenden Grad von der allgemeinen Norm zeigen auch die Südhänge. Die Bodenbildung ist hier wenig fortgeschritten. Auf Buckeln, Biegungen und Vorsprüngen der Hänge tritt der Kies- und Geröllschutt hervor, manchmal auch erscheint die Oberfläche des Bodens mit Steinen übersät. In diesem Fall verliert die Gebirgssteppe einige ihrer Normalformen, während andere neu hinzutreten oder im Anteil wachsen, so hier Carex pediformis C. A. M., Agropyron cristatum Gaertn., Stipa capillata L., Bromus inermis Leyss., Poa botryoides Trin. u. a. (106/79).

Die Übergänge der Gebirgssteppen zu den trockenen Federgrassteppen der nächsten Zone vollziehen sich in den tieferen Lagen der Hänge, aber auch im Übergang zu den großen, tiefgelegenen intermontanen Becken. Es stellen sich dann sofort Vertreter der Artemisia-Federgras-Steppen ein. Interessant ist dabei, daß Festuca ovina L. s. l., wo sich die Bergsteppen in der Richtung zur Trockenheit bewegen, als erster Vertreter der Edifikatoren ausfällt. Sie ist darum nirgends in Trockentälern zu finden.

Gleichzeitig vollzieht sich in den Übergangsgebieten ein Wechsel der Böden. Die Böden der Gebirgssteppen haben eine relativ dunkle Farbe. *Junatow* bezeichnet sie als Gebirgsschwarzerde (106/77), *Gerassimow* (74/7) dagegen betrachtet sie als eine trockene, xeromorphe Variante der Gebirgswiesenbodenbildung (subalpin). In den Übergangsgebieten der Gebirgssteppen zu den trockenen Steppen nimmt der Boden die typische Kastanienfarbe der letzteren an.

Die Wälder, Waldflecken und Haine der Gebirgssteppenzone haben entsprechend den anderen geographischen Bedingungen in den einzelnen Gebirgen eine unterschiedliche Ausbildung. Wenn auch allgemein, wie schon gesagt wurde, lichte Lärchenbestände mit üppigem Graswuchs vorherrschen, so ist dieser Typ doch am besten im Changai vertreten. Im Chentei dagegen treten zu den Lärchen oft noch Föhren und Laubbäume, wie die Zitterpappel Popolus tremula L., und die Birke Betula Hyppolytii Sukacz. u. a., so daß manchmal der Eindruck eines Mischwaldes entsteht. Auch ist hier vielfach Unterholz vertreten. Im Mongolischen Altai sind

Wälder allgemein seltener, zu den Lärchen kommen hier verschiedene Birkenarten. Der Graswuchs ist im Vergleich zum Changai weit ärmer.

Neben den Wäldern treten im Landschaftsbild des Changai, Chentei und Mongolischen Altai im Bereich der Zone verschiedene charakteristische Elemente auf, die hier kurz noch behandelt werden sollen. Dazu gehören einmal die Flußläufe, die in der Regel von reich entwickeltem, 4 bis 5 m hohem Ufergebüsch begleitet werden. Hauptvertreter sind hier Weiden: Salix gmelini Pall., S. tenuifolia Turcz., S. pentandra L., S. rorida Laksch., daneben der Sanddorn, Hippophaë rhamnoides L. (besonders im Mongolischen Altai) und Padus asiatica Kom. Die Überschwemmungswiesen zeigen überall ein sehr komplexes und buntes Bild, wobei Gräser vorherrschen. Auf höheren Flußterrassen und am Rande von Becken treten manchmal ausgedehnte mit Deris, Lasiagrostis splendens Kunth, bewachsene Flächen auf. Doch sind dieselben nicht für diese Zone charakteristisch. Weit mehr trifft dies für die Iris-Wiesen zu, die an Stellen, wo das Grundwasser nahe der Oberfläche liegt, eine ausgedehnte Verbreitung finden.

Aus der Tierwelt, die für die Gebirgssteppe und ihre Wälder besonders typisch ist, können nur einige Nager genannt werden, so die Rotgraue und die Rote Wühlmaus, der Nördliche Pfeifhase und das Eichhörnchen. Der Tolajhase und die Hamster-Wühlmaus halten sich besonders im Gesträuch an Flußläufen und in Schluchten auf. Der Hauptteil sonstiger Tiere ist ebenso in anderen Zonen verbreitet.

Für den Menschen ist die Zone der Gebirgssteppe die wichtigste. Sie bietet gute Weidemöglichkeiten, hat in ihrem dauernd fließenden Gewässernetz auch eine ausreichende Wasserversorgung und in den verstreuten Wäldern genügend Holz für jeden Gebrauch. Die Zone ist darum auch die am dichtesten bewohnte der Mongolei.

Die Zone der Steppen

Die Zone der Steppen beansprucht mit mehr als einem Viertel einen bedeutenden Anteil der MVR. Sie breitet sich vor allem im Osten aus und erstreckt sich hier in den weiten Gebieten zwischen dem Großen Chingan und dem Changai. Nach Westen zu verschmälert sie sich und umfaßt mit einem schmalen Saum den Changai im Süden und Westen, um im Becken der Großen Seen zu enden. Im Mongolischen Altai bilden die Steppen nirgends einen geschlossenen Zug, sondern treten nur in einzelnen Inseln auf und stehen dann zumeist in engem Zusammenhang mit den Gebirgssteppen.

Der größte Teil des Geländes der Steppenzonen ist flachwellig bis eben, so daß hier der Eindruck einer unendlich einförmigen, durch nichts unterbrochenen Landschaft entsteht. Wo Gebirge auftreten, wie im äußersten Osten und in der Umrahmung des Changai, überziehen die Steppen die flachen Hänge und füllen auch die breiten Talsenken aus. In den letzteren und auch in den Depressionen der Ebenen schließt die Zone auch kleine Gebiete mit dem Charakter von Wüstensteppen und stellenweise sogar von Wüsten ein. In der Regel sind derartige Kessel im Zentrum versalzen und vielfach auch versandet.

Im Norden der Steppenzone bildet die Vegetation eine geschlossene Decke, aus der nur in gebirgigen Gegenden hier und da das nackte Gestein hervorragt. An den Nordhängen überrascht die Steppe sogar durch ihren üppigen Wuchs. Doch mit dem Maße der Entfernung nach Süden wird die Entwicklung der Pflanzen ärmer. Sie rücken auseinander. Zahlreiche Gräser verschwinden aus dem Bestand. Dafür finden sich in der sonst vorherrschenden, im allgemeinen niederwüchsigen Grassteppe zunächst vereinzelt, dann gelegentlich auch in vermehrtem Bestand, xerophytische Sträucher und Halbsträucher ein, die im Gefolge mit anderen Vertretern die Nähe der Wüstensteppe bereits ankündigen. Innerhalb der Steppen halten sich diese mehr an sandige und schotterhaltige Böden. Der Übergang zur nächsten Zone vollzieht sich allmählich.

Auch die Böden wandeln in der Richtung zum Süden langsam ihr Gesicht. Im Norden herrschen überall kastanienbraune und hellkastanienbraune Böden vor, deren Mächtigkeit jedoch nach Süden abnimmt und die in den Grenzgebieten in der Farbe sich schon dem Gelbbraun nähern. Manchmal zeigen sich aber hier auch, entblößt vom Pflanzenwuchs, schotterhaltige Böden, die an die Skelettböden erinnern und für die Südmongolei besonders charakteristisch sind.

Im Norden der Steppenzone finden sich in der Pflanzenwelt zahlreiche Arten, die auch in den Gebirgssteppen heimisch sind, was nur natürlich ist. Im Vordergrund steht dort aber das haarförmige Federgras, Stipa capillata L. s. l., welches die eigentliche Leitpflanze ist; denn mit der Südgrenze ihrer Verbreitung fällt auch die Grenze der Steppenzone zusammen.

Bei der räumlich großen Ausdehnung der Zone sind die Verhältnisse natürlich nicht überall gleich, so daß die Vegetation sehr empfindlich auf Änderungen reagiert und diese mit einer anderen Zusammensetzung beantwortet. So kommt es zur Ausbildung verschiedener Steppentypen.

An erster Stelle ist hier die Cleistogenes-Federgras-Steppe (die vorherrschende Art ist immer als zweite genannt) zu nennen, die eine sehr weite Ausdehnung hat. Die Böden derselben sind an der Oberfläche leicht sandlehmig und zeigen einen gewöhnlich gut ausgebildeten Karbonathorizont. Die zwei Edifikatoren sind hier Stipa capillata L. s. l. (überwiegend St. decipiens Smirn.) und Cleistogenes squarrosa (Trin.) Keng (Diplachne squarrosa [Trin.] Maxim.). Unter den Subdominanten sind anzuführen: Agropyron cristatum Gaertn., Carex duriuscula C. A. M. und Artemisia frigida Willd. Außer den vorstehend genannten Arten findet man eingestreut Aneurolepidium pseudagropyrum Nevski, Koeleria gracilis Pers., Poa botryoides Trin., Potentilla tanacetifolia Willd., P. acaulis L., P. bifurca L., Cymbaria dahurica L., Pulsatilla turczaninovii Kryl., Bupleurum bicaule Helm., Heteropappus hispidus Link., Serratula centauroides L. u. a.

Vorbeschriebener Steppentyp kann in einzelnen Gegenden eine leichte Variante dadurch erhalten, daß zwar überall die Grundlage der Feder-

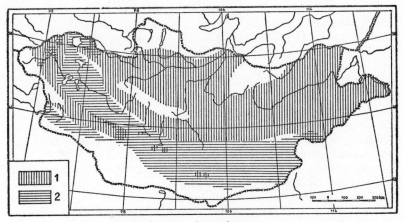

Verbreitung der Federgräser

1 Stipa capillata L. s. l.;
2 Stipa gobica Roshev. und Stipa orientalis Trin.

gras-Steppe mit der Vorherrschaft von Stipa capillata erhalten bleibt,
aber eine andere Art an die zweite Stelle rückt, so daß dann beim Verbleiben aller übrigen Arten andere Varianten unterschieden werden können. Manchmal tritt die Segge Carex duriuscula C. A. M. an die zweite
Stelle, so daß die Variante Carex-Federgras-Steppe, in anderen Fällen
auch die Artemisia-Federgras-Steppe oder die Aneurolepidium-Federgras-
Steppe entsteht.

In einer zweiten Gruppe der Steppentypen stellt das Rhizomgras
Aneurolepidium pseudagropyrum Nevski die Grundlage dar und bildet
dann mit Stipa capillata die Federgras-Aneurolepidium-Steppe. Es ist
einer der üppigsten Steppentypen und kommt, da größere Feuchtigkeit
die Voraussetzung bildet, nur im Norden und Osten der Steppenzone vor,
wo auch dunkelkastanienfarbige Böden überwiegen. Aus diesem Grunde
fallen dort, wo das Rhizomgras in den Vordergrund tritt, einige Vertreter der Trockensteppen aus. So sind hier stärker vertreten Poa botryoides Trin., Veronica incana L., Bupleurum scorzonerifolium Willd., Artemisia tanacetifolia L., A. dracunculus L., A. glauca L., Galium verum L.,
Linum baicalense Juz., Dianthus versicolor Fisch., Stelera chamaejasme
L., Trigonella ruthenica L. u. a. Auch hier können durch Hervortreten
anderer Arten Varianten entstehen, so die Carex-Aneurolepidium-Steppe
an niedrigen Hängen oder die Artemisia-Carex-Aneurolepidium-Steppe,
falls Artemisia Adamsii Bess. stärker hervortritt, was auf karbonat- und
salzhaltigen Böden der Fall ist.

Ein besonderes Bild innerhalb dieser Zone bieten die Caragana-Steppen.
Diese strauchartige Pflanze — im Norden der Steppenzone ist es Caragana microphylla Lam. — ist in ihrer Verbreitung an schotter- und sand-
haltige Böden gebunden. Sie verändert den Bestand der Steppenvegeta-

135

tion an und für sich nicht und erscheint in ihr in fast regelmäßigen Abständen über die ganze Ebene verstreut, wobei sie höchstens 5 bis 7 Prozent der Gesamtfläche einnimmt. Das Caragana-Gesträuch bildet einzelne Büsche, die sich zu runden Beeten entwickeln, wobei die Höhe 40—60 cm und der Durchmesser 1—3 m beträgt. Diese mit zahllosen Büschen bedeckten Steppen geben manchen Gegenden ein besonders eigenartiges Gepräge. Weit verbreitet sind derartige Caragana-Steppen im Raum zwischen Ulan-Bator und Tschoiren im Süden und dem Orchon im Norden. Im Tal der Seen und im Mongolischen Altai bildet Caragana Bungei Ldb. ähnliche Formationen. Diese Art dringt auch in die Wüstensteppen ein, wo Caragana pygmaea DC. den ersten Rang behauptet.

Eine ähnliche Abwechslung in das sonst eintönige Bild der Steppe bringen auch die Bewachsungen mit „Deris", wie die Mongolen die glänzende Lasiagrostis splendens Kunth nennen. Diese schilfartige, drahtharte Pflanze wird bis 1,5 m hoch und siedelt sich auch in unregelmäßigen Beeten oder langgezogenen Streifen an, die sich ebenfalls wie die Caragana-Büsche auffallend vom Hinter- und Untergrund abheben. Allerdings breitet sich der Deris nicht flächenhaft aus, sondern hält sich an bestimmte Leitlinien im Relief. Man findet ihn in der Umgegend von Kesseln und Depressionen, die er oft in einiger Entfernung vom tiefsten Punkt umkränzt, oder entlang von „Toirimen", den Trockenbetten, wobei er sich auch hier am Rande, auf etwas erhöhtem Platz hält und das Tal auf weite Strecken begleitet. Immer aber ist er an die Nähe von feuchten Bodenhorizonten gebunden, wobei er auf nicht salzhaltigem Boden ebensogut gedeiht wie auf stark salzigem Solontschak-Untergrund. Er bevorzugt sandige Böden und ist in der Lage, bewegte Sande zu festigen. Je nachdem der Boden mehr oder weniger salzhaltig ist, finden sich in seiner Umgebung die entsprechenden Steppenpflanzen ein. Die Deris-Bewachsungen sind auch für die nördlichen Wüstensteppen charakteristisch.

Im äußersten Nordosten sind im Flußgebiet des Onon und der Uldsa, im äußersten Osten im Flußgebiet des Chalchin-Gol, Tanacetum-Steppen vertreten, die einen etwas mehr mesophytischen Charakter tragen. Tanacetum sibiricum L. steht an erster Stelle, gefolgt von den Subdominanten Stipa capillata L. s. l. und Festuca ovina L. s. l. Diese Steppen ziehen sich nach dem Argun-Gebiet hin, wo sie in Transbaikalien eine weite Verbreitung finden. *A. W. Kuminowa* hat sie dort besonders untersucht (133).

Die in die Steppen eingelagerten, zumeist flachen Mulden und Kessel weisen eine nach der tiefsten Stelle zunehmende Versalzung der Böden auf. In solchen Fällen findet sich zunächst der Lauch Allium tenuissimum L. ein, der nach dem Federgras zur zweiten Dominante wird, gefolgt von Cadex duriuscula C. A. M., und zur Entwicklung der Allium-Federgras-Steppe führt, die recht weit verbreitet ist. Bei einer stärkeren Versalzung und dem Auftreten von Salzpfannen und Salzseen kommt es schon zur Ausbildung typischer Salzpflanzengemeinschaften, die jedoch mehr den Wüstensteppen eigen sind.

Den Übergang zu den letzteren bilden oft Sand- und Geröllsteppen, die in der eigentlichen Steppenzone nur eine unbedeutende Rolle spielen. Er vollzieht sich jedoch unmerklich, indem an die Seite von Stipa capillata L. schon Stipa gobica Roshev. und andere Stipa-Arten treten, die für die Wüstensteppen charakteristisch sind.

Die Steppen sind im allgemeinen gute Weiden und für alle Tierarten geeignet. Den höchsten Weideertrag haben die Aneurolepidium-Federgras-Steppen, die von den Mongolen gesucht werden, den geringsten die Allium-Federgras-Steppen. Die Abnahme der Vegetation an Quantität und Qualität in der Richtung zur Wüstensteppe hin verursacht eine Änderung in der Tierhaltung. Während im randlichen Norden der Steppenzone die Rinderhaltung noch eine gewisse Rolle spielt, sind es im Süden fast ausschließlich Schafe und Ziegen, die die Herden bilden.

Die Zone der Wüstensteppen

Die Zone der Wüstensteppen erstreckt sich in breitem Zuge südlich der Steppenzone und verläuft dann in verhältnismäßig breiter Ausbildung durch das Tal der Seen in das Becken der Großen Seen, wo sie vor dem Tannu-Ola endet. Der Gobi-Altai wird von ihr nur teilweise erfaßt, und beim Mongolischen Altai überzieht sie nur als schmaler Saum den Gebirgsfuß im Süden, und zwar ununterbrochen bis zur dsungarischen Grenze.

Ihre Aussonderung als besondere Landschaftszone erfolgte erst in jüngster Zeit, und ihre genauere Kenntnis ist in erster Linie den Forschungen *Junatows* zu verdanken. Hier muß zunächst eine Berichtigung der allgemeinen geographischen Vorstellung durchgeführt werden, da die bisherige Darstellung auf dem Irrtum in der Bewertung der Landschaft seitens vieler Forscher beruhte. So hat *Prshewalskij* die nördliche Grenze der Wüste Gobi zunächst südlich von Urga (Ulan-Bator) gezogen und sie später dann 180 bis 200 km nach Süden verlegt. In Wirklichkeit beginnt die Zone der eigentlichen Wüste aber erst 600 bis 700 km südlich von Ulan-Bator. Dem gleichen Irrtum unterlagen viele Reisende, die auf dem Weg von Ulan-Bator nach Kalgan die Mongolei durchquerten und die Gegenden als Wüste schilderten. *W. A. Obrutschew* stellte demgegenüber fest, daß dieser Weg nirgends die Wüste kreuzt und schreibt: „Überall finden die Tiere Nahrung mit Ausnahme der unmittelbar an die Karawanenwege anliegenden Flächen, die von den durchziehenden Karawanen meist abgegrast sind. Deshalb zieht es der Mongole vor, seine Jurten abseits dieser Straßen aufzuschlagen. Auch Brunnen gibt es in regelmäßigen Abständen." (214/34 f.) *Junatow* stimmt dieser Ansicht voll und ganz bei. Ganz falsch sind auch die veralteten Angaben vieler Reisender, daß die Gobi-Landschaften sich in der Mongolei weit nach Osten hinziehen und daß ihre östliche Grenze der Große Chingan sei. In Wirklichkeit beschränkt sich die typische Gobi-Landschaft auf den Süden, und selbst Pflanzengemeinschaften der Wüstensteppe dringen nach Nordosten nicht über die Landschaft Dariganga hinaus vor. Zwischen der letzteren und dem Großen Chingan liegt ein Gürtel typisch mongolischer Steppe, der mehrere hundert Kilometer breit ist. Viele Reisende sind dem Terminus „Gobi" zum Opfer gefallen, auf den aber erst im nächsten Abschnitt eingegangen werden soll.

Die widerspruchsvollen Beurteilungen der Landschaften in ihrer Wüstenhaftigkeit sind auch oft auf die Jahreszeiten zurückzuführen, in denen die Reisenden die Gegenden erreichten und querten, und vor allem auch auf die Witterungsverhältnisse des betreffenden Jahres. Da die Niederschlagsmengen von Jahr zu Jahr außerordentlichen Schwankungen ausgesetzt sind, reagiert die Vegetation mit einer ebenso unterschiedlichen Entwicklung. Das betrifft weniger die Steppen des Nordens, aber um so mehr die Wüstensteppe und Wüste. Das mag als Charakteristikum dieser Landschaften gleich hier angeführt werden.

Die Zone der Wüstensteppen ist die unmittelbare Fortsetzung der Steppenzone. Der Übergang zur Wüstensteppe äußert sich weniger in der Veränderung der Artenzusammensetzung als vielmehr in weit stärkerem Maße in der Xerophytisierung der Pflanzenwelt und einer Zunahme der Spärlichkeit. Als Charakterpflanzen sind auch in der Wüstensteppe die Gräser anzusehen, und zwar in erster Linie die Kleinarten der Federgräser aus der Reihe Barbatae Roshev. Am weitesten sind von diesen verbreitet Stipa gobica Roshev., St. glareosa P. Smirn., St. orientalis Trin., St. caucasica Schmalh. und, wie *Junatow* sagt, wahrscheinlich noch einige unbekannte, vermutlich endemische Formen. Die dieser Arbeit beigegebenen Kartenskizzen der Verbreitung von Stipa capillata L. und der voraufgeführten Stipa-Arten zeigen, wie sehr diese beiden Pflanzenarten für die Steppe und Wüstensteppe als typisch anzusehen sind. An zweiter Stelle ist Cleistogenes sinensis (Hance sub Diplachne) zu nennen. Sie ersetzt infolge ihrer stärkeren xeromorphen Struktur hier die für die Steppe charakteristische Cleistogenes squarrosa (Trin.) Keng.

Die vorgenannten Arten bilden die Grundlage der Wüstensteppe in weiten Gegenden. Andere Gräser sind selten. Eingestreut findet man dann noch gelegentlich einige Halbsträucher, wie z. B. Artemisia frigida Willd., weit seltener Kochia prostrata (L.) Schrad. u. a. So kann man diese Variante als Cleistogenes-Federgras-Wüstensteppe bezeichnen.

In anderen Gegenden tritt nach den Stipa-Arten ein Rainfarn an die zweite Stelle, wobei etwa östlich des Meridians von Dalan-Dsadagad Tanacetum trifidum (Turcz.) DC. vorherrscht und westlich desselben T. achilleoides (Turcz.) DC. Während die vorige Variante mehr das wellig-hügelige Gelände überzieht, findet man die zweite — die Tanacetum-Federgras-Wüstensteppe — mehr auf den ebenen breiten Talflächen.

Im Gobi-Altai, besonders an den Hängen, auf den Beli und Vorgebirgsebenen, tritt dann noch eine dritte Variante — die Allium-Federgras-Wüstensteppe — in weiter Verbreitung auf, in der als zweite Dominante die Lauch-Arten Allium polyrrhizum Turcz. und A. mongolicum Rgl. auftreten. Als weitere Arten untergeordneter Rolle kommen hier dann auch Cleistogenes sinensis (Hance) und Tanacetum achilleoides (Turcz.) DC.

vor. Die höhere Trockenheit in diesen Gegenden läßt in dieser Variante auch schon Salzkräuter stärker hervortreten, insbesondere Anabasis brevifolia C. A. M.

Die vorgeschilderten drei Hauptvarianten zeigen als Übergang von der Steppe zur Wüste einen ganz anderen Charakter als im europäischen Rußland und in Kasachstan. Während dort die trockenen Steppen mit ihren kastanienfarbigen Böden von Artemisia-Halbwüsten mit dunkelbraunen Salzböden abgelöst werden, ist dies in der Mongolei nicht der Fall. Die kastanienfarbigen Böden der Steppe gehen hier in überwiegend gelbbraune Böden über, die zwar Karbonate enthalten, aber nur wenig salzhaltig sind (74). *Polynow* weist besonders auf diesen Unterschied hin und erklärt, daß Böden mit solonezartigen Eigenschaften sich hier nur auf salzhaltigen Gesteinen, wie z. B. auf den roten Gobi-Tonen, entwickelt haben (232). Die mongolischen Wüstensteppen stellen, so könnte man sagen, eine verarmte und spärliche Steppe dar, was sich besonders in feuchten Sommern zeigt. Sie bedeckt sich dann mit einem zwar einförmigen, lockeren und niederwüchsigen, jedoch grünen Teppich.

Die vorbeschriebenen Varianten der Wüstensteppe stellen insgesamt für die genügsamen Schaf- und Ziegenherden der Mongolen eine relativ noch günstige Weide dar. Daneben existieren aber auch ausgedehnte, flächenhaft eingestreute Gegenden, in denen das xerophile Element weit stärker hervortritt oder auch inselhaft Wüstenlandschaften mehr oder minder großen Umfanges auftreten.

Hierher gehören die Strauch-Wüstensteppen. In der Regel ist ihre Verbreitung mit dem erhöhten Anteil von Geröll und Kies am oberen Bodenhorizont verknüpft. In erster Linie sind es Caragana-Arten, die besonders für den Osten der Zone charakteristisch sind, so Caragana pygmaea (L.) DC. und C. bungei Ldb. Im Westen ist C. spinosa (L.) DC. mehr verbreitet. Wie schon bei der Steppenzone geschildert, ist Caragana auch hier nur über das Gelände zerstreut und beansprucht insgesamt nur 3 Prozent bis höchstens 10 Prozent der Fläche. Obgleich sie an dem Grundbestand der auch in dieser Variante verbreiteten Stipa-Arten wenig ändert, beherrscht sie doch mit ihrem Auftreten vor allem in den Vorbergen und an den Gebirgshängen das Landschaftsbild. An den Rändern der tieferen Becken und trockenen Flußläufe, vor allem bei hügeligen Sanden, ist die Bewachsung mit Deris, Lasiagrostis splendens Kunth, weit verbreitet. Typisch für das Bild der zahlreichen Becken mit wüstenhaftem Charakter und auch für die alten Trockentäler ist Nitraria sibirica Pall. Sie wächst auf sandigen Hügeln, die durch Hinzuwehen von Sand sich nach oben erhöhen, während das Auseinanderwehen der Hügel durch die Wurzeln und herabhängenden Zweige verhindert wird. Diese oft alleinstehenden und mit Nitraria gekrönten Hügel werden 2 bis 3 m hoch.

Die zentralen Teile der Becken und auch oft die Trockentäler haben Salzpfannencharakter. Das sie umgebende Gelände ist an Vegetation arm und einförmig. Man findet hier vor allem Carex enervis C. A. M.,

Juncus salsuginosus Turcz., Glaux maritima L. und Halerpestes ruthenica (Jacq.) Ovcz.

In manchen Gegenden der Wüstensteppe herrscht steinig-kiesiger Boden vor. Er trägt nur eine äußerst ärmliche Vegetation, in der aber immer noch die Charakterpflanzen der Zone, nämlich Stipa glareosa P. Smirn. und Tanacetum achilleoides (Turcz.) DC. vorherrschend sind.

Den Wüstensteppen sind, wie schon gesagt wurde, auch Gebiete typischer Wüste eingelagert. Eines der größten liegt im zentralen Teil des Beckens der Großen Seen. Zumeist sind es Borbudurgan- und Baglur-Wüsten. Manchmal finden sich auch schon Saksaul-Bestände ein. Es sind bereits Wüstenformationen, die im folgenden Abschnitt behandelt werden sollen.

Die Zone der Wüsten

Die Zone der Wüsten nimmt als Teil der zentralasiatischen Wüsten nur den südlichen Grenzraum der MVR ein. Sie erstreckt sich etwa in ostwestlicher Richtung hauptsächlich südlich des Mongolischen und des Gobi-Altai. Die ausgeprägte Wüstenhaftigkeit insbesondere der Transaltaischen Gobi ist durch die Gebirgsbarriere bestimmt, die den nördlichen, verhältnismäßig feuchten Luftströmungen den Weg verlegt.

Der Name Gobi, der sich in der geographischen Literatur für den gesamten Süden der Mongolei eingebürgert hat, wird von den Mongolen für ein ebenes oder flachwelliges Land mit geringer Vegetation und Wasserarmut angewandt. Man könnte ein solches Gebiet als wüstenhaft oder auch als Wüste bezeichnen. Aber die Mongolen nennen nicht das Gesamtgebiet des Südens Gobi, sondern immer nur einen bestimmten Teil oder Ausschnitt der Landschaft mit den oben angegebenen Charakteristika. Deshalb setzen sie stets ein Bestimmungswort dazu, das die geographische Lage und Ausdehnung näher umreißt, z. B. Schargain-Gobi, Galbain-Gobi u. a. Die Gesamtbezeichnung Gobi = Wüste ist darum der Anlaß zu vielen Irrtümern. Ganz falsch ist es, sich unter Gobi eine Sandwüste vorzustellen, wie auch die chinesische Bezeichnung „Schamo" für die Gobi nicht zutreffend ist, da Schamo soviel wie Sandmeer bedeutet. Die Chinesen verwendeten den Ausdruck Schamo, weil sie auf ihren Reisen in die Mongolei in deren südlichstem Teil (Innere Mongolei) oft Sandflächen antrafen (209/34 f.).

Am meisten charakteristisch für die Wüstenzone der Mongolei ist die Steinwüste, die zumeist jeder Pflanzendecke entbehrt. Sie nimmt außerordentlich weite Gebiete ein. Ihre Entstehung ist auf lang andauernde geomorphologische Prozesse zurückzuführen, die unter kontinentalen Bedingungen Gebirge zum Teile peneplainisiert und das Zerstörungsmaterial hier weithin abgelagert haben. Ungeschützt durch eine Pflanzendecke konnten die feinen Bestandteile ausgeweht werden, so daß eine Schotter- und Gerölldecke zurückblieb. Wind und Wasser ließen sie zu einem Steinpanzer zusammenwachsen und überzogen sie mit einem glänzenden, dunklen Wüstenlack, so daß eine Steinwüste, eine typische Hammada, entstand, die die verbreitetste natürliche Landschaft in der mongolischen Wüstenzone darstellt und sich besonders im Westen über Dutzende und Hunderte von Kilometern hinzieht.

Die Böden der Steinwüste stellen zumeist eine Gipskruste dar, die aber oberflächlich porös und blättrig ist und eine fast ziegelrote Farbe hat. *Gerassimow* bezeichnet sie als rötlich-gelbe Gipsböden.

Trotz der ausgesprochenen Wüstenhaftigkeit des Klimas und auch starker Winde sind aus vorgeschilderten Gründen Reliefformen äolischer Herkunft wie auch ausgedehnte Sandflächen selten. Haufensande treten wohl auf, doch sind sie zumeist von Pflanzen festgelegt. Weit verbreitet sind dagegen kleine Sandbuckel und Sandhügelchen an Sträuchern und auf Steinboden aufgewehte kleine Sanddünen oder Sandzungen. *Obrutschew* hat diese Bildungen sehr eingehend und systematisch beschrieben (205).

Im Osten der Zone sind Steinwüsten seltener. Hier herrschen in hügeligem Gelände und in den dazwischenliegenden weiten Talgebieten und Senken oft leicht anlehmige Sande vor, die mit Geröll und Kies durchsetzt sind. So kann man, um *Junatow zu folgen* (106/111 f.), eine Zweiteilung der Wüstenzone vornehmen, wobei als Grenze etwa der Meridian des Edsin-Gol angenommen werden kann.

Den Grundtyp des Ostteils, den wir die Alaschan-Wüste nennen können, bildet die schon im vorigen Abschnitt genannte Borbudurgan-Wüste, die ihren Namen nach der mongolischen Bezeichnung von Salsola passerina Bge. trägt. Diese ist für diesen Wüstentyp als die Charakterpflanze anzusehen, die die weiten Talflächen und -senken auf stark salzhaltigen und weniger von Schotter und Kies durchsetzten Böden bedeckt. Zahlreich sind hier die eingestreuten Strauchpflanzen und Halbsträucher, von denen genannt werden können: Reaumuria soongrica Maxim., Nitraria sphaerocarpa Maxim., Zygophyllum xanthoxylon Maxim., Salsola arbuscula Pall. Gräser sind nur in geringer Anzahl beigemischt. Ein Großteil des Bodens ist vollkommen kahl.

Auf den Hügeln, vor allem aber in der Mitte der Vorgebirgsstufen, den Beli, ist die Baglur-Wüste herrschend, die leicht- oder schwachversalzene Böden vorzieht. Die Charakterpflanze stellt Anabasis brevifolia C. A. M. dar, die mongolisch Baglur heißt. Sie bildet den Hauptvertreter der Vegetation überhaupt. Halbsträucher und Sträucher sind seltener als in dem vorher genannten Typ. Beim Übergang zu den Salzböden stellen sich sofort Salsola passerina Bge. und Reaumuria soongorica Maxim. ein.

Wo Sande im Boden vorherrschen, wie in Trockentälern und an Hügelrändern, findet man die schon im vorigen Abschnitt genannte Nitraria sibirica Pall., die in der Anhäufung von Sanden eine aktive Rolle spielt.

Interessant ist in der Alaschan-Wüste das Auftreten von Holzgewächsen. Hier findet man in Einzelexemplaren die Ulme Ulmus pumila L., die sich streng an die sandig-kiesigen Böden der zeitweilig wasserführenden Saire hält. In einigen wenigen Fällen, so am Undain-Gol in der Galbain-Gobi, bildet sie sogar einen lockeren Galeriewald.

Gelegentlich finden sich auch in der Alaschan-Wüste oasenhaft grüne Flächen, die sich dort entwickeln, wo das Grundwasser hervortritt, was zumeist nur am Fuß der Gebirge und Vorberge oder auch bei kleinen Hügeln der Fall ist. Diese Grünflächen ziehen sich dann in meist nur schmalen Streifen entlang dem Hangfuß hin. In ihnen sind vor allem vertreten: Carex enervis C. A. M., Puccinellia tenuiflora (Griseb.) Scribn. et Merr., Glaux maritima L., Halerpestes ruthenica (Jacq.) Ovcz.

Der Westteil der Zone ist wüstenhaft weit schärfer ausgebildet als der Osten. Während dort die Steinwüste nur gelegentlich und flächenhaft beschränkt eine untergeordnete Rolle spielt, wird sie hier im Westen zum herrschenden Grundtyp. Im zentralen Westteil der eigentlichen Transaltai-Gobi, die sich zum schon außerhalb der MVR liegenden Nomin-Becken senkt, finden wir ein mehrere hundert Quadratkilometer großes Gebiet reiner, vegetationsloser Steinwüste. Auch ostwärts des Gebirges Tachin-Schara erstreckt sich ein gleiches, jedoch kleineres Gebiet. Es sind dies die ödesten Landschaften der MVR überhaupt. Doch der größte Teil der vorherrschenden Steinwüste ist nicht vollkommen vegetationslos. Es ist der Saksaul, Haloxylon ammodendron Bge., der sich hier einstellt und etwas Leben in die sonst tote Wüste bringt. Man kann diesen Typ darum als *Saksaul-Steinwüste* bezeichnen. Innerhalb der Gebirge überzieht diese die Becken und schwach geneigten Hänge. Doch auch im übrigen Teil ist das Relief nicht gleichmäßig flach, sondern von einem Netz trockener und nur gelegentlich wasserführender kleinerer und größerer Rinnen durchzogen, die, manchmal tiefer eingeschnitten, einen schluchtenartigen Eindruck machen. In diesen Rinnen wächst der Saksaul, der allgemein eine verkrüppelte, strauchartige Entwicklung zeigt und eine Höhe von nicht mehr als 1,5 bis 2 m erreicht. In geringer Zahl treten noch andere strauchartige Gewächse an die Seite des Saksaul, so Ephedra przewalskii Stapf., Calligonum mongolicum Turcz., Salsola arbuscula Pall., Reaumuria soongorica Maxim. u. a. Auch einige Grasarten sind hier und da anzutreffen, ferner Arnebia guttata Bge., Ptilotrichum canescens C. A. M., Dontostemon elegans Maxim., Erodium tibetanum Edgew. u. a. Während so die Rinnen und kleinen Trockentäler doch einem geringen Pflanzenwuchs das Leben ermöglichen, sind die dazwischenliegenden Flächen oder lang ausgedehnten Wälle vollkommen nackt. In großer Überschau ergibt sich für die Saksaul-Steinwüste eine streifen- oder linienhafte Anordnung der Vegetation in der Form eines Gewässernetzes.

Als zweiter Typ der Wüstenzone kann noch die *Gesträuch-Wüste* genannt werden, die keine bedeutende Ausdehnung hat, sich aber regelmäßig in größerer absoluter Höhe, vor allem auf den Vorgebirgsebenen, einfindet. Auch hier sind die kleinen Sträucher in ihrer Verbreitung zumeist an die Wasserrinnen gebunden. Es treten alle die Strauchpflanzen auf, die beim vorbeschriebenen Typ als Begleiter des Saksaul genannt wurden, wobei räumlich manchmal die eine, manchmal die andere Art in den Vordergrund tritt.

Im äußersten Westen ist am Südfuß des Mongolischen Altai, im Unterlaufgebiet der Flüsse Bodomtschi, Uintschi und am Bulugun ein besonderer Wüstentyp verbreitet, in dem Nanophyton erinacium (Pall.) Bge. als Dominante verbreitet ist. Dieser Typ trägt nach der mongolischen Bezeichnung der letzteren den Namen *Tar-Wüste*. Als zweite Dominante tritt Zygophyllum xanthoxylon Maxim. auf. Dieser Wüstentyp ist der östlichste Ausläufer der in Kasachstan und der Dsungarei weitverbreiteten Wüstenart. *Baranow* hat sie eingehend untersucht (31). Interessant ist in diesem Zusammenhang die Feststellung, daß sich in der tiefstgelegenen Gegend des Beckens der Großen Seen die gleiche Tar-Wüste findet. Sie erstreckt sich hier, durch den Mongolischen Altai und die breite Wüstensteppe vollkommen isoliert und mehr als 450 km von gleichartigen Tar-Wüsten entfernt, im Westen des Ubsa-Nur, und zwar mit den gleichen Begleitern wie im Süden (106/115). In den nördlichen Vorbergen des Chan-Chuchei tritt der dreigliedrige Komplex Nanophyton erinacium (Pall.) Bge., Stipa glareosa P. Smirn. und Artemisia incana (L.) Druce s. l. auf.

Im Westen der Wüstenzone gibt es trotz der höheren Trockenheit auch ein oasenhaftes Auftreten einer reichlicheren Pflanzenwelt, die auch hier an das Hervorquellen des Grundwassers gebunden ist. Ihr freundliches Grün bietet dem Auge eine angenehme Abwechslung.

Für das Landschaftsbild der Wüstenzone ist es charakteristisch, daß die Gebirge und selbst Erhebungen kleineren Ausmaßes zumeist schroffe Hänge haben, die überwiegend aus nacktem, stark zerklüftetem Gestein bestehen. Nur die höchsten Gebirge reichen in andere Vegetationsregionen hinein.

Sandwüsten haben in der Wüstenzone nur eine sehr beschränkte Ausdehnung. Kleinere Sandflächen kommen in den Trockentälern vor. Einen anderen Charakter haben die Sandanhäufungen, die durch Auswehungen entstehen. Sie sind am Rande von Oasen verbreitet, dann aber vor allem am Ende großer Saire, wo es bei großen Regenfällen zur Anschwemmung von lockerem Material kommt. Durch die unregelmäßigen Winde wird der Sand zu Hügeln zusammengeweht, die eine Höhe von 5 bis 10 m erreichen können. Im allgemeinen haben diese von den Mongolen als „Sondok" bezeichneten Hügelsandgebiete nur eine Ausdehnung von 0,5 bis 1 km im Durchmesser (106/116).

Zusammenfassend kann von der Wüstenzone gesagt werden, daß die Vegetation allgemein äußerst spärlich ist, so daß ausreichende Weidemöglichkeiten kaum bestehen. Doch in den Gesträuch-Wüsten können sich Kamele halten. So bietet die Wüstenzone durch ihre geringe Vegetation dem Menschen kaum eine wirtschaftliche Grundlage. Anders ist es bei der Anwendung künstlicher Bewässerung. Hier sind einige kleine Bewässerungsoasen am Südfuß des Mongolischen Altai vorhanden, wo die dauernd fließenden Gewässer, wie der Bulugun, Uintschi, Bodomtschi u. a., jedoch weit größere Möglichkeiten böten, wenn man das Wasser nutzen würde, ehe es sich im Wüstenraum verliert.

Die Vegetationsregionen in den Gebirgen und ihre Gesetzmäßigkeit

Dank der Höhe der Gebirge läßt sich auch die vertikale Ordnung der Vegetation in ihnen recht gut verfolgen. Mit dieser Frage haben sich die verschiedensten Forscher sowohl im allgemeinen als auch in den einzelnen Gebieten befaßt, wie z. B. *Komarow* (118), *Pawlow* (221), *Wassiljew* (305), um nur einige zu nennen. Das Hauptverdienst kommt jedoch auch hier *Junatow* zu, dessen Veröffentlichungen die Grundlage der nachfolgenden Ausführungen bilden.

Abgesehen von ziemlich häufigen Fällen der Inversion und Fällen, in denen zonenfremde Elemente in Regionen eindringen, die ihnen eigentlich nicht zustehen, zeigt sich auch in der vertikalen Gliederung der Pflanzenwelt eine klare Gesetzmäßigkeit, die entsprechend der Lage, Höhe und natürlichen Ausstattung sich zu einer differenzierten Ausbildung der Regionen in den einzelnen Gebirgszügen auswirkt.

Da die Mongolei ein ausgesprochen kontinentales Klima hat, ist der aride Vegetationstyp am stärksten vertreten. Bezeichnend für ihn ist seine große Amplitude auf engem Raum, denn er umfaßt in der Regel sämtliche Zonen, angefangen von der Wüste oder Wüstensteppe in den Vorbergen bis zu den Hochgebirgswiesen auf den Höhen. Anderseits ist eine Reduktion oder gar der Ausfall einer oder auch mehrerer Gürtel möglich. Arider Charakter in allen Gürteln, scharfe Kontraste in der Pflanzenwelt und verschiedene Höhenlage der Gürtel auf den Nord- und Südhängen sind weitere Charakteristika. Daneben ist noch der boreale oder nördliche Typ zu nennen. Er ist auf die nördlichen Randgebirge beschränkt, unterscheidet sich von dem ariden Typ vor allem dadurch, daß die mittleren Gebirgsregionen mehr von Wäldern beherrscht werden und daß der Fuß höchstens bis zu den Steppen hinabreicht. Zwischen beiden Typen gibt es natürlich Übergänge, so daß man auch von Varianten sprechen kann. Da diese einen besseren Einblick in die Verhältnisse in den einzelnen Gebirgen gestatten, so sollen nachstehend die Hauptvarianten besprochen werden, wie sie in dem der Arbeit beigefügten graphischen Schema dargestellt sind.

Die sajanische Variante

Sie gehört zum borealen oder nördlichen Typus und umfaßt das Chubsugul-Gebiet und den Chentei. Sie ist durch folgende allgemeine Züge charakterisiert: Die höchste und oberste Stufe, etwa ab 2200 bis 2400 m Höhe, wird von ausgedehnten Geröllflächen eingenommen, zwischen denen Hochgebirgswiesen mit Seggen und Cobresia, dann auch Flechten- und Moos-Gebirgstundra eine ausgedehnte Verbreitung finden. Dazu tritt örtlich kleines, z. T. verkrüppeltes Gesträuch. Mit zunehmender Höhe verschwindet die Vegetation immer mehr und es entwickelt sich der Bergtyp, den die Russen Golez (Mehrzahl Golzy) nennen, d. h. soviel wie Nacktling, Kahlkopf und bezeichnet einen jeder höheren Vegetation baren, von Geröll und bloßem Gestein beherrschten Berggipfel. Ab

3000 m treten Flecken ewigen Schnees, Firnfelder und kleine Gletscher auf. Das letztere betrifft aber nur das Gebirgsgebiet des Chubsugul, nicht den Chentei.

Die mittlere Höhenstufe beginnt oben mit der Bergtaiga (Arven und Lärchen), die sich nach den niederen Lagen zu allmählich in reine Lärchen- und dann in Mischwälder mit gutem Graswuchs wandelt. Die unterste Stufe nehmen Bergsteppen ein, in denen an Hängen mit Nordexposition kleine, lichte Wäldchen und Gehölze eingestreut sind. In den niedrigst gelegenen größeren Becken können auch kleine Federgras-Steppen auftreten. Der Kontrast zwischen den Nord- und Südhängen ist zwar bemerkbar, aber noch nicht sehr scharf ausgeprägt. Er besteht hier darin, daß die obere Waldgrenze auf den Nordhängen 100 bis 200 m höher liegt und die untere sich etwas senkt.

Zwischen dem Chubsugul-Gebiet und dem Chentei bestehen jedoch einige Unterschiede, die sich aus der geographischen Lage ergeben. Während das Chubsugul-Gebiet zu dem System der sajanisch-südbaikalischen Gebirge gehört, liegt der Chentei südlicher und bildet gewissermaßen einen Vorsprung, der im Westen, Süden und Osten von Steppen eingeschlossen ist. Infolgedessen ist die Bergtaiga hier nicht so gut entwickelt und der Anteil an Mischwäldern weit größer. Die Gebirgssteppe nimmt allgemein in der Vertikalen einen breiteren Streifen ein. Dazu kommt, daß sie von Süden in den breiten Tälern weit in das Gebirge eindringt, die Waldzone durchbricht und vielfach die Golezregion erreicht. Im Chentei sind darum die Steppen weit mehr verbreitet als im Chubsugul-Gebiet.

Der aride Typ der Vegetationsregionen ist durch drei Varianten vertreten, nämlich die des Changai, des Altai und der Gobi.

Die Changai-Variante

Wassiljew (305) und andere Forscher nennen sie die nordmongolische Variante, doch ist die Bezeichnung *Junatows* m. E. vorzuziehen. Infolge der südlicheren Lage verläuft die Grenze der Hochgebirgsregion hier niedriger. Sie beginnt erst ab 2600 bis 2700 m mit Cobresia- und Cobresia-Seggen-Wiesen zwischen Geröllfeldern. Sümpfe und Strauchbewuchs kommen wenig vor, Moos- und Flechtentundra sind nicht ausgeprägt, beständige Schneefelder äußerst selten.

Die Waldregion ist stark reduziert. Auf den Südhängen gibt es fast überhaupt keinen Wald oder höchstens oasenhaft an geschützten Stellen. Deshalb kommen die subalpinen Gebirgssteppen in unmittelbare Berührung mit den Hochgebirgswiesen, die dann durch eingedrungene Steppenpflanzen einen anderen Charakter erhalten. Auch auf den Nordhängen schrumpft die Waldregion zusammen. Typische Bergtaiga ist höchstens in einem schmalen Saum vertreten. Der Hauptteil der Wälder besteht aus lichten Lärchenbeständen, die mit großen Flächen Gebirgssteppe wechseln. Die mittlere Region an den Südhängen — an den Nordhängen ist es die untere — wird von Gebirgssteppen beherrscht, die hier auf 2200 bis

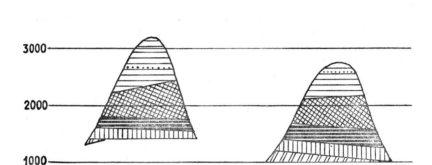

BOREALER TYP
SAJANISCHE VARIANTE

WESTL. CHUBSUGUL-GEBIET   WEST-CHENTEI

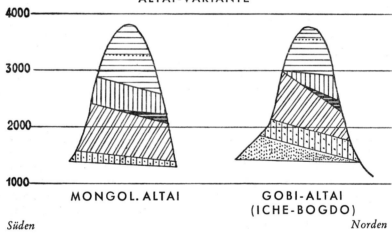

ARIDER TYP
ALTAI-VARIANTE

MONGOL. ALTAI   GOBI-ALTAI (ICHE-BOGDO)

Süden   *Norden*

▭ 1   ▨ 2   ▤ 3   ⦀ 4

Schema der Vegetationsregionen in den Gebirgen

1 Hochgebirgsregion (Wiesen mit Sauergräsern, Strauchdickichte, Blockfelder, Firnflecken und Gletscher). Die punktierte Linie bezeichnet die untere Grenze der Geröllfelder ohne Pflanzenwuchs;
2 Gebirgstaiga;
3 Lärchenwälder, teilweise (im Chentei) Mischwälder;
4 Subalpine Gebirgssteppen;

146

ARIDER TYP
CHANGAI-VARIANTE

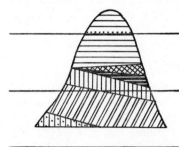

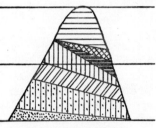

ZENTRAL-CHANGAI   WEST-CHANGAI
(CHAN-CHUCHEI)

ARIDER TYP
GOBI-VARIANTE

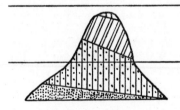

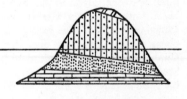

GOBI-ALTAI   ATAS-BOGDO
(GURBAN-SAICHAN)

Süden   *Norden*

5   6   7   8

5 Petrophile Varianten der trockenen Federgras- und Federgras-Wermut-
Steppen;
6 Gebirgs-Federgras-Wüstensteppen und Federgras-Halophyten-Wüstensteppen;
7 Halophyten-Wüsten;
8 Saksaul-Wüsten.

2500 m, also relativ hoch, ansteigen. Den untersten Teil der Südhänge hält schon die Federgras-Steppe besetzt, die sich kaum mehr von den Steppen der ebenen Ostmongolei unterscheidet. In den peripheren Gegenden des Changai in der Richtung zum Tal der Seen und dem Becken der Großen Seen rückt in der unteren Region schon die Wüstensteppe den Hang hinauf. Das tritt uns sehr deutlich beim isolierten Chan-Chuchei entgegen (siehe Schema!).

Die Altai-Variante

Diese Variante bezieht sich in erster Linie auf den Hauptkamm und die Seitenzweige des Mongolischen Altai, trifft aber mit gewissen Verlagerungen auch auf die höchsten Gebirge des Gobi-Altai zu, wie z. B. auf den Gurban-Bogdo. Infolge der großen Längsausdehnung des Gebirgszuges von Nordwesten nach Südosten in der Richtung auf die Gobi zu und seiner bedeutenden Höhen zeichnet sich die Altai-Variante durch zahlreiche Besonderheiten aus.

Vor allem ist die alpine Hochgebirgsregion vertikal sehr breit entwickelt, obwohl die untere Grenze mit 2800 bis 3000 m bedeutend höher als in den anderen Gebirgen liegt. Es schließt sich gleich die Gebirgssteppe an, die nach der Gobi zu immer ärmlicher und hangeinseitiger wird. Dann erst folgt die Waldregion, die sich aber auf die Nordhänge beschränkt und aus kleinen unansehnlichen Lärchenwäldchen besteht. Man findet sie an der unteren Grenze der Gebirgssteppe und eingestreut in die folgende Federgras-Steppe. In dieser Variante erreicht die Reduzierung des Waldes ihren höchsten Grad. In der Regel findet man die kleinen Wäldchen nur als Umrahmung von Geröll- und Schutthalden, vielfach auch nur in schmalen Streifen. Um so stärker tritt die Federgras-Steppe auf. Ihre obere Grenze liegt hier über der oberen Waldgrenze nicht nur in den Chubsugul-Gebirgen, sondern auch im Chentei und Changai. Die unterste Stufe und auch die Gebirgsbecken, die hier im Mittel eine Höhe von 1500 bis 1700 m haben, werden von Wüstensteppe eingenommen.

Der Iche-Bogdo, der allseitig von typisch gobischen Wüsten und Wüstensteppen umgeben ist, bietet infolge verstärkter Aridität ein etwas anderes Bild. Am Nordhang kann man folgenden Wechsel der Pflanzenregionen beobachten. Die Vorlandebene und die untere Hälfte des Sockels, der Beli, ist mit Halophyten-Wüste bedeckt, die sich nach oben in Halophyten-Federgras-Wüstensteppe wandelt und das ganze untere Stockwerk des Gebirges umfaßt. Die Mittelzone wird von Federgras-Steppen beherrscht, die in sich zahlreiche Derivate enthalten von früher weiter verbreiteten Pflanzengemeinschaften. Vor allem ist hier das in den Schluchten der Hänge oft in Dickichten auftretende Altai-Geißblatt (Lonicera altaica Pall.) zu nennen, das sonst in den Lärchenhainen des Mongolischen Altai als typisches Unterholz auftritt. Es stellt hier darum, wie *Junatow* meint (106/58), die äußerste Reduktion der Waldregion dar. Daß die Bedingungen für Baumwuchs und Waldbildung hier einst günstiger waren, wird durch das Auftreten von Reliktexemplaren der kleinblättrigen Birke (Betula rezniczenkoana [Litw.] Schischk.) und von kleinen Hainen der Graupappel (Populus pilosa Rehder) bestätigt. Andererseits ist auf den Südhängen das Eindringen der Artscha, des Kosaken-Wacholders (Juniperus sabina L.), in die Federgrassteppe wiederholt festgestellt. Nun gehört diese Wacholderart, wie bekannt, im Tienschan und anderen Gebirgen Zentralasiens zu der xerophytischen Variante der subalpinen Region. Hier ist also nach der Meinung von *Junatow* (106/58) eine weitere Reduktion festzustellen: die Federgras-Steppen nehmen in ihren Bestand immergrüne Nadelsträucher auf.

Der Gipfel des Iche-Bogdo zeigt den für die Altai-Gebirge typischen Hochplateaucharakter mit stufenweisem Anstieg. Beginnend mit 2800 bis 3000 m besetzen die subalpinen Gebirgssteppen die untere Stufe des Plateaus. Doch sind sie nur am Nordhang voll entwickelt, am Südhang ist diese Region zerrissen und tritt nur fleckenhaft in Schutzlagen auf. Die Gebirgssteppen sind durch Schafschwingel-Gras-Steppen vertreten. Weiter oben beginnt die Cobresia in den Gräserbestand einzudringen, und die Matten nehmen den Charakter von Schafschwingel-Cobresia-Steppen an. In Höhen von 3300 bis 3400 m dominieren bereits die Cobresia-Hochgebirgswiesen, die nach oben immer spärlicher werden. Die obere Grenze der Vegetation fällt etwa mit dem Berggipfel zusammen, der eine Höhe von rund 4000 m hat.

Die Gobi-Variante

Der Gobi-Teil der MVR wird in vielen Richtungen von relativ niedrigen Gebirgs- und Bergrücken durchzogen, die hauptsächlich zum System des Gobi-Altai gehören. Obgleich diese Rücken die Umgebung oft nur um 500 bis 1500 m überragen, läßt sich doch auch hier die vertikale Zonalität der Vegetationsdecke feststellen, wenn die Regionen auch verständlicherweise zugunsten der Wüste stark eingeschränkt sind.

Als charakteristisches Beispiel soll hier der Gurban-Saichan angeführt werden, der bis zu 2846 m aufragt. Die Wüstensteppen bedecken nicht nur die untere Stufe, sondern sie nehmen an den Südhängen bis zu zwei Dritteln der ganzen Höhe ein. An den Nordhängen bleiben sie etwas zurück. Dann wandeln sie sich zu einer verarmten Bergvariante der Federgras-Steppe, die von der gesamten Höhe Besitz ergreift. Nur an geschützten Stellen des Nordhanges, in Schluchten und Tälern, kann man bessere Federgras-Steppen und auch Sträucherdickichte antreffen. Im allgemeinen wiederholt sich in der Gobi immer das gleiche Bild. Die Beli sind schon von der Halophyten-Wüste eingenommen, die Hänge bedeckt Halbwüste, und nur auf den Kuppen findet sich je nach der Höhe eine mehr oder minder ausgebreitete verarmte Federgras-Steppe ein.

Die Böden und ihre Haupttypen

Die Böden der Mongolei bieten in ihrer räumlichen Verteilung ein sehr buntes Bild. Eine übersichtliche zonale Gliederung ist wohl erkennbar, doch ist sie stark gestört, wobei allgemein-geographische Faktoren, wie das unterschiedliche Relief, Verschiedenheiten des Muttergesteines und der Pflanzendecke u. a. mitbestimmend sind und oft eine Änderung des Bodencharakters auf relativ engem Raum bewirken. Eine wesentliche Rolle in der Verteilung der Bodentypen und in der Störung der gesetzmäßigen zonalen Anordnung kommt der Orographie und hier besonders der Höhenlage der einzelnen geomorphologischen Gebiete zu. So können weit im Süden in der Gobi-Zone auf höher gelegenen Flächen an den Hängen des Gobi-Altai kastanienfarbige Böden, selbst Bergwiesenböden und der Schwarzerde ähnliche Bildungen auftreten, die sonst nur im Norden des Landes anzutreffen sind. Umgekehrt haben sich in den Depressionen des Nordens nicht selten Böden des Wüstentyps gebildet, und zwar bis zum Solonez- und Solontschak-Charakter. Das bunte Bild der Verteilung ist also darin begründet, daß neben der horizontalen Zonalität auch eine ausgeprägte vertikale vorhanden ist.

Da das Gebiet der MVR schon seit dem Ende des Paläozoikums als Festland existiert und seitdem keine Meerestransgression mehr erlebte, so dienten als Muttergesteine für die Bodenbildung alte Gesteine, wie Granit, lehmige Schiefer, Kalksteine, Grauwacken u. a. Diese ergeben beim Zerfall große Mengen von Gesteinsschutt, und hieraus erklärt sich ein besonderes Merkmal der mongolischen Böden, nämlich ihre starke Durchsetzung mit Gesteinstrümmern und ihr weitverbreiteter skelettartiger Charakter.

Über die Böden der Mongolei liegt eine neue Arbeit von *N. D. Bespalow* vor, die von der Mongolischen Kommission der Akademie der Wissenschaften der UdSSR veröffentlicht wurde (46). Der Autor faßt darin neben den Ergebnissen seiner eigenen dreijährigen Forschungsarbeit auch die bodenkundlichen Forschungen anderer Wissenschaftler zusammen, die in Einzelgebieten der Mongolei gearbeitet haben. Ihre Spezialwerke lagen zum Teil auch dem Verfasser dieser Arbeit vor. Zu nennen wären hier: *L. I. Prassolow* (240), *B. B. Polynow* und *I. M. Krascheninnikow* (231), *Polynow* und *W. I. Lissowskij* (232) und *S. I. Andrejew* (22). *Bespalow* hat auch eine Bodenkarte der Mongolei entworfen.

Die größte Ausbreitung haben in der Mongolei die *kastanienfarbigen Böden*. Sie erstrecken sich in einem breiten Zuge von den Vorbergen des Altai im Westen bis zur mandschurisch-mongolischen Grenze. In typischer Entwicklung finden sie sich vor allem an den nordwestlichen, nördlichen und nordöstlichen Hängen des Changai, im Chubsugul-Gebiet und im Selenga-Orchon-Becken. Doch sind sie nicht einheitlich, so daß man sie in dunkelkastanienfarbige, kastanienfarbige und hellkastanienfarbige Böden aufgliedern kann. Diese drei Varianten unterscheiden sich hauptsächlich durch die Mächtigkeit des Humushorizonts, den Grad der Auslaugung und die chemische Zusammensetzung. Die dunkle Variante ist eine Auswirkung der vertikalen Zonalität. Sie bedeckt vor allem die flachen Nordhänge und die höheren Terrassen. Weit verbreitet ist sie auf den letzteren entlang dem Orchon und der Selenga. Die hellfarbigen Böden bilden den Übergang zu den braunen Böden der Wüsten und auch zu den Solontschak-Böden. Sie sind in erster Linie an den West- und Südhängen des Changai verbreitet und ziehen sich nach Osten fast bis zum Fuß des Großen Chingan hin.

Die dunkle und mittlere Variante hat im allgemeinen einen Humushorizont von 22 bis 25 cm und einen Humusgehalt von 4 Prozent bis

Die Bodentypen und ihre Verbreitung
nach N. D. Bespalow

	Insgesamt		davon im Gobiteil	
	qkm	Prozent d. Fläche	qkm	Prozent d. Fläche
1) Fette Schwarzerden, verschiedene Podsolböden, dunkle Niederungsböden	86 202	5,5	—	—
2) Kastanienfarbige, dunkelkastanienfarbige und Niederungsböden	280 838	18,0	—	—
3) Kastanienfarbige und hellkastanienfarbige Böden	206 209	13,2	—	—
4) Dunkelbraune, zuweilen hellkastanienfarbige Böden	125 433	8,0	72 790	13,6
5) Braune und hellbraune Böden	268 918	17,2	230 520	43,2
6) Solontschak-, solontschakartige und Solonez-Solontschak-Böden	89 906	5,9	38 725	7,1
7) Solonez-Böden	71 771	4,6	60 044	11,0
8) Kastanienfarbige und braune Böden geringer Mächtigkeit	261 952	16,7	114 951	21,4
9) Barchane und andere bewegliche Sande	33 532	2,3	13 395	2,5
10) übrige Böden	132 512	8,6	4 293	1,2
	1 557 273	100,0	534 718	100,0

6,5—7 Prozent. Der Karbonathorizont ist gut entwickelt und liegt in einer Tiefe von 45 bis 50 cm (271/38).

Der Anteil an mechanischen Bestandteilen ist bei den Kastanienböden nicht einheitlich. Ansandige Lehme herrschen vor, oft aber zeigen die Böden auch lößartigen Charakter. Die steinigen Bestandteile vergrößern sich nach der Tiefe.

Ihr Mengenanteil erhöht sich ebenfalls in dieser Richtung. An der Oberfläche beträgt er 3 bis 7 Prozent, während er am Grund 12 bis 15 Prozent erreicht. Die dem Bodenhorizont unterlagernde Schicht besteht zumeist schon zu 70 bis 75 Prozent aus Kies und Schotter.

Innerhalb der kastanienfarbigen Böden sind die dunkleren die besten Ackerböden der MVR. Sie lassen sich leicht und mit geringem Kraftaufwand bearbeiten, da sie leicht zerfallen. Verglichen mit den gleichen Böden in der Sowjetunion sind sie jedoch nicht so fruchtbar. Der Grund hierfür ist in dem geringeren Humusgehalt und in der Durchschotterung zu sehen.

Die kastanienfarbigen Böden erheben sich bis zu etwa 1400 m Meereshöhe. An höheren Hängen und Flächen sind bei genügender Feuchtigkeit *Gebirgsschwarzerden* entwickelt, vor allem an den Nord- und Nordosthängen. Sie tragen in der Regel Wälder oder Gehölze. In welligem Gelände lassen sie auch freie Flächen für aussichtsreichen Ackerbau.

Die *braunen Böden* stellen den Hauptbodentyp des Gobi-Gebietes der MVR dar und erscheinen dort in zonaler Ausbreitung von der dsungarischen Grenze bis zum Osten über Sain-Schanda hinaus. Bei dieser weiten Ausdehnung gibt es zahlreiche Varianten sowohl in genetischer Hinsicht als auch nach dem chemischen und mechanischen Bestand. Die Farbe der Böden ist braun bis gelbbraun, nicht selten mit einem weißlichen Anflug, der Gehalt an leicht löslichem Humus bleibt zumeist unter 1 Prozent. Die Auslaugung ist sehr gering. Nahezu überall sind die Böden versalzen. Geringe oder keine Wasserdurchlässigkeit, das Fehlen einer Bodenstruktur sowie Salzhaltigkeit sind die wesentlichen Merkmale.

Bei Regen kann infolge der geringen Durchlässigkeit das Wasser nicht restlos einsickern, so daß sich ein oberflächlicher Wasserstrom bildet, der flächenhaft und auch linienhaft von stark zerstörender Wirkung ist. Die Schäden werden durch den vielfach wolkenbruchartigen Charakter der Niederschläge in der Gobi-Zone noch erhöht. So ergibt sich für diesen Bereich, wie *Wiljams* (307) sagt, die paradoxe Erscheinung: wenig Niederschläge, starke Erosionswirkung. Die Überfülle von trockenen, breiten Flußbetten und das steinige Geröll der Beli sind typische Bildungen im Gobi-Bereich.

Aus allem ergibt sich in den Böden der Wüstensteppen und Wüsten ein geringer Wassergehalt im Bodenhorizont. A. A. *Ismailskij* (90) hat am Beispiel der russischen Steppen nachgewiesen, wie wenig diese Böden für die Anhäufung und Bewahrung von Regenfeuchtigkeit geeignet sind. Für die mongolischen Braunerden trifft dies sogar in erhöhtem Maße zu. Die Niederschläge fließen größtenteils oberflächlich in Vertiefungen zusammen, wo sie der Verdunstung ausgesetzt sind, die durch die Windwirkung noch verstärkt wird. Darum können unter diesen Bedingungen auch keine dauernd fließenden Gewässer entstehen. Der Gobi-Bezirk besitzt deshalb nur Flüsse, die vom Grundwasser gespeist werden, das seine Herkunft im Gebirge hat.

In den Wüstensteppen und Wüsten führen die vorgeschilderten Vorgänge unweigerlich zur Bildung von Karbonat- und Gipshorizonten, wobei gelegentlich auch beide zu einer Bodenschicht verschmelzen können. Die Entstehung von Gips- und Karbonathorizonten bewirkt infolge der stark ausgeprägten Hygroskopie der ersteren und der Abdichtung durch den Karbonathorizont eine teilweise oder vollständige Isolation der Oberfläche von den niedriger liegenden Bodenschichten hinsichtlich des Wasserregimes. Daraus erklärt sich auch das Auftreten von zwei süßen Grundwasserspiegeln in der Gobi. Der obere findet sich in der Regel in Depressionen bereits in einer Tiefe von 50 bis 75 cm, in lockeren Sanden öfters allgemein in 1,5 bis 2,0 m, der zweite dagegen erst in 8 bis 12 m Tiefe (271/48). Der zweite Grundwasserhorizont ist örtlich auch oft stark mineralisiert.

Negative Reliefformen und Zwischengebirgsgegenden sind Akkumulationsräume leicht löslicher Salze. Oft begegnet man in ihren Zentren ständig trockenen oder zeitweilig ausgetrockneten Salz- oder Bittersalzseen, oder es haben sich in ihnen Solontschake und Takyre gebildet mit weißlichen Salzausblühungen und Strukturböden.

Bittersalze sind im Gobi-Bereich sehr weit verbreitet. Sie blühen auf Takyren und auf den Böden austrocknender Seen in feinsten Nadelkristallen aus, die nach Verlust des Kristallisationswassers zu leichtem Staub zerfallen. Eine schwache Luftbewegung genügt, um dieses Salz in Form von weißen Wölkchen in die Atmosphäre zu heben und über weite Gebiete zu zerstreuen. An Sommertagen kann man über Solontschakböden oft beobachten, wie eine Wirbelwindbewegung eine hohe Säule feinsten Salzstaubes davonführt. *Wiljams* ist der Meinung (307), daß der Solontschak-Zustand ein normales, jedoch spätes Stadium des Bodenbildungsprozesses unter Trockensteppenbedingungen ist.

Winde sind auch an der Ausbildung der Oberfläche der Böden stark beteiligt. Zumeist sind die feinen Bestandteile ausgeweht, so daß die Bodenoberfläche in den Trockensteppen größtenteils aus kleinen Steinen, Kiesen, Geröll und Schutt besteht. Für die Wüsten sind Panzerböden charakteristisch, die der Hammada Afrikas ähnlich sind.

Die Böden der Gobi-Zone sind genetisch jenen in Zentralasien und Kasachstan gleichzusetzen, wobei die Bodenbildungsprozesse die gleichen Merkmale aufweisen, die auf ein hohes Alter mit einer früher stärkeren Aktivität hindeuten. Dies hat *B. B. Polynow* (232) am zweistufigen Profil der braunen Lehmböden der Gobi nachgewiesen.

Infolge der klimatischen Bedingungen weisen die Böden nur eine schwache Auslaugung auf. Salzhaltige Böden verschiedenen Grades sind weit verbreitet. Im Norden des Gobiteiles der MVR beträgt der Anteil dieser Böden etwa 35 Prozent, während er sich nach Süden zu auf 50 bis 60 Prozent erhöht. Gleichzeitig mit dieser quantitativen Zunahme der Fläche nach Süden ändert sich auch der qualitative Charakter der Böden im Sinne einer stärkeren Versalzung.

Infolge der allgemeinen Aridität des Klimas überwiegt die mechanische Verwitterung die chemische. Während der warmen Jahreszeit übersteigt hier in den meisten Fällen der Grad der Lufttrockenheit die Hygroskopie des Bodens, wodurch die Entwicklung und Tätigkeit von Mikroorganismen im Boden stark beeinträchtigt wird. Darum ist die Verwitterung der steinigen Bestandteile des Bodens trotz des schon lang andauernden Bodenbildungsprozesses noch wenig fortgeschritten, so daß diese gröberen Teile noch etwa 40 bis 50 Prozent des gesamten Bodenhorizontes ausmachen. Hierbei spielt in den oberen Schichten die intensive Deflation eine entscheidende Rolle. Aus allem ergibt sich, daß im Gegensatz zu den kastanienfarbigen Böden der Nordmongolei hier die Anteile der feinen Bodenfraktionen innerhalb der Bodenhorizonte nach der Tiefe zunehmen. So enthalten z. B. die Sandlehme im oberen Horizont (0—10 cm) 9 Prozent feinerdige Bestandteile, im zweiten Horizont (10—25 cm) 12 Prozent. Bei Salzböden betragen die entsprechenden Anteile 15 Prozent bzw. 27 Prozent (271/50). Damit im Zusammenhang steht auch die Tatsache, daß der Humusgehalt im unteren Horizont größer ist als im oberen, wie *B. B. Polynow* und *W. I. Lissowskij* (232) festgestellt haben. Nicht unberechtigt ist ihre Annahme, daß es sich hierbei um fossile Humushorizonte handelt, die auf ein feuchteres Klima und eine reichere Vegetation in früheren Perioden zurückzuführen sind. Die beiden Forscher stützen sich hierbei auf Bodenuntersuchungen in landwirtschaftlichen Versuchsstationen.

Zusammenfassend kann vom wirtschaftlichen Standpunkt aus gesagt werden, daß innerhalb des großen Raumes der MVR nur ein geringer Teil der Böden, der vor allem in den Nordgebieten liegt, unter natürlichen Verhältnissen dem Landbau günstig ist. Im größten Teil bietet der geringe Humusgehalt wenig günstige Aussichten. Die diesem Abschnitt eingefügte Tabelle über die Verbreitung der Bodentypen gibt eine genaue Übersicht über ihren Anteil sowohl an der ganzen Fläche der MVR als auch an dem Gobiteil. Erklärend sei hier noch angefügt, daß Solontschak- und Solonez-Böden die eigentlichen Salzbodentypen darstellen. Die ersteren sind stets feucht und erreichen ihre höchste Salzkonzentration an der Oberfläche. Die Solonez-Böden dagegen sind nur zeitweilig feucht und werden beim Austrocknen durch Spalten in senkrechte Säulen geteilt, wodurch sie oberflächlich als Strukturböden erscheinen. Die höchste Anreicherung mit Salzen liegt bei den Solonez-Böden nicht an der Oberfläche, sondern in einer bestimmten Tiefe. Zwischen Solontschak- und Solonez-Böden gibt es Übergänge. Beide sind keine eigentlich zonalen Bodentypen, sondern stets an Mulden oder Vertiefungen gebunden, die dem Auge oft kaum merklich erscheinen.

154

Die Pflanzenwelt

Allgemeiner Überblick

Der Pflanzenwelt kommt in der Mongolei eine ganz besondere Bedeutung zu, denn sie schafft nicht nur die Voraussetzungen für die Viehzucht, die vorherrschende Grundlage der Gesamtwirtschaft, sondern sie beeinflußt darüber hinaus auch weitgehend das Nomadenleben der Mongolen. Dabei kommt es nicht allein auf den quantitativen und qualitativen Bestand der Flora an, sondern maßgebend ist auch der Einfluß der botanischen Dynamik, wie sie sich im verschiedenen Vegetationsbild der einzelnen Jahreszeiten äußert. Doch darüber hinaus zeigt das Pflanzenkleid in engem Zusammenhang mit der schon mehrfach betonten Regellosigkeit des mongolischen Klimas auch eine ausgeprägte Ungleichheit der Entwicklung, wobei die von Jahr zu Jahr schwankende Menge der ausfallenden Niederschläge entscheidend mitwirkt. So hat die Erforschung der mongolischen Flora neben ihren rein wissenschaftlichen Zielen auch eine außergewöhnliche praktische Bedeutung. Doch auf diese soll mehr im Wirtschaftsteil dieser Arbeit eingegangen werden, während dieser Abschnitt vor allem einer allgemeinen Darstellung der floristischen Verhältnisse gewidmet sein soll.

Die Erforschung der Vegetation reicht weit in das vergangene Jahrhundert zurück und ist in erster Linie russischen Forschern zu verdanken. Die ersten wissenschaftlichen Berichte stammen von *Turtschaninow* und *Bunge*. Große Verdienste haben sich dann später die bekannten Forscher *Prshewalskij*, *Pewzow* und *Koslow* erworben, die auf ihren jahrelangen und ausgedehnten Reisen wertvolles Material sammelten. Grundlegend wurde das Standardwerk von *W. L. Komarow*, das 1908 unter dem Titel „Einführung in die Flora Chinas und der Mongolei" in Petersburg erschien und heute noch in seinen wesentlichen Zügen als maßgebend angesehen wird. Er schuf auch die erste geobotanische Gliederung der Mongolei. Andere russische Forscher untersuchten Teilgebiete der Mongolei. So arbeitete der ausgezeichnete Kenner der Flora Sibiriens, *Krylow* (132a), im Gebiet des Ubsa-Nur, *Palibin* (218) in der Nordmongolei, und *Saposhnikow* (258) hatte neben seinen Gletscherforschungen auch noch so viel Zeit, eine Beschreibung der Flora des nordwestlichen Altai zu geben. Nach der Gründung der Mongolischen Volksrepublik begann eine planmäßige Erforschung des Landes und auch der Flora. Unter der Leitung der Mongolischen Kommission der Akademie der Wissenschaften der UdSSR arbeiteten zahlreiche russische Forscher im Lande, die sich späterhin auch schon der Hilfe junger mongolischer Wissenschaftler bedienen konnten. Es würde zu weit führen, alle Forscher und ihre Arbeiten anzuführen. Genannt sollen hier nur werden *N. W. Pawlow*, *J. M. Krascheninnikow*, *E. G. Pobedimowa*, *J. A. Zazenkin* und nicht zuletzt *A. A. Junatow*, der mehr als zehn Jahre in der Mongolei gearbeitet hat. Seine zusammenfassende Arbeit „Grundzüge der Pflanzendecke der Mongolischen Volksrepublik", die 1950 erschien, verdient hier besondere Erwähnung, weil sie den räumlich-geographischen Gesichtspunkt sehr stark hervorhebt. 1954 erschien vom gleichen Verfasser eine eingehende und umfangreiche Arbeit „Die Futterpflanzen der Weiden und Heuschläge der Mongolischen Volksrepublik", in der die meisten der Futterpflanzen — insgesamt 554 Arten, d. h. fast ein Drittel der gesamten Flora der Mongolischen Volksrepublik — einzeln nach ihrem botanischen Charakter, ihren ökologischen Bedingungen, ihrer Futterbedeutung und geographischen Verbreitung behandelt werden. Die neueste Arbeit stammt von *W. I. Grubow* (83) und stellt ein Verzeichnis der Pflanzen der Mongolischen Volksrepublik dar.

Nach *Grubow* (83/26) gehören die Pflanzen der MVR folgenden vier Hauptgruppen an:

Gruppe	Familien	Zahl der Gattungen	Arten
1. Pteridophyta	5	13	28
2. Gymnospermae	3	6	15
3. Monokotyledoneae	14	101	372
4. Dikotyledoneae	75	432	1461
	97	552	1876

Die vorstehenden Ziffern bezeugen eine außergewöhnliche Artenarmut, die um so bemerkenswerter erscheint, wenn man die Größe des Landes von mehr als 1,5 Mill. qkm und die in den einzelnen Gebieten herrschenden unterschiedlichen Bedingungen mit in Betracht zieht. Es mögen zu den bisher festgestellten 97 Familien und 1876 Arten durch künftige Forschungen noch neue dazukommen, so daß vielleicht die Zahl von 2000 Arten erreicht wird, wie *Junatow* meint, doch bleibt das Merkmal der Artenarmut auf jeden Fall bestehen. Zum Vergleich sei angeführt, daß *K. S. Sakirow* in dem Flußbecken des Serafschan (50 000 qkm) in Mittelasien 97 Familien, 712 Gattungen mit 2655 Arten fand.

Dennoch ist die Flora im Gebiet der MVR nicht überall gleichartig. Der südliche und größere Teil, der auch hier als Gobiteil bezeichnet werden soll, ist mit 1004 Arten weit ärmlicher und auch gleichförmiger als der Changaiteil mit 1455 Arten.

Beide Teile unterscheiden sich deutlich voneinander durch ihre Artenzahl, den systematischen Bestand und auch hinsichtlich der Rolle und Bedeutung der Pflanzenarten innerhalb der Vegetationsdecke. Man kann diese Unterschiede nicht allein mit physisch-geographischen Gegebenheiten erklären, sondern wir haben es hier mit zwei Florenbereichen zu tun. Der nördliche gehört zu der eurasiatischen Waldregion und der südliche zur zentralasiatischen Wüstenregion. Die Grenze zwischen beiden folgt im wesentlichen der kontinentalen Wasserscheide, deren Verlauf an anderer Stelle dieser Arbeit näher beschrieben ist. Eine übersichtliche Zusammenstellung der in der MVR vertretenen wichtigsten Familien mit ihrer Artenzahl sowie ihrer Aufteilung in den nördlichen und südlichen Teil bringt die diesem Abschnitt beigefügte Tabelle.

Aus der Tabelle ergibt sich, daß die wichtigsten Familien im Norden die Compositae, Gramineae, Leguminosae, Cyperaceae und Rosaceae

Zahl und Anteil der Familien und Arten an der Vegetation

	MVR insgesamt		Nördl. Teil „Changai"		Südl. Teil „Gobi"	
Zahl der Familien	97		92		75	
Zahl der Arten	1876	100%	1455	100%	1004	100%
Zahl der Arten nach Familien:						
1. Compositae	245	13	170	11,7	151	15
2. Leguminosae	167	8,9	125	8,5	102	10
3. Gramineae	158	8,4	130	8,9	97	9,7
4. Cyperaceae	96	5,1	94	6,4	26	2,6
5. Rosaceae	93	5,0	76	5,2	47	4,7
5 Familien zusammen	759	40,4	695	40,8		
6. Cruciferae	89	4,7	72	5,0	52	5,2
7. Ranunculaceae	85	4,5	63	4,3	32	3,2
8. Chenopodiaceae	82	4,4	27	1,8	80	8,0
9. Caryophyllaceae	72	3,9	52	3,5	50	5,0
10. Scrophulariaceae	60	3,2	53	3,6	27	2,7
10 Familien zusammen	1146	61,2				
11. Labiatae	53	2,8	37	2,5	28	2,8
12. Liliaceae	46	2,4	38	2,6	20	2,0
13. Umbelliferae	46	2,4	39	2,6	22	2,2
14. Polygonaceae	44	2,3	35	2,4	24	2,4
15. Salicaceae	38	2,0	37	2,5	13	1,3
16. Boraginaceae	34	1,8	30	2,1	21	2,1
17. Saxifragaceae	32	1,7	31	2,2	10	1,0
18. Gentianaceae	24	1,2	23	1,5	12	1,2
19. Primulaceae	21	1,1	21	1,4	9	1
20. Juncaceae	19	1,0	18	1,2	5	0
21. Orchidaceae	17	1,0	17	1,2	1	0
22. Plumbaginaceae	16	0	4	0	15	1,5
23. Zygophyllaceae	12	0	1	0	12	1,2
24. Euphorbiaceae	10	0	6	0	7	0
25. Rubiaceae	8	0	8	0	4	0
hieraus die 20 größten Familien zusammen	1503	80	1171	80,5	840	84

sind, die hier insgesamt schon 40,8 Prozent aller Arten ausmachen. Im südlichen Teil sind die wichtigsten Familien die Compositae, Leguminosae, Gramineae, dann jedoch die Chenopodiaceae und Cruciferae, die zusammen 47,9 Prozent aller Arten umfassen. So sind, wenn wir die drei Familien der Compositae, Gramineae und Leguminosae ausschalten, die Hauptfamilien im Norden die Vertreter der borealen Flora (Cyperaceae, Rosaceae, Ranunculaceae) und im Süden die Vertreter zentralasiatischer Familien (Chenopodiaceae, Cruciferae). Die Gramineae und Leguminosae wechseln von Norden nach Süden ihre Arten. Außerdem gibt es im Gobiteil Familien, die im Norden überhaupt keine Rolle spielen, hier aber eine große Verbreitung haben (Plumbaginaceae, Zygophyllaceae).

Der relative Anteil der einen oder anderen Familie mit ihren Arten an der Gesamtzahl ist aber nicht immer identisch mit ihrer Bedeutung in der Vegetationsdecke, wie andererseits Familien, die mit der Zahl ihrer Arten nur einen bescheidenen Platz einnehmen, dennoch als Bildner der Bodenbedeckung von größter Wichtigkeit sind. Wenn man die Familien und Arten der beiden Pflanzenbereiche nach dieser Richtung prüft, dann tritt der Unterschied zwischen Norden und Süden noch klarer hervor. Im einzelnen ist auf die Verbreitung und Bedeutung der verschiedenen Arten im Hinblick auf ihre Rolle in der Bodenbedeckung im Abschnitt über die Landschaftszonen näher eingegangen.

Herkunft und Entstehung

Nach *W. L. Komarows* berühmtem Werk „Einführung in die Flora Chinas und der Mongolei" (118) weist die Pflanzenwelt der Mongolei nur wenige eigenständige Züge auf. In der Hauptsache setzt sie sich aus solchen floristischen Elementen zusammen, die aus den angrenzenden Gebirgsländern eingewandert sind und sich im Laufe einer langen Entwicklung dem trockenen Klima angepaßt haben. Das seit alter Zeit herrschende aride Klima bewirkte einerseits eine Auslese der Pflanzenformen und andererseits eine Beschränkung des Artenreichtums.

Die ältesten Vertreter des mongolischen Pflanzenreiches stammen nach *Komarow* aus dem Westen, und zwar aus dem Gebiet der alten *afrikanischen Wüsten*. Sie wanderten von dort ein, als sich im Bereich der Mongolei Wüstenklima ausbildete. Jedoch haben sich, selbst in der Gobi, nur wenige Vertreter erhalten, so etwa Zygophyllum xanthoxylon Maxim.

Ein weiteres Ausgangszentrum, aus dem floristische Elemente in die Mongolei kamen, sind die *ostasiatischen Gebiete*, besonders die Mandschurei und China. Merkmale, die auf Einwanderung aus dem mäßig feuchten China schließen lassen, weisen die Vertreter der Caragana-Arten auf. Der Einfluß der mandschurischen Flora ist besonders im Nordosten und Osten der Mongolei deutlich erkennbar, doch ist er, insgesamt gesehen, gering.

Besonders große Bedeutung kommt der Gruppe von Pflanzen zu, die aus dem *Sajan-Altai-Gebiet* stammen. Sie bilden den Grundstock der Vegetation des Changai und des Mongolischen Altai. Weniger stark treten sie in den Gebirgssteppen und Steppen auf, doch ist ihr Anteil auch dort noch erheblich.

Unzweifelhaft erfolgte auch eine zeitweilig verstärkte Einwanderung aus dem *turanisch-dsungarischen Raum.* Ihre Spuren sind besonders an den Südhängen des Altai, in der Transaltaischen Gobi und selbst noch im Changai bemerkbar.

Die Periode der tektonischen Hebungen der Mongolei brachte eine Bereicherung der mongolischen Flora durch Elemente aus dem *Tienschan* und sogar aus *Tibet,* die sich bis heute erhalten haben.

Während der Eiszeit kam es zu einer starken Einwanderung borealer Elemente aus *Sibirien,* die auf den Höhen weit nach Süden vordrangen, sich aber nach der Eiszeit teilweise wieder nach Norden zurückzogen.

Nach neueren Forschungen kann der Standpunkt *Komarows* nicht mehr gehalten werden, nach dem die mongolische Flora ausschließlich Immigrationsursprung haben soll. Die außerordentliche Bedeutung *Komarows* soll aber dadurch nicht geschmälert werden. Er stellte seine Theorie zu einer Zeit auf, als die mongolische Flora noch zu wenig erforscht war, und stützte sich dabei auf die alte und überholte Vorstellung von der Mongolei als einem ungeheuren Süßwasserkessel, der erst in junger geologischer Vergangenheit ausgetrocknet sei. Tatsächlich ist heute bewiesen, daß der mongolische Raum schon seit dem Mesozoikum Festland ist, und dem Alter des Territoriums entspricht auch eine alte Flora, die sich eigenständig entwickelt und daneben nicht nur Immigranten aufgenommen, sondern auch angrenzende Gebiete bereichert hat, wobei es sich meistens um Gebirgssteppen- und Steppenarten handelt. Diese drangen in die Abakansker und Minusinsker Steppen vor, verbreiteten sich in Transbaikalien und erreichten sogar Jakutien. *I. M. Krascheninnikow* (130) weist sogar die Abwanderung eines ganzen floristischen Komplexes aus dem südsibirisch-nordmongolischen Raum nach dem Westen nach. *W. I. Grubow* (83) nennt weitere Forscher und Forschungsergebnisse, die zu dem gleichen Schluß kommen.

Für die Bildung des gegenwärtigen Vegetationsbildes war das Quartär die entscheidende Periode. In dieser Zeit erfolgte eine Verarmung der Vertreter der zentralasiatischen Flora, von der sich nur Teile in Schutzlage erhalten, den neuen Verhältnissen anpassen und weitere Formen entwickeln konnten, während andererseits eine Bereicherung durch Immigration aus dem Norden eintrat. Die zerrissenen Vegetationsareale vieler Arten und quartäre Relikte verschiedenen Ursprungs und Alters sind das Ergebnis der Ablösung der kalten und relativ feuchten Vereisungszeit durch ein wärmeres und trockeneres Klima, die beide verschiedene Migrationsströme verursachten. Dabei darf die Immigration aus dem Süden nicht überschätzt, wie umgekehrt der starke Einfluß der eigenen mongolischen Flora auf die benachbarten Gebiete nicht übersehen werden (83/36). Das letztere betrifft besonders den Norden. Die Nacheiszeit brachte den Gegenstoß nach Norden, und so kam es zur ausgeprägten Durchdringung südlicher und nördlicher Elemente.

Lebensformen und ihre Verbreitung

Die Frage der Verbreitung der Lebensformen der Pflanzenwelt ist für den Geographen von besonderem Interesse, da gerade hier der Einfluß der physisch-geographischen und vor allem der klimatischen Verhältnisse in der Landschaft besonders deutlich sichtbar wird. Gerade für die Mongolei mit ihrer betonten Differenzierung der morphologischen und klimatischen Elemente bietet das Bild der Verbreitung der Lebensformen einen wesentlichen Bestandteil der Landesbeschreibung. Hier interessieren vor allem wiederum die Steppen, Wüstensteppen und Wüsten, die der Mongolei ihr Gepräge geben. Von den Wäldern soll darum hier abgesehen werden.

Die dieser Arbeit beigefügte Tabelle, die *Junatow* zusammengestellt hat (106/46), weist den prozentualen Anteil der Arten einzelner Lebensformen in den oben erwähnten Hauptlandschaftstypen zahlenmäßig nach. Auf den ersten Blick zeigt sich eine fast gleichmäßige, den physisch-geographischen Verhältnissen entsprechende Zu- bzw. Abnahme der einzelnen Lebensformen. Wichtig ist dabei zu bemerken, daß innerhalb der angegebenen Lebensformen häufig die gleichen Arten durch veränderte, d. h. in der Hauptsache an die nach Süden im allgemeinen zunehmende Trockenheit sich anpassende Formen vertreten sind.

Der Anteil der Straucharten nimmt gegen die Gobi-Wüste, wie die Tabelle zeigt, fast gleichmäßig zu und erreicht dort bis zu 40 Prozent der Gesamtartenzahl. Ein Übergang von meso- zu xerophytischen Arten läßt sich schon in der Nordmongolei beobachten, doch zeigt er sich hier mehr in der vertikalen Gliederung. Unter den Straucharten der Steppenzone nimmt die Caragana der Verbreitung nach die erste Stelle ein. Ihrer Entstehung nach ein mesophiler Strauch, paßt sie sich, je weiter sie nach Süden vordringt, immer mehr dem trockenen Klima an und weist in den Steppen und Wüstensteppen eine ausgesprochene xerophytische Form auf. Die einzelnen Stadien ihrer Anpassung treten in ihrem Artbereich besonders auffällig in Erscheinung, wenn man Caragana microphylla (Pall.) Lam., C. Bungei Ldb. und C. pygmaea (L.) D. C. miteinander vergleicht und in Beziehung zur Verbreitung setzt. C. jubata (Pall.) Poir., die nur in höheren Lagen vorkommt, zeichnet sich hinwiederum durch große Widerstandsfähigkeit gegen Kälte aus.

In den Wüstensteppen und Wüsten herrschen entsprechend dem extrem trockenen Klima ausgesprochen xerophytische Arten vor. Hierher gehören bereits salzliebende Sträucher mit sukkulenten Blätter, wie Zygophyllum xanthoxylon Maxim., weiterhin Tamarisken-Arten u. a.

Ähnlich wie bei den Sträuchern nimmt auch der Anteil der Halbsträucher nach Süden zu, wobei ihre größte Verbreitung auf die Wüstensteppen und Wüsten fällt. Im Nordteil der Mongolei beschränken sie sich in der Hauptsache auf die Gebirgssteppe. Hier wie auch in der Steppenzone ist die Artenzahl unter den Halbsträuchern gering. Am stärksten verbreitet ist hier Artemisia frigida Willd., der mit weitem Abstand Kochia prostrata

(L.) Schrad. folgt. Größer ist die Zahl der Halbsträucher an steinigen Südhängen, wo der ausgeprägt xerophile Thymus serpyllum L. s. l., ferner Caryopteris mongolica Bge. und von den Wermut-Arten Artemisia procera Willd. und Artemisia Turczaninoviana Bess. auftreten. Mit dem Übergang zur Wüstensteppe nimmt die Zahl der xerophytischen Halbsträucher zu. Die einzelnen Stadien des Übergangs zu den extrem trockenen Verhältnissen zeigt am besten das Beispiel der Tanacetum-Arten: Tanacetum sibiricum L., das nur im Nordosten der Steppen vorkommt, wird in der Wüstensteppe durch das hier halbstrauchige Tanacetum trifidum (Turcz.) DC. und die noch stärker xerophytischen Formen Tanacetum achilleoides (Turcz.) DC. und Tanacetum fruticulosum Ldb. abgelöst. Ähnlich ist es beim Wermut. An die Stelle von Artemisia frigida Willd. tritt in der Wüstensteppe Artemisia xerophytica Krasch., die sich gegen die Trockenheit durch eine starke Holzentwicklung am Ansatz der Triebe, eine stärkere Zergliederung der Blätter und durch kleinen Wuchs schützt. Eine große Rolle in den Wüstensteppen und Wüsten spielen Salzpflanzen, wie Anabasis brevifolia C. A. M., Salsola passerina Bge. und der Saissan-Saksaul Haloxylon ammodendron Bge. Salsola passerina ist insofern bemerkenswert, als sie unter dem Einfluß der extremen Wüstenverhältnisse eine andere Form annimmt und im äußersten Süden bereits als richtiger Strauch mit gut entwickeltem Hauptstamm und verstärkten Trieben in Erscheinung tritt. Ein in den Niederungen der Gobi häufig anzutreffender Halbstrauch ist Kalidium gracile Fenzl., das an Stellen mit salzigem Grundwasser gedeiht.

Ein anderes, z. T. entgegengesetztes Bild zeigt die Verbreitung der Gräser und Kräuter. Während der Anteil der Arten der einjährigen Pflanzen ebenso, wie wir es bei den Sträuchern und Halbsträuchern gesehen haben, von Norden nach Süden zunimmt, geht der Anteil der mehrjährigen in der gleichen Richtung immer mehr zurück. Die letzteren haben an der Bildung der Pflanzendecke der Steppen noch einen gewissen Anteil, ihr Hauptverbreitungsgebiet ist jedoch der feuchte Norden. In den extremen Wüstengebieten dagegen spielen sie praktisch überhaupt keine Rolle mehr. Der Anteil der einjährigen Arten ist in der Mongolei im ganzen gering. Eine Ausnahme bilden nur die einjährigen Salzpflanzen der Wüsten und Wüstensteppen. Unter diesen stehen die sommerannuellen stark im Vordergrund, gegenüber denen die winterannuellen, wie aus der Tabelle ersichtlich ist, zurücktreten.

Was die Moose und Flechten anbetrifft, so treten diese mit geringer Artenzahl nur in den Hochgebirgs- und Gebirgssteppen auf, während sie in den eigentlichen Steppen, Wüstensteppen und Wüsten vollkommen fehlen.

Klima und Eigenart der Pflanzenwelt

Der für die Bildung der mongolischen Flora entscheidende Faktor war, daß die klimatischen Verhältnisse in diesem Raum sich seit langer Zeit

Lebensformen der Pflanzen in den Grundtypen der Steppen, Wüstensteppen und Wüsten in Prozent zur allgemeinen Zahl der Arten in jedem Typ.

Lebensformen	Hochgebirgs-Cobresia-sia und Cobresia-Festuca	Gebirgssteppen	Tanacetum-Steppen	Calamagrostis- und Calamagrostis-Federgras-Steppen	Federgras- und Artemisia-Federgras-Steppen	Federgras- u. Federgras-Cleistogenes-Wüstensteppen	Lauch-Federgras- u. Halophyten-Federgras-Wüstensteppen	Baglur-Wüste	Borbudurgan-Wüste	Saksaul-Wüste	Ephedra-Wüste
Sträucher	—	—	—	5	5	6	5	9	28	37	40
Halbsträucher	—	8	6	11	17	31	33	30	27	51	60
Mehrjährige Gräser und Kräuter, darunter:	96	89	94	78	71	54	43	26	9	—	—
a) rasenbildende Gräser und Seggen	15	17	13	19	14	10	8	9	9	—	—
b) Rhizombildende Gräser u. Seggen	10	8	7	11	5	3	3	—	—	—	—
c) andere Gräser und Kräuter	71	64	74	48	52	41	32	17	—	—	—
Einjährige Gräser und Kräuter, darunter:	—	—	—	6	7	9	19	35	36	12	—
a) winterannuelle	—	—	—	—	5	6	7	9	9	—	—
b) sommerannuelle	—	—	—	6	2	3	12	26	27	12	—
Moose und Flechten	4	3	—	—	—	—	—	—	—	—	—

ständig in Richtung auf eine extreme Kontinentalität hin geändert haben. Dies bedeutete für die Pflanzen eine dauernde Verschlechterung ihrer ökologischen Bedingungen. Neben einer natürlichen Auslese der Pflanzen selbst ergab sich daraus eine fortschreitende Änderung der Pflanzenformen, die sich hier einerseits dem Mangel an Feuchtigkeit und andererseits den unbeständigen Temperaturen anpassen mußten. Die außerordentlich hohe Kälte- und Dürrebeständigkeit der mongolischen Flora war den Pflanzen nicht von Hause aus eigen, sondern wurde vielmehr von ihnen im Laufe der Entwicklung durch Anpassung erworben. Die Bildung der mongolischen Flora vollzog sich daher im wesentlichen in der Auswahl und Entwicklung xerophytischer und kryoxerophytischer Lebensformen. Dieser Vorgang ist hier im Unterschied zu anderen Trockengebieten noch nicht abgeschlossen, wie *B. B. Polynow* und *I. M. Kraschenninikow* (231) es nachgewiesen haben. „Der Prozeß der Umsiedlung der Pflanzenwelt, die Metamorphose der Ausgangsflora und ihre Anpassung an die neuen Verhältnisse verlaufen sehr langsam und dauern auch jetzt an" (196/241). Das bedeutet, daß sich im Bereich der MVR xerophytische und mit zunehmender Höhenlage kryoxerophytische Elemente und Formen immer mehr in den Vordergrund schieben.

Xerophytische Züge tragen in größerem oder geringerem Umfang fast alle Pflanzenfamilien. Sie zeigen sich in einer Verkleinerung oder vollständigen Reduktion der Blattoberfläche, einer dichten Behaarung, starken Entwicklung der mechanischen Gewebe, Sukkulenz u. a. In höheren Lagen sind zwar die Niederschlagsverhältnisse günstiger, doch ist der Boden infolge der niedrigen Temperaturen auch hier einen großen Teil des Jahres sehr trocken, weswegen auch die dortigen Pflanzen xerophytische Formen ausbilden müssen.

Von den xerophytischen Formen der Mongolei seien nachstehend einzelne typische Eigenheiten erwähnt. Infolge des sommerlichen Niederschlagsmaximums sind die Pflanzen nicht, wie es in anderen Steppengebieten Eurasiens der Fall ist, gezwungen, im Sommer ihre Vegetation zu unterbrechen oder durch Abstoßen eines Großteils der Blätter einzuschränken. Charakteristisch ist ferner, daß bei der Mehrzahl der Xerophyten die Wurzeln nahe an der Oberfläche liegen, und zwar gilt dies auch für zahlreiche Strauch- und Halbstraucharten. Es gibt daneben jedoch auch eine ganze Reihe von Arten und Formen, bei denen die Wurzeln in die Tiefe gehen und den Wasserbedarf der Pflanzen aus dem Grundwasser decken, wie z. B. Lasiagrostis splendens (Trin.) Kunth. Sukkulenz findet sich nicht nur bei ausgesprochenen Halophyten und Pflanzen felsiger Standorte, sondern auch bei vielen anderen Familien. Dabei ist zu erwähnen, daß Sukkulenz auch an solchen Standorten auftritt, deren Böden schwache oder überhaupt keine Versalzung aufweisen.

Besondere Schutzvorrichtungen werden von den Pflanzen, vor allem in der Gobi, gegen Hitze ausgebildet. Hier, wo der Einfluß der Insolation durch die oberflächliche Geröll- und Kiesschicht noch verstärkt wird, helfen sich viele Pflanzen dadurch, daß sie sich mit abgestorbenen Pflanzenteilen und Sand umgeben. Die Landschaft erhält damit durch die Bildung kleiner Hügel ein eigenartiges Aussehen. So sammelt z. B. Nitraria sibirica Pall., ein in der Gobi weitverbreiteter Halbstrauch, Sand, Staub und organische Stoffe, wie abgefallene Blätter, Bruchstücke von Halmen, als Schutz gegen extreme Hitze um sich. Größere Hügel bilden die Tamarisken- und Caragana-Arten. Um der Gefahr der Verschüttung zu entgehen, wird bei vielen Pflanzen das Wachstum höherer Triebe verstärkt.

Die Gesamtheit der für die Pflanzenwelt der Mongolei bestehenden ökologischen Bedingungen spiegelt sich besonders deutlich in der Dynamik des Vegetationsablaufes wider. Infolge der trockenen und in ihren Temperaturen stark schwankenden Frühjahrswitterung kommt es in dieser Zeit lediglich bei Pflanzen feuchter Standorte zur Entfaltung einer reichen Vegetation, wie z. B. bei Iris ensata Thunb., oder bei solchen Arten, die einen von mongolischen Verhältnissen abweichenden Vegetationsrhythmus aufweisen, so etwa bei dem in der Gobi zahlreich verbreiteten Wüstenstrauch Zygophyllum xanthoxylon Maxim., der bereits im April blüht und seine Vegetationszeit vor dem Einsetzen der sommerlichen Regenzeit im Juni schon abschließt (106). Das gleiche gilt von einigen aus China eingewanderten Caragana-Arten. Das sind jedoch Ausnahmen. In der Regel liegt die Hauptvegetationszeit in der zweiten Hälfte des Monats Juli oder im August, also in der Zeit, in der die meisten Niederschläge fallen. Besonders deutlich fällt die Abhängigkeit von den sommerlichen Regenfällen bei der Wüsten- und Wüstensteppenflora ins Auge, wo die Verbindung von Niederschlägen und hohen Temperaturen für das Wachstum der Pflanzen die besten Bedingungen schaffen. Verspäten sich jedoch die Niederschläge, so kommt es häufig vor, daß die Vegetation ebenfalls später einsetzt. So begann im Trockenjahr 1937 in der Transaltaischen Gobi die Vegetation einiger Wüstensträucher erst im Oktober (106/43). Bei zahlreichen Arten, besonders in der Wüstenzone, kommt es in solchen Jahren zur Anabiose, d. h. die Pflanzen entwickeln sich zwar im Herbst, setzen jedoch die Vegetation erst im nächsten Jahr fort, so etwa Potaninia mongolica Maxim., Sympegma Regelii Bge., Salsola laricifolia (Turcz.) Litw. und Salsola arbuscula Pall.

Einen starken Einfluß üben die klimatischen Verhältnisse auch auf die Art der Vermehrung der einzelnen Pflanzen aus. Diese erfolgt bei den Vertretern der Steppen- und Steppenwüstenflora vorwiegend auf vegetativem Wege. Die Vermehrung durch Samen tritt demgegenüber stark in den Hintergrund, wobei es sich hier in der Hauptsache um ein- oder zweijährige Pflanzen handelt. Nur in besonders günstigen Jahren läßt sich auch bei mehrjährigen Gräsern und bei Halbsträuchern ein Aufgang durch Besamung feststellen.

Bei der vegetativen Vermehrung sind einige Besonderheiten zu bemerken. Viele Sträucher, wie Caragana u. a., vermehren sich durch Nebentriebe an den Wurzeln, zahlreiche Rasenbildner und Zwiebelarten durch Zerfall oder Aufspaltung. Die letztere primitive Art der Fortpflanzung ist bei zahlreichen Familien verbreitet.

Die Tierwelt

Über die Tierwelt der Mongolei liegen zahlreiche Berichte verschiedener bekannter Forscher vor, die sich neben anderen Aufgaben auch der Untersuchung der Fauna gewidmet haben, daneben jedoch auch eine große Zahl von Spezialarbeiten. Eine genauere Kenntnis haben erst die letzten Jahrzehnte gebracht, in denen die Forschungsarbeit besonders rege war. Aus der Reihe der Wissenschaftler, die in jüngster Zeit in der Mongolei auf diesem Gebiet tätig waren und deren Berichte vorliegen, seien hier nur genannt *P. P. Suschkin* (264, 265), *A. J. Tugarinow* (294, 295), *E. W. Koslowa* (126, 127, 128), *A. N. Formosow* (67, 68), *W. W. Kutscheruk* (141), *P. P. Tarassow* (276, 277) und *Bannikow* (28, 29). Die Forschungen der ersten drei galten mehr der Vogelwelt, während die anderen sich mehr den Säugetieren zuwandten. Hervorgehoben zu werden verdienen vor allem die zahlreichen Arbeiten von *Bannikow*, der während vier Jahren (1942—1945) in der Mongolei arbeitete und dessen letztes, groß angelegtes und sehr interessant geschriebenes Werk „Die Säugetiere der Mongolischen Volksrepublik" 1954 erschienen ist.

Alle Wissenschaftler stimmen darin überein, daß bei der Gestaltung der mongolischen Fauna maßgebende Einflüsse aus den umliegenden Räumen zur Geltung kommen. Im Norden, vor allem im Chubsugul-Gebiet und im Chentei, sind Taiga-Elemente fast vollständig vertreten. Die Tierwelt des Südens wiederum ist sehr eng mit der Zentralasiens verwandt. Dabei schieben sich diese Elemente entsprechend der Verteilung der Vegetationstypen hier, besonders den Wüstensteppen und Steppen folgend, sehr weit nach Norden vor. Der Osten der Mongolei ist verhältnismäßig artenarm. Nach *Tugarinow* finden sich dort Elemente verschiedener Herkunft, wobei im Nordosten mehr ostsibirische Formen vorherrschen, während im Südosten der Anteil der zentralasiatischen Fauna größer ist. So trägt die Tierwelt der Mongolei insgesamt einen Mischcharakter. *Bannikow* jedoch erklärt hierzu, daß die Bedeutung der Immigration bei der Bildung der mongolischen Fauna zwar sehr groß sei, aber nicht so überragend, wie es frühere Forscher angenommen haben. Im Gegenteil haben sich, zumindest hinsichtlich der Säugetiere, in den Bergsteppen und Wüstensteppen einige eigenständige mongolische Arten herausgebildet, die sich dann später weit über die mongolischen Zentren hinaus verbreitet haben.

Wie sich aus einem Vergleich mit anderen Gebieten ergibt, führen die eigenartigen physisch-geographischen Verhältnisse der Mongolei zu interessanten biologischen Folgen. *Bannikow* führt hierüber einige Beispiele an. Huftiere und Nager bringen ihre Jungen hier etwa einen Monat später zur Welt, als es bei den gleichen Tierarten in Turkmenien und Aserbaidshan üblich ist (29/546). Im Zusammenhang mit dem späten Frühjahrsbeginn verschiebt sich bei den Säugetieren auch der zeitliche Wechsel zwischen Winter- und Sommerkleid. Während der Haarausfall z. B. beim Tarbagan (Marmota bobac Müller) in Transbaikalien schon im Mai beginnt, ist dies bei der gleichen Art in der Zentralmongolei erst Ende Juli der Fall. Der erstere trägt zwei Monate ein Sommerfell, der Tarbagan in der Mongolei zeigt sich nach dem beschleunigten, starken Haarausfall des alten Winterfelles sofort im neuen Winterkleid (276). Der lange und kalte Winter übt einen bemerkenswerten Einfluß auch auf die Bewohner unterirdischer Behausungen aus. Er zwingt die Tiere, ihre Gänge und Zufluchtsstätten tiefer zu graben, wärmer anzulegen und einen größeren Futtervorrat anzusammeln als in anderen Gegenden. Manche Tiere, die sonst auf der Erdoberfläche überwintern, werden in der Mongolei zu Höhlenbewohnern. Das betrifft z. B. den Tolaj-Hasen (Lepus tolai Pall.), der in der Mongolei normalerweise alte Höhlen des Tarbagan oder der Zieselmaus bewohnt (29/546).

Charakteristisch für die Verhältnisse in der Mongolei ist die Zusammensetzung der Säugetierfauna. In seiner 1954 erschienenen Arbeit führt *Bannikow* insgesamt 110 Arten an, die sich auf sechs Ordnungen wie folgt verteilen:

Ordnung	Zahl der Arten	Anteil in Prozent
Insectivora (Insektenfresser)	8	7,3
Chiroptera (Flattertiere)	8	8,3
Carnivora (Fleischfresser)	21	19,1
Perissodactyla (Unpaarhufer)	2	1,8
Artiodactyla (Paarhufer)	12	10,9
Rodentia (Nagetiere)	59	53,6
	110	100,0

Auffallend ist die geringe Artenzahl in den Ordnungen der Insektenfresser und der Flattertiere. Für die ersteren sind, abgesehen von dem Winterschlaf haltenden Igel, die Lebensbedingungen sehr ungünstig und begründen auch die absolut geringe Verbreitung. Die dünne, oft auch ganz fehlende Schneedecke, das tiefe Durchfrieren des Bodens, sein Schotterbestand und auch das Vorkommen des Ewigen Eisbodens erschweren das Leben der Insektenfresser und begrenzen ihre Verbreitung. Im benachbarten Sibirien, wo die Schneedecke mächtiger ist, erscheinen sie sofort in größerer Zahl. Auch für die Flattertiere sind die Daseinsbedingungen begrenzt, da die warme Jahreszeit, in der die Insekten fliegen, sehr kurz ist und die kalten Nächte die Nahrungssuche beschränken.

Die große Zahl der Arten aus der Ordnung der Nager ist hauptsächlich darauf zurückzuführen, daß diese im einzelnen sehr scharf auf ihre Umwelt und besonders klimatische Einflüsse reagieren. Das betrifft vor allem die mausartigen Tiere, die darum in jeder natürlichen Landschaft auch ihre speziellen Vertreter haben.

Die zwei Vertreter der Unpaarhufer verdienen besondere Erwähnung, da sie überaus scheu sind und nur selten vom Menschen gesehen werden. Der Kulan (Equus hemionus Pall.) ist in der Transaltaischen Gobi und im Tal der Seen verbreitet, wo er meist in Gruppen auftritt. Weit seltener ist

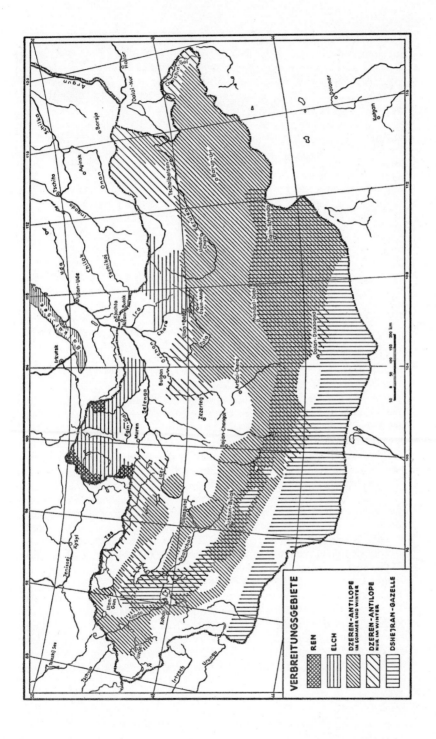

VERBREITUNGSGEBIETE

REN

ELCH

DZEREN-ANTILOPE
IM SOMMER UND WINTER

DZEREN-ANTILOPE
NUR IM WINTER

DSHEIRAN-GAZELLE

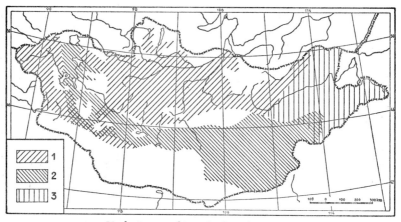

Verbreitungsgebiete der Zieselmausarten

1 Citellus undulatus Pallas
2 Citellus erythrogenys Brandt
3 Citellus dauricus Brandt

das Prshewalskij-Wildpferd (Equus przewalskii Poljakov), das schon zu einem Relikt geworden ist und nur noch im äußersten Westen der Transaltaischen Gobi gelegentlich angetroffen wird.

Die relativ hohe Zahl der Vertreter der Paarhufer ist aus der Verschiedenartigkeit der mongolischen Landschaften zu erklären. So kommt in den Wäldern des Nordens der Elch, in einzelnen Teilen das Ren und in den hohen Gebirgslagen auch das Moschustier (Moschus moschiferus Linnaeus) vor, während im Süden typische Wüstentiere vertreten sind, wie die Dshejran-Gazelle (Gazella subgutturosa Gueldenstadt) und die flüchtige Saiga-Antilope (Saiga imberbis Gmelin). Die letztere ist auf das Becken der Großen Seen und den Westen der Transaltaischen Gobi beschränkt. Die mongolische Dseren-Antilope (Procapra gutturosa Gmelin) ist ein typischer Vertreter der Steppen und Wüstensteppen. Die weite Verbreitung der Unpaarhufer allgemein ist darin begründet, daß für sie im weiten Raum der MVR eine ausreichende Futtergrundlage vorhanden ist.

Die Ordnung der fleischfressenden Tiere ist durch eine hohe Zahl von Arten vertreten, von denen ein großer Teil auf die Nordgebiete der MVR entfällt. Hier leben in den zumeist wenig erschlossenen und auch wenig besiedelten Gegenden der Braune Bär und zahlreiche wertvolle Pelztiere, wie Zobel, Hermelin, Steinmarder, Iltis, Wiesel, weiterhin der Dachs und der Nordische Vielfraß (Gulo gulo Linnaeus). Seltener anzutreffen ist in den steinigen Höhen der gefährliche Schneepanther (Panthera uncia Schreber). Die weiteste Verbreitung und auch den zahlenmäßig größten Anteil an den Raubtieren haben im Gesamtgebiet der MVR der Wolf (Canis lupus Linnaeus) und der Fuchs (Vulpes vulpes

168

Linnaeus), während der Rote Wolf (Cuon alpinus Pallas) und der Tibetische Fuchs (Vulpes ferrilatus Hodgson) nur gelegentlich auftreten. Der Wolf ist das gefährlichste Tier des Landes, dem jährlich viele Tausende Stück Herdenvieh und auch viel Wild zum Opfer fallen.

Die Vogelwelt weist ähnliche Züge auf wie die der Säugetiere. Das Chubsugul-Gebiet zeigt nördliche Elemente. Die Besiedlung des Chentei durch Vögel erfolgte aus den Wäldern der südsibirischen Gebirge und aus der ostsibirischen Taiga. Die Verbindungen der Chentei-Avifauna zur Südmongolei oder zu Zentralasien sind, wie *Tugarinow* (294) nachgewiesen hat, im allgemeinen sehr schwach. Die Vogelwelt des hohen Changai ist nach *E. W. Koslowa* (127) verhältnismäßig arm. Hier wurden 50 ihrer Herkunft nach sehr verschiedene Arten festgestellt, unter denen sich auch afghanisch-turkestanische befanden. Von allen Forschern wird berichtet, daß die Seen in der Mongolei im Sommer überaus reich an Wasservögeln sind.

Untersuchungen über die Fische liegen bisher nur aus dem Becken der Großen Seen und vom Chubsugul vor. Charakteristisch für den Ubsa-Nur, so berichtet *L. S. Berg* (38/3), ist das Auftreten verschiedener Arten aus der Familie der Karpfen (Cyprinidae), unter denen einige Formen vorkommen, die es in anderen Teilen Hochasiens nicht gibt. Hierdurch unterscheidet sich das Becken der Großen Seen von seinen Nachbargebieten, so daß *L. S. Berg* es als eigene westmongolische Provinz herausstellt. Über den Chubsugul liegt ein kurzer Bericht aus der Gegenwart vor (Mongol. Sonin 13. 3. 1957), nach dem die Fischarten darin wohl zahlreich, aber wenig wertvoll sind. Bemerkenswert ist die große Zahl endemischer Formen, die mit denen des Baikalsees eine auffallende Übereinstimmung zeigen, so daß die Vermutung ausgesprochen wird, daß der Baikalsee und der Chubsugul in geologischer Vergangenheit in irgendeiner Verbindung gestanden haben.

BEVÖLKERUNG UND STAAT

Allgemeines

Die ursprüngliche Bezeichnung der mongolischen Stämme war Tatar (chin. Tata), ein Name, der späterhin irrtümlicherweise auf Teile der Turkvölker übertragen wurde. Den Namen Manghol oder Monghol trug zunächst ein kleiner Stamm, der zwischen den Quellgebieten des Onon, Kerulen und der Tola nomadisierte. Erst nach Vereinigung der mongolischen Stämme unter der Führung von Dshingis Chan führte dieser den Namen Monghol (Manghol) als offizielle Bezeichnung seines Volkes ein, worüber die „Geheime Geschichte der Mongolen" (85/202) ausführlich berichtet.

Die mongolischen Stämme bewohnen im Hauptteil den geographischen Raum, der nach ihnen benannt ist und dessen Kern die MVR ist. Infolge ihrer weiten Wanderungen und Kriegszüge in der Vergangenheit sind aber auch Volksteile als Splittergruppen selbst in weit entfernten Gegenden anzutreffen, so in der Kirgisenrepublik, in Afghanistan, im Kaukasus- und Wolgagebiet, in Südsibirien usw. Sehr oft haben sie unter fremdem Einfluß ihre Wesenszüge verloren, sich aber doch noch erkennbar erhalten.

Die Gesamtzahl der Mongolen kann nur geschätzt werden. Sie dürfte etwa bei 3 Millionen liegen. Diese verteilen sich hauptsächlich auf drei Länder:

I. China	insgesamt		1 780 000
davon: nordöstl. Provinzen und Jehol		1 000 000	
Chahar		150 000	
Suiyuan		220 000	
Ninghsia		20 000	
Chinghai		140 000	
Sinkiang		250 000	
II. Mongolische Volksrepublik	insgesamt		758 000
III. Sowjetunion	insgesamt		440 000
davon: Burjato-Mongolen		290 000	
Kalmyken		150 000	
		insgesamt:	2 978 000

Obige Angaben für China sind dem China-Handbook 1952/53 (Seite 603) entnommen. Die Zahl für Sinkiang erscheint mit 250 000 reichlich hoch. *Lattimore* (144/134) gibt sie mit 63 000 an. Damit würde sich die Gesamtzahl der Mongolen in China auf 1 593 000 stellen. Dieser Zahl kommt die Angabe von Peking nach dem Zensus von 1953 mit 1 462 956 Mongolen (187/9) nahe. Wenn wir den Veröffentlichungen von *I. Ch. Owdijenko* (217) folgen, dann würden von der vorgenannten Anzahl rund 1 060 000 auf das Autonome Gebiet der Inneren Mongolei entfallen und die übrigen 403 000 sich auf die anderen chinesischen Provinzen und Sinkiang verteilen. Insgesamt ist die Angabe von Peking als niedrig anzusehen, wenn wir noch andere Quellen, wie z. B. das Manchoukuo-Yearbook 1941 mit zur Beurteilung heranziehen. Dabei darf aber nicht übersehen werden, daß gerade in den Übergangsgebieten, wo Chinesen und Mongolen sich durchdringen, viele der letzteren stark sinisiert sind und manche mit dem Mongolentum nur noch wenig zu tun haben. Es kommt eben dann darauf an, welchem Volksteil man sie zuschlägt.

In der Inneren Mongolei, die im Rahmen der Chinesischen Volksrepublik einen autonomen Status besitzt und nach der Neuordnung vom 19. Juni 1954 eine Fläche von 989 400 qkm mit 5 002 000 Einwohnern umfaßt, ist die Zahl der Mongolen wohl größer als in der MVR, doch bilden diese hier mit einem Anteil von etwas mehr als 21 Prozent an der Gesamtbevölkerung nur eine Minderheit. Eine laufende Zuwanderung chinesischer Siedler setzt ihren schon an und für sich relativ geringen Anteil noch weiter herab. Darüber hinaus führt der Übergang zum Ackerbau, wie er hier schon seit Jahrzehnten bei den Mongolen zu beobachten ist, und in der Regel im Anschluß an chinesische Siedlungen erfolgt, zu einer Angleichung der Kultur und zu fortschreitender Sinisierung. Wie weit diese Entwicklung bis zur Gegenwart fortgeschritten ist, mag damit belegt werden, daß die Viehzucht, die ureigenste Beschäftigung der Mongolen, hier vollkommen zurücktritt. Für 1950 wird die Gesamtzahl der Tiere mit 4,4 Mill. Stück angegeben, während sie in der MVR mit weit geringerer Bevölkerungszahl zu gleicher Zeit rund das Fünffache betrug.

Im Norden der MVR besitzen die Burjato-Mongolen innerhalb der Sowjetunion in der nach ihnen benannten Autonomen Sowjetrepublik und in den Nationalbezirken von Aginsk und Ust-Orda eine eigene Verwaltung bzw. Kulturautonomie. Aber auch hier sind die Burjato-Mongolen in der Minderheit. Ihr Anteil an der Gesamtbevölkerung der Burjato-Mongolischen ASSR betrug im Jahre 1933 43,8 Prozent, während die Russen schon damals 52,7 Prozent für sich beanspruchten. Neuere Angaben liegen seither nicht vor, doch ist mit Sicherheit anzunehmen, daß durch weitere Zuwanderung der Minderheitscharakter der Burjato-Mongolen stärker ausgeprägt wurde.

Auch die Kalmyken, der zweite größere Stamm der Mongolen in der Sowjetunion, deren Autonome Sowjetrepublik 1943 aufgelöst wurde, haben 1957 ihre Anerkennung im Rahmen eines Autonomen Gebietes wiedererlangt. Ihre Wohnsitze liegen aber so weit von der MVR entfernt, daß es sich erübrigt, auf sie weiter einzugehen.

Während es so einzelnen mongolischen Stämmen gelungen ist, sich innerhalb anderer Staaten wenigstens die Anerkennung in Form einer Autonomie zu verschaffen, wenn sie dort auch nur eine mehr oder weniger große Minderheit darstellen, ist die MVR der einzige Staat, in dem die Mongolen nicht nur die Staatsführung selbst ausüben, sondern mit überragender Mehrheit auch das Staatsvolk bilden.

Die historische Entwicklung bis zur Begründung der MVR

Ihre größte Machtentfaltung erreichten die Mongolen mit der Unterwerfung des Chinesischen Reiches, das sie als Yuan-Dynastie 1277 bis 1368 beherrschten. Ihre Versuche in den Jahren 1274 und 1281, auch das Inselreich der Japaner zu erobern, schlugen allerdings fehl. Als die Mongolenherrschaft in China durch die Ming-Dynastie (1368—1644) gestürzt wurde, zogen sich die Mongolen wieder in ihre heimatlichen Steppen nach Norden zurück. Der Chan teilte das ihm verbliebene Reich unter seine Erben auf (311/75). Die Hauptmacht übernahmen drei Fürstentümer. Das eine umfaßte die Nordmongolei, in der die Chalcha-Mongolen den Hauptanteil der Bevölkerung bildeten. Das zweite erstreckte sich auf die an China grenzende Südmongolei, wo die Tschachar-Mongolen eine führende Rolle spielten. Bis in diese Zeit geht also die Aufgliederung des geographischen Raumes in die politischen Einheiten Nord- und Südmongolei zurück, während die Bezeichnungen Äußere und Innere Mongolei erst seit 1915 gebräuchlich wurden. Zum dritten Mongolenreich gehörte der ganze Westen mit der Dsungarei und Nordtibet.

Auf dem Wege zur Eroberung Chinas stießen die Mandschus auf die Tschachar-Mongolen und zwangen sie 1636 zur Anerkennung ihrer Oberhoheit. Damit kam die Südmongolei unter die Herrschaft der Mandschu-Dynastie (1644—1911). Kämpfe zwischen den Nord- und Westmongolen nutzten die Mandschus aus, schlugen die Westmongolen in der Schlacht bei Olegoi 1688 und errangen damit 1691 auch die Ausdehnung des chinesischen Herrschaftsbereiches auf die Nordmongolei. Der Kampf der Mandschu-Dynastie gegen die Westmongolen ging weiter und endete erst 1758 mit einer Zerschlagung und Massenvernichtung der mongolischen Stämme, deren Reste teilweise in andere Gegenden umgesiedelt wurden. Damit schieden die Westmongolen als Machtfaktor aus der Geschichte aus. Die Nord- und Südmongolen verblieben, nachdem der chinesisch-russische Vertrag von Nertschinsk 1727 auch die Nordgrenze festgelegt hatte, unter chinesischer Herrschaft bis in die jüngste Vergangenheit.

Die mongolische Freiheitsbewegung reicht weit in das vergangene Jahrhundert zurück — örtliche Aufstände gegen die chinesische Herrschaft hat es öfters gegeben — und wurde seit den Anfängen von Rußland unterstützt, seitdem dieses 1860 im Vertrag zu Peking die Öffnung der Grenzen und 1881 das Niederlassungs- und freie Handelsrecht für Russen gewonnen hatte. Dabei war die Herrschaft der Mandschu-Dynastie, an der die mongolischen Fürsten in bestimmten Grenzen beteiligt waren, im allgemeinen großzügig und milde. Mißtrauisch wurde Peking jedoch, als wider alle Erwartungen und Anregungen die Mongolenfürsten und das mongolische Volk sich 1900 nicht am Boxeraufstand beteiligten, sondern den Russen ihre Freundschaft bewahrten. Hier kam zum erstenmal recht deutlich allgemein das Unbehagen der Steppensöhne gegenüber den Chinesen zum Ausdruck. Dieser Mißmut war nur zu begründet, zunächst in dem wucherischen und rücksichtslosen Verhalten vieler chinesischer

Kaufleute und Beamter und dann auch in der Wegnahme wertvollen Weidelandes durch von Süden eindringende chinesische Kolonisten. Die chinesische Regierung erkannte, daß die Mongolen keine zuverlässigen Hüter der nördlichen Grenzgebiete waren. „China hatte keine Angst vor den Mongolen, aber es fürchtete die benachbarten Mächte, die im geheimen arbeiteten", sagt der chinesische Historiker *Aitchen* (18/41). Chinesische Truppen besetzten die Grenzorte und wurden in allen größeren Siedlungen als ständige Garnisonen stationiert. Die chinesische Einwanderung wurde amtlich gefördert, und eine planmäßige Siedlungstätigkeit setzte ein. „Die chinesische Regierung bemühte sich nun ernstlich, die Mongolei zu einer chinesischen Provinz zu machen" (18/41). Alle Proteste der Mongolen blieben erfolglos. Die Erbitterung wuchs noch, als China 1910 einen jungen Gouverneur (Amban) namens San Do-wen nach Urga entsandte, der mehr Energie als Klugheit besaß und durch noch schärfere Maßnahmen die Erbitterung der Mongolen dem Höhepunkt zutrieb.

In dieser Zeit bildeten sich unter den Mongolen illegale Kampforganisationen. Eine geheime Delegation mit dem Fürsten Handa an der Spitze wandte sich an den Zaren nach Petersburg und erhielt Hilfe im Kampf um die Freiheit zugesagt. Der Ausbruch der Revolution in China, die am 10. Oktober 1911 in Wuchang begann und zum Sturz der Mandschu-Dynastie führte, erleichterte den Entschluß der Mongolen zum Aufstand. Am 1. Dezember 1911 kam es in Urga zu einem Staatsstreich. Der Schlag erfolgte so plötzlich, daß es in Urga fast ohne Blutvergießen abging. Bald darauf wurden auch die chinesischen Verwaltungen aus Uljassutai und Kobdo verjagt. Laien und Lamas beteiligten sich in heller Begeisterung an der Austreibung der Chinesen. In der Erbitterung wurden mancherorts die Chinesen restlos ausgerottet. Am 21. Dezember erklärte die Mongolei ihre Unabhängigkeit und machte den Bogdo-Gegen, das Oberhaupt der lamaistischen Kirche in der Mongolei, zum Staatsoberhaupt. Ein Vertrag mit Rußland sicherte den Mongolen die Autonomie, finanzielle Unterstützung und Hilfe bei der Aufstellung eines eigenen Heeres zu. Auch in der Barga und in der Inneren Mongolei war es zu einer erfolgreichen Erhebung der Mongolen gekommen. Bis zum Herbst 1912 waren alle Mongolen innerhalb der ehemaligen chinesischen Grenzen unter der Regierung in Urga vereinigt. Das Zarenreich hatte aber an dieser großmongolischen Entwicklung kein Interesse, denn es war durch Geheimverträge mit Japan (30. Juli 1907, 4. Juli 1910, 8. Juli 1912) gebunden, sich auf die Äußere Mongolei zu beschränken, da es nach den angezogenen Abkommen die Innere Mongolei als japanisches Interessengebiet anerkannt hatte. Als die mongolische Regierung eigene Truppen nach der Barga entsandte, um die dortigen Mongolen im Kampf gegen China zu unterstützen, verlangte Rußland die Zurückziehung dieser Streitkräfte und machte jede Gewährung weiterer Hilfe davon abhängig (260/96). Darum gelang es China auch bald, den mongolischen Aufstand hier und in der Inneren Mongolei blutig niederzuschlagen. Als chinesische

Truppen auch in die Äußere Mongolei einmarschieren wollten, rückten dort im Winter 1912/13 plötzlich Russen ein. Das noch in Revolutionswirren liegende China konnte es auf einen Krieg mit Rußland nicht ankommen lassen. So rettete Rußland die Autonomie der Äußeren Mongolei. In einem dreiseitigen Vertrag vom 20. Juni 1915 zwischen Rußland, China und der Mongolei wurde die Autonomie der letzteren bestätigt, die Souveränität Chinas über die Mongolei jedoch anerkannt.

Der Ausbruch der russischen Revolution und die damit verbundene Schwächung nutzte China aus. Unter dem Vorwand, seine Grenzen schützen zu müssen, schickte es im März 1918 Truppen zur Besetzung in die Mongolei. Die mongolischen Fürsten wurden gezwungen, nach Peking eine Petition um Aufhebung der Autonomie zu richten. Am 27. November 1919 erklärte die chinesische Regierung die Autonomie der Mongolei als beendet. Noch einmal war China Herr über die ganze Mongolei geworden.

Die chinesische Regierung begann, ihre Macht über die Mongolen mit Strenge und Terror wiederaufzubauen. Sie ahnte nichts von den geheimen Boten, die durch das Land jagten, um Hilfe zu suchen. Man wandte sich an die USA, an Japan und auch nach Norden. Die erste Unterstützung kam von Nordosten durch den Baron Ungern-Sternberg, der mit einer kleinen weißrussischen Truppenmacht, hinter der japanische Hilfe stand, in die Mongolei eindrang. Von allen Seiten strömten ihm mongolische Kräfte zu. Am 3. Februar 1921 wurde Urga erobert, und die Chinesen mußten die Stadt verlassen. Die anfängliche Begeisterung für Ungern-Sternberg wandelte sich in Entsetzen und Haß, als er eine rücksichtslose Willkürherrschaft begann und Taten unbeschreiblicher Grausamkeit beging. Der chinesische Terror war abgelöst worden durch die Tyrannei Ungern-Sternbergs. Beide hatten den Boden für eine neue Entwicklung gut vorbereitet.

Schon 1919 hatten sich in Urga zwei geheime Gruppen mongolischer Revolutionäre gebildet, die unter der Führung von Tschoibalsan und Suche-Bator standen und schon frühzeitig Verbindung mit russischen Kommunisten aufgenommen hatten, die ihre Arbeit unterstützten. Beide Gruppen vereinigten sich 1920 zur Mongolischen Volkspartei, die im März 1921 ihre organisatorische Form erhielt. Als die Sowjettruppen im Frühjahr 1920 Irkutsk eroberten und Transbaikalien besetzten, suchten Vertreter der vorgenannten Gruppen Kontakt mit ihnen. Ausgestattet mit einem Schreiben des Bogdo-Gegen, datiert vom 20. August 1920, gelangte eine Delegation nach Moskau, wo sie von Lenin empfangen wurde, und kehrte mit dem Hilfsversprechen der sowjetischen Regierung nach Transbaikalien zurück. Nun begann von den Grenzgegenden aus eine sehr intensive Propaganda für die Bildung einer Mongolischen Volksarmee zur Befreiung des Landes. Anfangs nur aus Partisanen bestehend, vergrößerte die Armee sich immer mehr. Manche Fürsten entsandten Gruppen von 70 bis 100 Mann, so daß die Truppen bald einige tausend Mann stark waren. Die erste größere Waffentat war die Eroberung von

Maimatschen (heute Altan-Bulak) in der Nacht vom 18. zum 19. März 1921. Die chinesischen Truppen wurden vernichtend geschlagen und zerstreut, die Stadt selbst brannte fast vollkommen nieder.

Ungern-Sternberg, der seine Truppenstärke durch Zwangsaushebungen von Mongolen auf etwa 11 000 Mann gebracht hatte, entschloß sich nach Bekanntwerden der Eroberung von Maimatschen zum Vormarsch nach Norden, um in Transbaikalien einzudringen. Auf Ersuchen einer am 10. April 1921 gebildeten provisorischen mongolischen Regierung beteiligten sich auch sowjetische Truppen an den folgenden militärischen Operationen. Nördlich von Kjachta wurde Ungern-Sternberg durch sowjetische und mongolische Truppen am 28. Juni 1921 vollständig geschlagen, er selbst von Mongolen gefangen und an die Sowjets ausgeliefert. Vor ein Kriegsgericht gestellt, wurde er mit 61 seiner Unterführer in Nowossibirsk am 15. September 1921 erschossen.

Die sowjetischen und mongolischen Kräfte setzten ihren Vormarsch in die Mongolei fort. Am 6. Juli wurde Urga besetzt, am 10. Juli eine mongolische Zentralregierung gebildet. Am 11. Juli fand in einer feierlichen Zeremonie die Einsetzung des Bogdo-Gegen als Staatsoberhaupt statt. Der Staat erhielt die Form einer konstitutionellen Monarchie (292/73). Auf Bitten der mongolischen Regierung sollten die Sowjettruppen bis zur endgültigen Befreiung im Lande bleiben. Der Kampf mit einzelnen weißrussischen Truppenteilen dauerte an. Erst 1922 wurde das ganze Land unter der Macht der zentralen mongolischen Regierung in Ulan-Bator vereinigt.

Die staatliche Entwicklung der MVR

In der mongolischen Revolutionsbewegung waren ursprünglich Vertreter der verschiedensten Gesellschaftsschichten und unterschiedlicher politischer Anschauungen vereinigt. Als Führer traten im Anfang der Entwicklung fünf Personen hervor. Unter ihnen gab es einen mehr konservativen Flügel, dem der Lama Tschardorshab, der stark liberale Lama Bodo, ein ehemaliger Angestellter des russischen Konsulates in Urga, und Dansan, ein Beamter, der ein Gegner des theokratischen Systems war, angehörten. Den linken Flügel bildeten Tschoibalsan und Suche-Bator. So weit diese Männer auch in ihren politischen Ideen auseinanderfielen, in einem waren sie sich alle einig: die Freiheit der Mongolen und ihres Landes zu erreichen.

Suche-Bator, 1894 geboren, entstammte einer armen Mongolenfamilie. Mit 18 Jahren lernte er Lesen und Schreiben und trat in den Jahren der Autonomie der Mongolei in die Armee ein, in der er sich mehrfach auszeichnete. Nach der chinesischen Besetzung und Auflösung der mongolischen Armee wurde er zu einem Organisator der revolutionären Bewegung. Tschoibalsan, 1895 geboren, entstammte ähnlichen Verhältnissen wie Suche-Bator. Mit 13 Jahren kam er in ein Lamakloster, dem er jedoch nach vier Jahren entsprang, um nach Urga zu gehen. Es gelang ihm, in die mongolische Schule aufgenommen zu werden, die im russischen Konsulat eingerichtet war. Seine Leistungen müssen hervorragend gewesen sein, denn er wurde zur weiteren Ausbildung auf eine russische Schule nach Irkutsk geschickt, die er drei Jahre lang besuchte. Hier wurde er auch schon frühzeitig mit revolutionären Ideen vertraut. Nach dem Sturz der mongolischen Autonomie 1918 begab er sich in sein Heimatland, um den Kampf gegen die Bedrücker seines Volkes aufzunehmen.

In der Mongolischen Volkspartei erhielt Dansan als Parteisekretär eine Schlüsselstellung, Tschardorshab wurde in der provisorischen Regierung Ministerpräsident und Suche-Bator Kommandierender der Mongolischen Volksarmee. In dem am 1. März 1921 beschlossenen Parteiprogramm, das Tschoibalsan in seiner bereits genannten Veröffentlichung (292) in vollem Wortlaut bringt, steht der nationale Befreiungsgedanke weitaus im Vordergrund. Dieses Ziel soll, wie es im Punkt 6 heißt, in freundschaftlicher Verbindung und in Kontakt mit den revolutionären Organisationen Rußlands, Chinas und anderer Länder erreicht werden, die wie die Mongolische Volkspartei die Vernichtung des Despotismus und den Fortschritt und die Stärkung der Macht des Volkes erstreben. Das Parteiprogramm enthält keine wirtschaftlichen Forderungen, die an Sozialismus und Kommunismus auch nur erinnern. *Perlin* nennt die Beschlüsse ein minimales bürgerlich-demokratisches Programm (226/27).

Schon im Juli 1921 nach der Besetzung Urgas zeigte sich dieser innere Zwiespalt. Tschardorshab wurde als Ministerpräsident durch Bodo ersetzt. Als Außenminister trat Dansan an seine Seite. Am 27. Oktober 1921 trat ein aus den Ständen zusammengesetzter Volksrat (Kleiner Chural) zusammen, doch wurde ihm nur eine beratende Stellung eingeräumt. Die Macht konzentrierte sich immer mehr auf das Zentralkomitee der Partei. Im Juni 1922 wurde die Organisation eines Staatssicherheitsdienstes beschlossen, der in den späteren Auseinandersetzungen und Kämpfen um die Macht eine bedeutende Rolle spielte. Bald kam die innere Krise zwischen Zentralkomitee und Regierung zum Ausbruch. Im August wurde der Ministerpräsident Bodo angeklagt, mit japanischen Agenten und Tschang Tso-ling in Verbindung getreten zu sein, und mit 15 Anhängern erschossen.

Als Nachfolger Bodos übernahm Dansan die Führung der Regierung. Deren Hauptaufgabe lag im Aufbau einer geordneten Verwaltung. 1924 arbeiteten z. B. von 41 Zollämtern nur 21, dabei bildeten die Zolleinnahmen zusammen mit der Viehsteuer 60 Prozent der Staatseinkünfte. Unter der Regierung Dansans begann der Aufbau des Schulwesens. Das wichtigste Ereignis war jedoch der Tod des Bogdo-Gegen am 20. 4. 1924. Er gab die Möglichkeit, ohne daß die monarchistische Richtung sich betroffen fühlte, die konstitutionelle Monarchie in eine Volksrepublik umzuwandeln. Die Wiedergeburt des Bogdo-Gegen wurde untersagt und am 13. Juni 1924 der Staat zur Republik erklärt, die mächtige Organisation der lamaistischen Kirche jedoch nicht angetastet. Am 20. Februar 1923 war Suche-Bator nach kurzer Krankheit im Alter von 29 Jahren gestorben. Bei der Untersuchung der Leiche wurde festgestellt, daß man ihn während der Behandlung vergiftet hatte. Dansan übernahm nun auch das Amt des Oberkommandierenden der Armee und vereinigte dadurch in seiner Person eine außerordentliche Macht. Ihm unterstand nun die Kontrolle der Partei, deren Sekretär er war, der Regierung und der Armee. Dazu kam, daß er mit dem Führer des 1922 gegründeten Revolutionsverbandes der mongolischen Jugend, mit Namen Bawasan, befreundet war und sehr eng zusammenarbeitete. Der II. Parteitag im Juli 1923 verlief ohne Störung. Verschiedene Gesetze wurden beschlossen und von der Regierung erlassen, die die Rechte der mongolischen Fürsten auf politischem und wirtschaftlichem Gebiet stark einengten. Ein Ministerium für Volksbildung und eines für Wirtschaft wurden geschaffen. In der Außenpolitik entschied sich Dansan für einen Wechsel, um die Mongolei aus der einseitigen Bindung an die Sowjetunion zu befreien. So förderte er den Außenhandel nach allen Seiten und nahm geheime Verbindungen nach China und selbst mit den USA auf (117/155). Mit Hilfe der Garnison von Urga plante er einen Umsturz, doch der Versuch schlug fehl (260/161). Der III. Parteikongreß 1924 brachte Dansan zu Fall. Er wurde verhaftet, der gegenrevolutionären Tätigkeit angeklagt, zum Tode verurteilt und erschossen, mit ihm auch Bawasan, der schon genannte Führer der revolutionären Jugend. Damit endete der zweite Teil der dramatischen Entwicklung im Innern.

Der dritte Delegiertentag der Mongolischen Volkspartei ist wohl als der radikalste in der Geschichte der Partei zu bezeichnen. Nicht nur, daß er sich selbst zum Gerichtshof erklärte und die sogenannte „Dansan-Verschwörung" beseitigte, auch seine Beschlüsse sind von entscheidender Bedeutung für die weitere Entwicklung. Er legte eine antikapitalistische Generallinie in der Richtung zum Sozialismus fest. Äußerlich kam dieses auch in der Umbenennung der Partei in „Mongolische Volksrevolutionäre Partei" (MVP) zum Ausdruck. Weiter wurde die Einberufung des Großen Volkschural (Iche Churuldan) beschlossen, der am 26. November 1924 zusammentrat. Er verabschiedete die erste Verfassung der MVR. Als Hauptaufgabe derselben wird die Vernichtung der Überreste des feudal-theokratischen Baues und die Grundlegung einer neuen republikanischen Ordnung auf der Basis einer vollkommenen Demokratisierung der Verwaltung bezeichnet (226/30). Den Feudalherren (Adeligen und Fürsten) und auch den Klosterlamas wird das aktive und passive Wahlrecht entzogen. Die Trennung von Staat und Kirche wird durchgeführt, Religion zur Privatangelegenheit erklärt, der Boden verstaatlicht und die Gleichberechtigung von Männern und Frauen erklärt. Daneben wurde der Name der Hauptstadt Urga in Ulan-Bator-Choto (Stadt des roten Helden) geändert. Der Große Volkschural bestätigte auch die Richtigkeit der Politik der Regierung in der engen Verbindung mit der Sowjetunion (94/77).

Obgleich ihrer politischen Rechte weitgehend beraubt, behielten die Feudalherren und Klöster ihre wirtschaftliche Macht und konnten sie sogar noch vergrößern. Der religiöse Einfluß der Lamaklöster und ihrer feudalgesinnten Häupter auf das mongolische Volk blieb bestehen und war immerhin noch recht groß. Daneben spielte das nationale Element weiterhin eine große Rolle, der panmongolische Gedanke beherrschte noch die Geister. So kam es, daß trotz der radikalen Beschlüsse des III. Parteitages der rechte Flügel in Partei und Regierung die Oberhand behielt. Das beste Bild dieser Zeit hat *Ischi Dordji,* der als Vertreter des Mongolischen Volksministeriums in Berlin weilte, in einem Aufsatz „Kulturelle Aufbauarbeit in der Mongolei" (Osteuropa 1929, S. 401 bis 409) entworfen. Mongolische Studenten wurden zum Studium ins Ausland, vor allem nach Deutschland und Frankreich geschickt. Dabei darf auch nicht übersehen werden, daß zu jener Zeit noch 80 Prozent des mongolischen Außenhandels in den Händen ausländischer Firmen lag, unter denen chinesische, amerikanische und deutsche vorherrschten. Die Mongolei hatte bis dahin noch keine eigene Währung. Die Grundlage hierfür wurde im Dezember 1925 durch die Gründung der Mongolischen Handels- und Industriebank geschaffen, deren Kapital zum größten Teil von der sowjetischen Fernost-Bank (Dal-Bank) stammte. Als nationale Zahlungseinheit wurde der Tugrik eingeführt. Das Gerichtswesen wurde demokratisiert, die Richterwahl angeordnet (November 1925), eine Steuer -und Finanzreform durchgeführt (Oktober 1926), die Gewerkschaften entfalteten sich. Im allgemeinen herrschte ein recht freies, rühriges Leben*). Im Januar 1925 waren die sowjetrussischen Truppen nach einem Notenwechsel zwischen der Mongolei und der UdSSR zurückgezogen worden, wie überhaupt die Sowjetunion sich in dieser Zeit gegenüber der Mongolei recht liberal und fair verhielt.

Diese Entwicklung fand jedoch mit dem VII. Kongreß der Partei am 23. Oktober 1928 ein jähes Ende. Schon auf der Sitzung des Großen Volkschurals (November 1927) hatten sich in der Bildung von Parteigruppen und Parteirichtungen starke Gegensätze gezeigt, die auf dem Kongreß zum vollen Ausbruch kamen. Unter der Führung von Tschoibalsan hatte sich eine scharfe kommunistische Opposition gegen die bisherige Politik und für die Durchführung der Generallinie gebildet. Der linke, radikale Flügel gewann die Oberhand. Der Kongreß verurteilte die Politik der „Rechten" im Zentralkomitee und in der Regierung und erhob die Generallinie (III. Kongreß) nochmals zum Beschluß. Als erste und vordringlichste Aufgabe bezeichnete der Kongreß den Angriff auf die wirtschaftliche Stellung der Klasse der Feudalherren. Er beschloß die Konfiskation von Vermögen und Vieh dieser Gesellschaftsschicht und entschied sich für eine Begrenzung des Wachstums der klösterlichen Wirt-

*) Unter welch schwierigen Verhältnissen die Regierung zu arbeiten hatte, mag durch eine Verfügung des Ministerrates vom Januar 1926 belegt werden, wonach die einzelnen Ministerien und Hauptverwaltungen verpflichtet wurden, ihre Schreiber — an denen es insgesamt mangelte — in die Regierungskanzlei zu entsenden, um für ihren Bedarf Kopien der Regierungsdirektiven anzufertigen. Zu dieser Zeit vervielfältigte jedes Ministerium und jede Behörde ihre Anweisungen handschriftlich in der erforderlichen Menge. Die erste Schreibmaschine mit mongolischen Schriftzeichen wurde erst 1928 in Dienst gestellt. (260/173).

schaften (226/31). Er empfahl aufs neue die enge allseitige Bindung an die Sowjetunion. Um die Generallinie zu wahren, wurde eine Säuberung der Partei von allen fremden und feindlichen Elementen beschlossen. Gegen deren neuerliches Eindringen sollte ein Beschluß schützen, nach dem die Aufnahme in die Partei künftig in drei Kategorien erfolgen sollte. Zur ersten Kategorie mit den leichtesten Aufnahmebedingungen gehören Taglöhner, arme Araten (Viehzüchter) und Angehörige der Armee, zur zweiten die Mittelschicht der Araten und Beamte, zur dritten mit den schwersten Aufnahmebedingungen schließlich alle anderen. Der im Dezember 1927 folgende Große Volkschural bestätigte die Beschlüsse. Er stellte Verletzungen der Verfassung durch die letzte Regierung zugunsten der Feudalherren und der Geistlichen fest. Außerdem beschloß er die Einschränkung ausländischer Unternehmungen und die Einführung des Staatsmonopols für den Außenhandel.

Mit dem VII. Kongreß der Partei am 23. Oktober traten die „Linken" die Herrschaft an. Sie unternahmen den Versuch, unter Kopierung sowjetischer Wirtschaftsformen den unmittelbaren Übergang zur sozialistischen Wirtschaft zu erzwingen. Im Januar begann man mit der Konfiskation des Vermögens und der Viehherden der großen Feudalwirtschaften. Nach *Perlin* (226/31) wurde im Jahre 1929 das Eigentum von 669 der insgesamt vorhandenen 729 Großwirtschaften beschlagnahmt. Die Wegnahme des Besitzes der Fürsten und Adeligen wurde in den nächsten Jahren fortgesetzt, um deren wirtschaftliche Stellung dadurch zu erschüttern und das gesteckte Ziel „der Liquidation der Feudalen als Klasse" zu erreichen. In den Jahren 1930/31 wurden noch weitere 837 Wirtschaften, darunter 205 geistlicher Feudalherren, beschlagnahmt. Dabei zog man die Leiter von 711 Wirtschaften auf gerichtlichem Wege wegen geleisteten Widerstands zur Rechenschaft. Das beschlagnahmte Vieh und sonstiges Eigentum wurden an arme Aratenfamilien verteilt. Diese sollten sich aber nicht lange ihres neuen Besitzes freuen, denn gleichzeitig begann man mit der zwangsweisen Kollektivierung der Aratenwirtschaften, und zwar in einem so überstürzten Tempo, daß bis 1931 rund 35 Prozent aller Aratenfamilien in „Kolchosen" zusammengefaßt sein sollten. Ohne die Lehren aus den Erfahrungen der Sowjetunion zu beachten und unter Ignorierung der besonderen Verhältnisse in der Mongolei ging man mit Zwangsmaßnahmen vor, so daß der negative Erfolg nicht ausblieb. „Viele Araten, die die zwangsweise Sozialisierung ihres Besitzes und die übermäßige steuerliche Belastung vermeiden wollten, erschlugen ihr Vieh. In den Zwangsbildungen der Kommunen und Artels blieben die Viehherden oft ohne Aufsicht, wurden beraubt oder kamen um" (94/81—82). Die Gesamtzahl des Viehes nahm von 23,7 Mill. Stück im Jahre 1930 auf 16,0 Mill. im Jahre 1932, d. h. um 32 Prozent ab (226/43). Daneben ging man auch sofort daran, entsprechend den sowjetischen Sowchosen auch Staatsgüter — hier Goschose genannt — zu schaffen, die im Endergebnis nur mit großen Zuschüssen des Staates gehalten werden konnten. Die durch alle diese

Maßnahmen heraufbeschworene Krisis der Viehwirtschaft wurde noch dadurch verschärft, daß auch die privaten Marktbeziehungen aufgehoben und Handel und Verkehr auf eine vollkommen neue Basis gestellt wurden. Der private Handel wurde verboten, an seine Stelle traten staatliche und kooperative Unternehmungen, die aber nicht in der Lage waren, die bisherigen Privatunternehmungen sowohl organisatorisch wie in der Leistung zu ersetzen. Daher mangelte es in kurzer Zeit an Gütern aller Art. Einen erheblichen Beitrag im negativen Sinne bedeuteten hier auch die Maßnahmen der Regierung auf dem Gebiete des Warentransports. Die Hauptarbeit leistete hier seit vielen Jahrhunderten der private Transport. Er wurde untersagt, ohne daß man ihn durch eine entsprechende leistungsfähige Organisation ersetzen konnte. Wohl wurde im November 1929 ein gemischtes sowjetisch-mongolisches Transportunternehmen „Mongoltrans" gegründet, doch die Zahl der Lastkraftwagen war absolut unzureichend. Im Dezember 1930 wurde durch ein Gesetz der Außenhandel zum Staatsmonopol erklärt, ohne daß man auch hier wiederum die bisher privaten Außenhandelsunternehmen durch eine gleichwertige Organisation zu ersetzen vermochte. Der VIII. Kongreß der Partei im Februar 1930 und die sechste Tagung des Großen Volkschurals im April 1930 brachten keine Änderung der Politik. In beiden beherrschten die „Linken" vollkommen das Feld. Ein Fünfjahresplan wurde aufgestellt, der die Jahre 1930 bis 1935 umfassen sollte und unter anderem die völlige Kollektivierung zum Ziel hatte.

Neben allen diesen wirtschaftlichen Maßnahmen hatten die „Linken" seit ihrem Regierungsantritt einen heftigen Kampf gegen den Buddhismus entfesselt. Die voraufgegangene Regierungszeit der „Rechten" kann als proreligiös bezeichnet werden. Die Zahl der Lamas war in diesen Jahren (1925—1928) von 87 300 auf 94 900 angestiegen (94/79), was man den „Rechten" jetzt zum schweren Vorwurf machte. Nun aber wurden alle Lamas zu der Klasse der Ausbeuter geschlagen und damit als Feinde des Volkes behandelt (94/81), obgleich die meisten von ihnen aus den ärmsten Schichten der Mongolen stammten. Bei der Regierung wurde eine „Zentrale antireligiöse Kommission" gebildet, deren Aufgabe es war, alle Maßnahmen im Kampf gegen den Buddhismus zu koordinieren (117/135). Unterstützt wurden alle diese Bestrebungen durch einen „Verband der Gottlosen", der nach dem sowjetischen Beispiel aufgezogen wurde. Abgesehen von wirtschaftlichen Maßnahmen gegen die Klöster, deren Besitz man nicht voll zu konfiszieren wagte, aber doch in seiner Entwicklung beschränkte und mit hohen Steuern belegte, ergoß sich der antireligiöse Spott und Hohn über das ganze Volk der Mongolen, das in seiner großen Masse sich in seinen religiösen Gefühlen gekränkt fühlte.

Die Politik der „Linken" brachte dem Volk nichts anderes als Not und Elend und den Staat an den Rand des Bankrotts. Die Wirtschaft war in ein Chaos verwandelt. Die Unzufriedenheit war allgemein und die Erregung wuchs ständig. Örtlich kam es zu Aufständen (195/56), so in den Aimaken Chubsugul, Nord-Changai, Süd-Changai und Dsabchan, also in den dichtest bewohnten Gebieten (260/222). Man befürchtete einen allgemeinen Umsturz. Diese Gefahr wurde um so größer, als die Japaner im Herbst 1931 die Mandschurei besetzten und ihre Truppen bis an die Ostgrenze der Mongolei vorschoben.

In dieser außerordentlich ernsten Lage griff Stalin ein (260/214). Das Zentralkomitee trat zusammen und im Anschluß daran der Kleine Chural. Das Zentralkomitee verurteilte die abenteuerliche Politik der „Linken", wobei es die überstürzte zwangsweise Kollektivierung, die Liquidation des Privathandels, die Überspitzung im Kampf gegen die Religion und die lamaistische Geistlichkeit, die Gleichstellung des wohlhabenden Aratentums mit den Feudalherren als besonders fehlerhaft bezeichnete (260/214). Alle Gesetze der „Linken" wurden außer Kraft gesetzt oder revidiert. Die Anführer der linken Abweichung wurden verhaftet und öffentlich vor Gericht gestellt, dessen hartes Urteil von den Araten mit Befriedigung aufgenommen wurde.

Eine notwendige Folge der „Linksabweichung" war eine Säuberung der Partei, deren Mitgliederzahl sich in den Jahren 1928 bis 1932 unter dem Druck der „Linken" stark erhöht hatte. Durch Austritte und radikale Ausschlüsse wurde ihre Zahl auf 7986 reduziert (260/227). Weiteres hierüber bringt der Abschnitt über die politischen und sozialen Verhältnisse.

Nach diesem gewaltigen Rückschlag hatte die Regierung in den Jahren nach 1932 zunächst genügend zu tun, um die Schäden zu beseitigen und die Wirtschaft wieder zu normalisieren. Das Programm der sozialistischen Umwandlung der Wirtschaft wurde zurückgestellt und die gesamte Politik stärker auf den mongolischen Gedanken und die nationale Selbständigkeit des eigenen Staates ausgerichtet. Die anfänglichen Sympathien, die die Japaner unter den Mongolen der MVR besaßen und die sogar 1932 zu einer kleinen Revolte führten, gingen ihnen bald verloren, als aus der Mandschurei Vorgänge bekannt wurden, die sogar mit der Erschießung mongolischer Fürsten und Würdenträger durch die japanische Armee endeten. Die notwendige Konsequenz war für die MVR der engere Anschluß an die Sowjetunion, der am 12. März 1936 in einem gegenseitigen Beistandspakt zwischen der UdSSR und der MVR zum Ausdruck kam. Die mongolische Armee wurde weiter ausgebaut und modernisiert*). Die Grenzkämpfe am Chalchin-Gol mit japanisch-mandschurischen Streitkräften, die von Mai bis August 1939 dauerten und in denen sowjetische und mongolische Truppen Seite an Seite fochten, trugen weiterhin zu einer Annäherung bei.

---

*) Über die Bedeutung des Militärdienstes für den allgemeinen Aufbau des Staates berichtet *Slatkin* (260/228), daß die Armee alljährlich fast völlige Analphabeten als Rekruten erhielt, 95 Prozent von ihnen nach Abschluß der aktiven Dienstzeit dem Lande als Schriftkundige zurückgab, die außerdem einen Spezialberuf erlernt hatten und zur führenden Arbeit im Staat ausgebildet waren. Die vom Militärdienst entlassenen Reservisten waren die ersten Vertreter der dem Volk entstammenden Intelligenz auf dem Lande.

Unterricht und Schulung der aratischen Viehzüchter

Mongolische Frauen und Kinder in Festkleidung

Mongolenfrauen beim Wasserschöpfen

Mongolenfrauen - Im Vordergrund Geräte zur Milchverarbeitung

Schulungskurs zur Ausbildung von Traktorenführern

Nationalfeiertag in Ulan-Bator · Bogenschießen · Traditioneller Ringkampf

Wirtschaftlich ist diese Zeit charakterisiert durch eine starke Unterstützung von seiten der Sowjetunion, die nicht nur Maschinen lieferte, sondern auch mit dem Aufbau der großen Industrieunternehmen begann, wie der Wollwäscherei in Chaddhal, dem Industrie-Kombinat in Ulan-Bator u. a. Im Inneren beseitigte eine grundlegende Steuerreform zahlreiche Quellen der Unzufriedenheit. Der allgemeine Anstieg der Viehzahlen bewies den Erfolg dieser Wirtschaftspolitik.

Aber auch dieser Zeitraum war nicht frei von inneren Krisen, die in den Jahren 1937/38 zum Ausbruch kamen. Sowjetische Quellen sprechen von der größten Verschwörung, die die MVR erlebt hat, und berichten von einer Umsturzorganisation, an der der Ministerpräsident Gendun, Marschall Demid, der Oberkommandierende der mongolischen Armee und die Leiter von mehr als 48 großen Klöstern mitbeteiligt waren. Wenn die Hintergründe auch noch nicht genügend erhellt sind, so steht doch eines fest, daß Tschoibalsan, der sich seit jeher sehr aktiv für einen engeren Anschluß an die Sowjetunion eingesetzt hatte und zu dieser Zeit Minister des Innern war, an der Entlarvung dieser Kreise und der Niederschlagung der Verschwörung hervorragend beteiligt war. Aufsehen erregte besonders der Tod des Marschalls Demid, der am 22. August 1937 im Zuge nach Moskau in der Nähe der Station Taiga an vergifteten Nahrungsmitteln starb und in Moskau dann ein feierliches Begräbnis erhielt (117/160). Die Beteiligung führender Lamas an der Gegenbewegung wurde für die Regierung der MVR der Anlaß, auch den letzten noch vorhandenen Großbesitz der Klöster zu beschlagnahmen und weitere Maßnahmen gegen das lamaistische Mönchswesen zu treffen. Im Frühjahr 1936 erließ die Regierung eine Verordnung, die die Anwerbung von Jugendlichen in die Reihen der Lamas stark einschränkte*). Die Verordnung verbot den Familien, die weniger als drei Söhne hatten, Knaben zu den Lamas zu geben. Die Klosterverwaltungen wurden verpflichtet, Lamas unter 18 Jahren, die nach dem Dezember 1933 in das Kloster aufgenommen worden waren, zu entlassen. Den Lamas, die vor dem genannten Zeitpunkt in ein Kloster eingetreten waren, gestattete man, darin zu verbleiben. Sie wurden aber vor dem Gesetz nicht als Lamas anerkannt und mußten auch Militärdienst leisten.

Für die weitere Entwicklung der MVR ist die VIII. Tagung des Großen Volkschurals im Juli 1940 von größter Bedeutung. Auf ihr wurde eine neue Verfassung der MVR beschlossen, die mit einigen unwesentlichen späteren Änderungen auch heute noch Geltung hat.

Die Zeit des zweiten Weltkrieges brachte für die MVR viel Not, da die Lieferungen aus der Sowjetunion zum Teil ausfielen oder beschränkt wurden. Andererseits mußte die MVR ihren Verpflichtungen nachkommen. Darüber hinaus bemühte sie sich, der UdSSR durch zusätzliche Lieferungen weitere Hilfe zu leisten, worüber die Sowjetpresse ausführ-

*) Im März 1936 gab es in den Klöstern mehr als 17 000 Jugendliche unter 18 Jahren und unter ihnen 7000 Personen im wehrfähigen Alter (Sowr. Mongolija 1936, Nr. 3).

lich berichtete (Iswestija 28. 2. 1946). Die großen Anstrengungen der MVR, in diesen Jahren die eigenen Wirtschaftsquellen stärker auszunützen, wirkten sich für die folgende Entwicklung günstig aus.

In den ersten Jahren des Krieges, als die deutschen Siege bekannt wurden, regte sich in der Partei eine Opposition gegen den von Tschoibalsan eingeschlagenen Weg und verursachte eine Säuberungsaktion (177/61), die aber keine größere Bedeutung erlangte. Nach der Wende des Krieges wuchs das Ansehen Tschoibalsans, und rund 10 000 neue Mitglieder traten der Partei bei. Ende 1944 wurde durch ein Gesetz allen Bürgern, denen das Wahlrecht bisher aus irgendwelchen Gründen (ehemalige Feudale usw.) entzogen war, dieses wieder gegeben. Von nicht zu unterschätzender Bedeutung für das nationale Selbstbewußtsein der Mongolen und das Wachsen der mongolisch-sowjetischen Freundschaft (auch in der Masse des Volkes) war, daß man die mongolische Armee am Ende des zweiten Weltkrieges zur Niederwerfung Japans mit einsetzte. Dieser Armee, ihrem Aufbau und ihrer Ausbildung hatte Tschoibalsan nach dem Tode Suche-Bators seine besondere Aufmerksamkeit gewidmet und sie auch zu einem politischen und wirtschaftlichen Erziehungsinstrument gemacht. Die Militärschule „Suche-Bator", die der Ausbildung eines hochqualifizierten Offizierskorps dient, ist sein eigenes Werk. Nun konnte diese Armee, die damals 80 000 Mann stark war, nach kleineren Gefechten, in denen sie 675 Mann verlor, als Sieger ein riesiges Gebiet durchziehen und gelangte bis an die Liaotung-Halbinsel. Das Ende des Krieges wurde in Volksfesten und gegenseitigen Ehrungen zwischen Moskau und Ulan-Bator feierlich begangen. Den Abschluß aller dieser das mongolische Volk bewegenden Vorgänge war die Volksabstimmung am 20. Oktober 1945 über die staatliche Selbständigkeit der MVR. Diese wurde in Übereinstimmung mit der Abmachung durchgeführt, die die UdSSR am 14. August 1945 mit dem chinesischen Regierungschef Tschiang Kai-schek getroffen hatte, und fand im Beisein chinesischer Beobachter statt. Die Abstimmung sollte vom Gesichtspunkt des internationalen Rechts her die theoretische Zugehörigkeit der Mongolei zum chinesischen Reich beenden. Es ist selbstverständlich, daß sich keine Stimme in der MVR dagegen erhob. Am 5. Januar 1946 erkannte die chinesische Regierung offiziell die staatliche Unabhängigkeit der Mongolischen Volksrepublik an.

Der Freundschafts- und Beistandspakt mit der UdSSR von 1936, der abgelaufen war, wurde am 27. Februar 1946 erneuert. Gleichzeitig wurde ein Kultur- und Wirtschaftsabkommen getroffen, das nur allgemein gehalten ist und durch Einzelverträge ergänzt wird. Am 27. Juni 1946 trat die MVR an die Organisation der Vereinten Nationen mit dem Gesuch um Aufnahme heran, dem jedoch bis jetzt nicht entsprochen wurde. Ein ähnlich lautendes Ansuchen stammt aus jüngster Zeit (8. Juli 1957).

Wirtschaftlich begann mit dem Jahre 1948 die Zeit der Fünfjahrespläne. Der erste wurde auf der XI. Tagung der Partei für die Jahre 1948 bis 1952 beschlossen. Insgesamt gesehen war er im Bereich der Viehzucht, der Hauptgrundlage der Wirtschaft, ein Mißerfolg, wenn auch der sozialistische Sektor der Landwirtschaft und die Industrialisierung teilweise gute Fortschritte machten. Man hatte bei der Aufstellung der Planziffern die eigenen Möglichkeiten wesentlich überschätzt. Auf mehr realistischer Basis beruht der zweite Fünfjahresplan für die Zeit von 1953 bis 1957, der in den ersten beiden Jahren wiederum im Bereich der Viehzucht nicht erfüllt wurde, so daß man 1954 zu verschiedenen Maßnahmen greifen mußte, um die aratischen Viehzüchter an der Erhöhung der Viehzahlen zu interessieren. Das gelang auch insofern, als für die Jahre 1955 und 1956 ein beachtlicher Anstieg der Viehbestände festzustellen ist, so daß 1957 das allgemein gesteckte Ziel wohl auch erreicht werden wird. In den anderen Zweigen der Wirtschaft verläuft die Planerfüllung normal. Einzelheiten über die wirtschaftliche Entwicklung seit dem Beginn der Fünfjahrespläne sind im wirtschaftlichen Teil dieser Arbeit enthalten.

Am 26. Februar 1952 erlitt die MVR durch den Tod Tschoibalsans einen schweren Verlust. Sein Nachfolger als Ministerpräsident ist seit Mai 1952 J. Zedenbal.

Von wesentlicher Bedeutung für die zukünftige Entwicklung der MVR ist das Verhältnis zu China. Die diplomatischen Beziehungen zur Chinesischen Volksrepublik wurden bereits im Oktober 1949 aufgenommen. Im Oktober folgte dann ein Wirtschafts- und Kulturabkommen, das zunächst für 10 Jahre gilt und durch Einzelabmachungen ergänzt wird.

Über den Staat und seinen Aufbau unterrichtet die im Anhang beigefügte Verfassung der MVR nach dem Stand von 1957.

Verwaltungsgliederung

Die Mongolische Volksrepublik gliedert sich in Verwaltungseinheiten, die nach ihrer Größenordnung die Namen Aimak, Somon, Bag tragen. Die Mehrzahlbildung dieser Bezeichnungen, wie sie in dieser Arbeit gebraucht wird, hat der Verfasser vorgenommen.

Die Zahl der Aimake betrug in den Anfängen der MVR fünf, wurde dann auf 13 und 1931 auf 18 erhöht. Durch eine Verfassungsänderung vom 7. April 1957 wurde der Aimak Selenga aufgelöst, so daß die MVR gegenwärtig aus 17 Aimaken besteht. Da über die Zu- bzw. Aufteilung des Aimaks Selenga nichts bekannt ist, mußte aus statistischen Gründen diese Arbeit bei der bis dahin bestehenden Verwaltungsgliederung verbleiben, die auch der beigegebenen Tabelle noch zugrunde liegt.

Durchschnittlich entfallen auf einen Aimak rund 18 Somone und auf einen Somon, deren es insgesamt 323 gibt, durchschnittlich 8 bis 9 Bage. Zu einem Bag gehören 30 bis 100 Aratenwirtschaften, die Gesamtzahl der Bage liegt bei etwa 2700. Die Aufgliederung der Verwaltungseinheiten ist jedoch, wie die beigegebene Tabelle zeigt, sehr unterschiedlich.

Die Aimake sind ihrer Größe nach recht ungleich. Der kleinste Aimak hat eine Fläche von 46 000 qkm, der größte dagegen, der Aimak Süd-Gobi, ist mit 156 000 qkm mehr als dreimal so groß. Die Hauptursache dieser Aimak-Gliederung ist die Bevölkerung. Sowohl in dieser Beziehung als auch nach der Zahl der Somone steht der aufgelöste Aimak Selenga an letzter Stelle.

Der Bag ist die kleinste Verwaltungseinheit und hat, da er mit der Bevölkerung nomadisiert, zumeist keinen festen Sitz. Das Zentrum eines Somons ist dagegen in der Regel fest stationiert. Nur in solchen Gegenden, wo die Bevölkerung sehr gering ist und nur aus Nomaden besteht, wandert auch das Somon-Zentrum mit. Die Aimak-Zentren sind alles feste Siedlungen, doch besitzen nur fünf von ihnen die verwaltungsmäßige Anerkennung als Stadt. Es sind dies die Orte Kobdo (mongolisch Dshirgalantu), Uljassutai (Dshibchalantu), Zezerleg, Altan-Bulak (früher chinesisch Maimatschen) und Tschoibalsan (früher Bajan-Tumen). Außer dem letztgenannten Ort, der erst seit der Gründung der MVR zu einer Stadt angewachsen ist, können die anderen Städte alle auf eine sehr lange Geschichte zurückblicken. Neben den vorgenannten Aimak-Zentren besitzt auch der rasch angewachsene Ort Suche-Bator Stadtcharakter.

Außerhalb der Aimak-Gliederung steht die Hauptstadt Ulan-Bator, die im Rahmen der Staatsverwaltung einen eigenen Stadtbezirk bildet, der den Aimaken gleichgestellt ist. Der Stadtbezirk gliedert sich in Chorone, diese zerfallen in Chorine.

Verwaltungszentrum der MVR

Aimak-Name	Aimakzentrum	Fläche 1000 qkm	Bevölk. in 1000 (1944)	Zahl der Somone (1951)
1. Bajan-Ulegei	Ulegei	46	36,0	13
2. Kobdo	Kobdo	73	39,1	14
3. Ubsa-Nur	Ulan-Gom	72	46,9	16
4. Dsabchan	Uljassutai	90	64,2	23
5. Gobi-Altai	Jussun-Bulak	126	37,4	18
6. Bajan-Chongor	Bajan-Chongor	116	43,0	20
7. Chubsugul	Muren	102	60,6	23
8. Nord-Changai	Zezerleg	47	65,0	23
9. Süd-Changai	Arbai-Chere	69	54,2	23
10. Süd-Gobi	Dalan-Dsadagad	156	20,3	12
11. Mittel-Gobi	Mandal-Gobi	79	27,6	18
12. Ost-Gobi	Sain-Schanda	101	19,9	17
13. Bulgan	Bulgan	48	36,9	17
14. Zentral	Dsun-Mod	78	58,0	23
15. Selenga	Altan-Bulak	48	17,0	10
16. Chentei	Undur-Chan	89	35,6	21
17. Tschoibalsan	Tschoibalsan	120	31,2	17
18. Suche-Bator	Barun-Urt	71	31,0	15
19. Ulan-Bator	Stadtbezirk	—	35,0	—
		1 531	758,9	323

Die ethnische Zusammensetzung der Bevölkerung

Die Bevölkerung der MVR läßt sich nach ethnischen Merkmalen in drei Gruppen gliedern: 1. die mongolischen Stämme, 2. die Turkvölker und 3. sonstige.

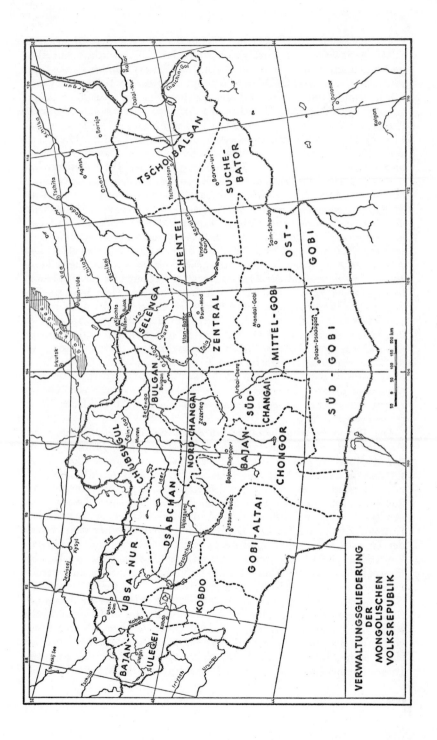

VERWALTUNGSGLIEDERUNG
DER
MONGOLISCHEN
VOLKSREPUBLIK

Unter den Mongolen steht der Stamm der Chalcha weitaus an erster Stelle. Er bewohnt das ganze weite Gebiet der MVR zwischen dem Altai im Westen und den Grenzen im Osten. Die Chalcha können als die typischen Vertreter der Mongolen überhaupt angesehen werden und haben sich in Sprache und Kultur noch am reinsten erhalten. Über ihren Anteil an der Gesamtbevölkerung gehen die Angaben auseinander. *Mursajew* (196) nennt ihn mit 70 Prozent, *Zapkin* (311a/23—25) dagegen mit 80 Prozent. Im äußersten Nordwesten gibt es keine Chalcha. Hier leben einige kleine mongolische Stämme, wie die Dörbeten, Oleten, Torgouten und andere, die man zu den Westmongolen rechnet. Ihr Anteil erreicht nach *Mursajew* 7 Prozent, nach *Zapkin* 3,1 Prozent. Die Dörbeten bilden mit der Untergruppe der Bajaten nach den Chalcha den zweitzahlreichsten Stamm der Mongolen in der MVR. Sie nomadisieren vom linken Ufer des Kobdo-Flusses bis zum Gebirge Tannu-Ola. Man findet sie am Ubsa-Nur und auch am Unterlauf des Tes. Nach Angaben von *Majskij* (164) sind die Dörbeten etwa 39 000 und die Bajaten 15 000 Seelen stark. Der Anteil der Ackerbauer ist bei ihnen größer als bei den sonstigen Mongolen. Die Oleten sind der Zahl nach weit unbedeutender (ca. 3000) und bewohnen die Täler zwischen dem Kobdo-Fluß und dem Bajantu. Die Sprache der Westmongolen unterscheidet sich etwas von der der Chalcha, vor allem enthält sie zahlreiche Wörter aus der türkischen Sprache. In den Grenzgebieten der MVR im Norden sind Burjaten verbreitet, die gegenwärtig auch öfters in den Städten anzutreffen sind. Ihr Anteil an der Gesamtbevölkerung dürfte etwa 3 Prozent ausmachen. Für ihre Wirtschaftsform ist das Überwiegen des Milchrindes charakteristisch. Im Südosten nomadisieren die Dariganga, die zu den Ostmongolen gehören. Ihr Anteil wird mit 2 Prozent angegeben. Daneben gibt es kleine, kaum nennenswerte Gruppen.

Die Turkvölker sind hauptsächlich durch die Kasachen, Tuwiner und Kotonen vertreten, die zusammen etwa 6 Prozent der Gesamtbevölkerung der MVR stellen. Die Kasachen (3 Prozent) sind der stärkste dieser Turkstämme. Sie bewohnen den äußersten Nordwestwinkel der MVR im Altai und unterscheiden sich wenig von den Kasachen, die in Sinkiang und der Sowjetunion leben. Sie bilden hier mit einigen Tuwinern die Mehrheit der Bevölkerung, weshalb man den Aimak Bajan-Ulegei als kasachischen National-Aimak erklärt hat. Die Tuwiner, die auch unter dem Namen der Urjanchaier bekannt sind, treten in zwei Gruppen auf. Die Altai-Urjanchaier nomadisieren im hohen Altai vom Oberlaufgebiet des Kobdo-Flusses bis zum Bulugun im Süden. Sie sprechen mongolisch und werden auch oft zu den mongolischen Oleten gerechnet. Die zweite Gruppe, die Chubsugul-Urjanchaier, bewohnen das Gebiet westlich des gleichnamigen Sees und steigen auch in das Tal des Tes hinab. Sie sind eine türkische Völkerschaft und sprechen auch türkisch. Unter den benachbarten Mongolen sind sie wenig beliebt. Südlich des Ubsa-Nur lebt dann noch in einem abgeschlossenen Gebiet das kleine türkische Volk der Kotonen. Diese stammen aus Turkestan und waren früher Mohammedaner. Sie sind dem mongolischen Einfluß weitgehend unterworfen, so daß nur noch die ältere Generation die türkische Sprache spricht, während im übrigen ein langsames Aufgehen im Mongolentum festzustellen ist.

Unter der sonstigen Bevölkerung ist eine kleine Gruppe der tungusischen Völker zu erwähnen. Es sind die Chamnesganen, die ihre Weideplätze am Oberlauf des Iro und an den Flüssen Mensa und Uldsa haben. Dieses interessante Restvolk verliert aber seine Eigenart immer mehr zugunsten des mongolischen Elementes.

Die Hauptvertreter in der dritten Gruppe stellen jedoch die Chinesen und Russen dar. Die ersteren sind seit dem Beginn der chinesischen Kolonisation im Lande verblieben. *Majskij* gibt ihre Zahl für 1919/20 mit rund 100 000 an. Die Wirren und Verfolgungen der nächsten Jahre ließ sie etwa auf die Hälfte absinken, so daß für 1930 nur noch etwa 50 000 Chinesen angegeben werden (Sib. Sowjet-Enzyklopädie 1932/513). Bis zur Gegenwart muß sich der Anteil der Chinesen wieder wesentlich erhöht haben. In zahlreichen Wirtschaftsberichten der letzten Jahre wird von chinesischen Spezialisten und Arbeitern gesprochen, so z. B. beim Aufbau und Betrieb der von China gelieferten Porzellanfabrik in Ulan-Bator und im Zusammenhang mit der größten Zündholzfabrik der MVR in Suche-Bator. *Maslennikow* (178/33) berichtet, daß 1955 aus China mehr als 1000 qualifizierte Arbeiter für die Landwirtschaft kamen, die hauptsächlich im Ackerbau des sozialistischen Sektors eingesetzt wurden. *Jakimowa,* deren Arbeit 1956 erschien, schreibt von bedeutenden Gruppen chinesischer Arbeiter im Eisenbahnbau und von Tausenden, die beim Bau von Wohnungen und staatlichen Gebäuden tätig sind (97/48). Die chinesische Bevölkerung konzentriert sich vorwiegend auf die Städte, wo sie in Industrie und Handwerk arbeitet. In der Umgebung der Städte leisten die Chinesen im Gartenbau Hervorragendes. In den Aimaken Selenga, Bulgan und Zentral gibt es ebenfalls chinesische Siedlungen, die ausschließlich vom Ackerbau leben. Das chinesische Element in der Arbeiterschaft der MVR ist zahlenmäßig so stark, daß innerhalb der mongolischen Gewerkschaftsorganisation eine eigene chinesische Sektion gebildet wurde und sich die Herausgabe einer chinesischen Zeitung rechtfertigt (117/178).

Die Zahl der Russen setzt sich nicht nur aus Personen zusammen, die als Fachleute und Berater bei den Regierungsstellen und in der Industrie tätig sind, sondern auch aus bäuerlichen Siedlern, die sich vor allem in den Aimaken Selenga, Chubsugul und Zentral schon vor vielen Jahren niedergelassen haben. Für 1921 wird die Zahl der Russen mit 5000, für 1930 ungefähr mit 30 000 angenommen (117/179). Inzwischen können jedoch wesentliche Verschiebungen eingetreten sein. Eine Gesamtzahl anzugeben, ist nicht möglich. Es kann aber als sicher angesehen werden, daß die Russen nach den Chinesen unter der fremden Bevölkerung den zweiten Platz einnehmen.

Zahl und Verteilung

Über die Zahl der Bevölkerung in der MVR finden sich in der Literatur oft sehr unterschiedliche und einander widersprechende Angaben. So stellt z. B. *Fritters* (69/10 u. 11) Ziffern zusammen, die zwischen 850 000 und 2 078 000 liegen. Zumeist sind derartige Angaben darauf zurückzuführen, daß man die Quellen nicht kritisch würdigte oder sich nicht um andere bemühte. Bedauerlich ist in diesem Zusammenhang, daß die Regierung der MVR keine Bevölkerungszahlen bekanntgibt, obgleich selbst die Sowjetunion schon seit 1956 die Methode der Geheimhaltung absoluter Zahlen über Bevölkerung und Wirtschaft aufgegeben hat. Verschiedene direkte Anfragen des Verfassers in Ulan-Bator blieben erfolglos, während man in anderen Fragen der Wissenschaft freundliche Antwort erhielt. So bleibt nichts anderes übrig, als auf Grund verschiedenster Quellen die Bevölkerungszahl zu ermitteln, soweit dieses eben möglich ist.

Wenn wir von allen älteren und neueren und nur auf allgemeinen Schätzungen beruhenden Angaben absehen, die allein schon auf Grund ihrer Methode einen recht fragwürdigen Charakter haben, so ist an erster Stelle hier *J. M. Majskij* zu nennen, dem es gelang, über die Volkszählung von 1918 genaueres Material zu erhalten. Er gibt die Gesamtzahl der Bevölkerung für 1918 mit 647 504 an, worunter 542 504 Mongolen gezählt wurden (= 83,7 Prozent). Doch bemerkt der Verfasser selbst, daß die Ungenauigkeit der mongolischen Statistik Fehler in den Grenzen von 20 000 bis 30 000 zuläßt (164/16). Die Veröffentlichungen der letzten Jahre bis 1956 bringen keine genauen Ziffern, sondern geben sich mit der allgemeinen Angabe „etwa eine Million" zufrieden. Zwischen diesen beiden Ziffern liegt die Entwicklung der Bevölkerung bis zur Gegenwart, wobei — beginnend mit *Majskij* — über den Stand der Bevölkerung in einzelnen Jahren noch die folgenden Angaben gemacht werden können:

Jahr	Bevölkerungszahl	Quelle
1918	647 504	Majskij 1921, S. 16
1925	651 700	BSE, Bd. 18, 1954, S. 206
1934	720 000	Maslennikow 1951, S. 5
1935	738 000	BSE, Bd. 18, 1954, S. 206
1939	726 400	Denissow 1946, S. 188
1940	797 100	Perlin 1941, S. 39
1944	759 000	BSE, Bd. 18, 1954, S. 206
1944	759 000	Denissow 1946, S. 11

Vorstehende Ziffern sind allgemein als die maßgebenden anzusehen, nur *Perlin* fällt etwas aus der Reihe. Er erhält seine Gesamtsumme von 797 100 zwar aus der Addition der Bewohner der damals vorhandenen 13 Aimake, deren Bevölkerungszahlen er einzeln aufführt. Aber seine Zahlen sind vielleicht doch zu optimistisch, wie seine Arbeit insgesamt einen mehr propagandistischen Charakter hat. *Denissow* dagegen ist als Kenner der Mongolei anzusprechen. Seine Untersuchungen über die mongolische Viehzucht führte er im Auftrag der Regierung der MVR durch, die ihm auch alle Unterlagen zur Verfügung stellte. Alle Angaben in seinem sehr interessanten Buch, das mit einem Vorwort des mongolischen Ministers für die Viehzucht ausgezeichnet wurde, sind als offiziell anzusehen. Damit könnte man die Bevölkerungszahl für 1944 mit 759 000 als richtig annehmen.

Eine Analyse der vorstehenden Reihe ergibt, wenn wir von der Angabe *Perlins* absehen, eine im allgemeinen ansteigende Bevölkerungszahl, allerdings vermindert sich der Zunahmequotient allmählich:

1925—1935	647 504—738 000	Zunahme 13,2%
1935—1944	738 000—759 000	Zunahme 2,9%

Obgleich die Zeitspanne von 1935 bis 1944 um ein Jahr kürzer ist, erscheint die relativ geringe Zunahme im zweiten Zeitabschnitt doch auffällig. Diese Tatsache wird in etwa durch das Ergebnis der Volkszählung von 1937, über die wie über die vorhergehende von 1932 jedoch keine absoluten Ziffern veröffentlicht sind, bestätigt. In der Zeit von 1933 bis 1937 nahm die Bevölkerung der MVR um 2,4 Prozent zu, d. h. sie vermehrte sich jährlich im Mittel um 0,48 Prozent (260/258).

Für die Weiterentwicklung der Bevölkerung seit 1944 stehen uns in der Wahlstatistik nur Anhaltspunkte zur Verfügung, die aber eine weitere Verwirrung verursachen:

Tag der Wahl bzw. Abstimmung	Registrierte Wahlberechtigte	Abgegebene Stimmen	Quelle
22. 10. 1945	494 960	487 409	(6/60 u. 61)
10. 6. 1951	489 422	489 031	(177/36)
13. 6. 1954	494 970	494 723	Iswestija 17. 6. 54
16. 6. 1957	509 526	509 494	Mong. Sonin 22. 6. 57

Aus vorstehender Tabelle ist ersichtlich, daß zwar die Zahl der abgegebenen Stimmen einen leichten Anstieg zeigt, daß aber die Zahl der Wahlberechtigten von 1945 bis 1954 einen fast gleichbleibenden Stand und erst von 1954 bis 1957 einen Anstieg um rund 14 500 aufweist. Nun könnte man einwenden, daß die Wahlstatistik als Richtlinie für die Bevölkerungsentwicklung ungeeignet ist, da nach der Verfassung durch Gerichtsurteil gewissen Personen das Wahlrecht entzogen werden kann. Anfangs war dieser Personenkreis größer. *Perlin* (226/34) umschreibt ihn aus der Zeit vor 1940, wie folgt: Händler, Wucherer, ehemalige Fürsten, alle Lamas, die in Klöstern leben und nicht arbeiten, Geisteskranke und Fremde. Inzwischen hat sich die Lage jedoch vollkommen geändert. Im November 1944 wurde durch ein Gesetz allen Personen (Feudalen u. a.), denen früher das Wahlrecht entzogen war, dieses wieder zugestanden, so daß die registrierten Wahlberechtigten als normaler Bestand angesehen werden können.*) Es ergibt sich also aus der Wahlstatistik eine nur sehr geringe Bevölkerungszunahme, die relativ noch unter der des Zeitraums von 1935 bis 1944 liegt. Merkwürdig ist der Tiefstand der Wahlberechtigten von 1951.

Einen Anhaltspunkt für den absoluten Bevölkerungsstand ergeben die Wahlen von 1954 und 1957. Bei der ersteren wurden lt. Verfassung auf je 2500 der Bevölkerung ein Abgeordneter gewählt, insgesamt waren es 295 (162/36). Nach einem Beschluß des Großen Volkschural vom 7. April 1957 wurde der betreffende Paragraph (§ 14) insofern geändert, als nun auf je 3500 Einwohner ein Abgeordneter entfällt. Die letzte Wahl wurde bereits auf dieser Grundlage durchgeführt und ergab 233 Abgeordnete (Mong. Sonin 22. 6. 1957). Im Rechenergebnis zeigt sich folgendes Bild:

Wahltag	Zahl der gewähl-ten Abgeordneten	Bevölkerungzahl
13. 6. 1954	295	737 500
16. 6. 1957	233	815 500

Damit würde sich für den vorgenannten Zeitraum von 1954 bis 1957 ein außerordentlich hohes Wachstum ergeben, was allerdings voraussetzt, daß die Bevölkerung von 1944 mit 759 000 bis 1954 auf 737 000 abgesunken ist.

Die vorgenannten Zahlen betreffen natürlich nur die einheimische Bevölkerung, nicht aber die Fremden, zu denen die Chinesen und die Sowjetrussen gehören, auf die schon früher hingewiesen wurde, für deren Erfassung aber keinerlei Nachrichten vorliegen. Schätzungsweise kann man darum mit einer Gesamtbevölkerung der MVR von etwa einer Million rechnen.

Die allgemeine Bevölkerungsdichte in der MVR ist sehr gering. Sie betrug 1944 nach den letzten amtlichen Angaben nur 0,52 Menschen je qkm und dürfte heute etwa bei 0,6 liegen, so daß im Landesdurchschnitt auf 10 qkm nur 6 Menschen entfallen.

Die tatsächliche Verteilung der Bevölkerung zeigt jedoch beachtliche Unterschiede. Als besonderer Schwerpunkt tritt uns hier der Stadtbezirk der Landeshauptstadt Ulan-Bator entgegen. Schon 1944 waren dort rund 10 Prozent der Gesamtbevölkerung der MVR vereinigt. Inzwischen hat sich der Anteil noch erhöht. Bei der letzten Wahl am 16. Juni 1957 entfielen auf den Stadtbezirk 13,7 Prozent aller Wahlberechtigten.

Innerhalb der Aimake steht Nord-Changai mit einer Dichte, die das Landesmittel um das Doppelte übertrifft, weitaus an der Spitze. Umgeben

*) Die Begründung dieses Gesetzes lautet (260/284), daß „a) Personen, denen das Wahlrecht aberkannt war, jetzt keine im Widerspruch zur volksdemoktratischen Ordnung stehende organisatorische Kraft mehr darstellen und keine Bedrohung ihrer Existenz bedeuten, um so mehr, als ihre Zahl unbedeutend ist und 0,08 Prozent der Gesamtbevölkerung der MVR beträgt; b) sich die überwiegende Mehrheit der Personen ohne Wahlrecht mehr als zehn Jahre hindurch mit gemeinnütziger Arbeit befassen und faktisch Werktätige geworden sind."

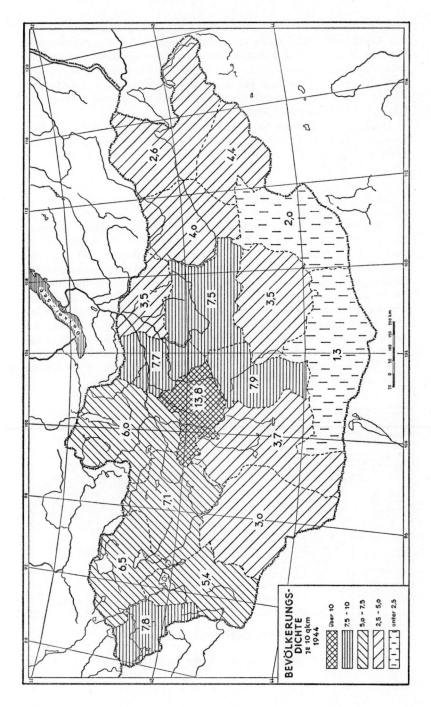

BEVÖLKERUNGS-
DICHTE
JE 10 qkm
1944

über 10
7,5 - 10
5,0 - 7,5
2,5 - 5,0
unter 2,5

13*

von den Aimaken Bulgan, Zentral, Süd-Changai und Dsabchan, die alle eine Dichte von über 7 Menschen je qkm haben, bildet er den Siedlungskern der MVR. Über den Aimak Usba-Nur zieht sich dann eine Dichtezone zum Aimak Bajan-Ulegei, wo sich eine betont stärkere Dichte zeigt. Auch der Aimak Chubsugul gehört zu den dichter bewohnten Gebieten, die sich also vom Nordwestteil des Mongolischen Altai über das ganze Changai-Gebiet bis zum Chentei hinzieht.

Alle übrigen Gegenden liegen mit ihrer Bevölkerungsdichte unter dem Landesdurchschnitt. Die geringste Dichte findet sich in den Aimaken Süd-Gobi mit 1,3 und Ost-Gobi mit 2,0 Menschen auf 10 qkm. Auch der Ostzipfel der MVR, der Aimak Tschoibalsan, besitzt nur 2,6 Menschen je 10 qkm.

Die dieser Arbeit beigegebene Karte der Bevölkerungsverteilung unterrichtet über die Dichte in den einzelnen Aimaken. Leider konnte sie nur auf der Grundlage der Angaben für das Jahr 1944 zusammengestellt werden. Die Entwicklung bis zur Gegenwart läßt sich jedoch im allgemeinen verfolgen. Sie zeigt einmal einen Zustrom der Bevölkerung zu den größeren Orten, was durch Angaben über das Wachstum einzelner städtischer Siedlungen belegt werden kann. Ein auffallender Anziehungspunkt ist hierbei die Landeshauptstadt selbst. Wenn in die verschiedenen Orte auch nur einige tausend Menschen zugezogen sind — Ulan-Bator hat 1944 bis 1954 einen Zuzug aus dem Lande von mindestens 40 000 Menschen zu verzeichnen — so ergibt sich, daß der Zuwachs der Bevölkerung in erster Linie den größeren Orten zugute kam, während die Bevölkerung des flachen Landes sowohl in ihrer absoluten Höhe als auch in der Dichte keine oder nur eine sehr geringe Veränderung erfahren hat.

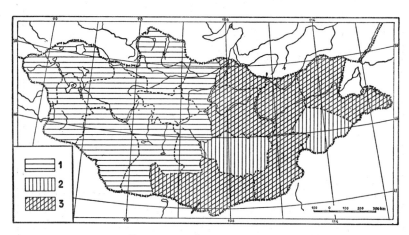

Bevölkerungsverlagerung in der MVR

1 Verringerung, 2 Konstanz, 3 Vergrößerung des Bevölkerungsanteils 1944 bis 1957

Ein interessantes Ergebnis als Hinweis auf eine gewisse Binnenwanderung bzw. Schwerpunktverlagerung innerhalb der MVR zeigt der Vergleich des Anteils der einzelnen Aimake an der Gesamtbevölkerung der MVR 1944 mit dem Anteil der Wahlberechtigten in den einzelnen Aimaken an der Gesamtwählerschaft der MVR im Juni 1957. Wenn die beiden Vergleichsgrößen auch keine exakte Grundlage zu einer Auswertung bieten, so geben sie doch eine Andeutung in die Richtung der Entwicklung, wie sie sich zwischen 1944 und 1957 vollzogen hat. Der Vergleich zeigt, daß das ganze Gebiet der MVR westlich der Aimake Selenga, Zentral, Mittel- und Süd-Gobi seinem Bevölkerungsanteil nach abgenommen hat, wobei die Verluste zwischen 0,1 Prozent (Gobi-Altai) und 1,8 Prozent (Dsabchan) schwanken, abgesehen vom letzteren jedoch unter 1 Prozent liegen. Von allen Aimaken östlich der vorgenannten Grenzlinie sind im Anteil nur Mittel-Gobi und Suche-Bator gleichgeblieben, alle anderen dagegen haben ihren Anteil erhöht, wobei der Zuwachs zwischen 0,2 Prozent (Süd-Gobi) und 3,7 Prozent (Ulan-Bator) liegt. Man könnte versucht sein, eine weitergehende Analyse durchzuführen, insbesondere auch den Einfluß der Bahnbauten zu untersuchen, der unzweifelhaft besteht. Ein solches Unterfangen würde aber vielleicht doch die sichere Grundlage verlassen. Jedenfalls kann aber gesagt werden, daß der Anteil der Bewohner an der Gesamtbevölkerung der MVR zwischen 1944 und 1957 im Westen gesunken, im Osten dagegen gestiegen ist.

Wohnung und Lebensweise

Die Wohn- und Lebensweise der Menschen in der Mongolei wird weit mehr durch die Natur als durch historische und ethnische Momente bestimmt. Die materielle Kultur entspricht der wirtschaftlichen Betätigung und ist durch sie geformt worden.

Als Wohnstätte dient dem viehzüchtenden Nomaden die runde Filzjurte, eine auf uralter Erfahrung beruhende Erfindung primitiver Völker, die in der gleichen Form allen Nomadenvölkern Zentralasiens gemeinsam ist. Das Grundgerüst der Jurte bilden Stangen aus Weiden- oder Pappelholz, die über einem kreisförmigen Grundriß scherenartig zu einer fast senkrechten Wand verflochten sind und über dem Innenraum kuppelförmig zusammengebogen und oben durch eine Art Radkranz gehalten werden. Dieses Gerüst wird mit abgepaßten Filzdecken belegt, und zwar so, daß nur eine Öffnung für die Tür und oben ein Abzug für den Rauch freibleiben. Feste Stricke und Lederriemen werden um die Jurte gewunden und über das Dach gezogen und geben dem Ganzen einen festen Halt. Im Sommer werden die Jurten etwas leichter und luftiger, im Winter dichter bedeckt und fester gebaut. Die Größe der Jurte ist je nach dem Wohlstand der Eigentümer verschieden. Manche Familien besitzen auch mehrere Jurten. Gewöhnlich hat der Grundriß einen Durchmesser von 5 bis 6 m, die Höhe beträgt in der Mitte bis zu 3 m. Der Eingang wird durch einen festen, mit vielen Ornamenten geschmückten Teppich verdeckt, der beim Eintreten angehoben wird, im Sommer tagsüber vielfach über dem

Eingang zusammengerollt bleibt. Zahlreich sind heute auch hölzerne Türen, die sich früher nur reiche Mongolen leisten konnten. Sie bestehen aus einem Holzrahmen, der mit der Jurtenwand und -decke fest verbunden ist, und haben zumeist mit Blumenmustern bunt bemalte Füllungen, wobei die blaue und rote Farbe vorherrscht. Manchmal sind sie zweiflügelig. Das Aufstellen und Abbrechen einer solchen Jurte dauert kaum mehr als eine Stunde. Das zerlegte Gerüst, die Filzdecken und das übrige Gerät werden beim Standortwechsel auf Karren und Tragtiere geladen und zum nächsten Wohnplatz befördert.

Im Innern der Jurte befindet sich gegenüber dem Eingang der Ehrenplatz für den Hausherrn und seine Gäste, rechts die Frauenseite mit dem Hausrat und links das Inventar für die Viehhaltung: Zaumzeug, Sättel und anderes. Im kalten Frühjahr werden hier auch neugeborene Schaf- und Ziegenlämmer untergebracht, wenn für diesen Zweck nicht eine besondere Jurte zur Verfügung steht. Den Boden der Jurte bedecken zum Teil Filze und Teppiche. In der Mitte ist die mit Steinen ausgelegte Feuerstelle, auf der ein Dreifuß steht. Der Rauch zieht durch die Öffnung in der Mitte der Decke ab, die bei Regen oder im Winter durch eine darübergezogene Filzdecke verschlossen werden kann. Im Sommer wird die Feuerstelle außerhalb der Jurte angelegt. In neuerer Zeit wird das zwar romantische, aber die Jurte verrußende und die Augen beizende offene Feuer durch einen runden eisernen Ofen ersetzt, dessen Rohr über das Jurtendach hinausragt. Auch der Gebrauch von festem Segeltuch hat sich hier und da eingebürgert. Die Planen werden über den weniger wasserdichten Filz des Daches gezogen, im heißen Sommer auch manchmal ganz ohne Filz als Dach verwendet. In der Nähe der Städte, selbst in Vororten von Ulan-Bator, kann man sehr viele Jurten antreffen, die als Dauerwohnung dienen, einen festen Boden und auch einen gemauerten Ofen besitzen. Es ist in solchen Fällen kein seltener Anblick, wenn neben der Jurte ein Antennenmast aufragt und das Innere durch elektrisches Licht erhellt wird. Selbst bei modernen Krankenhäusern kann man in den Gärten oder Höfen auf Jurten stoßen, da ihre Inhaber als Patienten das Wohnen in der Jurte dem Aufenthalt im festen Haus vorziehen. Die Arbeiterwohnungen bei den Kohlengruben von Nalaicha bilden überwiegend eine Jurtensiedlung.

Der Hausrat der nomadisierenden Araten ist nicht sehr mannigfaltig, sondern auf das Notwendigste beschränkt. Jede Familie besitzt einen eisernen Kessel, in dem das Essen gekocht, die Milch gesotten und auch der Tee bereitet wird. Gewöhnlich sind dann noch Holz- oder Emailleeimer und metallene Schöpfkellen mit Holzgriff vorhanden. Zur Käseherstellung werden flache hölzerne Mulden, Bottiche und Trockenbretter gebraucht. Ein hölzerner Mörser dient zum Zerstampfen von Getreidekörnern oder Ziegeltee. Die henkellosen Trinkschalen sind aus Holz, Ton oder Porzellan. Kleidung, Schmuck und sonstige Wertgegenstände werden in farbigen, meist mit prachtvollen Beschlägen versehenen hölzernen Truhen aufbewahrt, die an den Wänden stehen. Mit Fellen oder

Teppichen belegt, dienen sie als Sitzgelegenheiten. Eine Buddhafigur aus Ton macht die Truhe zum Hausaltar. Zum Schlafen werden Felle und Wolldecken auf dem Boden ausgebreitet. Unentbehrlich sind als Hausrat eiserne Zangen zum Anlegen des Feuers. Als Brennmaterial wird zumeist der „Argol", d. h. der an der Luft getrocknete Tierdünger verwendet. Zum Aufsammeln desselben und zum Abheben von der Erde sind überall lange hölzerne Gabeln gebräuchlich. In geflochtenen Körben wird der Argol zur Jurte geschafft. In den wasserarmen Gegenden wird das Trinkwasser in einer auf einem Karren befestigten Tonne herbeigebracht. Zur Aufbewahrung der Milch in allen Formen dienen Ledersäcke, die zumeist aus Ziegenhäuten hergestellt sind und an Pfählen außerhalb der Jurte oder in ihrem Inneren am Gestänge aufgehängt werden. Fett wird in Tierblasen aufbewahrt.

In der Kleidung der Nomaden hat sich in den letzten Jahres manches verändert. Wenn auch der bis fast zu den Knöcheln reichende und mit langen, breiten Ärmeln ausgestattete Überrock bei Männern und Frauen noch üblich ist, so hat sich überall der Filzhut eingebürgert, der in den unmöglichsten Formen getragen wird. Als Fußbekleidung für den Winter haben die praktischen russischen Filzstiefel, die bekannten „Walenki", die alte eigene Schuhform der Mongolen verdrängt. Nur im Sommer werden noch die kniehohen, aus weichem Leder hergestellten Stiefel getragen. Die Frauen flechten ihr Haar in lange Zöpfe, vielfach haben sich auch bunte Kopftücher verbreitet. Der prächtige Kopf- und Haarschmuck der Frauen wird nur gelegentlich bei Festen getragen. In den Städten führt sich immer mehr europäische Kleidung ein, zumeist in der Form von Arbeitsanzügen, und häufig sieht man die unschöne Klapp- oder Schirmmütze. Nur bei Volksfesten wird die alte traditionelle Kleidung angelegt, und es sind gerade die Jugendorganisationen, die dann in farbenfrohen Gewändern aufmarschieren, ihre Tänze und Spiele zeigen und sich der Pflege des mongolischen Volkstums und alter Tradition widmen.

Die Nahrung der Mongolen unterscheidet sich wenig von der anderer Nomaden Zentralasiens. Sie besteht vor allem aus Milchprodukten, Tee und Fleisch. In der warmen Jahreszeit stehen Milcherzeugnisse im Vordergrund der Ernährung. Die Milch wird in den verschiedensten Formen genossen, vor allem sauer und auch abgekocht, wobei das sich im letzten Fall auf der Milch bildende Häutchen als Leckerbissen gilt. Man versteht es, verschiedene Käsearten herzustellen und auch die Quarkmasse zu verwenden. Beide werden in trockenem Zustand auch für den Winter aufbewahrt. Daneben spielen saure Sahne und auch Butter eine bedeutende Rolle. In den Monaten Juni und Juli, wenn die Stuten gefohlt haben, tritt die Stutenmilch in den Vordergrund. Gegorene Stutenmilch, von den Mongolen „Airak" genannt, ist das bevorzugte Getränk. Auch aus saurer Milch wird ein alkoholhaltiges Getränk bereitet. Der Alkoholgehalt bei beiden ist nicht groß, erzeugt aber beim Genuß größerer Mengen doch einen Rausch.

Der Tee ist das beliebteste und tägliche Getränk der Mongolen. Nach der Art seiner Zubereitung ist er aber mehr eine Suppe als ein Trank. Die Mongolen verwenden den groben, in Platten gepreßten Tee, den sie für den besten halten. Er wird in einem Mörser zerstampft und dann aufgekocht. Hierauf werden Milch, Salz und Hammelfett dazugegeben, manchmal auch Fleischstückchen hineingeschnitten. Das macht den Tee nahrhaft und sättigend. Aus alter Erfahrung trinkt der Mongole fast nie Wasser, aber Tee zu jeder Tageszeit. Der ankommende Gast wird mit diesem Getränk begrüßt, und zum Abschied erhält er es ebenfalls.

In der kalten Jahreszeit tritt Fleisch als Hauptnahrungsmittel in den Vordergrund. Im Sommer werden von den Nomaden nur selten Tiere geschlachtet, es sei denn, daß Gäste zu bewirten sind. Der Hauptgrund dafür liegt darin, daß im Sommer einmal genügend Milch anfällt und die Erhaltung des frischen Fleisches kaum möglich ist. Selten nur wird Fleisch in Streifen geschnitten und getrocknet. Im Winter dagegen kann das Fleisch, in rohem Zustand gefroren, lange Zeit aufbewahrt werden. Darum beginnt das Schlachten der Tiere mit dem eintretenden Frost. Zu dieser Zeit ist das Vieh vom sommerlichen Weidegang aufgefüttert und hat Fett angesetzt. Hammelfleisch wird jeder anderen Fleischart vorgezogen. Ziegenfleisch nimmt den letzten Platz ein. Der Mongole brät das Fleisch höchst selten. In der Regel wird es in kleine Stücke geschnitten und in wenig Wasser ungesalzen gekocht.

Über die Fleischmengen, die von den Mongolen verbraucht werden, sind sehr unterschiedliche Meinungen in der Literatur vertreten. Darum sei hier kurz auf diese Frage eingegangen. *N. I. Denissow* (60) hat auf Grund amtlicher Unterlagen aus den Jahren 1937 bis 1940 und 1943 bis 1945 eingehende Untersuchungen angestellt und kommt zu dem Ergebnis, daß der Fleischverbrauch der mongolischen Bevölkerung außergewöhnlich hoch ist. Für das Jahr 1939 errechnete er einen Verbrauch pro Kopf von 141,2 kg und für 1945 einen solchen von 147,3 kg. Auch in den übrigen Jahren lag der Verbrauch etwa um 140 kg. Somit würde die MVR im Fleischverbrauch an der Spitze aller Länder der Erde stehen. Bei den nomadisierenden Araten ist der Verbrauch sogar noch höher als in den Städten, wo er auch schon relativ große Mengen erreicht. Selbst in den Notzeiten des zweiten Weltkrieges, als man gezwungen war, in Ulan-Bator das Kartensystem für die Versorgung der Bevölkerung einzuführen, betrug die Ration, die den staatlichen Angestellten und Arbeitern zugeteilt wurde, je nach der Kategorie noch 15, 18 oder 21 kg pro Monat (60/187).

Zu der vorgenannten eigentlichen Nahrung des Nomaden, die noch durch Gerste und gelegentlich auch Hirse ergänzt wird, treten in neuerer Zeit immer stärker auch Mehl und andere Getreideprodukte. So werden Nudeln oder Graupen, ebenso Grütze in dicker Brühe mit Fleisch sehr gern gegessen. Auch das russische Brot aus den Städten ist sehr beliebt. Aus Mehl stellen die Mongolen selbst in Butter gebackene Kekse und Plätzchen her. Süßigkeiten haben sich in den letzten Jahren stark verbreitet. Früher kannte man nur getrocknete Früchte, die jetzt wieder aus China importiert werden.

Die Ernährung in den Städten ist wesentlich vielgestaltiger. Die Speisehäuser, Brotfabriken, Konditoreien und Metzgereien sorgen dafür, daß die europäische Art der Ernährung sich hier immer mehr in den Vordergrund schiebt.

Dieser Abschnitt über die Lebensweise der Mongolen sei nicht abgeschlossen, ohne daß auf einige wesentliche Merkmale ihres Charakters eingegangen wird. Sie sind ein ehrliches, gutmütiges und wissensdurstiges Volk. Hervorzuheben ist vor allem ihre außergewöhnliche Gastfreundschaft. Es fällt dem Fremden oft schwer, wenn er auf eine Gruppe von Jurten trifft, sich für die Einladung in eine derselben zu entscheiden. Er muß dann bestimmt auch die anderen besuchen und wird überall bewirtet mit dem Besten, was die Mongolen zu bieten haben. Man kann lange in der Mongolei reisen, ohne daß es notwendig ist, Lebensmittel mitzuführen. Die Sehnsucht des einsamen Menschen in der weiten Leere des Landes kommt hier zum Ausdruck und sieht in jedem Fremden den Boten aus einer anderen Welt.

Volksgesundheit und Volksvermehrung

Die geringe Vermehrung des mongolischen Volkes ist eine Tatsache, auf die schon mehrfach hingewiesen wurde. Wenn sich in den letzten Jahrzehnten eine langsame Wandlung anbahnt, so würde dies einen Wendepunkt in der Existenz der Mongolen bedeuten. Nach dem Urteil zahlreicher Forscher aus der Zeit um den ersten Weltkrieg war die Volkszahl zumindestens stagnierend, wenn nicht sogar in der Abnahme begriffen. Neben den ungünstigen sozialen Umständen waren hierfür in erster Linie die schlechten hygienischen Verhältnisse verantwortlich. Die chronische Unsauberkeit leistete der Verbreitung von Seuchen weitgehend Vorschub, da die Mongolen zum Teil als Folge des Klimas wie auch der Wasserarmut eine körperliche Reinigung nur sehr selten vornehmen. So konnten Typhus, Schwarze Pocken, Beulen- und Lungenpest sich dezimierend auf den mongolischen Volkskörper auswirken. Vor allem aber waren es venerische Krankheiten, insbesondere die Lues, die durch die freie Eheauffassung und das nichtbefolgte Keuschheitsgelübde der umherziehenden Lamas eine weite Verbreitung fand und geradezu als die Volksseuche der Mongolen bezeichnet werden muß. Nach dem Japan Manchoukuo Yearbook 1938 (S. 893) wurden 1938 von 3274 Menschen, die sich bei den öffentlichen japanischen Arztstellen im mongolischen Chingan-Gebiet zur Behandlung meldeten, 3060 als mit Geschlechtskrankheiten behaftet festgestellt. Als Folge ergab sich eine geringe Kinderzahl eine hohe Kindersterblichkeit. Der Schwede *Larson*, der rund 35 Jahre in der Mongolei verbrachte und den man als hervorragenden Kenner der Verhältnisse wohl zitieren darf, schreibt: „Die mongolischen Familien sind klein und oft kinderlos. Mehr als ein oder zwei Kinder sind selten, in einigen sehr seltenen Fällen findet man bis zu fünf Kindern" (142/98). Dabei werden, wie *Larson* weiter mitteilt, Kinder geschätzt und im ganzen Lande willkommen geheißen. In drei Choschunen der Mongolei starben nach russischen Feststellungen im Jahre 1914 48 Prozent aller lebendgeborenen Kinder, bevor sie drei Jahre alt wurden. Eine medizinische Untersuchung in der heutigen MVR ergab für das Jahr 1928, daß 44,5 Prozent aller Kinder vor Vollendung des dritten Lebensjahres starben, daß 31 Prozent aller Frauen zwischen dem 18. und 35. Lebensjahr noch keine Kinder hatten und daß rund ein Drittel aller Geburten Totgeburten waren (297/244).

Gegen alle diese Schädigungen der Volksgesundheit gab es bis in die jüngste Vergangenheit keine ärztliche Hilfe in modernem Sinne. Lediglich die Kunst der lamaistischen Mönche, die auf tibetanischen Medizinkenntnissen fußte und zu einem Teil mit Beschwörungsformeln verbunden war, wurde in ernsten Fällen in Anspruch genommen. Die größtenteils aus Kräutern und zerstampften Tierresten hergestellten Medikamente erwiesen sich nach wissenschaftlichen Untersuchungen russischer Ärzte in den meisten Fällen als erfolglos, manchmal sogar als schädlich.

Ein weiteres Hindernis für die Volksvermehrung war die große Zahl der lamaistischen Mönche, denen Ehelosigkeit und Keuschheit vorgeschrieben war. Nach *Maiskij* gab es 1918 im Raum der heutigen MVR 105 577 Mönche, d. h. 44 Prozent der männlichen Bevölkerung. Die Zahl der Mönche kam der Zahl der Aratenwirtschaften, deren es damals 125 000 gab, nahe. 1925 betrug die Zahl der Lamas 87 300 und erhöhte sich bis 1928 auf 94 900. Von diesen lebte nur ein Teil in den Klöstern, der Hauptteil wanderte, gelegentlich arbeitend oder Hilfe leistend, im Lande umher und fiel den Aratenwirtschaften zur Last, die die Mönche unentgeltlich aufnehmen und unterhalten mußten. Jede Mongolenfamilie war verpflichtet und auch bestrebt, einen Sohn Lama werden zu lassen. Das konnte sich natürlich nur unheilvoll auf die Volksvermehrung auswirken. Es ist darum nicht ungerechtfertigt, wenn die Japaner, die sich in der Zeit der Besetzung der Mandschurei und auch späterhin der Mongolen sehr angenommen haben, zu dem harten Urteil kamen, daß die Syphilis und die Lamas die größten Feinde des mongolischen Volkes seien.

1923 entsandte die Sowjetunion auf Ersuchen der MVR eine Expedition zur Erforschung der Gesundheitsverhältnisse nach der Mongolei. 1926 wurde in Ulan-Bator das erste Krankenhaus, 1928 die erste Apotheke eröffnet, und damit begann ein systematischer Kampf gegen die Volkskrankheiten. Die Behandlung venerischer Krankheiten wurde zur Pflicht gemacht. Gleichzeitig nahm man sich der werdenden Mütter an und errichtete Konsultationspunkte und Entbindungsstätten. 1953 gab es bereits 53 Krankenhäuser, 444 Arzt- und Feldscherpunkte, mehr als 60 Apotheken und 63 Entbindunghäuser. 1952 entfielen auf einen Arzt 4120 Personen, 1956 nur noch 2400 (Mong. Sonin 6. 4. 1957). In den ersten Jahren waren viele sowjetische Ärzte tätig. Mit dem Abschluß ihrer Ausbildung rückten aber immer mehr Mongolen an ihre Stelle. Von größter Bedeutung war die Gründung eines bakteriologischen und eines serologischen Institutes, das beim Ausbruch von Epidemien in der Lage war, mit Hilfe von Flugzeugen auch die entferntesten Gegenden auf dem schnellsten Wege mit Medikamenten und Abwehrmitteln zu versorgen. Alle diese Maßnahmen konnten sich nur langsam auswirken, wobei oft mannigfache psychologische Hemmungen der mißtrauischen Mongolen überwunden werden mußten.

Maßnahmen gegen das lamaistische Mönchswesen wurden erst sehr spät und zögernd getroffen. In den ersten Jahren der Existenz der MVR konnte, wie schon gesagt wurde, nicht einmal das Anwachsen der Zahl der Lamas verhindert werden. Die Maßnahmen der „Linken" in den Jahren 1929 bis 1932 richteten sich mehr gegen die weltlichen Fürsten. Die endgültige Beseitigung der Klöster fällt in die Jahre 1937 und 1938. Anfänge der Überführung der Lamas, zumindest der unteren Grade, reichen weiter zurück, die volle Überführung begann erst 1937 und setzte sich in den folgenden Jahren fort. Zahlreiche Lamas gründeten dann eigene Familien, und so ergaben sich weitere Quellen des Wachstums der Volkszahl. Die Möglichkeit der Heirat war den ehemaligen Mönchen wohl gegeben, denn der Anteil der weiblichen Bevölkerung übertrifft den der männlichen in der MVR.

Zusammenfassend kann gesagt werden, daß alle vorgeschilderten Maßnahmen dazu geführt haben, daß die Geburtenhäufigkeit zunimmt und vor allem die Kindersterblichkeit zurückgeht. Hierüber liegen zahlreiche Einzelmeldungen vor, wenn sie auch nur gelegentlich zahlenmäßige Belege bringen. Die Geburtenziffer von 1952 erhöhte sich gegenüber 1951 um 2⁰/₀₀, während die Zahl der Todesfälle um 3⁰/₀₀ abnahm (2/353). *Jakimowa* (97/52) berichtet, daß die Geburtenzahl von 1954 sich gegenüber 1953 um 30 Prozent vergrößerte.

Volksbildung, Wissenschaft, Kultur

Bis zur Entstehung der MVR stand die allgemeine Volksbildung auf einem sehr niedrigen Niveau. Die Zahl der Mongolen, die des Lesens und Schreibens kundig waren, machte nur einen verschwindend geringen Anteil aus. Er wird mit 0,7 Prozent angegeben. In dieser Zeit gab es, abgesehen von zwei chinesischen Schulen, die nur kurze Zeit bis 1911 bestanden, eine einzige weltliche Schule, die 1915 von Russen im damaligen Urga errichtet worden war und etwa 50 Schüler zählte. Die tüchtigsten und begabtesten mongolischen Schüler wurden für eine Weiterausbildung in Rußland, zumeist in Irkutsk, ausgewählt. Zu ihnen gehörte auch der spätere Führer der Mongolen, Tschoibalsan. Im übrigen gab es fast in allen Klöstern geistliche Schulen, die sich aber ausschließlich mit den heiligen tibetanischen Texten befaßten und allem Weltlichen abhold waren.

Der Aufbau des *Schulwesens* in der MVR geht bis in das Jahr 1924 zurück. Es fehlte jedoch an Lehrern, so daß man in den Anfängen alle sonst entbehrlichen Leute einsetzte, wenn sie nur lesen und schreiben konnten. Immerhin gab es 1924 bereits 12 Grundschulen für 450 und eine Mittelschule für 80 Schüler. 1928 wurden aus der neugegründeten Lehrerbildungsanstalt zum erstenmal 100 mongolische Lehrer in ihren Beruf entlassen. Im übrigen erhielten in diesen Jahren begabte Mongolen ihre Ausbildung in der Sowjetunion, doch war es bis 1928 noch möglich, daß Mongolen zum Studium auch an Universitäten anderer Länder entsandt werden konnten. Der Anteil der Lese- und Schreibkundigen betrug 1928 nur 1,7 Prozent und erhöhte sich bis 1939 auf rund 10 Prozent (260/259). Der Aufschwung des allgemeinen Schulwesens begann erst nach 1940, nachdem sich der neue Staat konsolidiert hatte. 1952 existierten in der MVR 377 Grundschulen, 31 Siebenjahres- und 24 Zehnjahresschulen (Mittelschulen). Dazu kamen noch 16 Technika für die Berufsausbildung mittleren Grades (Technik, Bergbau, Handel und andere). Die Zahl aller Schüler in diesen Bildungsstätten erreichte im gleichen Jahr rund 80 000. Seit dem Beginn des Schuljahres 1956/57 sind 93 Prozent aller Kinder im schulpflichtigen Alter in der Ausbildung erfaßt (Mong. Sonin 6. 4. 1957). Der Anteil der Lese- und Schreibkundigen erreichte 1951 nach *Mursajew* (196/60) 87 Prozent. Dabei muß aber berücksichtigt werden, daß sich an der Ausbildung des Volkes im Lesen und Schreiben alle Organisationen lebhaft beteiligten, wie Partei, Jugendbünde, Gewerkschaften und andere. Allerdings dürften die Anforderungen an die „Literaten" nicht allzu hoch sein.

Ein besonders schweres Hindernis in der Beseitigung des Analphabetentums war die alte mongolische Schrift. Um dieses Hemmnis zu überwinden, wurde in einem Beschluß der Regierung vom 21. August 1941 als zweckmäßig erkannt, eine neue Schrift zu schaffen. Als Grundlage wurde das russische Alphabet gewählt, wobei man zwei neue Zeichen für spezifisch mongolische Laute hinzufügte. Die Einführung setzte umfangreiche Vorarbeiten voraus, wie die Ausarbeitung von Grammatiken, Wörter- und Lesebüchern und anderes. Eine beachtliche Leistung ist in diesem Zusammenhang ein russisch-mongolisches Wörterbuch mit 30 000 Wörtern. Mit Wirkung vom 1. Januar 1946 wurde das neue Alphabet allgemein als verbindlich erklärt. Es hat den Vorteil, daß es in seiner Schreibweise der lebenden Umgangssprache folgt, während bei der alten mongolischen Schrift infolge der jahrhundertelangen Weiterentwicklung der Sprache zwischen dieser und der Schrift weitgehende Unterschiede vorhanden waren.

Im Jahre 1942 wurde in Ulan-Bator eine *Universität* gegründet, die ein eigenes prächtiges Gebäude mit Hörsälen, Arbeitsräumen, Laboratorien und eine Anatomie besitzt. Die Ausstattung stammt größtenteils aus der Sowjetunion, doch haben auch andere Staaten der Volksdemokratien durch Geschenke und Stiftungen geholfen. Die Universität besitzt fünf Fakultäten mit 32 Lehrstühlen. 80 Prozent der Lehrenden sind Mongolen. 1951 betrug die Zahl der Studierenden 1000, gegenwärtig dürften es etwa 2300 sein. Über die Leistung der Universität wird berichtet (Mong. Sonin 6. 4. 1957), daß sie im zweiten Fünfjahresplan bis einschließlich 1956 insgesamt 1195 Spezialisten für höhere Berufe ausgebildet hat, nämlich 766 Lehrer, 269 Ärzte, 115 Veterinäre, 26 Zootechniker und 19 Wirtschaftler. 1947 gab es in der MVR 380 Menschen mit höherer Bildung, 1954 waren es 2165 (162/28). 1957 sollen der Universität eine chemisch-biologische und eine gesellschaftswissenschaftliche Fakultät sowie eine Abteilung für Erdkunde angegliedert werden.

Von hohem wissenschaftlichen Rang ist neben der Universität das *Komitee der Wissenschaften* der MVR, das in enger Zusammenarbeit mit der Akademie der Wissenschaften der Sowjetunion steht und nach Organisation und Aufgabe eine Art Akademie darstellt. 1954 bestand das Komitee aus sechs Klassen: Landwirtschaft, Viehzucht, Geographie, Geologie, Geschichte, Sprache und Literatur. Ihm obliegen in erster Linie Forschungsaufgaben, wobei gemeinsam mit sowjetischen Gelehrten zahlreiche Expeditionen mit Spezialaufgaben unternommen wurden, über die wertvolle Ergebnisse veröffentlicht sind. Bei der Einführung des russischen Alphabets hatte das Komitee den Hauptteil der Vorarbeit zu leisten. Wertvoll sind auch seine geologischen und geographischen Forschungen, ebenso diese im Bereich der Pflanzen- und Tierkunde. Auch der Aufbau meteorologischer Stationen geht auf das Komitee zurück. Es muß hierbei anerkannt werden, daß heute schon junge mongolische Wissenschaftler in der Erforschung ihrer Heimat in den Vordergrund treten und vorzügliche Arbeit leisten, wie verschiedene Veröffentlichungen der jüngsten Zeit es beweisen.

Die *Staatsbibliothek* in Ulan-Bator, seit 1921 bestehend, hat bereits 200 000 Bände aufzuweisen und zeichnet sich durch eine Sammlung wertvoller alter Handschriften aus. Im *Landesmuseum* sind wertvolle Schätze nicht nur der Mongolei, sondern ganz Zentralasiens zusammengetragen.

Der allgemeinen Volksbildung dienen mehr als 30 Bibliotheken. Auf parteipolitische Erziehung und Ausbildung eingestellt sind die Klubs und Roten Ecken (hier Jurten), wie sie in allen Ländern der Volksdemokratien üblich sind.

Seit der Einführung des russischen Alphabets hat sich das *Schrifttum* in der MVR vervielfacht. Die schöngeistige Literatur ist durch Romane, Erzählungen und Gedichte zahlreicher junger mongolischer Schriftsteller und Dichter vertreten. Bei Übersetzungen in die mongolische Sprache stehen politische Bücher im Vordergrund, daneben findet man auch Werke klassischer russischer Schriftsteller. Man will sogar die bedeutendsten Schöpfungen der Weltliteratur dem mongolischen Volke zugänglich machen.

Im Gebiet der MVR erschienen 1955 16 Zeitschriften, 7 zentrale und 18 Aimak-Zeitungen (178/47).

Auch das mongolische *Theaterleben* hat sich seit der Gründung der MVR lebhaft entwickelt. Neben Berufsschauspielern betätigen sich auch mit Lust und Begabung zahlreiche Laien. Führend ist das Musikalisch-Dramaturgische Theater in Ulan-Bator. Neben Darbietungen mit politischer Tendenz werden auch eigene Volksstücke und Übersetzungen aus fremder Literatur geboten. Der *Film* ist für die Mongolen schon eine tägliche Erscheinung geworden. Neben einigen festen Lichtspielhäusern hat das Wanderkino eine hervorragende Bedeutung. Interessant sind auch die Leistungen des Filmstudios der MVR. In den Jahren 1952 bis 1956 wurden vier künstlerische, acht dokumentarische Filme und 88 Zeitschauen geschaffen und sieben ausländische Filme mongolisch synchronisiert (Mong. Sonin 7. 4. 1957).

Die politischen und sozialen Verhältnisse

Die MVR steht unter der Führung der Mongolischen Volksrevolutionären Partei. Nach ihrem Programm stellt sie sich die Aufgabe, „die führende, bewußte, organisierte und disziplinierte Abteilung der werktätigen Massen der Mongolei" zu sein, die das Volk in den Kampf um ein unabhängiges, freies und glückliches Leben führen will. „Die Mongolische Volksrevolutionäre Partei lenkt den Kampf des mongolischen Volkes, indem sie sich bei ihrer Tätigkeit nach der Lehre von Marx — Engels — Lenin — Stalin richtet, die sie als die einzig richtige Wissenschaft anerkennt" (6/368 f.).

Als Nahziele der Partei, die im Programm ausführlich dargelegt sind, können hier kurz folgende Punkte genannt werden: Durchführung der Verfassung, Verwirklichung der Volksdemokratie durch die werktätigen Massen, Gleichberechtigung der Nationalitäten, Gleichberechtigung von Männern und Frauen, antireligiöse Propaganda unter Achtung der religiösen Gefühle des einzelnen, Lenkung des staatlichen, wirtschaftlichen und kulturellen Lebens, Steigerung der Wehrhaftigkeit der MVR, verbesserte Sozial- und Arbeitsverhältnisse, Vergrößerung des wirtschaftlichen Potentials (Mechanisierung der Landwirtschaft, Organisation von Heumähstationen, Ausbeutung der natürlichen Hilfsquellen, Industrialisierung, bessere Finanzpolitik, Hebung der Viehzucht), Liquidation des Analphabetentums, Entwicklung des Schulwesens, Hebung des Lebensstandards und der Volksgesundheit, ärztliche Betreuung.

Die Partei stützt sich bei ihrer Arbeit in erster Linie auf ihre Mitglieder, deren Zahl jedoch erstaunlich gering ist. Sie betrug im Jahre 1923 rund 3000, stieg bis 1928 auf 15 269 (177/53) und erreichte unter dem Druck der „Linken" in der ersten Hälfte des Jahres 1932 einen Höhepunkt mit 44 000. Als nach dem Sturz der extrem links eingestellten Regierung bekannt wurde, daß die Parteimitgliedschaft freiwillig sei, traten 13 157 Personen aus. Eine durchgeführte Säuberung der restlichen Parteiorganisation reduzierte im Juli 1932 die Mitgliederzahl auf nur 7986 (260/227). Welche Zustände damals in der Partei herrschten, geht daraus hervor, daß 55 Prozent der Parteimitglieder nicht lesen und schreiben konnten (94/84). Die weitere Entwicklung vollzog sich wie folgt:

Jahr	Mitgliederzahl	Quelle
1940	13 385 Mitgl. u. Kandidaten	177/61
1947	28 000 Mitgl. u. Kandidaten	177/61
1950 Januar	28 000 Mitglieder	BSE, Bd. 28
1954 November	31 741 Mitgl. u. Kandidaten	162/63

Die straff organisierte Partei bestimmt die staatlichen Maßnahmen. Für ihre Einwirkung auf die breite Masse des Volkes bedient sie sich der verschiedenen Organisationen, in denen überall Parteimitglieder führend tätig sind. Hierher gehören der Revolutionäre Jugendverband, die Gewerkschaften, die Organisation der werktätigen Frauen, auf die noch eingegangen wird, und nicht zuletzt sind es auch die verschiedensten Wirtschaftsorganisationen des sozialistischen Sektors, deren Mitglieder weitgehend unter dem Einfluß der Partei stehen.

Bei den Wahlen werden Einheitslisten aufgestellt, die Parteimitglieder und parteilose Kandidaten enthalten, die aus den verschiedenen Berufszweigen ausgewählt werden. In der Regel ist eine Dreigliederung üblich, nämlich in aratische Viehzüchter, Arbeiter und schließlich Angestellte und arbeitende Angehörige der Intelligenz. Die dritte Gruppe, im wesentlichen die der Intellektuellen, soll im folgenden kurz als Intelligenz bezeichnet werden. Nachstehende Tabelle gewährt einen Einblick in die Zusammensetzung des Großen Volkschurals, des Abgeordnetenhauses der MVR:

	Wahl am 13. 6. 1954		Wahl am 16. 6. 1957	
	Zahl	Prozent	Zahl	Prozent
Aratische Viehzüchter	101	34,2	78	33,4
Arbeiter	57	19,3	58	24,8
Intelligenz	137	46,5	97	41,8
	295	100,0	233	100,0

Im Großen Volkschural 1957 ist der Anteil der Arbeiter wesentlich gestiegen, und zwar auf Kosten der Intelligenz.

Unter den 233 Abgeordneten des Volkschurals 1957 sind 77 Prozent Parteimitglieder und 22,3 Prozent Frauen. In der Personenzusammensetzung scheint sich ein starker Wechsel gegenüber 1954 vollzogen zu haben, denn 140 Abgeordnete, d. h. rund 60 Prozent, wurden zum erstenmal, 46 zum zweitenmal und 47 zum drittenmal in den Großen Volkschural gewählt. Bei der Aufstellung der Kandidaten wurden auch die nationalen Minderheiten berücksichtigt. Unter den gegenwärtigen Volksvertretern sind 13 Kasachen, 13 Burjaten und 23 Vertreter sonstiger Nationalitäten, was insgesamt 21 Prozent aller Abgeordneten ausmacht*).

Die Reserve der Partei und ihre stärkste Hilfe ist der *„Mongolische Revolutionäre Jugendverband"*. Er besteht seit 1922 und hatte verschiedene Krisen zu überwinden, als er mit der Arbeit der Partei nicht einverstanden war und sich von ihr trennen wollte. Heute arbeitet er unter der unmittelbaren Führung der Parteiorganisation und übertrifft in seiner Aktivität oft selbst die Partei. Seine Hauptaufgabe besteht darin, den Geist des Kommunismus in die Jugend zu tragen. Bei allen seinen Ver-

*) Vorstehende Angaben sind Mong. Sonin 3. 7. 1957 entnommen bzw. danach errechnet.

anstaltungen tritt das mongolische Element stark hervor. In den Reihen der Organisation stehen sowohl männliche als auch weibliche Jugendliche. 1952 betrug die Mitgliedschaft 30 000 (BSE, Bd. 28), und am 20. Mai 1955 rund 43 000 (162/66).

Die *„Organisation der werktätigen Frauen in der MVR"* besteht seit 1933 und hat sich besonders in der Unterstützung der mongolischen Truppen bei den mongolisch-japanischen Kämpfen am Chalchin-Gol 1939 und auch während des zweiten Weltkrieges hervorgetan, als sie Spenden für die Sowjetunion sammelte. Sie besitzt rund 400 örtliche Organisationen, so daß die Breitenwirkung ihrer propagandistischen Arbeit besonders groß ist.

Die *Gewerkschaften* in der MVR bildeten sich in den Jahren 1924 bis 1925 zunächst als Berufsverbände innerhalb einzelner Wirtschaftszweige oder auch Unternehmungen. 1927 schlossen sie sich zu einer Organisation zusammen, wobei ein Zentralrat der Gewerkschaften der MVR gebildet wurde. Die Gewerkschaften sind aktive Träger der Wirtschaftspolitik und sehen eine ihrer Hauptaufgaben darin, für die Erfüllung der Wirtschaftspläne einzutreten. Daneben wirken sie auch durch eigene Veranstaltungen, Klubräume, Bibliotheken und anderes erzieherisch auf ihre Mitglieder ein und sorgen nach Möglichkeit auch für deren Gesundheit. Sie unterhalten in der MVR drei Sanatorien und fünf Erholungsheime (1950). Die Zahl der Mitglieder der Gewerkschaften betrug am 1. April 1955 rund 54 000 (162/65).

Eine besondere Rolle unter den Großorganisationen spielt die *„Gesellschaft für mongolisch-sowjetische Freundschaft"*. Sie ist aus der 1947 gegründeten „Mongolischen Gesellschaft für kulturelle Verbindung mit der Sowjetunion" hervorgegangen und trägt den neuen Namen seit November 1955. Ihre Hauptaufgabe sieht sie darin, dem mongolischen Volk das wirtschaftliche und kulturelle Leben der Sowjetunion nahezubringen. Das geschieht durch Vortragsveranstaltungen, Ausstellungen und anderes, wobei in jedem Jahr ein Monat der mongolisch-sowjetischen Freundschaft gewidmet ist. Darüber hinaus bemüht sich die Gesellschaft, durch Abendkurse in einzelnen Orten oder auch innerhalb der Fabriken die Kenntnis der russischen Sprache im mongolischen Volke zu verbreiten. Die Mitgliederzahl der Gesellschaft wird für den Herbst 1955 mit 118 000 angegeben (162/66).

Wie sehr alle diese Organisationen aktiv sein können, zeigte die seinerzeitige Unterschriftensammlung für die Stockholmer Erklärung, die in kurzer Zeit in der MVR von mehr als 686 000 Personen unterzeichnet wurde. In dieser Beziehung ist ein Gesetz der MVR interessant, das am 21. Februar 1951 erlassen wurde und besagt, daß jeder, der sich mit der Propaganda für einen neuen Krieg beschäftigt, und zwar in jeder Form — mündlich oder schriftlich — oder der eine solche Propaganda unterstützt, mit Gefängnis von 10 bis 20 Jahren bestraft wird.

Im gesellschaftlichen Aufbau der MVR werden heute drei Klassen unterschieden, nämlich aratische Viehzüchter, Arbeiter und Intelligenz

(162/18). Die letztere Gruppe läßt sich am schwersten umreißen. Auf sie ist im Abschnitt über die Volksbildung eingegangen. Die Zahl der Arbeiter und Angestellten ist in den letzten Jahren am stärksten angestiegen. Für 1947 wurde sie mit 55 480 angegeben und ist bis 1952 auf 73 568 gewachsen (8/85). Gegenwärtig macht sie nur rund 14 Prozent aller Werktätigen aus, während die übergroße Masse des Volkes zu den aratischen Viehzüchtern gehört, denen man aber, wie schon vorher gezeigt wurde, in der Mitarbeit im Staate nur einen geringen Anteil gewährt.

Die Arbeit ist durch verschiedene Gesetze geregelt und entspricht in ihren Grundprinzipien dem sowjetischen Vorbild. Besondere Aufmerksamkeit wird in diesen Bestimmungen den Verhältnissen in der Landwirtschaft zugewendet, da der Großteil derselben noch in freier Wirtschaft lebt. Als Grundlage jeder Beschäftigung ist ein Arbeitsvertrag vorgesehen, der den Arbeitnehmer vor Ausbeutung schützen soll. Die normale tägliche Arbeitszeit beträgt acht Stunden, in der Landwirtschaft richtet sie sich nach der saisonbedingten Notwendigkeit. Kinderarbeit unter 15 Jahren ist verboten. Auch Bestimmungen über Urlaub, Erholung, ärztliche Betreuung und Altersversorgung sind gesetzlich festgelegt. Als Staatsfeiertage sind vorgesehen der 22. Januar als Todestag Lenins, der 1. und 2. Mai, der 30. Juni als Verfassungstag, der 11. Juli als Jahrestag der Unabhängigkeit, der 7. und 8. November zum Gedenken der sowjetischen Oktoberrevolution und der mongolische Neujahrstag. Außerdem werden die Tage vom 12. bis 15. Juli in Ulan-Bator als großes Volks- und Militärfest gefeiert. An diesen Tagen finden Paraden der Streitkräfte und volkstümliche Darbietungen aller Art statt. Träger dieser Veranstaltungen sind die sozialistischen Wirtschaftsorganisationen und Industrieunternehmen. Ähnliche Feste finden in den Aimak-Zentren statt, wo sie jedoch nur drei Tage dauern, in den Somonen zwei Tage und in den einzelnen Bagen je einen Tag. Die Festlegung der Termine für die regionalen Feiern bleibt den einzelnen örtlichen Behörden überlassen.

Die Rechtsprechung in der MVR folgte bis 1925 im allgemeinen den Gesetzen der Mandschu-Dynastie, die eine recht weitgehende Auslegung zuließen. Im November 1925 beschloß der zweite Große Volkschural auf Drängen und Beschwerden der Bevölkerung, diese abzuschaffen und gleichzeitig eine Justizreform, um das Recht mit der Verfassung in Einklang zu bringen. Die Richter sollten gewählt werden, und die Verfahren mußten öffentlich sein. Als Richter wurden vor allem jüngere Mongolen herangezogen, die vom Geist der Mandschu-Gesetze unbeeinflußt waren. Gleichzeitig schuf man ein dreistufiges Gerichtssystem, nämlich Volksgerichte in den Hoschus (Somonen), Aimak-Gerichte und ein Oberstes Gericht, dem ein provisorisches politisches Gericht angeschlossen war. Die Wahl der Richter und Beisitzer erfolgte, entsprechend dem regionalen Zuständigkeitsbereich, auf den Versammlungen der Hoschus (Somone), Aimaks und durch den Volkschural (260/186). In den Jahren 1925/26 wurde außerdem eine Prozeßordnung erlassen und ein Straf- und ein Bürgerliches Gesetzbuch abgefaßt (2/279 f.). Am 6. August 1948 beschloß schließlich der Kleine Volkschural ein neues Gesetz über das Justizwesen, in dem die drei Gerichtstypen beibehalten, ansonsten jedoch mancherlei Änderungen durchgeführt wurden. Als charakteristisches Merkmal sei erwähnt, daß bei der Strafverfolgung besonderes Gewicht auf die Erhaltung und pflegliche Behandlung des öffentlichen Eigentums, der Arbeitsdisziplin und der sozialen Gesellschaftsordnung gelegt wird (3/253 f.).

Über die wirtschaftlichen Verhältnisse und die Versorgung der Bevölkerung kann nur eine allgemeine Orientierung gegeben werden, da hierüber keine Veröffentlichungen vorliegen. Nach amtlichen Angaben (8/85) betrug 1947 die Zahl der Arbeiter und Angestellten 55 480 und ihr jährliches Einkommen im Mittel 2440 Tugrik. Für 1952 war nach dem ersten Fünfjahresplan ein Anstieg der Beschäftigtenzahl beider Kategorien auf 73 568 vorgesehen, wobei ein mittleres Jahreseinkommen von 2445 Tugrik angesetzt war, so daß das letztere im ganzen auf gleichbleibender Höhe geplant war. Lohnerhöhungen haben seitdem nicht stattgefunden. Im einzelnen sind allerdings die Löhne je nach Qualität der Arbeit und auch örtlich sehr verschieden*). Andererseits ist durch die verschiedenen Preisherabsetzungen für Lebensmittel und Industriewaren, insbesondere auch durch die letzte vom 1. Juni 1954, die Kaufkraft der Bevölkerung erhöht worden. Nach dem Plan soll für 1957 der Reallohn der Arbeiter und Angestellten um 30 Prozent und der der viehzüchtenden Araten sogar um 35 Prozent über dem des Jahres 1952 liegen (162/32). Für die letzteren kommt dazu, daß man außerdem die Ankaufspreise für landwirtschaftliche Produkte erhöht und insgesamt seit 1952 durch eine maßvolle Planung und Durchführung viel zu einer ruhigen Entwicklung beigetragen hat, wie später noch bei der Behandlung der Wirtschaft gezeigt werden wird.

Nach den Berichten der Handelsorganisation ist in der MVR der Verbrauch von Mehl, Hirse, Tabak und Tee bedeutend gestiegen. Ebenso hat sich der Absatz von Textilwaren erhöht. 1956 wurden von der Bevölkerung für 107 Mill. Tugrik mehr Waren gekauft als 1955 (Mong. Sonin 16. 2. 1957).

Obgleich die MVR bereits mehr als 36 Jahre lang besteht, scheinen sich bis in die letzte Zeit hinein oppositionelle Kräfte erhalten zu haben. Noch 1955 schreibt *Machnenko:* „In der MVR gibt es noch Reste ausbeuterischer Klassen: Reste der zerschlagenen Klasse der weltlichen und

---

*) Ivor Montagu (187/93) berichtet, daß (1954) in Ulan-Bator ein Facharbeiter ein Monatsgehalt von 700 Tugrik, ein ungelernter Arbeiter 300 bis 400 Tugrik erhält. Für ein Schaf, wenn man es auf dem Lande kauft, werden je nach der Qualität 40 bis 80 Tugrik gezahlt, auf dem Markt in Ulan-Bator jedoch 100 bis 200 Tugrik. Ein Pferd oder ein Rind kosten 400 bis 700 Tugrik, eine einfache Jurte 600 Tugrik, wobei die Filzdecken allein 400 Tugrik ausmachen. Bessere Jurten sind weit teurer. Im übrigen gelten in Ulan-Bator folgende Preise: 1 Paar Schuhe 150 bis 200 Tugrik, 1 Ledermantel 300 Tugrik, 1 Pfund Fleisch 2 bis 2,5 Tugrik, 1 Pfund Brot 1,65 Tugrik, 1 Flasche Wodka 13 und eine Flasche Bier 2 Tugrik, 25 Zigaretten 1 Tugrik und eine Gallone Petroleum 6,40 Tugrik.

geistlichen Feudalherren, Spekulanten und Händler, Großviehzüchter und Ausbeuter der Lohnarbeit. Sie änderten ihre Taktik, die Formen und Methoden des Kampfes und wühlen im geheimen gegen die zum Aufbau des Sozialismus im Lande gerichteten Maßnahmen. Die ausbeuterischen Elemente versuchen auf jede mögliche Art, die Maßnahmen der Mongolischen Volksrevolutionären Partei und der Volksregierung zu umgehen, das gemeinsame Eigentum zu ruinieren, die Staatsgüter und Aratenvereinigungen in Mißkredit zu bringen. Sie machen auch nicht vor direkten Schädigungen der gesellschaftlichen Viehzucht halt, indem sie gemeinsame Stallungen und Futtervorräte der Aratenvereinigungen und Staatsgüter in Brand stecken, Maschinen vorsätzlich unbrauchbar machen usw." (162/28).

Andererseits liegen aber auch zahlreiche positive Berichte vor, so daß man sich keiner Täuschung hingeben darf. Die große Masse des mongolischen Volkes sieht in dem jetzigen Regime gewisse Vorteile und anerkennt diese. Die alten Widersacher sterben allmählich aus, während die Jugend, die nur diesen Staat kennt und durch seine Schule gegangen ist, den neuen Ideen nicht nur aus Opportunismus folgt, sondern ihnen weit offener gegenübersteht. Ihr Blick ist geweitet, sie weiß mehr als ihre Vorfahren, und seitdem sie — wenn auch einseitig — in die politische Front eingereiht ist, interessiert sie sich auch für die andere Seite, die übrige Welt, von der mehr zu wissen sie bestrebt ist.

WIRTSCHAFT

Tierzucht

Allgemeine Bedeutung

Zentralasien nimmt in der Geschichte der Tierzucht der Menschheit einen besonderen Platz ein. Sowohl in vorhistorischer Zeit als auch in der ältesten geschichtlich erfaßten Vergangenheit war dieses Gebiet reich an wilden Tierarten, von denen zahlreiche gezähmt und domestiziert wurden, während gleichzeitig Vorfahren der gleichen Tierart sich in wildem Zustand bis zur Gegenwart erhalten konnten. Zu diesen interessanten Gebieten gehört auch der Raum der Mongolei.

Die Viehzucht hat hier als grundlegende Beschäftigung der Bevölkerung schon seit mehr als viertausend Jahren eine bedeutende Rolle gespielt. Wohl wechselten die Völker und ihre Namen, aber immer waren es viehzüchtende Menschen, die den Raum besetzt hielten. Die ältesten chinesischen Quellen enthalten zahlreiche Berichte über diese ihnen fremden und feindlichen Völkerschaften. Sie beschreiben die Tierarten, die Technik der Weidewirtschaft und die Lebensweise der Nomaden. Zu den ältesten Reisenden, die aufsehenerregende Nachrichten über die Mongolen nach Europa brachten, gehört Marco Polo, der im 13. Jahrhundert in der Mongolei weilte. Er schildert ausführlich das Leben der Menschen, ihre wechselnden Wohnplätze unter den verschiedenen Bedingungen der Jahreszeiten, stellt die Tierarten und ihre Besonderheiten dar, geht auf ihre wirtschaftliche Nutzung ein und nennt selbst verschiedene Milchprodukte, die die Mongolen erzeugen.

Überblicken wir alle historischen Berichte von den ältesten bis zu den jüngsten, auf die näher einzugehen hier nicht der Raum ist, so erkennt man mit Erstaunen, wie gegenwartsnah eigentlich alle diese Berichte sind, und daß die nomadische Viehzucht, die zu den ältesten Formen der menschlichen Wirtschaft gehört, sich über Jahrhunderte hinweg in jeder Art und Weise ihrer Durchführung bis zur nahen Gegenwart kaum oder nur in geringem Maße geändert hat. Während andere Erdräume in ihrer wirtschaftlichen Entwicklung wahre Revolutionen durchgemacht haben, ist hier bis in die jüngste Vergangenheit alles gleichgeblieben.

Die Tierzucht bildet auch heute noch die Grundlage der gesamten Volkswirtschaft der MVR. Ihre Bedeutung ist deshalb so außerordentlich groß, weil sie für den überwiegenden Teil der Bevölkerung nicht nur die Hauptquelle für Ernährung und Bekleidung bildet, sondern weil das ganze Leben des Volkes mit der Tierzucht untrennbar verbunden ist und die Kultur der Mongolen nur aus diesem Gesichtspunkt heraus verstanden werden kann.

Von der Gesamtbevölkerung der MVR sind, obgleich auch die anderen Zweige der Wirtschaft sich entwickeln und gefördert werden, noch mehr als 80 Prozent in der Tierzucht beschäftigt. 67 bis 80 Prozent der gesamten Warenproduktion entstammen der Viehzucht und bestehen aus tierischen

Produkten, die auch die Rohstoffe für zahlreiche Zweige der industriellen Verarbeitung liefern. So verarbeiten die dem Ministerium für Industrie unterstellten Betriebe zu mehr als 50 Prozent tierische Rohstoffe, die dem Ernährungsministerium angegliederten Unternehmen der Nahrungsmittelindustrie zu 30 bis 35 Prozent, und selbst die Produktion der hausindustriellen Kooperativen basiert mit mehr als 30 Prozent auf Erzeugnissen der Tierzucht (312/101).

Auch im Außenhandel der MVR stellen Tiere und tierische Produkte den überragenden Anteil. Sie ergeben mehr als 80 Prozent des gesamten Exportwertes. Wolle liegt hier mit einem Anteil von mehr als 30 Prozent an erster Stelle. An zweiter Stelle stehen lebende Tiere mit etwa 30 Prozent (312/101). Auch im Warentransport und Verkehr spielt das Tier eine hervorragende Rolle. Wie *Zaplin* 1952 schreibt, werden immer noch etwa 75 Prozent der Waren auf Karren oder Tierrücken befördert. Auf die Bedeutung der Viehzucht für Ernährung, Bekleidung und Wohnung der Bevölkerung ist an anderer Stelle bereits eingegangen worden.

Tierarten

Die Tierzucht der Mongolen beschränkt sich in der Hauptsache auf fünf Arten: Schafe, Ziegen, Rinder, Pferde und Kamele. Diese Reihenfolge entspricht der Zahl der in der MVR vorhandenen Tiere. In einzelnen Gegenden wird auch der Yak gehalten, der in Gebirgsländern als Nutz- und Verkehrstier die größte Bedeutung erlangt. Zahlreich sind auch Kreuzungen zwischen Yak und Rind. Die Schweinezucht ist kaum nennenswert. In den Städten wird sie von Chinesen betrieben, die sie aus ihrer Heimat eingeführt haben. Gegenwärtig bemüht man sich, die Schweinehaltung besonders in den Staatsgütern zu fördern. In den Aimaken Kobdo und Bajan-Ulegei werden auch einzelne Esel gehalten, und in den nördlichen Waldgegenden des Chubsugul sogar Rentiere, wenn auch ihre Zahl gering ist.

Die Schafzucht stellt in der MVR den Hauptzweig der Viehzucht dar. Fleisch und Wolle decken nicht nur den Bedarf der einzelnen Aratenwirtschaften, sondern werden auch auf den Markt gebracht. Die Schafzucht ist im ganzen Land verbreitet, am stärksten im Westen und in der Gobi, am relativ schwächsten im Norden und Nordosten. Im allgemeinen dürfte es aber keine Aratenwirtschaft geben, die neben anderen Tieren nicht auch Schafe hielte.

Das mongolische *Schaf* ist von weißer Farbe, nur Kopf und Hals sind schwarz. Es gehört nicht zu den reinen Fettschwanzschafen, sondern stellt eine Kreuzung zwischen Fettschwanz- und Magerschwanzschafen dar. Wahrscheinlich geht es auf zwei Urtypen zurück, nämlich Ovis arkal und Ovis ammon, wobei die Kreuzung weit in die Vergangenheit zurückreicht und je nach dem Überwiegen der einen oder der anderen Art in den einzelnen Gebieten örtliche Abarten entstanden sind. Nach *J. J. Lus* (159), der sich während einer Expedition im Jahre 1931 hauptsächlich mit dem Studium des mongolischen Schafes befaßt hat, gibt es sieben Ab-

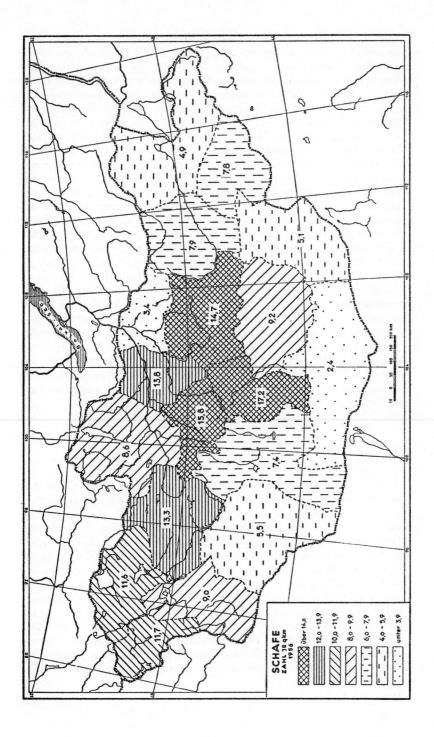

SCHAFE
ZAHL je qkm
1956

über 14,0
12,0 – 13,9
10,0 – 11,9
8,0 – 9,9
6,0 – 7,9
4,0 – 5,9
unter 3,9

arten, deren geographische Verteilung sich im wesentlichen mit der territorialen Verteilung der mongolischen Stämme decken soll. In seiner allgemeinen Art hat das mongolische Schaf eine sehr weite geographische Verbreitung. Es findet sich von der Mandschurei im Osten bis zur Dsungarei im Westen. Jahrhundertelange Gewöhnung und Auslese haben es zu einer außergewöhnlichen Widerstandsfähigkeit und Genügsamkeit erzogen. Das Wachstum vollzieht sich infolge der relativ ungünstigen Lebensbedingungen sehr langsam und dauert $2^1/_2$ bis 3 Jahre, oft auch länger. Das Lebendgewicht der Muttertiere nimmt bis zum 4. Lebensjahr zu, das der Hammel bis zum dritten. Von einem durchschnittlichen Lebendgewicht läßt sich schwer sprechen, da sich nach den einzelnen Aimaken beträchtliche Unterschiede zeigen und auch im Jahresablauf starke Schwankungen auftreten, worauf noch später eingegangen werden wird. Im allgemeinen können nach *Schulshenko*, der eine ausführliche Beschreibung bringt und auch die Ergebnisse anderer Forscher anführt, folgende Angaben gemacht werden (273). Die Widerristhöhe ausgewachsener Muttertiere schwankt im Großteil des Landes zwischen 62,1 und 67,7 cm, die Körperlänge zwischen 68,3 und 72,3 cm. Im Nordwesten, im Aimak Bajan-Ulegei, erreicht die Höhe im Mittel 71,9 cm, die Körperlänge jedoch nur 62,8 cm (273/86). Das mittlere Gewicht (Herbst) beträgt im allgemeinen 39,7 bis 49,5 kg, im Nordwesten (Aimak Ubsa-Nur) 51,3 kg.

Die Mongolen halten das Schaf vor allem des Fleisches und des Felles wegen. Die Wolle ist für sie mehr ein Nebenprodukt. Das Fleisch des mongolischen Schafes ist ausgezeichnet, außerdem fehlt ihm der spezifische Geschmack und Geruch anderen Schaffleisches. Dazu liefert es eine relativ große Fettmenge. Bei Kastraten ergeben sich im August bis September folgende Mittelwerte (273/88):

Lebendgewicht	46,7—50,4 kg	100%
Fleisch und Fett	25,0—27,5 kg	53,5—54,6%
Fleisch allein	24,0—26,0 kg	51,3—51,6%
reines Fett	1,0— 1,5 kg	2,2— 3,0%

Bei Muttertieren sind die Ergebnisse natürlicherweise geringer. Der Anfall an Fleisch und Fett erreicht nur 43 bis 43,8 Prozent des Lebendgewichtes. Über die Quantität und Qualität der Schafmilch sind nur wenige Angaben vorhanden, und diese sind sehr unterschiedlich. Während der Laktationszeit (159 bis 176 Tage) können als Mittel etwa 20 bis 25 kg angenommen werden, bei Höchstleistungen bis zu 54 kg (273/88). In der eigentlichen Melkzeit von vier Monaten kann täglich mit einer Menge von etwa 0,25 l gerechnet werden (60/146). Der Fettgehalt der Milch ist sehr hoch und schwankt zwischen 5,8 und 8,5 Prozent. Die Wolle des mongolischen Schafes ist, verglichen mit der Wolle anderer Schafrassen, von minderer Qualität, grob, kurz und von Haaren durchsetzt. Sie eignet sich jedoch vorzüglich zur Herstellung von Filzen und Decken. Die von staatlichen Stellen durchgeführten Kontrollschuren in den Jahren 1940 und 1942 ergaben für Muttertiere ein durchschnittliches Quantum von

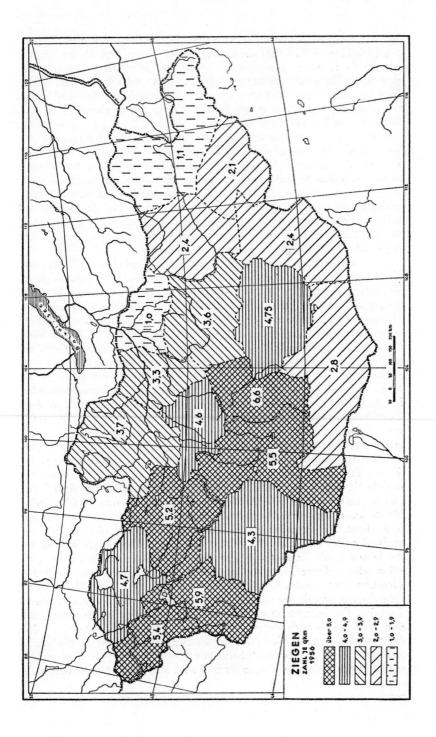

ZIEGEN
ZAHL JE qkm
1950

über 5,0
4,0 – 4,9
3,0 – 3,9
2,0 – 2,9
1,0 – 1,9

0,97 kg, bei Böcken 1,14 kg. Nur bleibt zu bedenken, daß diese Ziffern den tatsächlichen Verhältnissen insofern nicht entsprechen, als die Araten mit der Schur so lange warten, bis die Wolle „von selbst kommt". Da aber dieser Zeitpunkt schwer zu bestimmen ist und oft versäumt wird, geht inzwischen viel Wolle verloren. Bei zeitgerechter Schur und guter Organisation, wie beides in den letzten Jahren angestrebt wird, ist der Wollertrag höher und liegt durchschnittlich um 1,2 bis 1,6 kg (60/148). Gegenwärtig bemüht man sich, das einheimische Schaf durch Kreuzung mit Wollschafen (Merino) zu einer Rasse besserer Wollqualität heranzuziehen. Versuche der Russen in der Burjato-Mongolischen ASSR und der Japaner in der Mandschurei haben den Nachweis erbracht, daß günstige Ergebnisse zu erwarten sind (278a). Auch aus der MVR wird von Erfolgen berichtet, die sich zunächst noch auf einen kleinen Teil der Schafe beziehen. Die Züchtungsaufgaben liegen in den Händen der Staatsgüter. Bei Kreuzungen durch zwei Generationen konnte der Wollertrag schon auf durchschnittlich 2,51 kg gesteigert werden.

Den zweiten Platz in der Reihe der Haustiere nehmen der Zahl nach die Ziegen ein, deren Zucht einen bedeutenden Zweig der mongolischen Volkswirtschaft bildet. Die MVR steht bezüglich der Gesamtzahl ihrer Ziegen an siebenter Stelle unter allen Ländern der Erde. Innerhalb der Mongolei ist die regionale Verteilung der Ziegen ziemlich unregelmäßig, am dichtesten sind der Westen und der Südwesten besetzt. Im Aimak Süd-Gobi gibt es sogar mehr Ziegen als Schafe. In den nördlichen Gebieten und vor allem im Osten sinkt die Zahl der Ziegen überaus stark ab.

Die mongolischen *Ziegen* sind bei einer Widerristhöhe von 80 bis 90 cm in der Regel größer als die Schafe. Ihr kräftig gebauter, verhältnismäßig hochgestellter Körper trägt eine lange, von den Körperseiten und dem Bauch herabhängende Behaarung, die bei den meisten Tieren (67 Prozent) grau, beim Rest schwarz (13 Prozent), braun oder weiß ist. Das Fell macht einen recht zottigen Eindruck. Die Ziegen weiden zerstreut in den Schafherden, können aber auch sehr hoch gelegene und schwer zugängliche Weideplätze ausnutzen, die für die Schafe nicht in Frage kommen. Als dunkle Punkte bilden die Ziegen immer einen bedeutenden Anteil der Herde. Sie üben dort eine Art ordnender Funktion aus. Fast bei jeder Herde kann man einen Ziegenbock, meist den größten und kräftigsten, beobachten, der die ganze Herde führt und sie wie ein Schäferhund umkreist. Er hört sogar auf die Zurufe des Hirten. Die Schafe sind so an die Führung des Ziegenbockes gewöhnt, daß es fast unmöglich ist, einzelne oder mehrere Tiere von der Herde wegzutreiben. Erst wenn der Ziegenbock vorangeht, folgen die Schafe, wohin man will. Als ich mich einmal einer Schafherde näherte, verharrte diese in der Erkenntnis eines Fremden. Der leitende Ziegenbock jedoch schritt mir allein entgegen und ging auch gleich nach kurzer Orientierung zum Angriff über . . . Im übrigen kümmern sich die Araten um die Ziegen weniger als um die Schafe und behandeln sie auch schlechter. Die Ziegen haben sich dem rauhen mongolischen Klima gut angepaßt und sind auch dem Hunger besser als

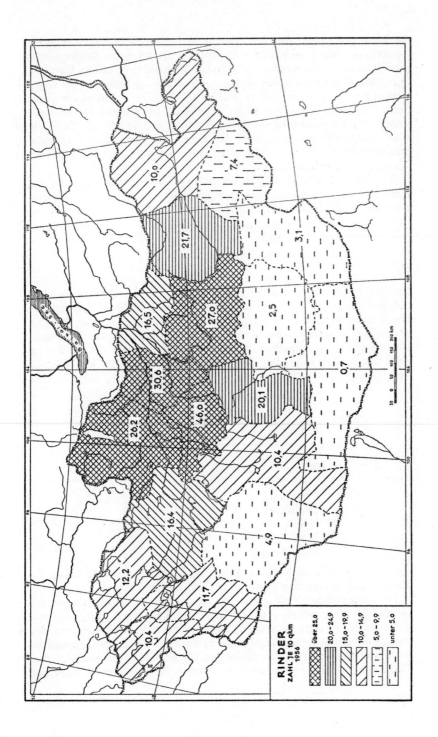

RINDER
ZAHL JE 10 qkm
1956

über 25,0
20,0 – 24,9
15,0 – 19,9
10,0 – 14,9
5,0 – 9,9
unter 5,0

die Schafe gewachsen. Aus der Tatsache, daß die meisten Ziegen in jenen Gebieten der Mongolei gehalten werden, wo die wenigsten Rinder leben, geht hervor, daß die Araten sie besonders als Milchtiere halten. Über die Quantität und Qualität der Ziegenmilch ist wenig bekannt. Im allgemeinen schätzt man den Ertrag auf 60 bis 100 Liter während der jährlichen Melkzeit. Neben der Milch wird auch die Ziegenwolle sehr geschätzt. Im Jahresdurchschnitt liefert ein Tier 200 bis 400 g. Die Wolle wird gesammelt und exportiert. Das Fleisch der Ziege ist von geringer Qualität und wird von den Mongolen nicht gern gegessen. Einer größeren Wertschätzung erfreut sich das Leder.

An großem Hornvieh sind in der Mongolei drei Arten vertreten: das Rind, der Yak und Kreuzungen zwischen beiden, wobei sich ihre Anteile etwa wie folgt verhalten (273/124):

Rinder	70,1%
Yaks	26,4%
Kreuzungen	3,5%
	100,0%

Wie die beigegebenen Karten zeigen, finden sich die größten Rinderdichten im Changai und angrenzenden Norden der MVR, also in den Gebieten mit den günstigsten Weideverhältnissen. Die Verbreitung des Yak und seiner Kreuzungen beschränkt sich auf die höher gelegenen Gegenden. In einzelnen Aimaiken übertreffen die Yaks sogar die Rinder an Zahl oder haben zumindest einen sehr hohen Anteil, wie die folgende Tabelle zeigt (273/125):

Verhältnis der Rinder zum Yak
in Prozent

Aimak	Rinder	Yak
Bajan-Ulegei	77	23
Bajan-Chongor	71	29
Gobi-Altai	70	30
Chubsugul	61	39
Dsabchan	59	41
Kobdo	51	49
Nord-Changai	48	52
Süd-Changai	42	58

Zu dieser Tabelle ist zu bemerken, daß in den meisten Aimaken die absolute Zahl des großen Hornviehes nicht sehr hoch ist.

Das mongolische *Rind* gehört zu der weitverbreiteten Gruppe des asiatischen Steppenrindes, zu der auch das Kalmyken-, Kirgisen- und Jakutenrind zu rechnen sind. Es unterscheidet sich wesentlich von den europäischen Rinderrassen, insbesondere durch seine geringe Körpergröße. Im Mittel erreicht es nur eine Höhe von 108 bis 114 cm bei einer Körperlänge von 124 bis 134 cm. Ausgewachsene Kühe haben in verschiedenen

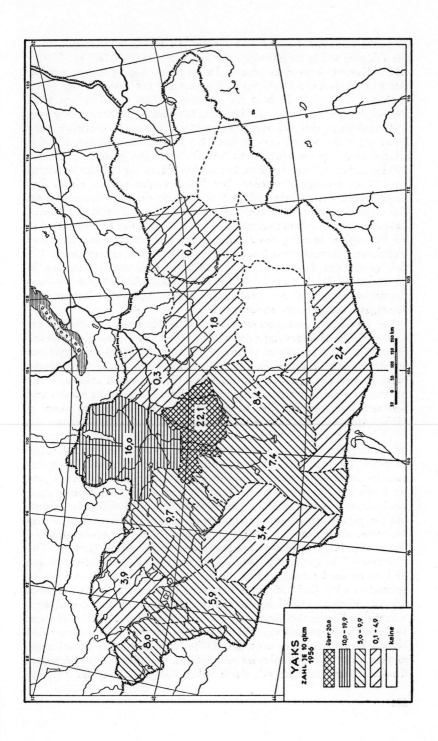

YAKS
ZAHL JE 10 qkm
1956

über 20,0
10,0 – 19,9
5,0 – 9,9
0,1 – 4,9
keine

Gegenden nur ein Lebendgewicht von 265 bis 303 kg, in anderen beträgt das allgemeine Durchschnittsgewicht der Tiere 343 bis 385 kg. Gutgenährte Kastrate können in seltenen Fällen bis zu 500 kg schwer werden. Der Fleischanfall beträgt 47 bis 53 Prozent und der Anteil reinen Fettes im Mittel 2,0 bis 3,5 Prozent des Lebendgewichtes (273/130 und 131). Die Milchleistung des mongolischen Rindes ist im allgemeinen sehr gering und beschränkt sich auf die Laktationszeit von durchschnittlich sechs Monaten, wobei Schwankungen von 5 bis 7 Monaten auftreten. Die Gesamtleistung liegt im Mittel etwa bei 600 kg, wobei einzelne Kühe nur 200 kg, andere 800 kg erreichen. In manchen Fällen sind Höchstleistungen bis 975 kg festgestellt worden. Die Kühe werden nur zu einem Teil ausgemolken, der zwischen 30 und 50 Prozent der Gesamtmenge liegt. Der Rest muß dem Kalb überlassen bleiben, das während der ganzen Laktationszeit zum Saugen zugelassen wird. Auch in der Rinderzucht sind die Staatsgüter bemüht, durch Kreuzungen mit dem Simmentaler Rind und anderen Arten bessere Rassen heranzuzüchten und zu verbreiten. Die Erfolge sind gut. In der zweiten und dritten Generation wurden sowohl im Fleischanfall als auch in der Milchproduktivität bedeutend höhere Ergebnisse erreicht. Diese Bemühungen haben jedoch den Rahmen der Staatsgüter bisher kaum überschritten.

Der *Yak* hat in ausgedehnten Gebieten der Mongolei eine Heimat gefunden. Seine Abstammung vom wilden Tibet-Yak steht außer Zweifel. Ob er aber einst von Tibet als Haus-Yak nach der Mongolei verpflanzt worden ist oder ob der wilde Yak früher einmal eine weitere Verbreitung hatte, ist noch nicht geklärt, wie überhaupt die Frage noch unbeantwortet ist, wo die erste Domestizierung erfolgte. Der Yak liebt die kühlen und feuchten, hochgelegenen Bergwiesen. Man findet ihn deshalb meist in Höhen von 2000 bis 3000 m und darüber, wo er das Rind ersetzt, das sich hier nicht mehr so recht wohl fühlt. Der Anblick dieses grunzenden, mit dichten langen Haaren bedeckten Tieres erweckt einen fremdartigen Eindruck. Der Yak benötigt keine Pflege durch den Menschen. Das ganze Jahr hindurch sucht er sich selbst sein Futter, übernachtet im Freien und weiß sich sehr gut gegen wilde Tiere zu verteidigen. Als Transporttier bewältigt er Lasten von 150 kg mit Leichtigkeit in schwierigem Gelände auf den gefährlichsten Saumpfaden der Gebirge. Außerdem dient er dem Mongolen als Fleisch- und Milchtier. In der Größe steht er dem mongolischen Rind etwas nach und erreicht auch nicht dessen Gewicht. Der Fleischanfall ist geringer als beim Rind und schwankt zwischen 46 und 49 Prozent des Lebendgewichtes, das im Mittel zwischen 339 und 376 kg angegeben wird (273/155). Der Fettanteil ist ebenfalls kleiner, nämlich 1,0—2,7 Prozent. Die Mongolen ziehen das Fleisch des Yak dem des gewöhnlichen Rindes vor. Besonders wertvoll ist der Yak als Milchlieferant. In einer Laktationszeit von 172 Tagen gibt die Yakkuh insgesamt 485 bis 608 Liter, von denen etwa die Hälfte für menschlichen Bedarf abgemolken wird. Die Yakmilch ist gelb gefärbt, von süßem, mandelartigem Geschmack und zeichnet sich durch hohen Fettgehalt aus, der zwischen

6 und 7 Prozent liegt, bei guter Weide sogar bis zu 10 Prozent ansteigen kann. Im Aimak Nord-Changai hat man Molkereien zur Verwertung der Yakmilch eingerichtet, die Butter vorzüglichster Qualität liefern.

Kreuzungen zwischen Rind und Yak sind nicht selten und kommen auch ohne Zutun des Menschen vor, da Rinder und Yaks zumeist gemeinsam geweidet werden. Die Kreuzungen zeichnen sich durch besondere Größe und Leistungsfähigkeit aus. *Schulshenko* (273/155) bringt aus einer Reihenuntersuchung folgende Angaben zum Vergleich:

	Mongol. Rind	Yak	Kreuzung
Lebendgewicht	378 kg	376 kg	430 kg
Fleisch und Fett	47%	46%	48%
Fett allein	2%	1%	2%

Auch in der Milchleistung übertreffen die Kreuzungen die rassereinen Tiere. Insgesamt gesehen ist, wie schon gesagt wurde, ihre Zahl jedoch gering.

Das *Pferd* ist der beste Freund des Mongolen. Das Leben des Araten ist ohne Pferd kaum vorstellbar. Nur ungern geht er zu Fuß und benutzt selbst für kürzeste Strecken das Pferd als Reittier. Die Pferde weiden in Herden und in voller Freiheit, ohne daß sie gehütet werden. Sie gehen regelmäßig zur Tränke und finden sich auch gegen Abend in der Nähe der Jurten ein. Im Frühjahr teilen sich die Herden nach der Zahl der Hengste in einzelne Gruppen auf, wobei das männliche Tier sich selber seine Stuten aussucht und es dabei zwischen den Hengsten zu lebhaften Auseinandersetzungen kommt. Im Herbst sammeln sich dann wieder alle Tiere friedlich zu einer großen Herde, die vielfach über 100 Köpfe umfaßt. Will der Mongole ein Pferd aus der Herde reiten, so muß er es fangen. Er benutzt dazu eine lange Stange, an deren Ende eine Schlinge befestigt ist, die er dem gesuchten Pferd um den Hals wirft. Die gewöhnlich benutzten Reittiere werden in der Nähe der Jurten gehalten und gehorchen dem Besitzer aufs Wort. Gegenüber Fremden sind sie mißtrauisch und böse, wobei sie ihre Feindschaft mit den Hufen und auch mit dem Gebiß sehr deutlich zum Ausdruck bringen.

Das mongolische Pferd gehört einer primitiven Naturrasse an, die sich zweifellos aus dem mongolischen Wildpferd Equus przewalskii entwickelt hat und infolge der primitiven Wartung bis in die Gegenwart in ihrer Urwüchsigkeit erhalten geblieben ist. Erst in jüngster Zeit beginnt sich ein Wandel zu vollziehen. Trotz der bisher fehlenden Auswahl der Zuchttiere nach Körperbau und anderen züchterischen Gesichtspunkten hat die harte Natur des Landes eine energische Auslese zumindest nach dem Gesundheitszustand, nach Anspruchslosigkeit und Futterverwertung durchgeführt. So ist das mongolische Pferd außerordentlich widerstandsfähig, überaus genügsam und auch bei minderwertigem Futter zäh und ausdauernd. Es ist klein gewachsen und erreicht im Widerrist nur eine Höhe von 125 bis 130 cm. Bei gedrungenem Hals und plumpem Kopf erscheint der letztere im Verhältnis zum Körper etwas groß. In der Farbe herrschen helle, jedoch matte Töne vor, wobei alle Abstufungen vom Weiß über fahles Gelb bis zu einem satten Mausgrau auftreten. Auch Schecken sind keine Seltenheit.

Das Pferd wird von den Mongolen im allgemeinen wirtschaftlich ungenügend genutzt. In der Hauptsache dient es als Reittier, seltener als Tragtier. In den letzten Jahren ist man manchenorts dazu übergegangen, es auch zum Ziehen im Gespann zu verwenden, eine Neuerung, die eine wahre Revolution in der Anschauung der Mongolen bedeutet. Man spannt die Tiere vor leichte vierrädrige Wagen russischen Typs, die gegenüber den auch heute noch üblichen zweirädrigen Ochsenkarren den Vorzug einer weit größeren Schnelligkeit haben, und vor allem vor neu eingeführte Grasmäher und Schlepprechen. In normalen Jahren werden Pferde zur Fleischgewinnung niemals geschlachtet außer bei Unglücksfällen, wie z. B. bei schwerer Verletzung durch Wolfsbisse u. a. Das mittlere Lebendgewicht der Pferde liegt zwischen 324 und 328 kg, bei gutgenährten Tieren kann es 400 kg erreichen. Während der Laktationszeit werden die Stuten zwei bis drei Monate gemolken und geben am Tage bei dreimaligem Melken 1,1 bis 1,7 Liter, bei viermaligem Melken 1,6 bis 2,2 Liter Milch, aus der zumeist das bekannte Getränk „Kumys" gewonnen wird. In dieser Zeit werden die Fohlen in der Nähe der Jurten festgehalten und erst nach dem Melken zum Muttertier gelassen. Ein anderes Produkt der Pferdezucht sind Pferdehaare, die von den Mongolen gesammelt werden. Aus diesem Grunde werden auch Mähne und Schwanz der Tiere beschnitten, nicht jedoch bei den Hengsten, die an ihrem langen Schweif und der wehenden Mähne leicht in den Herden zu erkennen sind. Pferde spielen im Außenhandel der Mongolei eine bedeutende Rolle.

Das *Kamel* wird vor allem in den wüstenhaften Gebieten der Südmongolei als Haustier gehalten. Es stammt von den wilden Kamelen ab, die heute noch in den entlegenen Steppen und Wüsten am Lob-Nor und in Nordwest-Zaidam anzutreffen sind. Wie diese, so besitzt auch das gezähmte Tier zwei Höcker, ist jedoch infolge der menschlichen Pflege größer und kräftiger als das wilde. Unter den verschiedenen Zuchtrassen steht das Chalcha-Kamel als das beste und stärkste an erster Stelle. Es hat eine Schulterhöhe von 1,75 bis 2 m, zu der noch die Höckerhöhe von 0,40 m kommt. Am häufigsten ist die gelbbraune Färbung. Die Vermehrung der Kamele geht langsamer vor sich als die der übrigen Haustiere, da die weiblichen Tiere im Mittel nur alle zwei bis drei Jahre ein Junges zur Welt bringen. Erst im fünften Jahr ist das Kamel genügend entwickelt, um volle Arbeit leisten zu können. Es erreicht ein Alter von 20 bis 25 Jahren, wobei seine besten Jahre zwischen dem 5. und 15. liegen. Das Kamel bevorzugt als Nahrung die harten Gräser und Sträucher, die der salzhaltige Steppen- und Wüstenboden hervorbringt. Auf saftigen, süßen Bergwiesen magert es ab und erkrankt, während es bei den harten, verholzten und sehr salzhaltigen Steppen- und Wüstenpflanzen dick und

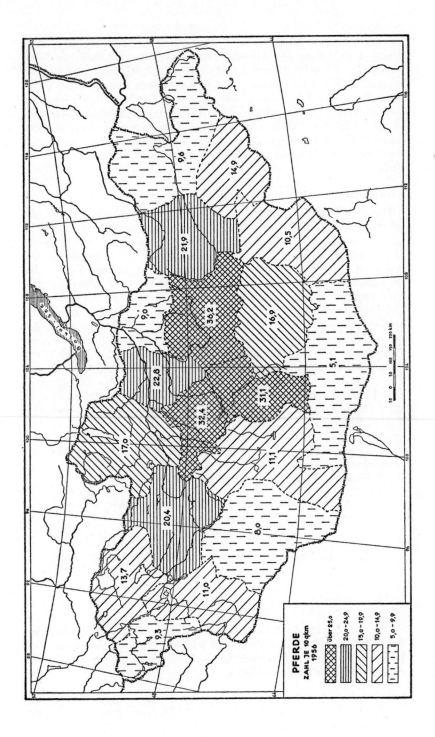

PFERDE
ZAHL JE 10 qkm
1956

über 25,0
20,0 – 24,9
15,0 – 19,9
10,0 – 14,9
5,0 – 9,9

fett wird. Kamele können 6 bis 8 Tage ohne Futter auskommen, ohne Wasser im Frühling und Herbst 7 Tage, im Sommer jedoch nur 3 bis 4 Tage. Das Kamel wird von den Mongolen als Reit-, Trag- und Zugtier benutzt. Zum Herbst bedeckt sich sein Körper mit einem dichten Wollhaar, das im Frühling restlos abgestoßen wird. Die Kamelwolle wird gesammelt und bildet ein wichtiges Ausfuhrprodukt. Ein Kamel liefert im Mittel 3,2 bis 5 kg Wolle. Die Milch der Kamelstuten wird zur menschlichen Nahrung verwendet. Kamelfleisch wird gegessen. Im Warentransport über weite Strecken spielen die Kamele auch heute noch eine große Rolle.

Entwicklung

Die erste Viehzählung in der Äußeren Mongolei wurde 1918 durchgeführt. Sie ergab nach *Perlin* (226/42) eine Gesamttierzahl von 12,7 Mill. Die Ergebnisse dürfen jedoch nicht als Normalbestand angesehen werden. Unzweifelhaft waren die Tierzahlen früher größer. Die Unruhen vor und besonders seit dem Jahre 1911 behinderten den ungestörten Verlauf der Wirtschaft. Außerdem brachten die Jahre 1915 bis 1918 außerordentlich hohe Exporte an lebendem Vieh. In dieser Zeit war hier die sogenannte „Mongolische Expedition" der Russen tätig, die nichts anderes als eine amtlich aufgestellte russische Einkaufsorganisation war. Sie überzog das ganze Gebiet der Äußeren Mongolei mit einem Netz von Einkaufsstellen, deren Aufgabe es war, Landesprodukte, insbesondere lebendes Vieh, zur Versorgung der Fronttruppen einzukaufen. Die Tätigkeit dieser „Expedition" wurde erst 1918 eingestellt. Auch die Jahre 1918 bis 1924 gönnten dem Lande durch die verschiedenen Aufstände und Kampfhandlungen keine ruhige Entwicklung und führten zu einem starken Verbrauch von Tieren. So sind auch die Angaben von 1924, obgleich sie mit einer Gesamttierzahl von über 13,7 Mill. gegenüber 1918 einen begrenzten Fortschritt zeigen, nicht als das Ergebnis normaler Jahre anzusehen. Die Auswirkungen der unruhigen Zeit von 1918 bis 1924 werden klar, wenn man die Zählungsergebnisse beider Jahre gegenüberstellt (226/42):

Tierbestand in der Äußeren Mongolei
in 1000 Stück

	1918	1924	Änderung
Schafe und Ziegen	9 500	10 649	+ 1 149
Rindvieh	1 400	1 512	+ 112
Pferde	1 500	1 339	— 161
Kamele	300	275	— 25
	12 700	13 775	

Schafe und Ziegen, die 1918 noch gemeinsam gezählt wurden, und auch das Rindvieh zeigen eine Zunahme, während die kriegswichtigen Verkehrstiere in diesen Jahren besonders in Anspruch genommen wurden und darum erhebliche Verluste erlitten.

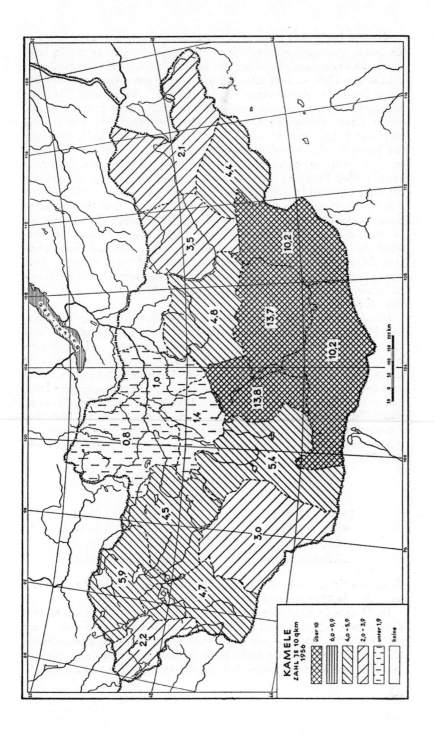

KAMELE
ZAHL JE 10 qkm
1956

über 10
6,0 – 9,9
4,0 – 5,9
2,0 – 3,9
unter 1,9
keine

Mit dem Jahre 1924 setzte im allgemeinen eine ruhige Entwicklung ein, die jedoch nicht ganz gleichmäßig verlief, sondern durch zeitweilig recht starke Schwankungen charakterisiert ist. Die liberale Wirtschaftsführung brachte von 1924 bis 1930 einen allmählichen Anstieg bis auf 23 676 000 Tiere. Durch die Wirtschaftspolitik der „Linken", die mit dem VII. Parteikongreß 1928 zur Macht kam und erst 1932 wieder gestürzt wurde, erfuhr diese aufsteigende Linie eine Unterbrechung. Der Viehbestand wurde stark dezimiert. Als die „Linken" die zwangsweise Kollektivierung der gesamten Viehwirtschaft anordneten und durchzuführen begannen, machten die Mongolen nicht mit. Durch Abschlachtungen setzte ein außergewöhnlicher Rückgang des Viehbestandes ein, so daß die Gesamtzahl der Tiere 1932 auf 16 032 000 Stück zurückging. Gegenüber 1930 bedeutet dies ein Absinken um rund 32 Prozent (260/218 u. a.). Von 1934 an setzte dann wieder eine langsame Zunahme ein. 1935 betrug die Gesamtzahl 22 588 000 Tiere — nach *Perlin* (226/43) 22 391 000. Die durch die Herrschaft der „Linken" verursachten Verluste waren also noch nicht wettgemacht. 1939 erreichte die Gesamtzahl 26 095 000 Stück (226/43), 1940 waren es 26 195 000, und 1941 wurde mit insgesamt 27,5 Mill. Tieren *(Schulshenko*, zit. 196/42) ein Höhepunkt erreicht, der bis Ende 1956 nicht überboten wurde.

Mit dem Jahre 1941 setzte eine rückläufige Bewegung ein, die besonders in den bedeutenden Tierverlusten der beiden unglücklichen Winter 1941/42 und 1944/45 begründet ist. Über den ersteren sind keine amtlichen Angaben vorhanden, aber der Schaden kann insgesamt nur wenig hinter dem des furchtbaren Winters 1944/45 zurückgeblieben sein, wenn man dem Urteil *Denissows* (60/179) folgen will. 1944/45 gingen an Dsud und aus sonstigen Gründen insgesamt 3 735 600 Tiere ein. Hinzu kommt, daß die MVR den Export an lebenden Tieren in den Jahren 1943 bis 1945 außerordentlich erhöhte, um die Sowjetunion in ihren Kriegsanstrengungen zu unterstützen. Zum Vergleich seien hier folgende Angaben gebracht (60/185):

Export der MVR an lebenden Tieren
in 1000 Stück

1938	482,7	1943	1 252,5
1939	583,7	1944	1 049,7
1940	621,2	1945	1 056,4
zusammen	1687,6	zusammen	3 358,6

Es konnte darum nicht ausbleiben, daß die Gesamttierzahl so stark absank, daß sie 1945 nur noch 20 012 000 betrug.

Im Dezember 1947 wurde der erste Fünfjahresplan bekanntgegeben, der mit dem 1. Januar 1948 in Kraft trat und eine Vermehrung der Tiere auf 31 025 300 Stück bis zum Jahre 1952 vorsah (8). Eine Rückrechnung ergibt, daß 1947 rund 21 Mill. Tiere vorhanden gewesen sein müßten. Der Plan war überaus optimistisch und überschätzte die realen Möglichkeiten sehr stark. Er wurde dann auch zu einem vollen Mißerfolg, denn 1952 erreichte nach amtlicher Mitteilung die Gesamttierzahl nur eine Höhe von 22 794 000 (Mongol. Sonin 6. 4. 57). Auch innerhalb der Tierarten trat keine wesentliche Änderung ein.

Der zweite Fünfjahresplan wurde auf mehr realer Basis aufgestellt. Nach ihm sollte die Tierzahl 1957 rund 27,5 Mill. erreichen. Schon die Ergebnisse der ersten beiden Jahre dieses Planes zeigten, daß die freien Aratenwirtschaften, in deren Händen sich der überragende Teil des Viehes befand, den Anforderungen nicht genügten — wenn auch der sozialistische Sektor den Plan übererfüllte. Man erkannte als Hauptursache den Mangel an Förderungsmaßnahmen, die das Interesse der Araten an einer Vergrößerung der Herden hätte wecken können. Das herrschende Ablieferungssystem und die Steuerordnung erwiesen sich als Hemmnisse. Noch im Jahre 1954 wurden Maßnahmen getroffen, um diese Mißstände zu beseitigen. Das alte System der Ablieferungen wurde abgeschafft. Ein neues Gesetz bestimmte die Höhe der Ablieferungen nicht wie bisher nach der Planzahl des Tierbestandes, sondern nach der faktischen Tierzahl laut Zählung von 1953. Die Höhe der auf dieser Basis für 1954 errechneten Lieferungen sollte für jede Wirtschaft auch in den nachfolgenden Jahren gelten. Praktisch war damit der Viehzuwachs ab 1953 von jeder Ablieferung und Besteuerung befreit. Zuchtbullen und Milchkühe wurden von jeder Abgabe ausgenommen, der Ersatz der Ablieferung von Wolle und Fleisch durch andere Produkte gestattet und den Aratenwirtschaften die Lieferung von Fetten erlassen. Die Steuerschulden der letzten Jahre wurden gestrichen und die Viehsteuersätze um durchschnittlich 23 Prozent gesenkt. Weiterhin wurden die staatlichen Preise für das Ablieferungssoll um 80 Prozent erhöht, die freien Aufkaufpreise für Vieh um das Vierfache heraufgesetzt und auch für Milch und andere Viehzuchtprodukte höhere Preise festgelegt. Andererseits wurden die Preise für Heu wie auch für die wichtigsten Industrieartikel und Lebensmittel erniedrigt (96/149—150 und 97/16). Diese Maßnahmen hatten einen gewissen Erfolg, denn die Jahre 1955 und 1956 brachten eine Erhöhung der Viehzahl auf insgesamt 24 449 000 (Mongol. Sonin 6. 4. 57).

Der Plan für 1956 war damit aber nicht voll erfüllt. Es ist hierbei interessant, wie L. Zende, der Stellvertretende Ministerpräsident, auf der Sitzung des Großen Volkschurals (2.—3. April 1957) zur Realität des Planes Stellung nahm: „Im Jahre 1956 haben wir den Fünfjahresplan um 933 000 Stück Vieh nicht erfüllt. Die MVR hat aber 1955 (Winter 1955/56) durch unerwartete Gründe etwa 830 000 Stück Vieh mehr verloren als im Jahr 1954 (Winter 1954/55), das im Bereiche der Viehzucht nicht einmal zu den besten gehört. 1956 aber blieben 300 000 Muttertiere ungedeckt, etwa 100 000 Muttertiere warfen vorzeitig (Fehlgeburt) und 350 000 Jungtiere gingen wegen schlechter Wartung ein. Wenn es uns gelungen wäre, diese Verluste zu vermeiden, dann wäre der Fünfjahresplan für 1956 nicht nur erfüllt, sondern übererfüllt worden. Auf diese Weise erklären sich, wie aus den Tatsachen ersichtlich ist, die Gründe

für die Nichterfüllung des Planes durch die Nichtausnutzung der reichen
Reserven unserer Viehzucht. In der Praxis zeigte sich dieses durch die
Selbstzufriedenheit einiger politischer und wirtschaftlicher Führer, die
den Fragen der Entwicklung der Viehzucht in einigen Aimaken nicht
genügend Aufmerksamkeit schenkten. In diesen Fakten traten mehr als
klar die Versuche einiger Genossen in Erscheinung, die Irrealität unserer
Pläne zu beweisen, die Unmöglichkeit einer Planung unserer Viehzucht
darzulegen, als ob diese, deren wesentlicher Teil sich in den Händen von
Einzelwirtschaften der Araten befindet, ihr Potential zur Genüge erschöpft hätte. Die Tatsachen beweisen aber gerade das Gegenteil" (Mongol.
Sonin 6. 4. 57).

Nachfolgend sei die Entwicklung der Viehzucht der MVR in einer
Tabelle zusammengefaßt:

Tierbestände der MVR

in 1000 Stück

Jahr	Gesamt	Schafe	Rinder	Kamele	Pferde	Ziegen
1924	13.775	8.882	1.512	275	1.339	1.767
1930	23.676	15.650	1.894	473	1.563	4.096
1934	22.688	12.598	2.372	565	1.784	4.269
1940	26.196	15.377	2.724	655	2.358	5.082
1941	27.500	15.900	2.800	700	2.600	5.500
1945	20.012	11.567	2.001	641	2.101	3.702
1950	22.601	12.521	1.966	836	2.238	5.040
1951	22.739	12.597	1.978	841	2.252	5.071
1952	22.794	12.628	1.983	843	2.257	5.083
1956	24.449	13.290	2.090	851	2.390	5.828

in Prozenten

Jahr	Gesamt	Schafe	Rinder	Kamele	Pferde	Ziegen
1924	100,0	64,5	11,0	2,0	9,7	12,8
1930	100,0	66,1	8,0	2,0	6,6	17,3
1935	100,0	60,2	10,5	2,5	7,9	18,9
1940	100,0	58,7	10,4	2,5	9,0	19,4
1941	100,0	57,8	10,2	2,5	9,5	20,0
1945	100,0	57,8	10,0	3,2	10,5	18,5
1950	100,0	55,4	8,7	3,7	9,9	22,3
1951	100,0	55,4	8,7	3,7	9,9	23,3
1952	100,0	55,4	8,7	3,7	9,9	22,3
1956	100,0	54,4	8,5	3,5	9,8	23,8

Die vorstehend angegebenen Ziffern kennzeichnen die MVR als eines
der relativ viehreichsten Länder der Erde. Auf den Kopf der Bevölkerung

entfielen für 1956:

Schafe	13,3 Stück
Ziegen	5,8 Stück
Rinder	2,0 Stück
Pferde	2,4 Stück

Es gibt kein Land der Erde, das eine derartig hohe Kopfquote aufweist. Selbst Australien und Neuseeland, die als ausgesprochene Schafzuchtländer sonst in dieser Beziehung immer an erster Stelle genannt werden, stehen der MVR nach. In Neuseeland treffen zwar auf den Kopf der Bevölkerung 15 und in Australien 14 Schafe, aber in der MVR kommen noch die anderen Tierarten dazu. Auch die allgemeine Tierdichte ist relativ hoch. Während auf den Quadratkilometer im Mittel nur 0,6 Menschen errechnet werden, entfallen auf die gleiche Flächeneinheit rund 16 Tiere.

Verteilung

Die räumliche Verteilung der Viehzucht und auch der einzelnen Tierarten ist eine Frage, die den Geographen besonders interessiert. Die Möglichkeit, sie exakt zu beantworten, ist jedoch nicht vollends gegeben, da die vorhandenen Statistiken sich nach den Verwaltungseinheiten der Aimake richten und diese sich nicht mit den physisch-geographischen Landschaften decken. Aus diesem Grunde ist es auch nicht möglich, die letzteren als Grundlage zu wählen. Man kann und muß aber dennoch das landschaftliche System als Richtlinie nehmen, wenn man die Beziehungen zwischen Natur und Mensch, Landschaft und Wirtschaft erkennen will. Um dieser Aufgabe gerecht zu werden, wurde deshalb eine Zusammenfassung der 18 Aimake zu solchen Bezirken durchgeführt, die sowohl dem natürlichen als auch dem wirtschaftlichen Prinzip entspricht oder möglichst nahekommt.

In Anlehnung an Vorschläge von *E. M. Lawrenko, I. F. Schulshenko* und *A. A. Junatow*, die in den Literaturangaben mehrfach genannt sind, wurde eine Vierteilung durchgeführt, wobei in jedem dieser Teile ein Landschaftstyp besonders hervortritt, der der Hauptträger der Wirtschaft ist und darum auch in die Bezeichnung aufgenommen wurde. Um auf die etwas politisch-künstlich bestimmte Gliederung zu verweisen, wurde für die räumlichen Glieder der Name Bezirk gewählt. Es ergibt sich, wie die beigegebene Karte zeigt: folgende Aufteilung:

1. Östlicher Steppenbezirk,
2. Changai-Gebirgssteppenbezirk,
3. Gobi-Wüstensteppenbezirk,
4. Altai-Gebirgssteppenbezirk.

Diese Aufgliederung auf Grund der Verwaltungseinheiten hat den Nachteil, daß verschiedene Aimake sich in ihren Teilen, insbesondere in der Richtung von Norden nach Süden, oft wesentlich unterscheiden, manchmal geradezu halbiert sind, hier aber als Ganzes zu der einen oder anderen Gruppe geschlagen werden mußten. Mannigfache Gründe führten zu dieser Großgliederung, die eine gute Übersicht über die wirtschaftlichen Verhältnisse gibt.

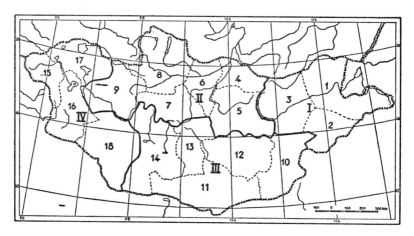

Wirtschaftsbezirke der MVR

I. Östlicher Steppenbezirk: 1 Tschoibalsan, 2 Suche-Bator, 3 Chentei;

II. Changai-Gebirgssteppenbezirk: 4 Selenga, 5 Zentral, 6 Bulgan, 7 Nord-Changai, 8 Chubsugul, 9 Dsabchan;

III. Gobi-Wüstensteppenbezirk: 10 Ost-Gobi, 11 Süd-Gobi, 12 Mittel-Gobi, 13 Süd-Changai, 14 Bajan-Chongor;

IV. Altai-Gebirgssteppenbezirk: 15 Bajan-Ulegei, 16 Kobdo, 17 Ubsa-Nur, 18 Gobi-Altai.

Die dem Abschnitt beigegebenen Tabellen zeigen die Relationen sowohl im Vergleich der Bezirke als auch der Aimake. Die Analyse im einzelnen darf dem Leser überlassen werden. Nachstehend sollen nur die Hauptzüge behandelt werden.

Der *Östliche Steppenbezirk* besteht aus drei Aimaken und umfaßt 18,3 Prozent der Fläche der MVR, 15,4 Prozent der freien Aratenwirtschaften und 13,1 Prozent des Viehs aller Arten. Der vorherrschende Steppencharakter bietet Weidemöglichkeit für alle Tierarten. Fast ein Drittel aller Heuflächen der MVR ist in diesem Teil vereinigt, wobei allerdings der südöstliche Teil nicht in jedem Jahr lohnende Erträge erwarten läßt. Insgesamt ist der Bezirk nicht genügend genutzt und enthält bedeutende Futterreserven für eine Ausweitung der Viehzucht. Ackerbau ist größtenteils nur mit künstlicher Bewässerung durchführbar.

Innerhalb des Viehbestandes ist der relative Anteil der Pferde höher als in jedem anderen Bezirk. Hier lag einst das wichtigste Pferdezuchtgebiet der Mongolen, und die Qualität der Pferde aus diesem Gebiet wird

Verteilung der Vieharten auf die Aimake 1956

in 1000 Stück

	Schafe	Rinder	Pferde	Kamele	Ziegen	insges.
I. Östl. Steppen- bezirk						
Tschoibalsan	638	131	126	28	140	1063
Suche-Bator	533	50	101	30	140	854
Chentei	678	187	188	30	204	1287
insgesamt:	1849	368	415	88	484	3204
II. Changai-Gebirgs- steppenbezirk						
Selenga	162	79	43	—	48	332
Zentral	1134	208	279	37	279	1937
Bulgan	692	153	114	5	163	1127
Nord-Changai	919	267	188	8	268	1650
Chubsugul	839	254	165	8	362	1628
Dsabchan	1213	149	186	41	470	2059
insgesamt:	4959	1110	975	99	1590	8733
III. Gobi-Wüsten- steppenbezirk						
Ost-Gobi	537	33	111	108	252	1041
Süd-Gobi	363	11	79	157	428	1038
Mittel-Gobi	769	21	142	115	399	1446
Süd-Changai	1118	131	202	90	428	1969
Bajan-Chongor	914	128	137	66	674	1919
insgesamt:	3701	324	671	536	2181	7413
IV. Altai-Gebirgs- steppenbezirk						
Bajan-Ulegei	540	48	43	10	247	888
Kobdo	648	84	79	34	423	1268
Ubsa-Nur	919	96	108	47	369	1539
Gobi-Altai	674	60	99	37	534	1404
insgesamt:	2781	288	329	128	1573	5099
MVR zusammen	13290	2090	2390	851	5828	24449

auch heute noch gerühmt. Nennenswert ist auch der hohe Anteil an Rind-, vieh, der jedoch nur den Norden des Bezirkes betrifft.

Obgleich die Futtergrundlagen im Bezirk recht gut sind, so behindern der Wassermangel im Osten und Südosten und das Fehlen von natürlichem Schutz gegen die Stürme im Winter und Frühjahr die Entwicklung. Dazu kommen Schneeverwehungen, die besonders die Mulden füllen, die gerade die bevorzugten Winterweiden wären und im Sommer zumeist nicht genutzt werden.

Zum *Changai-Gebirgssteppenbezirk* gehören sechs Aimake. Er umfaßt 27,1 Prozent der Gesamtfläche der MVR, 43,3 Prozent (1950) aller Aratenwirtschaften, 51,6 Prozent der Heuflächen und 35,7 Prozent des Viehs aller Arten. Er bietet auf Grund seiner natürlichen Ausstattung die günstigsten Voraussetzungen für die Viehzucht und auch den Ackerbau. Das zeigt sich schon darin, daß der flächenmäßige Anteil an der MVR von allen wirtschaftlichen Prozentanteilen weit übertroffen wird. So finden sich in diesem Bezirk mehr als die Hälfte der Ackerbauflächen der Araten, mehr als 75 Prozent der Staatsgüter und mehr als 50 Prozent der Heumähstationen. Das unterschiedliche Relief mit seiner reichen Zergliederung und relativ guter Bewässerung gibt die Möglichkeit zur Verbesserung der Weiden und Heuschläge und auch zur Anwendung künstlicher Bewässerung für die gesamte Landwirtschaft.

Unter den Vieharten dieses Bezirks ist an erster Stelle das Rindvieh zu erwähnen. Mehr als die Hälfte (53,2 Prozent) des gesamten Bestandes dieser wertvollsten Viehart der MVR ist auf den Changai-Bezirk konzentriert, dazu auch 40,8 Prozent des Pferdebestandes. Die gegenwärtige Richtung der Rindviehzucht zielt auf die Entwicklung der Milch-Fleischwirtschaft. Die Gebirgssteppen und die Wiesen der weiten Talauen sind diesem Streben durchaus förderlich und eröffnen der Milchwirtschaft aussichtsreiche Perspektiven, während die übrigen Gegenden des Bezirks auch einer Erweiterung der Schafzucht noch offenstehen.

Als ungünstig ist im Changai-Bezirk nur die unterschiedliche, aber vielfach hohe Schneedecke zu erwähnen, die es den Schafen und Rindern schwer macht, zum Weidefutter zu gelangen. Dafür stehen aber diesem Bezirk auch ausreichende Heuflächen zur Verfügung. Der Changai-Bezirk ist der wertvollste und auch wirtschaftlich am weitesten entwickelte Raum der MVR.

Den *Gobi-Wüstensteppenbezirk* bilden fünf Aimake. Nach der Fläche ist er mit einem Anteil von 34,1 Prozent der MVR der größte Bezirk. Während die Zahl der Aratenwirtschaften mit 20,9 Prozent (1950) relativ niedrig liegt, erreicht die Tierzahl mit 30,3 Prozent fast den Flächenanteil. Die Wüstensteppen, die hier die Hauptweideflächen bilden, sind nach ihrer Futterausstattung nicht so ungünstig wie zumeist angenommen, wird. Aber es fehlt an Wasser und auch an Heuflächen, so daß im allgemeinen dieser Bezirk in erster Linie für die Kleinviehzucht in Frage kommt. Der Anteil der Schafe am Gesamtbestand der MVR erreicht 27,8 Prozent und der der Ziegen 37,4 Prozent. Die Zahl der letzteren,

Mittlere Dichte der Vieharten in den Aimaken 1956

je qkm bzw. 10 qkm

	Schafe je qkm	Rinder je 10 qkm	Pferde je 10 qkm	Kamele je 10 qkm	Ziegen je qkm
I. Östl. Steppenbezirk					
Tschoibalsan	4,9	10,0	9,6	2,1	1,1
Suche-Bator	7,8	7,4	14,9	4,4	2,1
Chentei	7,9	21,7	21,9	3,5	2,4
im Mittel:	6,5	12,9	14,5	3,1	1,7
II. Changai-Gebirgs-steppenbezirk					
Selenga	3,4	16,5	9,0	—	1,0
Zentral	14,7	27,0	36,2	4,8	3,6
Bulgan	13,8	30,6	22,8	1,0	3,3
Nord-Changai	15,8	46,0	32,4	1,4	4,6
Chubsugul	8,6	26,2	17,0	0,8	3,7
Dsabchan	13,3	16,4	20,4	4,5	5,2
im Mittel:	11,7	26,2	23,0	2,3	3,8
III. Gobi-Wüsten-steppenbezirk					
Ost-Gobi	5,1	3,1	10,5	10,2	2,4
Süd-Gobi	2,4	0,7	5,1	10,2	2,8
Mittel-Gobi	9,2	2,5	16,9	13,7	4,8
Süd-Changai	17,2	20,1	31,1	13,8	6,6
Bajan-Chongor	7,4	10,4	11,1	5,4	5,5
im Mittel:	6,9	6,1	12,6	10,1	4,1
IV. Altai-Gebirgs-steppenbezirk					
Bajan-Ulegei	11,7	10,4	9,3	2,2	5,4
Kobdo	9,0	11,7	11,0	4,7	5,9
Ubsa-Nur	11,6	12,2	13,7	5,9	4,7
Gobi-Altai	5,5	4,9	8,0	3,0	4,3
im Mittel:	8,7	9,0	10,3	4,0	4,9
Mittel der MVR	8,5	13,4	15,3	5,5	3,7

die sich als überaus genügsam und auch widerstandsfähig erweisen, übertrifft die aller anderen Bezirke. Besonders günstig ist der Gobi-Bezirk für Kamele. 63,0 Prozent dieser Tierart sind hier vereinigt, während die Zahl der Rinder sehr gering ist. Nur im Nordteil, der an den Changai-Bezirk grenzt, trifft man häufiger Rinder an. Die kalte Jahreszeit ist für den Gobi-Bezirk besonders ungünstig, da zum Futtermangel noch kommt, daß Schnee zumeist nur in geringen Mengen oder überhaupt nicht fällt und die Tiere deshalb Durst leiden. Der Gobi-Bezirk wird am häufigsten von Dürren heimgesucht.

Der *Altai-Gebirgssteppenbezirk* besteht aus vier Aimaken und umfaßt 20,5 Prozent der Fläche der MVR, 20,4 Prozent (1950) der Aratenwirtschaften und 20,9 Prozent des Viehbestandes. Alle Anteile sind hier also ziemlich gleich. Im Gegensatz dazu sind die wirtschaftlich wirklich genutzten Teile sehr ungleichmäßig über den ganzen Bezirk verstreut und beschränken sich zumeist auf die Talflächen und Hochbecken. Der Schwerpunkt der Wirtschaft liegt im Norden in den Aimaken Kobdo, Bajan-Ulegei und Ubsa-Nur. Hier ist der Anteil der Heuflächen recht groß (16,6 Prozent der MVR), und der Ackerbau hat ebenfalls Eingang und eine gewisse Bedeutung erlangt. Der Süden, zu dem die Transaltai-Gobi gehört, spielt dagegen nur eine untergeordnete Rolle. Insgesamt bilden Schafe und Ziegen mit mehr als 75 Prozent den Kern der Herden. In seiner wirtschaftlichen Entwicklung steht der Altai-Bezirk, vor allem auf Grund seiner Abgelegenheit und seiner morphologischen Aufgliederung in einzelne Becken, gegenüber dem Changai-Bezirk weit zurück. Die bisher ungenutzten Futterreserven sind hier bedeutend, und auch die Wasserversorgung ist, abgesehen vom Süden, relativ günstig, so daß der Altai-Bezirk mit zu den Gegenden der MVR zu rechnen ist, die einer künftigen Ausweitung der Wirtschaft Aussicht auf gute Erfolge bieten. Das betrifft auch den Ackerbau.

Die allgemeine Viehverteilung auf die Fläche gibt interessante Einblicke in die Beziehungen der Viehzucht zur Natur sowie in die Wirtschaft der einzelnen Gebiete. Um die relative Viehdichte der Gesamtheit aller Tierarten überblicken zu können, ist die Umrechnung auf das mongolische Wertmaß Bodo (Großvieheinheit) wohl am besten geeignet, da die Anwendung einer fremden Wertung, wie sie in anderen Ländern üblich ist, doch nicht so ganz zutreffen würde. Schließlich möchte man den Mongolen auch in dieser Richtung folgen, da sie ja den relativen Wert ihrer Vieharten am besten kennen müssen. Ein Bodo ist der Einheitswert für ein Rind oder ein Pferd und ist gleich 7 Schafen oder 14 Ziegen, während ein Kamel als zwei Bodo gerechnet wird.

Die Karte der allgemeinen *Viehdichte in Bodo* zeigt, daß die höchste Dichte in den Aimaken Nord- und Süd-Changai zu finden ist, wo mehr als 10 Bodo auf den Quadratkilometer entfallen. Im übersichtlichen Bild folgt die stärkste Besetzung, wenn auch mit leichten Abweichungen nach Süden, in der Hauptsache dem Changai-Chentei-Zuge. Auffallend ist hierbei nur, daß die Aimake Chubsugul und Selenga entgegen aller

Verteilung der Vieharten auf die Aimake 1956

in Prozent

	Schafe	Rinder	Pferde	Kamele	Ziegen	insges.
I. Östl. Steppen-						
bezirk						
Tschoibalsan	4,8	6,3	5,3	3,3	2,4	4,3
Suche-Bator	4,0	2,4	4,2	3,5	2,4	3,5
Chentei	5,1	8,9	7,9	3,5	3,5	5,3
insgesamt:	13,9	17,6	17,4	10,3	8,3	13,1
II. Changai-Gebirgs-						
steppenbezirk						
Selenga	1,2	3,8	1,8	—	0,8	1,4
Zentral	8,6	9,9	11,7	4,4	4,8	7,9
Bulgan	5,2	7,3	4,8	0,6	2,8	4,6
Nord-Changai	6,9	12,8	7,8	0,9	4,6	6,7
Chubsugul	6,3	12,2	6,9	0,9	6,2	6,7
Dsabchan	9,1	7,1	7,8	4,8	8,1	8,4
insgesamt:	37,3	53,2	40,8	11,6	27,3	35,7
III. Gobi-Wüsten-						
steppenbezirk						
Ost-Gobi	4,0	1,6	4,6	12,7	4,3	4,3
Süd-Gobi	2,7	0,5	3,3	18,4	7,3	4,2
Mittel-Gobi	5,8	1,0	6,0	13,5	6,9	5,9
Süd-Changai	8,4	6,3	8,5	10,6	7,3	8,1
Bajan-Chongor	6,9	6,1	5,7	7,8	11,6	7,8
insgesamt:	27,8	15,5	28,1	63,0	37,4	30,3
IV. Altai-Gebirgs-						
steppenbezirk						
Bajan-Ulegei	4,1	2,3	1,8	1,2	4,2	3,6
Kobdo	4,9	4,0	3,3	4,0	7,3	5,2
Ubsa-Nur	6,9	4,6	4,5	5,5	6,3	6,3
Gobi-Altai	5,1	2,8	4,1	4,4	9,2	5,8
insgesamt:	21,0	13,7	13,7	15,1	27,0	20,9
MVR zusammen	100,0	100,0	100,0	100,0	100,0	100,0

Erwartung geringer mit Vieh ausgestattet sind, obgleich sie innerhalb des Gebirgszuges und nördlich desselben liegen. Die Erklärung findet sich jedoch leicht, wenn man außer dem Relief auch die der Arbeit beigegebene Karte der Waldverteilung zum Vergleich heranzieht. Der Aimak Chubsugul ist fast zur Hälfte (46,1 Prozent) und der Aimak Selenga sogar mehr als zur Hälfte (50,8 Prozent) mit Wald bedeckt, während der Aimak Bulgan, der bei der allgemeinen Viehdichte ebenfalls zurücktritt, in der Waldbedeckung mit 36,5 Prozent der Gesamtfläche die dritte Stelle unter den Aimaken der MVR einnimmt.

Die Verteilung des *Rindviehs* schließt sich flächenmäßig noch enger im Raum des Changai-Chentei zusammen, wobei ohne Zweifel die Aimake mit Rindvieh mehr besetzt sind, die sich durch ein dauernd fließendes Gewässernetz auszeichnen, wogegen alle anderen stark abfallen. Die höchste Rinderdichte mit 46 Stück je 10 qkm besitzt der Aimak Nord-Changai. Dieser Bezirk wie auch die übrigen mit hoher Rinderdichte zeigen gleichzeitig innerhalb ihres Gesamtviehbestandes den höchsten Anteil der Rinder. Das betrifft besonders den Aimak Selenga, der in dieser Beziehung mit fast 25 Prozent an der Spitze aller Aimake der MVR steht. Wenn hier trotzdem die Rinderdichte zurücksteht, so liegt das einmal an den Gebirgszügen des Chentei, die von Osten her hineinstreichen, zum anderen an dem schon erwähnten hohen Flächenanteil des Waldes. Gerade für den Aimak Selenga gilt aber die allgemeine Ansicht, daß er wirtschaftlich nicht genügend genutzt ist und daß er für die Rinderzucht die besten Aussichten bietet. Das gleiche kann vom Aimak Chentei gesagt werden.

Innerhalb der Rindviehzucht nimmt der *Yak* eine besondere Stellung ein. Im voraufgehenden Abschnitt ist er in die allgemeine Rinderdichte mit eingerechnet. Auf Grund seiner Eigenart soll aber seine Verbreitung in der MVR hier noch gesondert behandelt werden, wenn auch sein Anteil einschließlich der Hybriden an der gesamten Rindviehhaltung in der MVR nur rund 30 Prozent ausmacht. Eine Spezialkarte zeigt die flächenmäßige Verteilung des Yak. Die größte Dichte mit 22,1 Tieren je 10 qkm besitzt der Aimak Nord-Changai, wo der Yak vor allem auf den Hochflächen gehalten wird. Er tritt hier aber immer noch hinter das Rind zurück. Im Aimak Chubsugul erreicht er zwar nur eine Dichte von 16/10 qkm, übertrifft aber die Zahl der Rinder (61:39). Eine weitaus größere Bedeutung für die Bevölkerung, wenn auch bei niedrigeren absoluten Zahlen und geringerer Dichte, hat der Yak in den Hochgebirgen des Altai, wo er in den Hochtälern sehr oft anzutreffen ist und die Zahl der Rinder um ein Vielfaches übertrifft. Das ist besonders in den Aimaken Bajan-Ulegei, Bajan-Chongor und Gobi-Altai der Fall. Wo Rind und Yak im gleichen Raum vorkommen, kann man sagen, daß die Rinder in den Tälern, die Yaks dagegen in den Bergen gehalten werden. In den flachen Gegenden des Ostens und Südostens fehlt der Yak ganz, obwohl auch diese größtenteils mehr als 1000 m hoch liegen. Er fühlt sich in der MVR am wohlsten in Höhen von 2000 bis 3000 m oder noch höher. Eine exakte Höhengrenze seiner Verbreitung ist nicht festzustellen.

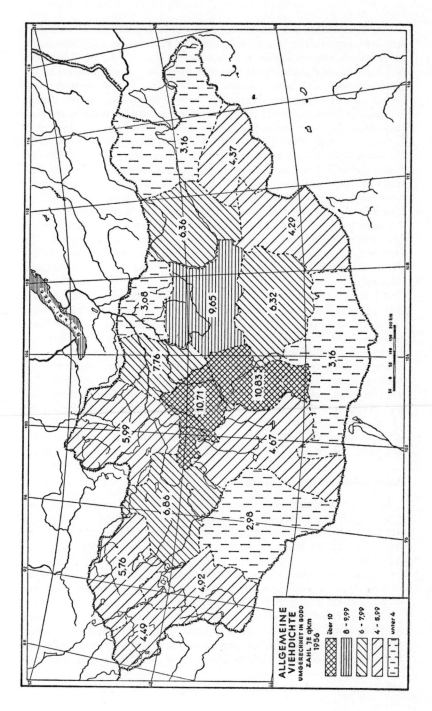

ALLGEMEINE
VIEHDICHTE
UMGERECHNET IN BODO
ZAHL JE qkm
1956

über 10
8 - 9,99
6 - 7,99
4 - 5,99
unter 4

16

Von den *Schafen* kann man allgemein sagen, daß sie überall verbreitet sind und eigentlich in keiner Mongolenwirtschaft fehlen. Die Dichtekarte zeigt jedoch außerordentliche Unterschiede. Die drei in der Mitte der MVR gelegenen Aimake Nord-Changai, Süd-Changai und Zentral bilden gewissermaßen den Schwerpunkt, von dem aus die Dichte nach allen Seiten abnimmt, am wenigsten noch nach Westen zum Aimak Bajan-Ulegei. Als Begründung für die sehr unterschiedliche Dichte können wohl auch die natürlichen Bedingungen herangezogen werden, aber sie sind in diesem Fall nicht überall entscheidend. Ausschlaggebend für die hohe Schafdichte der zentralen Aimake ist, daß diese gegenwärtig zu den Gebieten der MVR gehören, die wirtschaftlich am meisten entwickelt sind und sich durch hohe Bevölkerungsdichten auszeichnen. Dieser Grund kann zwar auch allgemein bei der Tierverteilung herangezogen werden, tritt aber für die Dichteverteilung der Schafe, die nach ihrer wirtschaftlichen Bedeutung in der MVR an erster Stelle stehen, am deutlichsten hervor. Da gerade für die Schafzucht in der Zukunft die günstigsten Perspektiven bestehen, kann und wird sich das Dichtebild sehr wohl ändern, wobei dann die natürlichen Bedingungen stärker zum Ausdruck kommen dürften.

Bei den *Pferden* zeigt die Dichtekarte eine sehr auffallende Ähnlichkeit mit der der Schafe, wenn auch die Abnahme nach den Randgebieten nicht so stark ausgeprägt ist. Die geringsten Dichten weisen der gesamte Mongolische Altai, die Gobizone und merkwürdigerweise auch der äußerste Osten und der Aimak Selenga auf.

Die *Ziegen* zeigen im allgemeinen eine Dichtezunahme von Osten nach Westen. Ihre größte Verbreitung finden sie vorwiegend in Landschaften mit trockenen und felsigen Weiden. Es sind zumeist die ärmsten Gegenden der MVR, in denen die Zahl der Ziegen am höchsten ist. So haben die Herden im Gobi-Wüstensteppen- und im Altai-Gebirgssteppenbezirk den größten Anteil an Ziegen. In vielen Aratenwirtschaften ersetzt die Ziege das Schaf. Sie ist auch in der Mongolei das Haustier des armen Mannes.

Futterwirtschaftliche Grundlagen

In der Ernährungswirtschaft der Viehzucht der MVR spielen die Naturweiden auch heute noch die überragende Rolle. Sie bilden die Basis, von der die Entwicklung der Gesamtwirtschaft schlechthin abhängig ist. Die Kenntnis der natürlichen Vegetationsdecke ist darum eine ausschlaggebende Voraussetzung für eine planmäßige Förderung der Viehzucht. So hat sich die naturwissenschaftliche Forschungsarbeit in den letzten Jahren in erster Linie den Fragen der natürlichen Futterbasis und den damit zusammenhängenden Problemen gewidmet.

Die erste Arbeit, die sich mit dieser Frage befaßte, war ein Aufsatz von *N. W. Pawlow*, der 1925 in der „Iswestija" der Russ. Geogr. Gesellschaft erschien (219) und der sich mit den verschiedenen Arten von Weiden und ihrer Ergiebigkeit im Changai-Gebiet befaßte. 1930 wurde eine ein-

Die landwirtschaftlichen Nutzflächen der MVR und ihre Verteilung auf die Aimake

in 1000 ha

(nach I. F. Schulshenko)

	Gesamt-fläche	Weide-flächen	Heuflächen	Wälder
I. Östl. Steppenbezirk				
Tschoibalsan	13 131	12 591	267	213
Suche-Bator	6 818	6 818	—	—
Chentei	8 614	6 875	323	1 443
insgesamt:	28 591	26 283	590	1 656
II. Changai-Gebirgs-steppenbezirk				
Selenga	4 845	2 163	210	2 462
Zentral	7 712	6 675	119	906
Bulgan	5 073	3 060	121	1 853
Nord-Changai	5 825	4 332	159	1 319
Chubsugul	9 757	4 030	261	4 504
Dsabchan	9 142	8 197	140	698
insgesamt:	42 356	28 457	1 010	11 742
III. Gobi-Wüsten-steppenbezirk				
Ost-Gobi	10 936	10 602	—	—
Süd-Gobi	15 447	15 354	—	—
Mittel-Gobi	8 385	8 365	—	—
Süd-Changai	6 469	6 254	5	203
Bajan-Chongor	12 315	12 202	7	18
insgesamt:	53 257	52 777	12	221
IV. Altai-Gebirgs-steppenbezirk				
Bajan-Ulegei	4 557	4 362	84	18
Kobdo	7 220	6 848	95	12
Ubsa-Nur	7 907	6 778	152	34
Gobi-Altai	12 307	11 865	15	—
insgesamt:	31 993	29 853	345	64
MVR zusammen	155 797	137 371	1 958	13 683
Prozentsatz von der Fläche der MVR	100,0	88,2	1,2	8,8

16*

gehende Untersuchung des Aimaks Ubsa-Nur durch eine Boden- und Botanikkommission unter Leitung von *Baranow* durchgeführt. Sie stellte die verschiedenen Arten der Weiden fest, ihre Ertragsfähigkeit und zeichnete eine Karte des Gebietes. In der Folge beschäftigten sich zahlreiche Mitarbeiter des Komitees der Wissenschaften der MVR mit gleichen Forschungen in den verschiedensten Gegenden der Mongolei. Die vollständigste und beste Arbeit, die eine Charakteristik der Weidewirtschaft eines Großteils der östlichen Mongolei bringt, ist der Bericht der Expedition zur Erforschung der Heu- und Weideverhältnisse, die von dem Volkskommissariat für Landwirtschaft der UdSSR gemeinsam mit dem Wissenschaftlichen Komitee der MVR 1940 bis 1942 unternommen wurde. *A. A. Junatow* hat in den letzten Jahren alle Ergebnisse der einzelnen Forschungen gesammelt und sie in verschiedenen Zusammenfassungen veröffentlicht (106).

Bei diesen Forschungen wurden nicht nur die wild wachsenden Pflanzen der Weiden und Wiesen der Mongolei festgestellt, sondern man bemühte sich, auch zu praktischen Ergebnissen zu kommen. Man stellte Beobachtungen an Tieren an, um den Nährwert der Weidepflanzen festzustellen. Chemische Untersuchungen des Komitees der Wissenschaften ergänzten diese Arbeit. Vor allem aber legte man großen Wert darauf, die Erfahrungen der Araten selbst, die auf Generationen zurückgehen, durch intensive Befragung der wissenschaftlichen Forschung nutzbar zu machen. Durch diese Methoden gelang es, wenn auch kein exaktes, so doch ein orientierendes Bild der wichtigsten Weidenpflanzen zu erhalten.

Die Hauptmasse der Futterpflanzen in den Steppen und Wüstensteppen bilden *mehrjährige Gräser*. Nach den Berechnungen der vorher genannten Expedition stellen sie mindestens 33 Prozent des gesamten Futterbestandes in der Gobi-Zone, während ihr Anteil in den Steppengebieten noch zunimmt. In der nördlichen Steppenzone des Changai sind es in erster Linie die verschiedenen Pfriemengräser (Stipa capillata s. l.) und mit geringerem Nährwert die Cleistogenes squarrosa Richt. Gern gefressen wird Aneurolepidium pseudoagropyrum Nevski., Agropyron cristatum Gaertn., Festuca ovina s. l. und der Schmalfuß Koeleria gracilis Pers. In der Wüstensteppe der Gobi sind am meisten verbreitet die beim Vieh sehr beliebten federartigen Pfriemengräser aus der Reihe der Barbatae: Stipa glareosa P. Smirn., S. gobica Roshev., S. caucasica, S. orientalis Trin. und andere. Sie dienen das ganze Jahr hindurch als Futter. Von großer Bedeutung in den Steppen und Wüsten ist der „Deris" (Lasiagrostis splendens [Trin.] Kunth), ein zwar recht grobes Futter mittlerer Qualität, das sich jedoch für den Winter recht gut aufheben läßt.

Bekannt für die Ernährung des Viehes ist auch die Bedeutung der *Zwiebelpflanzen*, die besonders in der Wüstensteppe eine sehr weite Verbreitung haben. Am bekanntesten ist hier Allium polyrrhizum Turcz., wovon nach Ansicht der Mongolen die Kamele und Schafe schnell Fett ansetzen.

Einen wichtigen Futterbestand bilden verschiedene Composen. An

Anteile der Aimake an der MVR

in Prozent

(nach I. F. Schulshenko)

Anteil an:	der Gesamt-fläche	der Weide-fläche	der Heu-fläche	den Araten-wirtschaften
I. Östl. Steppenbezirk				
Tschoibalsan	8,4	9,2	13,5	4,9
Suche-Bator	4,4	5,0	—	4,8
Chentei	5,5	5,0	16,5	5,7
insgesamt:	18,3	19,2	30,0	15,4
II. Changai-Gebirgs-steppenbezirk				
Selenga	3,1	1,6	10,7	2,5
Zentral	4,9	4,8	6,1	9,6
Bulgan	3,2	2,2	6,1	5,0
Nord-Changai	3,7	3,2	8,2	8,7
Chubsugul	6,3	2,9	13,3	9,1
Dsabchan	5,9	6,0	7,2	8,4
insgesamt:	27,1	20,7	51,6	43,3
III. Gobi-Wüsten-steppenbezirk				
Ost-Gobi	6,8	7,7	—	2,9
Süd-Gobi	9,9	11,2	—	2,8
Mittel-Gobi	5,4	6,1	—	3,6
Süd-Changai	4,1	4,5	0,3	5,7
Bajan-Chongor	7,9	8,9	0,4	5,9
insgesamt:	34,1	38,4	0,7	20,9
IV. Altai-Gebirgs-steppenbezirk				
Bajan-Ulegei	2,9	3,2	4,3	3,9
Kobdo	4,6	5,0	4,8	4,4
Ubsa-Nur	5,1	4,9	7,8	7,2
Gobi-Altai	7,9	8,6	0,7	4,9
insgesamt:	20,5	21,7	17,6	20,4
MVR zusammen	100,0	100,0	100,0	100,0

erster Stelle ist hier, was die Verbreitung und fettaufbauende Eigenschaft anbetrifft, Artemisia frigida Willd. zu nennen. Ihr ungefähr gleichwertig ist in der Gobi Artemisia xerophytica Krasch. Andere Arten von Wermut und auch die verschiedenen Tanacetae der Wüstensteppe eignen sich ganz gut als Futter (Hyppolitia achillaeoides [Turcz.] P., H. trifida [Turcz.] P.). Viele große mehrjährige Wermutarten (Artemisia arenaria, s. l. A. procera Willd., A. sacrorum) spielen in Dürrezeiten und in besonders schneereichen Jahren als Notnahrung eine wichtige Rolle. Sonst werden sie nicht gern gefressen. Einjährige Wermutarten (Artemisia scoparia W. et. K., A. anethifolia Web.) schießen in der Gobi nach Regengüssen massenweise aus dem Boden und werden für den Winter als Heu gemäht.

In der gesamten Gobi-Zone der MVR stehen nach den vorgenannten Arten die halbstrauchartigen *Salzpflanzen*. Die beste Qualität haben hier Salsola passerina Bge. und Anabasis brevifolia C. A. M. Sie stellen ein sehr gutes Futter für Kamele und teilweise auch für Ziegen dar. Nicht so gern und nur in Notzeiten wird die den Salsolae nahestehende Reaumuria soongorica Max. gefressen. Ziemlich häufig findet man in den Steppen und Wüstensteppen die bei den Schafen beliebte Kochia prostata Schrad. In den Salzsteppen der nördlichen Zone der MVR bilden einjährige Salzpflanzen — hauptsächlich die verschiedenen Arten der Suaeda — ein gern genommenes, fettbildendes Futter.

Leguminosen haben in der Futterwirtschaft nur eine untergeordnete Rolle. Zumeist sind es Astragalae und Oxytropae, die vom Vieh nicht gern gefressen werden. Im nördlichen Teil der Mongolei treten dagegen ziemlich häufig Luzerne (Medicago falcata L.) und Wicken (Vicia) auf, die vom Vieh gesucht sind.

Riedgräser sind in den Steppen und Wüstensteppen wenig verbreitet. Es überwiegt unter ihnen Carex duriuscula C. A. M., die ein befriedigendes Futter bietet. In Gebirgssteppen und auf Sumpf- und Bergwiesen sind Riedgräser häufig, werden jedoch vom Kleinvieh gemieden. In der Hochgebirgszone dominiert Cobresia sibirica Turcz. Riedgräser und Cobresien werden hier gerne von Rindern, dem Yak und Yak-Kreuzungen gefressen.

In einigen Gebieten der Wüstensteppen und in Niederungen im Norden des Landes sind *Iris-Pflanzen* ziemlich reich vertreten (Iris ensata Thunb., I. Bungei). Im grünen Zustande werden sie vom Vieh gemieden, im Herbst dagegen, wenn sie trocken werden, nimmt das Vieh sie gern. Die Araten sammeln die Pflanzen als Trockenfutter für das Jungvieh im Winter.

In den Wüsten und Wüstensteppen und zum Teil auch in der Steppenzone im Norden des Landes spielen in der Ernährung des Viehes *Sträucher und Halbsträucher* eine wichtige Rolle. Als Futter haben sie zwar nur einen geringen Wert, aber ihre Bedeutung besteht darin, daß sich ihre jungen Triebe im Winter und im Frühjahr, wenn gewöhnlich Futtermangel herrscht, gut bewahren und dann als Notnahrung gern gefressen werden. Am weitesten verbreitet sind die mongolischen Arten von Caragana, so daß sie auch landschaftlich eine Rolle spielen. Am häufigsten sind

Caragana pygmaea (L.) D. C., C.microphylla (Pall.) Lam. Kamele und Ziegen fressen sie gern. Im Winter werden die jungen Zweige sehr hart und enthalten bis zu 45 Prozent Zellulose. Wertvoller sind die in der Gobi weitverbreiteten Eurotia ceratoides C. A. M., Brachanthemum gobicum Krasch. und Potaninia mongolica Max. Wie chemische Analysen zeigten, bilden die jungen Zweige in der Zeit ihres Wachstums ein sehr wertvolles Futter. Sie enthalten bis zu 10 Prozent Protein. Sie werden von Pferden, Kamelen und kleinem Hornvieh gefressen. Andere Sträucher, die in der Gobi ebenso weit verbreitet sind, wie Nitraria sibirica Pall., N. sphaerocarpa Max. und Zygophyllum xanthoxylon Max., werden vom Vieh gemieden. Der in der Gobi häufig vorkommende Haloxylon ammodendron Bge. wird von den Kamelen gern gefressen. Die Mongolen weisen darauf hin, daß die Kamele von den jungen Zweigen des Haloxylon sehr rasch Fett ansetzen. Schafe und Ziegen fressen die abgefallenen Früchte, Zweige jedoch nur bei Futtermangel im Herbst und Winter.

Giftige und *schädliche Pflanzen* sind in der Mongolei im allgemeinen wenig verbreitet, so daß nach bisheriger Kenntnis Tiervergiftungen und Erkrankungen infolge Genusses derartiger Pflanzen selten vorkommen. Interessant ist hierbei die verschiedene Beurteilung mancher Pflanzen. So gelten einige Pflanzen, die in der UdSSR giftig sind, z. B. Pulsatilla, Thermopsis lanceolata R.Br. bei den Mongolen als gute und fettaufbauende Futterpflanzen. So wird Pulsatilla Turczaninovii Kryl. et Serg. von den Araten sehr geschätzt, da sie angeblich die Kräfte der durch den Winter erschöpften Tiere, insbesondere bei Schafen und Ziegen, schnell wiederherstellt. Dieser Umstand hängt wahrscheinlich von dem biochemischen Gehalt ab und ist auf die klimatischen Bedingungen zurückzuführen.

Die bisherige Kenntnis des Nährpflanzenbestandes der Naturweiden lassen die Schlußfolgerungen zu, daß die nördliche Zone der MVR, insbesondere das Changai-Gebiet, am besten für die Haltung von großem Hornvieh (Rindvieh, Yakkreuzungen und in Hochgebirgsgegenden der Yak selbst), Pferden und auch für Schafe und Ziegen geeignet ist. Kamele können hier nur in Gegenden von Solontschaken gehalten werden. Was die Gobi betrifft, so sind die Wüstensteppen am besten nutzbar für Schafe, Ziegen und Kamele, weniger dagegen für Pferde und großes Hornvieh. In den typischen Wüsten der Gobi läßt die Vegetation nur die Haltung von Kamelen und Ziegen zu.

Als Nachweis für die Weideeignung der Gobi für die verschiedenen Tierarten sei die nachfolgende Tabelle gebracht (106/193), die das Ergebnis der Heu- und Weideerforschung der Expedition (1940 bis 1942) darstellt:

Die Futtereignung der Gobi-Weiden
in Prozent aller in der Gobi festgestellten Pflanzen

Art der Futternahme u. Bekömmlichkeit	Pferde	Rindvieh	Schafe Ziegen	Kamele
ausgezeichnet bis gut	15,6	12,1	30,1	29,1
befriedigend	14,3	16,5	27,2	29,1
schlecht oder gar nicht	65,1	66,4	37,4	36,8
giftige Pflanzen	5,0	5,0	5,0	5,0
	100,0	100,0	100,0	100,0

Die Weideflächen und ihr Charakter

Abgesehen von zahlreichen Forschern, die eine allgemeine Vorstellung von der Pflanzendecke der Mongolei vermittelten, haben sich mit den Grundtypen der Weideflächen, ihrer Verteilung und ihrem weidewirtschaftlichen Wert vor allem *N. W. Pawlow* (221), *W. I. Baranow* (31), *A. A. Junatow* (106) und *I. F. Schulshenko* (273) besonders befaßt. Der letztere gibt in seiner 1954 erschienenen Arbeit über die Tierzucht der Mongolei eine übersichtliche Zusammenfassung aller bis dahin erzielten Feststellungen.

Die futterbotanische Abteilung der Mongolischen Landwirtschaftlichen Expedition hat eine Karte der natürlichen Weideflächen zusammengestellt und die Haupttypen der landwirtschaftlichen Nutzflächen in ihrem Ausmaß errechnet. Die Ergebnisse sind der diesem Abschnitt beigefügten Tabelle zu entnehmen (273/55). Nach dieser Tabelle, die für das Jahr 1950 aufgestellt ist, ergibt sich folgender Überblick:

	in 1000 ha	in Prozenten
Gesamtfläche der Aimake	155 797,8	100,0
Weideland	137 371,5	88,2
Heuschläge	1 958,1	1,2
Wälder	13 683,3	8,8
nicht nutzbare Flächen	2 784,4	1,8

Das Ackerland ist in den vorgenannten Typen enthalten. Es betrug 1950 50 700 ha. Aus der Tabelle ist klar ersichtlich, daß das Gebiet der MVR in erster Linie Weideland ist. Vor allem zeigt sie, daß die Möglichkeiten der Heugewinnung ohne meliorative Verbesserungen im Lande begrenzt sind. In den Aimaken, die zu den Halbwüsten und Wüsten der Gobi gehören, gibt es praktisch keine Heuschläge. Auf die in den letzten Jahren in der MVR erzielten Futtervorräte in den Scheunenbeständen soll hier nicht eingegangen werden.

Für die mongolischen Weideflächen lassen sich folgende charakteristische Merkmale angeben:

1. Schwache Schneedecke in normalen Wintern, wodurch alle Tierarten die Möglichkeit haben, an das Futter zu gelangen; es gibt also im all-

gemeinen keine jahreszeitliche Nutzung, sondern sie erfolgt das ganze Jahr hindurch;

2. viele Weideplätze werden von allen Tierarten abgegrast;
3. hoher Nährwert des natürlichen Grasbestandes;
4. geringer Ernteertrag im allgemeinen und große Schwankungen desselben in den einzelnen Jahren;
5. starker Rückgang der Futtervorräte auf den Weideplätzen in der Winter-Frühjahrsperiode.

Der Weideertrag ist qualitativ in den einzelnen Landschaften je nach ihrem Pflanzenbestand sehr unterschiedlich. Im allgemeinen kann man jedoch sagen, daß die Steppenweiden im Mittel einen Ertrag von 3 bis 5 dz je ha ergeben, während die Futtermengen der Wüstensteppen (Halbwüsten) zwischen 1 und 2 dz je ha liegen und nur in seltenen Fällen an 3 dz heranreichen (106/196). Dies sind Mittelwerte eines Normaljahres. In der Praxis ergeben sich jedoch infolge der außerordentlichen Schwankungen des Klimas und in engem Zusammenhang mit diesem große Differenzen. *Junatow* bringt als Beispiel folgende Angaben (106/196):

Weideerträge der Allium-Federgras-Wüstensteppe

in einem außerordentlich guten Jahr	3,3 dz/ha
in einem guten Jahr	2,0—2,5 dz/ha
in einem mittleren Jahr	1,3 dz/ha
in einem schlechten Jahr	0,5 dz/ha

Wenn vorstehende Angaben sich auch auf einen Weidetyp der Wüstensteppe beziehen, so geben sie doch eine Vorstellung von den außerordentlichen Schwankungen des Futtermengenertrages der Weideflächen. Hieraus lassen sich auch die Schwierigkeiten für eine planmäßige Gestaltung der Viehzucht abschätzen, da das Klima ein sehr unsicherer Faktor ist. Weiterhin wird verständlich, daß die Wanderungen der Herden sich in ihrer täglichen und jährlichen Ausdehnung von Jahr zu Jahr ändern, da sie sich nach dem jeweiligen Weidewert der Flächen richten müssen.

Neben der absoluten Menge der Futterdarbietung der Weiden ist aber für ihren Weidewert mitbestimmend ihr qualitativer Bestand. Dabei kommt es darauf an, welche Pflanzen in der Bodenbedeckung die Hauptrolle spielen und in welchem Verhältnis die einzelnen Arten an dem Pflanzenkleid beteiligt sind.

Auch in der Beziehung auf den qualitativen Charakter der Weideflächen existieren keine stabilen Verhältnisse. Mit erstaunlicher Empfindlichkeit reagiert die Vegetation auf den leichtesten Wechsel der Witterungsverhältnisse, sei es, daß einzelne Arten sich stärker entwickeln, sei es, daß andere verkümmern oder sogar ganz verschwinden, je nachdem die klimatischen Bedingungen der einen oder anderen Pflanzenart günstig oder ungünstig sind.

Kurzfristige Änderungen der Witterungsverhältnisse wirken sich weniger fühlbar aus. Sehr stark macht sich jedoch der Wechsel zwischen feuchten und trockenen Jahren bemerkbar. Dabei muß hervorgehoben werden, was schon beim Klima gesagt worden ist, nämlich, daß die Vegetationszeit in der Mongolei auf 90 bis 120 Tage beschränkt ist und daß die Niederschlagsmenge in dieser kurzen Zeit entscheidend für die Pflanzenentwicklung des ganzen Jahres ist. Aber gerade die sommerlichen Niederschläge sind ja örtlich und auch von Jahr zu Jahr sehr ungleichmäßig.

Über die Auswirkungen der jährlichen Witterungsschwankungen auf den Charakter der Pflanzendecke liegen verschiedene Berichte vor. Die Dürre des Jahres 1944 war der Anlaß, daß man an zahlreichen Orten der Steppen und Wüstensteppen drei Jahre hindurch exakte Beobachtungen durchführte.

In klimatisch normalen Jahren wird die Federgrassteppe durch eine gute Entwicklung der mehrjährigen rasenbildenden Gräser und Halbsträucher charakterisiert, während die einjährigen kaum hervortreten, unterdrückt erscheinen und höchstens an der Entwicklung des untersten Stockwerkes, dicht an der Erdoberfläche, beteiligt sind. Ein Jahr mit reichlichen Niederschlägen bringt im Verhältnis der ein- zu den mehrjährigen Pflanzen ein vollkommen anderes Bild. Die einjährigen Arten entwickeln sich vorzüglich und herrschen vor, während Xerophyten und auch Federgräser in ihrer Masse sich nur wenig vermehren, jedoch gute Früchte tragen.

Die außergewöhnliche Dürre des Jahres 1944 hatte die Flora der Federgrassteppe im folgenden Jahr grundlegend geändert. Einjährige Pflanzen fielen überhaupt aus, die Rasengräser vegetierten nur im Juli, und zwar sehr ärmlich. Die Oberfläche der Steppe hatte infolge der unbedeckten Erde einen leblosen, braunen Farbton, der nur hie und da vom Grün der normal wachsenden und fruchttragenden Strauchpflanzen, insbesondere des Zwerg-Erbsenstrauches Caragana pygmaea (L.) D. C. und des kleinblättrigen Erbsenstrauches Caragana microphylla (Pall.) Lam., unterbrochen wurde. Erst drei Jahre später erlangte die Steppe wieder ihren Zustand, wie er vor dem Dürrejahr herrschte.

In den Federgras- oder Federgras-Allium-Wüstensteppen zeigt sich der Einfluß feuchter Jahre in erster Linie auch in einer starken Vergrößerung des Anteils einjähriger Gräser. Eine enge Wechselbeziehung besteht in der Wüstensteppe zwischen den beiden wichtigen Edifikatoren, dem Gobi-Federgras Stipa gobica Roshev., und dem vielwurzeligen Lauch Allium polyrrhizum Turcz. Feuchte Jahre verursachen eine ausschließliche und überreiche Vermehrung des Lauches, während in Trockenjahren eine umgekehrte Entwicklung zugunsten des Federgrases zu beobachten ist.

Trockenere Jahre führen in der Regel zur Unterdrückung der mehrjährigen Rasenbildner, und es wächst die Rolle der xerophytischen Halbsträucher, des Wermuts und mehrjähriger Salzpflanzen.

Eine regelmäßige Änderung des Weidewertes ergibt sich aus dem jahreszeitlichen Wechsel. Der Futtervorrat verringert sich im Winter auf einen Bruchteil des sommerlichen Bestandes, der im August seinen Höchstwert erreicht. Genauere Untersuchungen zu dieser Frage liegen nicht aus der ganzen Mongolei vor. Für typische Wüstensteppen hat *Junatow* festgestellt, daß nur etwa 30 bis 40 Prozent der sommerlichen Menge auf der Wurzel verbleiben (106/197). Vergleiche mit ähnlich ausgestatteten Gegenden der Burjato-Mongolischen ASSR und Kirgisien zeigen, daß dieser angegebene Prozentsatz noch eher zu hoch als zu niedrig ist. Betont muß werden, daß die verbleibende Futtermenge vom sommerlichen Bestand abhängig ist. Dazu kommt, daß auch der Nährstoffgehalt der winterlichen Vegetation auf etwa 40 bis 50 Prozent absinkt, so daß sich damit eine doppelte Wertminderung der Weideflächen, eine quantitative und eine qualitative, ergibt.

Der Einfluß der Tierwelt auf die Weiden

Bei der Betrachtung des Wertes der Weideflächen darf der Einfluß mancher Tiere auf die Flora nicht übersehen werden, zumal er zeitlich und örtlich beachtlich ist. Die stärksten und verderblichsten Folgen gehen auf das Auftreten kleiner Nager zurück, aber auch die Beweidung der Steppen bleibt nicht ohne Einwirkung auf die Pflanzenwelt.

In der Steppenzone der Mongolei tritt die Wühlmaus Microtus Brandtii oft in großer Zahl auf. Ihre Verbreitung ist in den einzelnen Gebieten sehr verschieden und ändert sich von Zeit zu Zeit. In manchen Jahren wirkt sich das massenhafte Auftreten dieses kleinen Nagers für die Viehzucht wirklich katastrophal aus. Die Tiere bauen ihre Kolonien dicht nebeneinander, der Boden ist mit Löchern übersät und von einem engen Netz von Gängen durchfurcht. Der Weidewert solcher Steppen geht beträchtlich zurück, häufig um ein Drittel bis ein Viertel im Vergleich mit nicht betroffenen Gebieten. Die Maus lebt nicht nur von den Gräsern, sondern vernichtet auch die Wurzeln der Pflanzen, die dann absterben. In Gebieten, die von den Wühlmäusen heimgesucht wurden, bleibt die Pflanzendecke mehrere Jahre hindurch nur schwach entwickelt. Die Sukzession der Vegetation, die sich aus dem Auftreten der Wühlmaus ergibt, ist bisher noch nicht untersucht. Bemerkenswert ist, daß sie an erster Stelle in den Federgras-Caragana-Steppen und den reinen Federgras-Steppen heimisch ist, seltener jedoch, falls sich zum Federgras die unechte Quecke (Aneurolepidium pseudoagropyrum Nevski) gesellt. Das Schwergewicht der Verbreitung der Wühlmaus liegt heute im Osten, wechselt aber oft den Standort, so daß die Schädlinge in einer Gegend verschwinden, um dann in Massen in einer anderen aufzutauchen. Vor einigen Jahren wurden die Aimake Zentral, Nord-Changai und Bulgan verheerend heimgesucht. Die Gründe für den Standortwechsel sind nicht festzustellen. Niemals geht die Wühlmaus jedoch in den Süden. In der Gobi ist sie unbekannt.

An zweiter Stelle hinsichtlich der Verbreitung und der Schädlichkeit ist der Tarbagan, eine Murmeltierart (Marmota sibirica), zu nennen, der mehr in den Bergsteppen verbreitet ist und die Gebirgsweiden bis zu den höchsten Felsen hinauf bewohnt. In der reinen Steppenzone dagegen kommt er selten vor. Er baut tiefe und ausgedehnte Erdlöcher und Gänge und wirft große Erdhügel auf, auf denen sich sofort lästige Unkräuter ansiedeln. Vielfach bringt der Tarbagan in den Hügeln den besonders karbonatreichen Unterboden an die Oberfläche, so daß verschiedene Pflanzen diese Orte meiden und sich dann eine Pflanzengesellschaft einstellt, die Karbonatböden bevorzugt. Später, auch wenn die Hügel bereits verfallen sind, heben sich diese Stellen noch lange durch ihren Reichtum an Artemisia adamsii Bess. und Aneurolepidium pseudoagropyrum Nevski aus dem allgemeinen Vegetationsbild heraus.

Schließlich bleibt noch in einigen nordöstlichen und östlichen Gebieten der Daurische Zokor (Cokor dahurica) zu erwähnen. Er hält sich mit Vorliebe in weichen Wiesenböden auf, die er zum großen Schaden der Pflanzenwelt durchwühlt, um seine Nahrung — ausschließlich Pflanzenwurzeln — zu finden. Außerdem befördert er in regelmäßigen Abständen aus seinen Gängen die Erde an die Oberfläche und wirft sie zu Kegeln auf. Mitunter wird die Zahl der letzteren so groß, daß der Nutzungswert der Wiesen stark herabgemindert wird.

In der Gobi ist die Einwirkung der Nager auf die Grasnarbe geringer. Die allgemeinen klimatischen Gegensätze und auch der Mangel an Vegetation beschränkt hier ihre Verbreitung. Nur in Tälern, die mit Deris, Lasiagrostis splendens Kunth., bewachsen sind, in kleineren Oasen und in Sandgegenden, in denen Saksaul, Haloxylon spec. verbreitet ist, treten Kolonien der Renn- und Schenkelmaus (russ. Pestschanka) manchmal in solchen Mengen auf, daß die Vegetation darunter leidet (106/120).

Die Zahl der wilden Weidetiere — Antilopen, Ziegen, Kulane u. a. — ist sehr gering, und ihre Standorte wechseln mit den Jahreszeiten, so daß ihr Dasein ohne Einfluß auf die Vegetation bleibt. Auch der nomadisch durchgeführte Weidebetrieb der Mongolen ist bei der relativ großen Weidefläche, die zur Verfügung steht, im allgemeinen so extensiv, daß in der Vegetation kaum irgendwelche Veränderungen festzustellen sind. Von wesentlicher Bedeutung bleibt, daß die Vegetationsdecke vielfach sehr dünn ist und ein längeres Verweilen am Ort sich von selbst verbietet. Weiter ist zu beachten, daß die Vegetation nur sehr langsam nachwächst und abgeweidete Flächen häufig erst nach einem längeren Zeitraum, womöglich erst im übernächsten Jahr, wieder als Weide benutzt werden können. Nur in solchen Gegenden, wo eine intensivere Weidenutzung möglich ist und auch durchgeführt wird, ergeben sich feststellbare Veränderungen der Pflanzendecke, über die *Junatow* (106/125) berichtet.

In den *Bergsteppen* kommt es im Anfangsstadium der Rasenveränderung zu einer Reduktion der Pflanzenarten. Von 25 bis 30 Arten bleiben nur 10 bis 12 zurück. In erster Linie fallen die Vertreter der Hochgebirgsvegetation aus. Der Hauptedifikator, der Schafschwingel (Festuca ovina s. l.) bleibt vorläufig in der gleichen Menge vertreten, die zweitwichtigste Pflanze, Artemisia frigida Willd., nimmt an Bedeutung zu. Im zweiten Stadium tritt die letztgenannte Wermutart ganz in den Vordergrund und drängt Festuca ovina in eine untergeordnete Rolle. Wird die Beweidung noch weiter durchgeführt, so ergibt sich durch den Viehtritt allmählich eine Zerstörung der Grasnarbe, so daß hier und da der lockere Boden zum Vorschein kommt und damit der Austrocknung ausgesetzt wird. Letzteres spiegelt sich sehr exakt in der wachsenden Bedeutung, die nun verschiedenen xerophylen Pflanzen zukommt. Das Stengellose Fingerkraut, Potentilla acaulis L., die lanzettblättrige Thermopsis lanceolata R. Br., Veronica incana L. und Stellera chamaejasme L. beginnen sich stärker zu verbreiten, werden aber vom Vieh nicht gefressen. Im dritten Stadium erreicht Artemisia frigida Willd. ihre maximale Entwicklung, wobei das Fingerkraut Potentilla acaulis L. an zweiter Stelle folgt. Die Gräser nehmen stark ab. Am hartnäckigsten hält sich noch ein Rispengras, Poa botryoides Trin. Die Segge Carex duriuscula C. A. M. und die vorher schon genannte Stellera chamaejasme L. erlangen weiterhin größere Bedeutung. An kahlgefressenen Stellen erscheinen einjährige Pflanzen. Die Vegetation der Bergweide hat ihr Angesicht vollkommen verändert, ihr Wert hat bedeutend abgenommen.

In der *Federgras-Steppe* führt eine starke Beweidung zunächst zu einer Zunahme von Artemisia frigida Willd. und einer geringen Reduktion verschiedener Grasarten. Das Federgras, hier Stipa capillata s. l., und Cleistogenes squarrosa Richt. bleiben in ihrem anteilmäßigen Bestand vorerst noch unberührt, werden aber später immer mehr ausgerottet. An ihre Stelle tritt die Segge Carex duriuscula C. A. M., und die Steppe nimmt einen Seggen-Wermut-Charakter an, wobei neben Artemisia frigida Willd. noch Artemisia adamsii Bess. auftaucht. Bei weiterer Beweidung gelangt die Segge zur vollen Herrschaft, ihr beigemischt erscheinen verstärkt Potentilla bifurca L., Convolvus ammannii Desr. und das Salzkraut Salsola ruthenica Iljin. Im letzten Stadium werden auch die Seggen unterdrückt, dafür treten einjährige Pflanzen in den Vordergrund, wie Eragrostis minor Host., Tribulus terrestris L. u. a.

Im Gebiet der Lauch-Federgras-Steppe hat man in der Umgebung eines Brunnens beim Somon Choltu im Aimak Mittel-Gobi die Vegetation untersucht (14. Juni 1945). Der Brunnen liegt in einer Ebene inmitten einer typischen Lauch-Federgras-Steppe. Es ergab sich folgendes Profil (106/122):

Entfernung vom Brunnen:	Vegetationsbild:
0—30 m	Alles zusammengetreten, der Boden reichlich von Harn durchtränkt und mit Unrat von Tieren bedeckt. Pflanzenwuchs fehlt.
30—45 m	Einzelne Exemplare von Peganum nigellastrum Bge. normal entwickelt, in Blüte.
45—60 m	Graubraune, abgestorbene Rasenbestände, Lauchart Allium polyrrhizum Turcz. Es herrschen niederständige blühende Exemplare der Ackerwinde Convulvulus Ammannii Desr.

vor; selten vereinzelte Sträucher von Peganum nigellastrum Bge.

60—75 m   Dasselbe, aber in dem Rasenbestand von Allium polyrrhizum Turcz. tritt hinzu Stipa gobica Roshev. mit niedrigen verkümmerten Trieben, weiterhin noch Lagochilus ilicifolius Bge., Dontostemon integrifolius (L) C. A. M.

75—90 m   Mehr oder weniger normale Lauch-Federgras-Steppe, jedoch sehr hoher Anteil abgestorbener und verkümmerter Pflanzen. Im Rasenbestand erscheinen, abgesehen von den bisher angeführten Arten jetzt auch Tanacetum achilleoides, Anabasis brevifolia C. A. M., Cleistogenes sinensis.

Das beschriebene Profil zeigt sehr gut die Veränderungen der Wüstensteppe bei intensiver Beweidung. Es ist ersichtlich, daß im ersten Stadium die am weitesten verbreiteten und wertvollsten Pflanzen (Stipa gobia und Allium polyrrhizum) verlorengehen, wobei der Lauch etwas widerstandsfähiger ist. Das letzte Stadium ist durch die Verbreitung von Convulvus ammannii Desr. und Peganum nigellastrum Bge. charakterisiert. Nicht immer und überall findet die Ablösung der einen durch die andere Art in der vorher beschriebenen Reihenfolge statt.

Auf Sandböden ist die Einwirkung der Beweidung schneller und deutlicher spürbar. Wo ein verhältnismäßig geschlossener Rasen vorhanden ist, wächst gewöhnlich Artemisia arenaria s. l., ihr beigemischt finden sich verschiedene Grasarten der Steppen und Wüsten. Intensivere Beweidung führt zuerst zur Zerstörung des Rasenzusammenhanges und zur Bildung kleinerer Deflationsherde, die durch Auswehung immer größer werden. An diesen Stellen wuchern Kolonien von Timouria villosa Roshev., Elymus giganteus Vahl und Hedysarum mongolicum Turcz. In einem gewissen Stadium der Zerstörung tritt der Erbsenstrauch Caragana bungei Ldb. auf, und die Artemisia-Weide wird zur Caragana-Weide. Es verbleiben daneben noch einjährige Pflanzen. In seltenen Fällen geht die Entwicklung bis zur Bildung von Barchanen weiter. In manchen Gegenden der östlichen Gobi erscheint an Stelle des Erbsenstrauches die Saksaul-Art Haloxylon ammodendron (C. A. M.) Bge., in deren Schutz sich Agriophyllum avenarium M. B. ansiedelt, das in regenreichen Jahren üppig wuchert.

Stärker fast noch als in Sandgegenden wirkt sich unsachgemäßes Beweiden in Wiesentälern aus, die oft ganz verdorben werden. Weil man oft die elementarsten Regeln der Weidewirtschaft nicht befolgt (106/123), werden die wertvollen Überschwemmungswiesen der Talauen vielfach so durchgetreten und verschmutzt, daß sie erst nach längerer Zeit wieder benutzbar sind. Auch die trockenen Wiesen entlang den Steppenflüssen werden mitunter durch übermäßige Beweidung so durch- oder festgetreten, daß eine Versalzung des oberen Bodenhorizontes häufig die Folge ist. So werden aus vorzüglichen Weideflächen Salzwiesen.

Die Ablösung der Vegetation durch Brände ist bei den Mongolen nicht üblich. Die einheimische Bevölkerung sieht in einem Steppenbrand nur eine Katastrophe und wendet diese Methode darum nie an. Steppenbrände treten selten und dann nur im nördlichen und östlichen Teil des Landes auf, wo der Graswuchs dicht und hoch genug ist. Meistens brechen sie im Frühjahr aus, wenn das Wintergras trocken ist und der neue Graswuchs noch nicht begonnen hat. Im allgemeinen haben die Brände auf die Vegetation der nachfolgenden Jahre keinen großen Einfluß (106/123). Im Brandjahr selbst ist der Bruttoertrag der Weideplätze bedeutend geringer, da das alte Gras, das 25 bis 30 Prozent des Rasens bildet, völlig verbrennt und ausfällt. In der Gobizone kommen Brände fast nie vor.

Der nomadische Weidegang

Der Nomadismus der Mongolen ist entstanden und vollzieht sich auch heute noch in erster Linie unter dem Naturzwang der örtlich nicht ausreichenden Weide. So ist der Radius der jährlichen Wanderungen in den einzelnen Gegenden je nach ihrer Vegetationsausstattung sehr verschieden. Innerhalb des Changai-Chentei-Gebirges, wie überhaupt in den feuchteren Gebieten des Nordens, beträgt der jährliche Wanderungsweg bis zu 20 km, wobei der Standort bis zu fünfmal verlegt wird. In manchen günstigen Gegenden findet sogar nur ein zweimaliger Wechsel statt (196/48). Ganz anders sieht es in den trockenen und grasarmen Teilen des Südens und Südostens aus. Hier sind jährliche Wanderwege von 50 bis 70 km eine normale Erscheinung, und es kommen sogar solche bis zu 200 km vor, wobei der Standortwechsel bis zu 44mal durchgeführt werden muß (312/102). Zwischen diesen angeführten Extremen verlaufen die Wanderungen in normalen Jahren. Als Resultat historischer, administrativer und wirtschaftlicher Entwicklung werden dabei bestimmte Wege eingehalten. Wenn jedoch die Witterung anormale Abweichungen zeigt — und in der Mongolei gleicht kein Jahr dem anderen — und z. B. Dürren auftreten, dann müssen die Herden in den betroffenen Gebieten oft Entfernungen zurücklegen, die weit über den vorher genannten liegen, und die sonst geruhsame Wanderung artet dann nicht selten in eine wahre Flucht aus, wobei es nicht nur um die Rettung der Herden allein geht, sondern oft auch um Tod und Leben des Menschen.

Für den Nomadismus der Mongolen gibt es in bezug auf die Richtung der Wanderungen kein bestimmtes Schema. Im Flachlande der Gobi folgt man der sich infolge der Sommerregen bildenden grünen Grasnarbe zumeist in der Richtung auf die Wüsten, um dann wieder in einem Bogen den Rückzug anzutreten. In einzelnen Teilen des Landes zieht man sich im Winter in die Gebirgstäler zurück, lebt dagegen im Sommer in den breiten Steppentälern. In anderen Gegenden ist es umgekehrt: im Sommer zieht man zu den hohen, kühlen Gebirgstälern mit ihren Bergwiesen hinauf, um im Winter in die Vorberge und an den Gebirgsfuß hinunterzusteigen. Die letztere Art der Wanderung ist für den Gobi-Altai charakteristisch. Daneben gibt es noch verschiedene andere Arten der Wanderung. Alle werden in Ausdehnung, Zeit und Richtung von den jeweiligen örtlichen Naturverhältnissen und ihrem jährlichen Ablauf bestimmt. Eine Spezialuntersuchung würde hier manche Frage klären können. Sie würde im Endergebnis jedoch nur zeigen, wie eng der „freie" Nomade und sein Leben an die Natur gefesselt sind.

Um die jeweils besten Weidebedingungen anzutreffen, haben die Mongolen ein richtiggehendes System des Weidegangs entwickelt, das sich auf die Erfahrungen von Generationen stützt. Diese sind schon in früherer Zeit gesammelt und in Form von Anleitungen sogar schriftlich niedergelegt worden. Eine solche Schrift ist die aus der Mitte des 17. Jahrhunderts stammende „Tsutschije atagunu durim" (106/12). Bekannter ist die aus der zweiten Hälfte des 18. Jahrhunderts erhaltene Anleitung von *To-wan* (Togtocho-Törö), die in der Ostmongolei entstanden ist und zahlreiche kurzgefaßte Faustregeln enthält. Sie verrät eingehende Kenntnis der Weideverhältnisse und vor allem der mongolischen Pflanzenwelt, wie die mongolischen Viehzüchter überhaupt gute Kenner der Flora ihres Landes sind und für fast alle Pflanzen eigene mongolische Namen haben. In der vorher genannten Anleitung heißt es etwa:*)

§ 10: Pferde und Schafe halte in einer Gegend, die reich ist an agi (Artemisia frigida Willd.) und botuul (Festuca ovina s. l.) und tränke sie, ohne beim Wasser zu halten.

§ 11: Sobald der mangir (Allium senescens L.) aufsprießt, halte die Schafe bei Regenlosigkeit 2 bis 3, bei Regen 4 bis 5 Tage im Durst, ohne sie zu tränken, dann werden sie gehörig Fleisch ansetzen.

§ 39: Die Kamele führe in allen vier Jahreszeiten in solche Täler zur Weide, wo es chudshir (Salzpfannen), Bäume und viele Kräuter von der Art chargana (Caragana) und chamchul (Salsola ruthenica Iljin, Salsola collina L.) gibt.

Ähnliche Regeln haben sich daneben auch in der mündlichen Überlieferung erhalten. Eine neue und moderne „Anleitung für die Viehzucht in der Gobi" ist von *Dorshi* verfaßt und 1936 in Ulan-Bator erschienen (106/13). Sie stützt sich auf eigene Erfahrungen und auf Umfragen bei den Araten.

Die Wahl des Weideplatzes kann im allgemeinen auf die natürliche Ausstattung der einzelnen Gegenden zurückgeführt werden. Im einzelnen folgt der Mongole aber ganz bestimmten Richtlinien, die er kennt und über die der Fremde oft in Erstaunen gerät. Es ist interessant, diesen Entscheidungen nachzugehen und die Gründe dafür zu erfahren. Sie zeugen von einem tiefen Naturverständnis und einer genauen Beobachtungsgabe der Mongolen. Sie halten sich in der Wahl des Weideplatzes z. B. an eine ganz bestimmte zeitliche Reihenfolge, weil sie wissen, daß gewisse Pflan-

---

*) Nach der auszugsweisen Übersetzung ins Russische, veröffentlicht in „Sowremennaja Mongolija" 1935, Nr. 6, S. 29 bis 46. Die botanischen Namen sind in Klammern eingefügt worden.

zen zu verschiedenen Zeiten des Jahres wechselnde Eigenschaften aufweisen und deshalb von den Tieren nur in einem bestimmten Stadium der Entwicklung genommen oder auch abgelehnt werden. Es sei hier nur auf einige Salzpflanzen hingewiesen, die das Vieh nur im Herbst frißt, da sie im Frühjahr und Sommer einen zu hohen Salzgehalt haben. Andere Pflanzen wiederum verlieren im Verlauf der Vegetationszeit die Zartheit und Frische ihrer Blätter und werden darum nur im Anfangsstadium ihrer Entwicklung von den Tieren als Nahrung genutzt.

Im Frühjahr, wenn das Vieh nach dem langen und futterarmen Winter geschwächt ist, bemüht sich der Mongole, seine Tiere möglichst schnell wieder zu Kräften zu bringen. Er sucht deshalb mit ihnen, vor allem mit dem Jungvieh, in dieser Zeit vornehmlich nach Süden gelegene Hänge auf, an denen die Vegetation zuerst erscheint. In der Steppen- und Gebirgssteppenzone werden Pferde, Schafe und Ziegen auf Berghänge und solche Talweideplätze geführt, die reich an Gräsern und Zwiebelgewächsen sind. Für die Rinder werden die Weideplätze so ausgewählt, daß die Tiere immer hochwüchsige, saftige Wiesen- und Steppengräser vorfinden, die den Fettansatz fördern. In weiten Teilen des Landes wird das Vieh in den Sommermonaten ins Hochgebirge getrieben, wo die alpinen Cobresia-Wiesen ein vorzügliches Futter bieten, so im Mongolischen und Gobi-Altai und im Chubsugul-Gebiet, weniger im Changai, dessen Hochflächen weniger reich sind. In den Wüstensteppen wiederum werden im Sommer mehr die ebenen, tiefer gelegenen, mit kleinwüchsigen Gräsern bewachsenen Flächen als Weide benützt.

Es ist auch notwendig, daß mit den Tieren Solontschak-Böden aufgesucht werden, damit sie ihren Salzbedarf befriedigen können. Das geschieht mit Kamelen mindestens fünf- bis siebenmal im Monat, mit anderen Tierarten drei- bis viermal (273/60). Die Tiere fressen Salzpflanzen oder lecken das Salz vom Boden ab. Kamele werden vorzugsweise auf Weideflächen mit gemischter Vegetation (Sträucher, Salzpflanzen) gehalten.

Die Herbstmonate dienen der Vorbereitung der Tiere für den Winter, sozusagen der Stabilisierung des im Frühjahr und Sommer erreichten körperlichen Wohlstandes. Nach Ansicht der Mongolen ist es zu dieser Zeit angebracht, die Tiere häufiger als sonst auf die Solontschak-Weiden zu führen, da die Salzpflanzen am besten die Konsolidierung des erzielten Fleisch- und Fettansatzes herbeiführen sollen. Derartige Weiden finden sich in allen Gegenden der Mongolei.

Mit dem Einbruch der kalten Jahreszeit beginnt für das Vieh die schwerste Zeit, die erst im Frühjahr endet. In dieser Periode handelt es sich nicht nur darum, einen Weideplatz, sondern gleichzeitig auch einen vor den Unbilden der Witterung möglichst geschützten Aufenthaltsort zu finden. In den Gebirgsgegenden suchen Tier und Mensch recht enge Täler und Schluchten auf, oder sie suchen am Rand der Wälder und Gehölze Zuflucht. Oft zieht man mit dem Vieh in das dichte Gebüsch, das sich entlang den Flußufern erstreckt und in der Regel auch genügend

Nahrung bietet. Die höher gelegenen, rauhen Gebirgsgegenden werden verlassen und solche Niederungs- und Beckenlandschaften aufgesucht, die durch geringen Schneefall bekannt sind. In der Steppe und Wüstensteppe wählt man als Weide- und Standplatz der Herden die Ränder von Senken, wo das Gelände mit dem 1,5 bis 2 m hohen Deris dicht bewachsen ist, oder sucht Schutz in sonstigen Vertiefungen. Als Nahrung dienen im Winter alle Pflanzen, die überhaupt genießbar sind, sogar Halbsträucher und Sträucher, die in Katastrophenjahren die letzten kärglichen Nahrungsreserven für die Tiere bilden.

Abgesehen von Schafen und Ziegen weidet das Vieh auch im Winter vollkommen selbständig. Das Kleinvieh wird am Morgen auf die Weide getrieben und gegen Abend wieder zurück zur Jurte geführt. Rinder und Pferde kommen nicht zur Jurte zurück, sondern suchen sich zum Übernachten selbständig windgeschützte Stellen und gehen am Morgen wieder von selbst auf die Weide. Der tägliche Weidegang, den die Tiere auf der mühsamen Futtersuche durchführen, beträgt bei Pferden 20 bis 35 km, bei Rindern 8 bis 10 km, bei Kamelen 6 bis 7 km, bei Schafen und Ziegen ebenfalls 6 bis 7 km (273/60). Die Menge des im Winter pro Tag gefressenen Futters konnte nur bei Schafen und Ziegen festgestellt werden. Sie betrug im Durchschnitt der Monate Januar bis April bei Schafen täglich 1,2 bis 1,7 kg Weidemasse und bei Ziegen 1,2 bis 1,6 kg.

Das Tränken der Tiere vollzieht sich im Winter im Zusammenhang mit dem Vorhandensein von Schnee. Bei Schneereichtum werden die Tiere überhaupt nicht getränkt. Sie stillen ihren Durst, indem sie Schnee fressen. Ist wenig oder gar kein Schnee vorhanden, tränkt man sie aus Brunnen oder sonstigen Wasserstellen, soweit solche vorhanden sind. Andernfalls muß ein Standortwechsel vorgenommen werden. Zwischen zwei Tränkzeiten vergehen bei Schafen und Rindern ein bis drei Tage, bei Kamelen ein bis fünf Tage. Pferde werden jeden zweiten Tag getränkt, aber auch nur in dem Falle, daß es gar keinen Schnee gibt. Es wurde festgestellt, daß im Mittel der Monate Dezember bis April erwachsene Tiere bei einer Tränke folgende Wassermengen zu sich nehmen: Schafe 2,1 bis 3,7 l, Ziegen 2,2 bis 3,9 l, Rinder 24 bis 37,7 l, Pferde 15,3 bis 23,5 l und Kamele 28,9 bis 40,6 l (273/60).

Die mongolischen Vieharten haben die hervorragende Eigenschaft, in der sommerlichen Periode leicht und schnell Fett anzusetzen, das ihr Körper dann in der Notzeit des Winters allmählich verbraucht. Das bedeutet zwar einen Gewichtsverlust, aber die Not ist dadurch leichter zu überstehen. Bei noch wachsenden Tieren ist diese Eigenschaft weniger gut ausgebildet als bei erwachsenen. Deshalb treten bei Jungtieren eher Erschöpfungserscheinungen auf, so daß auf sie auch ein Großteil der Winterverluste entfällt.

Die Sorge um das Winterfutter

Bei der nomadischen Viehzucht, wie sie die Mongolen seit vielen Jahrhunderten und größtenteils auch noch heute betreiben, sind die Viehherden gezwungen, sich auch im Winter ihr Futter selbst zu suchen. Die Folge davon ist, daß der Zustand der Tiere sich im Winter außerordentlich verschlechtert, daß sie abmagern, an Kraft verlieren und manchmal zum Schatten ihrer selbst werden. Zum Hunger kommen dann noch andere Gefahren, wie die strenge Winterkälte, Schneestürme, hungrige Wölfe und Krankheiten, denen gegenüber die geschwächten Tiere nur von geringer Widerstandsfähigkeit sind. Das Jungvieh ist von allen diesen Gefahren ganz besonders bedroht. Die Entwicklung der gesamten Viehzucht hängt auch heute noch davon ab, wieviel Jungvieh man über den Winter und das Frühjahr erhalten kann. In normalen Wintern mußte man früher mit einem Verlust von 20 Prozent des gesamten Viehbestandes rechnen (111/40). In einem besonders ungünstigen Winter waren örtlich, falls noch epidemische Krankheiten ausbrachen, Verluste bis zu 50 Prozent keine Seltenheiten (226/40). Manche Mongolen büßten ihren ganzen Viehbesitz ein und wurden zu Bettlern.

Wie sehr die Futternot im Winter und Frühjahr die Tiere allgemein schwächt, zeigt am besten der außergewöhnliche Gewichtsverlust der Tiere, wie *Schulshenko* ihn in zwei Tabellen darstellt (273/61):

Mittleres Lebendgewicht von Schafen

Datum	Muttertiere	Kastrate
30. 12. 1950	47,9 kg	60,1 kg
30. 1. 1951	40,2 kg	57,4 kg
28. 2. 1951	38,8 kg	56,6 kg
30. 3. 1951	34,0 kg	52,9 kg
30. 4. 1951	33,7 kg	44,5 kg
Abnahme	14,2 kg	15,6 kg

Lebendgewicht bei Kühen

Datum	Mittel	Schwankungen
10. 10. 1950	282,7 kg	233,0—317,0 kg
25. 2. 1951	257,0 kg	215,0—309,0 kg
6. 5. 1951	236,0 kg	180,0—283,5 kg
Abnahme	46,7 kg	53,0— 33,5 kg

Im allgemeinen darf gesagt werden, daß Mutterschafe während des Winters rund ein Drittel, Kastrate rund ein Viertel und Rinder rund ein Sechstel ihres Gesamtgewichtes verlieren (273/61). Die Abnahme des Lebendgewichtes ist nicht allein auf die geringe Futtermenge zurückzuführen, sondern auch auf die Verschlechterung des chemischen Bestandes der Pflanzen und auf den größeren Energieverbrauch zur Erlangung des notwendigen Futters.

Der Futtermangel im Winter kann örtlich durch verschiedene Ursachen zu einer katastrophalen Not anwachsen. Die Mongolen unterscheiden hier zwei Arten, den „Zagan Dsud" (Weißer Dsud) und „Chara Dsud" (Schwarzer Dsud). Im ersten Falle entsteht die Futternot, wenn der Winter zu viel Schnee bringt. Die Tiere sind dann nicht in der Lage, die Pflanzen freizuscharren. Erschöpfung und Hunger fordern deshalb viele Opfer. Die Gefahr des „Schwarzen Dsud" tritt in solchen Wintern ein, die einem trockenen Sommer folgen. Auf Grund der geringen Niederschläge haben sich die Pflanzen in der kurzen Vegetationsperiode nicht genügend entwickeln können, so daß im Winter allgemeiner Futtermangel herrscht. Noch gefährlicher wird die Lage im Frühjahr, wenn die Schneedecke oberflächlich taut und sich bei nachfolgendem Frost mit einer Eisrinde überzieht. Das Kleinvieh kann diese nicht zertreten, um sich das darunterliegende Futter anzueignen. Man versucht sich dadurch zu helfen, daß man die Pferdeherden voraustreibt, denen dann die Kleintiere folgen. Wo keine oder nur wenige Großtiere vorhanden sind, muß der Mensch selbst die Eisrinde zerschlagen, so gut er kann, um der Not Herr zu werden. Die enge Abhängigkeit vom Klima, dessen Ablauf der Mensch nicht beeinflussen kann, läßt viele Mongolen das Geschehen als unabwendbares Schicksal hinnehmen. Fehlende Voraussicht und mangelnde Energie sind deshalb oft mit schuld, wenn die wirtschaftlichen Verluste größer sind, als sie hätten zu sein brauchen.

Um eine Vorstellung davon zu geben, welche Viehverluste regelmäßig jedes Jahr entstehen, sei die folgende Zusammenstellung nach Angaben von *Denissow* (60/172 f.) gebracht:

Tierverluste durch Dsud

in 1000 Stück

Jahr	Schafe	Ziegen	Rinder	Pferde	Kamele	insgesamt
1937	378,4	93,3	77,3	25,1	14,1	588,2
1938	270,2	64,3	38,0	21,9	6,1	400,5
1939	368,5	122,2	53,7	54,4	16,1	614,9
1940	450,3	133,0	80,8	67,2	0,2	731,5
1943	352,1	168,5	39,5	25,1	17,0	602,2
1944	334,2	138,3	37,5	23,5	6,1	539,7
1945	1630,7	599,7	502,1	237,0	86,5	3056,0

Der Winter 1944/45, der durch seine außerordentlichen Verluste auffällt, war ein Unglück für die gesamte Tierzucht der MVR. Es sei darum auf die besonders schwierigen Verhältnisse dieses Zeitabschnittes hier ganz kurz eingegangen. Der Sommer und Herbst 1944 waren ungewöhnlich trocken. Die Dürre betraf den ganzen Osten, Südosten, die zentralen Gebiete und teilweise auch den Westen und das Nordwestende der MVR. In diesen Gegenden gingen die Saaten, die von den Staatsgütern und Araten im Frühjahr angelegt worden waren, wegen der Trockenheit vollkommen zugrunde, und die Weideflächen und Heuschläge wurden von der sengenden Hitze gänzlich ausgebrannt. Ein Teil des Viehs verhungerte bereits, ehe der Winter begann. Die Regierung traf weitgehende Maßnahmen zur Verlagerung des Viehs in die von der Dürre weniger betroffenen Gebiete und setzte Militär und alle freien Kräfte als Hilfe für die Araten ein. Die Folge war, daß alle Weideplätze in kürzester Zeit abgegrast waren und die Tiere wie vorher hungerten. Auf den fürchterlichen Sommer und Herbst folgte ein früher Winter, der so schrecklich war, daß selbst die ältesten Mongolen sich eines ähnlichen nicht erinnern konnten. Gleich am Anfang brachte er viel Schnee und eisige Kälte. In tagelangen Schneestürmen wurden besonders Pferde und Rinder von ihren Herden abgetrieben und kamen um. Selbst das Großvieh war nicht mehr in der Lage, die unter der mächtigen Schneedecke verbliebenen spärlichen Vegetationsreste abzuweiden. Die Mongolen unternahmen in ihrer Verzweiflung den Versuch, die noch lebenden Tiere mit dem Kote der schon verendeten zu füttern. Sie erreichten damit nur, daß weitere Tiere an Verstopfung der Speiseröhre zugrunde gingen, statt etwas später zu verhungern (60/178). Die Regierung ließ den Schnee von den Weideflächen entfernen, verteilte Heuvorräte für das Vieh und Brot für die Araten.

Viehverluste durch Dsud

in 1000 Stück

Aimak	1942/43	1943/44	1944/45
1. Nord-Changai	40,8	21,8	61,0
2. Ost-Gobi	27,3	7,3	130,3
3. Dsabchan	20,3	100,8	284,9
4. Selenga	1,6	1,9	1,6
5. Chentei	20,7	12,2	185,4
6. Süd-Changai	62,1	59,7	258,4
7. Tschoibalsan	8,7	1,5	63,7
8. Süd-Gobi	32,1	3,4	52,0
9. Chubsugul	8,4	15,8	10,4
10. Kobdo	20,1	30,0	129,9
11. Ubsa-Nur	10,5	30,8	189,2
12. Zentral	30,3	16,5	256,6
13. Bulgan	16,7	20,0	26,0
14. Bajan-Ulegei	17,1	7,6	6,7
15. Gobi-Altai	94,3	114,6	422,4
16. Mittel-Gobi	41,3	28,3	466,7
17. Bajan-Chongor	124,5	44,8	232,5
18. Suche-Bator	13,1	21,6	256,3
zusammen:	589,9	538,6	3033,9

Die allseitig eingesetzte und behördlich organisierte Hilfe konnte die Verluste immerhin beschränken, sonst wäre es zu einer grenzenlosen Katastrophe für die Mongolei gekommen. Trotzdem verlor die MVR in diesem Winter allein am Dsud mehr als 3 Millionen Tiere, und zwar in der

Reihenfolge der Verluste: 16,3 Prozent des Rindviehs, 11,1 Prozent der Kamele, 10 Prozent der Ziegen, 9 Prozent der Schafe und 9 Prozent der Pferde (60/172 f.). Unter den verlorenen Tieren waren besonders viele Jungtiere und trächtige Muttertiere, so daß im nächsten Jahr ein starker Mangel an Jungvieh herrschte. Im übrigen sank infolge der Entbehrungen dieses Winters die Fruchtbarkeit der Tiere, was sich bis 1947 auswirkte.

Von Interesse ist bei den Tierverlusten durch Dsud — also durch klimatische Ursachen — ihre räumliche Verteilung im Rahmen der MVR, wozu die obige Tabelle eingefügt worden ist (60/179).

Aus der Tabelle ist ersichtlich, daß im Winter 1944/45 die Verluste die der beiden vorangegangenen Jahre um ein Vielfaches übersteigen. Von den am schwersten betroffenen Aimaken gehören die meisten ganz oder teilweise der Gobi-Zone an. Dort können auch in normalen Jahren keine Heuvorräte angesammelt werden, und es gibt keine Winterunterkünfte für das Vieh (60/179). Im übrigen herrschte in den gleichen Aimaken auch 1940/41 eine große Trockenheit, die sich damals nicht weniger verhängnisvoll auswirkte. Doch fehlen hierüber statistische Angaben (60/179).

Die dieser Arbeit beigefügte Kartenskizze zeigt den Anteil der Verluste des Katastrophenwinters 1944/45 an der Gesamttierzahl der einzelnen Aimake, wobei sich Verluste bis zu 34,5 Prozent ergeben.

Nach Literatur- und Archivangaben traten Dsud-Erscheinungen in den letzten 77 Jahren in den verschiedensten Gebieten der MVR nicht weniger als achtzehnmal auf (273/65):

Winter	Betroffene Gebiete	Winter	Betroffene Gebiete
1874/75	Osten	1922/23	Zentral
1882/83	Gobi	1925/26	Zentral
1886/87	Osten und Zentral	1928/29	Gobi und Zentral
1892/93	Osten	1931/32	Zentral
1894/95	Gobi	1933/34	Osten
1900/01	Zentral	1935/36	Gobi und Zentral
1904/05	Gobi	1938/39	Zentral
1907/08	Osten	1944/45	Gobi, Ost, Zentral,
1912/13	Osten und Norden		teilw. Westen
		1950/51	Zentral

Am stärksten ist das Zentralgebiet (zehnmal), dann der Osten (siebenmal) und erstaunlicherweise erst dann der Gobiteil (sechsmal) betroffen, während der Norden und Westen nur je einmal und auch dann nur teilweise das Auftreten von Dsud erlebten.

Die von den Araten zur Bekämpfung des Dsud angewandten Methoden bestehen hauptsächlich darin, daß man die Tiere auf andere Weideplätze bringt, die ermatteten Tiere zusätzlich mit Heu füttert oder ihnen alle möglichen Surrogate verabreicht, von denen hier folgende genannt sein mögen: Pferdemist (für Hornvieh und Schafe); Tee mit Milch und Butter

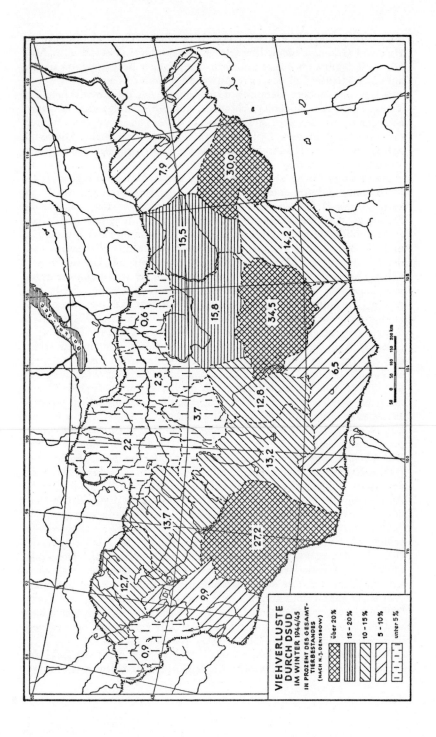

VIEHVERLUSTE
DURCH DSUD
IM WINTER 1944/45
IN PROZENT DES GESAMT-
TIERBESTANDES
(NACH N.J. DENISSBOW)

über 20 %
15 – 20 %
10 – 15 %
5 – 10 %
unter 5 %

7,9
30,0
15,5
14,2
0,6
15,8
34,5
2,3
6,5
3,7
12,8
2,2
13,2
13,7
27,2
12,7
9,9
0,9

50 0 50 100 150 200 km

oder Fett, ausgekocht aus den Knochen gefallener Tiere; ein Gericht aus Heu und Gras mit Mehl, Pferdeleber in gekochtem Zustand u. a. Aber alle diese Maßnahmen sind praktisch von geringer Bedeutung, da sie nur auf einen kleinen Teil der Tiere Anwendung finden können.

Wenn auch andere Gefahren und Hemmungen die Entwicklung der Viehzucht in der Mongolei behindern, auf die im folgenden Abschnitt eingegangen werden wird, so steht der Dsud, der Futtermangel im Winter, der Jahr für Jahr seine Opfer fordert, doch an erster Stelle. Die Sorge um das Winterfutter kann man als das Hauptproblem der mongolischen Viehzucht bezeichnen.

Das einzige Mittel zur Überwindung dieser Not ist die rechtzeitige Beschaffung und Ansammlung eines ausreichenden Futtervorrats für die kalte Jahreszeit. Bei einigen wenigen fortschrittlichen Mongolen war die Besorgung einer beschränkten Heumenge für die Jungtiere auch schon früher üblich, doch der Großteil der Mongolen kannte das Heumachen und die Bevorratung für den Winter überhaupt nicht. Hier setzte nach der Begründung der MVR eine intensive Propaganda ein. Um die konservativen Mongolen, die bei ihren alten Methoden beharrten und sich gegen jede Neuerung wehrten, zu überzeugen und zu gewinnen, mußte eine wahre Umschulung durchgeführt werden. Wie sehr man von Grund auf anfangen mußte, beweist die Tatsache, daß es 1929 in der MVR nur 4000 Sensen gab, deren Zahl sich aber bis 1938 bereits auf 40 432 erhöhte (226/42). Auch das bedeutet indessen noch sehr wenig, wenn man bedenkt, daß die Zahl der mongolischen Individualwirtschaften insgesamt mehr als 216 000 betrug (312/124). Eine gewisse Hilfe für die Entwicklung war der Einsatz von Grasmähern, die von den Staatsgütern angeschafft und auch auf Partei- und Viehzüchterversammlungen vorgeführt wurden. 1925 gab es in der MVR 90 Grasmäher und 47 Schlepprechen für Pferdezug (226/42). 1937 wurden die ersten 10 Heumähstationen eingerichtet, deren Ausrüstung aus der Sowjetunion eintraf. Der Maschinenpark derselben bestand aus insgesamt 40 Traktoren, 470 Grasmähern, 285 Schlepprechen, 20 Lastkraftwagen und 10 Schwerölmotoren. Auf diesen Stationen arbeiteten in diesem Jahr 124 sowjetische Spezialisten, die gleichzeitig die Ausbildung der Mongolen durchführten. 1938 wurde die Zahl der Heumähstationen (HMS) auf 24 erhöht und die Maschinenausrüstung auf 107 Traktoren, 1373 Grasmäher, 862 Schlepprechen und 122 Heupressen vergrößert (226/42). 1939/40 trat in der Organisation der HMS eine Änderung ein. Man verkleinerte sie und erhöhte dadurch ihre Zahl. Der Traktoreneinsatz für die Heugewinnung erwies sich als ungeeignet. Man überließ die Zugmaschinen den Staatsgütern zum Ackerbau und ging zum Pferdezug über. Damit konnten viele HMS ohne Rücksicht auf die Treibstoffversorgung eingerichtet werden und so in bezug auf die Heuflächen und Konsumenten einen günstigeren Standort erhalten. Überdies verbilligte der Übergang zum Pferdezug die Arbeit (312/112).

Nach dem ersten Fünfjahresplan (1948 bis 1952) sollte die Zahl der Heumähstationen auf 120 erhöht werden, wobei als Norm eine Ausstat-

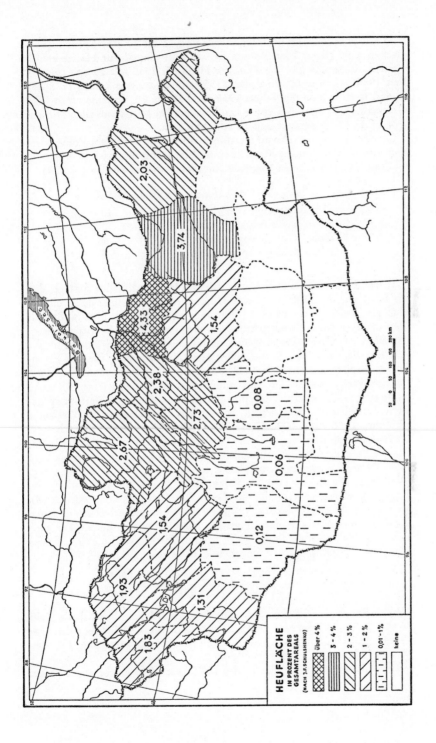

HEUFLÄCHE
IN PROZENT DES
GESAMTAREALS
(NACH J.F.SCHULSHENKO)

über 4 %
3 - 4 %
2 - 3 %
1 - 2 %
0,01 - 1%
keine

50 0 50 100 150 200 km

tung mit jeweils 20 bis 30 Grasmähern und 15 bis 20 Schlepprechen vorgesehen war. Dieser Plan konnte jedoch nicht einmal zur Hälfte erfüllt werden. *Mursajew* gibt die Zahl der HMS für 1950 mit 55 an (196/43). Erst 1954 waren es 60, zu denen 1955 noch 10 weitere kamen (178/34), so daß es zu Beginn des Jahres 1956 rund 70 waren, die zusammen 1750 Grasmäher und 1260 Schlepprechen besaßen. Im Mittel entfallen also auf jede HMS 25 Grasmäher und 18 Schlepprechen.

Die Verteilung der Heumähstationen richtet sich nach dem Vorhandensein von entsprechenden Heuflächen und ist infolgedessen sehr ungleichmäßig. Für 1950 können folgende Angaben gemacht werden (273/34):

Verteilung der Heumähstationen in der MVR

Östlicher Steppenbezirk	12
Changai-Gebirgssteppenbezirk	33
Gobi-Wüstensteppenbezirk	5
Altai-Gebirgssteppenbezirk	5
	55

In der Praxis zeigte es sich, wie *Zaplin* (312) ausführlich darlegt, daß die Schaffung der HMS wohl eine Hilfe, aber keine Lösung des Problems war. Der Versorgungsradius der Stationen ist beschränkt. Man mußte das Heu oft über weite Strecken transportieren, so daß die Transportkosten den Wert des Heues überstiegen. Eine Lösung der Frage wäre nur zu erreichen, wenn man die Araten selbst zur Heugewinnung für den Eigenbedarf bringen könnte. Seit 1948 wurden die Landwirtschaftlichen Produktionsvereinigungen der Araten in stärkerem Maße in dieser Richtung eingesetzt, und zwar wurden ihnen auch Maschinen zur Verfügung gestellt. So sollten sie nach einem Auftrag des Ministeriums für Viehzucht im Jahre 1956 rund 1000 Grasmäher und 1957 weitere 1500 erhalten. Auch innerhalb des freien Sektors der Viehwirtschaft zeigten sich allmählich die Erfolge solcher Bemühungen, nachdem es bei keiner Versammlung oder Veranstaltung versäumt wurde, sie für diese Zwecke auszunutzen. Die Reden, die auf dem großen Kongreß der Partei zur Verkündung des Fünfjahresplanes vom 11. bis 20. Dezember 1947 gehalten wurden (8), weisen alle auf das Problem des Winterfutters hin und geben Anleitungen über Zeit und Methode der Heumahd. Viele Mongolen kamen zur Einsicht, und laufend stieg die Zahl der Araten-Wirtschaften, die sich mit der Heuwerbung befaßten, wie folgende Tabelle zeigt (312/111):

1929	1934	1937	1941
4 129	22 864	38 802	77 317

Neuere Angaben sind nicht bekanntgeworden. Mehrmals wird die Zahl 80 000 genannt. Immerhin bedeutet dies, daß rund 40 Prozent der aratischen Individualwirtschaften sich mit der Heubevorratung für den Winter befassen.

Über die Heumengen, die in der MVR vor 1940 gewonnen wurden, sind die Angaben in den verschiedenen Quellen sehr unterschiedlich. Für die Zeit von 1941 bis 1950 bringt *Schulshenko* eine Tabelle für die einzelnen Jahre (273/58). Die bei der Summierung der einzelnen Zeilen sich verschiedentlich ergebenden Differenzen sind in der Quelle enthalten und konnten nicht beseitigt werden.

Heugewinnung in der MVR
(in 1000 t lufttrockener Masse)

Jahr	insgesamt	Arat. Einzel-wirtschaften	Staats-wirtschaften	Landw. Prod.-vereinigg.
1941	474,9	441,6	33,5[1])	0,0
1942	703,7	686,7	11,8	5,7
1943	658,2	649,6	7,1	2,1
1944	540,1	532,9	4,8	2,4
1945	523,0	513,4	7,5	2,1
1946	717,6	711,7	4,0	1,9
1947	873,9	864,1	5,9	3,9
1948	978,3	959,9	7,5	11,7
1949	1048,8	1023,9	7,5	17,4
1950	972,8	924,6	8,0	39,2
1955[2])	1312,0	962,0	155,0	195,0

Aus den letzten Jahren sind keine genauen Angaben bekannt. *Jakimowa* (97/15) berichtet, daß die aratischen Individualwirtschaften 1954 rund 870 000 t Heu gewonnen haben. *L. Zende,* der Stellvertretende Ministerpräsident, gab in seiner Rede vor dem Großen Volkschural bekannt, daß im Jahre 1952 pro Bodo (Rechnungseinheit für ein Stück Großvieh) 1,8 dz und 1956 mehr als 2 dz Heu geworben wurden (Mongol. Sonin 6. 4. 1957). Umgerechnet auf den Viehbestand würde dies für 1952 eine Gesamtmenge von rund 1 456 000 t und für 1956 von etwa 1 699 000 t ergeben. Verglichen mit den Planzahlen für 1955 erscheinen beide Errechnungen ziemlich hoch.

Aus der Angabe über die Heuwerbung von 2 dz je Bodo im Jahre 1956 darf natürlich nicht auf die allgemeine Versorgung in der ganzen weiten MVR geschlossen werden. In Wirklichkeit verbleibt eine große Differenziertheit in den einzelnen Gebieten. So führt *L. Zende* in der erwähnten Rede an, daß in den Landwirtschaftlichen Produktionsvereinigungen im Changai-Gebiet pro Bodo 5,2 dz, in den Steppengegenden 2,4 dz, im Gobiraum aber nur 0,2 dz geerntet wurden. Das liegt einmal an der unter-

[1]) Staatswirtschaften und Landwirtschaftliche Produktionsvereinigungen zusammen;

[2]) Plan für 1955, wobei für die HMS 155 000 t angegeben sind (97/15). Aus der Zusammenstellung von *Schulshenko* ist nicht ersichtlich, ob die Leistungen der HMS in den Angaben über die Staatswirtschaften enthalten sind, jedoch ist dies anzunehmen.

schiedlichen Verteilung der Heuflächen überhaupt, zum anderen aber an ihrer verschiedenen Produktivität.

Die Gesamtgröße der Heuflächen in der MVR wird nach *Schulshenko* (273/55) mit 1 958 100 ha, d. h. 1,2 Prozent der Gesamtausdehnung der MVR angegeben*). Davon entfallen aber rund 52 Prozent auf das Gebiet des Changai und die nördlich anschließenden Gegenden, während auf die Gobi-Aimake kaum 1 Prozent trifft. Die absoluten Zahlen der Heuflächen in den einzelnen Aimaken finden sich in der Tabelle im Abschnitt über die Weideflächen. Über die Verteilung der Heuflächen orientiert die diesem Abschnitt beigegebene Karte.

So ergibt sich allein aus der räumlichen Verteilung der Heuflächen eine in der Natur des Landes begründete Benachteiligung des Südens und Ostens gegenüber den übrigen Gegenden der MVR. Dieses Bild wird noch

Heuerträge in der MVR
(lufttrockene Masse in dz/ha)

Aimak	1945			1. Fünfjahresplan Planertrag 1952
	Mittel	Maximum	Minimum	
1. Selenga	12,9	18,7	9,7	10,28
2. Bulgan	9,5	11,6	8,0	7,14
3. Tschoibalsan	7,2	8,5	6,2	5,59
4. Ubsa-Nur	6,7	7,4	6,2	2,96
5. Chentei	6,4	7,2	6,0	6,84
6. Bajan-Ulegei	6,4	7,6	5,5	4,00
7. Chubsugul	6,1	7,1	5,0	7,66
8. Kobdo	5,5	6,1	4,7	2,94
9. Zentral	5,5	7,0	4,4	5,00
10. Nord-Changai	4,9	5,3	4,5	7,06
11. Mittel-Gobi	4,6	5,2	2,8	2,00
12. Dsabchan	4,1	4,8	3,6	5,00
13. Suche-Bator	4,0	4,6	3,4	3,83
14. Süd-Changai	3,9	4,2	3,7	5,00
15. Bajan-Chongor	3,3	4,0	2,9	4,00
16. Gobi-Altai	3,0	4,0	1,5	2,00
17. Ost-Gobi	2,6	4,0	1,0	2,00
18. Süd-Gobi	2,4	4,0	0,5	2,00

*) Nach den älteren Angaben des geographischen Komitees der MVR (60/37) beträgt der Anteil der Heuflächen 1,9 Prozent, wobei noch 13,6 Prozent des Areals der MVR als unbekannt oder für landwirtschaftliche Nutzung ungeeignet angegeben werden. Nach dieser Quelle würde die Gesamtheufläche rund 2,9 Mill. ha ausmachen. Im 1. Fünfjahresplan war vorgesehen, daß am Ende desselben 2,75 Mill. ha als Heufläche genutzt werden sollten. Damit war man an die Grenze des überhaupt Möglichen gegangen, und der Plan konnte deshalb auch nicht erfüllt werden. Die Angaben von *Schulshenko* stützen sich auf jüngere und exaktere Forschungen und stellen wohl das absolut Sichere dar.

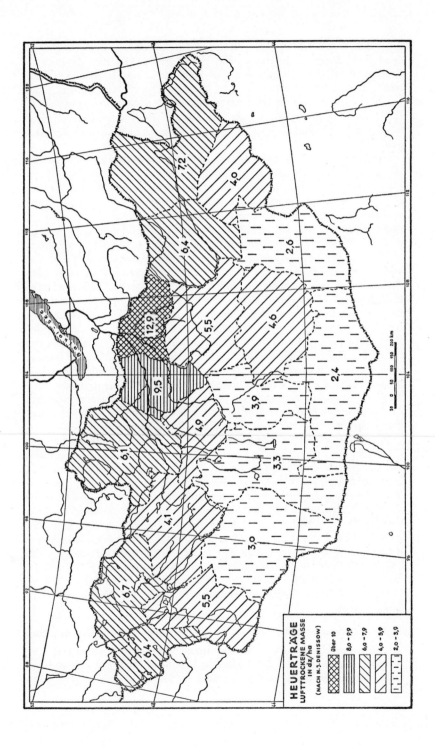

HEUERTRÄGE
LUFTTROCKENE MASSE
IN dz/ha
(NACH N. J. DENISSOW)

über 10
8,0 – 9,9
6,0 – 7,9
4,0 – 5,9
2,0 – 3,9

deutlicher, wenn wir die Heuerträge in die Betrachtung mit einbeziehen, denn die Gebiete mit relativ großen Heuflächen zeigen auch die höchsten Erträge pro Hektar, während die an Heuland armen Gegenden nur mit sehr geringen Heuerträgen rechnen können. Die diesem Abschnitt beigegebene Tabelle der Hektarerträge fußt auf Angaben des Ministeriums für Viehzucht (60/48) und bezieht sich nur auf die Aratenwirtschaften, da es damals (1945) andere Wirtschaftsorganisationen nicht in allen Aimaken gab.

Die letzte Spalte ist angefügt. Sie soll die geplanten Heumengen für 1952, das letzte Jahr des ersten Fünfjahresplanes, zu den Angaben des Viehzuchtministeriums in Vergleich setzen. Dabei zeigt sich, daß die vom Ministerium angegebenen Zahlen über mittlere Ernten im allgemeinen verhältnismäßig hoch sind. Das Absinken des mittleren Ertrags läßt sich damit erklären, daß bei der Ausweitung der Heuflächen auch weniger günstige Wiesen bzw. Steppen in die Mahd einbezogen werden müssen.

Wenn in der Tabelle der Heuerträge alle Aimake aufgeführt sind, also auch solche, die *Schulshenko* in seiner Zusammenstellung als ohne Heuflächen bezeichnet, so liegt das daran, daß *Schulshenko* Flächen mit derartig geringen Heuerträgen (2 bis 3 dz/ha) eben nicht mehr als Heuflächen ansieht. Die Frage ist wohl berechtigt, ob es die Arbeit und Mühe überhaupt lohnt, von 1 ha gerade noch 2 dz Heu zu sammeln — denn anders kann diese Tätigkeit nicht mehr genannt werden. Zum Vergleich mit vorstehenden Angaben sei erwähnt, daß die Heuernte 1952 in der Bundesrepublik im Mittel einen Ertrag von 44,6 dz/ha erbrachte. Wenn man in der MVR auch so überaus wenig ertragreiche Flächen für die Heuwerbung nutzt, so mag dies als Nachweis angesehen werden, wie groß die Sorge um das Winterfutter ist und daß man eben keine Mühe scheut, eine möglichst hohe Sicherung der Viehhaltung zu erreichen.

Mit dem Problem der Steigerung des Weide- und Heuertrags hat man sich bisher noch wenig befaßt. Nach Feststellungen von *Bolodon* (50) ließe sich der Futterertrag durch kurze Bewässerung und planmäßige Düngung bedeutend erhöhen. *Afanasjew* (106/200) stellte in der östlichen Gobi Versuche mit mehrjährigen eingeführten Futterpflanzen an, um zu sehen, ob sie sich zur Aussaat in der Mongolei eignen. Auch an anderen Orten wurden ähnliche Untersuchungen durchgeführt. Obgleich noch kein endgültiges Urteil abgegeben werden kann, darf doch schon jetzt gesagt werden, daß das rauhe Klima, die in der Regel schneearmen und sehr kalten Winter und die unbeständigen Temperaturen des Frühjahrs für den Anbau von Klee, Luzerne und anderen importierten Kulturen wenig günstig sind. Man müßte einheimische Pflanzen zur Verbesserung der Weiden säen.

Andere Hemmungen der Viehzucht - Maßnahmen zu ihrer Überwindung

Unter den Hindernissen, die der Intensivierung und vor allem einer räumlichen Ausdehnung der Viehzucht hemmend im Wege stehen, ist an erster Stelle der *Wassermangel* zu nennen. Dieser betrifft in geringerem

Maße die nördliche Mongolei, die dauernd fließende Gewässer besitzt, als den Teil der MVR, der zum abflußlosen Innerasien gehört, und das sind rund zwei Drittel des ganzen Landes. Wohl gibt es auch im Norden in den ausgedehnten Zwischenstromgebieten weite Strecken, in denen es an natürlichen Quellen mangelt und der Wasserbedarf durch Brunnenanlagen gedeckt werden muß, doch in den Ebenen der Ostmongolei, im ganzen Gobizuge und auch im Becken der Großen Seen sind Brunnen fast ausschließlich die einzige Möglichkeit, Tier und Mensch mit dem notwendigen Wasser zu versorgen. Natürliche Quellen sind in der Regel an den Fuß von Gebirgen gebunden und treten vor allem in Vorgebirgssteppen und -wüsten auf.

Die Versorgung mit Wasser gehört darum zu den schwierigsten Aufgaben der mongolischen Viehzucht. Viele Zehntausende Quadratkilometer weidefähiger Flächen können nicht genutzt werden, weil das Wasser fehlt (177/72). Noch schlimmer werden die Verhältnisse im Winter, wenn eisige Kälte das ganze Land überlagert. Flüsse, Seen und auch ein großer Teil der flachen Brunnen bedecken sich mit Eis, der Boden gefriert in größeren Tiefen und das Grundwasser erstarrt zu Eis, falls sein oberer Horizont nahe der Bodenoberfläche liegt. Das Vieh frißt dann, um seinen Durst zu löschen, Schnee, und auch dem Menschen bleibt vielfach nichts anderes übrig, als seinen Bedarf an Wasser durch Auftauen des Schnees zu decken. Zumeist fällt sehr wenig Schnee, denn die Niederschläge in der kalten Jahreszeit sind unbedeutend. Oder der spärlich gefallene Schnee wird verweht, so daß weite Strecken kahl daliegen, eine Erscheinung, die mit zur Charakteristik des „Schwarzen Dsud" gehört. Die Nomaden sind im Winter zumeist gezwungen, ihr Vieh über weite Strecken zu treiben, um in die Nähe von genügend tiefen und wasserreichen Brunnen zu gelangen.

In den Jahren der Unruhen waren viele Brunnen verfallen, an den Neubau wurde wenig gedacht, so war die Sorge um das notwendige Wasser in den ersten Jahren der Existenz der MVR besonders groß. 1932 wandte sich die mongolische Regierung an die Sowjetunion um Hilfe. Diese entsandte 1932 eine hydrogeologische Expedition, um die natürlichen Grundlagen einer möglichen Wasserversorgung zu erforschen (312/113). Auf den Ergebnissen der Arbeiten dieser Kommission und einer nachfolgenden staatlichen Zählung der Brunnen fußend, wurde ein Plan zum Ausbau des Wasserversorgungsnetzes aufgestellt. In jedem Aimak wurde eine entsprechende Kommission der Verwaltung an die Seite gestellt und im Ministerium für Viehzucht und Ackerbau eine spezielle Abteilung für Wasserversorgung gebildet. Auf die hydrogeographischen Verhältnisse soll hier nicht weiter eingegangen werden. Sie sind in einem besonderen Abschnitt bereits behandelt.

Es war auch die höchste Zeit, daß die Regierung eingriff, denn der Wassermangel drohte in einzelnen Gebieten katastrophale Formen anzunehmen. 1935 gab es in der MVR insgesamt nur 11 229 Brunnen, die intakt waren (177/80). Durch Instandsetzung alter und durch den Bau neuer erhöhte sich ihre Zahl auf 15 562 im Jahre 1940 (226/42) und stieg bis 1945 auf 30 760 an (177/80). Am günstigsten sind in der natürlichen Wasserversorgung die Aimake Chubsugul, Bulgan, Nord-Changai und Selenga gestellt, die neben dauernd fließenden Gewässern auch mit Seen und Quellen verhältnismäßig gut ausgestattet sind. Ihr Anteil an der Gesamtzahl der Brunnen in der MVR ist darum gering. Wenn wir aus diesem Grunde die vier angeführten Aimake unberücksichtigt lassen und die Gesamtzahl der Brunnen auf die restlichen 14 Aimake verteilen, so erhalten wir ein ungefähres Bild der allgemeinen Brunnendichte in der MVR und ihrer Entwicklung bis 1945:

Jahr	Zahl der Brunnen	qkm je Brunnen
1935	11 229	114
1940	15 562	83
1945	30 760	42

Im einzelnen sind die Brunnen sehr ungleich verteilt. Im Aimak Süd-Gobi entfiel 1933 im Mittel auf 81 qkm ein Brunnen, im Aimak Ost-Gobi jedoch erst auf 123 qkm. Dagegen konnte man in der Praxis nicht selten in einem Umkreis von 2 bis 3 km mehrere Brunnen vorfinden (212/223), während weite Strecken überhaupt jeder Wasserquelle entbehrten.

Die Brunnen sind zumeist sehr primitiv angelegt und haben fast ausschließlich nur eine Tiefe bis zu 3 m. In der Regel fehlt ihnen jeder Schutz. Nur manchmal sind sie von einem Zaun aus Flechtwerk umgeben. Das Wasser wird mit Eimern geschöpft, die häufig aus Leder hergestellt sind und durchschnittlich 6 bis 8 Liter fassen, und in einen zumeist hölzernen Trog geschüttet. Dadurch gestaltet sich die Arbeit des Tränkens sehr zeitraubend und schwierig, zumal an einem Brunnen, z. B. im Aimak Süd-Gobi, täglich durchschnittlich 200 Stück Großvieh und 1500 Stück Kleinvieh getränkt werden müssen (60/26). So kommt es oft vor, daß die Tiere nicht genügend Wasser bekommen. Die Folgen sind, ungeachtet der natürlichen Abhärtung, Ermüdungserscheinungen und Fehlwürfe. In der Gobi kann es auch vorkommen, daß die vom Durst geplagten Tiere, wenn große Scharen gleichzeitig zur Tränke geführt werden, sich auf das schmutzige Wasser stürzen, das den Brunnen umgibt, sich gegenseitig im Gedränge beschädigen oder die ganze Anlage zerstören.

Der erste Fünfjahresplan sah die Neuanlage von 20 000 Brunnen vor, die von den Araten selbst gebaut werden sollten. Weiterhin plante man die Anlage von 100 Brunnen mit mechanischen Wasserhebevorrichtungen und außerdem die Erstellung von Kälteschutz für 9000 Brunnen. Dieser ist in der Regel sehr einfach: die Brunnenöffnung wird mit einem Holzgerüst in der Form eines Hauses umbaut, dieses mit dicken Filzmatten überdeckt (196/232). Ein solcher Schutzbau genügt meist, um das Gefrieren des Wassers zu verhüten und den Brunnen auch während des langen, kalten Winters benutzbar zu erhalten.

Die ersten beiden Jahre brachten eine Übererfüllung des Planes. Wie weit die Entwicklung inzwischen gegangen ist, kann nicht gesagt werden. Für 1952 rechnete man mit rund 55 000 Brunnen. Das würde einer Dichte von einem Brunnen je 23 qkm entsprechen. Interessant ist in diesem Zusammenhang, welche Gebiete mit dem Neubau der 20 000 Brunnen besonders bedacht wurden. Hier stehen die Gobilandschaften an erster Stelle, nämlich Ost- und Süd-Gobi mit je 2200, Mittel-Gobi mit 1900 und Gobi-Altai mit 1800, so daß in diesen vier Aimaken 40,5 Prozent aller Neubauten durchgeführt werden sollten. Auch von den 100 Brunnen mit mechanischen Wasserhebeeinrichtungen entfällt der Großteil, nämlich 46, auf den gleichen Raum. Ein hoher Anteil mit 1800 Brunnen und 10 mechanischen Anlagen war auch dem Aimak Tschoibalsan zugedacht. Auf die Aimake Chubsugul, Bulgan, Nord-Changai und Selenga kamen dagegen nur 600 Brunnen, d. h. nur 3 Prozent der Neubauten der ganzen MVR.

In den Jahren 1953 bis 1956 wurden 49 Brunnen mit mechanischer Hebevorrichtung und 86 Schachtbrunnen zur Bewässerung von 5000 ha Land angelegt und von den Araten 11 000 Brunnen neu gegraben (Mongol. Sonin 6. 4. 57). Ferner wurde die Anlage von Wasserspeichern in Angriff genommen, von denen bis 1956 zwei vollendet waren. Insgesamt zeigt sich ein erfolgreiches Bemühen, die Wasserversorgung zu sichern. Mehr kann hierzu nicht gesagt werden.

Der seit Jahrhunderten bei den Mongolen das ganze Jahr hindurch übliche freie Weidebetrieb hat die Tierrassen durch Auslese zwar sehr widerstandsfähig gegenüber den *Unbilden* der Witterung gemacht, doch kann auch die durch viele Tiergenerationen andauernde Gewöhnung es nicht verhindern, daß Jahr für Jahr zahlreiche Tiere den Anforderungen der harten klimatischen Bedingungen nicht gewachsen sind und deshalb umkommen. Mit einem hohen Anteil trifft dieses Schicksal vor allem Jungtiere. Wohl suchen die Mongolen, wenn der Winter naht, mit ihren Herden in geschützten Gebirgstälern oder in der Nähe von Gehölzen und Wäldern Zuflucht vor den eisigen Stürmen. Aber der größte Teil des Landes ist offen und bietet keinen natürlichen Schutz. So müssen die Tiere bei heftigen Schneestürmen oft tagelang dicht gedrängt beieinanderstehen, um das Ende des Unwetters abzuwarten, ohne daß sie inzwischen Nahrung zu sich nehmen können. Einzelne Tiere oder auch Gruppen, die den Anschluß an die Herde verlieren, werden abgetrieben, verirren sich im eisigkalten, dichten Schneetreiben und kommen um oder fallen, wenn sie diese Gefahr überstehen, wilden Tieren zum Opfer. Weiterhin fordern Tierkrankheiten Jahr für Jahr ihre Opfer.

Über die Tierverluste durch Dsud ist bereits im vorigen Abschnitt berichtet worden. Nachstehend seien daneben die sonstigen Verluste aus den Jahren 1937 bis 1945 angeführt. Die Tabelle ist *Denissow* (60/175 f.) entnommen.

Tierverluste in der MVR

in 1000 Stück

Jahr	Dsud	Wölfe	Krankheiten	insgesamt
1937	588,2	197,5	1629,5	2415,2
1938	400,5	200,1	1550,1	2150,7
1939	614,9	196,7	1976,0	2787,6
1940	731,5	254,7	1647,8	2634,0
1943	602,2	255,8	1252,0	2110,0
1944	539,7	165,7	895,1	1600,5
1945	3056,0	149,8	529,8	3735,6

Es sind erschreckende Zahlen, die uns hier entgegentreten, vor allem die
hohen Verluste durch Wölfe. Sie entsprechen aber den Tatsachen, denn
auch in anderen Quellen finden sich die gleichen Angaben. So nennt
Perlin (226/40) die jährlichen Verluste durch Wölfe mit mehr als 200 000,
und selbst in den amtlichen Reden (17. 12. 1947) zum ersten Fünfjahresplan wird gesagt, daß im Mittel jährlich 200 000 Tiere durch Wölfe ge-
rissen werden (8/47). Neuere Angaben über Viehverluste aus den oben
angeführten Ursachen sind nicht vorhanden, aber aus der genannten
Rede von *L. Zende* geht hervor, daß sie auch noch in der Gegenwart beträchtlich sein müssen, wenn er wörtlich sagt: „Die MVR hat 1955 durch
unerwartete Gründe etwa 830 000 Stück Vieh mehr verloren als im
Jahr 1954, das im Bereich der Viehzucht nicht einmal zu den besten gehört." (Mongol. Sonin 6. 4. 57.) In einem Bericht aus dem Jahre 1954
heißt es, daß immer noch durch Hunger und Krankheit und anderes die
Viehverluste groß seien (1/229).

Anlagen zum Schutz der Tiere gegen die Unbilden der Witterung waren
bei den meisten Mongolen nicht üblich. Neugeborene schwache Tiere
wurden dagegen oft in die Jurten mitgenommen. Planmäßige Schutz-
bauten entstanden zuerst nach der Revolution und fanden schnell Verbreitung, da sie von der Regierung gefordert und gefördert wurden. Ein
solcher „Chaschan" in seiner primitivsten Form besteht aus nichts anderem als einem einfachen Pferch, dessen Wände — zumeist aus Steinen errichtet oder aus Reisig geflochten — doch einen gewissen Schutz gegen
Wind und Schnee und auch gegen wilde Tiere bieten. Von diesem Schutz-
zaun an existieren dann alle möglichen Übergänge bis zum überdachten
und sogar heizbaren Stall, wie ihn einzelne Staatsgüter besitzen.

Weil es so viele Arten von Schutzanlagen gibt, die in den letzten Jahren
erbaut wurden, und man sich darum nicht im klaren ist, was als „Chaschan" vollgültig ist und gezählt werden kann, weichen die Angaben, die
man darüber in der Literatur findet, stark voneinander ab. Um eine gewisse Vorstellung zu geben, sollen hier trotzdem einige Zahlen gebracht
werden, die *Zaplin* (312/113) entnommen sind:

Jahr	Zahl der Chaschane	Zahl der Tiere pro Chaschan
1932	26 575	605
1937	74 404	314
1940	125 994	208

Die Zahl der Tiere pro Chaschan ist das errechnete Mittel der MVR, wobei nur die Tiere mitgezählt sind, die zum Sektor der freien Aratenwirtschaft gehören.

Wie unterschiedlich die Zahl der Chaschane beurteilt wird, soll noch *Maslennikow* (177/81) belegen, der die Zahl für 1947 mit rund 65 000 angibt. Er gebraucht jedoch die russische Bezeichnung „dwor" (= Hof), während in der sonstigen russischen Literatur für Chaschane zumeist der russische Ausdruck „sagon" (= Gehege, Pferch) gebraucht wird. Wahrscheinlich meint Maslennikow schon den Kulturtyp eines Chaschan, denn im Fünfjahresplan ist bis 1952 der Bau von 40 000 derartigen Chaschanen vorgesehen, wobei ausdrücklich der Vermerk „des Kulturtypes" hinzugefügt ist und gleichzeitig als Ziel angegeben wird, daß durch die Ausführung des Planes rund 25 Prozent des gesamten Viehs einen warmen Winteraufenthalt erhalten. Diese Chaschane sind in erster Linie für den gebirgigen Teil der Nordmongolei vorgesehen. Um auch die Gobi-Aimake mit entsprechenden Schutzanlagen zu versorgen, wurden die Organisationen der Heimindustrie angewiesen, ebenfalls bis 1952 50 000 Chaschane eines beweglichen Types zu bauen und zu einem billigen Preis an die Araten der Gobi-Aimake abzugeben. Daneben soll auch weiterhin der Bau von einfachen Chaschanen bei den Araten angeregt und gefördert werden. 1955 gab es in der MVR 134 000 Chaschane (11), so daß im Mittel auf jeden etwa 170 Tiere entfielen.

Ärztliche Fürsorge für das Vieh war den Mongolen früher unbekannt, ebenso wie ihnen selbst die hygienischen Grundbegriffe vollkommen fehlten. Die Lamas, die man zu Hilfe holte, konnten nur selten helfen. Dabei traten *Tierkrankheiten* aller Art auf und verursachten erhebliche Rückschläge in der Entwicklung.

Weit verbreitet ist im Gebiet der MVR die Maul- und Klauenseuche. Sie tritt nach wie vor alljährlich auf und wird nie ganz zum Verschwinden gebracht werden. Zu ihrer Verbreitung trägt die ganze Art der nomadischen Viehwirtschaft bei. Das Vieh wandert unaufhörlich von einem Gebiet in das andere und macht alle Hilfsmaßnahmen zu einem gewissen Teil unwirksam. Außerdem nehmen die Araten selbst die Erkrankung der Tiere an der Maul- und Klauenseuche nicht ganz ernst, weil sie fast regelmäßig nur schwache Formen annimmt. Weil die Tiere nicht eingehen, sieht man auch nicht die Notwendigkeit ein, gegen die Seuche ernsthaft vorzugehen. Eine Geißel für das gesamte mongolische Großvieh war bis vor kurzem die Rinderpest. Es ist aber nun gelungen, ihr tatkräftig entgegenzutreten. Sehr empfänglich für diese Krankheit sind die Yaks, die daran sehr rasch eingehen. Gegen den sibirischen Milzbrand, der früher große Verheerungen anrichtete, hat man wirksame Medikamente gefunden, so daß sein Auftreten von Jahr zu Jahr abnimmt. Sehr weit ist die Räude verbreitet, die alle Tierarten befällt. Obwohl man dagegen energische Maßnahmen ergriffen hat, ist sie bei der üblichen Art der Viehhaltung sehr schwer zu bekämpfen. Es wird noch Jahre dauern, ehe man ihrer Herr wird.

1924 wurde innerhalb der Staatsverwaltung eine veterinär-zootechnische Abteilung geschaffen und in Songino bei Ulan-Bator ein Seuchen-Institut mit einem bakteriologischen Laboratorium gegründet. Mit Hilfe sowjetischer Spezialisten entstand eine Veterinär-Schule, in der in einem dreijährigen Lehrgang Mongolen zu veterinärmedizinischen Hilfskräften (Feldscheren) ausgebildet werden. Im Lande selbst wurden Veterinär-Punkte errichtet, deren Zahl von Jahr zu Jahr zunahm (312/107):

Jahr	Zahl der Vet.-Punkte	Zahl der Vet.-Arbeiter
1924	4	24
1925	16	32
1926	22	38
1927	21	40
1928	30	53
1931	51	67

Schon diese geringe Zahl von Veterinärpunkten zeitigte örtlich gewisse Erfolge, die größer wurden, als man die Zahl dieser Institutionen erhöhen und mehr Kräfte einsetzen konnte. Einen bedeutenden Beitrag hierzu leistete die Tierärztliche Abteilung der Staatsuniversität Ulan-Bator, die 1942 die Ausbildung von Tierärzten und Zootechnikern aufnahm, wodurch der Anteil der Mongolen am Arzt- und Sanitätspersonal wuchs (312/121):

	Zahl der Vet.-Punkte	Zahl der Vet.-Arbeiter	darunter Mongolen
1940	237	716	652
1945	401	3522	3461

Wesentlich für die medizinischen Erfolge waren prophylaktische Maßnahmen. Die notwendigen Impfstoffe und sonstigen Präparate lieferte zunächst die UdSSR. Inzwischen wurde mit Hilfe von Sowjetspezialisten das schon genannte Songinsker Laboratorium zu einem großen Bio-Kombinat ausgebaut und ein zweites im Aimak Nord-Changai errichtet, die bald jedes notwendige Serum herstellen konnten. 1944 waren es bereits 16 verschiedene Präparate (312/121). 1938 wurden durch die Veterinärstellen mehr als 1 Mill. kranke Tiere betreut (312/112). 1943 erhielten mehr als 2 Mill. Tiere Schutzimpfungen oder Biopräparate, 1951 waren es bereits über 8 Mill. (312/122). Um die Einschleppung von Krankheiten zu verhindern, wurde entlang der Ost- und Südgrenze eine Sperrzone errichtet, und im Inneren verfolgte man die Tierwanderungen, um einer

Verbreitung von Krankheiten Einhalt gebieten zu können. Zur Bekämpfung der weitverbreiteten und besonders schädlichen Räude wurden Gaskammern und stationäre Badestellen geschaffen. 1947 gab es von den ersteren 252 und von den letzteren 97, 1952 bereits 420 bzw. 230.

Die steigende Zahl ausgebildeter Tierärzte erlaubte dann auch eine Aufgliederung der Veterinärpunkte in solche, in denen Tierärzte eingesetzt wurden, und gewöhnliche, in denen nur veterinärmedizinische Hilfskräfte tätig sind. Beiden obliegt die aktive Bekämpfung von Krankheiten. Mit der wissenschaftlichen Untersuchung und Diagnostik wurden in jedem Aimak besondere Stellen betraut, denen auch die Beobachtung des räumlichen Auftretens von Krankheiten als besondere Aufgabe gestellt wurde. Jede ärztliche Hilfe und auch die Belieferung mit Medikamenten ist unentgeltlich.

Die Zahl der Veterinär- und Feldscherpunkte wuchs weiterhin rasch an. Die Aufgaben des ersten Fünfjahresplanes wurden bereits in vier Jahren erfüllt (312/126).

Jahr	Vet.-ärztl. Punkte	Feldscher-Punkte
1952	52	712
1956	102	1111

Immerhin zeigen auch diese Angaben, welche große Aufgaben diese Stationen zu bewältigen haben, wenn man bedenkt, daß auf jeden veterinärärztlichen Punkt 1956 noch rund 240 000 Stück Vieh und auf jeden Feldscher-Punkt 22 000 Stück entfielen (Mongol. Sonin 6. 4. 1957). 1955 wurden 7 Mill. Tiere behandelt und 3 Mill. geimpft (11).

Infolge aller vorgeschilderten Maßnahmen erniedrigte sich der Anteil der durch Krankheiten eingegangenen Tiere bedeutend (60/174):

Prozentsatz der durch Krankheit verlorenen Tiere vom Gesamtbestand

	1937	1945
Schafe	6,4	1,8
Rinder	3,8	2,4
Pferde	2,5	1,2
Kamele	3,5	2,2
Ziegen	8,2	1,7

Neuere Angaben sind nicht bekannt. Einzelnachrichten bestätigen weiterhin bemerkenswerte Erfolge, wenn auch in Anbetracht des dünnen Veterinär-Netzes noch viel zu tun bleibt.

Maßnahmen zur Hebung der Produktivität und Qualität des Viehes

Neben allen den Bestrebungen, die in den vorigen Abschnitten dieser Arbeit geschildert wurden, laufen Maßnahmen auch zur Hebung der Produktivität und Qualität der Viehrassen.

Verglichen mit dem natürlichen Zuwachs von Tieren in anderen Län-

dern steht die MVR noch zurück. Die Natur des Landes stellt hohe Anforderungen an die Tiere, denen vor allem die Jungtiere nicht immer
gewachsen sind. Nach der Geburt kommen sie nicht selten in sehr un-
hygienische Verhältnisse und werden außerdem unregelmäßig und oft
nicht genügend gesäugt. Im allgemeinen läßt man sie im Laufe eines Tages
nur zweimal zu den Muttertieren. Diese sind häufig selbst abgezehrt und
haben deshalb wenig Milch. So sucht das Jungvieh sich Surrogate, oder
es hungert. Besonders schlecht geht es ihm im Winter, so daß Jungtiere
den Hauptteil der Viehverluste tragen. Die ungünstigen Naturverhältnisse
wirken sich auch auf die Fruchtbarkeit der Muttertiere aus. Fehl- und
Totgeburten überschreiten das normale Maß. In den Aimaken Nord-
Changai, Chentei, Süd-Gobi und anderen hat man festgestellt, daß faktisch 20 bis 30 Prozent der Muttertiere unfruchtbar sind (8/26) oder aus
anderen Gründen keinen Nachwuchs bringen. Hier spielt auch das Zahlen-
verhältnis von männlichen und weiblichen Tieren eine Rolle. In den mongolischen Herden ist der Anteil der letzteren unverhältnismäßig groß, da
die ersteren in der Regel der Fleischgewinnung dienen und darum größtenteils kastriert werden, ohne daß man genügend männliche Tiere zur
Fortpflanzung zurückbehält. In zahlreichen Somonen der Aimake Chentei, Chubsugul, Nord-Changai, Bulgan und anderen übertrifft das Verhältnis der Muttertiere zu den männlichen Zuchttieren das Normalmaß
um das Fünf- bis Zehnfache. Hier treffen auf ein männliches Zuchttier nicht
selten 100 bis 200 Muttertiere. Die Folge ist eine geringe Vermehrung der
Herden. Durch Belehrung und Überzeugung werden die Araten angehalten, hier normale Zustände zu schaffen. Die Anordnungen des Fünfjahresplanes erstreben sogar ein bestimmtes Verhältnis (8/27). Auf ein männliches Zuchttier sollten 1952 im Mittel der verschiedenen Arten die folgenden Zahlen an Muttertieren angestrebt werden:

Kamele	Pferde	Rinder	Schafe	Ziegen
8,0	8,1	12,4	28,5	25,5

Die Bemühungen in dieser Richtung und vor allem die bessere Versorgung und Pflege der Jungtiere haben in den letzten Jahren beachtliche
Fortschritte ergeben, wie die nachfolgende Tabelle zeigt:

Zahl der aufgezogenen Jungtiere auf 100 Muttertiere

	1940	1947	1950	1952
Kamele	34,0	43,5	41,8	44,0
Pferde	43,0	48,8	53,7	55,0
Rinder	56,5	60,6	70,6	67,0
Schafe	56,1	71,3	79,9	78,0
Ziegen	52,0	70,5	76,0	77,0

Die Zahlen für 1947 und 1952 entstammen dem Fünfjahresplan (8/29),
die für 1940 und 1950 sind *Maslennikow* (177/82) entnommen. Letztere
zeigen, daß beim Rindvieh und bei den Schafen der Plan von 1952 be-

reits nach drei Jahren nicht nur erfüllt, sondern beträchtlich überschritten worden ist.

Ein weiterer Nachteil der mongolischen Viehherden ist, daß die Tiere sehr verschiedenartig und ungleich sind, was insgesamt ihren wirtschaftlichen Wert mindert. In den Aimaken Ubsa-Nur und Gobi-Altai kann man ausgewachsene, gleichaltrige Schafe antreffen, deren Schulterhöhe zwischen 55 und 99 cm, deren Lebendgewicht zwischen 37 und 70 kg differiert (8/47). Bei den anderen Arten existieren neben wertvollen Tieren ebenfalls zahlreiche minderwertige. Hier werden die Mongolen angehalten, vom wirtschaftlichen Standpunkt aus eine gewisse Ordnung in ihren Herden einzuführen, und zwar nach Lebendgewicht, Milchleistung, Wollertrag usw., und die weniger leistungsfähigen Tiere allmählich auszumerzen. Die besten Exemplare sollen zur Zucht ausgewählt und während der Deckzeit von den schlechteren abgesondert gehalten werden. Nach Möglichkeit sollen alle Muttertiere gedeckt werden. Dann soll ihnen eine besonders gute Pflege zukommen. Durch solch planmäßiges Vorgehen hofft man, die Qualität der Tiere allgemein zu heben.

Dem Ziel der Aufbesserung der heimischen Rassen dienen auch die seit 1949 bestehenden Zuchtanstalten, die zumeist den Staatsgütern angegliedert sind. Die letzteren sind durch Verordnungen angehalten, auf je 10 000 Schafe, 1500 Rinder, 100 Mutterschweine und 3000 Stück Geflügel entsprechende Zuchtanstalten einzurichten (97/30), wie sie überhaupt eine planmäßige Aufzucht betreiben sollen. Aus diesen Anstalten können die Araten dann Zuchttiere erwerben. Auch die Hebung der einheimischen Rassen durch Kreuzungen mit importierten Tieren ist in beschränktem Umfang aufgenommen worden.

Einen wesentlichen Beitrag zu der Arbeit für die Erhöhung der Viehqualität leistet die in den letzten Jahren begonnene künstliche Besamung. Im Jahre 1957 sind dazu 300 Stationen für Schafe und 60 für Rinder vorgesehen. Die bisherigen Leistungen zeigt die folgende Tabelle (97/25):

Künstliche Besamung in der MVR
(ohne Staatsgüter)

Jahr	Schafe	Rinder
1955	236 000	6 800[1]
1956	284 000	10 120[2]
1957 (Plan)	600 000	12 000[1]

[1] *Jakimowa* (97/25)
[2] Mongol. Sonin 6. 4. 1957

Der Ausbildung der Mongolen dienen kurzfristige Kurse, die in allen Landesteilen abgehalten werden. 1955 fanden 700, 1956 bereits 1200 statt, und für 1957 sind 1500 geplant (97/25). Zusammenfassend läßt sich sagen, daß aus Reihenuntersuchungen und Kontrollen hervorgeht, daß in verschiedenen Staatswirtschaften und Landwirtschaftlichen Produktionsgemeinschaften eine höhere Milchleistung und auch Wollproduktion festgestellt werden konnte.

Besitzverhältnisse

Über die Besitzverhältnisse vor 1918 und in der ersten Zeit der MVR gibt es kein zuverlässiges und das ganze Gebiet der Mongolei betreffendes Material. Es sind nur Teiluntersuchungen und Einzelangaben vorhanden, die in die Gesamtverhältnisse aber doch einen Einblick gestatten.

Auf der Tierzählung von 1918 fußend, hat *J. Majskij* 1921 in seiner Arbeit „Sowremennaja Mongolija" (164) den Versuch unternommen, die Verteilung des Viehbesitzes auf die einzelnen sozialen Klassen in der Mongolei darzustellen und kommt zu folgendem Bild der mittleren Besitzverhältnisse je Wirtschaft (in Stück):

Tierart	Fürsten-wirtschaft	Kloster-wirtschaft	Araten-wirtschaft
Kamele	73,4	11,8	1,5
Pferde	530,0	69,3	7,1
Rindvieh	120,0	65,1	7,1
Schafe und Ziegen	1647,3	515,8	44,3
	2370,7	662,0	60,0

Vorstehende Tabelle kann aber nicht als exaktes Bild der Größenverhältnisse der damaligen Wirtschaften gelten. Die Ergebnisse werden selbst von sowjetischen Wissenschaftlern in diesem Anspruch kritisiert. Die Viehzählung von 1918 war recht primitiv durchgeführt und bildet nach ihrer Methode keine sichere Grundlage. Außerdem war der Besitz an den einzelnen Herden nicht genau ermittelt. Immerhin geben die von *Majskij* angestellten Berechnungen eine ungefähre Vorstellung.

Zwei Einzelbilder mögen noch folgen. Der Herdenbesitz des Fürsten Durutschi Wan bestand 1918 aus 7000 Pferden, 300 Stück Rindvieh und 20 000 Schafen und Ziegen. Zum Eigentum des buddhistischen Hauptklosters in Urga gehörten im gleichen Jahr nach Schätzungen 30 000 Pferde, 15 000 Stück Rindvieh und rund 100 000 Schafe und Ziegen (177/74). Beide Bilder entsprechen den Berichten von Reisenden und Forschern, die früher die Mongolei besuchten oder durchquerten.

Eine etwas andere Vorstellung erhalten wir, wenn die ganze Frage von einem anderen Blickpunkt aus betrachtet wird. Nach *Perlin* (226/43), der die errechneten Angaben von *Majskij* erläutert und ergänzt, betrug 1918 der Anteil der Fürsten und ihrer Angehörigen an der Gesamtzahl der Bevölkerung der Mongolei den Bruchteil eines Prozentes. Perlin gibt ihn mit 0,1 Prozent an. Er wird wahrscheinlich noch geringer gewesen sein. Den Anteil dieser geringen Oberschicht am Gesamtviehbestand bezeichnet er mit 3,9 Prozent. Der Klosterbesitz machte 17 Prozent aus, aber der Anteil der Lamas an der gesamten Bevölkerungszahl wird nicht angegeben. Es ist jedoch aus vielen anderen Quellen bekannt, daß dieser mindestens 10 Prozent betrug. Man kann also sagen, daß diese 10 Prozent der Bevölkerung am Viehbesitz mit 17 Prozent beteiligt waren. Auf den restlichen Teil von rund 90 Prozent entfielen damit 79,1 Prozent der Gesamtviehzahl.

In der Pflege und Betreuung der Herden der Fürsten und Klöster war ein bedeutender Teil des mongolischen Volkes beschäftigt, und zwar in verschiedener Form. Viehlose Mongolen sind hier an erster Stelle zu nennen, die für ihre Arbeit durch Beteiligung an dem Ertrag der Herden entschädigt wurden. Ihre Besitzlosigkeit und die kaum bestehende Möglichkeit, sich aus der Stellung zu lösen, ließ sie zu einer Art Hörigkeit absinken. Auch vieharme Mongolen waren in dieser Kategorie zu finden, die ihre wenigen Tiere mit der Herde des Herrn weiden ließen. Es bestanden also ähnliche Verhältnisse wie in dem mongolischen Choton, das im folgenden Abschnitt beschrieben wird. Weiterhin kam es aber auch vor, daß Herden der Klöster und Fürsten an vieharme und viehlose Mongolen verpachtet wurden, die dann einen Teil des Herdenertrages für sich behalten durften. Noch 1924 gab es 12 000 Aratenfamilien, die in dieser Art klösterliches Vieh in Pacht hatten (177/74). Umgekehrt besaßen manche Klöster und Fürsten weite Landflächen als Eigentum, die sie freien und selbständigen Mongolen gegen Ablieferung eines bestimmten Teiles vom Herdenertrag als Weideplätze überließen. Es gab also Abhängigkeitsverhältnisse in großer Zahl und in den verschiedensten Formen. *Maslennikow* (177/74) spricht von 100 000 Mongolen, die an der Betreuung der Herden der Klosterwirtschaften beteiligt waren. Weiter sind diejenigen Mongolen hinzuzuzählen, die irgendwie im Dienste der Fürstenwirtschaften standen. Aus allem ergibt sich, daß die 79,1 Prozent der Gesamtviehzahl an die 90 Prozent der Bevölkerung sehr ungleich verteilt waren. Es gab sehr viele vieharme und viehlose Mongolen, neben Reichtum auch große Armut.

Diese Besitzverhältnisse und sozialen Zustände blieben bis zum Oktober 1928 (VII. Parteikongreß) größtenteils erhalten. Teilweise verschärften sich die Gegensätze sogar noch. Nach dem Material der Zählung von 1924 besaßen 24 Prozent aller Aratenwirtschaften nur 1 bis 10 Bodo, bis 1927 aber hatte sich der Anteil dieser armen Wirtschaften an der Gesamtzahl auf mehr als 30 Prozent erhöht (312/108). Mit dem Jahre 1929 begann die Beschlagnahme des Viehbesitzes der Klöster und Fürsten, die im wesentlichen 1932 beendet wurde. Das Eigentum der Fürsten wurde auf 50 Bodo beschränkt. Bei den Klöstern ging man nicht so radikal vor, um den Lamas niederen Ranges den Übergang in das Erwerbsleben zu ermöglichen. 1930 besaßen die Klöster noch 10 Prozent der Gesamtviehzahl der MVR, 1937 waren es noch 0,7 Prozent, 1938 höchstens 0,5 Prozent (226/43).

Das beschlagnahmte Vieh wurde an die viehlosen und vieharmen Mongolen verteilt. Insgesamt wechselten aber nur 3,5 Mill. Stück Vieh ihre Besitzer (177/68).

Gleichzeitig mit dieser Entwicklung begann durch die Begründung der

Staatsgüter und der Landwirtschaftlichen Produktionsvereinigungen neben dem Privatbesitz der mongolischen Individualwirtschaften sich ein staatlicher und vergesellschafteter Besitz herauszubilden. Diese beiden Besitzarten sollen aus Gründen der Übersichtlichkeit als sozialistischer Sektor zusammengefaßt werden. Über die drei Betriebsformen und ihre besondere Entwicklung wird in den nächsten Abschnitten noch gesprochen werden.

Bis zum Jahre 1947 war der Anteil des sozialistischen Sektors an der Gesamtviehzahl noch unbedeutend und erreichte im genannten Jahr erst rund 1 Prozent (11). Er vergrößerte sich dann in den folgenden Jahren wie folgt:

Jahr	soz. Sektor	Quelle
1947	1,0%	(11)
1952	2,5%	(Mong. Sonin 6. 4. 1957)
1954	5,8%	(11)
1955	10,0%	(11)
1956	18,0%	(Mong. Sonin 6. 4. 1957)

Der Anstieg im sozialistischen Sektor begann erst im Jahre 1953 und brachte bis 1956 die Verdreifachung des Anteils. Die Gründe, die in so kurzer Zeit zu einer solchen Erhöhung des Anteils geführt haben, sind nicht bekannt. Immerhin ist es erstaunlich, daß der privatwirtschaftliche Sektor mit 82 Prozent des gesamten Viehbestandes der MVR sich bis zur Gegenwart erhalten konnte.

Der Anteil der aratischen Viehwirtschaften, die sich den Landwirtschaftlichen Produktionsvereinigungen angeschlossen haben, ist etwas höher als der gesamte Viehanteil des sozialistischen Sektors. Er erreicht 20 Prozent, während die Individualwirtschaften mit 80 Prozent noch das Vierfache ausmachen.

In absoluten Zahlen sehen die Verhältnisse 1956 nach dem „Mongolyn Sonin" vom 6. 4. 1957 so aus:

Gesamtviehzahl	24 449 000
1. sozialist. Sektor	4 406 700
darin	
Staatsgüter	298 000
Landw. Prod.Vg.	3 893 000
2. Privatsektor	20 031 400

Eine Summierung innerhalb der vorstehenden Aufstellung ergibt keine genaue Übereinstimmung. Die Fehlerquelle konnte weder erkannt noch beseitigt werden.

Die Möglichkeiten

Um die zukünftigen Möglichkeiten der mongolischen Viehzucht überschauen zu können, ist es zunächst notwendig, die realen Grundlagen zu erfassen. Hierzu hat die Mongolische Landwirtschaftliche Expedition, die von der Akademie der Wissenschaften der UdSSR gemeinsam mit dem Wissenschaftlichen Komitee der MVR organisiert war, vorzügliche Arbeit geleistet. Sie begann mit ihrer Tätigkeit Ende 1947 und arbeitete bis 1949. *I. F. Schulshenko*, der an der Expedition beteiligt war, veröffentlicht einige ihrer Ergebnisse. Unter Berücksichtigung aller Umstände und Gegebenheiten wurden mit wissenschaftlicher Genauigkeit die Weiden untersucht, um die Futterreserven festzustellen, und in verschiedenen Gegenden laufende Beobachtungen an einer großen Anzahl von Tieren durchgeführt, um zu einer Futternorm für die mongolischen Tierarten zu kommen. Die erste Aufgabe war der futterbotanischen Abteilung, die zweite der Tierzuchtabteilung gestellt. Dabei wurden auch bekannte Ergebnisse früherer Forschungen mit herangezogen. Es würde hier zu weit führen, auf die Methode und die zahlreichen notwendigen Nebenarbeiten näher einzugehen. Das Ergebnis soll uns genügen. Dieses besagt, daß bei normaler Beweidung die jährlichen Futtermengen, die durch Abweiden nutzbar gemacht werden können, 46,2 Mill. Tonnen lufttrockener Masse betragen. Dazu kommt eine Heuernte von 1,8 Mill. Tonnen. Nach dem Viehbestand von 1950 wurden in diesem Jahr durch Weiden 32,6 Tonnen verbraucht, so daß eine Futterreserve von 13,6 Mill. Tonnen zur Verfügung stand (273/56). Diese ungenutzte Futterreserve bildet unter natürlichen Verhältnissen die Basis für eine Vergrößerung des Viehbestandes und macht eine solche möglich.

Die Futterreserven sind entsprechend der natürlichen Ausstattung innerhalb der MVR verschieden verteilt. In einfacher Darstellung sehen die Verhältnisse für das Jahr 1950 so aus (273/58):

Futtervorrat und -verbrauch 1950
in Mill. t

Gebiet	Vorräte bei norm. Nutzung	Jahres-bedarf	Futter-reserve	Heuflächen	
				1000 ha	mögl. Ertrag Mill. t
1. Östl. Steppenbezirk	10,7	4,8	5,9	590	0,5
2. Changai-Gebirgssteppenbezirk	15,1	11,8	3,3	1010	0,9
3. Gobi-Wüstensteppenbezirk	11,6	10,6	1,0	13	0,1
4. Altai-Gebirgssteppenbezirk	8,8	5,4	3,4	345	0,3
	46,2	32,6	13,6	1958	1,8

Aus den ersten drei Spalten ergibt sich, daß die größten Futterreserven im östlichen Steppenbezirk zu suchen sind, wo die ungenutzte Menge (55%) sogar größer ist als die verbrauchte. Dann folgt der Altai- Bergsteppenbezirk, in dem der Anteil der ungenutzten Menge auch noch recht groß ist (39%), weiter die Changai-Region. Aus dieser Übersicht läßt sich schließen, daß die besten Möglichkeiten zu einer Erhöhung der Viehzahl auf Grund der Futterreserven in den vorgenannten drei Bezirken liegen. Die östlichen Steppen fallen auf durch die anteilsmäßig sehr geringe Nutzung der Futtervorräte, der Gobizug durch eine unverhältnismäßig hohe. Es müssen also in der faktischen Weidenutzung der Futterflächen noch Dinge mitsprechen, die in der vorstehenden rein rechnerischen Darstellung nicht zum Ausdruck kommen, sich aber in der Praxis doch auswirken.

Was die Heuflächen und ihre Nutzung als solche anbetrifft, so hat die Regierung sich seit jeher bemüht, die Heugewinnung zu vergrößern, wie schon des öfteren gesagt worden ist. Wenn wir hier, um beim Jahr 1950 zu bleiben, das Ergebnis (972 800 t) mit dem Gesamtbedarf vergleichen, so reicht diese Heumasse gerade aus, um die Herden der MVR zehn Tage zu füttern. Selbst die mögliche Heuernte von 1,8 Mill. Tonnen ist im Vergleich zum Gesamtfuttervorrat von 46,2 Mill. Tonnen so unbedeutend, daß sie bei einer Vergrößerung des Viehbestandes kaum ins Gewicht fällt, obwohl diese Zahl bereits ein absolutes Maximum darstellt, also die äußerste Möglichkeit ausdrückt. Abschließend kann aus der Grundlage der natürlichen Futterreserven geschlossen werden, daß sich der Viehbestand gegenüber 1950 um etwa 70 Prozent erhöhen ließe, wobei aber alle anderen Faktoren außer acht gelassen sind.

Die zweite Frage ist, ob sich der Tierbestand an sich unter den gegenwärtigen Verhältnissen überhaupt vergrößern läßt. Hierzu ist es notwendig, eine kurze Analyse der Dynamik der Viehzucht durchzuführen und einen Blick in die Viehbilanz zu tun. Die besten Grundlagen bietet hierzu *N. I. Denissow*, dessen Veröffentlichungen auf amtlichen Angaben beruhen. Aus seiner Arbeit sind die beigegebenen Tabellen über die Bilanz der Tierzucht zusammengestellt (60/185).

Bilanz der Viehzucht der MVR

	1937		1938		1939	
	1000 Stck	%	1000 Stck.	%	1000 Stck.	%
Anfang des Jahres	21 383,4	100,0	23 266,6	100,0	25 697,8	100,0
Natürl. Zuwachs	6 849,6	32,0	8 251,0	35,5	8 077,7	31,4
insgesamt	28 233,0	132,0	31 517,6	135,5	33 775,5	131,4
Verluste	2 248,1	10,5	1 954,1	8,4	2 421,5	9,4
Verkäufe	877,8	4,1	1 169,9	5,0	1 034,3	4,0
Eigenverbrauch	1 840,5	8,6	2 695,8	11,6	4 124,0	16,1
insgesamt	4 966,4	23,2	5 819,8	25,0	7 579,8	29,5
Bestand Ende des Jahres	23 266,6	108,8	25 697,8	110,5	26 195,7	101,9
Zunahme	1 883,2	8,8	2 431,2	10,5	497,9	1,9

Aus den letzten Jahren bringt nur *I. F. Schulshenko* eine Bilanz, und zwar für 1950 und 1951. Diese enthält auch Einzelangaben über die verschiedenen Tierarten (273/70).

Viehzuchtbilanz der MVR 1950/51
in Prozent

	Schafe	Rinder	Kamele	Pferde	Ziegen	zus.
Stand 1. 8. 1950	100,0	100,0	100,0	100,0	100,0	100,0
natürlicher Zuwachs	41,3	26,8	13,3	15,6	39,4	35,5
Abgang	41,3	30,8	11,6	15,1	36,4	35,1
Zunahme 1950/51	0,0	— 4,0	1,7	0,5	3,0	0,4

Der Winter 1950/51 war schneereich und wurde von langanhaltenden Stürmen (Buranen) begleitet. Das mußte sich auch auf das Wachstum der Herden auswirken, so daß insgesamt nur eine Zunahme von 0,4 Prozent erfolgte. Das Rindvieh hatte sogar einen Verlust von 4,0 Prozent zu verzeichnen, während die Ziegen sich, wie fast stets, verhältnismäßig gut hielten. Die Jahre 1937, 1938 und 1939 der vorhergehenden Tabelle waren dagegen ruhig und relativ günstig.

Eine Analyse der Viehzuchtbilanz beider Tabellen zeigt, daß eine Vergrößerung des Tierbestandes in erster Linie durch eine Verringerung des Abganges zu erreichen wäre. Dieser setzt sich zusammen

1. aus den Verlusten durch Dsud, Krankheiten, wilde Tiere u. a. Diese sind verhältnismäßig hoch und können, wenn auch nicht vermieden, so doch verkleinert werden durch Maßnahmen, die schon in Angriff genommen sind und an anderer Stelle bereits ausführlich erörtert wurden;

2. aus Verkäufen oder Ablieferungen an staatliche Organe und Verkaufsorganisationen. Sie dienen der Versorgung der städtischen Bevölkerung und auch dem Export. Hier wird sich keine Änderung ermöglichen lassen;

3. aus dem Eigenverbrauch der Araten-Wirtschaften. Wie schon früher dargelegt wurde, ist der Fleischverbrauch der Mongolen ungewöhnlich hoch. Er erreicht jährlich pro Kopf der Bevölkerung mehr als 140 kg und könnte durch eine bessere Belieferung mit Nahrungsmitteln pflanzlichen Ursprungs (Mehl, Grütze u. a.), die von den Mongolen gern gegessen werden, wesentlich herabgesetzt werden.

Um die technischen Möglichkeiten einer Erhöhung des Viehbestandes in bezug auf die Tierarten zu beleuchten, sei noch kurz auf die allgemeine Dynamik der Entwicklung der mongolischen Viehzucht eingegangen. Besonders günstige Perioden waren die Zeitspannen von 1926 bis 1930 und 1937 bis 1941, wobei wiederholt werden darf, daß im Jahre 1941 der bisher höchste Viehbestand erreicht worden ist. Darum sollen diese beiden Perioden als Beispiel herangezogen (273/71) und durch die Ergebnisse von 1952 bis 1956 (Mong. Sonin, 6. 4. 1957) ergänzt werden.

Zunahme der Tiere nach Arten
in Prozent

Periode	Art der Zunahme	Schafe	Rinder	Kamele	Pferde	Ziegen
1926-1930	mittlere Jahreszunahme	8,9	9,4	6,8	1,8	13,5
	maximale Jahreszunahme	16,9	10,5	13,6	4,8	21,4
1937-1941	mittlere Jahreszunahme	4,4	2,4	5,4	6,7	8,3
	maximale Jahreszunahme	10,1	11,4	9,4	18,5	15,0
1952-1956	Zunahme insgesamt	5,2	5,3	0,3	5,8	14,6

Aus der Tabelle ist ersichtlich, daß die Zunahme von Jahr zu Jahr
großen Schwankungen unterworfen war. Man sieht ferner, daß die Zunahme der Schafe und Rinder seit 1937 im Mittel hinter der der anderen
Tierarten, wenn man von den Kamelen absieht, zurückgeblieben ist.
Gerade die Rinder und Schafe bilden aber den wirtschaftlich wertvollsten
Teil des ganzen Tierbestandes. Sie liefern rund 75 Prozent des Gesamtwertes an Tieren und Tierzuchtprodukten in der MVR (273/46). Andererseits zeigen die Ziegen, die am wenigsten geschätzt werden und wirtschaftlich den geringsten Nutzen abwerfen, eine Zunahme, die im Mittel der
einzelnen Perioden die Zunahme aller anderen Tierarten übertrifft, ja
weit überragt, wenn wir die Ergebnisse der Jahre 1952 bis 1956 betrachten. 1926 gab es in der MVR etwa 2 Mill. Ziegen, 1956 waren es 5,6 Mill.
Stück. Ihr Anteil am gesamten Tierbestand ist von 17,3 Prozent in 1930
auf 23,2 Prozent in 1956 angestiegen. Es zeigt sich also, daß man die
natürliche Vermehrung der Tiere nicht ihren Gang gehen lassen kann,
wie dies bis heute noch zumeist der Fall ist, sondern daß man allgemein
zu einer planmäßigen Viehzucht im echten Sinn des Wortes übergehen
muß, wenn der wirtschaftliche Wert des Gesamtviehbestandes erhöht
werden soll.

Wenn man annimmt, so meint *Schulshenko* (273/71), daß die Verluste
bei Schafen und Rindvieh nur auf die Hälfte verringert und der Eigenverbrauch von Fleisch durch Beschaffung anderer Nahrungsmittel auf ein
Viertel gesenkt wird, so wäre eine mittlere jährliche Zunahme der Schafe
um 8,8 Prozent und des Rindviehes um 4 Prozent erreichbar.

Die größten Futterreserven liegen, wie schon erwähnt wurde, im östlichen Steppenbezirk und in den Altai-Bergsteppen. Beide Bezirke sind
nach ihrer natürlichen Ausstattung und auch aus Gründen der Erfahrung
für Schafe besonders geeignet, während Rindvieh für diese Räume in
größerer Zahl nicht in Frage kommt. Dagegen sind für Rinder mehr die
Changai-Gebirgssteppen geeignet, wo ja auch noch bedeutende Futterreserven zur Verfügung stehen. Die Futtergrundlagen für diese beiden
Tierarten wären also wohl gegeben.

Zum Schluß sei noch ein Plan zur Erhöhung des mongolischen Tierbestandes erwähnt, der von *Schulshenko* vorgeschlagen wird (273/71).
Er sieht eine 15jährige Periode vor und endet auf Grund der festgestellten

Futtervorräte mit der für die MVR möglichen Tierzahl. Seine Prozentzahlen sind vom Verfasser durch absolute Ziffern ergänzt:

Mögliche Vergrößerungen des Viehbestandes in der MVR

	in Prozent von 1951	mittl. Jahreszunahme bei 15jähr. Periode	absolute End- zahlen in 1000
Schafe	195,4	6,4%	24 614
Rinder	137,5	2,5%	2 720
Kamele	107,5	0,5%	904
Pferde	100,7	0,1%	2 268
Ziegen	101,8	0,1%	5 162

zusammen: 35 668

Abschließend sei jedoch nochmals vermerkt, daß die Hauptgrundlage
aller vorstehenden Berechnungen — die Futterreserve — eine variable
Größe ist. Die Weideflächen können sich in ihrem quantitativen und qualitativen Futterwert ändern. Wenn wir von der Natur absehen, so liegt
doch sehr viel am Menschen und seinen Tieren. Überbeweidung würde die
Produktionsleistung der Weiden absinken lassen, Verbesserung derselben,
zu der auch in der Mongolei Voraussetzungen gegeben sind, ihre Trag-
fähigkeit erweitern und auch eine fernere Erhöhung des Viehbestandes
zulassen.

Ackerbau

Entwicklung und allgemeiner Überblick

Der Ackerbau ist in der Mongolei nicht unbekannt und wurde örtlich
schon vor vielen Jahrhunderten betrieben. Der chinesische Reisende *Chang-
Teh* berichtet aus dem Jahr 1259, daß er in der Mongolei Weizen-, Gerste-
und Hirsefelder gesehen habe (312/127), doch fand der Ackerbau damals
keine weitere Entwicklung. In den jahrzehntelangen Kriegen, die die
Mandschu-Dynastie im 18. Jahrhundert gegen die westmongolischen
Stämme führte, erfuhr der Landbau eine starke Förderung. Um die
Lebensmittel für ihre Truppen nicht über den weiten und schwierigen
Weg aus China nachholen zu müssen, ließen die chinesischen Kaiser staatliche Felder anlegen, die von chinesischen Soldaten-Kolonisten und von
mongolischen Araten bestellt wurden. Die Mongolen mußten die Arbeiten
unter der Aufsicht chinesischer Beamten zwangsweise durchführen, ohne
daß sie irgendwie persönlich am Ertrag beteiligt waren. Als in der zweiten
Hälfte des 18. Jahrhunderts die chinesischen Truppen das Land verließen,
wurden die staatlichen Felder fast überall vernachlässigt oder überhaupt
im Stich gelassen. Aber die Spuren dieser Äcker, Reste ehemaliger Bewässerungsanlagen, Gräben, Zisternen, Bruchstücke schwerer Mühlsteine u. a.
sind hier und dort in der Mongolei noch zu sehen (164/227). Doch nirgends wurde der Ackerbau zur Hauptbeschäftigung der Mongolen, die bei
ihrer ererbten Viehzucht blieben.

Ein gewisser Einfluß zur Entwicklung des Ackerbaues kam von Norden und von Süden. Russische Siedler drangen über die sibirische Grenze in das Land vor, es entstanden sogar einige Dörfer, doch war die Zahl der Russen verhältnismäßig gering. Eine weit größere Bedeutung erlangten in dieser Beziehung chinesische Kolonisten, die Ende des 19. und Anfang des 20. Jahrhunderts in das Land kamen. Als tüchtige Ackerbauer bekannt, brachten sie auch Erfahrung und Tradition mit sich. Ihre Ansiedlung wurde von der chinesischen Regierung stark gefördert, besonders nach 1900, als man nach dem Fehlschlag des Boxeraufstandes die unsichere politische Haltung der Mongolen erkannte. Die Kolonisten, wie auch zahlreiche Soldaten-Siedler, ließen sich in der Nähe der verstärkten Garnisonen und Grenzposten nieder, wodurch sie einerseits deren Schutz genossen und andererseits auch mit einem sicheren Absatz ihrer Produkte rechnen durften, mit denen sie die chinesischen Truppen versorgten. Nach *Majskij* (164/230) lag die Ackerfläche, die von den Chinesen bearbeitet wurde, vor 1912 zwischen 162 000 und 189 000 ha. Die Zahl der Chinesen in der Äußeren Mongolei schätzte er für diese Zeit auf rund 100 000. *Perlin* (266/44) gibt die von den Chinesen bearbeiteten Flächen in der Nordmongolei mit rund 70 000 ha an.

Die mongolische Revolution und die Erklärung der Autonomie führten zur Austreibung und Vernichtung des Hauptteils der Chinesen. Der größte Teil ihrer Länder verfiel und wurde wieder Wildland, da sich niemand der verlassenen Äcker annahm. 1917 erließ der *Bogdo Gegen* als damaliges Staatsoberhaupt der Äußeren Mongolei ein Gesetz, in dem allen Mongolen zur Pflicht gemacht wurde, Getreide anzubauen, doch er hatte keinen Erfolg. Die Mongolen opponierten dagegen. In einer Protestschrift wurde dem Hutuchtu erklärt, daß der Ackerbau ihn, den „lebenden Buddha", nichts angehe und auch nichts mit seiner Tradition zu tun habe. Interessant ist in diesem Zusammenhang eine für die mongolische Anschauung gegenüber dem Landbau typische Begründung, daß es nicht angängig sei, die schöne Landschaft durch häßliches Umgraben zu verwüsten (164/229). Selbst die Klöster, die den Anweisungen ihres Oberhauptes anfänglich gefolgt und zu dieser Zeit neben den Chinesen in der Mongolei die einzigen Ackerbauer waren, ließen in ihrem Eifer nach, so daß die Anbaufläche weiterhin abnahm (256/181).

1921 wurde alles Land zum Eigentum des Volkes erklärt und 1923 ein Gesetz über die Landnutzung erlassen. Nach diesem konnte jeder Mongole unentgeltlich und unbefristet Land für ackerbauliche Zwecke zugeteilt erhalten, wobei er auch, wenn er das Land ohne Inanspruchnahme fremder Hilfe bestellte, von jeder Pacht befreit war. An Ausländer, hier vor allem Chinesen und Russen, wurde Land nur für kurze Zeit — in der Regel höchstens für drei Jahre — bei hohen Abgaben verpachtet. Chinesen umgingen vielfach diese Bedingungen, indem sie sich als Unterpächter an mongolische Ackerbauer wandten. Die Schwierigkeiten, die man Ausländern machte, führten dazu, daß manche das Land verließen. So berichtet *Weiske* (306/159), daß in dieser Zeit zwei der größten russischen

Kolonistendörfer im Chentei-Gebirge nach Sibirien zurückwanderten. Die Bemühungen der russischen Vertreter, bei der mongolischen Regierung günstigere Bedingungen für die Russen zu erlangen, waren vergeblich. Trotz allem machte der Ackerbau in diesen Jahren gewisse Fortschritte (312/128):

1924	10 000 ha
1927	15 630 ha
1928	17 390 ha

So wuchs zwar die Ackerfläche, aber 1929 stellte man fest, daß 90 Prozent derselben von Chinesen bearbeitet wurden (312/128). Die Schuld an dieser Entwicklung schob man den „Rechten" zu, die damals an der Regierung waren, indem man ihnen Interesselosigkeit am mongolischen Ackerbau und Begünstigung der Ausländer vorwarf. Die 1929 zur Macht gekommenen „Linken" versuchten nun mit Zwang, die Mongolen zum Ackerbau zu bewegen. Künstlich ins Leben gerufene Kolchose waren verpflichtet, den Getreidebau durchzuführen. Man wollte nach einem Fünfjahresplan die Anbaufläche bis 1935 auf 100 000 ha bringen, um den Import von Getreide aus dem Ausland einstellen zu können. Die Zwangsmaßnahmen zu dieser Massenkollektivierung erreichten nur das Gegenteil, und so scheiterten die Agrarpläne der „Linken", die 1932 gestürzt wurden. Man warf ihnen vor allem vor, daß sie die Viehzucht hätten zurückdrängen wollen. Es wurde von der neuen Regierung bestätigt, daß die nomadische Viehzucht die Grundlage der Wirtschaft in der MVR bildet und daß der Ackerbau nur ein untergeordneter Zweig der Landwirtschaft sei (312/129). Die agrarwirtschaftlichen Maßnahmen der „Linken" wurden aufgehoben.

Nach 1932 wandte man sich in erster Linie der Pflege der Viehzucht zu. Man erkannte, daß eine Hebung des Landbaues nur allmählich erfolgen könne, und legte darum weniger Wert auf ein quantitatives Anwachsen der Getreideflächen als auf die qualitative Verbesserung der Äcker, die Einführung moderner Agrotechnik und Steigerung der Ernteerträge. Staatsgüter wurden gegründet, deren Arbeit die Mongolen von dem Wert und der Bedeutung des Ackerbaues überzeugen sollte.

Die stille Propagierung des Ackerbaues und die Gegenpropaganda der aratischen Viehzüchter, die zu verschiedenen Ausschreitungen führte, hatten zur Folge, daß sich die Ackerbauflächen in den folgenden Jahren sehr ungleich hielten (226/45):

1934	12 516 ha
1936	11 107 ha
1937	15 103 ha
1938	11 364 ha
1939	19 420 ha

Nach *Perlin* (226/45) beschäftigten sich 1938 rund 17 800 Aratenwirtschaften, d. h. 9,1 Prozent der Gesamtzahl, mit Ackerbau. Die Vergrößerung der Ackerfläche im Jahre 1939 ist auf das planmäßige Vorgehen der Regierung zurückzuführen, wobei die Staatsgüter und Heumähstationen eine besondere Rolle spielten. Die letzteren übernahmen in diesem Jahr zum erstenmal auch den Landbau als Teilaufgabe. 1939 gelang es ihnen allein, 1944 ha neuen Ackerlandes zu gewinnen (226/45). Allgemein wurde aus den Erfahrungen der letzten Jahre der Schluß gezogen, daß es für die Einzelwirtschaften der nomadisierenden Araten sehr schwierig sei, sich neben der Viehzucht noch dem Ackerbau zu widmen, da die Nomaden sich größtenteils nicht an einem Platz festsetzen können und auch nicht wollen. Anders ist es mit den Staatsgütern, Heumähstationen, Araten-Kooperativen und anderen Organisationen, die örtlich gebunden sind. Sie hatten auch die größten Erfolge aufzuweisen (312/133). In erster Linie war ihnen die Aufgabe gestellt, den Bedarf der Stadtbevölkerung und der Wehrmacht zu decken, während die Aratenwirtschaften höchstens für sich selbst sorgen konnten (312/132). Die Heumähstationen wurden allmählich alle auch zu Ackerwirtschaften. Von 1939 bis 1942 vergrößerten sie ihre Saatflächen auf das 2,5fache. Auf ihnen und den Staatsgütern basiert der Verband der Staatswirtschaften (Trust der Goschose), der 1943 gegründet wurde.

Der zweite Weltkrieg versetzte die MVR in der Versorgung mit landwirtschaftlichen Produkten in eine gewisse Notlage und veranlaßte die Regierung zu einer Änderung ihrer Agrarpolitik. Am 6. Februar 1942 wurde ein neues Landnutzungsgesetz (3/108 f.) erlassen, nach welchem Land als Weide, Heufläche oder Ackerland unentgeltlich und unbefristet an alle in der MVR lebenden Bürger, unabhängig von ihrer Nationalität, vergeben werden darf, ebenso an Vereinigungen der Araten, an staatliche und sonstige öffentliche Wirtschaftsorganisationen und -unternehmen. Für die Landnutzung werden drei Arten festgestellt: 1. durch private Einzelwirtschaften, 2. durch öffentliche Aratenvereinigungen und 3. durch staatliche Unternehmungen. Eine persönliche Landnutzung im vorstehenden Sinne ist nur gestattet, wenn der Besitzer das Land selbst und nur für seine eigene Versorgung nutzt. Dieses Gesetz, das auch Nichtmongolen zum Landerwerb für agrarische Zwecke uneingeschränkt zuläßt, hat wesentlich zur Vergrößerung der Saatflächen beigetragen.

Auch in der Methode des Ackerbaues wurde ein bedeutungsvoller Schritt vorwärts getan. Am 3. April 1943 verpflichtete der Ministerrat durch einen Beschluß die Staatswirtschaften ab Frühjahr 1943 zu einer regelrechten Fruchtwechselwirtschaft.

Die stärksten Bemühungen der Regierung während des Krieges richteten sich jedoch auf eine Ausweitung der Ackerfläche und Erhöhung der Produktion. Bisher waren zur Deckung des eigenen Bedarfs bedeutende Importe aus der Sowjetunion notwendig. Um letztere zu entlasten und in ihren Kriegsanstrengungen zu unterstützen (271/89), beschloß das Zentralkomitee der Partei im November 1941, folgende Aufgaben zu erfüllen: Erhöhung der Mehlerzeugung des Landes um 25 Prozent (10 000 bis 12 000 t), Steigerung der Erzeugung an Futtermitteln bis zur vollen

Selbstversorgung. Dies erforderte eine Vergrößerung der Saatfläche für Hafer auf mindestens 5000 bis 6000 ha, für Gerste auf 10 000 ha. Die volle Selbstversorgung mit Hirse sollte durch Erweiterung der Anbaufläche auf mindestens 5000 ha erreicht werden. Schließlich erstrebte man eine bedeutende Erhöhung der Produktion von Hülsenfrüchten und anderen Kulturpflanzen. Der Ministerrat schloß sich am 9. 1. 1942 diesem Schritt an. Die gemeinsamen Bemühungen erzielten einen bedeutenden Erfolg, zu dem die Sowjetunion durch Lieferung von Saaten und Samen beitrug (271/89). Der für 1942 aufgestellte Plan, der eine Gesamtanbaufläche von 69 086 ha vorsah, wurde mehr als erfüllt. 1943 erreichte die Saatfläche rund 75 000 ha, von denen etwa 50 Prozent auf die Staatswirtschaften, die anderen 50 Prozent auf die Araten-Vereinigungen und Einzelwirtschaften der Mongolen und Chinesen entfielen. W. F. *Schubin* nennt hierbei ausdrücklich die Chinesen (271/90). Auch *Zaplin* erwähnt in seinen Angaben für 1943 chinesische Ackerbauer, die also schon eine nennenswerte Rolle spielen mußten (312/131). Das Jahr 1944 brachte eine weitere Vergrößerung der Anbaufläche, und zwar (271/90):

Anbaufläche 1944 insgesamt   80 000 ha
davon
Verband der Staatswirtschaften u. sonst. Organisationen 38 710 ha
Einzelwirtschaften   41 290 ha.

Den Anteil der einzelnen Kulturen an der Gesamtanbaufläche zeigt folgende aus den Angaben von W. F. *Schubin* (271/89 u. 90) zusammengestellte Tabelle:

	1942 (Plan)	1944 (Saatfläche)
Weizen, z. T. Roggen	31 290	35 000 ha
Hafer	14 062	17 800 ha
Gerste	13 790	16 400 ha
Hirse	6 010	7 400 ha
Hülsen- und Gartenfrüchte	3 934	3 300 ha
insgesamt	69 086 ha	79 900 ha

Die Differenz zwischen der letzten Ziffer von 79 900 ha und den oben genannten 80 000 ha ergibt sich aus der Angabe von abgerundeten Zahlen. Insgesamt aber zeigt die Tabelle, daß die im Beschluß der Partei vom November 1941 als Mindestfläche für die Selbstversorgung mit Futtermitteln und Hirse geforderten Saatflächen bis 1944 weit überschritten wurden.

Bei diesen Ausweitungen der Anbauflächen handelt es sich unzweifelhaft um kriegsbedingte Erscheinungen, und die Erfolge wurden nur mit außergewöhnlichen Anstrengungen erreicht und konnten in diesem Ausmaß nicht auf die Dauer fortgeführt werden. So sank die Anbaufläche nach dem Kriege wieder ab und erreichte wahrscheinlich 1947 mit rund

38 000 ha ihren tiefsten Stand. Dann begann mit dem Einsetzen der Fünfjahrespläne ein langsamer, aber stetiger Aufstieg bis zur Gegenwart.

	Araten-wirtschaften	Staatl. Wirtschaften	Wirtschaften insgesamt
1947	25 800 ha	12 159 ha	37 959 ha
1950	33 500 ha	11 500 ha	45 000 ha
1952 (Plan)	46 600 ha	18 215 ha	64 815 ha

Die Angaben für 1950 bringt *Mursajew* (196/50). Die Zahlen für 1947 und 1952 sind aus den Planungsziffern des ersten Fünfjahresplanes errechnet (8). Der letztere wurde nicht voll erfüllt. Wie 1957 offiziell bekanntgegeben wurde, betrug die Saatfläche 1952 nur 55 100 ha und vergrößerte sich bis 1956 auf 88 200 ha (Mong. Sonin 6. 4. 1957). Aus den verschiedentlich veröffentlichten Prozentzahlen ergibt sich die Einsicht, daß auf die Einzelwirtschaften etwas mehr als ein Drittel der gesamten Saatfläche entfällt, während der überwiegende Teil zu Araten-Vereinigungen und Staatswirtschaften gehört. Der Hauptteil des Ackerbaues zu fast zwei Dritteln liegt also im sozialistischen Sektor.

Über den Anteil der einzelnen Ackerbaukulturen an der gesamten Fläche läßt sich für die Gegenwart nichts sagen, doch wird entsprechend dem Bedarf die Verteilung im großen Rahmen noch ähnlich sein wie während des Krieges. Stark gefördert wurde in den letzten Jahren der Anbau von Gemüse. Neu ist die Einführung von Mais, der den Mongolen bis dahin unbekannt war und der als Viehfutter gedacht ist. 1955 wurden zum ersten Male 1500 ha mit Mais besät (178/34), und zwar mit recht gutem Erfolg. Der größte Teil der Ernte wird in grünem Zustand in Silos aufbereitet.

Die Erkenntnis, daß ein erheblicher Fortschritt in der Agrarwirtschaft nur mit Hilfe künstlicher Bewässerung möglich ist, hat die Regierung veranlaßt, auch in dieser Hinsicht aktiv tätig zu sein. Seit 1944 wurden neue Bewässerungsanlagen geschaffen und alte verbessert. Um Fachkräfte für diese Aufgaben zu gewinnen, wurde 1945 der Tierärztlichen und Zootechnischen Hochschule in Ulan-Bator eine hydrotechnische Abteilung angegliedert. Im Sommer 1951 wurde im Gebiet des Staatsgutes Zagaan-Tolgoi ein 16 km langer Kanal angelegt, der beiderseits von 20 m breiten Waldstreifen begleitet ist. 1952 wurde im Bezirk des Staatsgutes Dshargalantu mit dem Bau eines weiteren Kanals begonnen (312/114). Große Hilfe bei der Durchführung dieser Projekte leisteten sowjetische Fachkräfte. Beim erstgenannten Kanalbau waren sowjetische Erdräumungsmaschinen eingesetzt (312/114). Der Anteil der Bewässerungskulturen ist in den Staatswirtschaften am höchsten und soll 1957 auf 25 Prozent gebracht werden (97/29).

Die Hektarerträge sind im allgemeinen nicht hoch. Sie liegen bei Getreide etwa um 7 dz/ha. Unter den Araten-Vereinigungen erreichte 1954 eine solche im Kobdo-Gebiet den höchsten Ertrag von 8,3 dz/ha (97/22). Die Ernteergebnisse der Staatswirtschaften liegen im Durchschnitt etwas höher und sollen 1957 7,4 bis 10 dz erreichen. In einigen Staatsgütern stieg 1955 der Ertrag auf 12 dz/ha (11/4).

Obgleich es bis zur Gegenwart gelungen ist, die Ackerfläche zu vergrößern und auch die Produktion zu intensivieren, ist die MVR noch weit davon entfernt, sich mit Ackerbauprodukten selbst versorgen zu können. Jährlich müssen noch bedeutende Mengen an Mehl, Zucker und anderen Nahrungsmitteln eingeführt werden, die vor allem aus der Sowjetunion kommen, während China in erster Linie Tee liefert. Dagegen ist die Eigenproduktion an Kartoffeln und Gemüse ausreichend.

Verbreitung und Möglichkeiten

Der Ackerbau bildet nur einen untergeordneten Zweig der mongolischen Wirtschaft. Er erbringt nicht mehr als 6 bis 7 Prozent des gesamten Produktionswertes des Landes. Nach den Berechnungen der Geographischen Abteilung des Wissenschaftlichen Komitees in Urga werden 2,3 Prozent der Landfläche, d. h. 3,5 Mill. ha, für den Ackerbau als geeignet angesehen (106/194). Andere Schätzungen liegen zwischen 3 und 8 Mill. ha (196/50). Wenn auch nur die geringste der vorstehenden Angaben als annähernd richtig angesehen wird, so ergeben sich für die MVR bedeutende Möglichkeiten für die Ausweitung des Landbaus, da zur Zeit erst etwa 2 bis 3 Prozent der für den Ackerbau geeigneten Fläche in Nutzung sind (271/93).

Dabei erfordert die Erweiterung der Ackerbaufläche im allgemeinen keine größeren, kostspieligen Meliorationsmaßnahmen, da die Böden der dafür in Frage kommenden Gebiete über genügend Nährstoffe verfügen und bei richtiger Sortenwahl und Bearbeitung der Felder gute Erträge liefern können. Lediglich die Frage der Bewässerung verursacht gebietsweise Schwierigkeiten, doch kann man sich dabei vielfach auf alte, heute verfallene Bewässerungseinrichtungen stützen. Auch das Relief bietet im großen und ganzen günstige Voraussetzungen, so daß der Einsatz moderner Maschinen auf keine nennenswerten Hemmnisse stößt.

Die gegenwärtigen Ackerbaugebiete, die zum großen Teil mit den ehemaligen Anbaubezirken zusammenfallen, sind infolge der komplizierten orographischen Verhältnisse räumlich sehr ungleichmäßig verteilt. Im wesentlichen handelt es sich dabei um die Gebiete an der Selenga und am Orchon, die Becken des Ubsa-Nur und Chara-Ussu im Nordwesten, die Flußtäler und Becken des Mongolischen Altai, die Täler der Uldsa und des Onon sowie die Oasen der Gobi. Doch sind auch diese Gebiete heute vom Ackerbau erst zu einem geringen Teil erfaßt.

Die günstigsten Voraussetzungen für den Ackerbau bietet zweifellos das Einzugsgebiet der Selenga und des Orchon mit seinem gutausgebildeten hydrographischen Netz. In den Tälern, deren Sohlenbreite 15 bis 20 km erreicht, liegen auf den Nieder- und Hochterrassen ausgedehnte zusammenhängende Landflächen, die für den Landbau mit Bewässerung durchaus geeignet sind. Die wasserwirtschaftlichen Maßnahmen laufen hier im wesentlichen auf eine Zurückhaltung des oberflächlichen Abflusses auf den zumeist sanft geneigten Hängen und auf den Talsohlen hinaus. Da die Täler in der Hauptsache Formen eines alten Erosionsreliefs darstellen, sind sie für die Anlage großer und kleiner Stauanlagen günstig und bieten infolge ihrer Breite und genügenden Gefälles auch die besten Voraussetzungen zur Verteilung des Wassers. Vielfach genügen hier kleine Deiche und Gräben, um das Wasser auf dafür vorgesehenes Land zu leiten. Die vorherrschenden kastanienfarbenen Böden sind fruchtbar und danken dem Menschen für die Bewässerung durch relativ hohe Erträge.

Der Großteil der heute bebauten Flächen liegt vor allem an den zahlreichen größeren und kleineren Zuflüssen der Selenga, am Orchon und deren Zuflüssen Tamir, Tola, Chara, Iro, an denen zusammenhängend oder inselförmig verstreut immer wieder Ackerflächen anzutreffen sind. Hier befindet sich auch der größte Teil der Staatsgüter*), eine ganze Reihe von Militärgütern und andere von verschiedenen Organisationen betriebene Großwirtschaften, deren gesamte Saatfläche in den Jahren 1941 bis 1945 nach *Schubin* (271/94) 30 000 ha erreicht haben soll. Diese Angabe kann höchstens als eine einmalige Leistung in den Notjahren des Krieges angesehen werden, denn sie widerspricht den amtlichen Planziffern für 1947 bis 1952, die für die gesamte MVR gelten und weit darunter liegen (8/55 f.). Größere Flächen werden auch von Araten-Kooperativen bebaut, so z. B. die Güter des Kooperativs „Samte" im Somon Bajan-Zogtu (Zentral-Aimak). Die Erfahrung der letzten Jahre zeigt, daß in diesem Gebiet alle wichtigen Getreidearten, technische Kulturen und auch Obst angebaut werden können.

Da eine Aufzählung der einzelnen bebauten oder für eine aussichtsreiche Bebauung geeigneten Ackerbauzentren zu weit führen würde, seien nur einige wenige genannt. Hervorzuheben wäre hier das breite Talgebiet der Chara, durch welches der alte Trakt Ulan-Bator — Kjachta führt, der einst den größten Teil des russisch-chinesischen Handels zu bewältigen hatte und dessen lebhafter Verkehr zur Gründung zahlreicher Siedlungen führte. Hier lagen einst die ausgedehnten Ländereien der chinesischen Kolonisten. Heute ziehen sich entlang des Flusses neben zahlreichen Individualwirtschaften die Ackerflächen der staatlichen Güter und landwirtschaftlichen Versuchsstationen hin, die z. T. mit künstlicher Bewässerung arbeiten. Das Tal des Orchon wie auch das der Selenga lassen die typische Eigenart besonders hervortreten, daß die Ackerflächen weniger entlang des Hauptflusses selbst, sondern an den kleinen Nebenflüssen angelegt sind, da diese für die Wasserentnahme zur Bewässerung geeigneter sind als die bei Hochwasser reißenden Hauptflüsse. Das Tal der Tola, des größten Zuflusses des Orchon, ist in seinem größeren Teil für den Ackerbau ungeeignet. Getreide wird nur vereinzelt, in hochgelegenen, anliegenden Trockentälern gebaut. Reine Bewässerungskultur wird im

---

*) Im Bereich des Selenga-Orchon-Gebietes liegen folgende Staatsgüter: Dshargalantu, Inchetal, Kossogol, Bulgan, Selenga, Ara-Changai, Sun-Chorin, Borot und eine Milchfarm.

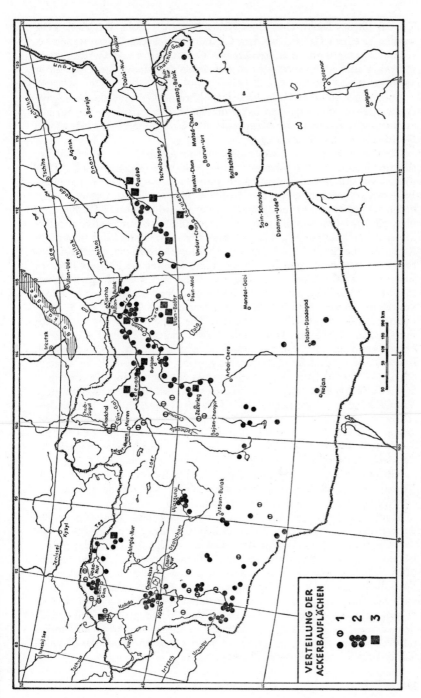

VERTEILUNG DER
ACKERBAUFLÄCHEN
1
2
3

1 Kleine mongolische und chinesische Ackerkulturen:
  ausgefüllter Kreis = Anbau aller Getreidearten
  nicht ausgefüllter Kreis = nur Anbau von Gerste möglich

2 Größere Ackerflächen, insgesamt mehr als 100 ha

3 Staatsgüter, Ackerflächen mit 300—500 ha, einzelne mehr

Tal des Flusses Dalan-Gol, eines Nebenflusses der Tola, getrieben. Hier werden in einem Gebiet, das dem Charakter nach zur Wüstensteppe gerechnet werden muß, hohe Erträge an Weizen, Hirse und Gerste erzielt, weiterhin auch Melonen angebaut, mit denen der Markt von Ulan-Bator versorgt wird.

Auch höher gelegene Teile des Selenga-Orchon-Gebietes eignen sich für den Ackerbau, doch ist dann meist die Vegetationszeit etwa für Weizen zu kurz, so daß dort in der Hauptsache nur Gerste angebaut wird, wie im Raume um die Stadt Zezerleg.

Für die Wirtschaft der westlichen Mongolei spielt der Ackerbau, der sich im Becken des Ubsa-Nur entfaltet, eine hervorragende Rolle. Hier sind es vor allem westmongolische Stämme, wie die Dürbeten, Torguten, Bajaten und andere, die sich dem Landbau widmen. Dieses Gebiet verfügt neben ausgedehnten, für den Anbau hervorragend geeigneten Flächen auch über günstige Bewässerungsmöglichkeiten und verhältnismäßig günstige klimatische Bedingungen. Hauptgebiet für den Getreideanbau ist der Raum um die Stadt Ulan-Gom, dessen Wasserversorgung durch eine bereits zu Beginn des 18. Jahrhunderts erfolgte Stauung des Flusses Charchira sichergestellt ist, der bei seinem Eintritt in das Becken durch einen Damm in fünf Kanäle aufgeteilt wird. Vier von ihnen dienen in einer Länge von 18 bis 30 km ausschließlich Bewässerungszwecken sowie der Wasserversorgung der Stadt Ulan-Gom selbst. Die für eine Bewässerung durch die Charchira in Frage kommende Fläche schätzt man auf 25 000 ha. Hinzu kommen noch die Anbauflächen an den Flüssen Tes, Narin-Gol, Barun-Turun und anderen. Insgesamt gesehen, sind jedoch die im Bereich des Ubsa-Nur vorhandenen Möglichkeiten für eine größere Ausweitung der Ackerbaugebiete gering. Dort, wo nämlich bodenmäßig günstige Voraussetzungen vorliegen, fehlt vielfach das Wasser, und bei Vorhandensein einer gesicherten Wasserversorgung handelt es sich auf weite Strecken, wie es z. B. am Unterlauf des Narin-Gol und des Tes der Fall ist, um Sande und Solontschakböden, die jeden Anbau aussichtslos machen. Im Tal des Tes, der eine geregelte Bewässerung infolge seiner Strömung nicht zuläßt, werden die im Frühjahr durch das Hochwasser überfluteten Talflächen bebaut, doch besteht hier die Gefahr, daß die Saat durch ein zweites Hochwasser im Sommer vernichtet wird.

Vielversprechend für die Weiterentwicklung und Ausbreitung des Ackerbaues in der MVR ist das Gebiet um den See Chara-Ussu mit dem Zentrum Kobdo. Fruchtbarstes Gebiet ist hier das Delta des Flusses Bujantu, der nach Verlassen des Altai oberhalb von Kobdo ein breites, über dunkelbraune und hellkastanienfarbige Böden verfügendes Tal durchfließt, das durch seine fruchtbaren Gemüsegärten bekannt ist. Unterhalb von Kobdo durchbricht er einen kleineren Gebirgsrücken, worauf er sich in zahllose kleine Arme aufgliedert, deren größter Teil jedoch den Chara-Ussu nicht mehr erreicht, da sie meist ihr Wasser an Bewässerungsanlagen abgeben müssen und dann versiegen. Auch das Kobdo-Tal bietet zahlreiche Ansätze des Ackerbaus.

Im Bereich des Mongolischen Altai sind für den Ackerbau lediglich die zwischen den einzelnen Rücken eingebetteten Täler und Becken von Interesse, da ein Großteil der Gebirgsrücken selbst über der oberen Ackerbaugrenze liegt. In den meist parallel zur Hauptkette verlaufenden Trockentälern ist Ackerbau nur mit Hilfe von Bewässerung möglich. Günstiger dagegen sind die Täler der Flüsse, die nach ihrem Austritt aus der Hochgebirgszone entweder in Seen münden, wie wir es bereits bei dem Flusse Charchira und dem Bujantu gesehen haben, oder sich nach Süden der Gobi zuwenden und dort versiegen. Unter den letzteren verdient besonders das Tal des Flusses Bulugun Erwähnung, dessen Landwirtschaft nach einem Bericht von *Dobrowolskij,* der die landwirtschaftlichen Verhältnisse der westlichen Aimake der MVR eingehend studiert hat und den *Schubin* zitiert (271/100), sich in erstaunlichem Tempo europäische Methoden angeeignet hat. Hier können nach dessen Meinung ohne große Schwierigkeiten rund 30 000 ha der landwirtschaftlichen Nutzung zugeführt werden. Auch in anderen Tälern am Südrand des Altai ist der Ackerbau, wie von *Potanin* und anderen Reisenden berichtet wird, von altersher heimisch, so in den Tälern des Uintschi, Bodomtschi u. a. Diese Gebiete der Transaltai-Gobi verdienen das größte Interesse, da sie zu den wärmsten Gegenden der MVR gehören und sich auch durch eine relativ lange Vegetationsperiode auszeichnen. Die Flüsse führen das ganze Jahr hindurch genügend Wasser, das sich jedoch mit dem Verlassen des Gebirgsfußes zu vermindern beginnt, um zum Schluß in kleinen Salzseen zu enden oder in den Sanden zu versickern. Die Wassernutzung muß also schon beim Austritt aus dem Gebirge einsetzen. Das Relief ist hier für die Anlage von Bewässerungsanlagen durchaus günstig. Es zeigt infolge der lang andauernden Abtragung ein vom Gebirgsrand ausgehendes allmähliches Gefälle, wie es für künstliche Bewässerung gerade erwünscht ist, und bietet auch gleichzeitig große zusammenhängende Landflächen. Es sind zumeist leicht absteigende Vorgebirgsebenen. Besondere Aufmerksamkeit verdient dann die Zone der alten Flußdeltas, die besonders in der Transaltaischen Gobi gut ausgebildet ist. In beiden Regionen herrschen gelbbraune Wüstensteppenböden vor, die gelegentlich von Takyr-Böden unterbrochen werden. Sie sind ohne durchgreifende Meliorationen für die Bewässerung brauchbar, bedürfen jedoch, um ertragreich zu werden, zumindest in der ersten Zeit der Düngung. Die gelbbraunen Wüstensteppenböden gehen in der Regel in die rötlich-gelben Gipsböden der Wüsten über, die infolge ihrer starken Versalzung erst nach künstlicher Drainage und schwierigen Meliorationen für eine erfolgreiche Bewässerung in Frage kommen. Doch es sind genügend bessere Ländereien vorhanden, so daß man an die eigentlichen Wüstenböden kaum zu denken braucht. Von den Tälern der Flüsse, die nach Norden abfließen, ist noch das Tal des Dsergen-Gol erwähnenswert, in dem Ackerbau getrieben wird. Allerdings gedeiht hier infolge der Höhenlage nur Gerste.

Im Bereich der Ost-Mongolei sind Boden- und Reliefverhältnisse wohl günstig, doch die geringen Niederschläge und das schwach entwickelte

Flußnetz, soweit man überhaupt von einem solchen sprechen kann, lassen die Gewinnung von Ackerbauflächen im allgemeinen kaum zu. Daher gibt es einen gering entwickelten Ackerbau nur im Norden, und zwar in der Hauptsache in den Tälern des Onon und der Uldsa. Das Tal des bedeutendsten Flusses dieses Gebietes, des Kerulen, ist dagegen größtenteils für den Ackerbau nicht geeignet. Nur an einigen Stellen, so bei Tschoibalsan, finden sich von einstigen chinesischen Siedlern angelegte Gärten, die mit Hilfe von Schöpfrädern aus dem Kerulen bewässert werden und vorzügliche Erträge liefern. Aussichten, größere Ackerflächen zu gewinnen, bestehen nur in den Talflächen der genannten Flüsse und dann im äußersten Osten, wo der Chalchin- und der Muchur-Gol dem Großen Chingan entströmen.

In der Gobi-Zone sind Ackerflächen in erster Linie in den Tälern der aus dem Changai kommenden Flüsse zu finden, so am Dsabchan, Baidarik, Tuin-Gol und Ongin-Gol, deren Wasser Wüstenseen speist oder im Sande versiegt. Wo es die Bodenverhältnisse gestatten, konnten diese Täler früher mit Hilfe von Bewässerung bebaut werden, doch sind die Anlagen heute größtenteils verfallen und die Felder verlassen (271/104). Nur am Baidarik, Tuin- und Ongin-Gol wird heute örtlich noch Weizen, Gerste und Hirse angebaut. Auch einige Täler des Gobi-Altai sind als alte Ackerbaugebiete bekannt, so etwa das Tal des Legin-Gol und einige Oasen am Südfuß des Adshi-Bogdo.

In der Gesamtplanung in bezug auf die Versorgung mit Ackerbauprodukten bereitet die ganze Gobi-Zone die größten Sorgen, da diese Gebiete über weite Strecken und auf beschwerlichen Wegen aus anderen Gegenden versorgt werden müssen.

Es ist darum verständlich, daß man sich dem Studium der wasserwirtschaftlichen Möglichkeiten in diesen ausgedehnten Landschaften besonders intensiv widmet, um hier zumindest lokal eine ackerbauliche Eigenversorgung ins Leben zu rufen. Zahlreiche Untersuchungen wurden durchgeführt und Versuchsstationen in verschiedenen Gegenden gegründet, um durch diese gleich zu praktischen Ergebnissen zu gelangen. Es würde im Rahmen dieser Arbeit zu weit führen, auf die Einzelprobleme einzugehen. Darum sollen hier nur die Erkenntnisse kurz zusammengestellt werden. Ein Landbau unter natürlichen Verhältnissen und ohne künstliche Wasserzugabe ist in diesen Teilen der Gobi nicht möglich. Nur unter besonders günstigen Umständen läßt sich ein solcher durchführen. Dazu gehören eine ausreichende Schneedecke, vorbereiteter Boden und sommerliche Niederschläge von 180 bis 200 mm. Die Versuchsstationen Dalan-Dsadagad (Süd-Gobi) und Sain-Schanda (Ost-Gobi) haben in dieser Beziehung beachtliche Erfolge erzielt. Doch es waren sorgfältig vorbereitete Versuche. Um sichere Erträge zu erzielen, ist ein Ackerbau, wie schon gesagt wurde, nur bei künstlicher Bewässerung möglich. In Ermangelung eines oberflächlichen Gewässernetzes kommt als Hauptquelle nur das Grundwasser in Frage, das in vielen Gegenden reichlich vorhanden ist, zumeist dicht unter der Oberfläche liegt und nach seinen chemischen Bestandteilen eine befriedigende bis gute Qualität zeigt. Es muß durch Brunnen gehoben werden. Artesische Becken sind zwar gefunden worden, doch in diesen Gegenden selten. Bei Ausnutzung des Grundwassers kann die Bewässerung nur oasenweise auf relativ kleinen Flächen vorgenommen werden. Es kommt auf den Wasserertrag der Anlagen an. Ein gewöhnlicher Brunnen versorgt 1 bis 4 ha. Bei reicher Wasserergiebigkeit und mechanischer Wasserhebung kann ein solcher für mehr als 50 ha ausreichend sein. Als sehr günstig hat sich eine künstliche Durchfeuchtung des Bodens im Herbst zum Winter erwiesen, da durch das Gefrieren Feuchtigkeit im Boden erhalten bleibt. Als Hilfe in der Wasserversorgung hat sich auch das Speichern der Niederschläge erwiesen. Diese gehen im Sommer in heftigen Güssen nieder, wobei tiefer gelegene Senken oft kurze Zeit vollkommen unter Wasser stehen. Hier hat sich die Anlage von tiefen Zisternen und künstlichen Teichen erfolgreich bewährt. Die Böden sind im allgemeinen für eine Bewässerungswirtschaft nicht ungünstig. Besondere Gefahren für den Landbau in der flachen, offenen Gobi bilden die sommerlichen Stürme, die nicht selten die Kraft eines Orkans annehmen können und Sand und kleine Kiesel mit sich tragen. Die Anlage von Strauch- und Baumstreifen bildet hier die einzige Schutzmöglichkeit.

In der Nähe der größeren Städte der Mongolei sind fast immer auch Ackerbaugebiete entstanden, die der Versorgung der Stadtbevölkerung dienen. Sie haben zumeist Gartenbau-Charakter und sind auf den Anbau der verschiedensten Arten von Gemüse spezialisiert. Besonders hervorzuheben ist in dieser Beziehung der verhältnismäßig reich bewässerte Nordhang des Bogdo-Ula im Süden von Ulan-Bator, von wo die Hauptstadt mit Gemüse- und Gartenbauprodukten versorgt wird.

Die der Arbeit beigegebene Kartenskizze gibt eine Übersicht über die Verbreitung der heutigen Ackerbaugebiete.

Wenn wir die räumliche Verbreitung der Ackerbauflächen in der Mongolei insgesamt betrachten, so zeigt es sich, daß es für sie keine strenge Gesetzmäßigkeit und vor allem keine Abhängigkeit von der horizontalen Gliederung des Landes gibt. Freilich muß dabei im Auge behalten werden, daß die alten Ackerbaugebiete, auf denen die heutigen zum großen Teil aufbauen, nicht immer dort angelegt worden sind, wo die physisch-geographischen Bedingungen für den Landbau am günstigsten waren, sondern daß häufig historisch-politische Gründe dafür ausschlaggebend waren.

Die entscheidenden Faktoren, die darüber bestimmen, ob in einem Gebiet Ackerbau möglich ist oder nicht, sind die absolute Höhe des betreffenden Standortes und das Vorhandensein einer Bewässerungsmöglichkeit. So fallen weite Gebiete des Changai-Chentei-Berglandes und des Altai trotz reichlicher Wasservorräte und geeigneter Böden infolge ihrer hohen Lage für den Anbau aus. Die kurze Vegetationszeit und die niedrigen Temperaturen lassen das Getreide nicht ausreifen. Die Höhenlage eines Ortes spielt meist eine größere Rolle als die geographische

Breite. So gedeihen im Gebiet von Altan-Bulak an der Nordgrenze der Mongolei, in einer Höhenlage von 600 bis 650 m fast alle Getreidesorten und technischen Kulturen, während in Ulan-Bator, das 300 km weiter südlich liegt (absolute Höhe 1310 m), lediglich kältebeständige Gemüsearten gebaut werden können. Analog ist auch ein Vergleich des fruchtbaren Gebietes am Ubsa-Nur (743 m) im Norden mit dem südlichen Altai. Dort gedeihen ebenfalls alle Getreidearten, ferner Melonen, Kürbisse und andere wärmeliebende Kulturgewächse, während in den weit südlicher gelegenen Tälern an den Oberläufen des Dsergen, Uintschi und Bodomtschi (1600 bis 1800 m) nur noch Gerste angebaut werden kann. Die geographische Breite spielt insofern eine Rolle, als sich die Anbaugrenze je weiter nach Süden nach oben verschiebt. Wichtig ist in diesem Zusammenhang nicht allein die absolute Höhe, sondern, wie die Erfahrung der letzten Jahre gelehrt hat, auch die Exposition des betreffenden Ortes. An Südhängen können Ackerflächen in weit höheren Lagen angelegt werden als an Nordhängen. Im Tal des Bulugun wird auf den Südhängen des Altai Weizen noch in einer Höhe von 2100 m erfolgreich angebaut. Bei Uljassutai werden auf den Südhängen des Changai in 1700 bis 1800 m Höhe unter künstlicher Bewässerung bei Weizen Hektarerträge von 25 dz und bei Hafer 30 bis 35 dz erzielt. (271/107). Absolute Zahlen für die Höhengrenze des Ackerbaus oder für einzelne Kulturen lassen sich daher für das Gesamtgebiet der MVR nicht geben. Möglich ist dieses nur für einzelne kleine Gebiete. So gibt *Baranow* (31), der die landwirtschaftlichen Gebiete im südlichen Teil des Aimak Kobdo studiert hat, folgende Höhengrenzen für diese Gegenden an: Weizen 1350 m, Gerste 1800 m. In größeren Höhen ist das Ausreifen dieser Getreidearten nicht mehr gewährleistet.

Die landwirtschaftlichen Betriebsformen

Nach der Entwicklung der Landwirtschaft in der MVR bis zur Gegenwart kann man heute drei Betriebsformen unterscheiden:

1. die mongolischen Einzelwirtschaften, vielfach auch Individualwirtschaften genannt, die innerhalb der Gesamtwirtschaft den privaten Sektor vertreten,
2. die landwirtschaftlichen Produktionsgemeinschaften, in der Literatur auch manchmal Produktionsgenossenschaften genannt, die eine Art Kollektivwirtschaft darstellen,
3. die Staatsgüter, in der russischen Übersetzung in der Einzahl als Gossudarstwennoje Chosjajstwo oder abgekürzt Goschos bezeichnet.

Die beiden letztgenannten Betriebsformen werden offiziell zum sozialistischen Sektor gerechnet, der dem privatwirtschaftlichen der ersten Gruppe gegenübersteht.

Neben den vorgenannten Betriebsformen gibt es als staatliche Organisationen innerhalb der Landwirtschaft noch die Heumähstationen, die aber im eigentlichen Sinne keine selbständigen Betriebe bilden, sondern nur Hilfsinstitutionen darstellen und vor allem den Betrieben der beiden ersten Gruppen mit ihren Leistungen dienen sollen. Man könnte sie nach ihren Aufgaben etwa mit den Motor-Traktorenstationen (MTS) der Sowjetunion vergleichen. Sie haben in jüngster Zeit auch Nebenaufgaben übernommen und beschäftigen sich teilweise auch mit Ackerbau, so daß sie in einer Phase der Entwicklung stehen, die sich noch nicht überschauen läßt. Es ist möglich, daß sie sich zu einer Art Staatsunternehmen entwickeln, die den jetzigen Staatsgütern ähnlich werden, nur daß sie in der Gesamtwirtschaft eine spezielle Aufgabe übernommen haben. Als Staatsunternehmen sind sie seit 1943 in dem Verband (Trust) der Staatswirtschaften zu einer einheitlichen Organisation zusammengeschlossen.

Die mongolischen Einzelwirtschaften

Wenn seit Bestehen der MVR auch ein prinzipieller Wechsel in der Wirtschaftspolitik stattgefunden hat und auch die Methoden der Viehwirtschaft vor allem in bezug auf die Viehbetreuung sich allmählich in der Richtung auf moderne Formen hin entwickeln, so ist der Nomadismus doch heute wie früher die grundlegende und herrschende Wirtschaftsform der mongolischen Viehzucht. Auch die sich verbreitende Übung des Heumachens für den Winter und ebenso der örtlich sich ausbreitende Ackerbau haben bisher am Gesamtbild der mongolischen Viehzucht noch wenig verändert. Wie in uralten Zeiten zieht der Mongole auch jetzt noch mit seinen Herden von einem Weideplatz zum anderen. Immer wieder bricht er seine Jurte ab, um sie an einem anderen Ort wieder aufzubauen, und mit ihr zieht seine Familie mit dem ganzen Hab und Gut.

Die nomadische Wanderungsgemeinschaft, das mongolische Ail (Siedlung einiger Jurten), ist in ihrer Größe ebenfalls entsprechend der Gunst oder Ungunst der Naturverhältnisse sehr verschieden. Die vegetationsarmen Landschaften der Gobi erlauben z. B. keine Konzentration von Vieh und Menschen. Im Aimak Süd-Gobi bestanden 1944 89,5 Prozent aller Aile nur aus zwei Jurten, d. h. aus zwei Araten- oder Familienwirtschaften (177/68). Man kann in den Halbwüsten-Gegenden sogar nomadische Einheiten antreffen, die nur aus einer Jurte bestehen (196/41). Im Mittel bilden 2 bis 5 Jurten ein Ail. In wirtschaftlich günstigeren Aimaken ist die Zahl in der Regel größer als in den armen. So hatten 1944 im Aimak Nord-Changai, dem dichtest besiedelten Gebiet der MVR, rund 69 Prozent aller Aile 5 bis 13 Jurten.

Die in einem Ail vereinigten Aratenfamilien (Jurten) bilden in ihrer Form als Wanderungsgemeinschaft gleichzeitig eine Wirtschaftseinheit, das mongolische Choton. Es ist eine betriebswirtschaftliche Organisation, die weit in die Vergangenheit zurückreicht. Mit dem Wesen des Chotons hat sich eine Studienkommission der geographischen Abteilung des Komitees der Wissenschaften befaßt und dabei mehr als 100 Chotone mit rund 600 Aratenwirtschaften untersucht. Die Ergebnisse wurden 1936 veröffentlicht (Sowremennaja Mongolija 1936, Nr. 1). Das Choton geht in

seiner Urform auf verwandtschaftliche Beziehungen zurück und trägt
deutliche Zeichen einer alten Sippenordnung, an deren Spitze der Älteste,
der „Acha", als Haupt der Großfamilie stand. Auch heute ist es die
Regel, daß ein Sohn, wenn er heiratet, eine eigene Jurte und einen Teil
des Viehs bekommt, aber Mitglied des Chotons bleibt. Neben diesen verwandtschaftlichen Beziehungen sind später auch noch andere Gründe für
den Zusammenschluß zu einem Choton maßgebend geworden, und zwar
rein wirtschaftliche, so daß der ursprüngliche Sinn und das eigentliche
Wesen des Chotons verloren gegangen sind. Heute stellt ein Choton eine
produktionswirtschaftliche Vereinigung einer Gruppe von Araten-Wirtschaften auf der Grundlage des gemeinschaftlichen Weidens der Tiere
und der Arbeitsleistung auf Gegenseitigkeit dar. Das Choton hat keine
administrative Bedeutung, sondern ist nur ein wirtschaftlicher Zusammenschluß, der auf verwandtschaftlichen Beziehungen und vor allem auf
dem ökonomischen Prinzip der besseren Ausnutzung der Arbeitskräfte
beruht. In der Regel sind in einem solchen Choton arme und wohl-
habende, d. h. in diesem Falle viehearme und viehreiche Aratenfamilien
vereinigt. Für die wohlhabenden Mongolen ist der Bedarf an Arbeitskräften der Grund zur Aufnahme armer Familien in das Choton, und
für die Armen ist der Eintritt in ein Choton der Ausweg aus Existenz-
schwierigkeiten. Für einzelne Aratenwirtschaften, deren Viehzahl eine
eigene, selbständige Existenz ermöglichen würde oder deren Besitz etwa
um die Existenzgrenze liegt, ist der Wunsch nach einer Festigung und
Sicherung der eigenen Wirtschaftslage der Anlaß zum Beitritt. Im übrigen
stehen natürlich verwandtschaftliche Beziehungen im Vordergrund. An
der Spitze des Chotons steht, wie bereits erwähnt, der Älteste, der Acha,
der auch der wohlhabendste ist.

Als Nachweis für den sozialwirtschaftlichen Charakter eines Chotons
soll hier ein Beispiel angeführt werden, und zwar das Choton Samgan
aus dem Aimak Nord-Changai (177/71). Das Choton trägt den Namen
der Hauptfamilie, nämlich Samgan, die auch den Acha stellt. Die Wirtschaft Samgan umfaßt 1396 Stück Vieh, und zwar 66 Kamele, 326 Pferde,
42 Rinder und 962 Schafe und Ziegen. Umgerechnet auf Bodo (Großvieheinheit) waren es 637 Stück. Die Familie Samgan bestand aus fünf
Mitgliedern, von denen drei arbeitsfähig waren. Zum Choton gehören
noch fünf Aratenfamilien mit Namen Rintschin, Bansaragtscha, Bator,
Shigshe und Tschoishilshab. Die Verhältnisse im gesamten Choton sind
in der nachstehenden Tabelle dargestellt.

	1. Samgan	2. Rintschin	3. Bansaragtscha
Tierzahl	1396	285	77
Bodo	637	94,3	17,7
Personen	5	4	3
davon arbeitsfähig	3	3	2

	4. Bator	5. Shigshe	6. Tschoishilshab
Tierzahl	98	61	8
Bodo	14,6	19,8	2
Personen	4	5	3
davon arbeitsfähig	4	5	3

Zum Weiden und zur Betreuung von rund 100 Stück Großvieh ist ein arbeitsfähiger Arat notwendig. Bei Kleinvieh für Herden bis zu 400 Köpfen genügt eine Arbeitskraft. Würde die Wirtschaft Samgan allein weiden, so wären ihre Arbeitskräfte vollkommen unzureichend, bei der Familie Rintschin würden sie gerade noch ausreichen. Die anderen vier Wirtschaften haben einen Überschuß an Arbeitskräften. Während Rintschin auf Grund der Arbeitskräfte und der Viehzahl mit einem gewissen wirtschaftlichen Risiko für Rückschläge noch allein weiden könnte, liegen die Familien 3, 4 und 5, wenn sie allein auf ihren eigenen Besitz angewiesen wären, bereits unter dem Existenzminimum, und die Familie 6 könnte allein keinesfalls existieren, denn ihr ganzer Besitz bestand aus einem Rind und sieben Schafen. Insgesamt aber ergibt sich für das Choton bei einer Gesamttierzahl von 1925 (oder umgerechnet auf Bodo 785,4 Stück Großvieh) bei 20 arbeitsfähigen Araten sogar noch ein Überschuß an Arbeitskräften. Dieser ist notwendig, denn neben dem gemeinsamen Hüten des Viehes muß auch andere Arbeit geleistet werden: die Trinkwasserversorgung des Chotons, die Instandhaltung alter und die Anlage neuer Wasserstellen und Brunnen, die Herstellung von Filz, gemeinsame Wolfsjagd, der Warentransport, die Heumahd und andere, die alle gemeinschaftlich durchgeführt werden. Hieraus ergibt sich, wie wirtschaftlich schwach die Chotone im allgemeinen und die in der Gobi im besonderen sein müssen, da sie oft zur erfolgreichen Durchführung der genannten Gemeinschaftsarbeiten — abgesehen vom Hüten — nicht in der Lage sind. Das betrifft insbesondere die Erhaltung und Neuanlage von Wasser- und Tränkstellen, die von lebenswichtiger Bedeutung sind und ohne die eine Vergrößerung des Viehbestandes unmöglich ist.

Die armen oder auch viehlosen Araten wurden für ihre Hilfeleistungen von den viehreichen Mitgliedern des Chotons auf einfachem Wege und zumeist ohne Geld entschädigt, indem man sie mit allem Lebensnotwendigen versorgte. Sie erhielten Fleisch und Milch zur Ernährung, Fett zur Beleuchtung, Wolle für die Filze, Felle zur Kleidung, ab und zu einen gemästeten Hammel, zwei bis drei Schafe mit Lämmern usw. In der alten Zeit der patriarchalischen Verfassung wird die Versorgung auf Grund der inneren Verantwortung des Acha für die Gesamtheit der Sippe wohl auch für alle genügend gewesen sein. Im Laufe der Entwicklung zu einer mehr wirtschaftlichen Vereinigung war natürlich auch die Möglichkeit der Ausbeutung der armen Araten durch den wohlhabenden Choton-Besitzer gegeben, die auch vielfach ausgenutzt wurde. Der viehame oder viehlose Arat — man denke an die Familie 6 im angeführten Beispiel — hatte ja keine Aussicht, sich jemals aus dem Choton zu lösen und selbständig zu werden. Er sank zu einer Art Hörigkeit herab. Immerhin wurde für ihn gesorgt, wenn auch die Zuteilungen dem Gutdünken des Acha überlassen waren. Verarmte Mongolen suchten deshalb gern in einem guten Choton Unterschlupf zu finden, um aus der eigenen, oft recht bitteren Not herauszukommen.

So haben die Chotone seit Jahrhunderten in der Beschaffung der fehlenden Arbeitskräfte für die größeren Betriebe und vor allem im wirtschaftlichen Einsatz der Arbeitskräfte in der Viehzucht eine bedeutende Rolle gespielt. Sie haben sich, wie *Maslennikow* (177/71) sagt, als eine „gesellschaftliche Produktionsorganisation" erwiesen, von deren Leistungsfähigkeit das Gesamtniveau der mongolischen Viehzucht abhängig ist. Aus diesem Grunde ist nach der Revolution und auch unter der neuen Wirtschaftspolitik seit 1940 mit den Jahres- und dann Fünfjahresplänen seit 1948 ihre Existenz nicht angetastet worden. Man betrachtet die Chotone sogar als eine Art Kollektivwirtschaften, für deren Weiterentwicklung gesorgt werden muß. Bis zum Jahre 1929 blieb ihr alter Zustand erhalten, aber dann änderten sich die Verhältnisse etwas. Mit dem Beginn der Beschlagnahme des Viehs der Feudalherren und Klöster wurde dieses an die vieharmen und viehlosen Araten verteilt, so daß sich die Besitzverhältnisse innerhalb der Chotone in gewissen Maßen änderten. Die Beziehungen zwischen den einzelnen Mitgliedern der Chotone wurden nicht umgestaltet, erfuhren jedoch eine gesetzliche Regelung. Nach dem Gesetz vom 21. Februar 1941 (3/175) ist jeder Arbeitgeber verpflichtet, mit dem Arbeitnehmer einen vertraglich festzulegenden Lohn zu vereinbaren. Das betrifft auch die Chotone, innerhalb derer bestimmte Entschädigungen, sei es in Naturalien oder in Geld, für die Arbeitsleistungen festzusetzen seien. Über die Höhe sagt das Gesetz nichts. Es verlangt nur eine frei zu vereinbarende Entlohnung, die durch vertragliche Abmachung den armen Araten eine gewisse Sicherheit vor Ausbeutung geben soll. Obwohl die Chotone auch heute noch aus freien Individualwirtschaften zusammengesetzt sind, sieht das vorgenannte Gesetz ausdrücklich die Möglichkeit vor, daß das Choton als Ganzes Arbeiter in sein Unternehmen einstellen darf (Kap. 18, Art 124 ff.), wobei es sich auch hier um eine freie Vereinbarung handeln muß.

Die Zahl der aratischen Individualwirtschaften, aus denen die Chotone sich zusammensetzen, wuchs nach der Entstehung der MVR stark an, wie folgende Zahlen es belegen (177/68):

1918	125 000
1938	195 000
1948	220 000

Es zeigte sich hier eine Parallelerscheinung zur Sowjetunion, wo die Zahl der Bauernwirtschaften bis zum Beginn der Kollektivierung auch von 16 Mill. auf fast 25 Mill. anstieg. Dann begann aber ein langsames und seit 1953 ein etwas rascheres Absinken des Anteils der freien Aratenwirt-

Struktur der Herden in den Amaiken 1956

in Prozent

	Schafe	Rinder	Pferde	Kamele	Ziegen
I. Östl. Steppenbezirk					
Tschoibalsan	60,0	12,3	11,9	2,6	13,2
Suche-Bator	62,4	5,9	11,8	3,5	16,4
Chentei	52,7	14,5	14,6	2,3	15,9
im Mittel:	57,7	11,5	13,0	2,7	15,1
II. Changai-Gebirgs-steppenbezirk					
Selenga	48,8	23,8	13,0	—	14,4
Zentral	58,6	10,7	14,4	1,9	14,4
Bulgan	61,4	13,6	10,1	0,4	14,5
Nord-Changai	55,7	16,2	11,4	0,5	16,2
Chubsugul	51,5	15,6	10,1	0,5	22,3
Dsabchan	58,9	7,2	9,1	2,0	22,8
im Mittel:	56,8	12,7	11,2	1,1	18,2
III. Gobi-Wüsten-steppenbezirk					
Ost-Gobi	51,6	3,2	10,6	10,4	24,2
Süd-Gobi	35,0	1,1	7,6	15,1	41,2
Mittel-Gobi	53,2	1,5	9,8	7,9	27,6
Süd-Changai	56,8	6,6	10,3	4,6	21,7
Bajan-Chongor	47,6	6,7	7,2	3,4	35,1
im Mittel:	49,9	4,4	9,1	7,2	29,4
IV. Altai-Gebirgs-steppenbezirk					
Bajan-Ulegei	60,8	5,4	4,9	1,1	27,8
Kobdo	51,1	6,6	6,2	2,7	33,4
Ubsa-Nur	59,7	6,2	7,0	3,1	24,0
Gobi-Altai	48,0	4,3	7,1	2,6	38,0
im Mittel:	54,5	5,6	6,5	2,5	30,9
Mittel der MVR	54,4	8,6	9,8	3,5	23,8

schaften, da sich immer mehr von ihnen den Landwirtschaftlichen Produktionsgemeinschaften anschlossen, während die absolute Zahl der Aratenwirtschaften sich etwa auf gleicher Höhe hielt.

Zahl der freien Aratenwirtschaften

1951	216 000
1954	206 000
1955	196 000
1956	176 000

Die Ziffern für 1951 gibt *Zaplin* (312/124) an, für 1954 und 1955 sind sie vom Verfasser auf Grund verschiedener Anteilsangaben errechnet worden, während die Angabe für 1956 der Rede von *L. Zende* (Mongolyn Sonin 6. 4. 1957) entnommen ist. 1956 gehörten nach der gleichen Quelle 44 100 Aratenwirtschaften, d. h. 20 Prozent der Gesamtheit, den Landwirtschaftlichen Produktionsgemeinschaften an, so daß in diesem Jahre die Zahl aller Aratenwirtschaften rund 220 500 betrug. 80 Prozent von diesen mit einem Viehanteil von 82 Prozent gehörten dem freien Sektor an.

Gleichzeitig mit der Zunahme der Zahl der Aratenwirtschaften erhöhte sich der Viehbesitz der einzelnen Wirtschaften durch die Verteilung des enteigneten Viehes und andere Maßnahmen bedeutend. Nach *Maslennikow* (177/68) besaß jede Wirtschaft 1918 im Mittel 45 Tiere, nach *Majskij* 60 Tiere. Für die Weiterentwicklung gibt *Schulshenko* (273/26) folgende Zahlen an, die nur für die freien Aratenwirtschaften gelten:

Mittlere Viehzahlen je mongolische Wirtschaft

Jahr	insgesamt	Schafe	Rinder	Kamele	Pferde	Ziegen
1924	117	74	13	3	12	15
1925	127	82	14	3	12	16
1930	124	79	10	3	9	23
1935	113	68	12	3	9	21
1940	124	73	13	3	11	24
1945	91	53	9	3	9	17
1950	106	59	9	4	10	24

Auffallend erscheint in dieser Tabelle die Abnahme zwischen 1940 und 1945. Dabei spielte der Unglückswinter 1944/45 die Hauptrolle. Für die Folgezeit bis zur Gegenwart lassen sich nur die allgemeinen Mittel angeben. Auf jede freie Aratenwirtschaft entfielen:

1952	113 Tiere
1956	114 Tiere.

Im Gegensatz zur Zunahme des Viehbesitzes hat sich im gleichen Zeitraum der Personenstand der einzelnen Aratenwirtschaften verringert. Während 1918 im Mittel auf eine Wirtschaft 4,8 Personen kamen, waren es 1946 nur noch 3,5 (177/68).

Mittlere Viehzahl einer Aratenwirtschaft 1950

(nach I. F. Schulshenko)

	in Stück					
	Schafe	Rinder	Pferde	Kamele	Ziegen	insges.
I. Östl. Steppen- **bezirk**						
Tschoibalsan	59	13	11	3	12	98
Suche-Bator	49	5	9	3	12	77
Chentei	53	14	15	2	15	99
im Mittel:	54	11	12	3	13	92
II. Changai-Gebirgs- **steppenbezirk**						
Selenga	29	14	8	0	8	57
Zentral	55	10	13	2	12	92
Bulgan	61	14	10	1	13	98
Nord-Changai	47	14	10	0	13	83
Chubsugul	45	13	8	0	12	78
Dsabchan	63	8	10	2	22	105
im Mittel:	51	11	10	1	55	88
III. Gobi-Wüsten- **steppenbezirk**						
Ost-Gobi	83	6	17	18	36	159
Süd-Gobi	57	2	12	25	61	157
Mittel-Gobi	93	3	17	14	44	171
Süd-Changai	87	10	15	7	30	149
Bajan-Chongor	67	9	10	5	46	137
im Mittel:	78	7	14	12	42	152
IV. Altai-Gebirgs- **steppenbezirk**						
Bajan-Ulegei	59	5	7	1	25	95
Kobdo	65	8	8	4	39	123
Ubsa-Nur	57	6	7	3	21	93
Gobi-Altai	60	5	9	3	44	121
im Mittel:	60	6	7	3	31	107
Mittel der MVR	59	9	10	4	24	106

Der tatsächliche Besitz der einzelnen freien Aratenwirtschaften ist verschieden und auch im Laufe der Zeit Änderungen unterworfen. Für 1947 gibt *Maslennikow* (177/69) an, daß drei Viertel allen Viehes sich im Besitz von Mittelwirtschaften befindet, wobei das Eigentum an 400 bis 500 Tieren als Mittelbesitz gilt. Ein Fünftel des Viehes gehört wohlhabenden Mongolen, die nicht selten Herden von mehr als 1000 Tieren ihr eigen nennen. Aus jüngster Zeit veröffentlicht *T. A. Jakimowa* im Jahr 1956 folgende Angaben (97/18): Die Grundlage der aratischen Einzelwirtschaften bildet der Mittelbesitz, der ungefähr zwei Drittel des gesamten freien Viehes beherrscht. Etwa 10 Prozent gehören den wenig begüterten Wirtschaften, und bis zu 20 Prozent des Gesamtviehbestandes den reichen Mongolen, die von der Gesamtzahl der freien Aratenwirtschaften nur etwa 4 Prozent ausmachen.

Wenn dieser Sektor der Weidewirtschaft auch als frei bezeichnet wird, so unterliegt er doch einer gewissen Zwangswirtschaft, indem er bestimmte Mengen verschiedener landwirtschaftlicher Produkte staatlichen und anderen Organisationen zur Verfügung stellen muß, wobei der Staat den Preis festlegt. Diese Pflichtablieferungen an den Staat begannen für die Araten im Januar 1941, als das alte System des Aufkaufs der Rohstoffe bei den Araten durch die staatlichen und kooperativen Organisationen den steigenden Bedarf nicht mehr befriedigte. Ein Beschluß des Kleinen Churals verpflichtete alle Aratenwirtschaften, die mehr als 100 Schafe besaßen, zur Ablieferung von 1 kg Wolle pro Schaf und Jahr. Gleichzeitig wurde auch der Ankaufspreis für Wolle um 40,6 Prozent erhöht, wodurch die Araten zur Ablieferung angeregt werden sollten. Die Wirtschaften der armen Araten blieben von dieser obligatorischen Wollablieferung befreit (260/276). 1944 wurde das System der Pflichtablieferung auch auf lebendes Vieh und später auch auf einzelne andere Produkte ausgedehnt. Gleichzeitig mit den Maßnahmen zur Hebung der Viehzucht im Jahre 1954, die wesentliche Erleichterungen brachten und auf die an anderer Stelle bereits eingegangen ist, wurde auch die Norm der Pflichtablieferung allgemein herabgesetzt, einige Produkte, wie z. B. Fett, ganz gestrichen und die Ankaufspreise, um einen weiteren Anreiz zu geben, noch einmal erhöht. Das System der Pflichtablieferung blieb aus planwirtschaftlichen Gründen jedoch erhalten, wobei die staatlichen bzw. kooperativen Wirtschaftsorganisationen zum Empfang und zur Bestätigung berechtigt sind.

Die landwirtschaftlichen Produktionsgemeinschaften

Nach dem Fehlschlag der Zwangskollektivierung der Viehwirtschaft durch die „Linken" nach 1929 und deren Sturz 1932 wurden die Kollektive aufgelöst. Der Viehbestand ging wieder in Privatbesitz über. Nach 1935 bildeten sich dann auf freiwilliger Basis aratische Produktionsgemeinschaften, die sich nur sehr langsam entwickelten und die dann neben den Individualwirtschaften allmählich zu einer zweiten, jedoch kollektivistischen landwirtschaftlichen Betriebsform in der MVR geworden sind.

Die ersten Gründungen waren unbedeutend und hatten nur einen geringen Einfluß auf die Gesamtwirtschaft. 1943 gab es nur 25 derartige Organisationen (177/85), 1945 waren es 99 (177/86). Nach dem XI. Parteitag im Dezember 1947, auf dem *Tschoibalsan* die Landwirtschaftlichen Produktionsgemeinschaften zur wichtigsten Form in der Umbildung der Viehwirtschaft der MVR erklärte, und auf dem auch der erste Fünfjahresplan verkündet wurde, begann ein leichter Anstieg, der aber erst nach 1953 sich stärker bemerkbar machte.

Jahr	Zahl der Landw. Prod.Gemeinsch.	Zahl der Mitglieder	Quelle
1948	110	7 225	(312/123)
1951	139	8 935	(177/86)
1954	198	15 000	(11)
1955	250	25 000	(11)
1956	—	44 100	(Mong. Sonin 6. 4. 57)

Die Zahl des kollektivierten Viehes in den Vereinigungen betrug

1948	76 450 Tiere	(312/123)
1951	76 450 Tiere	(177/86)
1952	280 500 Tiere	(Mong. Sonin 6. 4. 57)
1956	3 893 300 Tiere	(Mong. Sonin 6. 4. 57)

Den größten Aufschwung nahmen die Landwirtschaftlichen Produktionsgemeinschaften sowohl nach der Zahl der Mitglieder als auch nach der Zahl des Viehes in den Jahren 1953 bis 1956. Im letztgenannten Jahr erreichten sie einen Anteil von 20 Prozent an der Gesamtzahl der Aratenwirtschaften in der MVR und rund 16 Prozent am gesamten Viehbestand. Diese Entwicklung wird planmäßig von der Regierung gefördert, die in den Produktionsvereinigungen, wie Ministerpräsident Zedenbal auf dem XII. Parteikongreß 1954 erklärte, jene ursprüngliche Zellen sieht, die der sozialistischen Umformung der mongolischen Landwirtschaft als Grundlage dienen (97/19).

In der Organisation der Produktionsgemeinschaften zeigten sich anfangs vielfach noch Mängel sowohl in der Leitung der Arbeit als auch in der Verteilung der Einnahmen, die erst im Laufe der Zeit auf Grund von praktischen Erfahrungen beseitigt werden konnten (177/87). Erst im März 1955 wurde auf dem ersten Kongreß der Produktionsgemeinschaften ein Statut angenommen, das fortan für alle als verbindlich gelten soll (97/19). Von jedem eintretenden Mitglied werden 20 bis 25 Prozent seines Viehes in den gesellschaftlichen Fond eingezogen, wobei vermögende Neumitglieder einen höheren Satz leisten müssen. Dieses Vieh gilt als Grundlage des gemeinschaftlichen Besitzes. Daneben darf jedes Mitglied von dem ihm verbleibenden Rest des Viehes 100 bis 150 Stück, und zwar im Changai-Gebiet 100, im Gobi-Teil 150, als persönliches Eigentum behalten. Gleicherweise verbleiben ihm als persönlicher Besitz die Jurte, die

Bauten zur Unterbringung seines Viehes, das notwendige landwirtschaftliche Kleininventar und die unerläßlichen Transportmittel. Die Grundform der Arbeitsorganisation ist die ständige Arbeitsbrigade. Hinsichtlich der Entlohnung schreibt das Statut die Regelung nach dem sozialistischen Prinzip des Arbeitsentgeltes nach Tagwerken vor (russ. trudodenj). Jedes arbeitsfähige Mitglied ist verpflichtet, im Jahr mindestens 75 Tagewerke zu leisten.

Die Regierung überläßt den Produktionsgemeinschaften ohne Entgelt und zeitlich unbegrenzt die besten Weideplätze, Heuschläge und Ackerflächen und stellt ihnen gleichzeitig Kredite zur Verfügung. Sie gewährt ihnen jede wirtschaftliche und organisatorische Hilfe.

Die Mitglieder sind verpflichtet, ehrenhafte und ehrliche Arbeit zu leisten, für die Festigung der Gemeinschaft zu wirken, die gesellschaftlichen Einkünfte nach der Arbeitsleistung zu verteilen, das gemeinsame Eigentum zu schützen, das Vieh gut zu pflegen und alle Verpflichtungen gegenüber der Regierung zu erfüllen, insbesondere die Wirtschaft der Produktionsvereinigungen nach jährlich aufzustellenden Plänen durchzuführen. Die Pläne sind von der Vollversammlung der Mitglieder zu bestätigen.

Alle vorgenannten Bestimmungen des Statuts entsprechen in ihren Grundsätzen dem sowjetischen Kolchos-System.

In die Produktionsgemeinschaften treten vorzugsweise vieharme Mongolen ein (273/31). Ihr Anteil betrug 1951 rund 80 Prozent (177/86). Begüterte Mongolen, die um Aufnahme nachsuchen, sind eine seltene Ausnahme. Gewöhnlich treten in die Vereinigung nicht ganze Familien, sondern nur einzelne Personen ein, manchmal nur ein oder zwei arbeitsfähige Mitglieder mit einigen Stück Vieh, während die übrige Familie weiterhin im privatwirtschaftlichen Sektor verbleibt und ihre Herde als persönliches Eigentum behält (177/86). Wenn wir die Verhältnisse von 1956 als Grundlage nehmen, so entfallen auf eine kollektivierte Aratenwirtschaft im Mittel rund 88 Stück Vieh. Darum sind die Produktionsgemeinschaften in der Regel nach der Zahl des Viehes nicht groß. 1951 besaßen sie im Durchschnitt 550 Stück Vieh. Allerdings gibt es auch hierin große Unterschiede. Manche Gemeinschaften haben eine Viehzahl von 2000 bis 5000 Stück, sind also schon zu Großunternehmen zu rechnen. Im Somon Awdsak im Aimak Bulgan gibt es eine Produktionsgemeinschaft mit Viehherden von insgesamt 10 074 Stück (273/31).

Die ursprünglich auf Viehzucht eingestellten Produktionsgemeinschaften haben sich in den letzten Jahren vielfach zu Gemischtbetrieben entwickelt. Sie beschäftigen sich auch mit Ackerbau, Verarbeitung der Produkte, treiben Hausindustrie u. a.

Nach ihrer räumlichen Verteilung entfallen fast 50 Prozent der Produktionsgemeinschaften auf den Changai-Gebirgssteppenbezirk und etwas mehr als 20 Prozent je auf den östlichen Steppenbezirk und den Altai-Gebirgssteppenbezirk, auf den Gobi-Wüstensteppenbezirk jedoch nur etwa 10 Prozent.

Die Staatsgüter

Die erste staatliche Wirtschaft wurde 1923 in Chara-Gol im Aimak Selenga gegründet. Sie hatte die Aufgabe, die bewaffneten Kräfte der MVR mit Brot und Viehfutter zu versorgen und sollte darüber hinaus durch Anwendung moderner Agrotechnik beispielhaft auf das mongolische Volk wirken (312/128). Dieses erste Staatsunternehmen muß aber in den Wirren der damaligen Jahre seine Existenz verloren haben, denn *Maslennikow* (177/89) und andere berichten, daß Staatsgüter erst seit 1935 bestehen, *Schulshenko* gibt 1929 an (273/33).

Die Zahl der Staatsgüter wird für 1940 mit 3 angegeben (11). Sie erhöhte sich dann in den folgenden Jahren (97/27):

1950	12 Staatsgüter
1954	17 Staatsgüter
1955	19 Staatsgüter
1956	21 Staatsgüter

Bis zum Jahre 1940 waren die Staatsgüter reine Ackerbauwirtschaften (273/33). Dann begannen sie sich zu spezialisieren und auch der Viehzucht anzunehmen. So bestanden die 17 Staatsgüter in 1954 aus 10 Viehzucht- und 7 Ackerbauwirtschaften. 1955 kamen dann zwei neue Güter dazu, eines für Schafzucht und ein zweites für Gemüse- und Milchproduktion. 1956 wurde in der Nähe von Ulan-Bator eine spezielle Milchfarm für die Versorgung der Hauptstadt gegründet. Im Februar 1950 beschloß das Zentralkomitee der Partei, daß sich alle Staatsgüter auch der Viehzucht annehmen sollen (177/89). Seitdem besteht die Spezialisierung nur in der Grundausrichtung der einzelnen Staatsgüter.

In den Direktiven zum 2. Fünfjahresplan (1953—1958) wurde den Staatsgütern die Aufgabe gestellt, sozialistische Musterwirtschaften zu sein und sich hierbei auf die Errungenschaften der sowjetischen Wissenschaft und Technik zu stützen. Sie sollen den aratischen Produktionsvereinigungen und Einzelwirtschaften in der Entwicklung der Viehzucht und anderer Zweige der Landwirtschaft Vorbild sein und innerhalb der MVR die Zentren der Rassenverbesserung des Viehes bilden.

Von großer Bedeutung für die Entwicklung der Staatsgüter sind die Beschlüsse des Ministerrates vom 4. Februar 1955. In diesen werden den Staatsgütern folgende Grundaufgaben gestellt: Vergrößerung der Viehzahl und Hebung der Produktivität, Erweiterung der Schweine- und Geflügelzucht, Ausweitung der Saatflächen, Vergrößerung der Marktproduktion sowohl in der Viehzucht als auch im Landbau, Erreichung der Rentabilität jedes einzelnen Staatsgutes, Verbesserung der Abrechnung und Buchführung in den Gütern und ihren einzelnen Zweigen, Rationalisierung der Arbeitsorganisation und Verwirklichung des sozialistischen Lohnprinzips nach Leistung (97/30). Zur Hebung des materiellen Wohlstandes und um das Interesse der Arbeiter und Angestellten zu wecken, wird für alle Kategorien der Arbeit das Akkord-Prämiensystem für die Arbeitsentlohnung eingeführt. Weiterhin sollen auf Empfehlung der

Staatsgüter an Arbeiter und Angestellte von der Staatsbank langfristige Kredite zum Bau von Wohnhäusern und zum Erwerb von Vieh bis zu einer Höhe von 4000 Tugrik je Familie gewährt werden (97/31).

In bezug auf die Wirtschaftsstruktur der Staatsgüter wird in dem gleichen Erlaß bestimmt, daß in denselben Viehzuchtfarmen und Feldbau-Abteilungen (Versuchsstationen) einzurichten sind, und zwar in folgendem Verhältnis: auf je 2500 bis 3000 ha eine Feldbau-Abteilung, auf je 10 000 Schafe eine Schafzuchtfarm, auf 1500 Stück Rindvieh eine Rinderzuchtfarm, auf 100 Mutterschweine eine Schweinezuchtfarm. Bei Vorhandensein von mehr als 3000 Stück Geflügel ist ebenfalls eine entsprechende Zuchtfarm einzurichten. Für die Arbeitsorganisation wird als Grundeinheit die Brigade bestimmt, und zwar spezialisiert entsprechend den Aufgaben für Viehzucht, Feldbau und Gartenbau, für die das notwendige landwirtschaftliche Inventar gesichert und denen bestimmte Teile des Landes (Weiden, Ackerflächen) oder Vieh, Wasserstellen, Gebäude u. a. zugeteilt werden. Die Ausbildung der Kader wird den Staatsgütern zur besonderen Pflicht gemacht. Insgesamt soll eine möglichst hohe Mechanisierung der landwirtschaftlichen Arbeit erreicht werden.

Aus den vorstehenden Bestimmungen ergeben sich alle wesentlichen Merkmale der Staatsgüter, die zu den modernsten landwirtschaftlichen Einrichtungen der MVR zu rechnen sind. Über die Ausstattung kann nichts Genaues gesagt werden. 1947 besaßen die Staatsgüter insgesamt 105 Traktoren, 12 Mähdrescher, 100 Sämaschinen und 190 Mähmaschinen (177/89). In den Jahren 1953 bis 1956 lieferte die Sowjetunion an die MVR 225 Traktoren und mehr als 100 Mähdrescher (97).

In den Staatsgütern hat man mit der künstlichen Besamung des Viehes zuerst begonnen. 1953 wurde diese in ihrem Bereich bei 15 000 Schafen, 1954 bei 2400 Kühen und mehr als 30 000 Schafen durchgeführt (97/27). Eine Aufbesserung des einheimischen Tierbestandes wird hier auch durch Kreuzungen mit importierten Rassen durchgeführt, wie innerhalb des mongolischen Viehes durch planmäßige Auslese und Züchtung gleichfalls eine höhere Qualität erstrebt wird.

In Milch- und Wolleistungen pro Tier stehen die Staatsgüter an erster Stelle, ebenso haben sie die höchsten Hektarerträge zu verzeichnen. Die Einführung des Maisanbaues im Jahre 1955 war ebenfalls ihre Aufgabe. In verschiedenen Staatsgütern sind auch wissenschaftliche Stationen eingerichtet, so z. B. 15 Wassermeßposten und 7 meteorologische Beobachtungsstellen (8/59).

Im Ackerbau ist eine regelmäßige Fruchtwechselwirtschaft eingeführt. Unzufriedenstellende Ergebnisse führten zu der Erkenntnis, daß die Mongolen den Saaten nicht genügend Aufmerksamkeit schenken, sie nicht reinigen, aussortieren und nach ihrer Keim- und Widerstandsfähigkeit auswählen. Das betrifft in erster Linie die Getreidesaaten. Die Staatsgüter treten hier als Helfer auf, indem sie die Mongolen mit brauchbarem Saatgut versorgen. Als neue Aufgabe ist ihnen die Samengewinnung auch für andere Kulturen gestellt. 1948 wurden die ersten Sammlungen von

Chubsugul-Gebiet - Hochgebirgstaiga unterhalb der Baumgrenze

Vorland des Chentei - Der Unterlauf des Iro

Der Kobdo-Fluß im Gebiet des Altan-Chuchei
Wüstensteppe in der südöstlichen Gobi

Kamele im Frühjahr, die ihr Winterkleid verlieren

Nomaden in der Hochsteppe - Süd-Ost-Mongolei

Mongolischer Altai - Die Tabun-Bogdo-Gruppe; im Vordergrund der Kalguty
Hochfläche mit Moor am Oberlauf des Tschulischman in der Nähe der Grenze

Samen wildwachsender Gräser durchgeführt. 1949 entstanden die ersten Versuchsfelder, die Samen zur Verbesserung der mongolischen Weiden liefern sollten. Im gleichen Jahr begann auch die Samengewinnung von Kohl, Gurken, Dill, Tomaten, Rüben, Zwiebeln und anderen Kulturpflanzen. Insbesondere versucht man, aus einheimischen wildwachsenden Zwiebeln Samen zum Anbau zu gewinnen. Die gezüchteten Samen aller für die besonderen Bedingungen der Mongolei geeigneten Kulturpflanzen werden an Interessenten verteilt.

Die Größe der Staatsgüter ist sehr verschieden. Hierüber gibt der schon vorher angezogene Beschluß vom 4. 2. 1955 folgende Richtlinien. Staatsgüter für Schafzucht sollen nicht weniger als 30 000 bis 40 000 Tiere besitzen, solche für Rindvieh 6000 bis 8000 Stück. Für Feldbau-Staatsgüter ist eine Saatfläche von 3500 bis 5000 ha vorgesehen, die mit Getreide bebaut sein soll. Staatsgüter für Milch und Gemüse sollen 400 bis 500 Milchkühe besitzen und 150 bis 300 ha für Kartoffeln und Gemüse unter Kultur haben. Die Erweiterung des Anbaues von Kartoffeln und Gemüse in den Staatsgütern ist besonders wichtig, da diese Produkte für die Versorgung der Armee, der Schulen, Krankenhäuser und städtischen Bevölkerung unentbehrlich sind.

Von den Staatsgütern liegt der größte Teil mit etwa 80 Prozent im Changai-Gebirgssteppenbezirk, während der Rest zu gleichen Teilen auf den östlichen Steppenbezirk und den Altai-Gebirgssteppenbezirk entfällt. In der eigentlichen Gobi-Zone sind keine Staatsgüter vorhanden.

Im Jahre 1955 lieferten die Staatsgüter an den Staat 24 000 Tonnen Getreide ab. In einigen stieg der Ernteertrag bis auf 12 dz/ha. Weiterhin wurden von den Gütern 49 800 Tonnen Heu gewonnen und 11 900 Tonnen Grünmais als Viehfutter aufbereitet (11).

Wirtschaftliche Nutzung der wildwachsenden Pflanzen

Es ist bekannt, daß die Mongolen seit alten Zeiten die verschiedensten wildwachsenden Pflanzen für mannigfache Zwecke verwerten. Schon die klassischen Forscher wie *Prshewalskij* und *Koslow* erwähnen eine Pflanze (Agriophyllum arenarium M. B.), deren Samen in der Nahrung verwendet werden, und auch die Beeren der Nitraria sibirica Pall. *Potanin* (239) berichtet, daß die Mongolen verschiedene Pilzarten und Wurzeln sammeln, die sie nach China exportieren. *I. W. Palibin* (218) beschreibt wildwachsende Pflanzen (Timouria villosa, Elymus giganteus Vahl), deren Samen wie Getreide verwendet werden.

Nach der Unabhängigkeitserklärung der Mongolei begann man, sich mehr mit diesen Fragen zu befassen. 1935 erschien ein Aufsatz von *S. I. Lebedinskij* (153) über die Erweiterung der Ausfuhr, in dem er auffordert, auch Heilkräuter und eßbare Pilze für diesen Zweck zu sammeln. Auch andere Forscher beschäftigten sich mit der gleichen Frage. So wies *Rotlejder* (254) auf die Bedeutung der Pilze hin, und *Miller* schrieb (185) über die Nutzung heimischer Pflanzen bei Skorbut. Eine Erforschung und größere Nutzung der heimischen Pflanzenwelt setzte allerdings erst nach

1941 ein, als das Zentralkomitee der Partei (Nov. 1941) weitgehende Beschlüsse über die Erschließung der eigenen Rohstoffquellen faßte. Das Komitee der Wissenschaften der MVR begann mit der Grundlagenforschung, an der besonders *A. A. Junatow* beteiligt war. Dieser veröffentlichte auch die ersten zusammenfassenden Berichte, auf die sich der Hauptteil der nachstehenden Ausführungen stützt.

Pflanzen als Tee-Ersatz

Tee gehört zu den unentbehrlichsten Genußmitteln der Mongolen. Er ist das tägliche Getränk, und kein Fremder kommt an einer Jurte vorbei, ohne daß er nicht zu einer Schale Tee eingeladen wird. Der Verbrauch ist darum sehr hoch und erreicht pro Kopf und Jahr 5 bis 8 kg (106/201). Der Teestrauch gedeiht aber in der Mongolei nicht, und importierte Ware ist teuer, wenn es zumeist auch nur der minderwertige Ziegeltee ist. Aus diesem Grunde hat die mongolische Bevölkerung in vielen Gegenden seit den ältesten Zeiten verschiedene einheimische wildwachsende Pflanzen gesammelt, getrocknet und als Tee-Ersatz benutzt. Um den Import von China-Tee herabzusetzen und andererseits den Bedarf zu decken, wurde in der MVR amtlich angeordnet, einen vollgültigen Tee-Ersatz aus heimischen Rohstoffen zu schaffen (106/201). Untersuchungen in dieser Richtung ergaben, daß es in der MVR mehr als 30 Pflanzen gibt, die für diesen Zweck geeignet sind. Von diesen haben die größte Bedeutung Chamaenerion angustifolium Scop., Geranium pseudosibiricum I. May, G.pratense L., Rosa acicularis Lindl, Dasiphora fruticosa (L.) Rydb., Paeonia hybrida, P. albiflora Pall.

Als Erfolg dieser Bemühungen entstanden nach Feststellung der Verbreitung und Nutzungsmöglichkeiten fast in allen Aimaken Sammel- und Produktionsstätten. Im Vordergrund stand hierbei Chamaenerion angustifolium. Der Gesamtertrag dieser Aktion erreichte in den Jahren 1942 und 1943 fast 80 Tonnen lufttrockener Ware (106/201).

Pflanzen für menschliche Ernährung

Die Hauptnahrung der Mongolen besteht aus Fleisch und Milchprodukten und ist darum sehr einseitig und wenig abwechslungsreich. Kaum bekannt ist jedoch, daß die Mongolen schon seit alters her und aus langer Erfahrung auch Früchte und selbst wildwachsende Pflanzen als Würze ihrer Speisen oder auch zusätzlich gebrauchen, doch ist der Anteil dieser Produkte an der Gesamtnahrung gering. Gegenwärtig bemüht man sich, um den Vitamingehalt der Nahrung zu erhöhen, die Mongolen zu überzeugen, wie wichtig aus gesundheitlichen Gründen der Genuß der Pflanzenkost ist.

In manchen Gegenden ist der Reichtum an Beeren und sonstigen fruchttragenden Pflanzen sehr groß. Viele dieser Früchte werden in Form von Marmelade oder Saft genossen. Im Norden des Changai sind weit verbreitet Johannisbeeren (Ribes nigrum L., R. altissimum Turcz.), Altai-

Stachelbeeren (Grossularia acicularis Spach.), Preißelbeeren, Blaubeeren, Erdbeeren (Fragaria orientalis A. Los.), Himbeeren (Rubus sachalinensis Leveille), Faulbeeren (Padus asiatica Kom.), Hippophae rhamnoides L. u. a. Wichtig als zusätzliche Kost können auch die Früchte verschiedener wildwachsender Baumarten werden, die bis jetzt wenig Beachtung fanden. So sind im Norden der Mongolei der einheimische Apfelbaum (Malus Pallasiana Juz.), die sibirische Aprikose (Armeniaca sibirica [L.] Lam.) und der Mandelbaum (Amygdalus pedunculata Pall.) verbreitet. Für Kultivierung in den trockenen Gebieten der Gobi würde sich Nitraria sibirica Pall. eignen, deren Beeren von den Mongolen häufig in der Nahrung verwendet werden.

Als Ersatz für Getreide, und zumeist in der Form von Grütze genossen, finden die Samen verschiedener mehrjähriger Gräser weitgehende Verwendung, so z. B. die Samen von Timouria villosa Roshev., Elymus giganteus Vahl. und besonders Agriophyllum arenarium M. B. In fruchtbaren Jahren werden die Früchte dieser Pflanzen in großen Mengen — 100 bis 200 kg je Aratenfamilie — gesammelt. Chemische Analysen der Zusammensetzung der Samen der Agriophyllum arenarium M. B. haben gezeigt, daß sie ein wertvolles Produkt sind und an Stärke- und Eiweißgehalt den gewöhnlichen Getreidearten kaum nachstehen. Daneben sammeln die Mongolen auch häufig stärkehaltige Wurzeln, Stengel und Zwiebeln und verwenden sie in der Regel als Zutat zu ihrer Fleisch- und Milchnahrung. In einigen Gegenden des Nordens werden die Wurzeln von Polygonum viviparum L. zentnerweise gesammelt. Gebraucht werden ferner die Knollen von Paeonia hybrida und Paeonia albiflora Pall., weiter die Zwiebeln der wildwachsenden Lilien (Lilium tenuifolium Fisch. und L. martagon L.). In der Gobi werden die Stengel der Cynomorium songoricum Rupr. zu einer Art Mehlprodukt verarbeitet und auch die Wurzeln des Gobi-Rhabarbers (Rheum nanum Siewers) und zahlreiche Zwiebeln als würzige Zutat zu den Speisen gerne verwendet. Sie enthalten vor allem Vitamin C, das in der gewöhnlichen Nahrung der Mongolen fehlt. Sehr weit verbreitet ist der Gebrauch der Altai-Zwiebel (Allium altaicum Pall.), die im Geschmack den kultivierten Zwiebelsorten in keiner Weise nachsteht. Früher wurde sie in großen Mengen nach China exportiert. Im Norden des Landes stehen andere Zwiebelarten im Vordergrund der Nutzung, so Allium victorialis L., A. senescens L., A. lineare L. und A. odorum L. In der Gobi treten an die Stelle der vorgenannten Arten Allium mongolicum Rgl. und A. polyrrhizum Turcz. Weit bekannt sind als würzige Zutat zu Fleischspeisen die Samen von Johrenia seseloides (Hoffm.) Kos.-Pol.

Obgleich im benachbarten China Pilze hochgeschätzt und gerne gegessen werden, teilweise sogar als Leckerbissen gelten, werden diese von den Mongolen nur wenig gesammelt. In den Wäldern des Changai, des Chentei und im Gebiet Chubsugul gedeihen eßbare Pilze in großen Mengen und vielen Arten, doch die einheimische Bevölkerung kennt wahrscheinlich ihren Wert nicht, nur hier und da wird berichtet, daß die

Mongolen gelegentlich Butterpilze und Reizker genießen. Andere Arten sind ihnen als genießbar nicht bekannt. In den Steppen der MVR ist die Champignonart Psalliota campestris weit verbreitet. Die Mongolen essen sie gelegentlich roh oder getrocknet. Früher war diese Pilzart ein wichtiger Ausfuhrartikel nach China, wo man ihr eine heilende Wirkung zuschrieb. Es gab seinerzeit eine Reihe chinesischer Firmen, die das Sammeln der Pilze bei den Mongolen veranlaßten und einen sehr einträglichen Handel mit ihnen trieben.

Heilpflanzen

Die alte mongolische Volksmedizin stammt aus Tibet, wo sich auch enge Beziehungen zur altindischen Medizin nachweisen lassen. Ausführende der Heilkunst waren die Lamas. Als Mittel benutzten sie zahlreiche, aus Heilpflanzen hergestellte Präparate. Es war keine wissenschaftliche Medizin in unserem Sinne, doch das Positive an ihr war und ist, daß sie auf jahrhundertealten Erfahrungen der tibetanisch-indischen Heilkunst fußt. Darum ist das Studium dieser Heilmittel auch für die wissenschaftliche Medizin äußerst interessant und wertvoll. Heute haben europäische Heilmittel in der ganzen MVR Eingang und Anerkennung gefunden. Der Staat hat das Land mit einem System von medizinischen Versorgungsstellen überzogen, die im Rahmen des Abschnittes über die Bevölkerung näher behandelt sind. Die staatliche Zentralstelle veranlaßte aus Gründen der Selbstversorgung während des letzten Krieges die Sammlung und Verarbeitung vieler wertvoller Heilkräuter, insbesondere von Thermopsis lanceolata R. Br., Valeriana officinalis s. l., Rosa acicularis Lindl., Rosa davurica Pall., Glycyrrhiza uralensis Fisch. und anderer.

Durchgeführte Forschungen ergaben, daß die mongolische Vegetation reich an Heilpflanzen ist. Im Überfluß sind Enzianarten (Gentiana) verbreitet, die in der tibetanischen Medizin als Magen- und Darmmittel Verwendung finden. Als Pflanzen mit blutstillender Wirkung können gebraucht werden: Polygonum hydropiper L., Sphaerophysa salsula DC., Senecio vulgaris L. Ihre Anwendung ist auch schon in der alten Medizin bekannt gewesen. Es würde zu weit führen, hier alle in der Mongolei vorkommenden und gebrauchten Heilpflanzen einzeln aufzuführen. Es darf nur noch darauf hingewiesen werden, daß auch die neuen amtlichen Gesundheitsstellen sich weitgehend der Heilkräuter bedienen, wodurch es ihnen auch am schnellsten gelang, das Vertrauen der Mongolen zu gewinnen.

Weite Verwendungsmöglichkeiten ergeben sich für vitaminhaltige Pflanzen. Die gewöhnliche Nahrung der Mongolen weist im allgemeinen und besonders im Winter und Frühling einen starken Mangel an Vitaminen, vor allem an Vitamin C, auf, so daß die Bevölkerung insgesamt an Hypovitaminose leidet. Ausgesprochene Fälle von Skorbut sind nicht selten. Um dieser Mangelerscheinung zu begegnen, denkt man an die planmäßige Nutzung der besonders vitaminreichen Früchte der Rosa

acicularis Lindl., die im Norden der Mongolei und in der Waldsteppe oft
ganze Geländestreifen überzieht.

Pflanzen für technische Zwecke

Im Gebiet des Chentei und Chubsugul tritt in den Wäldern die Arve
(Pinus cembra) sehr zahlreich auf, die manchmal auch als sibirische Zeder
bezeichnet wird. Ihre Früchte, die „Zedernüsse", wurden früher gesammelt und zur Gewinnung von Öl verwendet. Heute ist dieser Gewerbe-
zweig zwar vollkommen vernachlässigt, doch soll er mit Hilfe des Staates
wieder zu neuem Leben erweckt werden. Aktuelle Bedeutung für die
Industrie des Landes haben die aus Pflanzen gewonnenen Gerbmittel.
Hierfür stehen verschiedene Arten von Weiden (Salix), die Rinde der
sibirischen Lärche (Larix sibirica Ldb.) und besonders Bergenia crassifolia (L.) Fritsch zur Verfügung. Letztere bildet im Chentei ganze
Dickichte. Auch die aratischen Hauswirtschaften benutzen die gleichen
Gerbmittel. Ebenso interessant ist die Gewinnung von Pflanzenfarben.
Mit dem Extrakt, gewonnen aus Berberis sibirica Pall., wird Wolle gelb
und braun gefärbt. Alnus fruticosa Rupr. benutzt man zum Färben des
Leders und der Schafpelze. Aus Arnebia guttata Bge. stellten die Lamas
die leuchtend rote Farbe für ihre Kleidung her. Delphinium grandiflorum
L. färbt Leder grau. Zur Herstellung von Stricken, grobem Zwirn und
Säcken liefert das Rohmaterial eine Hanfart (Cannabis ruderalis Janisch),
die im nördlichen Teil der MVR vorkommt. Auch der mehrjährige Baikal-
flachs (Linum baicalense Juz.) ist in der Mongolei häufig und ergibt ein
grobes Gewebe. Zur Gewinnung von Fasern wurde in alten Zeiten sehr
viel die Brennessel (Urtica cannabina L.) verwendet. In der Gobi dient
dem gleichen Zweck auch heute noch die Tamariske (Tamarix). Im Südwesten des Landes hat W. W. Baranow (30) eine hier wildwachsende Art
von Apocynum festgestellt. Für die Herstellung von Strohmatten eignet
sich die „Deris" (Lasiagrostis splendens Kunth), deren Nutzung für diesen
Zweck bei den Kasachen weit verbreitet, bei den Mongolen dagegen noch
weniger bekannt ist.

An Pflanzen, die ätherische Öle enthalten, ist die Mongolei nicht sehr
reich. Doch könnten auch hier einige Pflanzen Verwendung finden, so
Ledum palustre L., Rhododendron dahuricum L., Dracocephalum molda-
vica L., Thymian und einige Wermutarten. Für die Gewinnung von
Harz, Terpentin und Teer stehen die Nadelwälder des Nordens, insbesondere die des Chentei, zur Verfügung und bieten ausreichende Möglichkeiten zur Deckung des Bedarfes im Lande. Die gegenwärtige Nutzung
ist kaum nennenswert.

Von Kautschukpflanzen ist vorläufig nur Scorzonera divaricata Turcz.
bekannt. Die Mongolen verwenden ihren Saft zur Schließung von Wunden und bei Hautabschürfungen der Kamele.

Die Wälder

Die Waldwirtschaft steht noch in den Anfängen der Entwicklung und hat bisher eine geringe Bedeutung. In letzter Zeit erfolgt zwar eine Holznutzung in immer steigendem Maße, doch ist sie unsystematisch und richtet sich zumeist nach der Möglichkeit des Abtransportes. Insgesamt sind die Wälder noch wenig erforscht und darum auch ihr Wert nicht bekannt. Nach *I. F. Schulshenko* (273/55) beträgt die Waldfläche 136 833 qkm. Das wären 8,8 Prozent der Gesamtfläche des Landes.

Geschlossene Waldbestände finden sich nur im Anschluß an die Taigazone Sibiriens, die hier im Gebiet Chubsugul und Chentei die mongolische Grenze überschreitet und typische Bergtaiga bildet. An den südlichen Rändern dieser Gebirgsgegenden und im Changai bedecken die Wälder nur die Nordhänge. Im Mongolischen Altai finden sich nur vereinzelt kleine Lärchenwälder.

Die *sibirische Lärche* (Larix sibirica Ldb.) hat die größte Verbreitung. Im östlichen Chentei wird sie von der daurischen Lärche (Larix dahurica) abgelöst. In Gegenden, wo die Arve nicht vorkommt, bildet die Lärche die oberste Waldgrenze. In der Nähe der Steppen ist der Boden bei geringem Unterholz mit reichem Graswuchs bedeckt (Lariceta herbosa), in den Bergen gesellt sich zur Lärche zumeist die Arve (Lariceta bryosa), das Unterholz ist dichter. Nach der oberen Waldgrenze lichten sich die Lärchenbestände (Laricetum saxosa). Mischwälder sind verhältnismäßig selten. Nur im Chentei finden sich Lärchen und Birken gemeinsam.

An zweiter Stelle unter den waldbildenden Bäumen steht die *Arve* oder sibirische Zeder genannt (Pinus cembra oder Pinus sibirica [Rupr.] Mayr). Ihr Hauptverbreitungsgebiet ist die obere Hälfte der Waldzone im Chentei und im Gebiet Chubsugul. Im Changai ist sie seltener. In größerer Zahl kommt sie hier, vermischt mit der Lärche, in den südöstlichen Erhebungen im Oberlaufgebiet des Orchon, dann im Raum um Zezerleg und in den nordwestlichen Ausläufern des Changai — im Gebirgszug Chan-Chuchei — vor. Die besten „Zedernwälder" trägt jedoch der schon genannte Chentei, wo sie besonders im Oberlaufgebiet des Iro eine typische Bergtaiga bilden. Der Boden ist hier vor allem mit Preißelbeeren und Blaubeeren bedeckt.

Außer den beiden vorgenannten Bäumen treten andere Nadelhölzer weit zurück. Die *sibirische Fichte* (Picea obovata Ldb.) kommt im Chentei sporadisch vor und bildet auch an Berghängen oder in Schluchten nur manchmal kleine Wälder. Zumeist ist sie in einzelnen Exemplaren in Lärchen-Zedern-Wäldern verstreut. Die *sibirische Tanne* (Abies sibirica Ldb.) tritt im Iro-Becken lediglich vereinzelt auf und schließt sich nur selten an den unteren Berghängen zu kleinen Wäldchen zusammen. Die *Kiefer* (Pinus silvestris L.) hat ihre Hauptverbreitung im Chentei und bevorzugt wie überall auch hier sandige Standorte. Sie überzieht, oft mit Birken vermischt, die Hänge niedriger Bergzüge. Reine Kiefernwälder

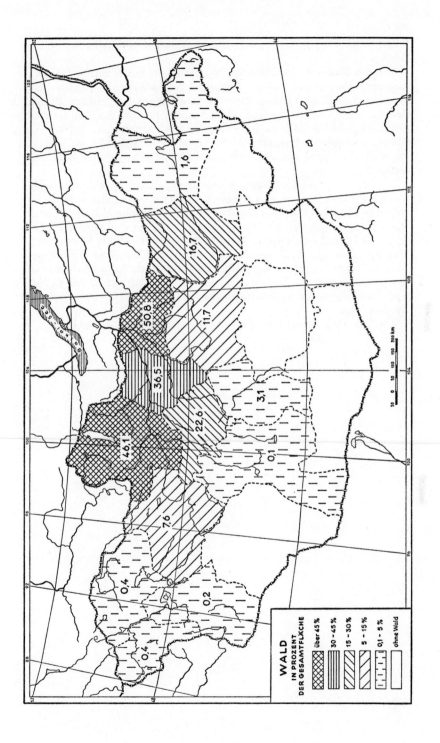

WALD
IN PROZENT
DER GESAMTFLÄCHE

über 45 %
30 – 45 %
15 – 30 %
5 – 15 %
0,1 – 5 %
ohne Wald

bedecken die Flußterrassen am Onon, Orchon und auch teilweise an der Selenga.

Von den *Birken* ist im äußersten Nordosten der MVR Betula dahurica verbreitet, im größten Teil des Chentei Betula platyphylla Sukacz. und im westlichen Chentei und im Changai Betula Hippolytii Sukacz. Birken sind im allgemeinen selten und bilden zumeist nur mit Kiefern, seltener mit Lärchen kleine Gehölze. Interessant ist das Auftreten der Reliktbirke (Betula microphylla Bge. oder B. Rezniczenkoana Schischk), die man in der westlichen Mongolei und auch manchmal im Mongolischen Altai antreffen kann.

Von den sonstigen Laubbäumen sind verschiedene Pappelarten erwähnenswert, so im Chentei — seltener im Changai — Populus tremula L., weiter in den Flußtälern des Nordens Populus laurifolia Ldb.; sehr selten dagegen sind sie in den Schluchten des Mongolischen und Gobi-Altai. In den Oasen der Transaltaischen Gobi ist Populus diversifolia Schrenk verbreitet, die östlich des Tostu-Gebirges von der Wüstenulme (Ulmus pumila L.) abgelöst wird. Sie wächst hier vereinzelt in Schluchten und Sairen. Der Süden und Südwesten der MVR bildet mit seinen Sanden und Geröllböden das Verbreitungsgebiet des Saksaul (Haloxylon ammodendron Bge.).

Über die Holznutzung wird im Abschnitt Industrie noch berichtet.

Jagd und Fischfang

Die Jagd war seit alten Zeiten eine Lieblingsbeschäftigung der Mongolen. Sie wurde hauptsächlich als Sport und zur Eigenversorgung mit Pelzen betrieben, während die Jagd zur Fleischversorgung nur eine untergeordnete Rolle spielte. Erst als die Mongolen den Wert der Pelze erkannten, den die Fremden diesen beimaßen, begann sich die Jagd zu einem Gewerbe zu entwickeln, das ohne Rücksicht auf den Bestand der Tiere ausgeübt wurde. Der Maral-Hirsch wurde wegen seiner Panten gejagt, für welche die Chinesen hohe Preise zahlten. Auch bei der Saiga-Antilope war das Gehörn der wertvollste Teil, für den man hohe Bezahlung erzielte. Beide Tierarten wurden bald stark zurückgedrängt. Auch wertvolle Pelztiere erlitten ein solches Schicksal. So kommen Zobel und Hermelin nur mehr selten vor, Biber und Otter sind fast vollkommen ausgestorben. Um dieser unvernünftigen Vernichtung der Wildtiere Einhalt zu gebieten, hat die MVR durch ein Gesetz vom 31. März 1944 (3) für Jagd und Fischfang ordnende Bestimmungen erlassen. Nach diesem Gesetz ist die Jagd auf den Zobel, das Prshewalskij-Pferd, die Saiga-Antilope, den Marder, den Biber, den Fischotter und einige andere Tierarten überhaupt verboten (Art. 3). Desgleichen wird die Jagd auch in dem Naturschutzgebiet des Berges Bogdo-Ula, seit 1952 umbenannt in Tschoibalsan, ebenso wie in regionalen Schutzgebieten, die von der Verwaltung als solche bestimmt werden, untersagt (Art. 5). Nicht zulässig ist ferner die Anwendung alter Jagdmethoden, wie etwa das Anlegen von Fanggruben oder das Jagen mit Hilfe von Steppen- und Waldbränden. Massentreibjagden auf die Dseren-Antilope sind besonders streng verpönt (Art. 7). Weiterhin erlaubt bleiben dagegen vergiftete Köder für Raubtiere, z. B. Wölfe, und Ackerschädlinge (Art. 9). Das Gesetz schreibt ferner genaue Schonzeiten für die einzelnen Tierarten vor (Art. 10). Der Fischfang ist das ganze Jahr über erlaubt. Gift und Sprengstoffe als Fangmittel sind hier verboten (Art. 11).

Diese Maßnahmen sollen den Bestand an Jagdtieren, insbesondere an Pelztieren erhalten, weil diese für die MVR einen bedeutenden wirtschaftlichen Wert darstellen. Der Anteil von Rauchwaren am gesamten Exportwert schwankte in den einzelnen Jahren, hielt sich jedoch immer etwa zwischen 15 und 20 Prozent. Früher war der Anteil größer, so 1925 23,5 Prozent (306/160). Der absolute Wert der exportierten Menge betrug 1927 8,2 Mill. Tugrik, 1930 2,6 Mill., 1931 3,5 Mill. und sank dann 1934 bis 1936 wieder etwas ab. Neuere Angaben sind über den Pelzhandel nicht erhältlich. Bis zum Jahre 1931 kam der Großteil der Rauchwaren auf den europäischen Markt, wobei Deutschland der Hauptabnehmer war. Gegenwärtig ist die Sowjetunion der Hauptkäufer. Sie bringt wahrscheinlich einen Teil der Pelze wieder zum Export.

Unter den exportierten Pelzen steht der Tarbagan, eine Murmeltierart, weitaus an erster Stelle. Er lieferte mit 1,5 bis 2 Mill. Stück rund 70 Prozent des Gesamt-Exportwertes der Pelze. An zweiter Stelle ist das Grau-

Eichhörnchen zu nennen mit rund 100 000 Fellen, weiterhin folgen verschiedene Fuchsarten mit etwa 80 000, Wölfe mit 13 000 Fellen (SSE S. 525).

Der Mongole benutzt zwar für die Jagd Gewehre, aber die meisten Tiere werden mit Fangeisen, Schlingen oder Gift zur Strecke gebracht. Großtiere sowie Wölfe werden in Treibjagden gehetzt und gefangen.

Der Tarbagan, das wichtigste Jagdtier, ist nur klein, haust in Löchern im Boden und vermehrt sich sehr rasch. Als Haupteigenschaft des Tarbagan ist seine große Neugierde zu erwähnen. Sobald er etwas Außergewöhnliches wahrnimmt, setzt er sich in unmittelbarer Nähe seines Schlupfloches auf die Hinterbeine und verfolgt das Ereignis unter lautem und ängstlichem Pfeifen mit großem Interesse. Diesen Umstand machen sich die Jäger auf viele originelle Arten zunutze. Immer spielt ein Täuschungsmanöver die entscheidende Rolle. Der Jäger verkleidet sich als Steppenesel und pirscht sich bis auf Schuß- oder Schlagweite an den Tarbagan heran. Oft wird auch versucht, durch das Winken mit weißen Tüchlein oder durch weiße Hunde die Aufmerksamkeit des Tarbagan zu fesseln, während der Jäger von der anderen Seite heranschleicht. Manchmal wird das Tier mit Schlingen oder mit dem Stangenlasso gefangen. Der mongolische Jäger und sein Hund teilen die Beute redlich: das Fleisch erhält der Hund, das Fell der Jäger, der es dann präpariert.

Das graue Eichhörnchen ist besonders zahlreich in den Waldgebieten des Nordens vertreten. Sein weiches Fell wird sehr geschätzt. Tausende kommen zum Export, aber noch mehr werden von den Mongolen verbraucht. Trotzdem scheint der Bestand nicht abzunehmen. Zobel und Hermelin sind dagegen sehr selten. Beide sind sehr schwer zu fangen. Oft gelingt es erst nach tagelanger Mühe, ein Tier zu erbeuten. Auch Luchs, Steinmarder, Dachs und Wildkatze sind in der Mongolei verbreitet und werden ihrer Felle wegen gefangen.

Füchse treten überall im Lande auf. Am häufigsten ist der Rotfuchs, aber auch der Silber-, Schwarz- und Weißfuchs kommen vor. Der Silberfuchs wird von den Mongolen am höchsten geschätzt. Der Fuchsfang wird auf verschiedene Weise betrieben. Am weitesten verbreitet ist das Auslegen von Gift. Dieses wird gewöhnlich in ein Stückchen Fett gehüllt, dieses wiederum in ein Stückchen Fleisch, das man irgendwo auslegt. Am nächsten Tag reitet der Mongole die Stellen ab, wo er die Köder ausgelegt hat, um die Beute zu sammeln. Auch Hunde werden zur Fuchsjagd verwendet. Der Jäger reitet nebenher, während der Hund das Tier zur Strecke bringt. Fallen und Gewehre sind bei der Fuchsjagd nur selten im Gebrauch. Der Mongole schätzt das Fuchsfell als Mantelfutter und Schlafdecke.

Der Wolf kommt in der Mongolei überaus zahlreich vor. Der Mongole ist in ständigem Kampf mit ihm, da er der größte Feind seiner Herden ist. Jährlich fallen viele Tausende, besonders junge Tiere, dem Wolf zum Opfer. Man veranstaltet Treibjagden auf ihn, wobei der Wolf zu Tode gehetzt, mit Knüppeln erschlagen oder auch vom Pferde aus mit dem

Stangenlasso gefangen wird. Ebenso werden Gift und Fallen im Kampf gegen ihn verwendet. Obwohl er auf jede nur denkbare Art verfolgt wird, nimmt seine Zahl kaum ab. Das Fell des Wolfes ist dicht und glänzend, doch der Mongole schätzt es nicht sehr. Nur der Winterpelz ist brauchbar.

Obgleich nach allen Berichten europäischer Reisender und Forscher die Flüsse und Seen der Mongolei sehr reich an Fischen sind, hat sich der Fischfang bisher nicht nennenswert entwickelt. Das liegt vor allen Dingen daran, wie *Perlin* (226/46) schreibt und wie auch andere Beobachter es bestätigen, daß die Mongolen einen Widerwillen gegen das Essen von Fischspeisen haben. In der MVR ist man in den letzten Jahren bestrebt, den Fischfang zu fördern. Bis 1952 sollten zwei Fischfangstellen errichtet werden, wo der Fang gleichzeitig durch Einsalzen und Räuchern seine primäre Verarbeitung erfahren soll.

Industrie

Allgemeine Entwicklung

Bis zur Entstehung der MVR kann von einer Industrie in der Mongolei kaum die Rede sein. Wohl gewann man Salz, das man an den Salzseen sammelte, doch es gab keine Siedereien. Im Chentei, Changai und an anderen Orten wurde in primitiver Art nach Halbedelsteinen gegraben, hier und da auch von Einzelgängern oder kleinen Gruppen Gold gewaschen. Größere Unternehmen gingen allein auf die Initiative von Ausländern zurück. So arbeitete die russische Goldgesellschaft „Mongolor" von 1901 bis 1918 im Chentei und hat in dieser Zeit Gold im Werte von 25 Mill. Mark erbeutet (306/64). In den Jahren 1907—1913 erreichte der Ertrag nach einer anderen Quelle 7,5 t Gold, von denen das Jahr 1912 den Hauptanteil erbrachte (196/52). Danach ließ die Gewinnung etwas nach. 1918 wurde die Arbeit eingestellt, obgleich die Lager noch nicht erschöpft waren. Eine russisch-chinesische Goldgesellschaft versuchte im Tal des Baidarik am Südhang des Changai ihr Glück, doch die geringen Erfolge führten bald zur Auflösung der Gesellschaft. Das einzige mongolische Unternehmen, das aber ebenfalls auf russische Anregung zurückgeht, sind die Kohlengruben von Nalaicha, 35 km ostwärts von Ulan-Bator, die 1915 mit der Förderung begannen. Überaus primitiv wurde hier die Kohle mit Hacke und Spaten ausgegraben und auf Karren oder in Säcken auf dem Rücken von Kamelen nach Ulan-Bator den Verbrauchern zugestellt (177/92). Bestenfalls lieferten sie jährlich 1500 bis 1700 t (196/52). 1919 waren in den Gruben 40 Arbeiter beschäftigt, die 1600 t förderten, 1922 aber nur noch 12 Mann mit einer Jahresleistung von 800 t (177/92). Weiterhin existieren in dem damaligen Urga zwei kleine Handdruckereien, und zwar eine russisch-mongolische und eine russische, eine Ziegelei in der Nähe der Stadt und in Altan-Bulak eine Lederfabrik, die aber während des Kampfes um Kjachta größtenteils den Flammen zum Opfer fiel. Alle diese Unternehmen wurden 1915/16 ins Leben gerufen. Doch sie beschäftigten hauptsächlich Chinesen und Russen, Mongolen waren eine Seltenheit.

Daneben hatte sich eine zahlenmäßig beschränkte Heimindustrie entwickelt, die in kleinen Werkstätten die primäre Verarbeitung von Wolle und Leder durchführte oder Gegenstände für den Hausgebrauch und den religiösen Kult herstellte. Durch ihre hervorragenden Leistungen waren besonders die Gold- und Silberschmiede bekannt. Doch diese Handwerksbetriebe beschränkten sich auf die wenigen Städte. Die Inhaber waren überwiegend Chinesen. So gab es 1919 im damaligen Urga 363 derartige Unternehmen, die im Mittel 3 bis 7 Arbeiter beschäftigten. Nur in vier Betrieben waren mehr als 25 Arbeitskräfte eingesetzt (177/93).

Innerhalb der Gesamtwirtschaft waren die vorgenannten Betriebszweige unbedeutend und die Zahl der in ihnen tätigen Personen im Vergleich zur Gesamtbevölkerung verschwindend gering. Die Mongolen verarbeiteten die Produkte der Viehzucht größtenteils selbst. Mit eigenen

Mitteln schufen sie sich Jurten samt den dazugehörigen Filzdecken und fertigten Kleidung, Hausrat, Riemen, Zwirn und anderes zumeist selbst an. Die Arbeitsteilung, wie Produktion auf Bestellung u. a., stand in den Anfängen der Entwicklung. Im übrigen beschafften sie sich alles, was sie für ihr einfaches Leben benötigten, im Austausch gegen ihre Viehzuchtprodukte von den Händlern, die fast ausschließlich Chinesen oder Russen waren und die die Ware importierten.

Dieser Handel, der sich seit vielen Jahrzehnten eingespielt hatte, führte in der Versorgung der Mongolei zu einer Abhängigkeit vom Auslande. 1925 setzten sich die Importe der Mongolei zu 42,39 Prozent aus Nahrungs- und Genußmitteln (Ziegeltee, Reis, Hirse, Mehl u. a.) und zu 30,96 Prozent aus Stoffen zusammen. Der Rest bestand aus Gebrauchs- und Verbrauchswaren verschiedenster Art, in der Hauptsache aus Metall-, Leder- und Galanteriewaren.

Der Plan, eine eigene Industrie zu schaffen, verfolgte von Anfang an das eine Ziel, die Mongolei wirtschaftlich nach Möglichkeit unabhängig vom Ausland zu machen. Daneben sprachen auch ideologische Gründe mit, da man in der zu bildenden Industriearbeiterschaft den besten Garanten für die Zukunft auf dem Wege zum Sozialismus sah. Eine eigene Industrie konnte sich aber nur entwickeln, wenn es gelang, die ausländische Konkurrenz auszuschalten. So stand der Aufbau der Industriewirtschaft seit Beginn in enger Verbindung mit dem Kampf gegen die fremden Handelsfirmen und -organisationen, das ausländische Kapital überhaupt, bis es gelang, den Außenhandel als Monopol in die Hände des Staates zu legen. Das geschah aber erst im Dezember 1930. Näheres über diese Entwicklung bringt der folgende Abschnitt über Handel und Verkehr.

Der Weg, mongolische Industrieunternehmen zu schaffen, war außerordentlich schwierig; es mangelte, wenn wir von den Chinesen und Russen absehen, nicht nur an gewerblich oder irgendwie handwerklich vorgebildeten Menschen (die meisten Mongolen waren Analphabeten), sondern bei der geringen Bevölkerungszahl an Arbeitskräften überhaupt. Das Arbeiterreservoir der armen Araten, das zunächst zum Industrieaufbau herangezogen wurde, war zahlenmäßig beschränkt. Sein Anteil an der Gesamtbevölkerung wird für 1924 mit 4,4 Prozent angegeben (108/143). Eine Auffüllung erfolgte später aus dem natürlichen Bevölkerungsüberschuß der viehzüchtenden Nomaden. Eine wesentliche Hilfe bedeuteten die aus der Armee entlassenen Soldaten, die schon während ihrer Dienstzeit eine gewisse Ausbildung erfahren hatten. Nach 1939 griff man auch auf die niederen Klassen der Lamas zurück. Alle diese Arbeiter aber mußten erst geschult werden und sich an die Fabrikarbeit gewöhnen, und dazu brauchte man Zeit. Es ist darum nicht verwunderlich, wenn man in den ersten Jahren sich auf Chinesen, Russen und andere Ausländer stützte und der Anteil der Mongolen an der Arbeiterschaft gering war und sich erst allmählich erhöhte. Über diese Entwicklung beim

Industriekombinat in Ulan-Bator bringt *Jurjew* (108/154) folgende bei-
spielhafte Tabelle:

Arbeiterstand in Prozent

	1. 4. 1934	1. 1. 1937	1. 1. 1941
Mongolen	50,6	82,0	87,6
Andere Nationalitäten	49,4	18,0	12,4
	100,0	100,0	100,0

Die Zahl der in Fabriken beschäftigten Frauen hielt sich anfangs in
engen Grenzen, stieg dann jedoch rasch an. 1946 betrug der Anteil der
Frauen an der Industriearbeiterschaft 26,4 Prozent, 1952 erhöhte er sich
auf rund 40 Prozent (108/172).

Fernerhin fehlte auch das zum Industrieaufbau notwendige Kapital.
Wie schon bei der Gründung der Mongolischen Staatsbank 1924, an der
sich sowjetische Stellen mit 50 Prozent des Grundkapitals beteiligten
(306/154), so lieh die Sowjetunion auch hier der MVR weitreichende
Hilfe. Sie lieferte die maschinelle Ausrüstung, half beim Bau und stellte
auch die Facharbeiter und die Leitung, bis entsprechende mongolische
Kräfte zur Verfügung standen, die zum Teil in der Sowjetunion ausgebildet und geschult wurden. Neben einer großzügigen Kreditgewährung beteiligten sich sowjetische Stellen auch aktiv an dem Aufbau der
Industrieanlagen, indem gemischte sowjetisch-mongolische Gesellschaften
gegründet wurden. 1935 gingen diese in das Eigentum der MVR über
(108/154). Der Hauptkapitalgeber war jedoch der mongolische Staat
selbst, der diese Mittel dem Budget entnahm. In den ersten Jahren waren
die Einnahmen des Staates sehr gering, doch mit der Wiederkehr der
Ordnung, der Durchorganisierung des Staatsapparats und dem Aufschwung der Viehzucht wuchsen sie rasch an und vervielfältigten sich.
Die steigenden Einnahmen erlaubten der Regierung — neben eigenen
Investitionen — durch ein ausgebautes Kreditsystem nicht nur der staatlichen Industrie, sondern auch den kooperativen Organisationen und der
aratischen Viehzucht Hilfe zum Auf- und Ausbau ihrer Wirtschaft zu
gewähren.

In den Jahren 1921 bis 1924 war die industrielle Betätigung des Staates
gering. Die Lederfabrik in Altan-Bulak wurde aufgebaut, die Kohlengruben in Nalaicha und einige kleine Unternehmen wurden wieder in
Betrieb genommen. Die Zahl der mongolischen Arbeiter betrug einige
Hundert. Im Gegensatz zu dieser geringen staatlichen Aktivität konnte
sich auf Grund des Warenmangels und des großen Nachholbedarfes die
Zahl der mongolischen Privatproduzenten allein in den beiden Jahren
1923 und 1924 auf das Zweieinhalbfache erhöhen, und auch die Zahl der
ausländischen Firmen, die sich in der Mongolei betätigten, verdoppelte
sich. Ihr Anteil am Warenumsatz im Lande stieg und erreichte 1926
59,2 Prozent (108/142). Die Jahre 1925 bis 1932 kann man als die Zeit

des Beginnes einer planmäßigen staatlichen und kooperativen Industriewirtschaft bezeichnen. Die Zurückdrängung und letztlich die Ausschaltung in- und ausländischer Privatunternehmen und die Durchsetzung des Außenhandelsmonopols brachten viel Unruhe in das Land. Staatswirtschaftlich war dies die Zeit des Experimentierens, wobei es zu verschiedenen Fehlinvestitionen und Fehlgründungen kam, die später wieder aufgegeben werden mußten. Die Herrschaft der „Linken" am Ende dieser Periode war mit ihren radikalen Maßnahmen für die Wirtschaft wenig segensreich. 1932 erreichte die Zahl der Industriearbeiter 2335 (108/149). Nach diesem Jahre begann der eigentliche Aufbau der industriellen Unternehmungen, der bis zur Gegenwart andauert.

Das auf dem III. Parteitag 1924 beschlossene Ziel, im industriellen Sektor der Wirtschaft jede privatkapitalistische Betätigung auszuschalten, wurde seitdem unentwegt verfolgt und schließlich auch erreicht, so daß gegenwärtig nur zwei Formen industrieller Unternehmungen existieren, nämlich staatliche und kooperative.

Innerhalb der staatlichen Industrie treten zwei Gruppen von Unternehmungen überragend hervor. Die eine untersteht dem Industrieministerium, die zweite dem Ernährungsministerium. In dieser Reihenfolge sollen die beiden Hauptgruppen in den folgenden Abschnitten behandelt werden.

Unter den sonstigen staatlichen Unternehmungen sind zu nennen: die Staatsdruckerei in Ulan-Bator, die Baumaterialindustrie und die Autoreparaturwerkstätten. Sie sind verschiedenen Ministerien unterstellt.

Über die Entwicklung der industriellen Wirtschaft und ihrer Prinzipien unterrichten einige Gesetze, die in den letzten Jahren erlassen wurden. Im Januar 1941 erschien das Gesetz über die pflichtmäßige Ablieferung von Wolle an den Staat. Gleichzeitig wurde der Ankauf durch staatliche und kooperative Stellen reorganisiert. Am 30. Januar 1942 wurde vom Präsidium des Kleinen Chural die Weisung erlassen, alle Arbeiter, die an der Produktion schlechter Waren schuld sind, zur Rechenschaft zu ziehen. 1943 wurde ein Gesetz zum Schutz des staatlichen, gesellschaftlichen und kooperativen Eigentums verabschiedet. Das Gesetz von 1934 über die Arbeit, das den Verhältnissen nicht mehr entsprach, wurde 1941 durch ein neues ersetzt. Es sollte der Fluktuation der Arbeiter Einhalt gebieten, die Disziplin stärken und die Arbeitsleistung steigern (108/164 f.).

Der Mangel an Arbeitskräften zwang zu neuen Methoden der Anwerbung. Während früher Mongolen sich freiwillig meldeten, war man jetzt zur organisierten Werbung unter den Araten gezwungen, um mit ihnen entsprechende Verträge abzuschließen. Das Arbeiterproblem spitzte sich besonders im zweiten Weltkrieg zu. 1942 mußte ein zweijähriger Arbeitsdienst eingeführt werden, der alle jene erfassen sollte, die weder in der Landwirtschaft noch in der Industrie oder anderweitig tätig waren. Sie erhielten den gleichen Lohn wie die anderen Arbeiter. Viele gingen nach Ablauf der Dienstzeit nicht fort und wurden für ständig eingestellt.

Im Juli 1943 wurden laut Beschluß des Zentralkomitees der Partei und des Ministerrates verschiedene Maßnahmen zur Besserung der Arbeitsbedingungen getroffen, um die Fluktuation der Arbeitskräfte zu verhindern und diese zur technischen Weiterbildung anzuregen. Man führte, um den Ehrgeiz anzuspornen, Wettbewerbe und nach dem Beispiel der Sowjetunion auch Stachanow-Methoden ein (108/164 f.).

Zur Schulung von Facharbeitern wurde 1944 in Ulan-Bator eine Handwerkerschule gegründet, die 1948 zu einer industriellen Hochschule erweitert wurde.

Die staatliche Industrie im Bereich des Industrieministeriums

In dieser Gruppe sind die Grundindustrien zusammengefaßt, denen die Aufgabe der Urproduktion obliegt, wie die Ausbeutung der Bodenschätze, die Energiegewinnung und anderes. Doch darüber hinaus umfaßt sie auch Werke der verarbeitenden Industrie. Die Zahl der Unternehmungen dieser Gruppe ist unbedeutend, doch sind es große Werke. 1938 gehörten zu ihr 14 Unternehmungen (226/47), 1945 waren es 24 (196/53). Nach der Zahl der Arbeiter wird diese Gruppe von der Nahrungsmittelindustrie übertroffen und steht ihr auch im Wert der Produktion nach, wie später noch gezeigt werden wird. An der Zahl der in ihr beschäftigten Arbeiter läßt sich ihre Entwicklung am besten erkennen, wie die folgende Tabelle zeigt (108/160 u. 172):

Jahr	Zahl der Arbeiter	
1934	3 293	darunter 57% Mongolen
1939	12 785	darunter 79% Mongolen
1940	13 313	
1947	19 408	

Als erste Aufgabe ist hier die *Kohlenversorgung* zu nennen, an die mit dem Wachsen der Industrie immer höhere Anforderungen gestellt werden. Der Hauptlieferant sind die schon mehrmals genannten Kohlengruben von Nalaicha. Hier wird, 35 km östlich von Ulan-Bator, ein im Mittel 2 m mächtiges und in geringer Tiefe liegendes Flöz abgebaut (306/164). Es ist nicht verkokbare Braunkohle, deren Heizwert mit 4900 Kalorien aber noch über der Moskauer Kohle liegt, die im Mittel nur 4500 Wärmeeinheiten besitzt. Im Jahre 1931 durchgeführte Untersuchungen haben ergeben, daß die Kohlenlager von Nalaicha sich über 25 qkm erstrecken und einen Gesamtvorrat von rund 500 Mill. t besitzen (108/155). Gewisse Schwierigkeiten im Abbau ergeben sich daraus, daß die Kohle im ewig gefrorenen Boden eingelagert ist.

Im Jahre 1936 waren in Nalaicha fünf Gruben in Betrieb. Bis 1955 kamen noch zwei dazu. Doch alle waren klein, wenn man sie auch modern ausstattete und den Kohlentransport und die Verladung mechanisierte. Ihre Jahreskapazität liegt je zwischen 40 000 und 60 000 t. Um den steigenden Bedarf zu decken, hat man sich zum Bau einer Großanlage entschlossen, die mit allen technischen Errungenschaften ausgestattet wird. Ihre Förderkapazität soll 2000 t in 24 Stunden erreichen (Mong. Sonin 2. 2. 1957). Damit würde sie die Leistungen aller bisherigen Gruben um das Doppelte übertreffen. Beim Bau des Schachtes mußte man eine 40 m mächtige Schicht der Ewigen Gefrornis durchstoßen und darunter noch eine feuchte, schlammige Erdlage durchdringen, ehe man an die Kohlenflöze gelangte, die hier in einer Tiefe von 160 bis 200 m liegen. Im Sommer 1956 waren die Erdbauten abgeschlossen, im Dezember 1957 hofft man mit der Förderung beginnen zu können. Beim Bau der Grube waren sowjetische Fachkräfte, chinesische und mongolische Arbeiter beschäftigt. Um die Gruben in Nalaicha sind feste Arbeitersiedlungen entstanden, die ständig wachsen. Ein örtliches Elektrizitätswerk sorgt für die nötige Energie. Die Kohlen von Nalaicha werden auf einer 35 km langen Schmalspurbahn, deren Ausbau vorgesehen ist, nach Ulan-Bator gebracht, wo sie in der Industrie, im Elektrizitätswerk oder als Hausbrand Verwendung finden.

Die Durchforschung des Landes hat zur Entdeckung weiterer Kohlenlager geführt. Am reichsten soll in dieser Beziehung der Aimak Tschoibalsan ausgestattet sein, dessen Vorräte nach den bisher vorliegenden Forschungsergebnissen auf mehrere Milliarden Tonnen geschätzt werden (108/169). Die Qualität soll der der Kohle von Nalaicha gleichkommen. Ein Abbau hat bereits 1942 in Dsun-Bulak (Matad-Chan) begonnen, das durch eine Bahnlinie mit Tschoibalsan verbunden ist. Weiterhin wird Kohle abgebaut in Jugodsyr im Aimak Suche-Bator, in den Muren-Gruben in der Nähe von Undur-Chan, der Hauptstadt des Aimaks Chentei, und bei Sain-Schanda, dem Zentrum des Aimaks Ost-Gobi. Alle vier Gruben sind in den Jahren 1939 bis 1941 mit Hilfe der Sowjetunion erbaut worden (177/94). Auch im Aimak Süd-Gobi wird bei Tawan-Tolgoi Kohle gewonnen. Eine größere Bedeutung werden von den letztgenannten Gruben in naher Zukunft die von Sain-Schanda erlangen, da die neuerbaute Transmongolische Bahn sie berührt.

Die Kohlenförderung in der MVR

1930		9 333 t
1934		43 933 t
1936		73 770 t
1940		151 128 t
1952		238 700 t
1956		343 300 t
1957	(Plan)	353 940 t
1960	(Plan)	637 000 t

Die vorstehenden Angaben bis 1940 sind der Arbeit von *Jurjew* (108/155) entnommen, die anderen gab der Stellvertretende Ministerpräsident L. *Zende* bekannt (Mong. Sonin 6. 4. 1957). Der erste Fünfjahresplan (8/63) sah eine Erhöhung der Steinkohlenförderung von 293 000 t (1947) auf 542 000 t (1952) vor. Beide Zahlen sollen hier nur am Rande vermerkt werden und zeigen, daß der zweite Fünfjahresplan eine durchaus realistische Basis besitzt. An der gesamten Kohlenförderung der MVR sind die Gruben von Nalaicha mit mehr als 90 Prozent beteiligt.

Im Aimak Ost-Gobi, und zwar im Raum von Sain-Schanda, wurden 1955 Erdölfelder entdeckt. Spezialisten aus der Sowjetunion führten die ersten Bohrungen durch und schufen auch die Erdölförderungs- und -verarbeitungsanlagen. Die Sowjetunion wendete für diese Zwecke im Rahmen der neugegründeten Gesellschaft „Mongol Neft" mehr als 300 Mill. Rubel auf. Nach neueren Nachrichten ist das Endergebnis dieser Arbeiten, daß die MVR einen bedeutenden Teil ihres Bedarf an Erdölprodukten aus eigenen Quellen deckt. Es wurde auch ein Institut zur Schulung mongolischer Arbeiter geschaffen, das allein 1955 250 Personen ausbildete (11). Im Mai 1957 wurden alle Betriebe der Gesellschaft „Mongol Neft" unentgeltlich von der Sowjetunion an die MVR übergeben.

An weiteren Bodenschätzen besitzt die MVR Eisenerze, Kupfer und andere wertvolle Stoffe. Kupfervorkommen sind an mehr als 30 Orten bekannt. Die wichtigsten liegen um den Chubsugul, in den Bergen des Changai und in den Aimaken Ost-Gobi und Bajan-Chongor. Manganerze guter Qualität sind im Zentral-Aimak 35 km östlich von Ulan-Bator und in den Aimaken Ost- und Süd-Gobi festgestellt worden. Zink- und Silbervorkommen finden sich in den Bergen des Chentei, Changai und auch im Mongolischen Altai. In der Nähe von Tschoiren werden Zinnerze und Wolfram abgebaut. Die Goldgewinnung wurde 1939 durch den Ausbau alter Anlagen wieder aufgenommen. Die Ergebnisse sollen sich bis 1945 mehr als verfünffacht haben, doch liegen keine absoluten Zahlen vor (108/169). Auch der alte Bergbau nach den in den Pegmatitgängen des Chentei vorkommenden Halbedelsteinen, wie Aquamarin, Edeltopas, Rauchtopas und andere, ist von neuem in Gang gekommen. Um die Nutzung der Bodenschätze allgemein zu fördern, wurde eine sowjetisch-mongolische Aktiengesellschaft unter dem Namen „Sow-Mongol-Metall" gegründet. Ihr wurde die Aufgabe gestellt, nicht nur Forschungsarbeiten durchzuführen, sondern auch den Abbau zu organisieren und modern auszustatten. Nachdem diese Gesellschaft ihre Grundarbeit geleistet hat und auch genügend mongolische Kräfte für die Erfüllung aller ihrer Aufgaben geschult worden sind, hat die Sowjetunion beschlossen, ihre Anteile an die MVR zu Vorzugsbedingungen abzugeben. Die Regierung der MVR muß den Wert dieser Anteile im Verlauf von 30 Jahren, beginnend mit dem Jahr 1962, abtragen, ohne daß eine Verzinsung verlangt wird. Die Übergabe erfolgte am 19. Juni 1957.

Von beträchtlicher wirtschaftlicher Bedeutung ist gegenwärtig in der MVR auch der Abbau von Kalkgestein, ebenso die Gewinnung von Salz.

Die Energieversorgung der Hauptstadt Ulan-Bator basiert vollständig auf der von Nalaicha herangeführten Kohle. 1926 besaß die Stadt nur ein kleines Kraftwerk mit 60 kW installierter Leistung. 1928 erhielt die Staatsdruckerei eine eigene Anlage mit 27 kW, 1929 die Maschinenfabrik mit 110 kW und 1933 das Industriekombinat ein Werk mit 2500 kW.

Das städtische Kraftwerk wurde in der Zwischenzeit mehrere Male erweitert. Im Jahre 1939 wurden alle Anlagen zu einem zentralen Energiekombinat zusammengeschlossen, das man mit 5500 kW ausstattete. 1940 lieferte dieses Kombinat 14,2 Mill. kWh (108/116). Bis 1952 wurde es auf 8000 kW ausgebaut und sollte in diesem Jahr 25,4 Mill. kWh liefern (8/116). Außer in Ulan-Bator sind Elektrizitätswerke auch in anderen größeren Zentren der MVR errichtet, so z. B. in Tschoibalsan und Uljassutai. Die Gesamterzeugung an Elektroenergie betrug 1952 in der MVR 22,7 Mill. kWh und erreichte 1956 mehr als 40,5 Mill. kWh (Mong. Sonin 6. 4. 57).

Das bedeutendste Unternehmen der MVR ist das Industrie-Kombinat in Ulan-Bator, das 1947 den Namen Tschoibalsan-Kombinat erhielt. Es liegt auf dem linken Ufer der Tola und bildet mit seinen aus Ziegelsteinen erbauten Fabrikanlagen und den Arbeitersiedlungen einen Stadtteil für sich. Der Aufbau begann mit Hilfe der Sowjetunion, die die Maschinen lieferte und auch die Facharbeiter stellte, im Jahre 1931. 1934 konnten die ersten Abteilungen ihre Arbeit aufnehmen. Das Kombinat ist ein Komplex verschiedener Werke, die die Aufgabe haben, heimische Rohstoffe für den Binnenmarkt zu verarbeiten. Es besteht aus einer Lederfabrik mit einer jährlichen Verarbeitungskapazität von 50 000 Rinder- und 250 000 Schafhäuten (226/46), Schuh- und Stiefelfabrik, einer großen Dampf-Wollwäscherei mit anschließender Textilfabrik, in der Tuche und Decken hergestellt werden, sowie einer Filz- und einer Schafpelzfabrik. 1940 wurde die Herstellung wollener Strickarbeiten aufgenommen, 1941 je eine Abteilung für Sattlerfabrikate und für Chromleder- und Modellschuhe angegliedert. Im Kombinat sind mehrere tausend Arbeiter beschäftigt. Über die Produktionsentwicklung einiger wichtiger Erzeugnisse berichtet „Sowremennaja Mongolija" (1941, Nr. 2 bis 3, S. 53—54) aus den ersten Jahren mit folgender Tabelle:

Ware	Maß	1934	1936	1938	1940	1947
Filz	1000 kg	158,9	358,3	322,2	407,6	202,0
Tuch	1000 lfd. m	18,8	26,0	76,3	46,7	114,6
Filzstiefel	1000 Paar	—	20,9	73,1	84,1	191,2
Lederstiefel	1000 Paar	21,4	62,5	79,2	151,3	138,7
Rindleder	1000 Stück	7,6	33,8	47,5	62,7	—

Die Produktionsziffern für 1947 sind anderer Quelle entnommen (8/63). Das Maß für Filz ist hier lfd. Meter, für Rindleder fehlen die Angaben.

Mit der Entfaltung der einzelnen Abteilungen wurden einige zu selbständigen Unternehmungen. So wurde die Abteilung für mongolische Schuhe (Gutal) 1938 ausgegliedert und dem Verband der kooperativen Industrie übergeben, ebenso im nächsten Jahr die Schafpelzfabrik. Die letztere hat während des zweiten Weltkrieges bedeutende Mengen von Schafpelzen und Pelzwesten für die Sowjet-Armee geliefert.

Unter den weiteren größeren Unternehmen des Industrieministeriums in Ulan-Bator sind noch die Maschinenfabrik und die Staatsdruckerei zu nennen. Die erstere stellt heute landwirtschaftliche Geräte, Ausrüstungen für Molkereien und Mühlen, Wasserpumpen, Windmotore und anderes her. Ihre Hauptaufgabe liegt jedoch in der Reparatur von Maschinen aller Art und in der Produktion von Ersatzteilen. Dem Werk sind eine Gießerei und ein Verarbeitungswerk angeschlossen. Erzeugnisse der Metallverarbeitung sind Bettgestelle, Kessel, Hämmer, Nägel und andere Gebrauchsgegenstände. Die Entwicklung der Metallverarbeitung wird von der Regierung durch besonders niedrige Steuersätze und ermäßigten Abzug vom Gewinn vor allen anderen Industriezweigen gefördert (108/170). In der Druckerei waren 1936 bereits 175 Arbeiter beschäftigt (108/157). Inzwischen ist sie stark erweitert und mit modernen Maschinen ausgerüstet worden. Sie liefert mehrere Zeitungen und Zeitschriften und gibt auch Bücher heraus.

Fernerhin sind in Ulan-Bator zu nennen: zwei Möbelfabriken, eine große Seifenfabrik und eine Porzellanmanufaktur. Die beiden letzteren wurden mit Hilfe der Chinesischen Volksrepublik gegründet (Mong. Sonin 6. 4. 1957). Die Möbelfabriken fertigen auch die traditionellen mongolischen Truhen und auch sonst notwendige Ausrüstungen für die Jurten der Nomaden an. Eine 1944 ins Leben gerufene Zündholzfabrik, die 1947 rund 10 Mill. Schachteln liefern konnte, ist nicht in der Lage, den Bedarf zu decken, obwohl sie ihre Produktion bis 1952 verdoppelte. So entstand in Suche-Bator ein zweites größeres Werk, das eine jährliche Kapazität von rund 60 Mill. Schachteln hat.

Zur besseren Verwertung der Wolle der Nordgebiete wurde in Chaddchal am Südende des Chubsugul eine große Dampf-Wollwäscherei errichtet, die zweitgrößte in der MVR. Sie nahm ihre Arbeit 1934 auf. Ihre Hauptaufgabe ist, gewaschene Wolle für den Export zur Verfügung zu stellen, der in der Regel während des Sommers über den See Chubsugul und den Tunkinsker Trakt in die Sowjetunion durchgeführt wird. Ursprünglich waren in der Wäscherei bereits 400 Arbeiter tätig. 1938 wurden 3310 t Schafwolle gewaschen (108/155). Im gleichen Jahr begann auch die Produktion von Filzdecken und Filzhüten für den Binnenmarkt.

Die Lederfabrik in Altan-Bulak, die zu den größten der MVR gehört, ist in der Lage, jährlich bis zu 15 000 Rinderhäute und ein Mehrfaches an Schaf- und Ziegenhäuten zu verarbeiten (108/152). Sie wurde 1932 in den Verband der kooperativen Industrie übergeführt. In neuester Zeit ist ihr eine Chromleder- und Schuhfabrik angeschlossen worden.

1939 wurde die Baumaterial-Industrie, die bis dahin zum kooperativen Verband gehörte, dem Sektor der staatlichen Industrie zugeteilt. Zu ihr gehören mehrere Ziegeleien, von denen die größte bei Ulan-Bator liegt und allein eine Jahreskapazität von rund 10 Mill. Ziegeln besitzt (8/65), sowie mehrere Kalkfabriken.

Für die Versorgung der MVR mit Bau- und Schnittholz kommt in der Hauptsache nur ein Werk auf, das als Holzkombinat am Unterlauf des

Iro errichtet wurde. Die geschlagenen Stämme werden dem Werk zu-
geflößt. Der Abtransport des Holzes erfolgt mit der Eisenbahn. Die
jährliche Kapazität des Kombinates allein an Schnittholz erreicht mehr
als 20 000 cbm.

Die Nahrungsmittelindustrie

Im Gegensatz zu den Betrieben des Industrieministeriums, die sich, wie
aus dem vorigen Abschnitt hervorgeht, vor allem auf die Hauptstadt
Ulan-Bator und einige wenige Orte konzentrieren, hat die Nahrungsmittelindustrie eine vollkommen andere Struktur. Ihre Aufgabe ist es,
die überall im Lande anfallenden Nahrungsrohstoffüberschüsse zu erfassen und zu verarbeiten, wobei ihre Produkte sowohl der einheimischen
Bevölkerung, vor allem der städtischen, als auch dem Export zur Verfügung gestellt werden. Um ihrer Aufgabe gerecht zu werden, muß sie
darum das ganze Land mit einem Netz ihrer Organisation überziehen.

1940 begann das Ministerium für Ernährung seine Arbeit mit 24 örtlichen Unternehmungen, 1944 waren es bereits 330, im nächsten Jahr 423
(108/168) und 1950 rund 500, unter denen sich 259 Molkereien befanden
(177/104). Das Netz der Organisation hat sich dann sehr rasch verdichtet.
Für 1951 wird die Zahl aller örtlichen Betriebe auf mehr als 2000 geschätzt (108/168). Die Zahl der in ihnen dauernd beschäftigten Personen
gibt *Maslennikow* (177/105) für 1945 mit 5847 an, zu denen dann noch
etwa 6000 saisonmäßig eingesetzte Arbeiter kamen.

Als erste Aufgabe der Gesamtorganisation ist die Erfassung der Milch
anzusehen. Diese wird zur Herstellung von Butter, Käse und anderen
Produkten verwendet. Um die örtlich zur Verfügung stehende Milch
besser erfassen und verwerten zu können, stehen den Molkereien Milch-
sammelstellen zur Verfügung, die mit Separatoren ausgestattet sind.

Jahr	Zahl der Molkereien	Separatorenstationen
1947	164	804
1952	264	1470

Bis zur Gegenwart hat sich dieses Netz noch weiter verdichtet und ist
durch einige größere Unternehmen ergänzt worden. So ist 1957 in Ulan-
Bator im Zusammenhang mit Milchviehfarmen eine Molkerei errichtet
worden, die täglich 15 000 Liter Milch verarbeitet. 1950 wurden in
233 Molkereien rund 90 Mill. Liter Milch erfaßt (177/104). Insgesamt
werden jährlich schon jetzt rund 5000 t Butter gewonnen (108/168). Dabei ist bemerkenswert, daß sich der Ertrag in den letzten Jahren wesentlich gehoben hat. Während im Durchschnitt der Jahre 1942 bis 1948 zur
Gewinnung von 1 kg Butter 23 bis 27 Liter Milch nötig waren, reichten
1950 für die gleiche Buttermenge bereits 17 bis 20 Liter aus. Auch die
Qualität der Butter wurde besser. 1952 gehörten von der Gesamtproduk-
tion nur 30,8 Prozent zur ersten Sorte, 1955 waren es 57 Prozent und
1956 schon 63,6 Prozent (Mongol. Sonin 6. 4. 1957). An Käse werden
alle Arten fabriziert, wie sie bei den Mongolen üblich sind. Bessere Käse-

sorten werden in drei Käsekochereien hergestellt, die in den Aimaken Zentral, Chubsugul und Selenga bestehen. Als Nebenaufgabe haben die Molkereien auch die Gewinnung von Kasein für industrielle Zwecke, vor allem für die Ledergerberei. Durch den Anstieg der Butterproduktion ist der Import von tierischen Fetten nicht mehr notwendig (203/213). Die steigende Erzeugung von Milchprodukten machte es sogar möglich, daß man 1942 mit dem Export von Butter und Käse beginnen konnte (108/168).

In der Fleischversorgung ist innerhalb der Nahrungsmittelindustrie nicht die gleiche Aktivität festzustellen, obgleich in den Städten Fleischereien unterhalten werden. Einen großen Aufschwung erhielt dieser Zweig durch den 1946 abgeschlossenen Bau eines großen Fleischkombinates in Ulan-Bator. Dieses bildet das größte Unternehmen innerhalb der Nahrungsmittelindustrie und ist bei Doppelschichtarbeit in der Lage, jährlich 423 000 Stück Vieh zu schlachten und zu verarbeiten (108/169). In 10 Werksabteilungen gegliedert, liefert es 30 verschiedene Produkte und verwertet in angeschlossenen Werken auch alle Abfälle.

Eine weitere Aufgabe dieses Industriezweiges besteht in der Versorgung der Stadtbevölkerung mit Brot und anderen Mehlerzeugnissen, ebenso in der Belieferung der Armee, der Krankenhäuser, Schulen und sonstigen Anstalten. Der Verbrauch dieser Erzeugnisse ist nicht nur in den Städten, sondern allgemein bei den Mongolen im Anstieg begriffen. In Ulan-Bator wird eine Großmühle unterhalten, daneben besteht ein Getreidesilo mit einem Fassungsvermögen von 16 000 t. Weitere Mühlen sind für die Aimake Tschoibalsan, Bulgan und Ubsa-Nur geplant. In den größeren Orten sind je nach ihrer Bevölkerungszahl Brot- und Nährmittelfabriken, Bäckereien und Konditoreien eingerichtet, die alle dem Ernährungsministerium unterstehen. Die Produktion in diesem Sektor wird wie folgt angegeben (8/67 u. 68):

Warenart	1947	1952
Brot	8500 t	15 000 t
Makkaroni	250 t	500 t
Marmelade	30 t	200 t

Als weiterer Zweig innerhalb der Industriegruppe Nahrungsmittel sei noch die Produktion von Alkohol und alkoholischen Getränken genannt, die zur Erhöhung der Staatseinnahmen wesentlich beiträgt (8/68). Bis zur Aufnahme der Spiritusfabrikation im eigenen Lande mußten bedeutende Mengen von Alkohol eingeführt werden. Jetzt kann der größte Teil des Bedarfes durch Eigenerzeugung gedeckt werden. 1947 wurden rund 70 000 Liter Alkohol hergestellt, 1952 waren es bereits 345 000 Liter (8/68). Für die Produktion von Wein und Spirituosen besteht nur eine Fabrik in Ulan-Bator. Die Hauptstadt besitzt auch die bisher einzige Bierbrauerei des Landes. Im Fünfjahresplan 1948—1952 war der Bau von je einer Brauerei in Tschoibalsan, Altan-Bulak, Zezerleg, Bulgan und einem Ort des Aimaks Chubsugul vorgesehen. Die Biererzeugung sollte 1952 rund 1 Mill. Liter erreichen (8/119).

Die kooperative Industrie

Dieser Industriezweig ist aus der bereits genannten Heimindustrie hervorgegangen, die zu Berufsgenossenschaften in der Form von Artels zusammengeschlossen wurden, wobei die Produktionsmittel gemeinschaftlicher Besitz sind und innerhalb der Kooperative eine Art Selbstverwaltung besteht. Durch Kredite und Zuschüsse des Staates wurden sie mit Maschinen und modernem Werkzeug ausgestattet, so daß sie gegen früher verhältnismäßig weitgehend mechanisiert sind. Ihre Aufgabe besteht darin, daß sie den Staat in der Versorgung der Bevölkerung mit industriellen Erzeugnissen unterstützen. Ihr besonderes Charakteristikum ist ihre außerordentliche Vielseitigkeit, da in den Kooperativen Tischler, Schmiede, Schlosser, Schneider, Gerber, Schuhmacher, Sattler, ja alle handwerklichen Berufe vertreten sind, die alle Dinge fabrizieren, die der Mongole braucht und die auch seinem Geschmack entsprechend geliefert werden, bis zum Pferdegeschirr und bis zu Bestandteilen der Jurten. 1931, im ersten Jahr des Bestehens, wurden nur 15 bis 20 verschiedene Waren geliefert, doch 1950 erstreckte sich ihre Erzeugung über mehr als 200 Produkte (108/170). Gegenüber der staatlichen Industrie haben die Kooperative den wesentlichen Vorteil, daß sie über das ganze Land verteilt sind und ihre Produkte darum einen weit kürzeren Weg zum Konsumenten haben als die Waren der Großindustrie. Sie liefern nur Fertigwaren. Die Mitglieder eines Kooperativs arbeiten wie in der Industrie sechs Tage in der Woche je 8 Stunden und erhalten einen nach Zeit und Leistung vertraglich festgelegten Lohn, doch darüber hinaus werden noch 10 Prozent des Reingewinnes an die Mitglieder des Kooperativs verteilt, und zwar im Verhältnis zum Jahreseinkommen des einzelnen.

Der Verband der kooperativen Industrie (Heimindustrie) wurde 1931 gegründet und bestand anfänglich nur aus 14 derartigen Genossenschaften. Doch das Ansteigen der Mitgliederzahl auf ein Mittel (1934 und 1939) von 50 aktiven Arbeitern je Artel und die Zunahme der Organisation ließ sie bald eine sehr aktive Rolle spielen. Ein besonderer Aufschwung erfolgte, als man die niederen Klassen der Lamas in den Wirtschaftsprozeß einzugliedern begann. Ein Großteil ging zur Viehzucht, doch die geschicktesten und intelligentesten schlossen sich zu Kooperativen zusammen, die nach verschiedenen Urteilen vorzügliche Arbeit leisteten. Nach der „Sowremennaja Mongolija" (1939, Nr. 3—4) entwickelte sich die kooperative Industrie, die im eigentlichen Sinne größere Handwerksbetriebe sind, wie folgt:

	1934	1935	1938	1939
Artels insgesamt	14	33	47	145
davon Lama-Artels	—	—	21	118
Mitgliederzahl	734	1091	2353	7337
davon ehem. Lamas	—	—	912	5543

1939 bestanden nach vorstehender Tabelle mehr als 80 Prozent der Kooperative aus ehemaligen Mönchen. Die Zahl der Artels nahm allgemein weiter zu. 1952 existierten 152 mit einer Mitgliederzahl von rund 10 000 (108/170).

Zusammenfassende Übersicht

Seit der Begründung einer staatlichen Industrie hat sich ihr Anteil am Gesamtwert der industriellen Produktion sehr rasch vergrößert, wie die folgende Tabelle zeigt (Sowr. Mong. 1940, Nr. 1—2):

	1934		1937		1939	
	Prod. Mill. Tugr.	Prozent	Prod. Mill. Tugr.	Prozent	Prod. Mill. Tugr.	Prozent
Insgesamt	8,7	100,0	28,0	100,0	47,4	100,0
davon						
staatlich	4,7	53,8	21,5	76,8	34,8	73,4
kooperativ	4,0	46,2	6,5	23,2	12,6	26,6

Seit 1939 hat sich der Gesamtwert der Industrieproduktion bis 1956 mehr als verfünffacht, und auch weiterhin zeigt sich ein leichter Anstieg des Anteils der staatlichen Industrie. Die folgende aus Angaben des „Mongolyn Sonin" (6. u. 7. 4. 1957) zusammengestellte bzw. errechnete Tabelle gewährt einen guten Einblick in die Entwicklung der letzten Jahre.

Wert der Industrieproduktion

nach den unveränderten Preisen von 1940

	1952		1956		1957 (Plan)	
	Mill. Tugr.	%	Mill. Tugr.	%	Mill. Tugr.	%
Gesamtwert darin:	187,1	100	276,7	100	306,24	100
1) Staatl. Industrie *	142,9	77	216,2	78	242,24	79
davon						
a) Industrieminist.	54,9	29	94,3	35	105,20	34
b) Ernährungsminist.	81,7	44	102,4	37	104,80	34
c) Staatsdruckerei	3,2	2	5,9	2	6,53	2
d) Baumaterial-Ind.	2,8	2	11,6	4	23,20	8
e) Autorep. Basis	—	—	2,0	—	2,51	1
2) Koop. Industrie **	44,2	23	60,5	22	64,00	21

*) Nicht eingeschlossen der Produktionswert der Aktiengesellschaft „Sow-Mongol-Metall"

**) Nicht eingeschlossen die Arbeitsleistungen der kooperativen Industrie im Verkehr und bei Bauten.

Der zweite Fünfjahresplan (1953 bis 1957) ist größtenteils bereits 1956 erfüllt worden. Aus diesem Grunde wurden für das Jahr 1957 neue Planziffern aufgestellt. Diese sind in der vorstehenden Tabelle in der letzten Spalte aufgeführt. Im allgemeinen zeigt die Tabelle neben der Erhöhung des absoluten Wertes aller Industriezweige einen fortlaufenden Anstieg des Anteils der staatlichen Industrie und ein Absinken des Anteils der kooperativen Industrie. Um dies auch noch für die nicht genannten Jahre zu belegen, sei angeführt, daß die Anteile beider Gruppen am Produktionswert sich 1947 wie 74,9:25,1 (8/62) und 1950 wie 75,9:24,1 (2/349) verhielten. Im einzelnen ist in der Tabelle der Aufstieg der Baumaterialindustrie bemerkenswert.

Um einen Einblick in die Produktion der Industrie nach Art und Menge zu geben, ist diesem Abschnitt noch eine Tabelle über die Entwicklung aus den Jahren 1952 und 1956 eingefügt. In den beiden letzten Spalten sind die Planzahlen der Industrieproduktion für die Jahre 1957 und 1960 angegeben.

Aus allem ergibt sich, daß der Industriesektor in der Wirtschaft der MVR sich sehr rasch entwickelt hat und bessere Erfolge zeitigte als die Viehzucht. Über den Versorgungsstand im einzelnen kann der Leser sich ein allgemeines Bild machen, wenn er die Industrieproduktion mit der Bevölkerungszahl von rund 1 Mill. in Beziehung setzt.

Die unbestreitbaren Erfolge der Industriewirtschaft sind zu einem Großteil auf die erhöhte Arbeitsleistung der Arbeiterschaft zurückzuführen, was von amtlicher Seite mit Recht als gutes Zeichen gedeutet wird. So stieg die Produktionsleistung der Arbeiter von 1952 bis 1956 in der staatlichen Industrie um 29,6 Prozent, im kooperativen Sektor um 29,2 Prozent. Andererseits sind im einzelnen trotz aller Erfolge noch Unzulänglichkeiten festzustellen, die *L. Zende* in seiner Rede vor dem Großen Volkschural (Mong. Sonin 6. 4. 57) besonders hervorgehoben hat. In den Grundindustrien verläuft die Arbeit noch immer saisonmäßig. Es ist bisher nicht gelungen, eine rhythmische Einteilung der Arbeit über das ganze Jahr durchzuführen. Es gab in den letzten Jahren auch zeitlich Unterbrechungen in der Versorgung der Stadt Ulan-Bator, dem Hauptindustriezentrum der MVR, mit Kohle und Elektrizität, so daß Industrieunternehmen wie auch kommunale Einrichtungen ihre Arbeit zeitweilig einstellen mußten. Geklagt wird auch über die niedrige Qualität der Produkte der Staatsunternehmen des Industrieministeriums und die teilweise auch zu hohen Preise. Verschiedene Unternehmen bringen dem Staat Jahr für Jahr Verluste. Das Industrieministerium hat, so sagt *L. Zende* selbst, noch nicht alle Maßnahmen ergriffen, um die Arbeit zu normalisieren, Produktionsverluste zu vermeiden und ein beständiges Wirtschaftssystem zu schaffen. Bei allem darf jedoch die Jugendlichkeit der Unternehmen in einem bisher fast vollkommen industrielosen Lande nicht übersehen werden.

Die Entwicklung der Industrieproduktion*)

Art der Produktion	Maß-Einheit	Produktion		Neuer Plan	
		1952	1956	1957	1960
Elektroenergie	Mill. kWh	22,71	40,58	44,0	80,0
Kohleförderung	1000 t	238,7	343,3	354,0	637,0
Ziegel	Mill. Stck.	8,0	27,0	40,0	69,3
Kalk	1000 t	3,5	5,4	15,0	23,1
Bauholz	1000 cbm	6,0	58,2	120,0	156,0
Schnittmaterial	1000 cbm	10,8	30,9	50,0	65,1
Jurtenfilz	1000 m	203,8	375,3	400,0	400,0
Filzstiefel	1000 P.	83,9	220,0	240,0	260,0
Lederstiefel	1000 P.	232,5	552,7	585,7	870,0
Leder, große Häute	1000 Stck.	76,9	80,7	90,5	180,0
Leder, kleine Häute	1000 Stck.	490,1	923,5	1135,0	1850,0
Wolle, gewaschen	1000 t	4,6	4,8	.. **)	..
Jurtengestelle	1000 Stck.	2,6	3,8	6,0	8,2
Chaschane	Stück	929,0	2490,0	..	..
Tuch	1000 m	41,4	50,5	50,0	230,0
Konditoreiwaren	1000 t	1,2	1,9	2,1	3,14
Fleisch	1000 t	5,9	9,0	9,5	9,5
Butter	1000 t	5,2	5,7	..	..
Alkohol	1000 l	369,9	475,1	..	..
Alkoholprod. Wein	1000 l	712,6	979,2	..	..
Wirtschaftsseife	1000 t	710,8	1387,6	..	..
Toiletteseifen	1000 Stck.	485,8	840,4	..	..
Salz	Tonnen	921,0	3747,0	3600,0	14000,0

*) nach Mongol. Sonin 6. 4. 1957 und 27. 7. 1957
**) Die fehlenden Zahlen des Plans waren nicht erhältlich

Handel

Da die Mongolen keinen eigenen Kaufmannsstand entwickelt hatten, lag der ganze Innen- und Außenhandel in den Händen von ausländischen Kaufleuten, vor allem von chinesischen Händlern. Diese versorgten die Mongolen mit Waren, gaben ihnen Kredite, ja manchmal sogar Geld à conto künftiger Lieferungen von Vieh und Rohstoffen. Für Kredite wurden sehr hohe Zinsen genommen, die wiederum auf kommende Lieferungen umgerechnet wurden. Ein solches Kreditsystem führte zwangsläufig zu einer Art Schuldknechtschaft der Araten und zur persönlichen Abhängigkeit vom Gläubiger.

Über diese wirtschaftlich ungesunden Verhältnisse liegen zahlreiche Berichte vor, die auch mit eindrucksvollen Beispielen belegt sind. Es darf hierbei nur auf *A. M. Posdnejew* (236), dann auf die ausführlichen Veröffentlichungen der Moskauer Handelsexpedition, die die Äußere Mongolei 1909 bis 1910 bereiste (7), verwiesen werden. Selbst ein so nüchterner und objektiver Forscher wie *Grum-Grshimajlo* schreibt wörtlich: „So ging nach und nach das gesamte Vieh des kreditabhängigen Mongolen in den Besitz des chinesischen Kaufmanns über, wobei der erstere in der Rolle des Hirten einer fremden Herde nichtsdestoweniger die volle Verantwortung für das Leben der weidenden Tiere trug, ohne daß weder Ausfälle infolge elementarer Katastrophen noch Verluste durch den Einfall von Wölfen irgendwie in Betracht gezogen wurden" (84/496). Gegen Ende des 19. und zu Beginn des 20. Jahrhunderts begannen auch europäische und amerikanische Handelsfirmen auf den mongolischen Markt Einfluß zu nehmen, doch auch in ihren Agenturen spielten Chinesen die Rolle des Vermittlers und hatten oft entscheidende Bedeutung. Der russische Handel begann in den sechziger Jahren des vergangenen Jahrhunderts. Obgleich der Vertrag von Peking 1860 dem russischen Kapital die Türen der Äußeren Mongolei weit geöffnet hatte, war der russische Handel nicht in der Lage, eine Wendung herbeizuführen, da er mit den chinesischen Kaufleuten nicht konkurrieren konnte.

Der mongolische Export bestand vor allem aus Rohstoffen (Wolle, Pelze, Rohleder, Därme u. a.) und lebenden Tieren. Die Hauptgruppen der Einfuhr setzten sich nach *Majskij* (164/182-83) im Jahre 1913 zu 61,7 Prozent aus Lebensmitteln (Zucker, Tee, Mehl usw.), 15,7 Prozent aus Textilien, 7 Prozent aus Lederwaren und 8 Prozent aus Metallerzeugnissen zusammen. Der Wareneinkauf der mongolischen Bevölkerung betrug im gleichen Jahre wertmäßig rund 20,6 Mill. Rubel (Währungswert von 1913), von denen 18,8 Mill. (94 Prozent) auf Waren entfielen, die aus dem Ausland eingeführt wurden, und nur 1,8 Mill. (6 Prozent) auf Erzeugnisse kamen, die im Lande selbst hergestellt wurden, und zwar in der Hauptsache noch von chinesischen Handwerkern und Heimarbeitern, die vor dem ersten Weltkrieg in der Mongolei verhältnismäßig zahlreich vertreten waren. Aus allem ergab sich eine weitgehende wirtschaftliche Abhängigkeit vom Ausland.

Aus den vorher geschilderten wirtschaftlichen Verhältnissen ist es erklärlich, daß auf Grund jahrzehntelanger bitterer Erfahrungen sich in den Mongolen ein Haß gegen die ausbeuterischen Chinesen ansammelte, der in den ersten Revolutionsjahren nach 1911 auch zum Ausbruch kam und nicht selten in blutigen Ausschreitungen zur Vertreibung der meisten Chinesen aus der Mongolei führte.

Mit der Begründung der MVR im Jahre 1921 nahm diese auch sofort den Kampf um die wirtschaftliche Unabhängigkeit und Selbständigkeit auf, wobei man erkannte, daß diese nur erreicht werden kann, wenn der Außenhandel als Monopol in die Hände des Staates gelangt. Dieses wurde auch 1924 in der ersten Verfassung der MVR niedergelegt. Doch bis dahin war noch ein weiter Weg; der Markt mußte erst erobert werden. Hierzu wurde am 16. Dezember 1921 von 70 Teilnehmern mit einem Einlagekapital von 15 000 Rubeln die erste mongolische kooperative Organisation gegründet, das Mongolische Zentrale Volkskooperativ (Monzenkoop). Unerfahren und nur mit einem Handelssitz im damaligen Urga konnte sie gegen das Netz der ausländischen Firmen wenig tun. Immerhin nahm die Zahl der Mitglieder zu: 1922 116, 1923 965 und 1924 1596 mit einer Gesamteinlage von 200 000 Rubeln. Der Anteil des Monzenkoop am Warenumsatz des Landes war gering. Er betrug 1922 nur 0,1 Prozent, 1923 0,64 Prozent und 1924 3,8 Prozent. Wie die tatsächlichen Verhältnisse in diesen Jahren waren, zeigt am besten die folgende Tabelle der in den vorgenannten drei Jahren vom Finanzministerium der MVR ausgegebenen 5396 Lizenzen für den Handel im Lande (304/200):

Firmen und Kaufleute	1922	1923	1924
Chinesisch	863	1553	1443
Russisch (nicht sowjetisch)	29	57	166
Amerikanisch, englisch, deutsch	5	26	62
Tibetisch	—	18	19
Mongol. privat (Zwischenhändler)	234	286	635
	1131	1940	2325

Ein Vergleich der Tabelle mit der vorher dargestellten Entwicklung des Monzenkoop zeigt, daß die Entwicklung des Handels gar nicht den sozialistischen Weg ging. Auch im Außenhandel war die UdSSR 1924 nur mit 13,6 Prozent beteiligt, während die anderen Staaten mit zusammen 86,4 Prozent ein vollkommenes Übergewicht besaßen. Die entscheidende Wendung trat ein, als im Herbst 1923 in der MVR die erste sowjetische Handelsorganisation gegründet wurde und diese über den Ein- und Verkauf von Waren hinaus die wirtschaftliche und kulturelle Entwicklung in der MVR zu beeinflussen begann. Im Juni 1924 wurde mit Sowjethilfe die Mongolische Staatsbank (Mongolische Handels- und Industriebank) gegründet, Ende 1925 eine eigene mongolische Währung geschaffen. Damit war die Möglichkeit gegeben, den mongolischen Handel durch Kreditgewährung zu fördern. Diese Förderung erstreckte sich sowohl auf das Monzenkoop, die sowjetisch-mongolischen Organisationen als auch auf den mongolischen Privathandel. In den Anfängen dieser Entwicklung hatte sich die politische Lage im Inneren der MVR so zugespitzt, daß es im August 1924 zum Sturz des Ministerpräsidenten Dansan, zu seiner Verurteilung und Erschießung kam.

Nach der III. Tagung der Partei im August 1924 ging der Kampf um den mongolischen Markt mit Unterstützung von seiten der UdSSR weiter. In enger Zusammenarbeit der mongolischen und sowjetischen Handelsorganisationen wurden von den letzteren Waren zu Preisen geliefert, über die man sich vorher geeinigt hatte, um so die gegnerische Handelskonkurrenz auszuschalten. Dieser Kampf erforderte viel Energie; denn 1925 waren im allgemeinen Handelsumsatz in der MVR anteilsmäßig folgende Firmen beteiligt (304/204):

Chinesische Firmen	60%
Englische u. amerikanische	20%
Private russische	3%
Sowjetische Organisationen	2%
Mongolische Kooperative	11%
Sonstige Firmen	4%

Das mongolische Handelskooperativ hatte wenig Markterfahrung, vor allem fehlte es an einer direkten Verbindung zu den Araten, die sich an die Zwischenhändler wandten, wie auch umgekehrt das Monzenkoop sich derselben Vermittler bedienen mußte, die daraus natürlich persönliche Vorteile zogen. Es ist nun sehr interessant, daß man, um direkte Verbindungen mit den Araten anknüpfen zu können, auf die Urform des Handels, auf den Jahrmarkt, zurückkam. Der erste fand 1927 statt, der zweite 1928 war schon besser besucht. Beide brachten neben erhöhtem Umsatz neue Handelsbeziehungen und Festigung der alten und Gewinnung neuer Mitglieder des Monzenkoop.

Die Maßnahmen des mongolischen Staates im Ringen um den Markt waren bis dahin von geringer Bedeutung, ja sie wirkten sich zum Teil (1925 bis 1927) dagegen aus. Sie wurden jedoch einschneidend, als mit der VII. Tagung der Partei im Oktober 1928 die „Linken" zur Regierung kamen und durch radikale Schließung der Grenzen das Außenhandelsmonopol des Staates erzwangen. Am besten zeigt die Entwicklung dieser Jahre die folgende Tabelle (304/206):

Der Außenhandel der MVR 1925 bis 1931:

Jahr	Außenhandelsumsatz in 1000 Tugrik	Export der MVR in % nach		Import der MVR in % aus	
		UdSSR	and. Ländern	UdSSR	and. Ländern
1925	39 412	24,1	75,9	19,5	80,5
1926	46 953	39,3	60,7	22,4	77,6
1927	49 861	50,0	50,0	22,5	77,5
1928	59 000	57,8	42,2	23,8	76,2
1929	54 870	85,5	14,5	48,3	51,7
1930	57 924	90,2	9,8	74,9	25,1
1931	85 236	99,2	0,8	90,7	9,3

Damit war zwar das Ziel des staatlichen Außenhandelsmonopols 1931 erreicht, aber gleichzeitig war die Sowjetunion praktisch zum einzigen Außenhandelspartner geworden.

Die Mitgliederzahl des zentralen Handelskooperativs stieg unter einem gewissen Druck der Herrschaft der „Linken" rasch an, wie folgende Angaben aus dem Jahre 1926 (304/205) und 1931 (304/207) es belegen:

	Mitgliederzahl	Einlagen in Tugrik
1926	6 627	225 000
1931	60 310	709 000

Die Organisation des Zentralkooperativs hatte sich bis 1931 auf 8 Aimak-Genossenschaften, 312 örtliche Kooperative und 516 Handelspunkte erweitert.

Die überstürzten, rigorosen Maßnahmen der „Linken" führten letzten Endes jedoch zu einer schweren Krise. Die Aufhebung des Privathandels, das Verbot privater Transportunternehmen brachte den Verfall der Warenversorgung, da das Handelskooperativ wie auch der Staat selbst nicht in der Lage waren, diese Aufgaben zu übernehmen. Man konnte wohl Waren ankaufen, doch die Zustellung an die Araten war schwierig, teilweise unmöglich, so daß die Güter zumeist in den Handelszentren hängenblieben. Dazu kam, daß das Kooperativ unter der Herrschaft der „Linken" zu einer bürokratischen, volksfremden Organisation wurde, man vielfach von der freiwilligen Mitgliedschaft abging und auch in der Wahl der leitenden Organe das demokratische Prinzip verletzte. Die Araten sahen in der Organisation eine staatliche Einrichtung und betrachteten die Mitgliedsbeiträge als Steuern.

Nach dem Sturz der „Linken" im Juni 1932 wurden alle die Gesamtwirtschaft schädigenden Maßnahmen aufgehoben, Privattransport und Privathandel wieder zugelassen, letzterer jedoch durch feste Preise unter die Kontrolle des Staates gestellt. Eine ruhige und planmäßige Handelspolitik setzte ein, so daß der kooperative und staatliche Handel erstarken und sich auf Kosten der privaten Handelsfirmen ausbreiten konnte, die fast alle in Liquidation gingen. Durch die Schaffung neuer Handelspunkte, deren Zahl von 1124 im Jahre 1934 auf 4120 in 1940 anstieg, wurde es möglich, die Industrie mit den angekauften Rohstoffen zu beliefern und andererseits auch die Industrieerzeugnisse rechtzeitig dem Verbraucher zuzustellen, obgleich auch noch auf dem X. Parteikongreß Klagen über die Unzulänglichkeit in der Warenversorgung erhoben wurden. Das zentrale Handelskooperativ hatte sich inzwischen zu einer ausgedehnten Verbraucherorganisation entwickelt, die sich auf 16 Aimak-Organisationen stützen konnte. Die Zahl der Mitglieder betrug 1941 157 027 und das eingezahlte Kapital 2 271 900 Tugrik. Vom gesamten Warenumsatz in der MVR im Jahre 1941 mit 213,5 Mill. Tugrik entfielen 159,7 Mill. auf das Kooperativ.

Der zweite Weltkrieg stellte die MVR vor die schwere Aufgabe, ein normales Wirtschaftsleben sicherzustellen. Die eigenen Hilfsquellen wurden stärker herangezogen, die Importe, um die Wirtschaft der UdSSR zu entlasten, eingeschränkt. Andererseits mußten Vieh, Wolle und anderes trotzdem rechtzeitig und planmäßig an die Sowjetunion geliefert werden. Im Export erhielten neue Artikel eine große Bedeutung, wie Filzstiefel, Schafpelze, Pelzwesten, Filz für Sohlen, Fausthandschuhe, Sättel, Pullover, Stiefel, Riemen, Tuche, Soldatenmäntel und anderes. Im Lande selbst mußte 1942 das Kartensystem eingeführt werden (304/214). Im Zusammenhang mit der Versorgung der Bevölkerung trat in den Kriegsjahren die öffentliche Ernährung immer stärker in den Vordergrund. In den Kombinaten, Bergwerken, Industrieunternehmungen und Fabriken mit mehr als 200 Arbeitern wurden Arbeiterversorgungsstellen eingerichtet, die die Arbeiter und Angestellten mit allem Lebensnotwendigen belieferten. 1942 wurden die Kleinhandelspreise für Industrieerzeugnisse erhöht, gleichzeitig aber auch eine Gehaltserhöhung von 30,7 bis 50 Prozent bewilligt (304/214). Durch größere Aussaat an Getreide konnten 1942 rund 25 Prozent des Brot- und Mehlbedarfes aus dem eigenen Lande gedeckt werden.

Nach Beendigung des Krieges wurde das Kartensystem 1945 wieder aufgehoben, der Handel bei staatlich vorgeschriebenen Preisen zwar freigegeben, doch in der Belieferung der Bevölkerung eine bestimmte Norm beibehalten. Am 1. November 1946 wurden die Preise für Lebensmittel und Industriewaren um durchschnittlich 33,5 Prozent gesenkt. Der Warenumsatz im Lande, der 1942 auf 171,9 Mill. Tugrik abgesunken war, erhöhte sich 1945 auf 239,3 Mill., 1946 auf rund 250 Mill. und erreichte 1951 351,7 Mill. Tugrik. Das Handelskooperativ erwarb sich immer mehr das Vertrauen der Bevölkerung. Die Mitgliederzahl betrug 1946 rund 210 300, das eingezahlte Kapital 3 251 000 Tugrik (304/216). Bis 1951 vergrößerte sich die Mitgliederzahl auf 248 000.

Durch das weite Netz seiner Organisation und seine Mitglieder, die gleichzeitig Teilhaber sind, steht das Handelskooperativ heute in direkter Verbindung mit den viehzüchtenden Araten und besitzt so praktisch im Lande das Monopol für den Einkauf von Vieh, Wolle und sonstigen Rohstoffen aus der Viehwirtschaft einerseits und für den Warenabsatz an die Araten andererseits.

Die Zahl der Angestellten in dem zentralen Handelskooperativ im Laufe der Jahre geht aus folgender Tabelle hervor (304/217):

1926	786
1931	2407
1941	7140
1946	8540

Außer diesen ständigen Kräften werden jährlich noch 7000 bis 8000 Viehtreiber, 10 000 bis 12 000 Fuhrleute und andere Arbeiter beschäftigt, die durchwegs Mongolen sind.

Im August 1947 wurde eine zweite Preissenkung für Lebensmittel und Industriewaren um 23 bis 60 Prozent durchgeführt, und 1948 eine dritte um 5 bis 43 Prozent (304/217 u. 218). Da keine absoluten Angaben bei diesen Preisherabsetzungen vorliegen, kann über sie nichts weiter gesagt werden.

Am 27. April 1950 wurde der normierte Warenverkauf an die Bevölkerung abgeschafft. Damit fielen die letzten Beschränkungen aus der Zeit des zweiten Weltkrieges weg. Ab 1. Mai 1950 trat der freie Verkauf von Lebensmitteln und Industriewaren bei staatlich vorgeschriebenen Einheitspreisen in Kraft.

Gegenwärtig existieren innerhalb der MVR drei Arten des Handels: der staatliche, der kooperative und der Privathandel.

Der erstere wird von dem sogenannten Stadthandel (russ. abgekürzt Gortorg) ausgeübt, der sich jedoch nur auf die Stadt Ulan-Bator erstreckt, weiterhin von den Einrichtungen des Ernährungsministeriums und der staatlichen Medizinversorgung. Zum kooperativen Handel gehören die große Organisation des Mongolischen Handelskooperativs und die kooperative Industrie. Die Zusammenarbeit der verschiedenen Zweige des staatlichen und kooperativen Handels ist im einzelnen genau geregelt. Der private Handel spielt sich in Form von Basaren ab und hat nur eine untergeordnete Bedeutung. 1950 war er am gesamten Kleinhandelsumsatz mit nur 6 Prozent beteiligt, während die übrigen 94 Prozent auf den staatlichen und kooperativen Sektor entfielen (304/218). Es dominiert also der organisierte Markt.

Die weitere Entwicklung des Binnenhandels bis zur Gegenwart hat keine wesentlichen Änderungen gebracht, nur war beim Anteil des staatlichen Handels ein Anwachsen zu verzeichnen, und zwar von 43 Prozent in 1952 auf 48 Prozent in 1956. Der Wert des gesamten Warenumsatzes erreichte im letzten Jahr 555,0 Mill. Tugrik.

Im Außenhandel war bis 1951 die Sowjetunion der einzige Partner der MVR. Seitdem im Oktober 1952 mit der Chinesischen Volksrepublik ein Abkommen über wirtschaftliche und kulturelle Zusammenarbeit getroffen worden ist, beginnt sich auch der Warenaustausch mit China zu entwickeln. Inzwischen sind weitere Handelsverträge mit anderen Ländern abgeschlossen worden, denen jedoch im Vergleich zum wirtschaftlichen Kontakt mit den beiden vorgenannten Hauptpartnern wohl nur eine untergeordnete Bedeutung auch in Zukunft zukommen wird.

An die Sowjetunion liefert die MVR Wolle, Vieh, Häute, Leder, Butter und andere Produkte der Viehwirtschaft und Jagd. Sie erhält dagegen aus der UdSSR hauptsächlich Produktionsmittel und Bedarfsartikel: Ausrüstungen und Materialien für Industrieunternehmungen, Eisenbahnmaterial, Traktoren, Landmaschinen, Holz, Metalle und chemische Stoffe, weiterhin mit einem hohen Anteil am Gesamtimportwert Mehl, Graupen, Zucker, Teigwaren, Tee, Tabak, Stoffe, Trikotagen, Geschirr und Metallwaren. Über den Wert des Außenhandels lassen sich nur Einzelangaben machen. 1947 betrug der Export 125,8 Mill. Rubel, 1951 waren es 162,2 Mill. und 1953 174,4 Mill. Rubel. Der Importwert wird für 1952 mit 159,0 Mill. angegeben.

344

Der Warenaustausch mit China wird von Jahr zu Jahr festgelegt. Nach dem Protokoll vom 15. 12. 1954 sollte die MVR an China vor allem Pferde, Häute, Leder und andere tierische Produkte liefern und dafür Seidenwaren, Tee, Früchte, chemische Stoffe und Industrieausrüstungen erhalten.

Die Exportmöglichkeiten der MVR vergrößern sich mit der steigenden Viehzahl und der Entwicklung der verarbeitenden Industrie. Mehr als 80 Prozent des gesamten Exportwertes bestehen aus tierischen Produkten.

Bis 1952 wurden Export und Import durch die großen Handelsorganisationen der MVR getätigt. Seitdem im Mai 1952 im Handelsministerium eine besondere Abteilung für Außenhandel geschaffen wurde, werden sämtliche Außenhandelsgeschäfte durch diese abgewickelt.

Verkehr

Personen- und Güterverkehr

Bei der Größe der MVR und der weitzerstreuten Bevölkerung kommt dem Verkehr eine besonders große Bedeutung zu. Darum wendet man ihm in neuerer Zeit die größte Aufmerksamkeit zu, um ihn zu entwickeln, damit er seinen Aufgaben gerecht werden kann. Man mußte hier von Grund auf beginnen; denn in der alten Zeit war das Transportwesen rückständig und nur sehr schwach entwickelt. *Bogolepow* und *Sobolew* (49) und ebenso *Majskij* (164) geben ausführliche Beschreibungen aller Schwierigkeiten und Hindernisse, mit denen der Verkehr verbunden war.

Einen Straßenbau im europäischen Sinne kannte man nicht. Wo bestimmte Verkehrslinien vorhanden waren, handelte es sich um Naturwege, die sich langsam durch Eingehen und Einfahren entwickelt hatten. In den bergigen Gegenden richten sie sich nach dem Gelände, wo dieses am leichtesten zu begehen ist, und folgen in der Regel der Talsohle. Dabei mußte gleichzeitig auf das Vorhandensein von Wasser und Weide Rücksicht genommen werden, da der Verkehr ja größtenteils mit Tieren abgewickelt wurde. In den ebenen Gebieten, wo keine Geländeschwierigkeiten zu überwinden sind, hatten sich auch bestimmte Linien als Karawanenstraßen herausgebildet, doch sie ändern sich in der Richtung je nach der Jahreszeit, den Wasser- und Weideverhältnissen. Im Kleinverkehr sucht man auf dem kürzesten Weg über das freie Gelände das Ziel zu erreichen. Ein Straßenbau in diesen Gegenden wird auch kaum für notwendig erachtet, da der Boden zumeist so hart und fest ist, daß man ihn vielfach im Naturzustand mit einem Kraftwagen befahren kann. Auch der Mangel an dauernd fließenden Gewässern bedeutet in dieser Beziehung kein Hindernis; die Trockenbette einstiger Flüsse, die nur gelegentlich nach Regengüssen hier und da sich mit Wasser füllen, sind leicht zu durchqueren. Anders sieht es in den gebirgigen Teilen der Mongolei aus, die mit dauernd fließenden Gewässern ausgestattet sind. Sie müssen in der Regel in Furten durchschritten werden, die aber für ein Gelingen nie eine Garantie geben. Der oberflächlich rasche und starke Abfluß läßt die Flüsse im Sommer, wenn in ihrem Einzugsbereich größere Regenmengen niedergehen, oft so schnell ansteigen, daß sonst als seichte Furten bekannte Stellen kaum zu durchwaten sind. Dann staut sich an solchen Übergängen der Verkehr, Zelte werden aufgeschlagen und mit asiatischer Ruhe wartet man das Fallen des Wassers ab. Wo wichtige und verkehrsreiche Straßen größere Flüsse kreuzen, sind Fähren vorhanden. Brücken sind dagegen eine Seltenheit. Die ersten Brücken wurden von russischen Kaufleuten, die am Transithandel China-Rußland beteiligt waren, auf der Straße Kjachta-Urga 1888 erbaut. 1919 gab es in der ganzen weiten Mongolei nur 10 Brücken, von denen 6 in Urga selbst lagen.

Der Verkehr wurde früher ausschließlich und wird heute noch zum großen Teil von Trag- und Zugtieren bewältigt. Hierfür stehen Kamele, Ochsen, Rinder, der Yak, seine Kreuzungen sowie Pferde zur Verfügung. Abgesehen von den letzteren, die in der Regel nur zum Reiten, in neuerer Zeit aber auch stärker im Einspann verwendet werden, dienen alle vorgenannten Tiere sowohl zum Ziehen von Fahrzeugen als auch zum Tragen von Gütern.

Unter den Kamelen genießt die von den Chalcha-Mongolen gezüchtete und nach ihnen auch als Chalcha-Kamel bekannte Art auf Grund ihrer hohen Leistungsfähigkeit einen besonders guten Ruf. Es wird vor allem als Tragtier im Karawanenverkehr über weite Strecken eingesetzt. Bevor die Transporte im September beginnen, müssen die Kamele ein Training durchmachen. Hierzu bindet man sie im Freien mit einem Seil an eingeschlagene Pflöcke, läßt sie nun 10 bis 14 Tage hungern und gibt ihnen nur jeden dritten Tag Wasser. Dieses Training ist notwendig, um sie für die Reise gebrauchsfähig zu machen. „Der Grasbauch verschwindet, und das Fett wird fest", sagt der Mongole. Für den Marsch werden die Kamele hintereinander zusammengekoppelt. Als Sattelunterlage dienen einige Filzdecken, oft auch mit Heu oder Stroh gefüllte Sattelkissen, auf die dann das hölzerne Sattelgestell kommt, das zusammen mit der Unterlage mit starken Riemen festgegürtet wird. Auf dem Sattelgestell werden die Lasten festgebunden. Nicht sachgemäß befestigte Sättel können Druckschäden hervorrufen, die schwer heilen und manchmal die Tiere unbrauchbar machen. Daneben tritt als Krankheit auch nicht selten die Lahmheit auf, verursacht dadurch, daß das Tier sich auf steinigem Boden die Fußsohlen durchlaufen oder die Ballen wundgerieben hat. Man umwickelt den wunden Huf mit Fellstücken, oder man legt das Kamel auf die Erde und näht ihm ein dickes Fellstück über die wunde Sohle an seine eigene Haut fest. Bepackt wird das Kamel mit rund 2 dz, starke Chalcha-Hengste tragen bis über 2,5 dz auf dem Rücken. Mit einer solchen Last legen die Kamele in der Stunde 4 bis 5 km zurück. Die Tagesleistung beträgt je nach den Wegeverhältnissen 25 bis 40 km. Bei günstigem Wetter ist ein Kamel in der Lage, solche täglichen Märsche einen Monat lang ohne Unterbrechung durchzuführen. Es erhält dann 8 bis 12 Tage Ruhe, um hierauf von neuem einen Monat lang unterwegs zu sein. So geht es zumeist vom September bis April. Bis zum Juni wird das Winterhaar abgestoßen und die Haut ist in dieser Zeit sehr empfindlich, sehr weich und reibt sich leicht durch. Die Tiere vertragen dann kühle Nässe sehr schlecht und neigen zu Erkältungen. Die Mongolen lassen daher die Tiere vom April bis September frei in der Steppe laufen und verlangen während dieser Zeit höchst selten Arbeit von ihnen. Reitkamele sind ausgesuchte Tiere, darum wertvoller und werden auch besser gehalten. In der offenen Steppe kann man mit ihnen tagelang hintereinander 100 km je Tag zurücklegen. Eine Kamelkarawane besteht in der Regel aus 40 bis 100 Tieren. Auf je 12 Tiere kommt ein Treiber. Mit Kamelen kann man jeden Ort in der Mongolei erreichen.

An zweiter Stelle sind im Warenverkehr die weniger romantischen Ochsenkarawanen zu nennen. Im Gütertransport stehen sie mit ihrer Leistung an der Spitze. Die Tiere sind einzeln vor schwere zweirädrige

Karren gespannt, wie sie in China üblich und wahrscheinlich auch von den Chinesen entwickelt worden sind. Doch während die letzteren an Stelle des eisernen Reifens das Rad mit eisernen Nägeln beschlagen, besteht der mongolische Karren ganz aus Holz, so daß die Räder, die in der Urform Baumscheiben darstellen, oft in ihrer Rundheit stark gestört sind. Die Räder sind mit den Achsen fest verbunden, so daß die letzteren sich bewegen. Da das Schmieren der Achsen nicht gebräuchlich ist, kann man das ohrenpeinigende Geräusch der quietschenden Achsen einer solchen Karawane in der stillen Steppe kilometerweit hören. Ein solcher Karren wird je nach dem Zugtier und den Wegeverhältnissen mit 2 bis 3 dz beladen (313/179). In der Regel bilden 50 bis 100 derartiger Karren, die in langer Reihe hintereinanderziehen, eine Karawane. *Larson* berichtet (142/198), daß er sogar solche von 1000 Ochsenkarren angetroffen hat. Auf 10 Fahrzeuge kommt ein Treiber. Wie bei den Kamelkarawanen so wird auch für die Ochsen kein Futter mitgenommen. Das Kamel findet rasch sein Futter und nimmt mit dem vorlieb, was es am Wege findet. Ochsen sind schwieriger. Sie suchen lange nach saftigem, zarten Gras und benötigen viel Zeit, bis sie sich gesättigt haben. Ochsenkarawanen unterbrechen darum den Tagesmarsch in der Regel um die Mittagszeit. Während Kamelkarawanen ohne Rücksicht auf das Futter und die Natur des Landes den direkten Weg nehmen, müssen Ochsenkarawanen mit Rücksicht auf Weide und Wasser vielfach weite Umwege machen. So ergibt sich ein räumlich beschränkter Einsatz von Ochsenkarawanen. Wenn man mit Kamelen, wie schon gesagt wurde, jeden Ort in der Mongolei erreichen kann, so gilt dieses nicht für Ochsen. Ihr Einsatz erfolgt darum mehr im Norden und auf Wegen, die entsprechende Voraussetzungen bieten. Schon bei dem alten Teehandel der Russen war es so, daß der Tee mit Kamelkarawanen von Kalgan nach Urga gebracht und dort zumeist von Ochsenkarren übernommen wurde, die ihn nach Sibirien weitertransportierten (142/186). In einem gleichen sich beide. Sie sind sehr langsam, wobei Ochsenkarawanen gegenüber den Kamelen manchmal täglich nur die halbe Wegstrecke zurücklegen. Doch der Mongole nimmt sich Zeit, er hat es nie eilig. Beide Transportmittel haben den Vorteil, daß sie die billigsten sind. Da die Tiere sich auf dem Wege selbst unterhalten, so braucht der Unternehmer als Karawanenbesitzer nur für den Lohn der wenigen Treiber aufzukommen. Neben Ochsen werden in Karrenkarawanen auch Kamele, Rinder und manchmal auch der Yak und seine Kreuzungen eingesetzt.

In neuerer Zeit werden für Warentransporte in steigendem Maße auch Pferde als Zugtiere vor russischen vierrädrigen Wagen verwendet, besonders im Norden der MVR. Sie sind schneller, kommen jedoch meist nur für kürzere Strecken in Frage.

Dem Personenverkehr dienten und dienen auch noch heute in erster Linie Reittiere, Pferde und Kamele. Für die Beförderung von Post und amtlichen Personen oder von Leuten, die mit einem entsprechenden amtlichen Ausweis versehen waren, stand in früheren Zeiten der sogenannte

Urton-Dienst zur Verfügung. Er ist seit 1925 allmählich abgebaut und 1949 in der bisherigen Form völlig eingestellt worden (177/187). Dieser Schnellverkehr bestand aus der Einrichtung von Pferdepoststationen an bestimmten Verkehrslinien, die alle wichtigen Orte des Landes miteinander verbanden. Die umwohnenden Araten waren verpflichtet, für den Urton-Dienst unentgeltlich an bestimmter Stelle stets eine größere Anzahl von Pferden zur Verfügung zu halten. Ohne jede Entschädigung mußten sie die Station bedienen, das Heizmaterial beschaffen und auch die Reisenden mit Lebensmitteln versorgen. Die Urton-Stationen waren meistens 20 bis 40 km voneinander entfernt, manchmal auch 50 bis 60 km. Trafen Post oder Reisende ein, so mußten die Araten diese auf ihren Pferden zum nächsten Urton befördern. Die durchschnittliche Tagesleistung für Reisende auf Urton-Pferden betrug 100 bis 120 km, doch unter günstigen Umständen waren Ritte über 200 km ohne Schwierigkeiten möglich. Ein solcher Stafettendienst sorgte für schnelle Beförderung im Lande, war jedoch für die Araten eine schwere wirtschaftliche Last.

Wer es bei seinen Reisen in der Mongolei eilig hatte, konnte auch den Kraftwagen benutzen, deren es einige schon vor dem ersten Weltkrieg in der Mongolei gab.

Ein planmäßiger Ausbau des Verkehrs begann erst nach 1924. In diesem Jahr wurde der Urton-Dienst auf der Strecke Ulan-Bator—Undur-Chan aufgehoben und durch einen regelmäßigen Kraftwagenverkehr ersetzt. 1925 erfolgte das gleiche auf der Straße von Ulan-Bator nach Altan-Bulak (177/110). 1929 bis 1930 wurde der Weg von Ulan-Bator nach Zezerleg und Muren und 1931 bis 1932 die weite Strecke von Ulan-Bator über Zagan-Olom bis Kobdo und Zagan-Nur mit einem regelmäßigen Autoverkehr versehen. In dem gleichen Jahr wurde auch die Linie von Ulan-Bator über Undur-Chan nach Tschoibalsan (früher Bajan-Tumen) verlängert. 1925 begann der Autoverkehr mit 12 Wagen (313/180), 1930 waren es 50 und 1934 schon 433 (313/183). Inzwischen ist die Zahl der Kraftwagen weiter angestiegen.

Ursprünglich waren es mehrere Gesellschaften — mongolische und sowjetische —, die den Verkehr organisierten. 1929 wurden sie alle zu der staatlichen Mongolischen Transportgesellschaft (Mongoltrans) mit einem Kapital von 1 Mill. Tugrik zusammengeschlossen. 1930 beförderte sie rund 85 000 Tonnen, davon 13 Prozent mit Kraftwagen. Die Herrschaft der „Linken" (1929 bis 1932) fügte dem Transport dadurch großen Schaden zu, daß sie radikal jeden Privattransport untersagten und der „Mongoltrans" das Verkehrsmonopol übertrugen. Sie unterschätzten die Bedeutung des Karawanen- und vor allem des Karrenverkehrs, der damals überwiegend in privaten Händen und das überragende Hauptverkehrsmittel war. 1930 wurden mit Karren 94 Prozent des gesamten Frachtverkehrs bewältigt, 1931 70 Prozent und 1932 67,1 Prozent (313/182). Der „Mongoltrans" war zur Übernahme des Monopols gar

nicht vorbereitet und auch nicht in der Lage, mit seinen wenigen Lastkraftwagen die Tausende von Fuhrleuten, denen man den Frachtentrans-
port verboten hatte, zu ersetzen. Der gesamte Verkehr geriet in Unord-
nung. Mit dem Sturz der „Linken" wurde der private Verkehr nicht nur
wieder zugelassen, sondern man beschloß sogar, die Privatinitiative in
dieser Richtung zu fördern. 1940 wurde das Transportministerium geschaffen und ab 1. Januar 1941 staatlich festgelegte Preise für den Transport vorgeschrieben. Um den wachsenden Güterverkehr bewältigen zu
können, wurden alle staatlichen und kooperativen Produktions- und
Handelsorganisationen verpflichtet, sich einen eigenen Karrentransport
zu schaffen. In den Jahren 1941 bis 1945 entfielen von den von allen
Transportarten geleisteten 100 Mill. t/km rund 60 bis 70 Mill. t/km auf
den Karrentransport (313/185). In diesen Jahren trat sogar ein starker
Mangel an Zuggeschirr auf. Mit Rücksicht auf den weiter anwachsenden
Karrenverkehr ist die Produktion von Zuggeschirr von 1947 bis 1952
stark erhöht worden, z. B. wurde die Herstellung von Kamelgeschirren
in diesem Zeitraum verfünffacht, die von Pferdezuggeschirr sogar ver-
achtfacht (8/71). So steht der Karrenverkehr wie überhaupt der Warentransport mit Verkehrstieren noch heute im Vordergrund. Er bewältigt
vor allem den Nahverkehr und springt in solchen Zeiten ein, wenn
gelegentlich stärkere Schneefälle und sonstige Naturereignisse den Einsatz
moderner Verkehrsmittel verhindern. Daß Eisenbahn und Lastkraftwagen nach ihrer Verkehrsleistung insgesamt den Karrenverkehr übertreffen, ist bei diesen raschen Ferntransportmitteln verständlich. So zeigt
der Plan für die Entwicklung des Warentransportes im Jahre 1957 folgende Ziffern für die einzelnen Transportmittel (Mong. Sonin 6. 4. 1957):

Warentransport in Mill. t/km

insgesamt		2 994,3
davon	Kraftwagen	80,9
	Eisenbahn	2 893,7
	Karren	17,6
	Wasserverkehr	2,2

Der verstärkte *Einsatz von Kraftwagen* machte einen höheren Kapital-
einsatz für die Verbesserung von Wegen und den Bau von Brücken und
Fähren notwendig. Als wichtigste Straße wurde zunächst die von Ulan-
Bator über Suche-Bator nach Altan-Bulak gebaut, die zu einem Teil auch
asphaltiert ist. Größere Erdarbeiten waren auch für die Straße von der
Hauptstadt nach Undur-Chan, dem Hauptort des Aimaks Chentei, notwendig, die dann nach Tschoibalsan verlängert wurde. Von den beiden
letztgenannten Orten wurden Wege nach Uldsa gebaut, von wo aus eine
direkte Verbindung über die sowjetische Grenze nach Tschita besteht.
Die vorgenannten Straßen werden als die besten in der MVR bezeichnet
und Chausseen genannt. Die anderen ausgebauten Wege, über die man

von Ulan-Bator aus alle Aimak-Zentren mit Kraftwagen erreichen kann, können als ganzjährig befahrbare Landstraßen zusammengefaßt werden. Ihr Ausbau besteht vor allem in der Ausstattung mit Brücken und in der Beseitigung von Schwierigkeiten, insbesondere an Paßhöhen. Insgesamt gibt es heute mehr als 5000 km derartiger Straßen, die an die Kraftwagen aber immerhin noch bedeutende Anforderungen stellen.

Der Kraftwagenverkehr beschränkt sich auf die Verbindung der Hauptzentren des Landes untereinander und auf den Transport von Personen und eiligen Gütern. Es sind hauptsächlich Lastkraftwagen sowjetischer Herkunft eingesetzt, die heute ausschließlich von Mongolen gefahren werden. In der ersten Zeit waren auch Sowjetrussen als Fahrer beschäftigt. Der Anteil der Mongolen betrug 1930 27,7 Prozent, 1934 60,6 Prozent (313/183) und erreichte 1940 schon 73,2 Prozent (226/49). Von wesentlicher Bedeutung für die Durchführung des Kraftwagenverkehrs ist die Einrichtung von Autobasen. 1945 existierten erst fünf, heute hat aber jedes Aimak-Zentrum eine solche. Die Autobasen besitzen einen eigenen Kraftwagenpark, mit dem sie ihre Linien befahren, große Garagen, Reparaturwerkstätten und Ersatzteillager. Die staatliche Autobasis in Ulan-Bator hat 150 Lastkraftwagen, von denen 75 Prozent täglich unterwegs sind. Daneben gibt es in der Landeshauptstadt noch zwei weitere Autobasen. Über die Gesamtzahl der in der MVR vorhandenen Kraftfahrzeuge sind keine Veröffentlichungen bekannt.

Einen Einblick in die Verhältnisse und Leistungen des Kraftwagenverkehrs gewähren folgende Angaben (8/74):

	1947	1952 (Plan)
Warentransport insgesamt	45 500 t	132 400 t
Leistung je Fahrzeug:		
a) mittl. Stundengeschwindigkeit	16,6 km/h	20 km/h
b) mittlere Tagesfahrt	132,9 km	160 km

Der Plan für 1952 ist übererfüllt worden. Aus der mittleren Stundengeschwindigkeit sind die hohen Anforderungen zu erkennen, die an die Kraftwagen gestellt werden. Einem ausgedehnten Einsatz stehen die hohen Kraftstoffkosten hindernd im Wege, die nach Weiske (306/151) Ende der zwanziger Jahre in Ulan-Bator etwa das Vierfache des europäischen Preises ausmachten. Ob die bei Sain-Schanda erschlossenen Erdölvorkommen eine Änderung der Lage herbeiführen werden, kann kaum vorausgesagt werden. Vorher kam für die Versorgung der MVR mit Kraftstoff allein die Sowjetunion auf.

Der gesamte Verkehr in der MVR und auch der Ausbau der Wege ist zentralistisch auf Ulan-Bator ausgerichtet. Um eine Vorstellung von der Länge der Strecken zwischen Ulan-Bator und den einzelnen Aimakzentren zu geben, sei folgende Liste angefügt (196/29):

Aimak	Aimakzentrum	Entfernung von Ulan-Bator in km
1. Bajan-Ulegei	Ulegei	1722
2. Kobdo	Kobdo	1454
3. Ubsa-Nur	Ulan-Gom	1725
4. Dsabchan	Uljassutai	1150
5. Gobi-Altai	Jussun-Bulak	1002
6. Bajan-Chongor	Bajan-Chongor	750
7. Chubsugul	Muren	699
8. Nord-Changai	Zezerleg	432
9. Süd-Changai	Arbai-Chere	423
10. Süd-Gobi	Dalan Dsadagad	600
11. Mittel-Gobi	Mandal-Gobi	275
12. Ost-Gobi	Sain-Schanda	456
13. Bulgan	Bulgan	350
14. Zentral	Dsun-Mod	45
15. Selenga	Altan-Bulak	355
16. Chentei	Undur-Chan	338
17. Tschoibalsan	Tschoibalsan	683
18. Suche-Bator	Barun-Urt	560

Der *Eisenbahnverkehr* in der MVR ist jüngsten Datums. Die erste Eisenbahn, die im Gebiet der MVR gebaut wurde, war die im Jahre 1937 fertiggestellte schmalspurige Kohlenbahn, die die Gruben von Nalaicha über 35 km mit der Hauptstadt, vor allem mit dem Industriekombinat, verbindet. Sie hat eine außerordentliche Arbeit zu leisten, denn sie muß jährlich mehr als 300 000 Tonnen Kohlen transportieren, d. h. täglich mehr als 1000 Tonnen.

Die zweite Eisenbahnlinie, die die MVR erhielt, wurde im Osten erbaut und 1939 in Betrieb genommen (313/184). Sie führt von dem sowjetischen Grenzort Solowjewsk über 237 km nach Tschoibalsan. Sie verläuft immer in einer Entfernung von 60 bis 70 km von der Grenze nach ihrem Bestimmungsort und wurde dann noch über etwa 250 km als Schmalspurbahn in gleicher Parallelität zur Grenze bis Tamzag-Bulak verlängert. Schon im Verlauf der Bahn zeigt sich ihre strategische Bedeutung, die auch aus dem eiligen Bau hervorgeht, als man die verstärkte Aktivität der japanischen Truppen in der Richtung auf die Mongolei merkte, wo es dann im gleichen Jahr zu schweren Kämpfen zwischen japanisch-mandschurischen und mongolisch-sowjetischen Kräften am Chalchin-Gol kam. Die Bahnlinie hat über Solowjewsk in Borsja Anschluß an den mandschurischen Zweig der sowjetischen Transbaikal-Bahn. Von der Strecke Tschoibalsan—Tamzag-Bulak zweigt eine 55 km lange Schmalspurbahn nach Dsun-Bulak zu den dortigen Kohlengruben ab, die die gesamte Eisenbahn mit Kohlen versorgen. Eine weitere Zweiglinie wurde von Tschoibalsan über etwa 210 km nach Uldsa erbaut, von wo eine gutausgebaute, stets für Lastkraftwagen befahrbare Straße, über die etwa 45 km entfernte sowjetische Grenze direkt nach Tschita führt. Auch dieser Bahnlinie ist die seinerzeitige strategische Bedeutung nicht abzusprechen. Heute dienen sie alle der wirtschaftlichen Erschließung der Ostmongolei. Sie verlaufen alle im Aimak Tschoibalsan. Doch es fehlt der Anschluß nach Urga, der vielleicht einmal über die Kohlenlager bei Undur-Chan durchgeführt werden wird, wodurch ein alter Plan, eine direkte Verbindung zwischen der Mongolei und der Mandschurei herzustellen, Wirklichkeit werden könnte. Die Entfernung von Ulan-Bator bis Tschoibalsan beträgt allerdings 683 km. Von Tamzag-Bulak bis Chandagai (Halun-Arshan), dem Endpunkt einer mandschurischen Eisenbahnlinie, wären nur 170 km Eisenbahnschienen durch leicht überwindbares Gelände zu legen.

Von größter Bedeutung für die Beziehungen der UdSSR zur MVR wurde die Eisenbahnlinie, die von der sowjetischen Grenzstation Nauschki ausgehend die Hauptstadt der MVR an das Eisenbahnnetz der Sowjetunion anschließt. Sie wurde 1949 in Betrieb genommen und hat eine Länge von rund 400 km. Von Ulan-Bator aus folgt sie zunächst dem Tal der Chara, dann dem des Orchon und zum Schluß der Selenga. Kostspielige Brückenbauten konnten vermieden werden, da die Bahn immer auf der rechten Seite der vorgenannten Flüsse bleibt. Die größte Brücke mußte zur Überschreitung des Iro, eines rechten Nebenflusses des Orchon, erbaut werden. 15 km oberhalb dieser Brücke liegt im Iro-Tal das große Holzkombinat der MVR. Die Eisenbahnlinie hat auf mongolischem Gebiet folgende Stationen: Ulan-Bator, Arschant, Mandal, Tunch, Dsun-Chara, Erchet, Darchan, Orchon und Suche-Bator. Nächst Ulan-Bator kommt unter diesen Stationen Suche-Bator die größte Bedeutung zu. Sie liegt am Orchon, 5 km oberhalb seiner Einmündung in die Selenga, und zwar dort, wo die regelmäßige Flußschiffahrt aufhört. So ist Suche-Bator zum Umschlagplatz zwischen der letzteren und der Eisenbahn ausgebaut worden. Der Umschlag erhöht sich von Jahr zu Jahr. Mit seinen großen Lagerhallen und den Siedlungshäusern macht Suche-Bator einen durchaus städtischen Eindruck.

Interkontinentale Bedeutung aber erhielt die vorgenannte Bahnstrecke durch ihre Fortsetzung nach Süden über die mongolische Grenze hinweg nach China, wo sie in Tsining an das chinesische Eisenbahnnetz angeschlossen ist. Der Bau wurde nach einem Vertrag zwischen der UdSSR, China und der MVR durchgeführt und begann gleichzeitig von Norden und Süden, wobei sich die Baukolonnen zum Schluß an der mongolischen Grenze trafen. Auf dem Gebiet der MVR zwischen Ulan-Bator und Dsamyn-Ude wurde die Bahn von der Sowjetunion erbaut. Sie hat hier eine Länge von 713 km.

Beim Bau waren beträchtliche Schwierigkeiten zu überwinden. Im Norden mußten die Ausläufer des Chentei (Minimalhöhe 1700 m) überquert werden, und im Süden führt die Trasse der Bahn durch ungleichmäßiges, vorwiegend aus felsigem Grundgestein bestehendes Gelände (Minimalhöhe 1400 m). In weniger als zwei Jahren, in denen die Anlagen erstellt wurden, mußten über 12 Mill. cbm Erde, darunter 2,5 Mill. cbm felsiger Grund, bewegt werden. Gleichzeitig wurden 508 Brücken errichtet, unter denen diejenige über den Tola-Fluß mit einer Länge von 240 m die größte ist. Im übrigen wurden die Schienenstränge gleich auf Kies gelagert, der überall reichlich vorhanden ist und den man durch Einsatz moderner Bagger leicht gewinnen konnte. Da die Bahnlinie größtenteils durch menschenleeres Gebiet führt, war man gezwungen, außer den Gebäuden für technische Zwecke auch gleichzeitig Wohnbauten für die Bediensteten und ihre Angehörigen aufzuführen. Ein besonderes Problem bildete hierbei die Wasserversorgung, die man durch Bohrungen bis zu 200 m Tiefe sicherstellen konnte, wobei die Zuführung zu der Bahnlinie oft über weite Strecken erfolgt. So erhält z. B. die Station Ulan-Ul ihr Wasser durch Leitungen aus einer Entfernung von 18 km. Die Bahnlinie hat 35 Stationen und Ausweichstellen. Die wichtigsten von Ulan-Bator aus sind Manitu, Tschoiren, Chara-Airak, Sain-Schanda, Ulan-Ul und die Grenzstation Dsamyn-Ude. Die Bahnlinie ist mit den modernsten Apparaten ausgestattet. Sieben Stationen besitzen eigene Elektrizitätswerke, die mit Dieselmotoren arbeiten. Die Stationsgebäude, Depots und Wohnhäuser sind größtenteils aus Ziegeln erbaut. Hierfür wurde von der Bauleitung in Manitu eine eigene Ziegelei errichtet, in Ulan-Bator eine Betonfabrik. Der größte Teil des Baumaterials für die Eisenbahn- und Nebenanlagen kam aus der Sowjetunion. Der „Mongolyn Sonin" (27. 1. 1957) berichtet, daß im ganzen 87 936 Waggons aus der UdSSR ihre Lasten für diesen Zweck in der MVR entluden.

Mit der Beendigung des Baues und der öffentlichen Inbetriebnahme am 1. Januar 1956 wurde die Bahn mit allen ihren Anlagen feierlich der MVR übergeben und die Gesamtlinie von der Sowjetgrenze bis zu der Chinas unter eine einheitliche Leitung gestellt. Mit ihren alten und neuen Stationen, die schon heute zu festen mongolischen Siedlungskernen geworden sind, könnte man sie als eine Kulturlinie von großer Bedeutung bezeichnen. Für die Eisenbahnbediensteten wird besonders gesorgt. Ihren Kindern stehen 12 Schulen für 2820 Schüler und 7 Internate mit 580 Plätzen zur Verfügung. Für die Ausbildung des Nachwuchses wurde in Ulan-Bator ein Eisenbahntechnikum mit 300 Plätzen und einem Internat für 120 Personen errichtet. 89,7 Prozent aller Eisenbahnarbeiter und technischen Kräfte an dieser Bahn sind Mongolen. Insgesamt sind rund 20 Prozent aller Arbeiter in der MVR an der Eisenbahn beschäftigt (Mong. Sonin 27. 1. 1957).

Über die Wirtschaftlichkeit der Transmongolischen Bahn, wie ich diese Linie bezeichnen möchte, erklärte der Ministerpräsident Zedenbal im Januar 1957, daß die Betriebskosten vollständig durch die Einnahmen gedeckt sind, die auch die Kreditrückzahlungen sichern und überdies dem Staatsbudget der MVR jährlich über 10 Mill. Tugrik zuführen. Für Transittransporte anderer Länder wurden bereits 1956 ca. 100 Mill. Tugrik eingenommen (Mong. Sonin 27. 1. 1957).

Die Transmongolische Bahn ist die kürzeste Eisenbahnverbindung zwischen Moskau und Peking, zwischen der Sowjetunion und China. Das gibt ihr eine außerordentliche Bedeutung sowohl in wirtschaftlicher als auch politischer und kultureller Beziehung, die nicht unterschätzt werden darf.

Im *Luftverkehr* führt die internationale Linie Moskau—Peking, die täglich beflogen wird, über die MVR. Der Hauptflughafen liegt bei Ulan-Bator und ist von der Sowjetunion modern angelegt. Er wurde zum Jubiläum des 35jährigen Bestehens der MVR der mongolischen Regierung übergeben. Einen zweiten Flughafen dieser Linie besitzt Sain-Schanda, das in der Luftlinie 450 km von Ulan-Bator entfernt ist. 1955 begann zwischen Ulan-Bator und den westlichen Aimakzentren ein regelmäßiger Flugdienst für Post und Passagiere (Mongol. Sonin 6. 4. 1957). Dabei werden eigene mongolische Flugzeuge eingesetzt.

Der *Wasserverkehr* ist in der MVR noch wenig entwickelt. Die Flüsse sind dafür auch recht wenig geeignet. Ein regelmäßiger Dampferverkehr besteht auf dem See Chubsugul zwischen den Orten Chadchal im Süden und Turtu im Norden. Er dient dem Warenverkehr mit der Sowjetunion, wobei die Güter von Turtu aus über den Tunkinsker Trakt nach Irkutsk gebracht werden und umgekehrt. Auf der Selenga endet die regelmäßige sowjetische Flußschiffahrt in Suche-Bator 25 km innerhalb der mongolischen Grenze. Hier ließe sich eine Erweiterung der Flußschiffahrt durchführen, denn die Selenga ist von Ust-Kjachta auf 480 km schiffbar, und der Orchon kann noch auf 64 km befahren werden (278/122).

Der Warenaustausch der MVR mit der Sowjetunion vollzieht sich größtenteils über einige wenige Grenzstellen. Im Westen ist als Ausgangsort Zagan-Nur zu nennen, wo der Warenverkehr den stets für Lastkraftwagen befahrbaren Tschujsker Trakt durch den Russischen Altai benutzt, der in Bijsk endet. Ein zweiter Austauschweg geht von Chadchal aus und erreicht über den Tunkinsker Trakt Irkutsk. Er ist bei der Behandlung des Wasserverkehrs schon erwähnt worden. Im Winter benutzt man für den Warenverkehr über den zugefrorenen See Pferdeschlitten und Kraftwagen. Die Eisstrecke ist 130 km lang. Den wichtigsten Weg jedoch stellt der altberühmte Trakt von Kjachta dar, in dessen Richtung heute sowohl Eisenbahn als auch Schiffslinie den Austausch erleichtern. Auf mongolischer Seite sind hier die Orte Suche-Bator und Altan-Bulak und auf sowjetischer Seite das alte Kjachta und Nauschki zu nennen. Als letzter Austauschplatz verdient noch Solowjewsk Erwähnung, wo die Eisenbahn aus dem Aimak Tschoibalsan sowjetisches Gebiet erreicht. Unter diesen vier Grenzhandelsstellen steht jedoch der Kjachtaer Weg allen anderen weit voran, denn über ihn werden heute mehr als 70 Prozent des Gesamtwertes des mongolischen Außenhandels abgewickelt. Eine eingehende Beschreibung der mongolischen Grenzhandelswege zur Sowjetunion findet sich in meiner Arbeit „Verkehrsgeographie von Russisch-Asien" (278).

Nachrichtenwesen

Die erste Telegraphenlinie durch die Mongolei wurde Ende des vergangenen Jahrhunderts von einer dänischen Gesellschaft gebaut und führte von Kalgan über Urga nach Kjachta und Werchne-Udinsk (Ulan-Ude). Ihr oblag in erster Linie die Verbindung zwischen China und Rußland. Mit der wachsenden Handelsbedeutung des Tunkinsker Traktes errichtete Rußland von Irkutsk an ihm entlang eine Telegraphenlinie bis nach Chadchal am Südende des Chubsugul, die 1892 bis nach Uljassutai verlängert wurde. 1915 erbauten die Russen in Urga ein Telephonamt mit 60 Anschlüssen und die Engländer 1919 eine Funkstation zur Aufrechterhaltung der Verbindung mit China. Die Anlage aller dieser Nachrichtenmittel aber diente mehr fremden Interessen und war auch von ihnen bestimmt. Mit dem innermongolischen Nachrichtenverkehr hatten sie kaum etwas zu tun.

Der Nachrichtenübermittlung in der Mongolei standen in jener Zeit allein die Pferdestationen des Urton-Dienstes zur Verfügung. Doch diese Stafettenpost war in erster Linie eine Verwaltungseinrichtung und für die Beförderung amtlicher Schriftstücke bestimmt. Sonst war sie nur gegen hohe Gebühren und Amtssiegel zugänglich, so daß man sie nicht als öffentliche Einrichtung einer Post in unserem Sinne ansehen kann. Das mongolische Volk als ganzes hatte an ihr wenig Anteil. 1921 bis 1924 wurden die ersten fünf Poststellen eingerichtet, in der jede Korrespondenz zur Beförderung angenommen wurde (177/113). Seitdem wurden diese Postpunkte vermehrt. 1947 gab es 30 und 1952 bereits 40 (8/74), die sich auf die Aimakzentren und andere wichtige Orte verteilen. Mit der Ablösung des Urton-Dienstes durch den Autoverkehr nahm die Menge der beförderten Post rasch zu. Im Durchschnitt der Jahre 1921 bis 1924 entfielen monatlich bei einmaligem Transport 10 bis 100 kg auf jeden Aimak, 1946 waren es bei drei- bis viermaliger Zustellung jedesmal 1500 bis 3000 kg (313/188). Seit 1940 werden auch Pakete angenommen (177/113). 1947 erhielten die Aimakzentren monatlich drei- bis viermal Post, 1952 jedoch achtmal (8/74). Seit 1946 werden zur schnelleren Postzustellung zwischen Ulan-Bator und einzelnen entfernten Aimakzentren Postflugzeuge eingesetzt (313/189).

In der Zeit von 1921 bis zur Gegenwart hat der Nachrichtenschnellverkehr in der MVR einen bemerkenswerten Aufschwung genommen. Neben der Übernahme der alten Telegraphenlinien wurden neue gebaut, so 1923 von Ulan-Bator eine Leitung nach Zezerleg, die 1925 nach Uljassutai verlängert und 1926 über Ulan-Gom bis nach Kobdo fortgeführt wurde. 1929 schuf man eine Telegraphenverbindung von Tariat nach Muren und Chadchal und später eine solche von Chadassana nach Bulgan (177/114). Bis 1952 sind alle Aimak- und auch wichtige Somonzentren an das Telegraphennetz angeschlossen worden. Die Zahl der Telegraphenstationen mit Morseausrüstung betrug 1947 29 und erhöhte sich auf 37 im Jahre 1952 (8/75), wobei zur Aufrechterhaltung des Betriebes noch 77 Kontrollpunkte kommen. Über den Morsebetrieb hinaus hat auch der Fernschreibverkehr Eingang gefunden. 1947 gab es zwei Fernschreibstellen, 1952 jedoch bereits 12 (8/75).

Der Telephonverkehr hat eine ähnlich schnelle Entwicklung genommen. 1951 bestanden in der MVR 20 Telephonzentralen, die sich auf die Verwaltungsorte der Aimake und einige wichtige Somon-Mittelpunkte verteilen, so daß gegenwärtig alle Aimake miteinander telephonisch in Verbindung treten können (177/114). Der letzte Ausbau des Telephonnetzes fand seinen Abschluß erst vor wenigen Jahren. 1949 wurde eine direkte Linie von Ulan-Bator nach Kobdo beendet. Im gleichen Jahr erfolgte auch der Anschluß von Undur-Chan, von wo 1950 eine Fortsetzung der Linie bis nach Tschoibalsan durchgeführt wurde. Die größte Telephonzentrale besitzt Ulan-Bator mit 800 Anschlüssen und einem Selbstwählamt (313/191). Die übrigen Telephonzentralen besaßen 1947 insgesamt 1252 Anschlüsse, die bis 1952 sich um rund 500 erhöht haben (8/75). In einigen Aimaken sind die wichtigsten Somone an die Telephonzentrale des Aimaks bereits angeschlossen, in anderen ist das Netz gegenwärtig in dieser Richtung im Ausbau.

Das gesamte Telephon- und Telegraphennetz der MVR wurde 1947 bis 1954 um 2300 km erweitert und erreichte Ende 1954 eine Gesamtlänge von 13 000 km (97/39).

Über die Drahtverbindungen hinaus hat auch der Funkverkehr eine überraschend große Ausbreitung gefunden. Bis 1952 standen 17 Aimake in direkter Funkverbindung mit der Hauptstadt (8/75). 1943 wurde zwischen Ulan-Bator und einigen Aimakzentren auch der Funksprechverkehr aufgenommen (313/190). Eine Funkschreibverbindung bestand 1950 zwischen Ulan-Bator, Suche-Bator, Altan-Bulak und Ulan-Ude in der Sowjetunion.

1933—34 wurde in Ulan-Bator eine zentrale Rundfunkstation für die MVR erbaut, an deren Seite später ein Zwischensender in Kobdo und einer in Tschoibalsan traten. 1952 sollte der Sender in Ulan-Bator auf eine Stärke von 100 kW erhöht werden, so daß es dann, wie es im Plan heißt, auch dem einfachen Mongolen möglich sein wird, mit einem einfachen Detektor-Empfänger die Rundfunksendungen mitzuhören. Bis 1952 sollten 280 von insgesamt 323 Somonen mit Rundfunkempfängern ausgestattet werden.

Der starke und schnelle Aufbau des modernen Nachrichtenverkehrs in der MVR ist in den politischen Spannungen begründet, die nach der japanischen Besetzung der Mandschurei im Jahre 1931 zwischen der Sowjetunion und Japan entstanden, wobei die MVR als sowjetisches Vorfeld in der Abwehr einer Ausdehnung des japanischen Machteinflusses eine wesentliche Rolle spielte. Einen weiteren Druck in dieser Richtung übte dann der zweite Weltkrieg aus, der im ganzen Fernen Osten eine sehr komplizierte Lage schuf. Die Sowjetunion hatte darum an der Entwicklung eines schnellen und gut funktionierenden Nachrichtenwesens in der MVR das größte Interesse. Darum stellte sie auch die Mittel und das Personal zur Verfügung. In der Zwischenzeit sind genügend mongolische

Kräfte herangebildet worden, so daß gegenwärtig im Nachrichtenverkehr fast nur Mongolen eingesetzt sind (313/190). Die Ausbildung von Fachkräften höherer Qualifikation erfolgt in der Sowjetunion, während die Heranbildung von Technikern auf einem Institut in Ulan-Bator durchgeführt wird. Gegenwärtig werden selbst Nachrichtengeräte im Lande hergestellt (313/190). Der ganze Nachrichtenverkehr der MVR untersteht dem am 9. Mai 1944 gebildeten Ministerium für das Nachrichtenwesen.

Im zweiten Fünfjahresplan (1952—1957) ist die Neuanlage von elf Telephonzentralen vorgesehen, wobei 3500 km Kabelleitungen neu verlegt werden sollen. Geplant ist ferner die funknachrichtliche Erfassung aller Somone, Bagen, Staatsgüter, Heumähstationen und der wichtigsten landwirtschaftlichen Produktionsgenossenschaften. Die für das Nachrichtenwesen vorgesehenen Mittel sind im zweiten Fünfjahresplan gegenüber dem ersten verdoppelt.

Währung, Staatshaushalt und Steuern

In der Zeit vor dem ersten Weltkrieg war die Mongolei Interessengebiet vieler wirtschaftlicher Mächte und der Markt Treffpunkt der verschiedensten Währungen. Neben chinesischem Geld und mexikanischen
Silberdollars zirkulierten russische Rubel, US-Dollars, englische Pfunde
und andere Währungen. Daneben waren Silber in Barrenform, Ziegeltee, ja sogar eine bestimmte Menge Seidentuch handelsübliche Zahlungs-
mittel. Der mongolische Markt war bezüglich der Währung ein Chaos,
wie es *Bogolepow* und *Sobolew* im Jahre 1911 anschaulich schildern (49).

Verschiedene Versuche des Bogdo-Gegen, in der Zeit von 1911 bis 1924
eine mongolische Währung zu schaffen, schlugen fehl. Eine Änderung der
Verhältnisse trat erst ein, als die Mongolische Industrie- und Handelsbank, kurz Mongolbank genannt, gegründet wurde und am 2. Juni 1924
ihre Tätigkeit aufnahm. Sie ist eine gemeinschaftliche Gründung der mongolischen Regierung einerseits und der sowjetischen Staatsbank und des
damaligen Volkskommissariats der Finanzen der UdSSR andererseits,
die mit je 50 Prozent an dem Unternehmen beteiligt waren (306/154).
Das ursprüngliche Gründungskapital betrug nur 150 000 mexikanische
Silberdollar, wurde jedoch später auf 3 Mill. erhöht. Durch ein Gesetz
vom 22. Februar 1925 wurde die Mongolbank mit der Schaffung einer
eigenen Währung der MVR beauftragt. Als solche wurde der Tugrik eingeführt, der in 100 Mongo zerfällt. Am 2. Dezember 1925 wurden die
ersten Noten ausgegeben. Sie waren in Moskau gedruckt worden, wie
auch Silbergeld (Tugrik) und Kupfermünzen (Mongo) dort geprägt wurden (306/155). Der Tugrik wurde dem mexikanischen Silberdollar gleich-
gesetzt. Das Währungsgesetz bestimmt zur Deckungsfrage, daß die ausgegebenen Noten mindestens zu 25 Prozent durch Edelmetall oder harte
ausländische Valuta und die restlichen 75 Prozent durch kurzfristige
Wechsel oder leicht realisierbare Waren gedeckt sein müssen (302/224).
Die ausländischen Firmen wollten zunächst den Tugrik nicht anerkennen
und führten einen Währungskampf gegen ihn, mußten aber nachgeben,
als der Tugrik mit dem 1. Januar 1927 zum alleinigen amtlichen Zah-
lungsmittel erklärt wurde. Gleichzeitig mit dem Erscheinen der eigenen
Währung begann die Einziehung der umlaufenden fremden Zahlungs-
mittel im Austausch gegen Tugrik. Damit erhöhte sich der Umlauf an
Tugrik wie folgt (302/224):

1. Januar 1926	200 100 Tugrik
1. Januar 1927	3 176 200 Tugrik
1. Januar 1928	6 757 800 Tugrik

Bis zum 15. April 1928 wurden fremde Valuten im Gesamtwert von
rund 6,8 Mill. Tugrik eingezogen.

Die Bilanz der Emissionsabteilung der Mongolbank vom 1. Oktober
1927 zeigt folgendes Bild (306/156):

Aktiva	mex. Dollar
Gold in Münzen	16 832,80
Silber in Münzen	3 653 436,32
Noten fremder Banken	994 303,61
Diskontierte Wechsel	1 144 203,83
Waren und Warendokumente	849 037,96
	6 657 814,52
Passiva	
Notenumlauf	6 567 009,00
Restposten	90 805,52
	6 657 814,52

Gleichzeitig mit dem Schlußtermin der Einlösung fremder Valuten am 15. April 1928 wurde die Silberwährung fallengelassen und der Tugrik auf Goldbasis umgestellt (302/225), wobei man hoffte, durch die Wiederaufnahme des Goldbergbaus das notwendige Gold im eigenen Lande gewinnen zu können. Der Tugrik wurde dem Sowjetrubel gleichgestellt, dem er auch heute im Goldwert entspricht.

Hand in Hand mit der Einführung der neuen Währung ging auch eine Kredit -und Steuerreform. Außerdem wurde mit Rücksicht auf die Stabilität des Tugrik gesetzlich festgelegt, daß im Staatsetat die Ausgaben stets durch entsprechende Einnahmen gedeckt sein müssen. Die „Linken" (1929—1932) gingen von diesem System ab und drohten die ganze Währung zu Fall zu bringen. So waren die Ausgaben von 45 Mill. Tugrik im Etat 1932 nur zum Teil durch Einnahmen gedeckt, wobei das Defizit durch Neuausgabe von Noten ausgeglichen wurde. Nach dem Sturz der „Linken" mußte darum der Staatsetat für das Jahr 1933 radikal auf 22 Mill. Tugrik gesenkt werden (302/227). Seitdem wies der Etat stets einen Einnahme-Überschuß auf. Das Volumen des Staatshaushaltes nahm langsam zu (Sowremennaja Mongolija 1940, Nr. 1—2, S. 19):

Jahr	Einnahmen	Ausgaben
	in Mill. Tugrik	
1934	38,9	37,5
1935	38,1	36,4
1936	53,3	48,3
1937	69,3	65,4
1938	92,3	88,9
1939	97,8	97,8
1940	123,9	122,1

Die Einnahmen setzten sich aus folgenden Hauptgruppen zusammen (302/228):

	1934	1938	1940	1934	1938	1940
	in Mill. Tugrik			in Prozent		
Gesamteinnahmen	38,9	92,3	123,9	100,0	100,0	100,0
davon:						
1. Einnahmen aus staatl. u. koop. Wirtschaft	21,9	46,1	74,4	56,3	50,1	60,0
und zwar aus Umsatzsteuer, Budget-zuschlag, Zöllen	20,9	41,5	64,7	53,8	45,1	52,2
Abzug vom Gewinn	1,0	4,6	9,7	2,5	5,0	7,8
2. Mittel der Bevölkerung	5,8	24,4	35,6	14,9	26,5	28,7
und zwar aus staatl. Darlehen u. Lotterie	0,1	0,2	12,5	0,3	0,2	10,1
Steuer u. Gebühren	5,7	24,2	23,1	14,6	26,3	18,6
3. Verschiedene Einnahmen	11,2	21,8	13,9	28,8	23,4	11,3

Während 1928 noch mehr als die Hälfte der Staatseinnahmen aus direkten Steuern bestand (302/229), ist bis 1940 der Anteil derselben auf 18,6 Prozent gesunken.

Die Ausgaben setzten sich in den gleichen Jahren in ihren Hauptgruppen wie folgt zusammen (302/229):

	1934	1938	1940	1934	1938	1940
	in Mill. Tugrik			in Prozent		
Gesamtausgaben	37,5	88,9	122,1	100,0	100,0	100,0
davon für						
Volkswirtschaft	8,9	11,6	26,7	26,4	13,0	21,9
Soz.-kultur. Zwecke	9,0	11,4	24,1	13,3	16,2	19,7
Landesverteidigung	13,0	46,8	56,9	34,6	52,7	46,6
Verschiedenes	9,6	16,1	14,4	25,7	18,1	11,8

Die Ausgaben für volkswirtschaftliche Zwecke kamen in erster Linie der Viehzucht, dem Aufbau der Industrie, des Verkehrs und der Nachrichtenmittel sowie dem Wohnungsbau zugute. Unter den Ausgaben für sozial-kulturelle Zwecke beanspruchen Volksbildung und Gesundheitswesen die größten Mittel. Die Ausgaben für Volksbildung erhöhten sich von 2 Mill. in 1934 auf 10 Mill. in 1940, die für Gesundheitswesen in der gleichen Zeit von 2,4 Mill. auf 10 Mill. Tugrik. Einen sehr hohen Anteil an den Gesamtausgaben beanspruchte die Landesverteidigung.

Das war in der Zeit, als die Japaner die Mandschurei besetzt hielten. Zwischen ihnen und mongolischen Truppen kam es 1939 am Chalchin-Gol zu schweren Kämpfen, in denen auch sowjetische Streitkräfte als Hilfe für die Mongolen eingesetzt waren (302/231). Im gleichen Jahr wurde eine Verteidigungsanleihe des Staates in Höhe von 12 Mill. Tugrik aufgelegt und auch untergebracht.

Während des zweiten Weltkrieges wurden durch freiwillige Abzüge von den Löhnen der Arbeiter die Mittel für eine Tankkolonne „Die revolutionäre Mongolei" und eine Fliegerstaffel „Der mongolische Arat" aufgebracht und der Sowjetunion nebst mehreren tausend Pferden als Unterstützung zum Geschenk gemacht (302/233).

Um die Ersparnisse der Bevölkerung für die Zwecke der wirtschaftlichen und kulturellen Entwicklung und zu einer weiteren Verstärkung der Landesverteidigung nutzbar zu machen, wurden in den Jahren 1941 bis 1944 die 2., 3., 4. und 5. Verteidigungsanleihe des Staates in einer Gesamthöhe von 80 Mill. Tugrik aufgenommen (302/233).

Zum gleichen Zweck gründete das Finanzministerium der MVR eine staatliche Versicherung, in deren Hände alle Pflichtversicherungen gelegt wurden, die aber auch alle Arten freiwilliger Versicherungen abschließt. Die Organisation wurde 1934 ins Leben gerufen, und am 31. Dezember 1945 erreichte die Gesamthöhe der Versicherungssummen 1,1 Mrd. Tugrik. 1942 betrug der Reingewinn 1,6 Mill., 1945 bereits 3,8 Mill. Tugrik (302/234).

Das Staatsbudget erhöhte sich in den Jahren 1941—1951 wie folgt (177/135 und 302/235):

Jahr	Einnahmen	Ausgaben
	in Mill. Tugrik	
1941	176,8	176,8
1945	302,2	287,7
1950	343,4	337,2
1951	351,4	346,4

Die Haupteinnahmequellen blieben in diesen Jahren relativ in dem gleichen Rahmen wie 1940. So betrug der Anteil aus der staatlichen und kooperativen Wirtschaft 1945 64,4 Prozent (302/234) und 1951 229,4 Mill. Tugrik von 351,4 Mill., also rund 65 Prozent (177/135). Der Anteil der Bevölkerung an direkten Steuern und Gebühren, der nach der vorher gegebenen Tabelle 1940 18,6 Prozent betrug, wird für 1945 mit 19,4 Prozent (302/234), für 1948 mit 18,5 Prozent (177/136) angegeben und lag 1951 etwa in gleicher Höhe.

Die Ausgaben lassen sich in ihren Hauptgruppen nach dem vorliegenden Material bis 1945 verfolgen und gliederten sich folgendermaßen (302/235):

	1941	1943	1945	1941	1943	1945
	in Mill. Tugrik			in Prozent		
Ausgaben insgesamt	176,8	185,4	287,7	100,0	100,0	100,0
davon für						
Volkswirtschaftl. u.						
soz.-kulturelle Zwecke	70,7	58,1	107,0	40,0	31,3	37,1
Verwaltung u. Landes-						
verteidigung	89,8	107,8	141,8	50,8	58,2	49,3
Verschiedenes	16,3	19,5	38,9	9,2	10,5	13,6

Auch die letzten Jahre zeigen ein weiterhin steigendes Volumen des Staatsbudgets, und zwar wie folgt (97/46):

Jahr	Einnahmen	Ausgaben
	in Mill. Tugrik	
1953	432,6	369,9
1954	464,0	412,2
1955 Plan	507,6	507,6
1957 Plan	592,7	588,0

Die vorstehenden und nachfolgenden Planziffern veröffentlichte Mongolyn Sonin (19. 4. 1957). Innerhalb der Staatseinnahmen erhöhte sich der Anteil aus der staatlichen und kooperativen Wirtschaft, während der Anteil aus direkten Steuern der Bevölkerung abnahm. Für 1954 ergab sich folgendes Bild (97/46):

	Einnahmen	Anteil
	in Mill. Tugrik	in Prozent
1. Staatl. u. koop. Wirtschaft	325,8	70,2
2. Mittel der Bevölkerung	75,4	16,3
3. versch. Einnahmen	62,8	13,5
	464,0	100,0

Die Ausgaben für die Jahre 1953 bis 1955 lassen sich genau nur für zwei Gruppen angeben, nämlich für die volkswirtschaftlichen und sozial-kulturellen Zwecke, während weitere Angaben nicht spezifiziert sind, so daß die Mittel für die Landesverteidigung im Posten „verschiedene Ausgaben" enthalten sind. Immerhin werfen diese Veröffentlichungen einiges Licht auf die allgemeine Tendenz, wie folgende Tabelle zeigt (97/46 und 47):

	1953		1954		1957 Plan	
	a)	b)	a)	b)	a)	b)
1. Volkswirtschaftl. Zwecke	100,6	27,2	147,4	35,8	235,0	39,9
davon Investitionen	57,5	16,6	85,5	20,6	182,0	30,9
2. Sozial-kulturelle Aufgaben	124,5	33,7	139,7	33,9	230,4	39,2
3. Landesverteidigung und sonstiges	144,8	39,1	125,1	30,3	122,6	20,9
	369,9	100,0	412,2	100,0	588,0	100,0

a) in Mill. Tugrik b) in Prozent der Gesamtausgaben

Aus der Tabelle ergibt sich ein absolutes wie auch relatives Ansteigen der Ausgaben für wirtschaftliche und sozial-kulturelle Zwecke, während die Ausgaben für Landesverteidigung und sonstige Zwecke in beiden Beziehungen eine Abnahme zeigen. Insgesamt beliefen sich die Ausgaben der Gruppe 3 im Jahre 1954 nur auf etwa 70 Prozent der Summe, die 1945 für die gleichen Zwecke ausgegeben wurden.

Die Hauptrolle in der Finanzwirtschaft der MVR spielt die Mongolbank. 1952 besaß sie im Lande 21 Filialen und 14 Sparkassen (302/236). Ihre monopolartige Stellung gibt ihr eine einzigartige Position in der Gesamtwirtschaft der MVR. Alle Abrechnungen der großen staatlichen und kooperativen Wirtschaftsorganisationen gehen durch ihre Hand, wie überhaupt alle bankmäßigen Geschäfte nur durch sie abgewickelt werden. 1924—1929 betrug die Gesamtsumme der von ihr bewilligten Darlehen 99,1 Mill. Tugrik. Zwanzig Jahre später (1944—1949) erreichte die Gesamtsumme der kurz- und langfristigen Kredite 4191,4 Mill. Tugrik (177/134). Darüber hinaus betätigt sich die Mongolbank auch im Aufbau der Industrie durch langfristige Kapitalinvestitionen. So stellte sie für diesen Zweck in den drei Jahren 1948 bis 1950 des ersten Fünfjahrplanes 110 Mill. Tugrik zur Verfügung (177/135). 1954 übergab die Sowjetunion ihren ursprünglichen Anteil an der Mongolischen Industrie- und Handelsbank (Mongolbank) unentgeltlich der MVR (162/32).

Zum Schluß dieses Abschnittes sei noch kurz auf die Steuergesetzgebung eingegangen. Wie schon gesagt wurde, entstammen etwa 70 Prozent der Staatseinnahmen den staatlichen und kooperativen Wirtschaftsunternehmungen. Innerhalb dieser Einnahmengruppe spielt die Umsatzsteuer eine wesentliche Rolle. Für sie gibt es keinen generellen Satz, sondern ihre Höhe ist für die einzelnen Unternehmungen sehr verschieden festgelegt. So beträgt sie für die Bierbrauerei in Ulan-Bator 60 Prozent und für die Wein- und Spirituosenfabrik 43 Prozent. Sehr hoch erscheint sie auch mit 15 Prozent bei der Autokraftstoffversorgung, während die Autobasen 8 Prozent zu entrichten haben. Im allgemeinen sind die Betriebe in der Hauptstadt stärker belastet als sonst im Lande. So entrichten in Ulan-Bator die Schlachthöfe 10 Prozent, die Brotbäckereien, die Konditoreiwarenfabrik und das Seifenwerk je 8 Prozent Umsatzsteuer. Das Industriekombinat zahlt, ebenso wie die Mongolbank, 5 Prozent. Die Kalkfabrik und die Wollwäscherei in Ulan-Bator entrichten hingegen nur 1 Prozent, das große Sägewerk am Iro 2 Prozent Umsatzsteuer. Die großen Handelsorganisationen müssen in der Regel 2 Prozent, die kooperative Industrie 3 Prozent des Umsatzes zahlen. Aus der Liste der Umsatzsteuerbelastung läßt sich kein System erkennen (3/149—150).

Neben der Umsatzsteuer entrichten alle staatlichen und kooperativen Gesellschaften noch einen offiziellen Beitrag zum Staatshaushalt, über den jedoch nichts Näheres gesagt werden kann, da hierüber Unterlagen fehlen. Außerdem müssen sie einen Teil des Reingewinnes an den Staat abführen, dessen Höhe in jedem Jahr vom Ministerrat für die einzelnen Unternehmungen festgelegt wird (3/152 f.).

Die Steuern, die die aratische Viehzucht zu entrichten hat, sind nach einem Gesetz vom 7. Juni 1950 (3/137) geregelt und staffeln sich nach dem Viehbesitz, wie folgende Tabelle zeigt:

Gesamttierzahl einer Wirtschaft	Steuersatz in Tugrik pro Tier und Jahr				
	Kamele	Rinder	Pferde	Schafe	Ziegen
bis 20 Stück	3	1	2	0,50	0,25
21 - 50 „	5	2	4	0,75	0,50
51 - 100 „	6	4	5	1,00	0,75
101 - 200 „	7	5	6	1,50	1,00
201 - 500 „	8	6	7	1,75	1,25
über 500 „	9	7	8	2,00	1,50

Auf staatliche und kooperative Wirtschaften wird in jedem Falle der niedrigste Satz der vorstehenden Tabelle angewandt. Viehzuchtkooperative erhalten darüber hinaus noch einen allgemeinen Steuernachlaß von 10 Prozent (§ 5).

Um die freie aratische Wirtschaft, in deren Händen sich ja mehr als 80 Prozent des gesamten Tierbestandes der MVR befinden, zu höheren Leistungen anzuregen, sind für sie besondere Steuerermäßigungen vorgesehen. So bestimmt § 8, daß die Kopfzahl der Tiere, die über das Plansoll der Tierzahlerhöhung hinausgeht, steuerfrei ist; § 9 gibt noch weitere Möglichkeiten. Bei einer Vermehrung des Tierbestandes in einem Jahr um einen bestimmten Prozentsatz tritt für den Herdenbesitzer eine allgemeine Herabsetzung der Steuer für die betreffende Viehart ein, wie die folgende Tabelle zeigt:

bei Erhöhung der Tierzahl um	Steuerermäßigung für				
	Kamele	Rinder	Pferde	Schafe	Ziegen
15 - 20 %	15 %	25 %	10 %	25 %	15 %
21 - 30 %	25 %	50 %	15 %	50 %	25 %
31 % und mehr	50 %	100 %	25 %	100 %	50 %

Daneben gibt es für bestimmte Personen, zumeist aus sozialen Gründen, verschiedene Steuererleichterungen.

Der Mißerfolg des ersten Fünfjahrplanes und die geringen Erfolge in der Erhöhung des allgemeinen Tierbestandes in den ersten Jahren des zweiten Fünfjahrplanes waren der Anlaß zu einer Kürzung der Viehsteuer im Jahre 1954 um 23 Prozent (97/16) und zu einer Änderung der Veranlagungsmethode, worauf in den Abschnitten „Entwicklung der Viehzucht" und „Maßnahmen zu ihrer Hebung" bereits näher eingegangen worden ist.

LANDSCHAFTEN UND STÄDTE

Allgemeines

Für die Aufteilung der MVR in Einzelgebiete ergeben sich gewisse Schwierigkeiten insofern, als der Raum sehr groß ist und sich in ihm Landschaften sehr unterschiedlichen Charakters finden. Zum Verstehen der geographischen Eigenarten des Landes ist jedoch eine Aufgliederung förderlich und darum notwendig.

Die allgemeine und schon traditionell gewordene Zweiteilung des Raumes, wobei dem Changai die Gobi gegenübergestellt wird, ist verschiedentlich in dieser Arbeit gebraucht worden und ist geographisch wohl begründet, da sie dem Grundcharakter der beiden Hauptteile entspricht. Doch diese Aufteilung ist vorwiegend eine zonale. Stärker und eingehender kommt dieses Prinzip der Aufgliederung bei der Darstellung der Landschaftszonen zum Ausdruck, die im ersten Teil dieser Arbeit ausführlich behandelt werden. Doch die nachfolgende Aufgliederung des Raumes soll die zonal-breitenmäßigen Faktoren zurücktreten lassen und dafür mehr den regionalen Charakter betonen. Als beste Grundlage sind hierfür die physisch-geographischen Verhältnisse allgemein herangezogen worden, wobei der Morphologie eine entscheidende Rolle zugemessen wurde.

Die Aufgliederung nach vorgenannten Prinzipien ist bei der Größe des Raumes und der Verschiedenheit im einzelnen nicht immer voll durchführbar. So ist z. B. die Grenze zwischen den Hochflächen im Osten und der Ostmongolischen Gobi morphologisch überhaupt nicht festlegbar, da beide Gebiete in dieser Beziehung ohne merkbare Differenzen ineinander übergehen. So mußte hier als Trennungslinie die zonale Grenze zwischen Steppe und Wüstensteppe gewählt werden.

Die Größe des Raumes verlangt aus Gründen der Übersichtlichkeit eine Aufteilung in wenige Gebiete, die am besten als Großlandschaften zu bezeichnen wären. Hieraus ergibt sich zwar eine leichtere, aber andererseits auch mehr an den äußerlichen geographischen Merkmalen haftende Einteilung. *E. M. Mursajew* hat sich mit der Aufgliederung des Raumes der MVR befaßt und in einem prinzipiellen Aufsatz hierzu Stellung genommen (193), wie er auch in seiner Hauptarbeit eine entsprechende Aufteilung vornimmt (196). Im großen ganzen folge ich seinen Gedanken und seiner Darstellung, ohne mich jedoch an seine Zusammenfassung in fünf Hauptgebiete zu halten, da ich die Vorschläge von *I. P. Gerassimow* (74) und *E. M. Lawrenko* mit berücksichtige, weil sie mir teilweise einleuchtender und übersichtlicher erscheinen. Sie werden in den folgenden Abschnitten behandelt:

1. Die Gebirgslandschaften des Altai
2. Die Senke der Großen Seen
3. Das Tal der Seen
4. Die Changai-Chentei-Landschaften

5. Die Hochebene der Ostmongolei
6. Die Transaltai-Gobi
7. Die Ostmongolische Gobi

Die auffallenden Unterschiede in der Größe der einzelnen vorstehend aufgeführten Räume müssen hingenommen werden. Sie finden sich auch bei *Mursajew*. Vielleicht wird eine spätere Forschung zu einer anderen, mehr modifizierten Großgliederung kommen, doch nach dem heutigen Stand der Wissenschaft muß man sich hiermit begnügen. Im Rahmen dieser Arbeit ist sie auch ausreichend.

Eine weitere Durchgliederung der Großräume in Teillandschaften erfolgt im laufenden Text. Hier ergeben sich oft Unterschiede in der Art der Behandlung, die darauf zurückzuführen sind, daß viele Gegenden noch sehr wenig bekannt und kaum erforscht sind. Das betrifft auch zahlreiche Probleme, die wohl angedeutet werden können, deren Lösung jedoch weiterer Forschung überlassen werden muß.

Bei der folgenden Darstellung der Landschaften ist weitgehend auf die Behandlung der Vegetation, der Tierwelt und des Klimas verzichtet worden, da diese Wissensgebiete bereits im allgemeinen Teil eine ausführliche und ausreichend genaue Charakteristik erfahren haben. Dafür wurde um so mehr Wert darauf gelegt, die Landschaften in ihrer morphologischen Gestaltung zu zeigen, die hydrographischen Verhältnisse darzulegen und nicht zuletzt auch den Menschen mit seiner Wirtschaft und in seinen Siedlung zu erfassen.

Die Gebirgslandschaften des Altai

Der Mongolische Altai

Obgleich der Altai, soweit er die Mongolei durchzieht, ein einheitliches System von Gebirgszügen darstellt, das sich in einer Länge von mehr als 1600 km erstreckt, soll unter obigem Namen hier nur der eigentliche Mongolische Altai verstanden werden, während dem Gobi-Altai der nachfolgende Abschnitt gewidmet wird.

Der Mongolische Altai in diesem Sinne ist dadurch ausgezeichnet, daß sich in ihm ein Hauptkamm in der Form einer ununterbrochenen Kette von Bergen verfolgen läßt, während ein solcher im Gobi-Altai fehlt, da dieser nur aus einer Reihe einzelner Gebirgsrücken, Bergmassiven oder sogar Bergen besteht, die durch tiefe Senken voneinander getrennt sind.

Den Ausgangspunkt des ganzen Gebirgszuges des Mongolischen Altai bildet der Gebirgsknoten der Tabun-Bogdo-Gruppe, die zuletzt M. W. *Tronow* (284) in einer interessanten Monographie beschrieben hat. Überragt von dem 4653 m hohen Chuitun sind alle Gipfel dieses Massivs mit Schnee und Eis bedeckt und bilden das Hauptzentrum der gegenwärtigen Vergletscherung des Altai. Von der Tabun-Bogdo-Gruppe ausgehend, verläuft der Hauptkamm, der gleichzeitig die politische Grenze gegen

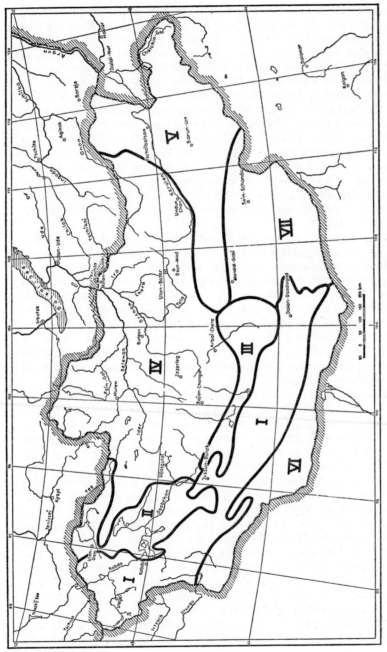

Die Landschaften der MVR

I Die Gebirgslandschaften des Altai, II Die Senke der Großen Seen, III Das Tal der Seen, IV Die Changai-Chentei-Landschaften, V Die Hochebene der Ostmongolei, VI Die Transaltai-Gobi, VII Die Ostmongolische Gobi.

Sinkiang bildet, zunächst etwa nach Südsüdost. Scharfgratige oder gerundete Gipfel, die alle mit ewigem Schnee bedeckt sind, reihen sich hier aneinander, zwischen denen über die Sättel einzelne Pfade in 3000 m Höhe über das Gebirge führen. Doch vom Fluß Dajan-Gol an, der in den gleichnamigen See mündet, ändert sich der Charakter des Kammes und nimmt die Form eines welligen Hochplateaus an, das nach W. W. *Saposhnikow* eine Höhe von etwa 3700 m erreichen soll (zit. 196/297). Im Quellgebiet des Bujantu schließt er sich wieder enger zu einer Kette zusammen, wobei ein Zweig mit hohen felsigen Graten zwischen dem Bulugun und dem Tschingil nach Süden ausläuft. Dieser Seitenlinie folgt auch die politische Grenze, während der Hauptkamm, nun ganz auf mongolischem Gebiet verlaufend, im ausgedehnten Massiv des Munku-Chairchan sich noch einmal zu einer gewaltigen Macht und Größe entwickelt. Im Westen streben mit Schnee und Gletschern bedeckte Gipfel bis 4231 m empor, und selbst im zentralen Teil gibt es noch Berge mit Höhen bis 4124 m.

Vom Munku-Chairchan nach Südosten verschwinden die hohen Berge, die schroffen Gegensätze nehmen ab, die Oberfläche des Kammes verflacht sich und bekommt vorwiegend das Aussehen eines hochgelegenen Plateaus, über das hinausragende Berge zu einer Seltenheit werden. Die Oberflächenformen werden weich, und selbst die Übergänge zu den Hängen sind abgerundet, doch fallen letztere überwiegend steil ab. In ihnen zeigen sich oft scharfe Felsvorsprünge, manchmal sind sie mit Gesteinsblöcken bedeckt, während an den unteren Teilen der Hänge sich Geröllhalden auftürmen. Bemerkenswert ist der geschlossene Steilabfall des Hauptgebirgszuges zur Transaltaischen Gobi, wo direkte Steilabstürze bis zu 400 m vorkommen.

Weiter im Osten treten Ausläufer auf. Der Kamm verliert dadurch an Breite, doch nicht seine Geschlossenheit, die im Adsargin-Nuru besonders klar zum Ausdruck kommt, dessen steiler Abbruch zur Schargain-Gobi und zum Beger-Kessel besonders hervorgehoben zu werden verdient, wo sich auf geringer Entfernung relative Höhenunterschiede von mehr als 2000 m ergeben (Beger-Kessel).

Der sich anschließende Gitschigine-Nuru ist wiederum massiver, wahrt jedoch den gleichen plateauförmigen Charakter, dem einzelne Berge aufgesetzt sind, die 3000 bis 3200 m hoch werden. Der Uli-Obo, fast am Ostende gelegen, erreicht mit 3375 m die größte Höhe. Im Gitschigine-Nuru kommt das Wüstenklima schon bemerkenswert zur Geltung. Er ist trocken und wird von zahlreichen, tiefeingeschnittenen Schluchten zerrissen, deren kahle und steinige Hänge schon wüstenhaft wirken. Ostwärts des Gitschigine-Nuru läßt sich ein geschlossener, einheitlicher Wasserscheidekamm nicht mehr verfolgen. Somit endet mit diesem Gebirgsrücken der eigentliche Mongolische Altai.

Während der Hauptkamm des Mongolischen Altai nach Westen zum Becken des Irtysch und Uljungur sehr rasch abfällt und endet, findet sich auf seiner Ostseite ein ausgedehntes Gebirgsland, bestehend aus einzelnen Gebirgsstöcken, Gebirgsmassiven und Gebirgszügen, deren Zusammenhang zum gesamten Gebirgssystem wohl klar erscheint, aber deren Erforschung in genetischer und orographischer Beziehung noch lange nicht abgeschlossen ist. So ergeben sich auf Grund der Kompliziertheit des Gesamtbaues für eine orographische Gliederung gewisse Schwierigkeiten, die nach dem gegenwärtigen Stand der Forschung am besten dadurch überwunden werden können, wenn das gut ausgebildete Gewässernetz als Grundlage gewählt wird.

Von der Tabun-Bogdo-Gruppe zweigen außer dem Sajljugem, auf den später eingegangen werden soll, zwei mächtige Ausläufer ab, die den Charakter selbständiger Gebirgsstöcke tragen. Der erste füllt den Raum zwischen dem Oberlauf des Kobdo und dem Zagan-Gol und stellt eine mächtige Erhebung mit einer plateauförmigen Oberfläche dar, über die sich einzelne Berge erheben, unter denen der Iche-Arschani-Ula 3482 m hoch ist. Gletscher und ewige Schneefelder bedecken die Höhen, während die Hochfläche selbst stellenweise versumpft ist und zahlreiche kleinere Seen birgt, von denen einzelne ohne Abfluß sind. Der Gesamteindruck der Landschaft ist der einer kalten Hochgebirgswüste. Zwischen dem Zagan-Gol und dem Suok erstreckt sich der zweite Ausläufer, der Bajan-Chairchan, der mehr die Form eines Kammgebirges hat. Im Westen wird er bis 3850 m, im Osten bis 3477 m hoch. Auch er trägt Gletscher.

Der *Zagan-Gol* kommt von den Gletschern des Tabun-Bogdo und hat auf Grund seiner Wasserfarbe den Namen „Weißer Fluß" erhalten. Er fließt durch ein typisches Trogtal, das durch die Arbeit ehemaliger Gletscher übertieft ist, so daß die aus den Nebentälern ihm zufließenden Gewässer, die sich schluchtenartig scharf eingeschnitten haben, in malerischen Wasserfällen zum Haupttal hinabstürzen. Auf dem breiten Boden der Talfläche finden sich zahlreiche Moränenansammlungen, die vom Zagan-Gol durchbrochen werden. Bei einem mittleren Gefälle von 9 m je km beruhigt er sich erst im Unterlauf, wo er sich langsam durch ein schotterreiches, fast pflanzenloses, wüstenhaftes Tal windet. Nur am Fluß selbst zeigt sich Weidegebüsch und Krautvegetation. Kurz vor seiner Mündung in den Kobdo bildet er eine umfangreiche grüne Sumpfpflanzenoase.

Das Tal des *Suok* unterscheidet sich landschaftlich in keiner Weise von dem des Zagan-Gol. Im Unterlauf wird es sehr breit und zeigt vielfache Versumpfung. Mit einer Länge von 132 km übertrifft der Suok den Zagan-Gol. Er mündet in den Kobdo.

Zwischen dem Dajan-See und Kobdo-Fluß im Westen und dem Saksai im Osten schiebt sich von Süd nach Nord ein Gebirgsausläufer des Hauptkammes, der im nördlichen Teil mit dem Zengel-Chairchan seine größte Höhe von 3967 m erreicht. Mit der gewaltigen Masse seiner aufstrebenden Berge gehört er zu den mächtigsten Ausläufern des Mongolischen Altai. Überall sind die Spuren alter Vergletscherung zu erkennen, die an den Hängen des Zengel-Chairchan in Form ausgedehnter Karnischen besonders eindrucksvoll sind.

Innerhalb des großen Kobdo-Bogens, begrenzt im Westen durch den Saksai und im Süden durch den Bujantu, findet sich eine ganze Gruppe von Gebirgsmassiven, die durch ihre Vorberge so eng miteinander verbunden sind, daß eine Aufgliederung und Regelmäßigkeit in der Lage schwer festzustellen ist. Ein direkter Zusammenhang zum Hauptkamm scheint weniger zu bestehen, eher tritt ein fast paralleler Verlauf zu diesem hervor. Für das Gebirgsrelief ist eine hochgelegene flache Basis typisch, über der sich die Berge mit abgeflachten Gipfeln oder in der Form von Kuppen erheben. Überall zeigen sich die Auswirkungen der einstigen Vergletscherung. Bemerkenswert sind hierbei die breiten, flachen Täler in den höheren Teilen, die durch zahlreiche kleinere Seen charakterisiert sind, während weiter unten die Flüsse in steilwandigen, oft schluchtartigen Tälern fließen, die noch deutlich ihren Trogcharakter bewahrt haben und auf dem Grunde mit gewaltigen Felsblöcken überdeckt sind. Einzelne Berge, wie der Zastu (4213 m), der Barun-Nuru (4002 m) u. a. sind auch heute mit ewigem Schnee bedeckt. Den südlichen Abschluß dieser Gebirgslandschaft bildet der langgestreckte Deljun, der vom Oberlauf des Bujantu umflossen wird. Zwischen diesem Gebirgszug und dem Hauptkamm im Westen liegt die ausgedehnte Deljun-Senke, die vom Bujantu entwässert wird. Sie stellt ein ehemaliges Wasserbecken dar, das heute durch Flußablagerungen fast vollkommen überschottert ist und einen öden, wüstenhaften Eindruck macht. Die von den Bergen kommenden Gewässer versickern zumeist am Rande der Senke in den lockeren Ablagerungen und treten erst im unteren Teil des Tales als Quellen hervor, wo sie sogar kleinere Süßwasserseen bilden.

Weiter im Süden treten auf der Ostseite des Hauptkammes einige Gebirgsketten hervor, die parallel zu diesem verlaufen. Die erste beginnt westlich der Schargain-Gobi mit dem Höhenzug *Darzag-Churen*, der eine maximale Höhe von 2656 m hat. Dieser geht nach Nordwesten in den mächtigen Gebirgsrücken *Sotai* über, der einige mit Schnee bedeckte Gipfel trägt, unter denen der Zastu-Bogdo 4226 m hoch ist. Nach einer Satteleinsenkung schließt sich als drittes Glied dieser Kette der langgestreckte *Batyr-Nuru* an. Mit dem schneebedeckten Churu-Undur erreicht er eine Höhe von 3575 m. Nach dem Zencher-Tal verliert er rasch an Höhe und löst sich in einzelne felsige Berge auf.

Der Sotai und der Batyr-Nuru zeigen in ihrem Relief die gleichen Züge wie der Hauptkamm, nämlich eine vorwiegend horizontale Oberfläche, der kuppige Berge aufgesetzt sind. Die felsige Oberfläche ist häufig mit Granitblöcken und Geröllfeldern bedeckt. Die Hänge fallen steil ab und sind oft durch schluchtenartige Bildungen zerrissen, in denen schnelle Gebirgsflüsse dahineilen, die jedoch dann in den Vorlandebenen versiegen. Beide Gebirge tragen in höheren Lagen Gebirgssteppen, während die felsigen und schotterigen Hänge bereits von Wüstensteppen eingenommen sind. Bemerkenswert ist, daß auf den Nordhängen kleine Waldinseln auftreten.

Auf Grund des parallelen Verlaufes der vorbeschriebenen Gebirgsreihe mit dem Hauptkamm und der morphologischen Ähnlichkeit beider wird dieser Gebirgszug oft als der mittlere Kamm des Mongolischen Altai bezeichnet. Auch für den Nordwestteil, der in den voraufgehenden Abschnitten behandelt wurde, hat man versucht, eine orographische Ordnung zu finden. *A. Ch. Iwanow* unterscheidet auch hier neben dem Hauptkamm einen mittleren Gebirgszug. Hierzu darf auf die Kartenskizze Seite 115 dieser Arbeit verwiesen werden.

Ostwärts des Batyr-Nuru beginnt, von diesem durch eine tiefe Senke geschieden, ein zweiter Gebirgszug, der etwa parallel zu ihm verläuft. Er besteht aus dem *Bumbatu-Chairchan* und dem *Dshirgalantu-Chairchan*. Nicht selten werden beide auch unter dem zweiten Namen zusammengefaßt. Bei beschränkter Basis erreichen beide Gebirge, die durch einen tiefen Sattel voneinandergetrennt sind, eine außerordentliche Höhe. Der Bumbatu-Chairchan ist 3552 m, der Dshirgalantu sogar 3696 m hoch. Die Hänge fallen darum sehr steil ab und sind von zahlreichen mit Geröll angefüllten Trockenschluchten zerrissen. Das betrifft besonders die Westhänge, die stark zerklüftet sind. In den höchsten Teilen herrschen dagegen weiche Formen vor. Aus dem welligen Kamm ragen nur vereinzelt Felsen und Klippen hervor. Im Norden versinkt der Dshirgalantu in der weiten Ebene des Chara-Ussu. Vermutlich besteht zwischen diesem Gebirgszug und dem nördlich des vorgenannten Sees auftauchenden Altan-Chuchei, der zum Charchira-Gebirge hinweist, eine genetische Verbindung.

Zum System des Altai ist dann noch eine Gebirgsreihe weiter im Osten zu rechnen. Die beiden Hauptvertreter sind hier der Taischiri und der Chassaktu, an die sich nach Nord und Süd noch kleinere Bergzüge anschließen. Der Chassaktu wird 3582 m hoch, und auch im Taischiri überragen verschiedene Gipfel die 3000-m-Grenze. Beide Gebirge zeichnen sich durch ihre schroffen Formen aus. Die Talhänge sind sehr stark zerrissen und mit einem Netz von tiefen Furchen überzogen, die oft in schluchtenartigen Tälern mit steilen Wänden enden. Das betrifft besonders die Westhänge in der Richtung zur Schargain-Gobi.

Unter den südlichen Ausläufern des Mongolischen Altai ist an erster Stelle der Adshi-Bogdo zu nennen. Die Abzweigung beginnt mit dem *Chubtschin-Nuru*, der mit dem Hauptkamm direkt zusammenhängt. Er ist bis 2963 m hoch. Nach einer tiefen Absenkung zum Sattel Schara-Chutul mit einer absoluten Höhe von 1725 m erhebt sich als Fortsetzung des Chubtschin-Nuru der massige *Adshi-Bogdo*, der fast isoliert erscheint und darum in der weiten Ebenheit der Transaltai-Gobi mit seiner außergewöhnlichen Höhe von 3761 m, die er im Munch-Zassatu erreicht, schon aus weiter Ferne einen imposanten Eindruck macht. In den unteren Teilen von Wüsten und Wüstensteppen eingenommen, sind seine höheren Hänge mit verarmter Steppe bedeckt, während auf den höchsten Teilen (3500 bis 3700 m) Hochgebirgs-Kobresia-Wiesen entwickelt sind.

Als östliche Fortsetzung des Adshi-Bogdo wird der *Ederengin-Nuru* angesehen, der weniger durch seine Höhe als durch seine Ausdehnung Erwähnung verdient, denn er zieht sich bei einer Breite von 25 km fast gradlinig über mehr als 250 km hin. Es ist ein stark zerstörter Gebirgskamm, von dem nur einzelne Berge, kurze Bergketten oder Massive aufragen, die durch einen mit Gebirgsschutt überdeckten Sockel verbunden und von einer gemeinsamen, nach außen leicht geneigten Vorlandsebene umschlossen sind. Dadurch wird von weitem der Eindruck eines Gebirges erweckt. Der höchste Punkt hat zwar eine absolute Höhe von 2042 m, überragt die Umgegend aber kaum um 600 m. Der Ederengin-Nuru ist vorwiegend felsig, wüstenhaft und wasserlos, weshalb er oft auch schon zum Gobi-Altai gerechnet wird.

Zwischen den beiden vorgenannten Gebirgen und dem Hauptkamm des Mongolischen Altai ist die noch wenig bekannte Alak-Nur-Senke eingebettet, eine tektonische Bildung, in deren tiefstem Punkt der gleichnamige Salzsee nur ein Relikt eines ehemals größeren Gewässers darstellt.

Wenden wir uns nun dem äußersten Norden zu, so haben wir dort noch den Sajljugem und die Charchira-Gruppe einer Betrachtung zu unterziehen.

Der Sajljugem zweigt vom Gebirgsknoten der Tabun-Bogdo-Gruppe nach Nordosten ab. Sein Kamm bildet die Wasserscheide zwischen den Zuflüssen des Kobdo, der zum abflußlosen Teil Asiens gehört, und den nach Norden zum Ob abströmenden Gewässern. Gleichzeitig verläuft auf ihm die Grenze zwischen der MVR und der Sowjetunion. Der Sajljugem ist ein hoher Gebirgsrücken, der noch im Osten eine Höhe von 4246 m erreicht. Im Westteil fällt er steil in der Richtung zum Suok-Tal ab und ist hier schwer zugänglich. In seiner Osthälfte dagegen wird er zu einer ausgedehnten welligen Hochfläche, die von einzelnen Bergen überragt wird, deren Gipfel weitgehende Zerstörung verraten. Hier finden sich die besten Übergänge, die auch von der altbekannten Hauptverkehrsstraße Kobdo-Bijsk benutzt werden. Der Übergang beginnt im Ort Zagan-Nur, der inmitten einer von Bergen umgebenen Gebirgssteppe am gleichnamigen See in einer Meereshöhe von 2173 m gelegen ist, und überwindet ohne Schwierigkeiten den Sajljugem in einer Höhe von 2482 m, um dann zur Tschuja-Steppe nach Kosch-Agatsch hinabzuführen. Überall zeigen sich im Sajljugem die Spuren einer einst mächtigen Vereisung, und noch heute trägt er eine Reihe kleiner Gletscher. Die Hochfläche ist feucht, örtlich versumpft und vielfach mit Felsblöcken, Gesteins- und Moränenschichten bedeckt.

Das Ostende des Sajljugem-Kammes biegt nach Norden ab und wird hier als Tschichatschewa-Gebirge bezeichnet. An seinem Ostfuß fließt von Nord nach Süd der Buche-Muren. Dieser Fluß kommt aus dem See Ken-

Das alte Uljassutai im West-Changai - Mongolische Ochsenkarren-Karawane

Steppe mit Caragana-Büschen sowie Gipfelwaldungen im Südwest-Changai

Charchira-Gebirge: Blick vom Ulan-Daba in die Ubsa-Niederung

Verwitterte und windgeschliffene Felsen am Chalchin-Gol, Ostmongolei

Mongolische Schafe in der Weite der Steppe

Mongolischer Altai - Der Obere Kobdo-See

Tannu-Ola - Das Eleges-Tal in der Nähe der Grenze

dykty auf sowjetischem Gebiet und durchfließt den Grenzraum in einer Gebirgslücke, um in den Atschitu-See zu münden.

Ostwärts des Buche-Muren beginnt ein anderes Gebirgssystem, das aus zwei Rücken besteht, die den tief eingesenkten Kessel des Urjuk-Nur umfassen. Der östliche Gebirgsrücken ist der Zagan-Schibetu, der westliche trägt keinen Namen. Beide verschmelzen im Süden des Urjuk-Nur-Kessels zu dem bis 3917 m aufragenden Turgun-Gebirge, an das sich mit einer Kammrichtung nach Südsüdosten das Charchira-Gebirge anschließt, das mit 4116 m das vorgenannte Massiv noch an Höhe übertrifft. Beide Gebirge, die sich auf enger Basis bis zu dieser Höhe erheben, wirken mit ihren schneebedeckten Gipfeln überaus imposant. Die Oberfläche trägt den Charakter eines erodierten Plateaus, über das sich einzelne Gipfel erheben. Überall sind die Spuren einer alten Vereisung zu sehen, an den Oberläufen der Flüsse Turgun und Charchira haben sich sogar noch Restgletscher erhalten. Zahlreiche Flüsse entstehen auf den Höhen und bilden in ihren von Gletschern vorgebildeten Tälern mannigfache Seen, manchmal sogar ausgesprochene Seenlandschaften. Doch mit dem Verlassen des Gebirgsfußes versiegen die meisten. Das Turgun-Gebirge ist auf den Nordhängen mit Wald bedeckt, der in Inseln noch in den Urjuk-Kessel vordringt. Das Zentrum des letzteren nimmt der in einer absoluten Höhe von 1443 m gelegene gleichnamige See ein. Er ist 220 qkm groß und stark salzig. Seine Umgebung ist stellenweise versumpft, zumeist jedoch trocken und in den ebenen Teilen von Salzböden bedeckt. Der Urjuk-Kessel wird von der Straße durchquert, die von Ulan-Gom nach Zagan-Nur führt. Vor dem Eintritt in den Kessel überschreitet sie den 2760 m hoch gelegenen Paß Ulan-Daba, zieht dann am Südufer des Sees entlang und muß dann noch den 2338 m hohen Paß der Westumrandung überwinden, ehe sie in die Atschitu-Senke hinabführt.

Südlich des Charchira-Gebirges erhebt sich, fast vollkommen isoliert aus der Ebene aufsteigend, das Gebirge Altan-Chuchei. Sein höchster Punkt erreicht 3385 m. Es bricht mit steilen, zerklüfteten Wänden zum Kobdo-Tal ab. Doch auch die flachen Hänge sind von Trockentälern stark zerrissen. Wälder gibt es in ihm nicht mehr, höchstens Gebüsch und Strauchdickichte, die sich aber auf die tiefsten Stellen der Schluchten und Täler beschränken, sonst herrschen Gebirgssteppen vor.

Eingeschaltet in das Gebirgssystem des Mongolischen Altai sind zahlreiche Hochbecken, breite Täler und ausgedehnte Senken, die zumeist alle in irgendeiner Beziehung zum hydrographischen Netz stehen und darum im Zusammenhang mit diesem behandelt werden sollen.

Der gesamte Norden des Altai unterliegt dem Einzugsbereich des Kobdo, der mit einer Länge von 516 km der längste und bedeutendste Fluß des ganzen Altai ist. Er entsteht aus zwei Quellflüssen und betritt schon in seinem Oberlauf ein ausgedehntes Hochbecken, in dem er die beiden Kobdo-Seen durchfließt. Der obere, der Kok-Gol, ist 60 qkm groß und 21,8 km lang und durch den 3 km langen und 60 bis 125 m breiten Sargaly mit dem unteren, dem Kurgun, der 77,5 qkm groß und 22,3 km lang ist, verbunden. Die Meereshöhe der ersteren beträgt 2064 m, die des zweiten 2057 m. Beide Seen sind in Gletscherzungenbecken entstanden und allseitig von amphitheatralisch, in Stufen angeordneten Moränenwellen umgeben, wie das mehr als 50 km lange und über 15 km breite Hochbecken überhaupt eine ausgesprochene Glaziallandschaft darstellt. Grund- und Endmoränen in den verschiedensten Formen, durchsetzt mit Granitblöcken und großen und kleinen Steinen, überziehen das Gelände, das sich im allgemeinen zu den Seen hin neigt. Steppenvegetation beherrscht die Kuppen, dazwischen treten feuchte Wiesen auf, mancherorts auch wahre Steinwüsten. Die dem Becken zugewandten Nordhänge der Berge sind mit dichten Lärchenwäldern bestanden, die auch in das Becken selbst eindringen, die Vertiefungen zwischen den Hügeln einnehmen und auch stellenweise die Seeufer bedecken. Die nach Süden gerichteten Hänge sind dagegen waldlos und vegetationsarm. Fünf Monate des Jahres ist das Becken von Nomaden bewohnt, die Ende September nach den tiefer gelegenen Randgebieten des Altai übersiedeln.

Größenmaße und Höhenlage

der bedeutendsten Seen im Mongolischen Altai

Name	Fläche in qkm	Größte Länge in km	Größte Breite in km	Tiefe in m	Absolute Höhe in m
Urjuk-Nur	220	19	17	7	1443
Zagan-Nur	6	4,7	1,3	5	2173
Ob. Kobdo-See	60	21,8	4,6	20—30	2064
Unt. Kobdo-See	77,5	22,3	6,6	10—14	2057
Dajan-See	67	17	9	4	2238
Tal-See	32	14,3	4,6	..	2554
Tolbo-See	182	21	6,3	..	2086
Atschitu-Nur	290	28	16	10	1464

Das Becken der Kobdo-Seen setzt sich über eine hügelige Steppe nach Südosten fort und erreicht, langsam ansteigend, den 67 qkm großen Dajan-See. Er liegt 2238 m hoch und verdankt seine Entstehung dem Aufstau durch Moränenwälle. Auch in diesem Teil des Hochbeckens sind für die Ausgestaltung glaziale Vorgänge entscheidend. Aus dem Dajan-See entströmt der Katan, der unterhalb des zweiten Kobdo-Sees in den Kobdo-Fluß mündet.

Weiter unterhalb nimmt der Kobdo von links den Zagan-Gol und Suok auf, von rechts den etwa 150 km langen Saksai. Auch er besitzt an seinem Oberlauf und jenen seiner Zuflüsse ausgedehnte Senken. Erwähnung verdient hier das Becken des Tal-Sees, der in einer absoluten Höhe von 2554 m liegt. In der Ebene, wo der Saksai in den Kobdo einfließt, liegt der Ort Ulegei, das Verwaltungszentrum des gleichnamigen Aimaks. Etwas unterhalb empfängt der Kobdo von rechts den Turgun (Umunu), der aus dem ausgedehnten Becken des Tolbo-Sees kommt. (Siehe Karte Seite 115!) Alle vorgenannten Seen enthalten klares Süßwasser. Das Klima der Hochbecken kann als semiarid bezeichnet werden.

Die bedeutendste Senke des nördlichen Altai ist die Atschitu-Senke, die auch der Kobdo-Fluß nach dem Verlassen der Gebirge betritt und ihr dann bis fast zur Mündung folgt. Die gerade Linie dieser tektonisch bedingten Senke erscheint selbst im Kartenbild auffällig. Ihr folgt der schon genannte Buche-Muren, der in den Atschitu-Nur mündet. Der Abfluß des letzteren erfolgt nach Süden über den Ussun-Cholai zum Kobdo-Fluß. Nördlich des Sees erstreckt sich eine weite Ebene, die aus alluvialen See- und Flußablagerungen der Bergflüsse, insbesondere des Buche-Muren besteht. In der Hauptsache sind es sandig-lehmige Bildungen und Kies, wobei letzterer große Flächen bedeckt und richtige Kiespanzer bildet. Der Buche-Muren mündet in einem ausgedehnten Delta, in dem sich versumpfte Wiesen und Niederungswälder, bestehend vor allem aus Weiden und Pappeln, erstrecken. Nach dem Rande der Ebene zu erheben sich Restberge, die zumeist aus rotem Granit oder Sandstein bestehen. Der Atschitu-Nur ist 290 qkm groß und liegt in einer Höhe von 1464 m. Er enthält vollkommen süßes Wasser. Im Süden und von West und Ost treten teilweise felsige Berge bis an das Ufer heran. In der Umgegend des Sees gibt es Strandwälle und andere Merkmale, die darauf hindeuten, daß der See früher einen Wasserstand hatte, der 50 bis 60 m über dem heutigen lag. Zu beiden Seiten des Kobdo-Flusses ist das Gelände ausgeprägt hügelig, wobei auch gelegentlich felsige Erhebungen hervorragen. Am Altan-Chuchei wird die Senke durch von Westen heranziehende Höhen stark zusammengedrängt, um sich dann zur Ebene des Chara-Ussu zu weiten. Der Hauptteil der Atschitu-Senke kann noch zur Steppe gerechnet werden, obgleich auch hier manche Gegenden zur Wüstensteppe neigen. Im Zentrum und den Hängen zu ist Caragana-Gebüsch, manchmal in der Form ganzer Dickichte, weit verbreitet. Die Senke ist für die mongolischen Nomaden ein bevorzugter Winterstandort, während sie im Sommer der dörrenden Hitze ausweichen und die hochgelegenen Weiden in den Bergen aufsuchen.

Von den übrigen Flüssen des Mongolischen Altai sind die bedeutendsten der Bujantu und der Zencher, weiterhin die nach Süden in der Richtung zur Transaltai-Gobi abfließenden Gewässer Bulugun, Uintschi und Bodomtschi. Alle sind dadurch besonders bemerkenswert, daß an ihren Unterläufen mit Hilfe künstlicher Bewässerung oasenhafter Ackerbau getrieben wird.

Die Vegetation des Mongolischen Altai zeigt im größten Teil ausgeprägte Merkmale der Trockenheit, örtlich sogar solche der Wüstenhaftigkeit. Gebirgssteppen herrschen vor, in höher gelegenen Gegenden ist die alpine Region klar ausgeprägt, eine Waldregion gibt es jedoch praktisch nicht. Wälder, hauptsächlich aus Sibirischen Lärchen bestehend, kommen noch am oberen Kobdo, ferner in den Gebirgen Turgun und Charchira vor, aber überall sind die beschatteten Nordseiten ihr bevorzugter Standort. Man kann hier sogar von einer beschränkten Waldnutzung sprechen, der Zagan-Gol und der Kobdo-Fluß dienen zum Flößen von Holz. In den übrigen Gegenden des Altai treten kleine Wäldchen und Gehölze nur selten und in der Regel nur in Schutzlagen auf. Weil die alpinen Matten sich vielfach mit den Gebirgssteppen berühren, können Tiere, die sonst als typische Steppenbewohner gelten, im Sommer, da ja das Hindernis des Waldes fehlt, in die alpine Region vordringen, und umgekehrt.

Aus der Tierwelt des Mongolischen Altai ist als Besonderheit der Schneeleopard (Panthera unica Schreber) hervorzuheben, der wohl im ganzen Altai verbreitet ist, aber im Oberlaufgebiet des Bulugun und im Charchira-Gebirge öfters angetroffen wird. Weiter wäre noch der Ammon-Widder (Ovis ammon Linnaeus) zu nennen, der im Altai sein gegenwärtiges Hauptverbreitungsgebiet hat, sonst aber nur noch im westlichen Changai und westlich des Chubsugul auftritt. Das Argali, wie der Ammon-Widder in der Mongolei genannt wird, ist ein wertvolles Jagdtier. Männliche Exemplare können im Widerrist bis 125 cm hoch und bis 200 kg schwer werden (29/266). Sein großes Gehörn ist oft auf den Obos der Mongolen als Opfergabe zu finden. Erwähnenswert ist noch die weite Verbreitung der Sibirischen Bergziege (Capra sibirica Meyer), die zwar auch in den anderen Gebirgen der MVR vorkommt, im Altai aber sich am stärksten erhalten hat. Sie hält sich an die Hochgebirgsregion und steigt selten unter 2500 m herab. Man hat sie in Höhen von mehr als 4000 m angetroffen (29/262).

Der Mongolische Altai bietet auf Grund der Verschiedenheit seiner natürlichen Ausstattung dem Menschen weit mehr wirtschaftliche Möglichkeiten als die flachen und zumeist wasserarmen Gegenden. So kommt es, daß der Nordwesten, zusammengefaßt im Aimak Ulegei, eine relativ dichte Bevölkerung hat. Den Hauptteil derselben bilden hier Kasachen, weshalb man dieses Verwaltungsgebiet auch als Kasachen-Nationalbezirk geschaffen hat. Auch im Aimak Kobdo liegt die Bevölkerungsdichte noch über dem allgemeinen Durchschnitt der MVR. Weiter nach Süden hin nimmt die Bevölkerungszahl sehr rasch ab. Bemerkenswert ist ferner, daß sich in verschiedenen Flußtälern des Mongolischen Altai der Ackerbau schon recht früh eingebürgert hat. Er wird hier vielfach von nomadisierenden Mongolen betrieben, bei denen man in der Regel einen vierteiligen Umsiedlungsrhythmus beobachten kann. Im Frühjahr zieht man nach vollendeten Feldarbeiten mit den Herden in die Berge, um im Juli oder August zur Einbringung der Ernte zurückzukehren. Danach wird ein geschützter Winterstandort aufgesucht, um mit dem Ende der Kälte wieder an den Ausgangspunkt zurückzuwandern.

Der wichtigste Ort im Mongolischen Altai ist die Stadt *Kobdo*. Sie ist der bedeutendste Siedlungsplatz im Westen der MVR. Die Stadt wurde 1731 an dem gleichnamigen Fluß gegründet. Da die frühjährlichen Hochwasser des letzteren eine ständige Bedrohung waren, so verlegte man sie nach einer Überschwemmungskatastrophe 1763 unter Beibehaltung des Namens an den Bujantu, 18 km vom Kobdo-Fluß entfernt, wo sie sich auch heute noch befindet. Kobdo war schon seit alten Zeiten nicht nur Verwaltungszentrum der West-Mongolei, sondern gleichzeitig ein wichtiger Handels- und Verkehrsort. Über Kobdo ging ein lebhafter Handelsverkehr mit Rußland, und zwar über die Pässe des Sajljugem nach Bijsk. Von Kobdo nahm ein wichtiger Handelsweg nach Sinkiang seinen Ausgang, während andererseits eine Straße nach Urga, dem heutigen Ulan-Bator, und ein Karawanenweg nach Peking führte. Infolge seiner Bedeutung war Kobdo mehrfach das Ziel kriegerischer Unternehmungen. 1911 wurde die Stadt beim Aufstand der Mongolen, als der chinesische Amban die Übergabe verweigerte, in den Kämpfen fast vollkommen zerstört. Heute ist die Stadt wieder das wirtschaftliche und kulturelle Zentrum der Westmongolei. Sie hat mehr als 6000 Einwohner und besitzt eine Wollwäscherei, eine Großmolkerei, eine ausgedehnte Heimindustrie, in der vor allem Häute, Leder und sonstige tierische Produkte verarbeitet werden, weiterhin eine Fabrik für Biopräparate, eine Druckerei, Krankenhäuser und andere medizinische Einrichtungen, Schulen, Klubs, ein ständiges Theater u. a. Als Verkehrszentrum ist die Stadt mit einer großen Autostation ausgestattet, die über einen umfangreichen Lastwagenpark verfügt. Kobdo ist die einzige Stadt in der MVR, an deren Straßen Bäume wachsen und durch welche Wassergräben sich hinziehen. In der Umgebung der Stadt nimmt der Ackerbau ausgedehnte Flächen ein, wobei an erster Stelle Gemüsebau steht. *Ulegei,* das Verwaltungszentrum des gleichnamigen Aimaks, wurde erst 1940 auf dem rechten Ufer des mittleren Kobdo an einem ausgewählten Platz gegründet, wo vorher nicht einmal eine Jurtensiedlung bestand. Heute hat der Ort feste Häuser und besitzt Schulen und einige Verarbeitungsunternehmungen. Weiter im Norden ist noch der Ort *Zagan-Nur* zu nennen, der an dem schon früher genannten See liegt. Es ist der wichtigste Abfertigungsplatz der Westmongolei für den Export nach der Sowjetunion.

Kobdo ist durch eine ganzjährig für Lastwagen befahrbare Straße über Zagan-Olom am Dsabchan und Zezerleg mit Ulan-Bator verbunden. Nach Norden führt diese Straße über Zagan-Nur zur sowjetischen Grenze.

Der Gobi-Altai

Der Gobi-Altai ist eine Fortsetzung des vorbehandelten Mongolischen Altai, doch im Gegensatz zu letzterem besteht dieser aus einzelnen Gebirgszügen und Bergen, die einen wasserscheidenden Hauptkamm nicht mehr erkennen lassen. Es treten zwar einige Gebirgsketten hervor, doch sind diese in ihrem parallelen Streichen durch umfangreiche Senken voneinander getrennt, und selbst die Ketten sind in ihrer Aufeinanderfolge durch tiefe Sättel oder sogar ebene Strecken in einzelne Teile aufgegliedert.

In den morphologischen Formen des Gobi-Altai treten die Auswirkungen der wüstenhaften Klimaverhältnisse sehr stark hervor. Infolge der geringen Bodenbildung und des kümmerlichen Pflanzenwuchses erscheinen die Berge kahl. Überall tritt das nackte Grundgestein zutage oder dringt in mächtigen Felsvorsprüngen aus den Hängen oder dem Boden hervor. Die Kämme bilden als Folge der starken Zerstörung vielfach schmale, gezahnte Grate, die von einzelnen Höhen schroff überragt werden. Nur die höchsten und breitesten Erhebungen haben sich das typische Merkmal des Mongolischen Altai, nämlich eine flache, plateauförmige Oberfläche mit abgerundeten Gipfeln, bis zur Gegenwart erhalten können. Am stärksten äußert sich der ausgeprägte Wüstencharakter in dem fortgeschrittenen Zerfall der Gebirge, die mit großen Massen von Geröll und Schutt umgeben sind. Sie verdecken das Grundgerüst der Gebirgsbasis, reichen weit an den Hängen hinauf und bilden vor ihnen ausgedehnte Vorlandsebenen, die sogenannten Belis. Diese erscheinen in verschiedenen Stadien der Entwicklung. Manchmal umsäumen sie den Gebirgssockel nur in einem mehr oder minder breiten Streifen, doch oft kann man schon das Endstadium beobachten, wo die letzten Reste des Gebirges vollständig in Schutt begraben sind, so daß an der Oberfläche uns nur mehr abgerundete Formen entgegentreten.

Die Belis sind eine charakteristische Erscheinung des Gobi-Altai. Nur in der Nähe der Hänge und vor den Tälern bestehen sie aus grobem Geröll und Schotter, vor allem vor schluchtenartigen Taleinschnitten, wo sie zumeist ausgedehnte trockene Schuttdeltas bilden. Im allgemeinen wird der steinige Bestand mit der Entfernung vom Hang kleiner. Die Belis fallen zunächst steil, dann flacher zu den umgebenden Senken ab und sind durch zahlreiche Trockentäler, von den Mongolen Saire genannt, zerrissen. Diese führen nur nach starken Regenfällen Wasser, das dann in der Art von Sturzbächen in ihnen dahinströmt und eine stark erodierende Kraft entwickelt. Morphologisch gesehen, stellen die Saire vorwiegend schmale, gewundene Schluchten dar. Die Hänge sind abschüssig, der Boden ist zumeist flach und mit grobem Sand oder mit wenig abgerolltem Schotter und Kies bedeckt. Die Tiefe dieser Regenschluchten ist sehr verschieden. In der Nähe von Dalan-Dsadagad im Gurban-Saichan gibt es solche mit einer Tiefe bis zu 100 m. Mit der Annäherung an die Ebenen nimmt die Tiefe rasch ab, vor der Einmündung in die letzteren findet sich in der Regel ein ausgedehntes, flach auslaufendes Delta, das zumeist aus feinem Kies und Sanden besteht. Die Saire sind Wüstenlandschaften. Ihr Boden ist vegetationslos, nur an den Hängen findet sich Pflanzenwuchs.

Die großen Senken innerhalb des Gobi-Altai sind in der Regel tektonischen Ursprungs. Sie zerfallen oft in einzelne kleine Becken mit eigenen tiefen Zentren. In der Regel sind sie mit sandig-tonigen Ablagerungen angefüllt, die streckenweise mit Geröll durchsetzt sind. Ein ständig fließendes Gewässernetz gibt es nicht; es ist durch die Saire ersetzt. Auch Seen fehlen, obgleich viele Spuren darauf hindeuten, daß es solche in den Senken einst gegeben hat. Zumeist werden die tiefsten Stellen von Salzböden eingenommen, die im Zentrum Salzpfannen besitzen. Wo Tonböden vorherrschen, treten auch Takyre auf.

Innerhalb des Gobi-Altai können mehrere Bergketten unterschieden werden. Die nördlichste Kette ist nur sehr kurz und zieht sich, in einzelne Berge aufgelöst, südlich der Bon-Zagan-Senke hin, ohne den Tuin-Gol zu erreichen. Ihre Höhen liegen überall unter 3000 m. Im eigentlichen Sinne ist es nur ein Vorgebirgszug des Altai.

Die Hauptkette des Gobi-Altai löst sich im Osten vom Gitschigine-Nuru und beginnt mit einem Bergzug, der nach Osten verläuft und stark zergliedert ist. Im *Bajan-Zagan* erreicht er eine Höhe von 3468 m. Östlich schließt sich eine lange Kette an, die unter dem Namen Gurban-Bogdo zusammengefaßt wird und in der drei Gebirge markant hervortreten: Iche-Bogdo, der Baga-Bogdo und der Arza-Bogdo.

Der *Iche-Bogdo*, manchmal auch als Barun-Bogdo bezeichnet, ist mit einer Höhe von mehr als 4000 m der höchste Gipfel des Gobi-Altai. In seiner massigen Gestalt ist er weithin sichtbar. Die Oberfläche ist eben und leicht nach Norden geneigt, die Hänge sind steil und von zahlreichen Rinnen und Schluchten zerrissen, in denen einzelne Bäume, zumeist Birken und Pappeln wachsen. Im Inneren hat man Kare gefunden. Die Vegetation zeigt eine vorzüglich zu beobachtende Aufgliederung nach Höhenregionen. Sie sind an anderer Stelle bereits ausführlich dargestellt.

Der *Baga-Bogdo* macht durch seine gewaltige Kuppelform mit steilen, schwer zugänglichen Hängen einen außergewöhnlichen Eindruck. Sein höchster Punkt erreicht 3554 m. In seinen Tälern finden sich Baum- und Strauchdickichte.

Beide vorgenannten Gebirge sind trotz ihrer Höhe wasserarm. Die von den höchsen Stellen abfließenden Bäche versickern bald, so daß die Schluchten und Täler in tieferen Lagen trocken sind. Dafür treten am Fuß der Berge sprudelnde Quellen hervor, die sogar kleine Flüsse bilden. So entsteht hier der Legin-Gol, der nach Süden abfließt.

Der *Arza-Bogdo* ist das östliche Ende des Gurban-Bogdo. Im Gegensatz zu den vorgenannten Gebirgen ist er langgestreckt und bedeutend niedriger. Sein höchster Punkt, der Iche-Bajan, erreicht nur eine absolute Höhe von 2453 m. Der Kamm ist breit angelegt und größtenteils flach mit nur wenigen kuppel- bis kegelförmig aufgesetzten Bergen. Die Zertalung ist gering, so daß der Eindruck einer Hochfläche erhalten bleibt. In den Tälern findet sich Baum- und Gestrüppwuchs. Als Besonderheit ist das zahlreiche Auftreten von Wacholder erwähnenswert, der dem Höhenzug seinen Namen (Arza = Wacholder) gegeben hat. Wie beim Iche- und Baga-Bogdo, so zeigt auch der Arza-Bogdo einen Steilabfall nach

Norden, während er nach Süden langsam absteigt und zu einem Hügelland wird. Der Gesamteindruck des Arza-Bogdo ist wüstenhaft. Trotzdem finden die Nomaden auf ihm für ihre Herden genügend Futter, indem sie mühelos von Hochfläche zu Hochfläche hinüberwechseln können.

Als östliche Fortsetzung der vorbeschriebenen Gebirgskette wird gewöhnlich der *Gurban-Saichan* angesehen (196/302), obgleich keine ersichtlichen Zusammenhänge zwischen beiden vorhanden sind. Der Gurban-Saichan hat eine große Ausdehnung und besteht aus zahlreichen Berggruppen, die sich alle auf einem gemeinsamen Sockel erheben. Die bedeutendsten sind der Barun-, der Dumda- und der Dsun-Saichan. Letzterer enthält mit 2346 m den höchsten Gipfel des ganzen Gebirgszuges. Der Kamm des Sockels verläuft nicht gleichmäßig, sondern ist durch Talkessel oder Sättel aufgegliedert. Die Höhen sind größtenteils felsig, oft von wildem Aussehen und wüstenhaft öde. Bemerkenswert ist die weitgehende Zerstörung, die im Landschaftsbild in der weiten Ausdehnung der Belis zum Ausdruck kommt, die den Gebirgsrücken bis zur halben Höhe bedecken, wobei aus ihnen noch hier und da Restberge herausragen. Erwähnenswert ist hierbei noch die außergewöhnlich starke Zerschneidung der Belis durch Saire, die oft tiefe Schluchten mit hohen, fast vertikalen Wänden bilden und sehr lang sind.

Im Osten schließen sich an den Gurban-Saichan noch einige Gebirgszüge an, die auch weitgehend zerstört sind, im Kern aber noch hohe Berge enthalten, wie z. B. den felsigen und schwer zugänglichen Kamm des Chatschig (1866 m).

Die erste südliche Kette des Gobi-Altai ist der Bajan-Undur. Vom Gitschigine-Nuru nur durch einen Sattel getrennt, stellt er eine direkte, nach Südosten gerichtete Fortsetzung des letzteren dar. Er hat eine Länge von 150 km und erreicht im Dshinsetu eine Höhe von 2559 m. Der Hauptkamm, der nach Norden verlagert ist, trägt den Charakter einer felsigen Hügellandschaft. Trockentäler, die auf ihm beginnen, durchbrechen den ganzen Gebirgszug nach Süden. Der Gebirgsrücken nimmt nach Osten allmählich an Höhe ab und verschwindet in den Hügelländern und Senken der Gobi.

Weiter im Süden tauchen noch zwei Gebirgsketten auf, die beide mehr von West nach Ost verlaufen, also mit der Hauptstreichrichtung des Altai divergieren. Nun ziehen von Westen Ausläufer des Tienschan heran und überschreiten im Süden der Transaltai-Gobi auch den Raum der MVR, und die große Frage ist, ob die vorgenannten zwei Gebirgsketten zum Gobi-Altai oder zum System des Tienschan gehören. Die abweichende Streichrichtung läßt die Vermutung zu, daß sie Glieder des Tienschan sind. Ob beide Ketten oder nur die südliche dem letzteren zugeteilt wird, kann nur durch weitere Forschungen entschieden werden. In jedem Fall ist aber sicher, daß in diesem Raum die Systeme des Altai und des Tienschan sich berühren oder gar vereinigen.

Die nördliche der beiden Ketten beginnt mit dem Berg Altan, setzt sich im Gebirgsrücken *Nemegetu* (2766 m) und *Dsolem* (2730 m) fort und endet mit dem *Churchu* (1760 m) noch innerhalb der MVR. Alle genannten Gebirge erheben sich über einem langen und schmalen Sockel. Die felsigen Berge ragen ziemlich steil auf, die Hänge sind von einer großen Anzahl von Trockentälern zerrissen und weit hinauf mit Gesteinsschutt bedeckt, der um den Gebirgsfuß ausgedehnte und rasch abfallende Belis bildet. Am stärksten tritt der Charakter als Gebirgsruine im Churchu hervor, der den Eindruck eines breiten und langgestreckten, aus Steinen und Geröll bestehenden Rückens macht, aus dem nur noch Reste eines felsigen Gebirges herausschauen. Das nackte Gestein nicht nur der Berge, sondern auch der Schuttkegel ist zumeist von Wüstenlack überzogen, so daß die Gebirgsrücken aus der Ferne schwarz erscheinen.

Die südlichste und letzte Kette besteht aus einer Reihe von Bergen und Berggruppen, unter denen zwei besonders hervortreten. Es sind dies das Gebirge *Tostu* (2550 m) und der *Nojan-Bogdo* (2403 m). In beiden treten steile Grade auf, die oft ein wahres Geflecht von felsigen Ketten bilden. Der Tostu steigt aus einer hügeligen Fläche, aus der gelegentlich Restfelsen herausragen, von Norden aus langsam an, fällt jedoch nach Süden mit einem steilen, von Sairen zerrissenen Hang ab. Der Nojan-Bogdo ist noch wenig erforscht. Die Belis sind bei beiden Gebirgen stark entwickelt.

Unter den großen Einsenkungen innerhalb des Gobi-Altai ist der langgestreckte, in sich abgeschlossene Talkessel des *Legin-Gol* besonders erwähnenswert. Er zieht sich südlich des Gurban-Bogdo hin und bildet eine Art Gegenstück zum Tal der Seen. Der Legin-Gol entsteht aus einer starken Quelle am Südfuß des Iche-Bogdo. Er versickert teilweise, um dann auf kurze Zeit wieder oberflächlich zu fließen, bis er endgültig verschwindet. Sein Tal läßt sich über 150 km verfolgen und endet in einer weiten Salzsenke, in deren Mitte sich ein kleiner See befindet. Es ist der Cholai-Kessel. Viele Anzeichen deuten darauf hin, daß dieser Kessel einst ein größeres Gewässer beherbergt hat, das vielleicht früher einen Abfluß durch die Lücke zwischen dem Arza-Bogdo und dem Gurban-Saichan nach dem Becken des Ulan-Nur besessen hat. Gewisse Spuren, die auf diese Möglichkeit hinweisen, sind vorhanden. Am Oberlaufgebiet des Legin-Gol dehnt sich in einer Breite von 20 km Steppe. Die Mongolen benutzen das Wasser zur Bewässerung ihrer Felder, auf denen Weizen und Gerste angebaut wird.

Der Gobi-Altai ist sehr trocken. Abgesehen von dem erwähnten Legin-Gol und kleinen Bächlein in den höchsten Gebirgen, besitzt er keine dauernd fließenden Gewässer. Die geringe jährliche Niederschlagsmenge, die im Nordteil unter 200 mm bleibt, im Süden dagegen kaum 100 mm erreicht, läßt nur eine Wüstensteppen- und Wüstenvegetation aufkommen. An den höheren Gebirgen läßt sich der Vegetationswechsel mit der Zunahme der Höhe sehr interessant verfolgen, wie dieses in dem Abschnitt über die Vegetation bereits ausführlich dargestellt ist. Die Tier-

welt zeigt typische Gobi-Merkmale, doch findet sich in höheren Gebirgsregionen auch eine Fauna ein, die der Gobi sonst fremd ist.

Die wüstenhaften Verhältnisse des Gobi-Altai bedingen eine sehr geringe Besiedlung durch den Menschen. Der Aimak Süd-Gobi, dem diese
Gebiete zugehören, steht innerhalb der MVR, was die Besiedlungsdichte
anbetrifft, an letzter Stelle. Wenn sich in diesem, an natürlichen Wasserquellen so überaus armen Gebiet doch Menschen halten und mit ihren
Herden leben können, so verdanken sie es den Gebirgszügen, die zwar
keine größeren fließenden Gewässer entstehen lassen, aber doch als Feuch-
tigkeitssammler eine gewisse Rolle spielen, als an ihrem Fuß zahlreiche
Quellen hervortreten. Als bestes Beispiel hierfür kann der Ort Dalan-
Dsadagad, das Verwaltungszentrum des Aimaks Süd-Gobi, genannt
werden. Er liegt in einer Meereshöhe von 1471 m, am Nordostfuß des
Gurban-Saichan. Aus Mangel an Holz sind die festen Häuser größtenteils
aus Lehm erbaut, umgeben von zahlreichen Jurten. Der Ort konnte sich
hier nur deshalb bilden, weil zahlreiche Quellen vorhanden sind, die der
Siedlung auch den Namen gegeben haben, nämlich Dalan-Dsadagad, das
heißt Siebzig Quellen. Auch der nächstwichtigste Ort Nojan liegt unter
gleichen Bedingungen am Ostfuß des gleichnamigen Gebirgszuges. Dalan-
Dsadagad ist mit Ulan-Bator durch eine ausgebaute, ganzjährig mit Lastkraftwagen befahrbare Straße verbunden. Sonst führen durch den Gobi-
Altai nur Karawanenrouten.

Die Senke der Großen Seen

Die Senke der Großen Seen stellt in tektonischer Hinsicht einen großen
Graben dar, der sich zwischen dem Altai und Changai in nordsüdlicher
Richtung erstreckt. Im Norden wird sie vom Tannu-Ola begrenzt, im
Süden umfaßt sie noch die Schargain-Gobi.

Verschiedene Ausläufer des Altai und des Changai ragen weit in die
Senke hinein und zergliedern sie in einzelne Teile, die ausgedehnte Becken
bilden. Letztere bestehen größtenteils aus geneigten Ebenen, in die gelegentlich leicht hügeliges oder welliges Gelände eingeschaltet ist und in
denen örtlich auch Sandgebiete mit den verschiedensten morphologischen
Formen vorkommen. Daneben treten einzelne Berge oder Gruppen von
solchen auf, nicht selten auch Granitfelsen in markanter Form und von
unterschiedlicher Größe. So ergibt sich aus der morphologischen Gestaltung der Senke der Großen Seen die Aufgliederung in einzelne Becken,
in denen wiederum Landschaften verschiedenster Prägung erscheinen, wie
sie im nachfolgenden Teil noch einzeln behandelt werden sollen.

An der Ausgestaltung der Senke der Großen Seen sind quartäre Ablagerung am meisten beteiligt und auch am weitesten verbreitet. Unter
ihnen überwiegen alluviale, äolische und limnische Bildungen. Die alluvialen Sedimente, vor allem aus feinkörnigem Material und Kies bestehend, sind in erster Linie dort zu finden, wo die Flüsse aus den Ge-

birgen in die Ebenen eintreten und in denselben enden. Auch die Sande, die sich in größerer Ausdehnung merkwürdigerweise nur im Osten der Senke ausbreiten, wie z. B. südlich des Narin-Gol im Ubsa-Nur-Becken und am Chungui und Dsabchan im Chirgis-Becken, sind alluvialer Herkunft. Im allgemeinen kann man sagen, daß die alluvialen Sedimente die größte Fläche einnehmen, wobei ihre Mächtigkeit von der Peripherie der Becken nach den zentralen Teilen abnimmt, wo sie von limnischen Sedimenten abgelöst werden. Die letzteren bestehen zumeist aus Lehmen, vielfach auch tonigen Böden und Seesanden. Sie umfassen die heutigen Seen in weitem Umkreis. Die in ihnen festgestellte limnische Fauna beschränkt sich auf wenige Arten. Äolische Sedimente finden sich nur örtlich in kleinen Flecken und zeigen keine große Mächtigkeit. Sie treten gegenüber den erstgenannten Bildungen weit zurück. Daneben ist als Charakterzug der Wüstenhaftigkeit der Senke der Großen Seen auch die Verbreitung von Schotter- und Geröllpanzern zu vermerken.

Von quartären Bildung sind noch die bunten, kontinentalen „Gobi"-Sedimente zu erwähnen, die sich in einigen Gegenden erhalten haben. Sie sind vorzugsweise limnischer Natur und lagern ungestört auf Jura-Gesteinen, die zumeist aus Konglomeraten und Sandstein bestehen und häufig an der Oberfläche der Senke erscheinen (150). Ältere Gesteine sind in den Gebirgen entwickelt, die die Senke der Großen Seen umrahmen, aber für letztere nicht charakteristisch, da in ihr nur gelegentlich Granite auftauchen. Aus der weiten Verbreitung von Jura-Konglomeraten und -Sandsteinen, in denen man lehmige und kohlenhaltige Einlagerungen festgestellt hat, kann geschlossen werden, daß im Raum unserer Landschaft schon im Mesozoikum eine ausgedehnte Senke vorhanden war, in die das Material transportiert wurde, aus dem die kontinentalen Sedimente entstanden sind. Dabei ist es möglich, daß der Boden dieser Senke von einem flachen Gewässer eingenommen war (196/140).

Fast alle Seen der Landschaft zeigen in ihrer Umgebung zahlreiche Spuren eines früher höheren Wasserstandes. *Mursajew* bringt zahlreiche klare und beweiskräftige Angaben hierzu (196/140 f.). Zusammenfassend kann hier nur gesagt werden, daß der Wasserspiegel des Ubsa-Nur einst 225 m über dem heutigen Niveau (743 m), also in einer absoluten Höhe von etwa 1000 m lag und dabei eine Fläche von 16 000 qkm (heute 3350 qkm) umfaßte. Beim Chirgis-Nur läßt sich der Nachweis erbringen, daß sein Niveau das heutige (1034 m) um mindestens 110 m übertraf. Bei einer Wasserspiegelhöhe von rund 1140 m bildete er mit dem Airik-, Chara- und Durge-Nur einen einzigen See, der rund 11 000 qkm groß war, während alle vier Seen zusammen heute nur eine Fläche von 2407 qkm haben. Der Chara-Ussu-Nur war in diesem Fall mit dem inneren Beckensee durch einen kurzen Arm verbunden und gab sein überschüssiges Wasser an ihn ab, wie es auch heute noch geschieht.

Über die vorstehenden Angaben hinaus sind jedoch zahlreiche weitere Anzeichen vorhanden, die darauf hindeuten, daß der Wasserstand der

Seen noch weit höher war, als im vorigen Abschnitt gesagt wurde. Nach den Spuren limnischer Sedimente, die man an verschiedenen Orten in 1500 m und noch höher gefunden hat, wird angenommen, daß die Senke der Großen Seen einst von einem ausgedehnten Gewässer erfüllt war, dessen Größe mit 92 000 qkm die Abmessungen des heutigen Aralsees übertraf. Die diesem Abschnitt beigegebene Kartenskizze, die Mursajew entnommen ist (196/141), gibt einen Überblick über die Ausdehnung der Seenflächen bei den verschiedenen Höhen des Wasserspiegels. Zu dieser Karte muß jedoch bemerkt werden, daß die Konturen der Seen den heutigen Isohypsen nachgezeichnet sind, während die morphologischen Verhältnisse in der Vergangenheit sich von den gegenwärtigen doch unterscheiden. Aus Mangel an Unterlagen läßt sich der Umfang der alten Seen nicht exakt rekonstruieren. Vor allem besteht die große Schwierigkeit,

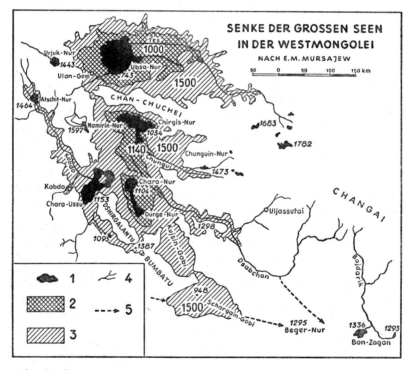

1 heutige Seen

2 ehemaliger Seespiegel bei einer Höhe von 1000 m im nördlichen und 1140 m im südlichen Becken

3 vermutete Seefläche bei 1500 m Höhe des Niveaus

4 Flüsse

5 vermutete Flußläufe und Abflüsse

die Veränderung des Umfanges der Seen zeitlich genau einzuordnen. So gibt es bisher noch keine vollständigen Beweise für die Behauptung, daß das Becken des Ubsa-Nur in quartärer Zeit mit dem Chirgis-Becken ein geschlossenes Gewässer bildete. Auch für die Verbindung des großen Wasserbeckens im Norden über die Schargain-Gobi zum südlich anschließenden Tal der Seen fehlt noch der endgültige Nachweis, obgleich das Vorkommen einer einheitlichen endemischen Ichthyofauna sowohl im Becken der Großen Seen als auch im Tal der Seen davon zeugt. Der Gebirgsriegel, der die Schargain-Gobi vom benachbarten Beger-Kessel trennt, erhebt sich bis zu 1600 m. Lagerungsstörungen der auf der Schwelle vorhandenen Gobi-Sedimente deuten darauf hin, daß wahrscheinlich tektonische Vorgänge diesen Damm geschaffen haben, der die Senke der Großen Seen hier abriegelt.

Zurückschauend auf die geologische Geschichte kann gesagt werden, daß bereits im Tertiär im beschriebenen Raum ein großes Gewässer existierte. Orogenetische Vorgänge im Alt- und Jungtertiär führten zur Bildung neuer Zwischengebirgssenken, in denen sich tiefe Seen bildeten. Das alte große Gewässer verlor an Fläche und zum Schluß auch seinen Abfluß, wozu Hebungen und auch die zunehmende Trockenheit beitrugen. Die Vergrößerung der Höhendifferenzen erhöhte die Kraft der Erosion, und die Auffüllung der Becken mit Sedimenten wurde beschleunigt. Die einsetzende Vergletscherung erhielt den Wasserstand der Seen und förderte weiterhin die Ablagerung in den Senken, wo sich limnische Sedimente und auch große Sandmassen ansammelten. Die Nacheiszeit mit ihrer extremen Trockenheit verursachte ein starkes Absinken des Wasserstandes, die Aufteilung in einzelne Seenbecken, Verringerung der Tiefe und Fläche der Seen und Zunahme der Mineralisation. In einzeln abgeschlossenen kleineren Becken blieben von den Seen nur Salzpfannen zurück. Viele Flüsse verloren in dieser Zeit ihre Verbindung mit den Seen, andere änderten ihren Lauf, wie z. B. der Dsabchan, der ursprünglich in das Tal der Seen abfloß, dann aber sich zur Senke der Großen Seen wandte und heute in den Chirgis-Nur mündet. Ob tektonische Bewegungen bei der Laufverlegung hier mitgewirkt haben, kann noch nicht entschieden werden.

Mit der Zeit der Austrocknung traten äolische Kräfte stärker in den Vordergrund. Der Rückgang der Seen und die Rückentwicklung der Flüsse gab weite Sandflächen frei, die von den vorherrschenden West- und Nordwestwinden in die Ostteile der Senken verlagert wurden, wo sie auf die westlichen Hänge der Ausläufer des Changai, ja zum Teil auch auf die Kämme und Gipfel der Berge aufgeweht wurden, die der Senke benachbart waren. Auch die durch Verwitterung des Gesteins sich neu bildenden Sande nahmen den gleichen Weg. So kam es zu den ausgedehnten Sandansammlungen in den Ostteilen der Senke.

Die lange Herrschaft der ariden Verhältnisse führte in der Senke zu Salzanreicherungen und zur Entstehung der Wüstensteppen- und Wüstenlandschaften, wie sie uns heute entgegentreten. Eine wesentliche Rolle spielte hierbei, wie schon früher ausgeführt wurde, die Aufwölbung des Altai, so daß die Senke der Großen Seen in den Windschatten geriet. Wüsten dringen hier infolge der geringen Niederschlagsmenge am weitesten nach Norden vor. Innerhalb der MVR zeichnet sich die Senke der Großen Seen klimatisch dadurch aus, daß in ihr die größten Gegensätze zwischen Sommer- und Wintertemperaturen auftreten. Für eine weitere Austrocknung der Landschaft in der Gegenwart liegen keinerlei unbestreitbare Beweise vor.

Das Becken des Ubsa-Nur

Das Gebiet des Ubsa-Nur stellt das nördlichste Becken der großen Einsenkungszone dar. Im Norden von dem hohen Gebirgszug des Tannu-Ola und im Süden vom Chan-Chuchei begrenzt, erstreckt sich das Becken in ostwestlicher Richtung in einer Längsausdehnung von mehr als 250 km, während die größte Breite kaum 100 km beträgt. Auch im Westen bilden Gebirge den Abschluß, die hier etwa von Nord nach Süd ziehen und aus dem Zagan-Schibetu und dem Turun bestehen. An den letzten schließt sich nach Süden das Charchira-Gebirge an, das aber an der Einfassung des Beckens direkt nicht mehr beteiligt ist.

Das Becken des Ubsa-Nur ist von den südlicher gelegenen Senken, mit denen es geologisch und morphologisch viele gemeinsame Züge hat, fast vollständig isoliert. Es gibt hier nur zwei Übergänge zur Außenwelt, die durch Lücken in der sonst geschlossenen Gebirgsumwallung führen. Eine solche findet sich zwischen dem Turun-Gebirge und dem Chan-Chuchei und öffnet den Weg nach Süden. Die zweite Möglichkeit bietet die Einsenkung zwischen dem Turun-Gebirge und dem Zagan-Schibetu. Sie führt nach Westen in das kleine Becken des Urjuk-Sees. Beide Durchlässe, die im ganzen nur einen talartigen Charakter haben, sind verkehrswichtig und werden auch von Hauptstraßen benutzt.

Die tiefste Stelle des Beckens ist etwas nach Norden und stark nach Westen verlagert. Sie wird von dem größten Salzsee der Mongolei, dem Ubsa-Nur, eingenommen, der mit einer Oberfläche von 3350 qkm überhaupt das größte stehende Gewässer der MVR ist. Mit einer maximalen Länge von 84 km und einer Breite von 79 km kommt er der Kreisform nahe. Der See hat eine Meereshöhe von 743 m. Er ist also um 291 m tiefer eingesenkt als der Chirgis-Nur südlich des Chan-Chuchei. Hervorgehoben werden muß sein außergewöhnlich hoher Salzgehalt, der alle größeren Salzseen der MVR weit übertrifft. Über die Tiefe des Ubsa-Nur liegen keine Angaben vor.

Von dem See aus, der von einer weiten Ebene umgeben ist, steigt das Gelände nach allen Seiten langsam an, geht dann — besonders um die Westhälfte des Sees — aber bald in die leichtgewellte, weiterhin ansteigende Vorlandsebene über, die überall am Rande des Beckens auftritt und in die, regional verschieden Restberge, Felsenklippen, Trockentäler, Sandflächen mit Barchanbildungen und auch gelegentlich kleine Becken mit Salzablagerungen eingestreut sind. Die dritte Zone bilden Hügel und ungleichmäßig geformte Berge, die den peripheren Übergang zu den Randgebirgen bilden, die dann ziemlich schroff aufsteigen und beachtliche Höhen aufweisen. Zum Teil erreichen sie die Schneegrenze, wie etwa der 3917 m hohe Turgun, der kleine Gletscher trägt.

An der Oberflächenbildung sind, wie auch bei den südlicheren Becken, in weitem Maße quartäre Ablagerungen beteiligt. Äolische und im Zentrum limnische Sedimente spielen eine große Rolle. Auch die für Wüsten typischen Schotter- und Geröllpanzer treten auf. Im allgemeinen kann man sagen, daß westlich des Sees am Rande Geröllablagerungen und nach dem See zu Tone vorherrschen, während im weiten Osten Sandflächen und kiesige Böden den größten Teil des Raumes für sich in Anspruch nehmen.

Der westliche Teil des Beckens ist enger umgrenzt. Die Gebirge liegen hier dem See näher. Darum ist auch die Zahl der Flüsse, die von den Bergen in das Becken abfließen, größer, wenn auch hier nicht alle den Ubsa-Nur erreichen. Im südlichen Teil finden wir hier das durch seinen Ackerbau bekannte Gebiet von Ulan-Gom. Eine leicht geneigte, von fruchtbaren Böden gebildete flachwellige Ebene zieht sich hier in der Richtung zum See hin, die vom Charchira-Fluß durchzogen wird. Dieser ist aufgestaut und liefert in vier sich verzweigenden Kanälen reichlich Wasser zur Bewässerung und speist darüber hinaus auch noch den Ubsa-Nur. Nördlich von Ulan-Gom tritt uns dann die Landschaft am Chundelen und Saglja-Gol als besondere Einheit entgegen. Der erstere kommt von den Bergen des Turun, der letztere sammelt das Wasser vom Zagan-Schibetu und vom westlichen Tannu-Ola. Am Rande des Beckens fließen sie durch eine hügelige Landschaft und werden begleitet von saftigen Wiesen, Strauchdickichten und auch gelegentlich von kleinen Wäldern. Es ist eine liebliche, von den Mongolen gesuchte Landschaft, die aber ihr Gesicht mit der Entfernung von den Bergen sehr rasch verändert und zu einer Salzwüste wird, in der sowohl der Chundelen als auch der Saglja-Gol enden, ohne daß sie den Ubsa-Nur erreichen. Auch die meisten der übrigen Flüsse, die alle eine jahreszeitlich sehr schwankende Wasserführung haben, zeigen an den Oberläufen ein ähnliches Landschaftsbild. Bei Hochwasser stoßen sie wohl weit in das wüstenhafte Gelände vor, bei Niedrigwasser aber werden sie zu kleinen Rinnsalen oder liegen ganz trocken da. Das Versickern der vielen Gewässer am Rande der zentralen Wüste und die sich bildenden Grundwasserströme, die auch gelegentlich an die Oberfläche treten, scheinen eine wesentliche Rolle an der Speisung des Ubsa-Nur zu spielen.

Ostwärts des Ubsa-Nur treten die Randgebirge, der Tannu-Ola wie auch der Chan-Chuchei, weiter zurück und geben dem Becken einen umfangreichen Raum frei. Als östliches Ende desselben kann die Gegend angesehen werden, wo die Ausläufer der beiden Gebirge an den Tes herantreten. So ist der Ostteil des Beckens zwar größer, aber auch unvergleichlich öder.

Das nördliche Randgebiet wird in seiner ganzen Länge vom Tes durchzogen, dessen Tal fast parallel zum Tanun-Ola verläuft und andeutet, daß sich hier im Norden der tiefste Teil des Beckens hinzieht. Er fließt nur zum Teil auf dem Gebiet der MVR und bildet mit seinem Unterlauf die Grenze zwischen dieser und der Sowjetunion. Sein Tal ist breit, von Wiesen und Gesträuch eingenommen und von Terrassen begleitet, auf denen sich aber sogleich die Wüste mit ihren typischen Pflanzenvertretern einfindet. Gelegentlich begleiten den Fluß auch kleine Gehölze aus Nadel- und Laubbäumen und treffen dann fast unmittelbar mit der Wüste zusammen, wobei auch nicht selten gering bewachsene Sandflächen sich bis dicht an den Fluß heranschieben. Der Unterlauf fließt durch ein Wüstengebiet, in dem Tonebenen und Sandstrecken überwiegen. An der Einmündung bildet er ein ausgedehntes Delta, das weithin mit Schilfdickicht bedeckt ist, in dem die einzelnen Arme in kaum ausgeprägten, flachen Betten sich hinwinden.

Südlich des Narin-Gol beginnt dicht am Ufer des Ubsa-Nur ein umfangreiches Sandgebiet, das sich in einer Breite von 30 bis 50 km in der Mitte des Beckens bis zum Ostrand erstreckt und hier fast den Tes erreicht. Es sind zumeist kuppige Hügelsande, die sich 30 bis 50 m über die umliegende Ebene erheben. Im allgemeinen sind sie bewachsen und fest. Nur auf den Kuppen und Kämmen der Sandhügel lassen sich gelegentlich Aufrisse der leichten Vegetationsdecke mit Auswehungserscheinungen erkennen, wobei hier und da auch kleine bewegliche Sandhaufen in Erscheinung treten. Vielfach sind auch Neubildungen halbfester Sandhügel zu beobachten. Als Hauptgrund zur Bildung beweglicher Sande wird die zu starke Beweidung angegeben (106/165). Durch Viehtritt werden vor allem die Hänge zerstört, so daß der Wind eingreifen kann und Barchane bildet. Der Flugsand dringt auch in die umgebenden Ebenen vor, wo er einen Übergangsstreifen zu den angrenzenden Landschaften bildet. Die Sandflächen im Osten des Ubsa-Nur-Beckens gehören zu den größten in der MVR.

Südlich der vorgeschilderten Landschaft erstrecken sich bis zum Fuß des Chan-Chuchei umfangreiche Vorlandebenen, die von zahlreichen, nach Norden sich erstreckenden Sairen (Trockenbetten) zerrissen werden. Besonders abwechslungsreich ist das Relief, das sich im Vorland der höchsten Erhebungen des Chan-Chuchei (2919 m) ausdehnt. Hier finden sich am Fuße des Gebirges auch dauernd fließende Gewässer, die aber dann versickern und im Grundwasserstrom weiterziehen. Den besten Nachweis hierfür liefert das Auftauchen desselben in einer Einsenkung mitten in der Sandzone, wo er einen klaren See bildet, dem der schon genannte Narin-Gol entströmt, der einzige Fluß, welcher im Becken selbst entsteht.

Die zentrale Landschaft um den See ist größtenteils eben, doch lassen sich in einiger Entfernung vom heutigen Ufer, vor allem in westlicher Richtung, stellenweise deutlich alte Seeablagerungen oder auch in inselhaft auftretenden Sandhügeln alte Strandwälle erkennen. Im übrigen ist die ganze weite Umgebung des Sees ausgesprochene Wüste. Die Pflanzendecke ist sehr spärlich. Am Rande der salzdurchsetzten Niederungen sind gelegentlich ausgedehnte Deris-Bestände verbreitet, vor allem auf der Westseite des Sees, während auf der Gegenseite Schilfdickichte im Vordergrund stehen. Weite Strecken der seenahen Gegenden werden auch von Salzsümpfen eingenommen, wie überhaupt Salzausblühungen mit ihrer leuchtenden Helle für dieses Gebiet sehr charakteristisch sind.

Hydrographisch bildet das Ubsa-Nur-Becken ein für sich abgeschlossenes, abflußloses Gebiet. Der bedeutendste Fluß ist der Tes. Er entsteht auf dem seenreichen Hochland im Norden des Bolnai-Rückens und hat eine Länge von 568 km.

Hinsichtlich der Vegetation sind am Rande mehr Wüstensteppen, im Zentrum jedoch Wüsten verbreitet. Doch unterscheiden sich beide in ihrer pflanzlichen Zusammensetzung von dem südlichen Becken. Erwähnenswert ist hierbei das isolierte Auftreten von Nanophyton erinaceum (Pall.) Bge., die im Becken des Ubsa-Nur eine weite Verbreitung besitzt und zwischen den Nordhängen des Chan-Chuchei und dem See so im Vordergrund steht, daß man hier von einer Nanophyton-Wüste sprechen kann. Im ganzen übrigen Raum der MVR fehlt sie und findet sich erst im äußersten Südwestzipfel, der Dsungarischen Gobi, wieder ein.

Die Besiedlung durch den Menschen ist allgemein sehr gering, doch werden selbst die Sandflächen von nomadisierenden Mongolen durchzogen. Am weitesten entwickelt ist der westliche Teil, wo sich um Ulan-Gom ein bemerkenswertes Ackerbauzentrum entwickelt hat. Kleinere Ackerflächen sind auch an den Oberläufen anderer Flüsse anzutreffen, so selbst am Tes und Narin-Gol. Zumeist sind es Angehörige der westmongolischen Stämme, die sich dem Landbau widmen. Ulan-Gom ist der wirtschaftliche Schwerpunkt des Beckens und ist durch zwei ganzjährig befahrbare Straße mit den anderen Gebieten der MVR verbunden. Die eine Straße benutzt den Südausgang und führt direkt nach Kobdo, die zweite den Westausgang und durchzieht das Urjuk-Becken, um nach Überwindung eines 2338 m hohen Passes auf die Handelsstraße zur Sowjetunion zu stoßen. Ein anderer Weg, der aber wenig ausgebaut ist, führt von Ulan-Gom am Nordfuß des Chan-Chuchei und dann über denselben und andere Gebirge nach Uljassutai. Seine Benutzung wird als schwierig geschildert.

Das Chirgis-Becken

Diese Landschaft erstreckt sich südlich des Chan-Chuchei und beansprucht für sich den größten Teil der Senke der Großen Seen. Wie schon im Namen zum Ausdruck kommt, umfaßt sie den Einzugsbereich des Chirgis-Nur, zu dem — abgesehen vom Ubsa-Nur — die größten Seen der Senke gehören und auch bedeutende Flüsse, wie der vom Altai kommende Kobdo und der Dsabchan und Chungui, die auf dem Changai ihren Ursprung nehmen. Daneben gibt es im Becken noch eine ganze Reihe kleiner Seen, weiterhin Salzsümpfe und Salzpfannen, die für sich abgeschlossen sind und keinerlei Verbindung mit dem hydrographischen Netz der großen Flüsse und Seen haben.

Mit dem Chirgis-Nur, dessen Wasserspiegel in einer absoluten Höhe von 1034 m liegt, haben wir auch die tiefste Stelle des Beckens vor uns, die — stark nach Norden verlagert — sich am Südfuß des Chan-Chuchei findet. Dorthin richtet sich auch das allgemeine Gefälle des Beckens, was in der Laufrichtung des Dsabchan und Chungui und auch in den Höhenunterschieden der Seen augenfällig wird. Davon wird später noch die Rede sein.

In den zentralen Teilen der Senke bilden Ebenen, die oft leicht gewellt sind, das vorherrschende Relief. Verstreut trifft man auch kleine Hügelzonen an, die aus stark zerstörtem Urgestein bestehen und im Mittel nur eine relative Höhe von 50 bis 100 m haben. Seltener sind höhere Berg- oder Gebirgszüge, die alle in Ost-West-Richtung verlaufen. Sie stellen Ausläufer des Changai oder Restberge dar und bilden meistens kahle und felsige Landschaften, die den wüstenhaften Gesamteindruck des Gebietes verstärken. Derartige Erscheinungen sind für die östliche Hälfte bezeichnend und bestimmen hier in hervorragendem Maße das Landschaftsbild. Für die eigentliche Senke sind Tonebenen, einzelne Kessel mit Salzanreicherungen, gelegentlich auch Geröll- und Schuttpanzer sowie Saire typische Merkmale. Die letzteren durchschneiden die Sandbänke und Strandwälle der alten Seeablagerungen zumeist im rechten Winkel und sind besonders charakteristisch. Schließlich wären noch die Sandablagerungen zu erwähnen, die einzelnen Teillandschaften ihr Gepräge geben.

Die *Umne-Gobi* liegt im äußersten Nordwesten der Landschaft und wird im Norden vom Charchira-Gebirge und im Süden vom Altan-Chuchei eingefaßt. Beide Gebirge bilden die Ostgrenze des Altai. Von den Gebirgen fallen Vorlandebenen, die noch Gebirgssteppen tragen, zum wüstenhaften, von welligen Ebenen eingenommenen Zentralgebiet ab. Das letztere senkt sich zwar in der Richtung zur Chirgis-Senke, doch stört eine Schwelle die direkte Verbindung. Hier liegt 1597 m hoch der 55 qkm große, salzige See Namirin Chara-Ussu, der vom Namirin gespeist wird. Er ist weithin von Solontschaken umgeben. Nach gut erhaltenen Spuren hatte er früher einen Abfluß zum Chirgis-Nur. Die von Ulan-Gom nach Kobdo führende Straße berührt den See auf seiner Ostseite.

Vom *Gebiet um Kobdo* ist der Teil, der den See Chara-Ussu im Westen umsäumt, zur Senke der Großen Seen zu rechnen. Insgesamt herrscht hier welliges Gelände vor, in das örtlich Hügelgruppen und einzelne Berge eingelagert sind. Abgesehen vom großen, mit Schilfflächen, Sümpfen und Salzpfannen erfüllen Delta des Kobdo-Flusses überwiegen Steppen. Nur um das Südende des Sees sind neben Wüstensteppen vor allem Baglur-Wüsten verbreitet. Hier findet sich auch der Saksaul ein. Nach bisherigen Feststellungen ist es der nördlichste Punkt seiner Verbreitung. Von besonderer wirtschaftlicher Bedeutung sind die Flüsse Bujantu und Zencher. Der erste, an dem die Stadt Kobdo liegt, teilt sich in zahlreiche Arme, von denen manche trocken liegen, das Wasser der anderen größenteils zur künstlichen Bewässerung eines ausgedehnten Ackerbaugebietes verbraucht wird, so daß nur wenig, in manchen Jahren überhaupt kein Wasser den Chara-Ussu erreicht. Auch im Süden nähert sich der linke Arm des Altai-Flusses Zencher, der hier den Namen Tatal-Gol (Zagan-Ussu) trägt, dem Chara-Ussu, ohne ihn jedoch zu erreichen. Sein Wasser wird fast vollkommen von den Mongolen zu Bewässerungszwecken abgeleitet, während der Rest versickert.

Der *Zentralteil* des Beckens wird von dem Gebiet eingenommen, das den Chirgis-Nur umgibt und das sich von hier, nach Süden ansteigend, bis zum Chara-Nur und Durge-Nur erstreckt. Morphologisch trifft auf

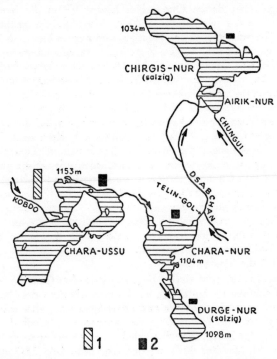

Schema der Verteilung der Wassermenge des Kobdo-Flusses auf die Seen in der Senke der Großen Seen (nach N. T. Kusnezow)

1 Wassermenge des Kobdo-Flusses
2 Verteilung der Wassermenge auf die einzelnen Seen

diesen Teil alles das zu, was bereits oben über die eigentliche Senke gesagt wurde. In der Nähe des Chirgis-Nur sind Wüsten verbreitet, die mit der Entfernung in Wüstensteppen übergehen.

Östlich des vorgenannten Zentralgebietes lassen sich noch Einzelland-schaften ausgliedern, die durch ihre besondere Eigenart hervortreten.

Das *Chuntu-Nur-Gebiet* verläuft parallel zum Südhang des Chan-Chuchei und erstreckt sich bis zu den Sandflächen im Norden des Chungui. Es stellt morphologisch eine breite Talsenke dar, in deren tiefster Lage wie die Glieder einer Kette Niederungen mit Salzsümpfen oder Salz-pfannen eingelagert sind, die volle Wüstenvegetation tragen. Die flach einfallenden, hügeligen bis welligen Hänge sind dagegen mit Wüsten-steppen und zum Teil mit Trockensteppen bedeckt. Das Chuntu-Nur-Gebiet sinkt allmählich nach Westen ab und geht unmerklich in die Ebene des Chirgis-Nur über.

Das *Chungui-Sandgebiet* umfaßt die auch als Boro-Chara-Elessu (Elessu = Sande) bekannten Sandflächen, die sich auf der rechten Seite des Chungui über dessen Quellgebiet hinaus bis in die Vorberge des Changai erstrecken, wo sie bis 2000 m hinaufgeweht erscheinen. Am Unterlauf überschreiten sie den Chungui und reichen hier nach Westen bis zum Dsabchan. In geschlossenem Zuge haben sie eine Länge von mehr als 200 km und eine Breite von 10 bis 15 km. Die Gesamtfläche beträgt 2502 qkm. Am mächtigsten sind die Sande in Niederungen und im Wind-schatten der Hänge. Im größeren Ostteil ist das hügelig-kuppige Grund-relief durch die Sande nur leicht markiert, sehr oft tritt es auch zutage. Je weiter wir nach Westen kommen, um so mehr treten die Sande selbst formbildend auf, während sich Grundgestein nur selten zeigt. Im Westen nehmen die Sande sogar die Form von Barchanen an. Zum großen Teil sind die Sande mit einer dünnen Vegetationsdecke festgelegt und reich an Quellen, die zum Chungui abfließen. Im Ostteil des Sandzuges liegt der See Chunguin-Chara-Nur (60 qkm, bis 11,9 m tief, 1473 m hoch gelegen), der vom Muchur-Chungui gespeist wird und — mitten in einer Wüsten-gegend gelegen — merkwürdigerweise vorzügliches Süßwasser hat. Diese Besonderheit kann damit erklärt werden, daß der See einen unter-irdischen Abfluß zum Chungui hat, und zwar in der Form, daß das Wasser durch die Sande sickert.

Das *Dsabchan-Mandal-Gebiet* liegt zwischen dem Chungui im Norden und dem Dsabchan im Süden. Es wird von Ausläufern des Changai aus-gefüllt, die zwar stark zerstört und abgetragen sind, aber mit relativen Höhen zwischen 400 und 500 m der ganzen Landschaft doch ein be-sonderes Gepräge geben. Einzelne Erhebungen erreichen sogar beachtliche Höhen, so der Iche-Bur 2325 m, der Argalintu-Ude 2117 m und der Otog 1883 m. Ein besonderes Charakteristikum ist das steinige Gelände sowohl der Berge als auch der Hänge. Die höher gelegenen Gebiete sind mit mageren Gebirgssteppen bedeckt, während in den Senken Wüsten-steppen vorherrschen.

Das *Dsabchan-Sandgebiet* beginnt gegenüber der Einmündung des Schurugin-Gol, auf der linken Seite des Dsabchan, und zieht sich in einer Breite von etwa 25 km flußabwärts bis fast zum Telin-Gol hin, wobei zum Schluß die Sande auf beiden Seiten des Dsabchan auftreten. Von diesen Sanden, den Mongol Elessu, mit einer Fläche von 2724 qkm führt eine Sandbrücke zu dem ostwärts des Durge-Nur gelegenen Sandmassiv Baga-Nurin-Urdu mit 1187 qkm, so daß wir im Dsabchan-Sandgebiet die größte zusammenhängende Sandfläche vor uns haben. Der größte Teil dieser Sande ist nur wenig verfestigt, vielfach locker und bildet überwiegend Barchane, die ostwärts des Durge-Nur eine relative Höhe bis zu 60 m erreichen. Nur im nordwestlichen Ende überwiegen Hügel- und Reihensande.

Südlich vom Durge-Nur setzt sich die Senke ohne Unterbrechung fort und weitet sich zu der ausgedehnten *Chuisin-Gobi,* die einen für sich abgeschlossenen Kessel bildet. Durch kuppiges Gelände gelegentlich gestörte Ebenen herrschen vor, die zur zentralen Depression langsam absinken, wo sich außergewöhnlich große Solontschakflächen finden. Eine Senke im Südosten leitet zur Schargain-Gobi über.

In hydrographischer Beziehung stellt das Chirgis-Becken ein abflußloses Gebiet dar, doch der Einzugsbereich desselben erstreckt sich weit über seine Grenzen hinweg. Der Chirgis-Nur ist in dieser Hinsicht die Entwässerungsbasis des gesamten nordwestlichen Altai und des West-Chingan. Die Schwerpunkte des hydrographischen Netzes bilden große Seen, die im eigentlichen Sinne auch nur Durchgangsstationen des von außen zufließenden Wassers zum Endpunkt, dem Chirgis-Nur, darstellen. Sie sollen hier zunächst charakterisiert werden.

Der *Chara-Ussu-Nur* ist das erste Glied im System dieser Seenkette. Er liegt 1153 m hoch und hat eine Gesamtfläche von 1760 qkm. Im Nordosten desselben liegt die 274 qkm große Insel Ak-Baschi, die einen Teil abgliedert, der den Namen Choitu-Dalai führt. Die größte Tiefe des Sees ist noch unbekannt, anscheinend liegt sie in der Mitte, wo Tiefen von 15 bis 20 m gemessen wurden. Der Süden und der Nordosten sind sehr flach. Im Süden ist der See auf 8 bis 12 km vom Ufer mit Schilfrohr bewachsen. Häufig finden sich hier flache Inseln. Auch das Nordufer im Bereich des Kobdo-Deltas weist weite Schilfrohrflächen mit eingelagerten Sümpfen und Salzpfannen auf. Ebenso ist der Großteil des Ufergeländes am Choitu-Dalai weit in das Wasser hinein mit der gleichen Vegetation bedeckt. Im übrigen treten im Osten Sande bis dicht an das Ufer heran. Die schon genannte Insel ist bergig und erhebt sich 272 m hoch über den Wasserspiegel. Der See wird vom Kobdo-Fluß gespeist und enthält Süßwasser. Vom Kobdo-Wasser verdunstet ein Teil im Chara-Ussu, während — je nach der Jahreszeit — zwei Fünftel bis zur Hälfte der Wassermenge über den 40 km langen Tschon-Chairich an den Chara-Nur abgegeben werden.

Der *Chara-Nur* liegt 1104 m hoch und ist 530 qkm groß. Nach Süden verengt sich seine Fläche und wird zu einem schmalen Durchlaß, der örtlich seenartig erweitert ist. Diese Engstelle bildet die Verbindung zum *Durge-Nur*, der 1098 m hoch liegt und eine Fläche von rund 300 qkm umfaßt. Im Norden und Nordwesten des Chara-Nur treten gebirgige Erhebungen bis dicht an den See heran. Das Ostufer des Durge-Nur ist von Barchanen begleitet, die 20 bis 25 m hoch sind. Im übrigen bestehen die Ufer beider Seen aus Geröll und Kiesen, oft sind sie von gut erhaltenen Strandwällen begleitet. Das Wasser des Chara-Nur ist süß, das im Durge-Nur salzig. Der Tschon-Chairich ist der einzige dauernde Zufluß beider Seen. Die Wassermenge reicht aus, um das Niveau beider Gewässer nicht nur zu erhalten, sondern ein Teil des Wassers wird noch über den schluchtartig eingegrabenen Telin-Gol, der 12 km lang ist, an den Dsabchan abgegeben, der es dem Airik- und Chirgis-Nur zuführt.

Die beiden letztgenannten Seen waren früher ein einziges Gewässer. Heute sind sie selbständig und nur durch einen Flußarm verbunden. Der *Airik-Nur* ist 117 qkm groß und nur 0,9 m tief. Die einmündenden Flüsse Dsabchan und Chungui sorgen dafür, daß sein Wasser süß bleibt. Die überschüssige Wassermenge fließt in einem bis zu 300 m breiten und 5 km langen Arm zum Chirgis-Nur.

Der *Chirgis-Nur* stellt das Endglied des ganzen hydrographischen Netzes dar. Bei einer Höhenlage von 1034 m hat er eine Fläche von 1360 qkm. Die Tiefe wurde noch nicht gemessen, soll jedoch im Norden beträchtlich sein. Das Wasser ist stark mineralisiert. Die Ufer des Sees sind größtenteils flach und bestehen aus Kies und Geröll, seltener aus Lehm. Die Vegetation ist sehr mager, so daß der See und seine Umgebung einen wüstenhaft öden Eindruck machen. Nur wo das Grundwasser in Quellen hervortritt, haben sich üppige grüne Grasflächen gebildet. Der Raum des Chirgis-Nur ist so gut wie unbewohnt.

Von den großen Flüssen sollen hier nur der Dsabchan und der Chungui behandelt werden, der Kobdo ist dem Altai-Abschnitt vorbehalten.

Der *Dsabchan* kommt von den Südhängen des Changai und hat eine Länge von 808 km. Mit dem Eintritt in die Landschaft, d. h. von der Einmündung des rechten Nebenflusses Schurugin-Gol an, nimmt er außer dem Telin-Gol keine Zuflüsse mehr auf. Er führt weit weniger Wasser als der Kobdo, verliert unterwegs durch Einsickern in den Sandgebieten auch noch einen Teil der Wassermenge. Merkwürdigerweise nimmt diese aber kurz vor der Mündung wieder zu, was nur dadurch erklärt werden kann, daß hier der Grundwasserstrom des Dsabchan an die Oberfläche tritt. Das Flußtal ist in der Breite schwankend, erreicht jedoch örtlich Breiten von 7 bis 10 km. An vielen Stellen zeigen sich deutliche Terrassen. Im Unterlauf teilt sich der Dsabchan in verschiedene Arme, die bis zu 14 km weit auseinanderstreben. Im Zentrum der Senke unterscheidet sich das Tal nur wenig von der begleitenden Wüstensteppenlandschaft. Nur kleine Oasen von grünen Gräsern und Schilf treten gelegentlich auf.

Der *Chungui* entspringt in den Sandgebieten an den westlichen Randbergen des Changai in 1600 m Höhe. Er mündet nach einem Lauf von 196 km in den Airik-Nur, 12 km östlich des rechten Dsabchan-Armes. Sein Tal ist im Ober- und Mittellauf feucht, teilweise versumpft. Eine gewisse Rolle kommt hier dem Grundwasser zu, das aus den Sandgebieten dem Tal zuströmt und hier in zahlreichen Quellen zutage tritt und die Wassermenge des Flusses vermehrt. Das Tal des Unterlaufes ist breit und trägt Steppenvegetation, teilweise sogar saftige Wiesen. Sträucher dagegen sind selten. Das Tal des Chungui ist stärker besiedelt als das des Dsabchan.

So wenig reich die Vegetation der Senke der Großen Seen und hier des Chirgis-Beckens auch ist, so ist die Landschaft doch nicht arm an tierischem Leben. Der Dsabchan, Chungui, weiterhin der Airik-Nur, der Chara-Ussu und der Chara-Nur werden als fischreich geschildert. Auch die Vogelwelt ist durch verschiedene Arten vertreten, unter denen die Wüstenhühner besonders genannt werden sollen. Außerordentlich zahlreich sind hier Wasservögel, die zwar die Seen mit nacktem Geröll- oder Sandufer meiden, jedoch Stellen mit reicherer Vegetation, vorzugsweise mit Schilf- und Rohrdickichten, im Sommer in großer Zahl beleben. Vom Namirin-Chara-Ussu in der abgelegenen Umne-Gobi berichtet *Consten:* „Der See ist herrlich gelegen, sein Wasser ist tiefblau, ins Schwarze übergehend. Tausende von Wildenten, Gänsen und Schwänen und eine Art Möwen bevölkern den See. Kaum gehe ich, mein Pferd am Zügel führend, längs des Ufers, so springen hier und da Hasen auf und davon" (56/84 f.). Vom Chara-Ussu schreibt *Potanin:* „Das Ufer ist geradezu mit Vögeln übersät. Große Scharen von Gänsen liegen mit sich selbst beschäftigt oder in Ruhe da. Auf dem Wasser herrscht ständige Bewegung — Enten und Gänse schwimmen in Reihen in das Schilf, andere tauchen wieder auf, fliegen lärmend ein Stück über das Wasser und lassen sich dann wieder nieder. Dem Menschen gegenüber verhalten sich diese Vögel gar nicht ängstlich. Große Scharen von Enten und Gänsen setzen ihre Beschäftigung fort, selbst wenn man sich ihnen nähert, so daß man mit Muße ihr Leben beobachten kann. Das ganze Ufer ist mit einer Schicht Guano bedeckt, und selbst das Wasser stellt eine Lösung dieses Stoffes dar, mit dem auch alle Pflanzen beschmutzt sind" (zit. 228/252). Unter den Wildtieren ist die Saiga-Antilope (Saiga imberis J. Gmelin) an erster Stelle zu nennen. Ihre Verbreitung reicht etwa vom Gebirge Chan-Chuchei im Norden bis zur Schargain-Gobi im Süden. Sie ist das Charaktertier der Senke der Großen Seen, da sie außer in den vorgenannten Gebieten nur gelegentlich im Tal der Seen und dann noch im äußersten Südwestzipfel der MVR, nämlich im Vorland des Baitak-Bogdo, auftritt. Dieses eigenartige Tier, das besonders durch sein gebogenes, fast rüsselförmiges Maul bemerkenswert ist, hat eine Risthöhe von 63 bis 80 cm. Das Gehörn des männlichen Tieres ist wachsfarbig und fast durchsichtig. Es wird für volksmedizinische Zwecke gesucht. Da die Saiga-Antilope auch wegen ihres Fleisches gejagt wird, war ihr Bestand stark gefährdet. Erst die neuen Jagdgesetze haben ihr eine Schonung gebracht, so daß ihre Zahl in den letzten Jahren wieder zugenommen hat. Im Raume der Chirgis-Senke ist gelegentlich auch der Kulan (Equus hemionus Pallas) anzutreffen, der als ein typischer Vertreter der Gobi anzusprechen ist. Seine Zahl ist sehr gering. Eine etwas größere Verbreitung hat die Dshejran-Gazelle (Gazella subgutturosa Gueldenstadt). Sie ist im westlichen Teil der Senke der Großen Seen verbreitet, kommt aber auch in anderen Teilen der Gobi vor.

Das Chirgis-Becken ist in seinem westlichen Teil ziemlich stark bevölkert. Das betrifft vor allem die Vorlandebenen, die auch von der Straße von Ulan-Gom nach Kobdo durchzogen werden, und weiterhin die dem Chara-Ussu und Chara-Nur benachbarten Gebiete. In der Nähe der Ufer sind immer wieder Jurtensiedlungen anzutreffen. Von besonderer Bedeutung sind hier die Unterlaufgebiete des Bujantu und Zencher, wo auf ausgedehnten Flächen mit Hilfe künstlicher Bewässerung Ackerbau getrieben wird. Am erstgenannten Fluß liegt die alte Stadt Kobdo, auf die im Altai-Abschnitt näher eingegangen wird. In der Osthälfte des Beckens bilden der Dsabchan und der Chungui die Hauptleitlinien der nomadischen Weidewirtschaft. Im oberen Chungui-Tal finden sich auch einige feste Siedlungen mit Ansätzen von Ackerbau. Das zentrale Gebiet um den stark salzigen Chirgis-Nur ist so gut wie menschenleer.

Eine alte Poststraße durchquerte früher das Becken vom Unterlauf des Kobdo über den Dsabchan zum Chungui, dessen Tal sie dann weiter verfolgt, um in Uljassutai zu enden. Obgleich sie den kürzesten Weg zwischen Kobdo und Uljassutai bildet, wird sie heute nur mehr wenig benutzt. Die gegenwärtige Hauptverkehrslinie zur Westmongolei führt von Uljassutai zum oberen Dsabchan, quert dann die Chuisin-Gobi und verläuft im Vorland des Altai nach Kobdo. Sie ist für Lastkraftwagen ganzjährig befahrbar.

Die Schargain-Gobi

Diese Landschaft stellt den südlichsten Teil der Senke der Großen Seen dar. Im Osten von dem Gebirgszug Chassaktu und teilweise auch vom Taischiri begrenzt, im Süden vom Adsargin-Nuru und im Westen vom Darzag-Churen umfaßt, bildet die Schargain-Gobi einen fast allseitig abgeschlossenen, tief eingesenkten Kessel. Nur nach Norden leitet eine talartige Einsenkung zur Chuisin-Gobi über, während der Übergang zum Beger-Kessel nach Osten durch einen bis 1600 m hohen Riegel erschwert wird. Die tiefste Stelle des Kessels wird von dem Salzsee Schargain-Zagan eingenommen, der in einer absoluten Höhe von 948 m liegt und mit einer Fläche von 13 qkm in dieser wüstenhaften Einöde ein recht beachtliches Gewässer ist. Er liegt am Westende einer sich etwa von West nach Ost hinziehenden Einsenkung, in der ihm der Schargain-Gol zufließt. Er zeigt eine Merkwürdigkeit, wie sie auch in verschiedenen anderen Becken des Altai zu beobachten ist, hier aber erwähnt werden muß, weil sie besonders klar hervortritt. Als Quelle des Schargain-Gol wird ein Flüßchen angesehen, das vom Adsargin-Nuru kommt, aber schon in der Vorlandebene versickert. Der Schargain-Gol entsteht als dauernd fließendes Gewässer erst in den Salzböden des Bajan-Somons, dem Ostteil der vorgenannten zentralen Längssenke, in der er dann ununterbrochen und an Wassermenge sogar zunehmend dem Schargain-Zagan zufließt. Die Erklärung dieser Erscheinung besteht darin, daß die von dem Quellfluß mitgeführte Wassermenge nach ihrem Versickern als Grundwasserstrom ihren Weg nach der zentralen Senke fortsetzt und dann dort wieder zutage tritt. Auch vom Chassaktu, der sich bis zu 3582 m erhebt, und von anderen Randgebirgen strömen kleine Flüsse der Mitte des Kessels zu. Ihr Wasser erleidet das gleiche Schicksal, es versickert, um dann in der zentralen Einsenkung oder auch schon vorher wieder aufzutauchen und den Schargain-Gol zu verstärken oder sich an der Erhaltung des Schargain-Zagan direkt zu beteiligen. Einen gleichen Hinweis liefern auch die zahlreichen Saire, die aus den Gebirgen kommen. Sie sind am Rande des Kessels in das sich senkende Gelände zunächst sehr tief eingeschnitten, verlaufen sich jedoch dann in der Ebene. Sie führen selten Wasser, doch zeugen die scharfen Formen der Oberläufe von der erheblichen Erosionswirkung der gelegentlichen Sturzbäche.

Die Oberfläche der Schargain-Gobi besteht größtenteils aus Ebenen, die nach der Mitte zu abfallen. Häufig treten auf ihnen Sandflecke, Salzpfannen und Takyre auf, und nicht selten erheben sich aus ihr Restberge, die aus bunten Gobi-Ablagerungen bestehen. In der zentralen Einsenkung herrschen Salzpfannen vor. Die Umgegend des Schargain-Zagan ist weitgehend versumpft. Eine auffallende Erscheinung bilden die alten Seeterrassen, die sich in der Osthälfte besonders deutlich zeigen und oft über längere Strecken zu verfolgen sind. Sie lassen erkennen, daß die ganze Schargain-Gobi in geologischer Vergangenheit von einem großen See eingenommen war, von dem im heutigen Schargain-Zagan nur noch ein kümmerlicher Rest verblieben ist.

Die Abgeschlossenheit der Schargain-Gobi durch hohe Gebirgszüge läßt in ihr den Wüstencharakter sehr stark in den Vordergrund treten. Wüstensteppe bekleidet nur die höheren Teile der Hänge, und zwar in der Form der Lauch-Federgras-Wüstensteppe. Die untere Hanghälfte wird schon von typischer Baglur-Wüste eingenommen, die weite Flächen überzieht. Dann beginnt der Saksaul im Landschaftsbild immer stärker hervorzutreten, dessen Verbreitung erst abnimmt, wenn die reinen Salzböden beginnen und Salzpflanzen ihre Herrschaft antreten. Gelegentlich vorkommende kuppige Sande fallen hier durch den Bewuchs mit Nitraria sibirica Pall. auf. In der Schargain-Gobi finden sich die umfangreichsten Saksaul-Bestände der ganzen Westmongolei.

Die geringe Bevölkerung der Schargain-Gobi hält sich mehr an die Randgebiete, wobei die Ostseite bevorzugt wird, weil hier die hohen Gebirge Chassaktu und Taischiri eine stärkere Quellenbildung verursachen.

Das Tal der Seen

Das Tal der Seen stellt in tektonischer und landschaftlicher Beziehung die südliche Fortsetzung der Senke der Großen Seen dar. Doch im Gegensatz zu der ausgeprägten Aufgliederung der letzteren in einzelne Becken zeigt die Landschaft hier die einheitliche Form einer groß angelegten Taleinsenkung, die sich zwischen dem Changai im Norden und dem Altai im Süden in einer durchschnittlichen Breite von 130 bis 150 km in westöstlicher Richtung über fast 600 km hinzieht. Die tiefsten Stellen der Senke sind stark nach dem Süden verlagert und liegen im Vorland des Altai, der ziemlich schroff aus den Ebenen emporsteigt. Der Changai hingegen fällt mit weichen Oberflächenformen, zumeist in der Art eines sanft geneigten Plateaus, langsam zum Tal der Seen ab. Bei einer absoluten Höhenlage des Seentales von 1000 bis 1300 m erreichen die Gebirgszüge des Altai schon in unmittelbarer Nähe Höhen von 3500 bis 4000 m, während das Gelände nach Norden so langsam ansteigt, daß es erst in einer Entfernung von 100 km eine relative Höhe von 600 bis 800 m über der Seensenke erreicht.

Zu diesem unsymmetrischen Querprofil kommt als zweites Merkmal ein allmähliches Absinken der allgemeinen Höhenlage in der Längsachse von West nach Ost. Deutlich zeigt sich dieses in dem verschieden hoch gelegenen Wasserniveau der Seen. Der Bon-Zagan, den wir als den westlichsten See in der eigentlichen Senke ansehen können, hat eine absolute Höhe von 1336 m, der Ulan-Nur als der letzte See im Osten liegt 1008 m hoch. Auf die besonderen Verhältnisse des Beger-Nur soll später eingegangen werden.

Das Hauptcharakteristikum der Landschaft aber sind die Seen, die ihr auch den Namen eingetragen haben. Neben den großen Seen, die später einzeln behandelt werden, gibt es viele kleinere Gewässer, weiterhin zahlreiche Salzpfannen und im Raum des Ulan-Nur auch ausgedehnte Takyre, von denen manche zeitweilig mit Wasser angefüllt sind. Die zwischen den einzelnen Seenbecken und Vertiefungen sich findenden Wasserscheidegebiete steigen nur sanft an und sind relativ niedrig, so daß sie in der Weite des Geländes kaum in Erscheinung treten. Sie sind landschaftlich von sekundärer Bedeutung, das Hauptelement sind die sich in Westost-Richtung hinziehenden Einsenkungen, die Seen oder Reste von solchen enthalten.

Wie bei der Senke der Großen Seen so liegen auch für diese Landschaft zahlreiche Nachweise vor, daß der größte Teil der vorgenannten Einsenkungen in der Vergangenheit von Wasserbecken eingenommen war, die im Verhältnis zu den heutigen kümmerlichen Restseen unvergleichlich größer waren. Darüber hinaus deuten verschiedene Spuren auch darauf hin, daß in noch älterer geologischer Vergangenheit im Raume des heutigen Seentales ein System von zusammenhängenden Gewässern bestanden hat, das vermutlich einen Abfluß nach Osten zum Raume des Ulan-

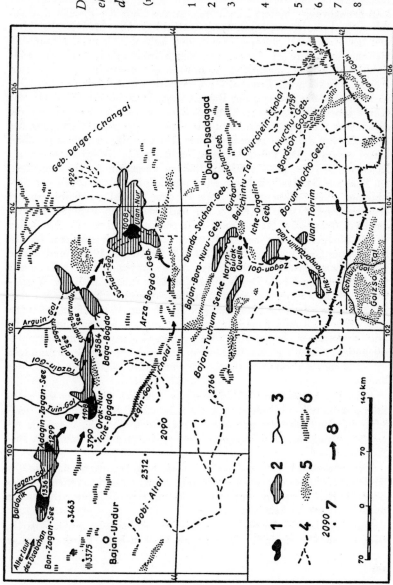

*Das heutige und das
ehemalige Gewässernetz
der Gobi*

(nach E. M. Mursajew)

1 heutige Seen
2 ehemalige Seen
3 Flüsse mit ständiger
  Wasserführung
4 Zeitweilige Flüsse und
  Trockentäler
5 Sande
6 Salzpfannen
7 Höhen in Metern
8 Richtung ehemaligen
  Abflusses

Nur besessen hat. Doch muß der Beweis für die letzte Annahme noch zukünftigen Forschungen überlassen bleiben.

Die Entwicklung im Seental verlief etwa parallel derselben in der Senke der Großen Seen. Im Tertiär gab es hier schon Seen, deren Existenz wohl nachgewiesen werden kann, aber über deren Grenzen man noch im unklaren ist. Die relativen Höhen sind verhältnismäßig gering gewesen. Dafür spricht, daß die Sedimente, die wir in dem Seental finden, zumeist kein grobkörniges Material enthalten. Gegen Ende des Pliozän machten sich disjunktive Bewegungen stark bemerkbar. Der Mongolische Altai und der Gobi-Altai wuchsen empor, und auch der Changai erfuhr eine Hebung. Es bildete sich das gegenwärtige morphologische Bild der Landschaft. Die größer gewordene Amplitude der relativen und absoluten Höhen verstärkte die Erosion, die Denudation und Akkumulation. Obwohl infolge der Hebung der Randgebirge, insbesondere des Altai, das Klima innerhalb der Senke hätte trockener werden müssen, konnte die einsetzende Vereisung verbunden mit einer Temperaturerniedrigung das Wasserniveau der Seen aufrechterhalten. Ihr Umfang tritt uns jetzt schon klarer entgegen. Die Flüsse konnten ihre energische Tätigkeit fortsetzen. Es entstanden die großen Schotterflächen, ausgedehnte Schwemmkegel, aus Kies und Sanden bestehend, und ausgedehnte Ablagerungen von Seeschlamm, alles Sedimente, die heute in dem Seental weitflächig zu beobachten sind. Das aride Klima der nacheiszeitlichen Periode zerstörte das hydrographische Netz, große Teile trockneten ganz aus, der Boden wurde bloßgelegt, nur geringe Restseen konnten sich erhalten. In den freigelegten Gegenden verstärkte sich die Arbeit der Winde und wurde vorherrschend. Senken wurden durch Auswehungen vertieft, andererseits Sandmassen angehäuft. Durch diese Vorgänge mögen auch die Wasserscheidegebiete zwischen den heutigen Einsenkungen erhöht worden sein. Doch blieben alle diese Erscheinungen örtlich begrenzt. Lößablagerungen oder große zusammenhängende Sandmassive, wie sie sonst in Zentralasien vorkommen, fehlen hier. Eine gewisse Änderung im hydrographischen und morphologischen Bild haben auch noch tektonische Bewegungen der Nacheiszeit verursacht, die jedoch einen mehr posthumen Charakter hatten.

Aus der geologischen Geschichte ergibt sich, daß die Böden des Seentales größtenteils aus lockerem Material bestehen, Sande und Kies herrschen vor. Im Süden dagegen überwiegt gröberes Material, wobei die aus den Schluchten des Altai herausgetragenen Schottermassen besonders auffällig sind.

Morphologisch herrschen Ebenen vor, in die gelegentlich hügeliges Gelände eingeschaltet ist. Sandgebiete sind zumeist kuppig, seltener treten Barchane auf. Nach der zentralen Senke hin sind die geneigten Flächen durch Trockentäler zerschnitten.

Während das Tal der Seen im ganzen eine einheitliche Senke darstellt, wird sie im Westen durch das mehr als 3000 m hohe Taischiri-Gebirge aufgeteilt. Nördlich desselben erstreckt sich das Gebiet von *Jussun-Bulak*. Es ist eine relativ schmale, vorwiegend hügelige Senke, die zum Tal der Seen abfällt. In den niedrigsten Teilen ziehen sich langgestreckte Salzpfannen hin, gelegentlich zeigen sich auch Andeutungen von Terrassen, die ein breites Trockental begrenzen, in dem einst der Dsabchan seinen Weg zum Seental nahm.

Südlich des Taischiri-Gebirges liegt der im Norden und Süden von hohen Gebirgen eingefaßte *Beger-Kessel*. Den Mittelpunkt bildet der 1295 m hochgelegene Salzsee Beger-Nur (11,39 qkm), in den der Dsun-Gol mündet. Gegenüber der Schargain-Gobi ist der Kessel durch einen bis 1600 m hohen Gebirgsriegel abgeschlossen, zum Tal der Seen dagegen offen. Das Innere des Kessels bedecken größtenteils wüstenhafte Geröll- und Schotterflächen, die von zumeist trockenen Flußläufen durchschnitten sind.

Das *Bon-Zagan-Gebiet* ist die westlichste der großen Einsenkungen im Tal der Seen. Im Westen desselben liegt der See Bon-Zagan und im Ostende der Adagin-Zagan. Der erstere ist mit 240 qkm das größte Wasserbecken des Seentales. Der Adagin-Zagan hat nur eine Oberfläche von 22 qkm und stellt mit seiner Umgegend eine große Salzpfanne dar. Der Bon-Zagan wird von dem Baidarik gespeist, der nach dem Betreten des Seentales einen linken Arm abzweigt und ihn, jedoch mit einer weit ge-

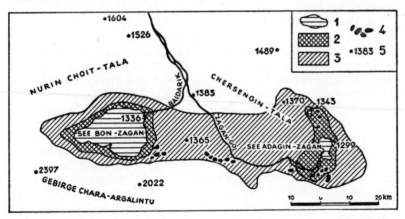

Der heutige und frühere Wasserstand der Becken des Bon-Zagan und Adagin-Zagan (nach Zigmit)

1 Gegenwärtige Ausdehnung der Seen
2 Frühere Fläche bei einem angenommenen Wasserstand von 11—13 m über dem heutigen
3 Das alte Seebecken bei einer Ausdehnung bis zum Strandwall 19 km nördlich des Bon-Zagan
4 Kleine Restseen
5 Höhenpunkte in Metern über dem Meere

ringeren Wassermenge, zum Adagin-Zagan entsendet. Zwischen den beiden Endseen der Senke liegen fast in einer Linie zahlreiche kleine Wasserbecken, von denen zwölf Süßwasser enthalten. Diese Tatsache deutet auf eine hydrographische Verbindung zwischen den Seen und auf einen unterirdischen Abfluß von Westen nach Osten, der sich in den lokkeren limnischen und fluviatilen Sedimenten vollzieht. Diese Möglichkeit wird auch durch den Höhenunterschied bestätigt; denn der Bon-Zagan liegt 1336 m und der Adagin-Zagan 1299 m hoch. Die Ufer des Bon-Zagan sind weithin flach, zum Teil von Salzböden eingenommen, zum Teil auch von ausgedehnten, vielfach versumpften Wiesen bedeckt. Die Sande am Ufer bilden Dünen in der Form langgestreckter Wälle. Im übrigen ist die Umgegend meistens eben, wobei eine leichte Senkung zum See festzustellen ist. Der Adagin-Zagan ist sehr flach und wird in trokkenen Jahren zu einem Salzsumpf. Seine Umgegend wird in weiter Ausdehnung von Salzböden eingenommen, die von Rissen durchzogen und mit einer glänzenden Salzkruste bedeckt sind. Gelegentlich sind Sandflächen und Sümpfe eingelagert. Von der früheren Größe beider Seen zeugen klar ausgeprägte Strandlinien, nach denen das Niveau 20 bis 25 m höher als heute war. Eine weitere Serie von Strandwällen liegt 50 bis 60 m über dem heutigen Wasserstand. Die Hauptentscheidung für das Absinken des Niveaus kann wohl der Abwendung des Dsabchan zugeschrieben werden.

Das *Orok-Nur-Gebiet* liegt am Nordfuß des bis 4000 m hohen Iche-Bogdo. Im Kern liegt der gleichnamige See, der mit 130 qkm das zweitgrößte Gewässer des Seentales ist. Mit einer Länge von 28 km und einer Breite von 2 bis 8 km zieht er sich wie ein hellblaues Band dicht vor dem hoch aufragenden Berg hin. Seine durchschnittliche Tiefe beträgt 2,5 bis 3 m. Der Wasserstand ist von Jahr zu Jahr schwankend, ebenso der Salzgehalt. Daher kommt es, daß der Orok-Nur manchmal als Salzsee oder auch als Süßwassersee bezeichnet wird. In dieser Beziehung ist er abhängig von der Wasserzufuhr des Tuin-Gol, der dem Changai entfließt. Es kommen Jahre vor, in denen Rinder und Pferde den See durchwaten können. Auch beim Orok-Nur sind Strandlinien und Strandwälle in weiter Entfernung vom Nordufer festgestellt. Vor nicht langer Vergangenheit muß er mit dem See Tazain-Zagan in Verbindung gestanden haben. Der letztere bildet heute, seitdem der vom Changai kommende Tazain-Gol ihn nicht mehr erreicht, eine ausgedehnte Salzpfanne. Die Ufer des Orok-Nur fallen stellenweise steil zur Wasserfläche ab. Die Umgegend selbst ist flach und besteht größtenteils aus Kies und Schotterböden, in die auch kleine Salzpfannen eingelagert sind. In der Nähe des Sees sind die Orok-Nur-Sande bekannt, die vor allem im Westen und Osten verbreitet sind und insgesamt eine Fläche von mehr als 80 qkm einnehmen. Größtenteils sind sie hügelig, nach der Peripherie gehen sie in noch bewegliche Barchane über. Als solche treten sie gelegentlich bis an den See heran. Versumpfte Stellen und ausgedehnte Schilfbestände erstrecken sich besonders im Osten des Sees. Von allen Reisenden werden der Fischreichtum und die in Massen auftretenden Wasservögel erwähnt. Der See friert Ende Oktober/Anfang November zu und wird Ende April eisfrei. Die Eisdecke soll eine Mächtigkeit von 1,5 bis 2 m erreichen.

Das *Ulan-Nur-Gebiet* stellt das östliche Ende des Seentales dar. Zwischen seinem Mittelpunkt, dem Ulan-Nur, und dem zuletzt genannten See Tazain-Zagan existieren wohl noch verschiedene Senken mit eingeschlossenen Gewässern, jedoch ist die Verbindung des Ulan-Nur als Teil des Seentales mit den westlichen Gebieten weit lockerer. Vor allem fehlt hier schon die scharfe Begrenzung im Süden durch den Altai. Der Ulan-Nur ist ein eigenartiger See. In manchen Jahren liegt er fast vollkommen trocken da, in anderen hinwiederum, wenn sein hauptsächlichster Zufluß, der Ongin-Gol, ihn erreicht, bildet er eine ausgedehnte Wasserfläche bis zu 175 qkm (196/427). Er füllt dann alle niedrig gelegenen Geländeteile aus, umfaßt zahllose flache Inseln und zerfällt selbst in viele kleine Seen, Buchten und Arme, die alle sehr seicht sind und kaum eine größere Tiefe als einen Meter haben. Manche Teile sind mit Schilf bestanden oder mit Strauchwerk bewachsen, das aus dem Wasser herausragt. In trockenen Jahren schrumpft der See wieder auf ein Minimum zusammen. Das Ulan-Nur-Gebiet birgt mächtige alte und junge Ablagerungen fluviatiler und limnischer Art. Das Studium derselben wird in vieler Hinsicht Licht in die Frage bringen, ob der Ulan-Nur das östliche Ende des alten großen hydrographischen Systems von der Senke der Großen Seen bis hierher darstellt. Die im Becken des Sees und in seiner Umgebung weit verbreiteten bunten Gobi-Sedimente geben dem Kessel eine rötliche Farbe, weshalb der See von den Mongolen den Namen Ulan-Nur, d. h. der Rote See, erhalten hat. Die weitere Umgegend des Ulan-Nur ist im allgemeinen eben bis leicht wellig, nur in der Richtung nach Nordosten tritt Hügelland auf, das in Verbindung mit dem Höhenzug des Delger-Changai steht. In der Nähe des Sees treten auch kuppige Sande auf, die in der Richtung auf den Ongin-Gol große Flächen bedecken, wohin sie der letztere in der Form eines ausgedehnten Deltas abgelagert hat. Hier sind auch Barchane zu beobachten.

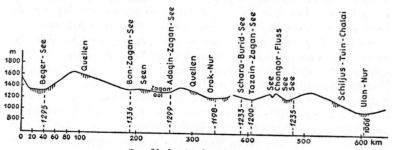

Profil des Tales der Seen
(nach E. M. Mursajew)

Die Nordgrenze des Seentales wird vom Changai-Plateau bestimmt, das zur Senke mit einer hohen und scharf ausgeprägten Stufe abbricht. Das vor der letzteren sich erstreckende Gelände zeigt in seiner ganzen Ausdehnung vom Dsabchan im Westen bis zum Ongin-Gol im Osten das gleiche Bild. Es handelt sich um ein vorwiegend hügeliges Land mit eingelagerten relativ ebenen Strecken, deren Anteil im Westen und Osten besonders groß ist. Das allgemein geringe Gefälle ist auf die Seensenken ausgerichtet, wobei mit der Annäherung an dieselben in der Regel auch die Ausgeglichenheit des Geländes zunimmt, doch können Sandgebiete, die zumeist unweit der Seen und in der Nähe alter und rezenter Flußläufe auftreten, auch hier eine abwechslungsreiche Oberfläche gestalten.

Als charakteristisch für diesen ausgedehnten Nordteil der Gesamtlandschaft des Tales der Seen können die fast parallel von Nord nach Süd verlaufenden Flußtäler und Saire angesehen werden, die nach ihrem Eintritt in die Senke vor sich ausgedehnte, vorwiegend aus Kies oder Sanden bestehende Deltas ausgebreitet haben, in denen die kleineren Flüsse zumeist ihr Ende finden, wobei sie in feuchteren Jahren weiter vorstoßen, in trockeneren dagegen oft weit zurückbleiben. Abgesehen vom Dsabchan, der durch noch nicht geklärte Vorgänge in geologischer Vergangenheit dem Seental entfremdet wurde, fließen alle Flüsse des Süd-Changai dem letzteren zu. Die bedeutendsten unter ihnen sind der Baidarik, der Tuin-Gol, der Tazain- und der Ongin-Gol.

Alle vorgenannten Flüsse kommen vom zentralen Changai und fließen innerhalb des Südplateaus in tief eingeschnittenen Tälern, in denen klar ausgeprägte Terrassenbildungen an die geologische Vergangenheit erinnern. So sind im Tal des Baidarik vier solche festgestellt, die 3 m, 14 m, 25 m und etwa 65 m über dem heutigen Niveau liegen. Beim Tuin-Gol treten deutlich fünf Terrassen (1,0 bis 1,2 m, 6,5 m, 13 m, 16,5 m, 40 m) hervor, und auch im Tal des Tazain- und Arguin-Gol sind mehrere vorhanden, wobei alle Terrassen, die höher als 4 bis 6 m liegen, sich als Erosionsterrassen erwiesen haben (196/167). Wenn die Erforschung dieser Erscheinungen auch noch nicht abgeschlossen ist, so darf schon jetzt gesagt werden, daß der südliche Changai eine Verlagerung der Erosionsbasis erlebt hat und daß diese früher viel höher als gegenwärtig lag. Für die Geschichte des Seentales ist diese Tatsache eine wesentliche Erkenntnis.

Mit dem Eintritt in das Tal der Seen ändert sich der Charakter der Flüsse. Der *Baidarik* fließt in einem breiten Tal mit zahlreichen Windungen dahin und teilt sich dann in Arme, wobei diese von sumpfigen Flächen begleitet werden. Das betrifft besonders seinen linken Arm, den Zagan-Gol, der in trockenen Jahren den Adagin-Zagan nicht erreicht und dann in versumpfte Teile mit stehendem Wasser zerfällt. Noch stärker kommt der Charakter eines Flachlandflusses beim *Tuin-Gol* zum Ausdruck. Er fließt mit vielen Windungen in einem breiten, von flachen Ufern begleiteten Tal, wobei er innerhalb seiner eigenen Ablagerungen den Lauf von Zeit zu Zeit ändert, sich in Arme auflöst und wieder zusammenfließt. Eine Breite des Flusses ist darum kaum feststellbar. In der Nähe des Orok-Nur bildet er ein versumpftes Delta und mündet nach einem Lauf von 243 km mit drei Armen in den See. Der *Tazain-Gol* ist 197 km lang und wasserarm. Im Unterlauf wird er sehr seicht und mündet als kleines Rinnsal in den gleichnamigen See. In trockenen Jahren versiegt er vollkommen. Der *Ongin-Gol* ist mit 435 km der längste der vorgenannten Flüsse. Bis Arbai-Chere, dem Verwaltungszentrum des Aimaks Süd-Changai, fließt er in einem gut ausgebildeten Tal und besitzt eine breite Talaue, über die sich verschiedene Terrassen erheben. Bis hierher kann man ihn als Changai-Fluß bezeichnen. Unterhalb der Ortschaft zerfällt er in Arme, von denen manche sich nur beim Frühjahrs- oder Sommerhochwasser mit Wasser füllen. Mit zahlreichen Windungen fließt er durch eine weite Ebene, wobei er große Strecken in Sümpfe verwandelt und mit Salz anreichert. Das Tal selbst, das von einer niedrigen Terrasse eingefaßt wird, ist 2 bis 5 km breit. Kurz bevor er die eigentliche Senke des Ulan-Nur betritt, muß er ein etwas höher gelegenes Gelände überwinden, wo er sich ein schluchtenartiges Bett von etwa 5 km Länge gegraben hat. Schon von Arbai-Chere beginnt die Wassermenge des Flusses abzunehmen, und auf den letzten 100 km ist er ein versiegender Fluß, der nur in feuchten Jahren den Ulan-Nur erreicht.

Die *Vegetation* des Seentales ist am besten im nördlichen Teil entwickelt, wo sich vor dem Changai-Fuß in breitem Zuge noch Steppen, hauptsächlich Federgrassteppen, finden, die nach Süden sehr rasch verkümmern, was sich im Anblick der Landschaft durch das zahlreiche Auftreten von Caragana-Gebüsch bemerkbar macht. Der Kern der Senke wird von Wüstensteppen eingenommen, die im einzelnen je nach den örtlichen Bodenbedingungen ein stark wechselndes Gesicht tragen. Es gibt Gegenden, in denen auf weite Strecken der nackte Kies- oder Sandboden erscheint, der nur mit Caragana-Gebüsch überstreut ist. Gelegentlich treten auch typische Geröll- und Schuttpanzer auf, so vor allem in dem Beger-Kessel und südlich der Seen. Die Sande sind größtenteils festgelegt, wobei zwischen den Hügeln und Barchanen sich der Saksaul eingenistet hat. Für die Nähe der Flüsse und Seen sind Deris-Bestände charakteristisch, während die ufernahen Gegenden weithin mit Schilf bewachsen sind.

Die *Fauna* des Seentales unterscheidet sich nur wenig von jener in der Senke der Großen Seen. Die Saiga-Antilope ist in geringer Zahl noch gelegentlich im Raume des Orok-Nur und Bon-Zagan anzutreffen. Der Kulan hat sich dagegen besser erhalten. Noch 1941 wurde in den Ebenen nördlich des Bon-Zagan eine Herde beobachtet, die etwa 1000 Stück zählte (196/433). Die Dshejran-Gazelle und Dseren-Antilope haben eine stärkere Verbreitung. Hervorgehoben werden muß als charakteristisch für die Seensenke die außerordentlich reiche Vogelwelt. Auf den Sandbänken und Uferflächen kann man Tausende von Wasservögeln beobachten, die die Deris- und Schilfdickichte als bevorzugte Nistplätze benutzen.

Es handelt sich vor allem um Enten, Gänse und Möwen. Doch leben hier auch Kormorane und, wie z. B. am Orok-Nur, auch Schwäne und Pelikane (196/435).

Die nomadisierenden Mongolen halten sich vor allem an die nördlichen Randgebiete, wo die Weide ausreichend und auch Wasser für Mensch und Tier vorhanden ist. Doch auch die Seensenke wird von ihnen aufgesucht, wo sie vor allem Winterfutter für ihre Tiere finden. Doch dazwischen liegen weite Strecken, in denen kaum ein Mensch anzutreffen ist.

Die Changai-Chentei-Landschaft

Mit dieser Großlandschaft betreten wir das Kerngebiet der Mongolei, das nach seiner natürlichen Ausstattung den günstigsten und nach dem Stand der Entwicklung heute auch den wirtschaftlich wichtigsten Raum der MVR darstellt. Von einer Aufgliederung in die beiden Gebirge Changai und Chentei ist aus praktischen Erwägungen abgesehen worden; denn es handelt sich nicht nur um diese, sondern zugleich um den großen Raum, der von den beiden Gebirgszügen umfaßt wird und der viele gemeinsame Züge aufweist. Wesentlich für diese Zusammenfassung ist vor allem, daß — abgesehen von kleinen Randgegenden — der Großraum von einem einzigen, einheitlichen Gewässernetz erfaßt wird, wobei die Bäche und Flüsse aus allen Teilen der Landschaft zusammenströmen und letztlich in der Selenga einen Weg nach außen finden. Das Chubsugul-Gebiet wird anschließend in einem besonderen Abschnitt behandelt.

Der Changai und Chentei bilden den südlichen Rahmen der Landschaft. Ihr Hauptkamm ist linienhaft klar ausgeprägt und bildet einen großen, flachen nach Norden geöffneten Bogen. Betont wird dieser noch dadurch, daß er im Hauptteil die kontinentale Wasserscheide trägt, doch kompliziert wird das orographische Bild durch zahlreiche, sich vom Hauptkamm lösende Ausläufer, die in verschiedene, oft divergierende Richtungen streichen, weiterhin durch Bergmassive eigener, selbständiger Prägung und nicht zuletzt durch Berg- und Hügelländer, die keinerlei Zugehörigkeit zu einem bestimmten Gebirgszug erkennen lassen.

Im Relief überwiegen weiche, geglättete Bergformen mit dazwischen liegenden breiten Tälern, deren Ausmaße zumeist in keinem Verhältnis zu den kleinen Wasserläufen stehen, die sie heute durchfließen. Enge, tief eingeschnittene Täler finden sich nur an den Oberläufen in den am höchsten gelegenen Teilen der Gebirgszüge, wo die Schroffheit der morphologischen Formen am stärksten hervortritt und ein gewohntes Bild ist. Man kann in der Verteilung der Formen eine Art Gesetzmäßigkeit darin erkennen, daß von den Zentren der Erhebungen in der Richtung zur Peripherie, wohin sich auch die absoluten und relativen Höhen vermindern, die Gegensätze im Relief abnehmen und die Weichheit und Ausgeglichenheit der Formen zunimmt.

Charakteristisch für die meisten Gebirgszüge und Höhenrücken im

410

ganzen Raum sind ihre flachen und breiten Kämme. Ihre Ebenheit ist oft so ausgeprägt, daß sie nicht selten Versumpfungen zeigen oder sogar flache, schüsselförmige Seen bergen. Selbst isolierte Höhen mit schroffen Hängen tragen zumeist flache, tafelförmige Gipfel. In diesen Erscheinungen tritt uns die alte Rumpffläche entgegen, die in geologischer Vergangenheit in unserem Raum herrschend war. Sie hat sich im Changai noch am besten erhalten, weshalb man diese Form der Berge auch als Changai-Typus bezeichnet.

Hochgebirge mit Höhen, die über die Waldgrenze hinausragen und ein stärker differenziertes Relief mit felsigen Gipfeln und tiefen Tälern besitzen, sind räumlich begrenzt und an die Zentren der Gebirgsmassive gebunden. Im allgemeinen herrschen mittelhohe Berge mit den vorgeschilderten weichen Formen vor. Sie sind durch einen gut entwickelten Bodenhorizont ausgezeichnet und tragen eine relativ reiche Vegetationsdecke. Mit den dazwischen liegenden breiten Talflächen bilden diese Gegenden die wirtschaftlich wichtigsten Gebiete der Landschaft, wobei das Nebeneinander von Wäldern und Steppen mit von größter Bedeutung ist. Erwähnt werden muß hierbei auch noch der Raum zwischen dem Changai und Chentei, der vorwiegend hügelig ist und in seiner morphologischen Ausgestaltung stark an die Form einer Fastebene erinnert. Doch diese Gegenden sind trockener. In ihnen beherrscht schon die reine Steppe das Feld.

Der *Changai* ist ein hoher und massiger Gebirgszug. Sein Hauptkamm verläuft etwa parallel zu dem des Mongolischen Altai und ist, vom Zezen-Chairchan im Westen bis zum Deger-Chan im Osten gerechnet, rund 700 km lang. Die mittlere Kammhöhe liegt etwa bei 3000 m, während die Gipfel im allgemeinen zwischen 3200 bis 3500 m hoch sind. Im westlichen Teil ragt aus einer felsigen Kette die domförmige Kuppel des Otchon-Tengri („Jüngster Sohn des Himmels") empor. Er ist mit 4031 m die höchste Erhebung des Changai und der einzige Berg in der Landschaft, der ewigen Schnee und einen kleinen Firngletscher trägt. Schneefälle in der Gipfel- und Kammregion sind wohl auch im Sommer eine häufige Erscheinung, doch hält der Schnee sich nicht lange und schmilzt rasch unter den warmen Strahlen der Sonne weg.

Die Berge der *Kammregion*, in denen Granite vorherrschen, haben steile Hänge, die oft durch Schluchten zerrissen sind und örtlich hohe, schroffe Abstürze bilden. Doch immer wieder treten zwischen ihnen horizontale, gelegentlich von Hügeln unterbrochene Flächen auf, in deren tiefsten Stellen Sümpfe oder kleine Seen sich finden. Überall aber zeigen sich Spuren ehemaliger Gletschertätigkeit. Granitwände sind geglättet, mächtige Blöcke über die Oberfläche zerstreut, die manchmal in großen Massen dicht beieinander liegen. Verschiedene Täler, die vom Kamm nach Norden oder Süden führen, zeigen eine trogartige Ausgestaltung. Auch durch Moränen aufgestaute Seen sind vorhanden. Das beste Beispiel hierfür ist der Chuchu-Nur im Oberlaufgebiet des Dsabchan. Dieser See füllt

bei einer Breite von nur 0,5 bis 1,5 km ein ganzes Tal auf einer Länge
von 15 km aus (196/348).

An der Ausgestaltung des Reliefs im Changai sind auch vulkanische
Vorgänge beteiligt, die jedoch allgemein noch wenig erforscht sind. Vulkankegel und -kuppen haben sich vereinzelt erhalten, doch sehr ausgedehnt sind Basaltdecken, die durch Spalteneruptionen entstanden sind.
So hat sich der nach Süden abfließende Tuin-Gol 187 m tief in eine solche
eingegraben. Auch der Tscholutu im Norden fließt durch Basaltdecken,
in die er sich mit fast senkrechten Wänden eingeschnitten hat. Eine kleine
Vulkanlandschaft findet sich am Terchin-Zagan. Dieser 55 qkm große
See ist dadurch entstanden, daß ein Basaltstrom das Tal abdämmte und
den Terchin-Gol, der auch heute noch in den See fließt, zum Aufstau
zwang. Der Sumein-Gol, der Abfluß des Terchin-Zagan, ist dabei, den
Basaltdamm in einem schluchtartigen Tal zu durchschneiden. Uferterras-
sen beweisen, daß das Wasserniveau des Sees bereits um 3 m gesunken
ist. Der Sumein-Gol mündet in den Tscholutu. Ostwärts des Sees Terchin-
Zagan sind kleine Vulkankuppen zu beobachten. Die vulkanischen Vorgänge im Changai werden in das Quartär verlegt.

Die Kammregion des Changai ist das Quellgebiet zahlreicher Flüsse.
Die nach Norden abfließenden Gewässer strömen der Selenga zu, während alle anderen in abflußlosen Becken oder Seen enden.

Der *Süd-Changai* bildet insgesamt ein umfangreiches, sich leicht nach
Süden neigendes Plateau, das mit einer steilen Stufe zum Tal der Seen
abbricht. Die größten Höhendifferenzen finden sich im Norden, wo der
Hauptkamm ziemlich steil zum Plateau abfällt und sich zahlreiche
schroffe, felsige Berge nach Süden vorschieben. Auf dem Plateau selbst,
dessen Höhenlage von 2100 m bis 1250 m absinkt, treten zahlreiche
Restberge, Hügel und Hügelketten auf, die das allgemeine Niveau überragen und im einzelnen bis 2700 m hoch werden. Charakteristisch für den
Süd-Changai sind ausgedehnte Basaltdecken, die ihre Einheit jedoch
durch die starke Zertalung des Plateaus längst eingebüßt haben. Zahlreiche Flüsse durchschneiden in fast paralleler Anordnung das letztere.
Ihre Täler sind nur an den Oberläufen eng und haben ausschließlich dort
steile, fast senkrechte Wände, wo sie in Basalt eingegraben sind. Doch
ist auch in diesem Falle die Talsohle zumeist geräumig. Im allgemeinen
herrschen breite, ausladende Talformen vor. Fast in allen Tälern zeigen
sich an den Hängen deutlich Terrassenbildungen. Für den Menschen sind
die Täler von größter Bedeutung, denn sie bieten ihm das notwendige
Wasser und auch abseits der Flüsse, deren Bett in der Regel von Kies-
flächen und Sanden eingefaßt ist, gute Weiden, während die Hochflächen
nur Steppen darstellen, die je mehr nach Süden um so trockener werden.
An den Unterläufen der größten Flüsse, wie am Baidarik, Tuin- und
Tazain-Gol wird auch Ackerbau getrieben, wobei ihr Wasser zu künstlicher Bewässerung benutzt wird.

412

Innerhalb des Südabfalls bildet die Bajan-Chongor-Senke eine gewisse Unterbrechung. Diese langgestreckte Depression ist um so mehr auffällig, als sich in ihrer Nähe die Berge 2500 bis 2700 m hoch erheben. Die Senke zieht sich parallel zum Hauptkamm hin und enthält zahlreiche kleine Süßwasserseen. Sie trennt das Plateau von den Vorbergen.

Als die westlichste Fortsetzung des Changai-Systems wird der *Chan-Chuchei* angesehen. Dieser scharf ausgeprägte Gebirgszug hat eine Länge von fast 250 km und scheidet das Becken des Ubsa-Nur von dem des Chirgis-Nur. Im Osten besitzt er die größte Höhe und erreicht hier eine solche von 2919 m. Nach Westen wird er niedriger und trägt dort den Namen Tochtachin-Schili. Der letztere endet in einer Senke, die die Verbindung zwischen den beiden vorgenannten Seenbecken herstellt.

Die Hänge des Chan-Chuchei sind ungleichmäßig ausgebildet. Der Nordhang fällt ziemlich flach zum Becken des Ubsa-Nur ab, der Südhang dagegen ist steil und von tiefen Schluchten zerrissen. Scharf ausgeprägte Felsen und weite Geröllfelder sind hier das Charakteristikum. Auch in vertikaler Richtung sind unterschiedliche Merkmale festzustellen. Der Kamm und die höheren Regionen zeigen weiche, abgerundete Formen mit breiten Tälern und geringem Gefälle. Die unteren Teile dagegen haben zumeist steile Wände, tiefe mit Geröll angefüllte, steinige Täler mit großem Gefälle. In den höheren Teilen sind zahlreiche, gut ausgeprägte Spuren einer ehemaligen Vergletscherung festgestellt.

Auch in der Vegetation unterscheiden sich Nord- und Südhang wesentlich voneinander. Auf dem ersteren sind in höheren Lagen noch Wälder (Lärchen, Arven) und Gebüsch verbreitet, weiterhin Wiesen, die sich nach den tieferen Lagen in Steppen wandeln, die eine noch recht üppige Pflanzendecke tragen und die erst mit der Annäherung an die Beckenebene zur Trockensteppe werden. Auf dem Südhang dagegen gibt es keinen Wald, nur in den höheren Teilen ist Steppe verbreitet, während die niedrigeren Hänge vielfach kahl oder nur mit einer armen Wüstensteppenflora bedeckt sind. Die tiefen Schluchten sind zumeist wasserlos, nur selten trifft man ein Bächlein, das im Vorland auch bald versickert.

Der weite Raum im Norden des Changai-Hauptkammes wird von zahlreichen Ausläufern des letzteren und auch von selbständigen Gebirgsrücken ausgefüllt. Dabei ist der westliche Teil, der noch den Einzugsbereich des Flusses Tscholutu einschließt, durch größere Höhen und betonten Hochflächencharakter mehr herausgehoben als der Ostteil, in dem eine mildere Mittelgebirgslandschaft vorherrscht.

Südlich des Ider strebt vom Hauptkamm der kurze, aber mächtige Tarbagatai ab. Im Sodbun erreicht er eine Höhe von 3238 m und im Dsagastuin-Ula 3161 m. Sein Hauptkamm liegt im Süden und fällt steil zu dem schon genannten Terchin-Gol ab, der ihn hier begrenzt. Nach Norden dagegen steigt er langsam ab. Dorthin fließen auch die meisten Gewässer, die in breiten Tälern dem Ider zuströmen. Der Nordabfall ist eine typische Wald-Steppenlandschaft. Die Hänge sind größtenteils mit

Lärchenwäldern, die Talsohle mit Steppe bedeckt, wobei in Flußnähe feuchte Wiesen und Versumpfungen auftreten.

Nördlich des Ider erhebt sich ein weiterer Gebirgsrücken, der Höhen über 2500 m aufweist und den Raum bis zum Tes und Delger-Muren ausfüllt. Es ist der Bolnai, der mit seiner ostwestlichen Richtung eine eigene Stellung behauptet, die nach Westen direkt auf den Chan-Chuchei hinweist. Auch der Bolnai zeigt wie der Tarbagatai einen ausgesprochen asymmetrischen Bau, doch im Gegensatz zum letzteren fällt er nach Süden langsam ab und besitzt einen steilen, schroffen Nordhang, der bis zum Fuß mit dichtem Wald bedeckt ist. Der Kamm bildet eine leicht gewellte Hochfläche, auf der einzelne Berge aufgesetzt sind. Er ist unbewaldet und felsig. In tiefer gelegenen Stellen ist er versumpft, sonst mit Hochgebirgswiesen bekleidet, aus denen Felsbrocken und Steine herausschauen. Im Norden fällt der Bolnai auf einer Länge von rund 10 km mit einer steilen, 600 m hohen Stufe zum Tal des oberen Tes ab, deren horizontaler Fuß von dem versumpften Tal des letzteren eingenommen wird. Längs dieser Stufe verläuft eine Erdspalte von 3 bis 20 m Breite, die man in einer Länge von etwa 300 km weit nach Westen verfolgen kann (196/351). Sie ist 1905 bei einem Erdbeben entstanden.

Im Westen und Südwesten des Bolnai erstreckt sich zwischen ihm und dem Changai ein ausgesprochenes Seenhochland. Durch Ausläufer der beiden vorgenannten Gebirge und durch Rücken zweiten Grades wird das Hochland in eine große Anzahl von Becken aufgegliedert, in denen sich Hunderte kleiner und einige große Seen finden, die alle ohne Abfluß und darum salzig sind. Viele Anzeichen deuten darauf hin, daß alle diese Seen einst zu einem geschlossenen hydrographischen Netz gehörten, das Abfluß nach außen hatte.

Das Becken des *Telmin-Nur* ist das umfangreichste. Im Zentrum desselben liegt in einer absoluten Höhe von 1782 m der 194 qkm große See. Von Westen fließt ihm der Cholain-Gol zu, dessen breites Tal einst auch vom Telmin-Nur eingenommen war, der allem Anschein nach einen Abfluß zum Ider besaß. Das weite Becken ist von Steppen eingenommen, während die ufernahen Gegenden aus Salzböden und Salzsümpfen bestehen. Im Westen des Sees sind Sande verbreitet, die noch Barchan-Formen zeigen, größtenteils aber durch Vegetation gebunden sind.

Nordwestlich von dem vorgenannten Becken, nur durch ein flaches Plateau von diesem getrennt, liegt eine zweite umfangreiche Senke, in der der *Oigon-Nur* den Mittelpunkt bildet. Er ist 52 qkm groß und liegt 1683 m hoch. Dieses Becken zeigt kein einheitliches Gefälle zum zentralen See hin, sondern besteht aus zahlreichen kleinen Einsenkungen, in denen sich Seen finden. Allein in der Umgegend des Oigon-Nur hat man zehn derartige, sehr flache Gewässer gezählt, die zumeist im Zustand des Austrocknens sind, früher aber gemeinsam einen einzigen großen See bildeten. Der Oigon-Nur wird von kleinen, oft trocken liegenden Flüßchen gespeist.

Erwähnenswert ist in diesem Zusammenhang noch der *Sangin-Dalai,* der im Norden des Bolnai in einer Höhe von 1923 m liegt und 150 qkm groß ist. Dieser eigenartige See ist sehr stark zerlappt, wobei sich im Salzgehalt der einzelnen Teile bedeutende Unterschiede ergeben. In der Mitte des Sees soll das Wasser in feuchten Jahren trinkbar sein. Der Sangin-Dalai hatte früher im Buchsai seinen Abfluß zum Delger-Muren. Die Abschnürung infolge Absinkens des Wasserstandes, das sich an den Strandlinien sehr gut feststellen läßt, muß erst in jüngster Zeit erfolgt sein, so daß die Versalzung wohl auf Grund der verschiedenen Ausgestaltung des Seebeckens noch nicht das Wasser gleichmäßig erfaßt hat. Die Ufer sind größtenteils salzhaltig, flach und morastig, weiterhin jedoch von Wiesenflächen umsäumt, die im Norden des Sees zur Steppe werden und als solche auch die Hänge überziehen. Die Hänge auf der Südseite sind dagegen mit dichten Wäldern bestanden, die bis zur Beckenebene vordringen.

Östlich des Tscholutu und des Raumes, in dem Ider und Delger-Muren sich zur Selenga vereinigen, beginnt die schon genannte Mittelgebirgslandschaft, die bis zu den Ausläufern des Chentei im Osten reicht. Sie wird von der Selenga und dem Orchon mit ihren Zuflüssen entwässert, weshalb man sie auch als die *Mittelgebirgslandschaft der Selenga und des Orchon* bezeichnen könnte.

Die Ausläufer des Changai, die in diesen Raum eindringen, werden niedriger, ausgeglichener und in ihren Formen weicher, so daß die relativen Höhen abnehmen. Im allgemeinen liegen die Talsohlen 800 bis 1200 m hoch, die Höhen der Berge zwischen 1500 bis 2000 m. Am Austritt der Selenga aus der MVR liegt das Tal derselben nur mehr 600 m über dem Meere. Es treten keine Gebirgszüge hervor. Eigene Namen tragen nur die wasserscheidenden Bergketten zwischen der Selenga und dem Orchon, die im Norden des Ortes Bulgan als Bulgan-Chan und weiter unterhalb als Buri-Ula bezeichnet werden. Die Täler sind allesamt breit und stets Steppentäler. Enge Stellen mit eingeschnittenen Flußläufen sind äußerst selten. Ein dichtes hydrographisches Netzt überzieht das ganze Gebiet, so daß überall dauernd fließende Gewässer vorhanden sind. An Seen ist die Landschaft arm. Ein einziger größerer Süßwassersee ist nennenswert. Es ist der Ugei-Nur, der an der Straße von Ulan-Bator nach Zezerleg auf der rechten Seite des Orchon unweit des Flusses liegt. Er ist 25 qkm groß und liegt in einer absoluten Höhe von 1337 m. Von Süden fließt ihm der Chuchschin-Orchon zu. Sein überschüssiges Wasser gibt der See an den Orchon ab.

Die Landschaft ist das Idealbild für die Zone, wie sie in dem Abschnitt „Die Zone der Gebirgssteppen und Wälder" ausführlich geschildert worden ist. Breite, ausladende Täler, durch die sich ein von Gebüsch und Baumgruppen begleiteter Fluß hinschlängelt, zu beiden Seiten reiche Steppenfluren, die sich auch auf die südlichen Hänge hinziehen, während die Nordhänge von dem dunklen Grün der Wälder bedeckt sind. Alles in allem eine liebliche und im Frühjahr und Sommer reizvolle Landschaft, wie sie von den Mongolen in ihren Liedern gern besungen wird.

Nördlich des breiten Selenga-Tales beginnen die Höhendifferenzen etwas größer zu werden, weniger noch zwischen Selenga und Egin-Gol als ostwärts des letzteren, wo sich parallel zur Grenze der Höhenzug Chantai hinzieht. Die nördlichere Lage gibt den Wäldern mehr Raum, jedoch bleibt auch hier das typische Bild der Mittelgebirgslandschaft mit den breiten Steppentälern und den baumlosen Südhängen erhalten.

Der Chentei bildet innerhalb der Mongolei den Ostflügel des gewaltigen Gebirgsbogens, in dessen Mitte der Changai eingespannt ist. Er hängt orographisch eng mit den Gebirgen Transbaikaliens zusammen, in deren Hauptrichtung von Südwesten nach Nordosten auch sein Hauptkamm verläuft. Auf diesem zieht sich auch die kontinentale Wasserscheide zwischen dem Nördlichen Eismeer und dem Pazifischen Ozean hin. Doch die höchsten Erhebungen trägt nicht er, sondern der nach Westsüdwest abzweigende Baga-Chentei, der in dem Assaraltu mit 2751 m den höchsten und in einem anderen Berg mit 2589 m auch die zweithöchste Erhebung des Chentei besitzt. Der Baga-Chentei bildet die Wasserscheide zwischen der Chara und dem Iro einerseits und der Tola andererseits. Eine zweite bedeutende Abzweigung des Hauptkammes, der Chentei-Chan, erstreckt sich nach Osten und trennt das Quellgebiet des Onon von dem des Kerulen.

Das vorstehende Gebirgssystem, das die Quellgebiete der Flüsse Tola, Chara, Iro, Mendsa, Onon und Kerulen umfaßt, können wir als den Zentral-Chentei bezeichnen. Er ist im Gegensatz zum massigen Changai sehr stark zergliedert.

Ausmaße und Höhenlage der größten Seen im Changai

Name	Größe qkm	Größte Länge km	Größte Breite km	Tiefe m	Höhenlage über dem Meer m
Terchin-Zagan	55	16	5	..	2020
Telmin-Nur	194	31	12	4,5	1782
Oigon-Nur	52	16	6	..	1683
Sangin-Dalai	150	32	12	..	1923
Ugei-Nur	25	7	4	4	1337

Doch tragen auch hier die Erhebungen wie im Altai und Changai durchweg weiche, abgeplattete Kammformen. Gewöhnlich überragen diese die Waldgrenze und treten in der Form von abgeflachten Kuppen oder nicht selten auch tafelförmig aus dem allgemeinen Niveau der Waldbedeckung heraus, wobei sie größtenteils den nackten Fels zeigen und mit Blockhalden und Gestein übersät sind. Die Russen nennen diese Kuppen darum treffend Golzy (Einzahl Golez = Kahlkopf, Glatzkopf). Die obere Waldgrenze liegt auf der Westseite des Chentei in einer Höhe von 2000 bis 2200 m, auf der Ost- und Südseite dagegen um 200 m niedriger. Die Täler sind auf der Nordwestseite besonders tief eingeschnitten, die Hänge hier im allgemeinen sehr schroff. Die Quell- und Zuflüsse des Iro brausen als wilde Gebirgsflüsse mit gewaltigem Gefälle durch enge, mit Blöcken und Gestein angefüllte Täler, und auch der Iro selbst fließt noch oft durch schmale, schluchtenartige, mit dichter Taiga bedeckte Täler dahin, ehe er aus dem Gebirge hinaustritt. Auch die Oberläufe der Mendsa und des Onon sind typische Gebirgsflüsse. Die Täler, die nach Südosten und vor allem nach dem Süden gerichtet sind, zeigen dagegen nur im zentralen Gebirgsteil scharfe Formen. Dann werden sie rasch breit, ihr Gefälle nimmt schnell ab, ihr Charakter wandelt sich bald zu ausgedehnten Steppentälern. In dieser Gegensätzlichkeit der Talausbildung zeigt sich eine ausgeprägte Asymmetrie der Hangausbildung.

In den höheren Teilen des Chentei sind zahlreiche Spuren einer ausgedehnten ehemaligen Vereisung festgestellt. Man kann hier Kare, Tröge, Moränen und selbst Moränenseen finden, wobei in einzelnen Tälern glaziale Bildungen bis zu einer Meereshöhe von 1700 m hinabreichen. Gegenwärtig gibt es im Chentei keine Gletscher und auch keinen ewigen Schnee, doch können in manchen feuchten und kühlen Jahren auf den höchsten Golzy Schneeflecken beobachtet werden, die sich den Sommer hindurch halten.

Das *westliche Vorland* des Chentei schiebt sich im Raum der Chara und des Iro bis zum Orchon vor. Der Steilabfall des zentralen Chentei geht rasch in ein Mittelgebirgsrelief über, das sich dann zu einer ausgedehnten kuppigen Hügellandschaft entwickelt, die von breiten Steppentälern durchzogen wird, in denen die Flüsse, stets von Gebüsch und Baumgruppen begleitet, dem Orchon zufließen. Die Wälder, vornehmlich aus Lärchen bestehend, sind auf die Hügel konzentriert. Gelegentlich treten auf Sandböden auch Kiefernwaldungen auf.

Der *Süd-Chentei* ist durch außergewöhnlich lange Ausläufer charakterisiert, die langsam an Höhe abnehmen, dafür sich in die Breite ausdehnen und allmählich in das langwellige und hügelige Gelände der ostmongolischen Hochflächen übergehen. Charakteristisch aber sind auch hier die eingelagerten breiten Steppentäler, die auch für die Tola und den Kerulen kennzeichnend sind. Die Waldbedeckung, die sich nur mehr auf den Nordhängen zeigt, vermindert sich immer mehr, die Steppe wird vorherrschend und neigt örtlich schon zur trockenen Variante. Die äußersten Vorposten der Wälder des Chentei sind etwa 70 bis 75 km südöstlich von Ulan-Bator an dem Wege nach Sain-Schanda anzutreffen (106/153).

Aus der allgemeinen Abflachung im Süd-Chentei treten gelegentlich einzelne Berggruppen und Höhen hervor. Der bedeutendste unter diesen ist der bekannte und bei den Mongolen berühmte Bogdo-Ula bei der Hauptstadt Ulan-Bator. Durch das hier mehr als 10 km breite Tal der Tola von den Ausläufern des Chentei getrennt, erhebt sich dieses Bergmassiv, dessen Gebirgsfuß im Norden von der Tola unterspült wird, aus dem allgemeinen Niveau von 1300 m bis zu der beachtlichen Höhe von 2273 m. Er ist der höchste Berg im Süd-Chentei und gleichzeitig der südlichste Vorposten der Gebirgs-Taiga. Der Bergfuß ist ringsherum bis zu einer absoluten Höhe von 1500 bis 1600 m von Gebirgssteppen bedeckt. Auffällig ist dabei, daß diese Steppen so hoch hinaufsteigen, insbesondere auch auf dem Nordhang. *A. A. Junatow* erklärt dieses durch früheres Abholzen des Waldes und weist darauf hin, daß die untere Waldregion durch das zahlreiche Auftreten von Birken und auf Grund anderer Kennzeichen sich als Sekundärwald erweist (106/138). Diese Abholzungen sind vorgekommen, obgleich der Bogdo-Ula schon seit langer Zeit als Naturschutzgebiet galt. Nach der Mischwaldzone vollzieht sich in einer Höhe von 1800 bis 1900 m der Übergang zum Arven-Lärchenwald, also zur Gebirgstaiga, die fast bis zum Gipfel reicht. Der letztere besteht aus einem ausgedehnten Granitmassiv, das mit gewaltigen Felsblöcken und Steinen übersät ist und aus dem seltsam geformte, haushohe Granitfelsen herausragen. In Vertiefungen der ebenen Oberfläche finden sich Versumpfungen und auch kleine Seen, wobei gelegentlich auch einzelne Arven und Lärchen auftreten. Die Vegetation der Oberfläche ist typisch alpin. Auf den Nordhängen des Bogdo-Ula sind äolische Bildungen aus Granit in der Form von Säulen mit einer Höhe von 2 bis 3 m und einem Durchmesser von 1 m bekannt. Auf dem südwestlichen Hang haben Auswehungen ein wahres Labyrinth von kleinen aus Sandstein bestehenden Kuppen geschaffen, die aus der Ferne wie Jurten aussehen (212/168). Auch die Tierwelt hat sich in ausgezeichneter Vielgestaltigkeit erhalten. Auf dem Bogdo-Ula leben neben Hirsch, Reh, Wildschwein auch der Vielfraß und das Moschustier. Ebenso soll der Zobel noch vorkommen (196/390). Für die Mongolen war der Bogdo-Ula seit alten Zeiten ein heiliger Berg, was auch im Namen zum Ausdruck kommt. *E. M. Mursajew* schreibt über ihn: „Die Mongolen lieben den Bogdo-Ula. Er ist bei ihnen sehr populär. In Liedern und Versen wird er von ihnen besungen. Seine malerischen Abhänge, die stillen, lichten Wälder und die reine Luft locken viele Erholungsuchende an. In den Tälern und an den Abhängen des Berges sind jetzt viele Erholungsheime und Sanatorien errichtet. Im Sommer bedecken sich die Hänge mit Jurten, die sich als weiße, runde Flecken von dem grünen Hintergrund der Pflanzendecke abheben. Es sind die Bewohner von Ulan-Bator, die ihre Sommerwohnungen aufgestellt haben. Vom Bogdo-Ula eröffnet sich ein herrlicher Ausblick auf das breite Panorama des Tales der silberglänzenden Tola, die Häuser von Ulan-Bator, seine asphaltierte Hauptstraße und den Zentralplatz" (196/390).

Der *östliche Chentei* steigt in der Form eines Mittelgebirges mit breiten Tälern langsam ab. Zahlreiche Flüsse entströmen ihm und fließen zum Teil dem Kerulen, hauptsächlich aber dem Onon zu. Doch zeigt sich auch in seinen Höhenzügen, wie dem Bajan-Ula und dem weiter entferntliegenden Eren-Daba, noch seine Hauptrichtung von Südwest nach Nordost, so daß man sie als parallele Rücken des Hauptkammes bezeichnen könnte. Das betrifft besonders den Eren-Daba. Dieser ist nicht sehr hoch, stellt jedoch einen ausgeprägten breiten Rücken dar, der die Wasserscheide zwischen dem Onon und der Uldsa bildet. Wälder finden sich allgemein nur auf den Nordhängen. Der größte Teil der weiten Flächen wird von Gebirgssteppen eingenommen. Das gilt auch für den Rücken des Eren-Daba, der nur im Norden stärker mit Wald bestanden ist.

Im hydrographischen Netz ist die Selenga an erster Stelle zu nennen. Sie ist der größte und wichtigste Fluß der Landschaft. Ihr Einzugsbereich innerhalb der MVR umfaßt die bedeutende Fläche von 282 050 qkm (196/356). Sie entsteht aus dem Zusammenfluß des Ider und des Delger-Muren. Manchmal wird auch der erste allein als der Quellfluß angesehen.

Der *Ider* kommt vom Hauptkamm des Changai und hat eine Länge von 452 km. Zwischen dem Tarbagatai und dem Bolnai fließt er in einem etwa 20 km breiten und offenen Steppental, wobei er sich vielfach in Arme aufteilt. Vor seiner Wendung nach Nordosten passiert er einige Engstellen, wo der Fluß von Weiden- und Pappeldickichten begleitet wird, um sich dann in einem ausgedehnten Steppenraum mit dem Delger-Muren zu vereinigen. Der Ider ist nicht schiffbar, kann jedoch zum Flößen benutzt werden. Von rechts empfängt er den *Tscholutu* (Länge 415 km). Das Tal des letzteren ist durch das häufige Auftreten von Moränen und anderer Merkmale ehemaliger Gletschertätigkeit bekannt. Oberhalb des von links einmündenden wasserreichen Sumein-Gol hat der Tscholutu sich in eine Basaltdecke ein tiefes Tal eingegraben. Er trägt auf seiner ganzen Länge den Charakter eines Gebirgsflusses.

Der *Delger-Muren* wird beim Chubsugul-Gebiet behandelt. Er betritt die Landschaft in einem breiten Tal, wo man oft Ackerflächen der Mongolen beobachten kann. Der Fluß selbst wird von einer üppigen Auenvegetation begleitet, die aus Weiden, Pappeln, Ulmen, wilden Apfelbäumen und Gestrüpp besteht.

Die *Selenga* hat vom Zusammenfluß der beiden vorgenannten Flüsse bis zur Mündung in den Baikalsee eine Länge von 992 km, von denen 593 km auf die Mongolei entfallen. Nach ihren Ausmaßen wäre die Selenga auf insgesamt 873 km schiffbar, das heißt auf mongolischem Gebiet noch auf 474 km. Tatsächlich wird sie jedoch nur auf ihrem letzten Teil bis zur Einmündung des Orchon und dann dieser selbst noch auf 5 km bis zum Orte Suche-Bator befahren. Das Tal der Selenga schwankt in seiner Breite zwischen 2 km und 30 km. Es wird von Bergen begleitet, die die Talsohle um 500 m überragen. Die Geschwindigkeit des Flusses wechselt. Wo das Tal breit ist, teilt er sich oft und bildet zahlreiche Inseln. Von Ende Oktober / Anfang November bis Ende April / Anfang Mai ist er mit Eis bedeckt, das im März seine größte Mächtigkeit erreicht, wobei man in der Nähe des Ufers eine solche von fast 2 m festgestellt hat. Im allgemeinen hat das Tal Steppencharakter und ist dadurch ausgezeichnet, daß in ihm der Ackerbau weit verbreitet ist. In ihm liegen mehrere große Staatsgüter. Es gedeihen alle Getreidearten.

Der *Chanui* ist der erste größere rechte Nebenfluß der Selenga. Er ist 421 km lang. Sein Tal ist sehr wechselhaft. Oft ist es schmal, dann wieder weitet es sich zu ausgedehnten Becken, in denen sogar Versumpfungserscheinungen auftreten. Erst am Unterlauf bekommt es den typischen Talcharakter der Landschaft.

Der größte und wasserreichste Zufluß der Selenga ist der Orchon, der nicht nur den Changai entwässert, sondern mit seinen großen rechten Nebenflüssen, Tola, Chara und Iro, auch die Gewässer des westlichen Chentei sammelt.

Der *Orchon* entspringt auf dem 3200 m hohen Suburga-Chairchan und hat eine Länge von 1124 km. Im Oberlauf ist er ein kleiner Gebirgsfluß mit Stromschnellen und kleinen Wasserfällen. Doch mit dem Beginn der Nordrichtung betritt er ein bis zu 40 km breites Tal, in dem er von dem fast parallel zu ihm fließenden Chuchschin-Orchon bis zum Ugei-See begleitet wird. In der Gegend der Bulgan-Furt, wo der Weg von Ulan-Bator nach Bulgan den Fluß kreuzt, treten die Berge wieder nahe an den Fluß heran. Unterhalb der Furt bis 28 km oberhalb der Iro-Einmündung folgt ein noch wenig ausgearbeitetes Tal mit großem Gefälle, wechselnder Breite, wobei das Wasser über Gesteinsblöcken und herausragenden Felsklippen mit großer Geschwindigkeit dahinbraust. Dann wird das Tal breit, die Geschwindigkeit läßt nach, der Fluß wird ruhig und zieht in weiten Bogen dahin. Diesen Charakter behält er bis zur Mündung in die Selenga bei. Am Unterlauf liegt der Orchon von Ende Oktober bis Ende April unter Eisverschluß. Das Tal des Orchon ist durch fruchtbare Böden und seine ausgezeichneten Wiesen und Weiden bekannt. Es ist unter allen Tälern am stärksten mit Ackerflächen besetzt.

Die *Tola* ist 704 km lang. Sie entsteht im Chentei und fließt hier in einem 1 bis 3 km breiten Gebirgstal dahin, das von hohen, zumeist bewaldeten Bergen begleitet wird. Auch die Talaue ist größtenteils von Niederungswald und Gesträuch bedeckt. 15 km oberhalb von Ulan-Bator betritt sie ein bis zu 10 km breites Tal, das schon Steppencharakter trägt, wenn die Hänge der benachbarten Berge auch noch Wälder tragen, die unterhalb von Ulan-Bator vollkommen verschwinden. Hier muß die Tola sich noch zwischen den felsigen Bergen von Songino, die das Tal von Ulan-Bator abschließen, in einem engen Tor hindurchzwängen, ehe sie endgültig die freie Steppe erreicht und in einem breiten Tal in ruhigem Lauf dem Orchon zuströmt. Ackerbau ist im Tal der Tola wenig verbreitet.

Die *Chara* entsteht auf den Bergen nördlich von Ulan-Bator und ist 291 km lang. Ihr Tal wird von der Transmongolischen Eisenbahnlinie und zum Teil von der alten Straße nach Kjachta benützt. Mit ihrem Oberlauf durchfließt sie einen breiten Steppenkessel, in dem das russische Dorf Mandal liegt und auch zahlreiche Mongolen sich dem Ackerbau widmen. Im übrigen fließt sie durch bewaldete Täler, die sich gelegentlich weiten. Erst am Unterlauf wird das Tal breit. Infolge des durchgehenden Verkehrs ist der Raum der Chara mit festen Siedlungen recht dicht besetzt, in deren Nähe man überall Getreide- und Gemüsefelder sehen kann.

Der *Iro* ist der letzte große Zufluß des Orchon. Er ist 323 km lang und im Hauptteil seines Laufes ein Gebirgsfluß, dessen Tal sich erst am Unterlauf weitet, wo, wie auch bei der Chara, weitgehend Ackerbau getrieben wird.

Der Orchon ist bis zur Iro-Mündung schiffbar, bei Hochwasser sogar bis zur Chara. Die Oberlaufgebiete der Tola und des Iro sind besonders durch ihren Waldreichtum bekannt. Die geschlagenen Stämme werden auf den Flüssen hinabgeflößt. Der Iro ist in dieser Beziehung besonders hervorzuheben, da an ihm kurz vor seiner Mündung die größte Sägemühle und Holzverarbeitungswerke der MVR liegen.

Von den übrigen Flüssen der Landschaft ist noch der Onon erwähnenswert, der vom Chentei noch Osten abfließt. Sein Einzugsbereich ist noch stark mit Wäldern bedeckt. In den Tälern finden sich vorzügliche Wiesen und fruchtbare Böden, so daß im Bereiche des Onon, vor allem westlich des Eren-Daba, der Ackerbau weitgehend Eingang gefunden hat.

Die breiten Täler mit ihren dauernd fließendem Gewässernetz bilden für den Menschen die Hauptleitlinien der Besiedlung und der Wirtschaft. Sie bieten nicht nur die besten Weiden und Heuflächen, sondern sind auch für den Ackerbau am meisten geeignet. Dazu kommt, daß überall auch genügend Holz erreichbar ist und die Wälder und Gehölze dem Menschen und seinen Herden ausreichend Schutz vor den Unbilden der kalten Jahreszeit, insbesondere vor den eisigen Stürmen, gewähren. So gehört die Großlandschaft des Changai-Chentei, insbesondere das von den beiden Gebirgszügen umfaßte Gebiet, zu den am dichtesten bevölkerten Gegenden der MVR. An der Spitze steht hier der Aimak Nord-Changai, der eine Dichte von fast 1,5 Menschen je qkm erreicht. Auch in der Zahl der festen Orte übertrifft dieser Raum alle anderen. Von den sieben in der MVR als Städte anerkannten Orten liegen fünf in dieser Landschaft.

Ulan-Bator, die Hauptstadt der MVR, ist hier an erster Stelle zu nennen. Mit rund 100 000 Einwohnern leben in ihr etwa 10 Prozent der Gesamtbevölkerung der MVR. Ulan-Bator ist aber nicht nur die überragend größte Stadt der MVR, sondern gleichzeitig ihr politisches, wirtschaftliches und kulturelles Zentrum und nicht zuletzt auch ihre älteste Stadt. Früher als Urga bekannt, wurde sie bereits 1649 als Kloster und Sitz des buddhistischen Kirchenoberhauptes in der Mongolei gegründet. In den Anfängen wechselte das Kloster oft den Standort und erst 1778 ließ es sich endgültig am Nordufer der Tola nieder, wo sich in der Nähe des Klosters zahlreiche Mongolen, dann auch russische und chinesische Händler ansiedelten und so die Stadt langsam an Ausdehnung gewann. Der Name Urga, den zumeist aber nur Ausländer gebrauchten, wird abgeleitet von „Orgo", was soviel wie Palast oder Sitz einer hochstehenden

Persönlichkeit bedeutet. 1924 wurde der Name in Ulan-Bator-Choto, das heißt Stadt des roten Helden, geändert. Gebräuchlich ist aber nur die Bezeichnung „Ulan-Bator". In der Mitte der 20er Jahre hatte die Stadt kaum 30 000 Einwohner. Der Ausbau begann erst später, wobei die Regierung große Mittel und Mühe aufwendete und noch zur Verfügung stellt, um moderne Bauten und Anlagen zu schaffen, so daß Ulan-Bator immer mehr das Aussehen einer europäischen Stadt annimmt. Im Grundriß ist sie sehr langgestreckt und umfaßt auch die Einmündungsgebiete von Selba und Uljatai, die der Tola zufließen. Die letztere wird von fünf Brücken gekreuzt. Den Kern bildet die neue Stadt, in deren Mittelpunkt ein großer viereckiger Platz liegt, der nach dem mongolischen Revolutionshelden Suche-Bator benannt ist. Um diesen Platz stehen das Regierungsgebäude, das Opern- und Schauspielhaus, die Bibliothek des Komitees der Wissenschaften und andere Gebäude, die fast klassische Linien zeigen, sonst vielfach dem sowjetischen Baustil der letzten Jahrzehnte folgen. Vor der Front des Regierungsgebäudes ist aus dunklem Marmor ein Mausoleum errichtet, in dem die Asche von Suche-Bator und Tschoibalsan aufbewahrt wird. Ersterem wurde außerdem auf dem Platz ein Reiterdenkmal errichtet. Im Kern der Stadt konzentriert sich auch der größte Teil anderer moderner Bauten, wie Schulen, Krankenhäuser und andere, die wie alle Neubauten durch ihre Größe und mit dem leuchtenden Weiß ihrer Farbe scharf aus dem sonst niedrigen Stadtbild hervortreten.

Der zentrale Platz und auch die kilometerlange Hauptstraße sind asphaltiert und besitzen elektrische Straßenbeleuchtung wie auch die Stadt allgemein mit elektrischem Licht ausgestattet ist. Einzelne Stadtteile, wie der ehemals russische und der chinesische, der mehr als 5 km östlich des alten Klosters liegt, haben zum Teil noch ihr altes Gesicht bewahrt. In ihnen kann man noch viele Holz- und Lehmhäuser sehen. Daneben gibt es zwischen den alten Stadtteilen und am Rande zahlreiche feststehende Jurtensiedlungen. In der Regel sind sie auf festem Lehmfundament erbaut und stehen einzeln oder auch zu zweit in kleinen Höfen, die von Holzzäunen eingefaßt sind. Auch diese Jurten haben vielfach elektrisches Licht.

Die moderne Industriestadt liegt auf der linken Seite der Tola. Im Mittelpunkt steht das gewaltige Industriekombinat „Tschoibalsan" und das zentrale Elektrizitätswerk. In der Umgegend sind locker angelegte Siedlungen für Arbeiter errichtet.

Der Bahnhof liegt etwas abseits. Die ausgedehnte, ihm benachbarte Eisenbahnersiedlung mit eigenem Schulgebäude, Krankenhäusern, Instituten und anderes geben diesem Stadtteil einen besonderen Charakter.

Die Gesamtlänge der Stadt entlang der Tola kann mit mehr als 10 km angegeben werden. Der innere Verkehr wird durch Autobusse aufrechterhalten. Im übrigen ist die Stadt so planmäßig aufgebaut und durchgeordnet, daß die Arbeitskräfte in der Regel in dem Stadtteil wohnen, in dem sie auch beschäftigt sind.

Für den äußeren Verkehr stehen in Ulan-Bator mehrere Autobasen zur Verfügung, ferner die Eisenbahn und der außerhalb der Stadt gelegene Flugplatz, der von fremden Flugesellschaften angeflogen wird, vor allem in der Verbindung Moskau-Peking, und von dem auch eigene, mongolische Fluglinien ausgehen.

Etwa 40 km von Ulan-Bator liegt Nalaicha, das Zentrum des dortigen Steinkohlenbergbaues, von wo aus die Hauptstadt mit diesem wertvollen Energiestoff versorgt wird. Im Kern der Stadt finden sich Wohngebäude, Krankenhäuser und andere große Bauten. Ein großer Teil der Arbeiter aber wohnt noch in festen Jurtensiedlungen.

Eine junge, aber rasch aufstrebende Stadt ist *Suche-Bator*. Sie liegt an dem Orchon, 5 km oberhalb seiner Einmündung in die Selenga, wo die reguläre Selenga-Schiffahrt endet und die Transmongolische Bahnlinie den Fluß berührt. Vor wenigen Jahren noch ein unbekannter Ort, ist er heute zum wichtigsten Umschlagplatz zwischen Eisenbahn und Flußschiffahrt ausgebaut und ein wichtiger Stapelplatz von Waren für den Export nach der Sowjetunion geworden. Ein modernes, weiter wachsendes Wohnviertel mit zahlreichen Sozialbauten umgibt heute die Station.

Altan-Bulak, östlich von Suche-Bator an der Grenze, Kjachta gegenübergelegen, ist früher auch unter dem chinesischen Namen Maimatschen bekannt gewesen. Es hat eine große Vergangenheit, weil früher hier der alte, berühmte Karawanenweg von Peking über die Grenze nach Rußland führte. Diesen Rang als Handelsstadt hat Altan-Bulak an das vorher genannte Suche-Bator abtreten müssen, doch spielt es auch heute noch eine gewisse Rolle, vor allem durch ein großes Lederkombinat und zahlreiche Werke der kooperativen Industrie, deren Erzeugnisse größtenteils nach der Sowjetunion gehen.

Innerhalb des Changai ist als die wichtigste Stadt *Uljassutai* zu nennen, die seit 1928 den mongolischen Namen Dshibchalantu trägt, der den altbekannten Namen aber nicht zu verdrängen mag. Neben Urga und Kobdo war Uljassutai das dritte chinesische Verwaltungszentrum während der langen Herrschaft der Mandschu-Dynastie. Die Stadt wurde 1733 gegründet und liegt in einem breiten Steppental am Schurugin-Gol (Bogdoin-Gol), einem Nebenfluß des Dsabchan. Sie hat etwa 6000 Einwohner und ist das Verwaltungszentrum des Aimaks Dsabchan. Wirtschaftlich ist Uljassutai das wichtigste Sammel- und Verteilungszentrum der mittleren Westmongolei. Es besitzt drei Wollwäschereien und zahlreiche Verarbeitungsunternehmen für Häute, Felle und Leder. Daneben besitzt es unter anderem ein großes Krankenhaus, mehrere Schulen und ein Elektrizitätswerk. In Stadtnähe und unterhalb im Tal des Schurugin-Gol ist Ackerbau weit verbreitet, wobei vor allem Gemüse und alle Getreidearten, selbst Weizen, erfolgreich angebaut werden, obgleich der Raum der Stadt 1630 m hoch liegt.

Unter den Changai-Städten muß noch *Zezerleg* genannt werden, das als Verwaltungszentrum des wichtigsten Aimaks Nord-Changai eine große Bedeutung hat. Es besitzt Nahrungsmittelfabriken und ein Werk für biochemische Erzeugnisse und Präparate zur Bekämpfung von Tierseuchen, daneben Schulen, ein Krankenhaus und ein Theater. Zezerleg liegt an dem ausgebauten Weg, der von Ulan-Bator nach Westen führt und den Kamm des Changai vom Oberlaufgebiet des Tscholutu zu dem des Baidarik ohne Schwierigkeiten überschreitet.

Die Hauptstraße, die Ulan-Bator mit der Westmongolei verbindet, umgeht den Changai im Süden. Sie überschreitet den Ongin-Gol bei *Arbai-Chere*, dem Verwaltungsort des Aimaks Süd-Changai, und erreicht dann *Bajan-Chongor*, das Zentrum des gleichnamigen Aimaks. Auf ihrer weiteren Route nach Westen trifft sie am Baidarik mit der von Zezerleg kommenden Straße zusammen und erreicht den Ort Zagan-Gol am Dsabchan. Von hier zweigt eine Straße nach Norden nach Uljassutai ab und nach Süden eine zweite, die in *Jussun-Bulak*, dem Zentrum des Verwaltungsbezirks Gobi-Altai, endet. Alle vorgenannten Orte sind klein und nur von örtlicher Bedeutung. Sie haben den Rang von Aimak-Zentren erst erhalten, seitdem in der MVR im Jahre 1931 die Neugliederung in 18 Verwaltungsgebiete durchgeführt wurde.

Das *Chubsugul-Gebiet* umfaßt den am weitesten nach Norden vorspringenden Raum der MVR, in dessen Mitte der gleichnamige See liegt, der dem Gebiet den Namen gibt. Insgesamt stellt es ein Gebirgsland dar, das jedoch morphologisch keineswegs einheitlich ist und von verschiedenen Gebirgszügen ausgefüllt wird, deren genetische Zusammenhänge bis heute noch nicht vollständig geklärt sind.

Die tektonische Senke des Chubsugul teilt den Raum in zwei unterschiedlich ausgestaltete Gebiete. Die Gebirge westlich derselben sind stärker ausgeprägt, zeigen vielfach junge, alpine Formen mit gezackten Kämmen und felsigen Gipfeln, die im Mittel 2500 bis 3200 m hoch sind. Die Talflächen liegen in Höhen zwischen 1600 bis 1800 m.

Östlich des Sees herrscht Mittelgebirgscharakter vor, mit abgeflachten, plateauförmigen Höhen, die im Mittel nur 1700 bis 2100 m hoch liegen. Auch in ihrem höchsten Teil, dem Quellgebiet des Uri-Gol im äußersten Norden erreichen sie, und zwar räumlich begrenzt, nur Höhen von 2500 bis 2600 m. Westlich des Sees überragen zahlreiche Gipfel als „Golzy" mit ihren kahlen Felsen die Waldgrenze, während östlich desselben auch die Rücken der Berge mit Taiga bedeckt sind.

Der Westteil bildet ein für sich abgeschlossenes Gebiet, das sogar eine zentrale Senke besitzt und insofern dem Gesamtgebiet der MVR fremd ist, als es nach Westen zum Jenissej entwässert wird. Der Ostteil dagegen zeigt nicht nur typische Changai-Formen, sondern neigt sich in seiner Gesamtheit nach Süden, zur Mongolei, wohin auch alle seine Gewässer abfließen. Aus diesen Gründen ergibt sich die Berechtigung einer Aufteilung des Chubsugul-Raumes in das Darchat-Gebiet im Westen des Sees und in das Uri-Gebiet ostwärts desselben.

Den Abschluß des Chubsugul-Gebietes im Norden bildet der Ost-Sajan, auf dessen Wasserscheide die politische Grenze verläuft. Seinen höchsten Teil stellt hier die Gebirgsgruppe des Munku-Sardyk dar, die vom Nordufer des Chubsugul steil aufsteigt und im Burin-Chan die Höhe von 3460 m erreicht.

Von der Gebirgsgruppe des Munku-Sardyk zweigt nach Süden, westlich des Chubsugul verlaufend, ein markanter Gebirgszug ab, der in seinem nördlichen Teil als Gebirge Bajan bekannt ist, und getrennt durch die nur schmale Senke Arassaj, sich nach Süden im Chardyl-Sardyk fortsetzt. Beide Gebirge sind durch ihre Wildheit und Zerrissenheit berüchtigt und gehören mit ihren tief eingeschnittenen, mit mächtigem Geröll angefüllten Schluchten zu den am schwersten zugänglichen Gebirgen der Mongolei. Der höchste Gipfel des Chardyl-Sardyk erreicht eine Höhe von 3189 m. Nach Süden verläßt sein Hauptkamm den Chubsugul und streicht nach Südwesten, wo er mit Ausläufern des von Westen heranziehenden Tannu-Ola zusammenstößt und dabei die Wasserscheide zwischen den Zuflüssen der Selenga und denen des Jenissej bildet. Die Ausläufer des Tannu-Ola, die den Westteil des Darchat-Gebietes ausfüllen, zeigen im allgemeinen weiche, abgerundete Formen, die aber bedeutende Höhen besitzen und im Quellgebiet des Schischchid mit 3351 m sogar den Chardyl-Sardyk übertreffen. Innerhalb des Westteils der Landschaft liegt eine ausgedehnte Einsenkung, die vermutlich ebenso wie das Becken des Chubsugul tektonischen Ursprungs ist. Den Übergang von Süd nach Nord bildet das Schischchid-Gebirgsland, das von dem Oberlauf des gleichnamigen Flusses durchflossen wird. Dicht am Nordfuß der steil abfallenen Hänge des Chardyl-Sardyk beginnend, ist es zwar auch gebirgig, doch zeigen die Berge hier weiche, abgerundete Formen mit einer welligen, fast plateaugleichen Oberfläche. Die Talflächen sind weitgehend versumpft.

Nach Norden öffnet sich das Tal des Schischchid zu einem ausgedehnten Becken, dem Darchat-Kessel. In geologisch junger Zeit war er von einem weiten See ausgefüllt, von dem noch zahlreiche kleine Restseen und eine umfangreiche Versumpfung zeugen. Das größte der Wasserbecken, der Dod-See, liegt in einer welligen Ebene, aus der sich Basalthügel und -klippen erheben. Der Dod-See, in einer Höhe von 1560 m gelegen, ist das Zentrum des Kessels, dem außer dem Schischchid noch zahlreiche Flüsse zuströmen. Deren überflüssiges Wasser sammelt der Schischchid, der in einem verhältnismäßig engen, schluchtenreichen Tal aus dem Kessel nach Westen durchbricht.

Der Ostteil des Chubsugul-Gebietes ist, wie schon gesagt wurde, morphologisch ganz anders ausgestaltet. Auch hier erheben sich die Berge dicht am Ostufer des Sees zu einer Gebirgslandschaft, doch ist diese insgesamt einheitlicher gestaltet und stellt ein stark zerschnittenes Mittelgebirge dar, dessen Höhen eine wellige, plateauförmige Oberfläche tragen, die ihren ehemaligen Zusammenhang andeuten. Die höchsten Erhebungen liegen im Norden. Gegen Süden wird das Plateau immer niedriger. Die tief eingeschnittenen Täler sind mit Geröllhalden und Schutt ausgefüllt und an den Oberläufen der Flüsse schwer zugänglich, während das zentrale Tal des Uri verhältnismßig breit ausgearbeitet ist. Im Norden zeigen alle horizontalen Lagen eine starke Versumpfung, die sich nach dem Süden mehr auf die Talflächen beschränkt, während die Höhen und Hänge immer trockener werden.

Die Hydrographie des Chubsugul-Gebietes zeigt ein mannigfaches System von Seen und Flüssen, das durch eine Wasserscheide in zwei Teile zerlegt wird. Im Mittelpunkt der Landschaft steht der Chubsugul selbst. Mit einer Wasseroberfläche von 2620 qkm, einer größten Länge von Nord nach Süd von 134 km und einer maximalen Breite von 35 km stellt er den zweitgrößten See der MVR dar. Wie bei der Größe, so sind auch Angaben über die Tiefe nicht einheitlich, da genaue Vermessungen noch nicht vorliegen. Einzelangaben über die größte Tiefe schwanken zwischen 240 bis 265 m. Jedenfalls genügen diese Messungen, um den Chubsugul als den tiefsten See der Mongolei und auch Zentralasiens erkennen zu lassen. Der Wasserspiegel liegt in einer Meereshöhe von 1624 m. Der Chubsugul hat zahlreiche Zuflüsse, doch sind sie alle meist sehr kurz und unbedeutend. Das geht schon daraus hervor, daß das Einzugsgebiet seiner Gewässer nur 5300 qkm umfaßt, also gerade doppelt so groß ist als die Wasserfläche des Sees selbst. Die Gebirge treten von allen Seiten dicht an den See heran und geben ihm mit ihren bewaldeten Hängen einen landschaftlichen Reiz, der von allen Besuchern gerühmt wird. Manchmal bilden die Berge Halbinseln, kleine Landzungen, dann lassen sie wieder kleine Uferflächen frei, so daß die Uferlandschaft ein sehr abwechslungsreiches Bild ergibt. Mit den einmündenden Flüssen öffnen sich die Täler, wobei die Uferpartien zu beiden Seiten meist versumpft sind. Das Ostufer ist allgemein stärker gegliedert als das westliche, wo auch Sandbänke und Lagunen auftreten. Insgesamt zeigt der Chubsugul in seiner ganzen Ausgestaltung viele Ähnlichkeiten mit dem Baikalsee. Infolge seiner Größe friert der Chubsugul später als die anderen Seen der MVR zu, gewöhnlich zwischen dem 20. November und 15. Dezember, und öffnet sich auch entsprechend später, und zwar zumeist zwischen Mitte Mai und Mitte Juni. Die große Wasserfläche des Sees übt einen beachtlichen Einfluß auf das Klima der Umgegend aus, vor allem bewirkt sie die kühlsten Sommer der MVR und auch eine starke Bewölkung des Himmels. Bemerkenswert ist auch, daß es hier selten windstill ist.

An zweiter Stelle ist der schon genannte Dod-See zu nennen. Er hat immerhin die beachtliche Größe von 59 km und einen Einzugsbereich von 11 100 qkm. Er ist von einem Dutzend kleinerer Seen umgeben, unter denen der Chabtagaju oder Torgon noch als der größte zu nennen wäre. Alle diese Seen stehen durch Flußarme miteinander in Verbindung, und auch mit den dazwischenliegenden Sumpfgebieten, so daß das Wasser der Seen zumeist trübe ist. Im Gegensatz zum Seenreichtum des Darchat-Gebietes ist der östliche Teil des Chubsugul-Gebietes arm an Seen.

Die geographische Differenziertheit des Chubsugul-Gebietes wird auch durch seine Flußsysteme unterstrichen. Sie lassen sich ähnlich wie seine Orographie auch in zwei, allerdings räumlich ungleiche Teile gliedern. Die Wasserscheide verläuft etwa auf dem Kamm des Bajan und Chardyl-Sardyk. Alle Gewässer westlich derselben werden vom Schischchid gesammelt und über die Grenze nach Tuwa geführt, wo sie sich mit anderen Zuflüssen zum Cha-Kem, dem Kleinen Jenissej, vereinigen. Das ganze übrige Gebiet wird nach Süden zur Selenga hin entwässert.

Der Schischchid hat im Gebiet der MVR eine Länge von 296 km. Sein Oberlauf wie auch der seiner Zuflüsse sind typische Gebirgsflüsse mit steilem Gefälle und schnellem Lauf. Innerhalb des Darchat-Kessels jedoch ändert sich ihr Charakter. Langsam und träge fließen sie hier dahin. Doch im Durchbruch nach Westen wird der Schischchid wieder schneller.

Für die Selenga liefert das Chubsugul-Gebiet alle linken Nebenflüsse. Im Westteil vereinigen sich alle Gewässer von den Südhängen des Chardyl-Sardyk und den Ausläufern des Tannu-Ola zum Delger-Muren, dem linken Quellfluß der Selenga. Bei einer Länge von 445 km hat er ein Einzugsgebiet von 26 640 qkm. Mit einem Gesamtgefälle von 1900 m ist sein Oberlauf unruhig und schnell, im Unterlauf jedoch flößbar. Beim Ort Muren betritt er ein 15 bis 17 km breites Tal, wo er sich in verschiedene Arme aufteilt und durch eine bewohnte Landschaft mit Ackerflächen und vorzüglichen Auweiden hinzieht. Später verengt sich das Tal wieder, wobei oft bewaldete Hänge bis an seine Ufer herantreten oder sein Bett durch Geröll einengen.

Der bedeutendste linke Nebenfluß der Selenga ist der Egin-Gol. Er entströmt bei dem Orte Chadchal dem zentralen Chubsugul und zeigt hier ein sehr klares, bläulich schimmerndes Wasser. Das ganze Jahr hindurch ist die abfließende Wassermenge gleichmäßig. Bei einem Einzugsbereich von 40 454 qkm hat der Egin-Gol eine Länge von 475 km und ein Gesamtgefälle von 815 m. Im Oberlauf fließt er durch ein breites Tal, wo er sich oft in Arme aufteilt und infolge vieler Untiefen und Sandbänke sowohl für Schiffahrt als auch für Flößerei nicht geeignet ist. Nach 310 km nimmt er den nahezu gleich großen Uri-Gol auf. Dieser sammelt die Gewässer aus dem Hauptteil des östlichen Chubsugul-Gebietes. Seine Länge beträgt 331 km, sein Einzugsgebiet 12 300 qkm. Er ist ein typischer Taiga-Fluß mit sehr unterschiedlicher Wasserführung, eine Eigenart, die sich von hier auch auf den Egin-Gol überträgt, so daß die sommerlichen Hochwasser gefürchtet sind. Im Unterlauf ist der Egin-Gol vom Ende Oktober bis Ende April/Anfang Mai zugefroren.

In pflanzengeographischer Hinsicht ist das ganze Chubsugul-Gebiet der Zone der Gebirgstaiga zuzuteilen. Dabei zeigen sich zwischen dem West- und Ostteil wiederum beträchtliche Unterschiede.

Westlich des Chubsugul werden die Wälder vor allem von Lärchen- und Arvenbeständen gebildet. Doch ist die Waldbedeckung nicht geschlossen. Bedeutende Teile der Gebirge überragen die Baumgrenze, bestehen hier zum Teil aus nacktem Fels oder sind mit Gesteinshalden, Hochgebirgsgesträuch und in horizontalen Lagen auch mit Sumpfwiesen bedeckt. Sehr häufig zeigt sich auch typische Gebirgstundra mit Moos- und Flechtenwuchs. Das Schischchid-Gebirgsland ist dagegen stärker bewaldet. Der Darchat-Kessel ist nur an der Peripherie mit geschlossenen Wäldern bedeckt. Im Zentrum finden sich ausgedehnte Flächen von Gebirgssteppe, während die Ufer der Seen, Flüsse und Bäche sehr feucht sind und Sumpfvegetation oder dichtes Gestrüpp tragen.

Östlich des Chubsugul ist die Bewaldung im allgemeinen stärker, da sie infolge geringerer Höhe hier auch die Rücken überzieht. Im Waldbestand steht hier jedoch die Lärche weitaus im Vordergrund, Arven dagegen treten in größeren Beständen nur auf den höchsten Stellen stärker in Erscheinung. Während westlich des Chubsugul sehr oft Tannen als Beimischung erscheinen, kommen hier außer Arven im Uri-Tal auch Kiefernbestände in geschlossenen Waldungen vor. Die Talsohlen und auch horizontale Stellen der Bergkuppen sind versumpft, im Norden stärker, geringer im Süden.

Im ganzen Chubsugul-Gebiet zeigen die südlichen Gegenden den allmählichen Übergang zur Steppe. In der Regel beginnt sich der Wald auf den Südhängen zu lichten, bis er dann diese ganz aufgibt und sie der Gebirgssteppe überläßt. Dabei zeigt sich oft der schroffe Gegensatz, daß sich aus versumpften Tälern trockene Steppenhänge erheben.

Die Tierwelt des Chubsugul-Gebietes als dem nördlichsten Landstrich der MVR ist durch die Nachbarschaft Sibiriens gekennzeichnet. Die Mannigfaltigkeit des Reliefs und auch der Vegetation bedingt einen recht abwechslungsreichen Tierbestand. An erster Stelle sind hier die Säugetiere der Taiga zu nennen, die ziemlich vollständig vertreten sind. Hierher gehören einige Huftiere, die man in anderen Gegenden selten oder überhaupt nicht antrifft. Zu erwähnen sind der Maral-Hirsch, der Elch und das Ren. Der Maral-Hirsch ist im ganzen Chubsugul-Gebiet verbreitet und kommt ebenso wie der Elch in größerer Zahl nur noch im Chentei vor. Im Sommer findet er reichlich Nahrung, im Winter dagegen muß er sich mit jungen Zweigen und auch Baumrinde begnügen. In der kalten Jahreszeit lebt er in Rudeln von 50 bis 60 Tieren und nächtigt auch gemeinsam unter dichten Zedernbeständen, wobei er durch seine Schutzfarbe schwer erkennbar ist. Zum Sommer lösen sich die Rudel auf. Der Maral-Hirsch wird vor allem der Panten wegen gejagt. Es sind dies die noch nicht verhärteten Geweihe, die besonders wertvoll sind und als gutbezahlte Volksmedizin früher in großen Mengen nach China exportiert wurden, aber für den gleichen Zweck auch von den Mongolen geschätzt wurden. Der Elch ist in den menschenleeren Gegenden besonders dort verbreitet, wo sumpfiges Gelände vorhanden ist. Als Jagdwild hat er keine Bedeutung. Sehr selten ist das wilde Ren, das in den hohen Gebirgen im Westteil des Gebietes, besonders in den Grenzbezirken zu Tuwa hin, sich noch bis zur Gegenwart erhalten hat. Sehr zahlreich sind im ganzen Gebiet die Wildschweine. Im Winter ziehen sie sich in die Wälder zurück, die vor allem aus Arven bestehen, deren Zapfen dann ihre Hauptnahrung bilden. Dabei werden, so merkwürdig das klingen mag, die Zapfen ganz verzehrt, wie *Bannikow* es ausführlich beschreibt und nachweist (29/167 f.). Im Sommer ziehen sie in die Täler hinab und leben dann fast ausschließlich von Grünnahrung. Manchmal erreichen sie auch die menschlichen Siedlungen und richten in den Saatflächen Schaden an. Jährlich werden in der MVR etwa 10 000 Stück abgeschossen. Unter den Raubtieren ist der Braune Bär an erster Stelle zu nennen, der im Chubsugul-Gebiet und im Chentei verbreitet ist, sehr selten dagegen noch im nördlichen Changai. Weiterhin sind als typisch zu nennen Vielfraß und Luchs. Von größter wirtschaftlicher Bedeutung sind die wertvollen Pelztiere, wie Zobel, Marder, Hermelin, das Graue Eichhörnchen u. a., deren Felle bei den Mongolen für ihre Bekleidung und vor allem für die Ausschmückung derselben sehr begehrt sind. Auch im Außenhandel spielen sie eine beachtliche Rolle.

Die Besiedlung des Chubsugul-Gebietes ist im allgemeinen sehr gering. Die rauhe Wildnis der waldigen Gebirge zieht den Menschen zu dauerndem Aufenthalt wenig an. Nomadisierende Mongolen durchziehen nur die südlichen Gebiete, wo sie entlang den Flüssen vorzügliche Weiden und dazu genügend Holz und Schutz vor den Unbilden der winterlichen Witterung finden. Im breiten Tal des Delger-Muren ist auch Ackerbau verbreitet. Die weiten Waldgebiete sind dagegen fast menschenleer. Nur in den Grenzgebieten des Westens nomadisieren einige Tuwiner mit Rentieren und leben daneben von der Jagd. Feste Siedlungen finden sich insgesamt nur wenige, die an den Flüssen Delger-Muren und Egin-Gol liegen. Zu nennen ist hier zunächst Muren, das von Ulan-Bator aus auf einer ganzjährig für Lastkraftwagen befahrbaren Straße zu erreichen ist. Muren ist das Verwaltungszentrum des Aimaks Chubsugul, dessen Umfang jedoch weit nach Süden über die hier behandelte gleichnamige Landschaft hinausreicht. Weit wichtiger als Muren ist der Ort Chadchal, am Südende des Chubsugul-Sees gelegen, wo die von Ulan-Bator über Muren nach Norden führende Straße endet. Chadchal war schon seit Jahrzehnten ein Sammelplatz für das gesamte Nordchangai-Gebiet von Produkten für den Austausch mit Rußland bzw. der Sowjetunion. Früher wurde aus dem Süden herangeführtes Vieh von Chadchal aus auf einem schmalen Pfad etwa entlang dem Ostufer des Chubsuguls nach Norden getrieben, wo es an der Grenze von burjatischen Viehhändlern übernommen und auf dem Tunkinsker Trakt nach Irkutsk weitergeleitet wurde (278/197 f.). Chadchal gehört auch zu den ersten Orten in der Mongolei, die von Rußland aus eine Telegraphenlinie erhielten. Die Bedeutung des Ortes ist noch gestiegen, seitdem in demselben 1933 eine der größten Wollwäschereien der MVR errichtet wurde, die heute mehr als 500 Menschen beschäftigt. Vor kurzem wurde ihr auch eine Abteilung für Filzherstellung und eine für die Fabrikation von Filzhüten angegliedert. Der Warenaustausch vollzieht sich heute im Sommer über den See mit Dampfern nach Turtu, das etwa am Nordrande des Sees liegt, und im Winter mit Lastkraftwagen und Schlitten über das Eis. Von Turtu aus werden dann die Waren auf dem heute für LKW-Transporte ausgebauten Weg nach Irkutsk befördert. Der sehr schwierige Pfad entlang dem Ostufer des Chubsuguls hat heute seine Bedeutung eingebüßt.

Die Hochebene der Ostmongolei

Diese umfangreiche Landschaft beginnt am Ostfuß des Changai, zieht sich südlich des Chentei hin und umfaßt den ganzen Osten der MVR. Mit ihr betreten wir den Bereich der Steppe, die hier zonenhaft weit zur Entfaltung kommt und das wesentliche Merkmal der Landschaft darstellt. Sie ist der eigentliche Steppenraum der MVR. Die Südgrenze bildet der Übergang zur Wüstensteppe.

Wenn die Landschaft im einzelnen auch nicht gleichmäßig ist, so kann man sie doch als eine Hochebene ansprechen, deren allgemeine Meereshöhe durchschnittlich zwischen 800 und 1000 m liegt. Insgesamt zeigt sie ein allmähliches Gefälle nach Nordosten, und zwar in der Richtung auf den schon außerhalb der MVR gelegenen Dalai-Nur. Während der Westteil der Landschaft überall über 1000 m hoch gelegen ist, sinkt das Gelände in der vorgenannten Richtung ab und hat im Grenzraum nur noch eine Höhe von weniger als 750 m. Hier liegt im Nordostwinkel der Landschaft der Chuchu-Nur, der mit 532 m Meereshöhe die tiefstgelegene Stelle der MVR bildet. Der Grenzsee Buir-Nur hat eine Meereshöhe von 581 m und der schon genannte Dalai-Nur 533 m. Als sichtbarer Ausdruck dieser Neigung der Landschaft kann ihr größter Fluß angesehen werden, der Kerulen, der in seinem Lauf die gleiche Richtung einschlägt, wie auch die nördlich von ihm fließende Uldsa.

Die allgemeine Hochfläche der Landschaft wird etwa in der Mitte zwischen dem Kerulen und der südlichen Staatsgrenze von einer ausgedehnten Depression unterbrochen, die nichts anderes darstellt als die Fortsetzung der langen, aus Südwesten heranziehenden Ostgobi-Senke, die in schwankender Breite, aber ohne Unterbrechung auch durch die Hochebene der Ostmongolei verläuft. Der Boden dieser Senke liegt überall unter 1000 m und senkt sich ungestört zu den tiefer liegenden Gegenden im Osten. Diese Depression soll als Teillandschaft unter dem Namen der Ostmongolischen Senke behandelt werden. Südlich davon erhebt sich das Gelände wieder zum allgemeinen Niveau der Hochebene und zieht sich nach Osten hin, wo es mit dem Großen Chingan zusammenfließt. Über die höchsten Stellen dieses Landschaftszuges verläuft die Staatsgrenze der MVR.

Die Oberfläche der Ostmongolei ist zwar durch das Vorherrschen horizontaler Linien gekennzeichnet, doch sie ist absolut nicht überall eben. Weit verbreitet ist flachwelliges, hügeliges Gelände, besonders nördlich und südlich der Ostmongolischen Senke. In diesen Gegenden treten gelegentlich sogar höhere Erhebungen auf, sei es als Ausläufer der Gebirge, als Restberge oder auch als vulkanische Bildungen, wie sie in der Landschaft Dariganga noch geschildert werden. Auch innerhalb dieser Gegenden kommen Ebenen vor, doch sie sind räumlich beschränkt und in der Regel von Erhebungen umschlossen oder werden von Hügelketten begleitet. Zur Vorherrschaft gelangt der ebene Charakter der Landschaft in den Gebieten, die tiefer gelegen sind. Das betrifft sowohl den Boden der Ostmongolischen Senke als auch die Gegenden am unteren Kerulen und bis zum Chalchin-Gol im Osten. Hieraus ergibt sich auch die Möglichkeit der Aufgliederung des Gesamtraumes der Ostmongolei in Teillandschaften. Das ganze Gebiet nördlich der Senke bis zum Changai und Chentei soll als die wellig-hügelige Landschaft Mittel-Chalcha zusammengefaßt werden. Als nächste Landschaftszüge folgen die Senke und die Ebenen am unteren Kerulen, die selbst in zwei Teilgebiete aufgegliedert werden, wobei der Fluß die Scheide bildet. Den Raum südlich der Senke nehmen die Landschaften Dariganga und Jugodsyr ein, während der äußerste Ostzipfel von den Vorgebirgen des Großen Chingan ausgefüllt wird.

Die Landschaft *Mittel-Chalcha* stellt das Übergangsgebiet dar zwischen dem Changai und Chentei einerseits und den Ebenen der Ostmongolei andererseits. Sie zeigt darum alle Merkmale einer Übergangslandschaft. Die Gebirgssteppen und Wälder bleiben in den Gebirgen zurück, in der Landschaft kommt die reine Steppe zur Geltung. Auch morphologisch ergeben sich in der Nachbarschaft der Gebirge noch größere Höhendifferenzen. Der Großteil der Landschaft verkörpert jedoch das Bild einer Fastebene mit weichen, geglätteten Formen, mit breiten Tälern, flachen Hügeln und langgestreckten Wällen. Eine charakteristische Eigenart, die mit der Entstehung der Landschaft zusammenhängt, besteht darin, daß alle Erhebungen in ihrer Grundform die ostwestliche Richtung andeuten. Nur in solchen Gegenden, in denen kuppig-hügeliges Gelände vorherrscht, tritt dieses auffallende Kennzeichen zurück und läßt in einem wirren Durcheinander überhaupt keine Ordnung und Richtung erkennen. Auch in der Bodenbildung zeigt sich die Landschaft als Übergangszone. Kastanienfarbige und hellkastanienfarbige Böden herrschen vor. In den größeren Senken treten jedoch schon Salzbodenflächen auf, und in Einsenkungen, die dem Grundwasser nahekommen, erscheinen bereits kleine Salzseen und Salzpfannen.

Die Höhendifferenzen sind im allgemeinen gering und machen sich infolge der geglätteten Formen im Gelände nur wenig bemerkbar. Gelegentlich können die relativen Höhenunterschiede jedoch auch größere Ausmaße erreichen, wenn kleine Berggruppen oder Höhenzüge auftauchen. Derartige Erscheinungen kommen in verschiedenen Ausmaßen in der Regel nur isoliert in dem sonst wenig gegliederten Gelände vor, wirken in ihrem Eindruck aber um so mehr, auch wenn sie die allgemeine Fläche nur um 200 oder 300 m überragen. Als markanteste Erhebung in diesem Zusammenhang ist das Granitmassiv Bogdo-Ula bei Tschoiren zu nennen. Es ist ein langgestreckter Bergzug, der massig und schroff hervortritt. Mit einer absoluten Höhe von 1731 m ist er weithin sichtbar und erscheint schon aus einer Entfernung von vielen Kilometern als dunkle Silhouette am Horizont. Der Bergzug ist kahl und stark verwittert. In seiner ostwestlichen Erstreckung bildet er die einzige bekannte natürliche Grenze zwischen der Steppe nördlich von ihm und der Wüstensteppe, die am Südfuß beginnt.

Auch das Gebiet südlich des Kerulen ist durch das Auftreten von isolierten Höhen und Berggruppen bekannt. Manche von ihnen zeichnen sich sowohl durch eine große Grundfläche als auch durch besondere Höhe aus. Erwähnenswert sind in diesem Raum der Bajan-Chuduk südlich von Undur-Chan mit einer absoluten Höhe von rund 1500 m und der Chara-Jamata südlich des Somon-Zentrums Bajan-Obo, der über 1300 m Höhe erreicht.

Der Kerulen ist der einzige dauernd Wasser führende Fluß der Landschaft. Von rechts, also aus der Landschaft, empfängt er keine Zuflüsse, doch haben sich im Gelände eingeschnittene Täler deutlich erhalten, die ihm einst Wasser zuführten. Diese Täler haben Süd-Nord-Richtung, sind breit angelegt und von sanft abfallenden Hängen begleitet. An den Unterläufen ist das rechte Ufer hoch, das andere flach und tritt weit zurück. An den tiefsten Stellen finden sich gelegentlich Salzablagerungen. Die oberen Teile der Täler bilden 10 bis 15 km breite geneigte Ebenen. Südlich derselben verläuft die kontinentale Wasserscheide zwischen dem Kerulen (Amur-Gebiet) und der Ostmongolischen Senke (abflußloses Zentralasien). Sie ist morphologisch wenig ausgeprägt, in ihrer Grundlage breit und hat eine relative Höhe von 300 bis 350 m. Zwar zeigt sie nicht die Form einer einheitlich geschlossenen Bergkette, doch treten in der Richtung ihres Verlaufes einzelne Höhengruppen auf, die das allgemeine Niveau bedeutend überragen, so der Nojan-Ula (1550 m), der Tabun-Undur (1387 m) und der Munku-Chan (1595 m). Nach Osten sinkt die Höhe der Wasserscheide ab.

Die *Ostmongolische Senke* stellt mit der Ostgobi-Senke eine breite Depression dar, die tektonischen Ursprungs ist, wie auch die sonstigen morphologischen Erscheinungen durch ihre Ausrichtung parallel zu den orographischen Linien auf gleiche Zusammenhänge hindeuten. *S. N. Aleksejtschik* und *A. J. Stefanenko* äußern in einer Analyse des tektonischen Aufbaues der Südost-Mongolei die Ansicht, daß „fast alle heutigen Gebirge und Erhebungen der Südost-Mongolei horstartige Gebilde darstellen und daß die Senken zwischen ihnen, die Gräben, um die Wende zwischen Mesozoikum und Känozoikum entstanden sind" (zit. 196/136).

Später haben sich in diesen Gräben Seenbecken gebildet, wie schon im Abschnitt über die geologische Geschichte dargelegt wurde, die sogar miteinander in Verbindung standen und zum Schluß mit der Veränderung der klimatischen Bedingungen in der Nacheiszeit zum Verschwinden kamen. Hieraus erklärt sich auch die morphologische Gestaltung der heute abflußlosen Becken und Talungen. Das betrifft hier auch besonders die Ostmongolische Senke. Sie besteht aus mehreren Einzelbecken, die durch sehr flache Sättel, die im Gelände nur wenig bemerkbar auftreten, voneinander getrennt sind. Diese Einzelbecken sind sogar von den Mongolen mit besonderen Namen bedacht. Der Boden der Becken aber ist fast ausschließlich eben und enthält Salzböden mit einer Ton-, seltener Sanddecke und in den tiefsten Stellen Salzseen, die manchmal Gruppen bilden, an Fläche klein und sehr seicht sind. Die Breite der Senke am Grunde beträgt im allgemeinen 10 bis 20 km, ist im einzelnen jedoch sehr verschieden, da sie oft weite Ausbuchtungen besitzt und sich nicht selten verästelt. So zweigt z. B. von der Cherin-Gobi eine solche Senke ab, die über 100 km lang ist und zu dem Orte Baischintu führt. Der Anstieg aus der Depression zu der allgemeinen Höhe des umliegenden Geländes ist zumeist flach. In den Hängen erscheinen gelegentlich Trockentäler, die mehr breit als tief eingeschnitten sind. Sande kommen in den Senken allgemein weniger vor, zeigen sich aber stellenweise in stärkerer Entwicklung am Rande und an den Hängen.

Innerhalb der Senken tritt die sonst vorherrschende Steppenvegetation zurück und macht Vertretern der Wüstensteppe Platz.

Die vorgeschilderte Charakteristik der Ostmongolischen Senke trifft auch auf die zahlreichen mehr oder weniger großen, isoliert eingelagerten Vertiefungen zu.

Die *Landschaft nördlich des unteren Kerulen* ist durch die Vorherrschaft von Ebenen charakterisiert, die sich oft ohne die geringste Unterbrechung bis zum Horizont hinziehen. Wo Erhebungen auftreten, ist ihre relative Höhe gering. Der Anstieg und Abfall vollzieht sich so allmählich und weiträumig, daß der allgemeine Eindruck der Ebenheit kaum gestört wird. Charakteristisch für diese Gegenden sind weite, flach einfallende Senken, deren Boden mit Salz angereichert ist und deren tiefste Stellen oft in weiter Ausdehnung von Salzablagerungen eingenommen sind. In ihrem Zentrum finden sich vielfach zeitweilige oder auch beständige Seen, die sehr flach und stark mineralisiert sind. Diese Landschaftsteile fallen weniger durch ihre morphologischen Formen als durch den Wechsel der Vegetation ins Auge. Eine solche Gruppe von Seen liegt im Norden der Landschaft, wo auch der Fluß Uldsa in einer derartigen weiten Senke endet. Zu dieser Seengruppe gehört auch der schon mehrmals genannte Chuchu-Nur.

Nach Westen und Nordwesten wird das Gelände abwechslungsreicher, die relativen Höhenunterschiede werden größer. Es ist der Chentei, der sich hier durch seine Ausläufer bemerkbar macht. Doch auch zwischen

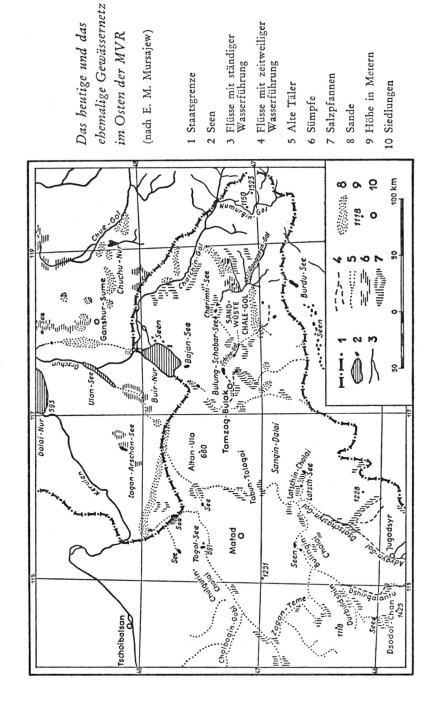

Das heutige und das
ehemalige Gewässernetz
im Osten der MVR

(nach E. M. Mursajew)

1 Staatsgrenze
2 Seen
3 Flüsse mit ständiger
  Wasserführung
4 Flüsse mit zeitweiliger
  Wasserführung
5 Alte Täler
6 Sümpfe
7 Salzpfannen
8 Sande
9 Höhe in Metern
10 Siedlungen

ihnen erstrecken sich noch ausgedehnte Ebenen. Sande treten hier öfters auf. Sie sind bewachsen und fallen im Gelände durch ihre haufenförmigen Bildungen auf. Der einzige Fluß, der die Landschaft durchzieht, ist die Uldsa, die vom Chentei kommt. Die absolute Höhe der Landschaft liegt zwischen 550 und 1200 m.

In der *Landschaft zwischen dem Kerulen und dem Chalchin-Gol* dominieren die Ebenen noch weit stärker als im vorbeschriebenen Raum. Ohne Unterbrechung dehnen sie sich über weite Flächen. Selbst die im Norden so zahlreichen flachen Salzbodensenkungen und Seen fehlen hier. Man könnte von „idealen Ebenen" sprechen. Nur selten treten kleine flache Hügel auf. Im Osten endet die Ebene am Chalchin-Gol, zu dem sie in steilen Terrassen mit einer Höhe von 50 bis 70 m abbricht. Nach Norden jedoch, wohin eine allgemeine leichte Neigung des Geländes festzustellen ist, setzt sie sich ohne Unterbrechung über die Grenze hin fort. Selbst zum Buir-Nur senkt sie sich allmählich und taucht langsam in der Wasserfläche unter. Kastanienfarbige Böden mit gleichmäßig entwickelter Steppenvegetation bedecken die Oberfläche und erhöhen den Eindruck einer fast unendlichen Gleichförmigkeit der Landschaft.

In diesen Ebenen sind als interessante Unterbrechungen die Spuren eines ehemaligen Gewässernetzes zu verfolgen. Es sind dieses Trockentäler oder linear angehäufte Sande, die vielfach auch an Talsenken gebunden sind. Auch die heute von den weiter südlich gelegenen Höhengebieten abfließenden Flüsse und Bäche, die zumeist sehr kurz und wasserarm sind, münden in dieses alte hydrographische Netz ein, in das sie je nach der Niederschlagsmenge mehr oder weniger weit vorstoßen, jedoch dann versiegen oder in Salzpfannen enden. So besitzt die ganze Landschaft, abgesehen von den beiden Flüssen, die als Begrenzung angegeben wurden, kein einziges fließendes Gewässer. Die zahlreichen Spuren der Erosion, die sich bis zur heutigen Zeit deutlich erhalten haben, müssen daher als Nachweis dafür betrachtet werden, daß die Ostmongolei früher mehr Niederschläge empfangen hat als in der Gegenwart, denn nur unter dieser Voraussetzung lassen sich diese Erscheinungen erklären. *Mursajew*, der diese Gegenden bereiste, ist dieser Frage intensiv nachgegangen und hat darüber wissenschaftlich sehr interessante Ausführungen veröffentlicht. Er hat den erfolgreichen Versuch unternommen, das alte Gewässernetz zu rekonstruieren. In der diesem Abschnitt beigegebenen Kartenskizze ist das Ergebnis dargestellt.

Mit den Landschaften *Dariganga und Jugodsyr* steigt das Gelände südlich der Senkungszone wieder an und erreicht eine mittlere Höhe von 1150 bis 1300 m über dem Meeresspiegel. Einige vulkanische Massive, die der Hochfläche aufgesetzt sind, und Höhenzüge, die sich längs der Grenze zur Inneren Mongolei erstrecken, überragen das allgemeine Niveau z. T. beträchtlich und werden bis zu 1760 m hoch. Insgesamt kann man den Raum als eine hochgelegene Fastebene mit zahlreichen Einzelerhebungen und Vertiefungen bezeichnen. Letztere sind durch breite Täler und Senken vertreten, die durch weiche, flache Hänge und Ebenheit des Grundes charakterisiert sind. Im ganzen Gebiet existieren nur wenige kleine Bäche, die nach kurzem Lauf rasch versiegen.

Sande treten nur im Westen der Landschaft Dariganga auf, während sie im Osten fehlen. Erwähnenswert sind hier die Sandgebiete Molzog-Elessu (248 qkm) nördlich von Molzog-Sume und Ongon-Elessu (127 qkm) östlich von Baischintu. Beide Sandgebiete erstrecken sich in einer Breite von etwa 15 km in fast nordsüdlicher Richtung. Sie bilden Hügel und Hügelreihen mit relativen Höhen von 30 bis 40 m und sind reich an Quellen mit vorzüglichem kühlem Süßwasser. An den letzteren wachsen Ulmen und Weiden, während die Hügel mit Gras und Cara-gana-Gesträuch bewachsen sind (106/204). Entlang den Sandgebieten führt der Karawanenweg von Ulan-Bator nach Dolon-Nur in die Innere Mongolei.

Die Eigenart der Landschaft Dariganga bilden ihre vulkanischen Er-scheinungen. Hier erheben sich aus einer vorwiegend flachwelligen Gras-steppe zahlreiche Kegel erloschener Vulkane, die zum Teil zerfallen, zum Teil aber noch gut erhalten und weithin sichtbar sind. Mit Recht haben sie dem Gebiet den Namen einer Vulkanlandschaft eingetragen, die sich noch über die Grenze hin in die Innere Mongolei fortsetzt. Unter den Bergen vulkanischen Ursprungs sind hier als die wichtigsten zu nennen der Bajan-Zagan (1518 m), der Dsodol-Chan (1425 m) und der Muren-Undur (1331 m). Der Dsodol-Chan und der Muren-Undur haben ihre regelmäßige Kegelform am besten bewahrt. Daneben finden sich Lava-ströme, deren Fluß den negativen Geländeformen gefolgt ist. Sie lassen sich oft kilometerweit verfolgen und sind im Gelände von weitem zu er-kennen, da sie keine geschlossene Pflanzendecke tragen und noch recht gut erhalten sind. Verstreut in der Steppe sind auch Bomben und Lapilli zu finden. Alle diese Erscheinungen deuten darauf hin, daß wir es hier mit jungem Vulkanismus zu tun haben, und zwar dem jüngsten in der MVR. *Mursajew* (196/182) ist der Meinung, daß die Vulkane in althistorischer Zeit noch tätig waren.

Die *Chingan-Vorgebirgslandschaft* umfaßt nur den östlichsten Vor-sprung der MVR. Hier tritt der von Norden nach Süden streichende Große Chingan an die Grenze heran und überschreitet sie mit seinen Vorbergen in Form eines Berglandes. Obwohl letzteres stark zerteilt ist, sind doch die Hänge zumeist flach und teilweise mit Gehölzen bedeckt. Die Berge sind manchmal so flach, daß sich infolge der größeren Feuch-tigkeit des Chingan auf ihnen Hochmoore gebildet haben. Die absoluten Höhen übersteigen hier 1000 m. Das Bergland wird von dem Nurmugin-Gol und dem Dege entwässert, die in breiten Tälern fließen und von links in den Chalchin-Gol einmünden. Westlich des Durge gehen die Berge in ausgedehnte Vorlandebenen über, die den größeren Teil der Landschaft bilden und allmählich absteigen. Ihre absolute Höhe liegt zwi-schen 700 und 800 m und wird nur von einzelnen Restbergen überragt.

Die Vorlandebenen sind von breiten Tälern durchschnitten, in denen sich aber nur kleine, wasserarme Flüsse finden, die in keinem Verhältnis zur Talbreite stehen. Sie füllen manchmal kleine Süßwasserseen oder versiegen in den Sanden, um dann gelegentlich weit unterhalb im sonst trocken liegenden Tal wieder aufzutauchen, wie es *Mursajew* (196) bei verschiedenen Flüssen nachweisen konnte.

Ein charakteristisches Element der Landschaft sind die Sande. Sie treten im Vorland als kleine Flecken auf, überziehen hier jedoch auch große Flächen. Innerhalb des Berglandes füllen sie vielfach die Täler und bedecken auch die unteren Hänge. Oft verhüllen sie das Grundrelief und glätten die Oberflächenformen. Die Frage nach der Herkunft dieser Sande hat zahlreiche Forscher beschäftigt. Die rein äolische Herkunft, wie früher angenommen, wird heute allgemein abgelehnt. Da die Ausbreitung der Sande größtenteils an Senken, ehemalige und heutige Flußtäler gebunden ist, schließt *Mursajew* auf ihre alluviale Herkunft (196/132). Auch die Art des Sandes, seine Grobkörnigkeit und die unvollkommene Rundung der Körner sowie die charakteristische Lage der Sandansammlungen werden als Beweise angeführt. Das würde die These einer ehemals stärkeren Erosion und Akkumulation bestätigen. In einer folgenden Zeit sind dann die Sande durch Winde zum Teil verlagert worden, haben sich über ältere Humushorizonte verbreitet und sind auch an den Hängen hinaufgetragen worden. Ihre Ablagerung an den Luvseiten der Erhebungen gegenüber der vorherrschenden Windrichtung weist darauf hin.

Diese Vorgänge müssen sich in einer Epoche abgespielt haben, deren Klima trockener war als das gegenwärtige, denn heute sind alle diese Sande mit Ausnahme geringer Flächen am Chalchin-Gol mit einer dichten Rasendecke überzogen, und alle Forscher stellen einen sehr energisch fortschreitenden Bodenbildungsprozeß fest. Wo innerhalb dieser Gegenden Auswehungsvorgänge und bewegte Sande zu beobachten sind, ist dieses nur auf sehr beschränktem Raum, zumeist nur auf Kuppen der Sandhügel der Fall, und fast immer ist der Mensch und seine Tätigkeit die Ursache.

In hydrographischer Hinsicht ist die Hochebene der Ostmongolei, verglichen mit dem Changai und Chentei, arm an Oberflächengewässern. Die Zahl der Seen ist zwar relativ groß, doch sind es zumeist nur kleine, seichte Wasseransammlungen, die ihre Entstehung den Vertiefungen im Gelände verdanken. Größtenteils sind sie salzig, wobei der Mineralgehalt je nach Jahreszeit und Menge der anfallenden Niederschläge schwankt. In trockenen Jahren verdunstet bei manchen das Wasser, und auf dem Grunde bleiben morastige Salzpfannen oder harte Salzkrusten zurück. Gespeist werden diese Seen hauptsächlich durch atmosphärische Niederschläge, die über die Hänge zum Kessel abfließen. Bei einzelnen Seen beteiligt sich auch das Grundwasser, das am Rande der Senken oder am Boden austritt. In den ebenen Teilen der Landschaft erscheinen die Seen nicht selten in Gruppen. In einer solchen ist auch der schon öfters erwähnte Chuchu-Nur (11,29 qkm) zu finden. Süßwasserseen kommen selten und nur unter bestimmten Bedingungen und in beschränkten Räumen vor, wie dies bei der Behandlung der Teillandschaften schon gezeigt wurde.

Der *Buir-Nur* ist der größte See der Ostmongolei. Er wird von der Staatsgrenze durchschnitten, doch gehört der größte Teil zur MVR. Er liegt in einer Meereshöhe von 581 m und hat bei einer größten Länge von 40 km und einer Breite von 20 km eine Fläche von 610 qkm. Die größte gemessene Tiefe beträgt 10,7 m (196/405). Nach anderer Quelle (212/228) soll er bis 55 m tief sein, was jedoch unwahrscheinlich erscheint. Der Buir-Nur ist als Steppensee anzusehen. Er liegt in einer flachen Senke mit sanft abfallenden Ufern. Wo das Grundwasser der Oberfläche nahekommt, haben sich ausgezeichnete Wiesen entwickelt, die bis zum Wasser hinabführen. Das betrifft besonders das westliche Ufer, wo jederzeit zahlreiche Jurtengruppen und Viehherden anzutreffen sind. Das Südufer ist mehr sandig und zeigt spärlichere Vegetation. Hier finden sich einige kleinere vom Hauptsee abgetrennte Wasseransammlungen. Die größte davon ist der See Bajan (10 qkm). Sein Wasser ist salzig. Das Ostufer des Buir-Nur zeigt mehr Steppencharakter. Im Bereich der Delta-Mündung des Chalchin-Gol und am Ausfluß des Orschun ist die Ufergegend weithin mit Rohrdickichten bedeckt. Auch Weidengesträuch tritt hier auf. Im allgemeinen ist das Ufer wenig gegliedert, bildet aber doch örtlich Buchten und Lagunen, die durch sandige Nehrungen abgetrennt sind. Der Buir-Nur enthält Süßwasser. Der Chalchin-Gol führt ihm Wasser zu, während der Orschun (Urschun) ihn als Abfluß mit dem Dalai-Nur verbindet. Der Abfluß ist 70 bis 80 m breit und hat eine Tiefe von 1,5 bis 1,8 m. Er fließt in einem breiten Tal sehr langsam und in zahlreichen Windungen dahin. Bei einer Luftlinienentfernung zwischen beiden Seen von 80 km beträgt die Länge des tatsächlichen Laufes rund 120 km. Dieser Verbindung verdankt der Buir-Nur auch seinen Fischreichtum, der für die umwohnende Bevölkerung von großer Bedeutung ist. Gefangen werden vor allem Rapfen, Karpfen, Gründlinge, Welse und Hechte. Zum Überwintern erscheint auch der Sibirische Lachs im See. Der See ist von Anfang November bis Anfang Mai mit Eis bedeckt.

An nennenswerten fließenden Gewässern ist die Ostmongolei sehr arm. In der Vergangenheit war dies, wie schon gesagt wurde, nicht so. Das Absterben des hydrographischen Netzes erfolgte in postglazialer Zeit. Damit lockerte sich auch die Verbindung der Abflußsysteme. Immerhin kann man den Großteil des Raumes zum Einzugsbereich des Pazifischen Ozeans rechnen. Die bedeutendsten Flüsse sind der Kerulen, die Uldsa und der Chalchin-Gol.

Der *Kerulen* entsteht aus mehreren Quellflüssen im Chentei. Sein Einzugsbereich umfaßt 116 455 qkm. Mit einer Gesamtlänge von 1254 km, von denen 1090 km auf die Mongolei entfallen, ist er ein bedeutender Fluß. Sein Quellgebiet liegt 1750 m, seine Mündung 533 m hoch. Unterhalb von Undur-Chan, wo er eine Breite von 100 bis 150 m hat, wird er zu einem langsam fließenden Steppenfluß. Bei geringem Gefälle fließt er hier in einem breiten, eingesenkten Tal mit zahlreichen Mäandern dahin, wobei er einzelne Arme, Inseln und Sandbänke bildet. Während innerhalb der breiten Talebene oft Schilf- und Rohrdickichte und Versumpfungen, gelegentlich aber auch Salzbodenflecke auftreten, beginnt oberhalb der 1 bis 2 m hohen Terrassen sofort die reine, trockene Steppe. Die Wasserführung schwankt und richtet sich nach den im Quellgebiet fallenden Niederschlägen. Unterhalb von Undur-Chan verliert der Fluß an Wassermenge. Auf mehr als 900 km empfängt er keinen Zufluß mehr, erreicht aber doch ganzjährig den Dalai-Nur.

Die *Uldsa* entsteht in einem Steppental des östlichen Chentei. Obgleich sie von links mehrere Zuflüsse erhält, von denen der bedeutendste der stark versumpfte Dutschin-Gol ist, bleibt sie wasserarm. Sie hat eine Länge von 400 km, erreicht aber ihr Ziel, die Torej-Seen auf sowjetischem Gebiet, nur in regenreichen Jahren. Ansonsten verdunstet der Fluß auf den letzten 60 km, wo nur kleine Sümpfe und Salzpfannen zurückbleiben. Das Tal der Uldsa ist breit. Längs des Flusses ziehen sich feuchte Wiesen hin; Sträucher und Gehölze fehlen.

Der *Chalchin-Gol* hat eine Länge von 275 km. Quelle und Oberlauf liegen im Chingan auf chinesischem Gebiet, Mittel- und Unterlauf gehören zur MVR. Etwa 10 km vor dem Buir-Nur bildet der Fluß ein Delta, wobei nur sein linker Arm den See erreicht und der rechte an ihm vorbei direkt zum Orschun abfließt, der aus dem Buir-Nur kommt. Im Oberlauf mehr ein Gebirgsfluß, hat der Chalchin-Gol im Mittel- und Unterlauf ein bis zu 10 km breites Tal. Streckenweise finden sich zu beiden Seiten dichte Weidenbestände und ausgezeichnete Wiesen. Andererseits kommen Gegenden vor, die der Fluß wohl erst vor kurzem freigegeben hat, wo Flugsande mit Barchanbildungen zu beobachten sind. Zu beiden Seiten des Tales erstrecken sich flache, hochgelegene Ebenen mit kleinen Senken, ausgetrockneten Seen und Sandflecken. Den Abstieg zum Tal bilden gut erhaltene, ausgeprägte Terrassen, die auf der linken Seite 50 bis 70 m hoch sind. Nach der Mündung zu sinken die Talhänge ab und machen zum Schluß einer allgemeinen Ebene Platz. Von den linken, mongolischen Zuflüssen des Chalchin-Gol sind der *Numurgin-Gol* und der Dege erwähnenswert. Ersterer hat eine Länge von 110 km, ist wasserreich und fließt in den Vorbergen des Chingan durch ein oft versumpftes und mit Laubgehölzen bestandenes Tal. Der zweite ist 55 km lang, weniger wasserreich, wird jedoch auch noch von Gebüsch und kleinen Gehölzen begleitet. Beide führen das ganze Jahr hindurch Wasser.

Das ostmongolische Hochplateau ist das Gebiet der Steppe, die an anderer Stelle ausführlich dargestellt wird. Aus der Tierwelt wäre als charakteristisches Steppentier die Dseren-Antilope zu erwähnen, die zwar überall zwischen dem Altai und dem Buir-Nur heimisch ist, aber doch die flachen und welligen Steppen bevorzugt. Zu Beginn des Sommers und im Herbst sammeln sich die Tiere zu gewaltigen Herden von 6000 bis 8000 Stück, während sie in der übrigen Zeit gewöhnlich in kleinen Rudeln bis zu 15 Stück umherstreifen (196/408). Sie werden ihres Fleisches wegen von den Mongolen gejagt. Die Jagd beginnt mit dem Eintritt der Kälte, wobei einzelne Jäger während einer Saison bis zu 150 Tiere erbeuten. In jüngster Zeit werden nach sowjetischem Muster Jägerbrigaden gebildet. Von einer solchen wird berichtet, daß sie in einem Winter 1300 Tiere zur Strecke brachte (196/409). Als weiteres typisches Tier der Steppen wäre noch der Tarbagan zu nennen. Diese Murmeltierart wird vor allem des Felles wegen gejagt. Als Schädlinge der Steppe müssen hier noch die Brandtsche Wühlmaus und andere kleine Nager angeführt werden, die die Landschaften der Ostmongolei in einem wahren Übermaß bevölkern und zu einer Landplage geworden sind. Untersuchungen in den Gegenden zwischen Undur-Chan und Tschoibalsan aus dem Jahre 1929 ergaben pro Desjatine (1,08 ha) 2000 Höhlen. Nach Angaben aus dem Vorjahre zählte man in einzelnen Gegenden sogar 6000 bis 7000 Höhlen, im Mittel 5000 (196/412). Ein so starkes Auftreten der Wühlmäuse ist sonst nirgends festgestellt worden. Durch sie wird die Vegetation zugrunde gerichtet, und die Araten sind gezwungen, die betroffenen Weidegründe zu verlassen und auf der Suche nach besserem Futter mit ihrem Vieh abzuwandern. Das Auftreten der Brandtschen Wühlmaus ändert sich in seiner Intensität von Jahr zu Jahr, wobei räumlich eine gewisse Wanderung festzustellen ist, die gegenwärtig nach Westen verläuft. Die ungemein schnelle Vermehrung macht Maßnahmen gegen die Schädlinge wirkungslos.

Für den Menschen liegt die Bedeutung der Ostmongolischen Hochebene besonders darin, daß ihre Steppen dem Vieh wertvolle Weidegründe mit reichen Futterreserven bieten. Ihre stärkere Nutzung wird jedoch durch zwei Faktoren behindert. Einmal ist es die Wasserarmut, die uns überall entgegentritt. Untersuchungen haben immerhin ergeben, daß überall am Rande der zahlreichen Senken brauchbares Grundwasser leicht erreicht werden kann. Auch die vorhandenen Brunnen liegen zumeist an solchen Stellen. Es wäre also notwendig, mehr und ergiebigere Wasserquellen zu suchen und zu erschließen. Das zweite Hemmnis ist die natürliche Schutzlosigkeit der freien Steppe gegenüber den Unbilden der kalten Jahreszeit, vor allen Dingen gegenüber den heftigen und eisigen Stürmen. Hier kann nur der Bau von festen oder beweglichen Chaschanen helfen, deren Baumaterial jedoch aus anderen Gegenden der MVR zu beschaffen wäre.

Der Schwerpunkt der Bevölkerung liegt im Norden der Landschaft, wo auch die wichtigsten Siedlungen zu finden sind. Zunächst ist hier Undur-Chan zu nennen, das Verwaltungszentrum des Aimaks Chentei. Der Ort liegt am Kerulen und an der als Chaussee bezeichneten Straße, die von Ulan-Bator nach Tschoibalsan führt. Er besitzt ein Nahrungsmittelkombinat, eine Großmolkerei, eine Druckerei und Hausindustrie. In den letzten Jahren hat er sich zu einer Siedlung städtischen Charakters entwickelt. In der Nähe werden Kohlen abgebaut, die in den örtlichen Betrieben Verwendung finden. Von Undur-Chan aus folgt die genannte Straße dem linken Ufer des Kerulen und erreicht nach 355 km Tschoibalsan, den eigentlichen Mittelpunkt des Ostraumes. Früher als Bajan-Tumen bekannt, ist die Stadt seit Bestehen der MVR sehr rasch aufgestiegen und nimmt nach der Zahl ihrer Bevölkerung heute den zweiten Platz in der Republik ein. Diese rasche Entwicklung verdankt sie vor allem ihrer Bedeutung als Verkehrsknotenpunkt. Durch eine Eisenbahnlinie mit russischer Spurweite ist sie über Solowjewsk in Borsja an das sowjetische Eisenbahnnetz angeschlossen, so daß die Industrieanlagen, die vor allem tierische Produkte verarbeiten, auch für den Export arbeiten können. Von Tschoibalsan führt eine Schmalspurbahn, die einen ausgebauten Landweg ergänzt, nach Uldsa in das durch vorzügliche Weidegründe bekannte Oberlaufgebiet des gleichnamigen Flusses und bringt diesen Bezirk in den Einflußbereich der Stadt Tschoibalsan. Uldsa ist auch der Endpunkt einer Straße von Undur-Chan. Daneben hat sie noch eine besondere Bedeutung, da von hier aus eine direkte Landwegverbindung über die Grenze nach Tschita besteht. Auch der Raum südlich des Kerulen ist verkehrsmäßig auf Tschoibalsan ausgerichtet. Eine Schmalspurbahn, die sich später gabelt, erreicht mit ihrem Ostzweig in Tamzag-Bulak den Mittelpunkt der Gegend südlich des Buir-Nur. Weit wichtiger ist jedoch der andere Zweig der Bahn, der in Dsun-Bulak (Matad-Chan) endet, wo seit 1942 Kohlen abgebaut werden, mit denen nicht nur die Bahn, sondern auch das Elektrizitätswerk und die Betriebe in Tschoibalsan versorgt werden. Auch in Jugodsyr, 110 km südlich von Dsun-Bulak gelegen, werden Kohlen gefördert, die aber mehr dem örtlichen Bedarf dienen. Der Südwestteil der Landschaft wird von einem Karawanenweg erschlossen, der in Tschoibalsan beginnt und über Barum-Urt, das Verwaltungszentrum des Aimaks Suche-Bator, und Baischintu nach Sain-Schanda an die Transmongolische Bahn führt. In allen zuletzt genannten Orten, denen noch das Somon-Zentrum Dariganga angereiht werden kann, existieren Gerbereien und kleine Betriebe, in denen sonstige Produkte der Tierzucht zur Verarbeitung kommen.

Die Transaltai-Gobi

Unter dieser Bezeichnung werden hier alle die Gebiete der MVR zusammengefaßt, die sich südlich des Mongolischen und des Gobi-Altai erstrecken, die also, vom Inneren der MVR aus gesehen, jenseits des langgestreckten Gebirgssystems liegen. In landschaftlicher Hinsicht kommt ihnen zumeist keine Selbständigkeit zu, sondern sie stellen nur Teile größerer Raumeinheiten dar, die von auswärts über die Grenze in das Gebiet der MVR hineinstreichen, so daß diese Landschaften der Mongolei nach außen hin offen sind.

Die Transaltai-Gobi nimmt innerhalb der MVR eine ganz besondere

Stellung insofern ein, als sie den eigentlichen Wüstenzug umfaßt und somit den ödesten Teil des Landes darstellt mit der geringsten Bevölkerungszahl, einer armen Tierwelt, einer überaus dürftigen Vegetation und mit dem größten Mangel an Wasser. Trotzdem ist das Gebiet absolut nicht einförmig, sondern tritt uns in den verschiedenartigen Reliefformen sehr abwechslungsreich entgegen. Neben weiten Niederungen und eingelassenen Senken kommen auch Berglandschaften vor, die bis zu Gebirgshöhen emporwachsen und durch die Eigenart ihrer Formen besonders auffällig sind. Die mächtigen Gebirgsbildungen des Altai und des Tienschan, die das Gesamtgebiet im Norden und Süden umsäumen, haben zu der Entstehung von zahlreichen Zwischenerhebungen in der Transaltai-Gobi geführt, die das Gebiet vorwiegend in ostwestlicher Richtung durchziehen.

Im Westen beginnt die Gesamtlandschaft mit der *Dsungarischen Gobi,* wie ich sie mit *Junatow* nennen möchte. Es ist ein verhältnismäßig klar umgrenztes Gebiet. Im Norden wird es vom Mongolischen Altai gesäumt, im Süden von einer Gebirgsreihe eingefaßt, auf deren Kamm auch die politische Grenze verläuft und zu der u. a. der Bajtak-Bogdo und der Tachin-Schara gehören. Den Abschluß im Osten bildet ein Ausläufer des Altai, der Chubtschin-Nuru. So ergibt sich für die Dsungarische Gobi eine Umrahmung in der Form eines Dreiecks, das nach Nordwesten offen ist. Das Innere dieser Landschaft senkt sich insgesamt auch in der gleichen Richtung. Alle Flüsse, die aus dem Altai kommen, deuten diese Abdachung ebenfalls an, und der Bulugun schlägt die nordwestliche Richtung sogar nach einer scharfen Wendung ein und fließt über die Grenze in die Dsungarei. Die Offenheit der Landschaft zu der letzteren hin macht es auch möglich, daß zahlreiche typische Vertreter der dsungarischen Flora und Fauna in dieses Gebiet vordringen und ihm einen dsungarischen Akzent geben konnten. Das ist auch der Grund für die Bezeichnung dieses Teiles der Gobi.

Der Mongolische Altai bricht zur Dsungarischen Gobi nicht plötzlich ab, sondern er entsendet in sie kurze, rasch niedriger werdende Zweige oder schiebt sogar einzelne Berge in das Gelände vor. Alle diese Erhebungen sind umgeben von Schuttkegeln, die mit der Entfernung von den Bergen in wellige Vorlandebenen übergehen, die von gewundenen, scharf eingeschnittenen Trockentälern zerrissen werden. Immerhin ist der Altai hoch und niederschlagsreich genug, um auch einige größere, dauernd fließende Gewässer in die Dsungarische Gobi zu entsenden. Doch bis auf den Bulugun, der aus dem bis 4231 m hohen Gebirgsmassiv des Munku-Chajrchan kommt, enden alle, selbst der Uintschi und der Bodomtschi, in einer ausgedehnten Salzpfanne, in deren Mitte ein 1058 m hoch gelegener Salzsee eingelagert ist. Die Randgebirge im Süden erreichen bedeutende Höhen, so ist der Bajtak-Bogdo 3187 m, der Iche-Chabtag 2395 m hoch. Doch es sind typische Wüstengebirge, die im eigenen Schutt zu ertrinken drohen. Sie besitzen nicht einen einzigen dauernd fließenden Fluß, und doch ziehen sich von ihnen mächtige Saire nach der zentralen Salzpfanne hin, in denen nach Sturzregen das Wasser brausend mit großer Kraft hinabschießt, um dann im Vorgelände zu versickern. Danach liegt das Flußbett wieder so trocken da wie vorher. Es ist eigenartig, daß in den wasserarmen Wüsten die Erosionswirkungen des fließenden Wassers stärker hervortreten als in humiden Gebieten. Von dem starken Zerfall der Gebirge zeugen auch die Hügellandschaften, die sich besonders nördlich des Iche-Chabtag vorfinden. Sie bestehen aus Restbergen und bilden insgesamt ein Restlingsrelief. Selbst im Innern der Landschaft sind derartige Einzelberge und Berggruppen zu beobachten. Im übrigen ist die zentrale Gegend mit ihren Salzpfannen vorwiegend eben.

Dem Menschen bietet die Dsungarische Gobi recht wenig. So ist der Großteil fast menschenleer. Nur in den Vorlandebenen am Südfuß des Altai, wo infolge der höheren Lage Wüstensteppen verbreitet sind und wo die aus dem Gebirge kommenden Flüsse auch genügend Wasser bieten, sind nomadisierende Mongolen anzutreffen. Ja, die günstige Voraussetzung ausreichender Wasserdarbietung hat sie sogar veranlaßt, sich dem Ackerbau zu widmen. Das betrifft in erster Linie das Tal des Bulugun. und seiner Zuflüsse Narin-Gol, Uljas-Gol u. a. Hier sind bemerkenswerte Ansätze für einen erfolgreichen Bewässerungsanbau vorhanden, der sich nach dem Urteil russischer Forscher auf 10 000 ha ausdehnen ließe. Auf neueren Karten ist als Zentrum dieses Gebietes bereits der Ort Bulugun eingezeichnet.

Der Bulugun ist, wie schon gesagt wurde, der einzige Fluß der Dsungarischen Gobi, der nicht in ihrer Dürre verendet, sondern nach einem Verlauf von etwa 250 km auf mongolischem Gebiet, dann dieses verläßt und unter dem Namen Urungu in den See Uljungur in Sinkiang mündet. In älterer Vergangenheit hat sich sein Lauf wahrscheinlich infolge tektonischer Bewegungen verlagert und ist nach dem Westen ausgebrochen, wie dieses auf der beigefügten Kartenskizze dargestellt ist. Im Oberlauf ist er ein typischer Gebirgsfluß. Mit dem Eintritt in die Vorlandebene teilt er sich in mehrere Arme, die von Schilfdickicht und Weidengesträuch begleitet sind. Innerhalb dieses Gebietes liegen auch die meisten Ackerflächen. Die Breite des Bulugun beträgt an seinem Unterlauf innerhalb der MVR bei Mittelwasser 20 bis 35 m, seine Tiefe 5 bis 7 m.

Auch die Talflächen der östlichen Nachbarn des Bulugun, des Uintschi-Gol und Bodomtschi-Gol, sind durch Ackerbau ausgezeichnet. Von den beiden letzteren bietet der Uintschi-Gol besonders günstige Voraussetzungen, wo die vorhandenen Ackerflächen eine Ausweitung auf 2500 bis 3000 ha zulassen.

An die vorgenannten Ackerbauenklaven reihen sich noch andere, die nur kleinere Ausmaße erreichen und entlang dem Gebirgsfuß des Altai sowie vor dem Chubtschin-Nuru liegen. Es sind alles kleine Oasen, die an Flußufern oder bei Quellen oft nur eine eng begrenzte Grünfläche mitten in vollkommen nackter Sand- oder Steinwüste darstellen.

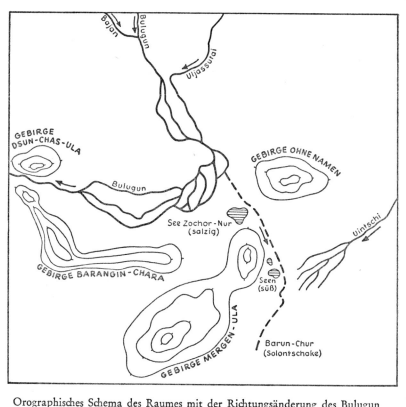

Orographisches Schema des Raumes mit der Richtungsänderung des Bulugun

Ostwärts der Dsungarischen Gobi schließt sich an diese die eigentliche *Transaltaische Gobi* an. Es ist der menschenärmste und ödeste Teil des gesamten Gobi-Zuges in der MVR, außerdem schwer zugänglich und äußerst wasserarm. Junatow meint, daß sich hier alle wesentlichen Merkmale der zentralasiatischen Wüsten widerspiegeln (106/182). Dieses ist auch insofern begründet, als der zentrale Teil in seiner ganzen Länge von einer Senke eingenommen wird, die nichts anderes darstellt als die unmittelbare östliche Fortsetzung der schon außerhalb der MVR liegenden Nomin-Gobi. Die letztere liegt dicht am Nordfuß des Tienschan und ist eine wüstenhafte Depression, deren Boden unter 500 m Meereshöhe liegt. Ihre Hänge sind von tiefen Schluchten zerrissen und bilden oft steile Abstürze, während der Talkessel selbst von Hügeln, felsigen Graten und niedrigen Erhebungen übersät ist. Mit dem gleichen Charakter, nur in etwas abgeschwächter Form, setzt sich diese Depression als Senke fast 400 km auf dem Gebiet der MVR fort, wo bei schwankender Breite allerdings der Boden nicht so tief liegt, sondern eine Meereshöhe von 700 bis

444

900 m hat. Die gesamte Senke ist der tektonische Ausdruck der sich von Nord und Süd nähernden Ausläufer des Mongolischen Altai und des Tienschan, wie auch der tiefste Teil, die Nomin-Depression, direkt zwischen dem 3761 m hohen Adshi-Bogdo im Norden und den 3931 m und 4925 m hohen Gebirgsketten des östlichen Tienschan liegt.

Wenn durch die vorgenannte lange, sich in ostwestlicher Richtung erstreckende Senke auch ein gewisser einheitlicher, ordnender Zug in die Gesamtlandschaft hineingetragen wird, so ist diese, verglichen mit der Dsungarischen Gobi, nicht nur umfangreicher, sondern auch insgesamt weit stärker aufgegliedert als die letztere. Das liegt vor allem daran, daß im Norden und Süden der Senke Gebirgszüge von größerer Ausdehnung und mit beachtlichen Höhen auftreten. Im Norden sind es Ausläufer des Altai, unter denen am markantesten der Gebirgszug des Ederengin-Nuru ausgeprägt ist. Er hat einen stark abgetragenen, steinigen Kamm, dessen Höhe zwischen 1700 und 2000 m schwankt und dessen höchster Punkt 2020 m erreicht. Er erstreckt sich in einer Länge von etwa 250 km in nordwest-südöstlicher Richtung. Der hohe Adshi-Bogdo wird beim Mongolischen Altai behandelt. Südlich der Senke zieht sich eine Reihe von Gebirgen in ostwestlicher Richtung hin, die in orographischer Hinsicht als absinkende Teile des Tienschan zu betrachten sind und unter denen der Ata-Bogdo, Tschingis-Bogdo und Zagan-Bogdo genannt zu werden verdienen. In ihrer Höhe übertreffen sie den nördlichen Ederengin-Nuru: der Ato-Bogdo ist 2702 m, der Zagan-Bogdo 2380 m hoch. Allerdings ist bei allen genannten Gebirgen die relative Höhe nicht so bedeutend, da die allgemeine, zumeist hügelige Grundfläche im Bereiche der Gebirgszüge 1200 bis 1500 m hoch liegt und sich nur in der Richtung auf die zentrale Depression auf 700 bis 900 m senkt. Zwischen den genannten Gebirgszügen und an ihren Nord- und Südrändern erstrecken sich verschiedenartig ausgestaltete Niederungen, so daß die Gesamtlandschaft in einzelne Teile aufgegliedert werden kann.

Der Raum südlich des Adshi-Bogdo und im Osten bis zum Ederengin-Nuru wird von der Landschaft *Elestu-Mjangan* eingenommen. Nach ihrem Relief ist sie überwiegend hügelig-kuppig und liegt in einer absoluten Höhe von 1200 bis 1400 m, wobei sie ein allgemeines Gefälle zur Nomin-Depression zeigt. Die Erhebungen sind weitgehend abgeflacht und das Gelände von zahlreichen Sairen zerrissen. Die Bewässerung ist so gering, daß im ganzen Raum die steinige Saksaul-Wüste vorherrscht. Die Hügel sind zumeist von Baglur-Gesträuch locker besetzt, doch tritt selbst auf ihnen noch der Saksaul auf. Nur etwa am Fuß des Adshi-Bogdo treten Quellen zutage, die gewöhnlich in geringer Ausdehnung von solontschakartigen Wiesen umgeben oder mit Deris bewachsen sind. Manchmal kann man auch kleine Gehölze beobachten. Diese Quellen-Zone ist für den Menschen von größter Bedeutung. Beim Orte Mjangan-Bulak (= „Tausend Quellen") wird am Südfuß des Adshi-Bogdo inmitten von Sandwüsten ein oasenhafter Ackerbau getrieben.

Die Landschaft *Dsachoi* umfaßt das gleichnamige abflußlose Becken zwischen Mongolischem Altai, Adshi-Bogdo und Ederengin-Nuru, in dessen Mittelpunkt mehrere im Austrocknen begriffene Seen liegen, deren größter mit einer Fläche von 10,4 qkm der Landschaft ihren Namen gibt. Er liegt in einer Meereshöhe von 1078 m. Die Umgebung der Seen ist stärker mit Pflanzenwuchs bedeckt und zeigt auch kleine Gehölze von Pappeln. Im Zentrum der sonst wüstenhaften Landschaft liegt die Oase Dsachoi.

Östlich des vorgeschilderten Beckens erstreckt sich zwischen dem Mongolischen Altai und dem Ederengin-Nuru in der Form einer breiten Talung die Landschaft *Dsaram*. Der Großteil der ausgedehnten Zwischengebirgssenke wird von vegetationsarmer Baglur-Wüste eingenommen, in die auch mit Caragana bewachsene Sandflächen eingestreut sind. Nur nahe am Gebirgsfuß des Altai und des Ederengin-Nuru bessert sich die Vegetation zur Halbwüste.

Der *Ederengin-Nuru* selbst stellt ein stark abgetragenes Wüstengebirge dar, dessen Hänge stark zergliedert und bis hoch hinauf mit Schutt bedeckt sind. Die höchsten Teile entbehren jeden Pflanzenwuchses, und auch sonst ist die Vegetation überaus arm; stärker ist sie nur in den tief eingeschnittenen Tälern, wo gelegentlich selbst Weidengebüsch auftreten kann. Der Gebirgsrand geht in ein ausgeglichenes Hügel- und Kuppenland über. Am Nordfuß findet sich in einem schmalen Saum Wüstensteppe ein, die Südseite dagegen ist volle Wüste, oberflächlich größtenteils aus Kies und Geröll bestehend.

Zur zentral gelegenen Fortsetzung der *Nomin-Senke* steigt das Gelände langsam ab. Den Übergang zu den tiefsten Lagen jedoch bilden unregelmäßig vor- und zurücktretende zumeist steile Hänge, denen noch zahlreiche Restberge und flache Kuppen vorgelagert sind. Wesentlich zu dem Eindruck der starken Zergliederung der Umgegend des Senkenbodens tragen die zahlreichen, tief eingeschnittenen Saire bei, die von Nord und Süd der Depression zustreben. Während an der Peripherie der Senke auf den Hängen und in den Trockentälern der Saksaul noch zahlreich vertreten ist, wandelt sich die Vegetation zur Ephedra-Wüste, auf die noch einjährige Salzpflanzen folgen. Die weite, zentrale Bodenfläche der Senke ist größtenteils ohne jede Vegetation. Hier herrschen fast schwarz glänzende Geröll- und Steinpanzerböden vor, zwischen denen gelegentlich in Vertiefungen Takyre mit ihren typischen Polygonböden eingelagert sind. Innerhalb der MVR tragen Strecken der Senke verschiedene Namen. Der ausgedehnteste Teil heißt bei den Mongolen Zencher-Cholai.

Zur Landschaft des *Ata-Bogdo* kann auch der *Tschingis-Bogdo* gerechnet werden, der nach Osten in einzelne Gebirgsketten zerfällt. Mit Erhebungen bis zu 2702 m zeigt der erstere auf seinen höchsten Stellen eine den Steppen ähnliche Pflanzendecke. Im übrigen weisen aber alle Berge typische Züge eines Wüstengebirges mit vielen nackten Felsen, steinigen

Hängen, hohen Schuttkegeln und äußerst geringer Vegetation auf. Die Höhe des Ata-Bogdo macht es möglich, daß in verschiedenen Tälern das sich sammelnde Grundwasser austritt und kleine Oasen bildet, wo selbst Pappeln erscheinen. Die bekanntesten sind die Oasen Schara-Chulussuni und Zagan-Burgas.

Das weiter östlich gelegene Gebirge *Zagan-Bogdo* zeigt ähnliche Züge. Obgleich es im Seksek-Zagan-Bogdo bis 2380 m hoch wird, haben auch seine höchsten Stellen nur wüstenhaften Charakter. Die Hänge sind sehr steinig und mit großen Blöcken bedeckt. Tiefe Schluchten zerreißen das ganze Massiv, das sich nach Westen und Osten sehr rasch erniedrigt und in ungeordnete Gruppen von Bergen und Hügeln zerfällt. Am Bergfuß, im oberen Teil des Vorgeländes, treten gelegentlich Quellen auf, die kleine Oasen bilden, in denen sogar ein beschränkter Ackerbau zu finden ist, und zwar sowohl am Nordfuß als auch im Süden. Die bekannteste Oase heißt Zagan-Bulak.

Die Gegenden südlich der vorgenannten Gebirge sind dadurch charakterisiert, daß ihr Gefälle sich nach Süden über die Grenze der MVR erstreckt. Im allgemeinen sind es Hügel- und Kleinkuppenlandschaften, die von zahlreichen Trockentälern durchzogen werden. Die Vegetation ist überaus arm. Saksaul-Steinwüsten, Sand- und Kieswüsten herrschen vor. Gelegentlich treten auch bewegte Sande auf.

Der Ostteil der Transaltai-Gobi umfaßt den südlichsten Grenzraum der MVR und erstreckt sich südlich der Gebirge Tostu und Nojan und nach Osten etwa bis zum Gebirgsrücken Churchu, dem südöstlichen Endausläufer des Gobi-Altai. Insgesamt läßt sich dieser Raum in zwei Gebiete aufgliedern, die Landschaften Edsugei-Gadsar und Ontschi-Chjar. Die erstere zeigt noch eindeutig ein wichtiges Merkmal der Transaltai-Gobi, nämlich die Ausrichtung zu einem Schwerpunkt, der außerhalb der MVR liegt. Das ist bei der zweiten Landschaft insgesamt nicht mehr in gleichem Maße der Fall. Nur Teile derselben, die im äußersten Grenzraum liegen, besitzen dieses Merkmal.

Die Landschaft *Edsugei-Gadsar* erstreckt sich südlich der Gebirge Tostu und Nojan-Bogdo und zeigt ein allgemeines Gefälle nach Süden über die Grenze hinweg zu den Seen Gaschiun-Nur und Sogo-Nur, in die von Süden her der sich verzweigende Edsin-Gol mündet. Die Oberfläche der leicht geneigten Platte hat einen schwachwelligen Charakter und ist vorherrschend mit einem Schuttpanzer bedeckt. Hier und da treten auch kleine Sandinseln geringen Umfanges auf. Als besonders charakteristisch für die Landschaft sind die überaus zahlreichen Saire anzusehen, die sich in nordsüdlicher Richtung erstrecken und Längen von 60 bis 70 km erreichen. Bei einer Wanderung von West nach Ost stößt man alle 2 bis 5 km auf ein solches tief eingeschnittenes Trockenbett. Die Vegetation ist überaus arm. Auf den Schuttpanzern, die die leichten Wellen gänzlich einnehmen, fehlt jeder Pflanzenwuchs. In den schwachen Vertiefungen finden sich einzelne Wüstensträucher und -halbsträucher ein, vor allem Ana-

basis brevifolia C. A. M., die in stärkerer Verbreitung auch den Trocken-
tälern folgen. Im westlichen Teil der Landschaft tritt gelegentlich das
Grundwasser an die Oberfläche und bildet kleine Oasen, wie z. B. bei
Chubdu-Chuduk. Im Osten fehlen derartige Erscheinungen ganz.

Die Landschaft *Ontschi-Chjar* schließt sich ostwärts an die vorige an
und hat räumlich eine weit größere Ausdehnung. Obgleich auch hier eine
allgemeine Senkung des Geländes nach dem Süden hin festzustellen ist,
so ergibt sich doch ein anderes Bild als bei der vorher beschriebenen Landschaft, denn die Horizontale wird von kleinen Gebirgsstöcken und Bergrücken unterbrochen, die weite, für sich abgeschlossenen Talkessel und
Vertiefungen begrenzen, so daß die Ausgestaltung des Reliefs sehr unterschiedlich ist. Vorherrschend ist ein Kleinhügelland, wie *Mursajew* diese
Landschaft bezeichnet. Im allgemeinen ist die Oberfläche steinig und bildet weite Geröll- und Schuttpanzer. Sehr häufig sind auch Sandinseln
und in den Vertiefungen Takyre und Salzpfannen. Oft tritt auch felsiges
Gestein bergartig aus der allgemeinen Fläche hervor. Es ist aber vielfach
bereits so stark der Zerstörung anheimgefallen, daß es Trümmerhügel
von oft riesigen Ausmaßen bildet. Ungleichmäßig angelegte und stark
verzweigte Saire sind auch hier ein charakteristisches Merkmal. Die Pflanzenwelt ist überaus arm. Die höheren Stellen entbehren jeden Pflanzenwuchses, während in den Vertiefungen sich eine lichte Vegetation in der
Form der Borbudurgan-Wüste einfindet. Im Süden und Südosten dieser
Landschaft sind einzelne Teile, wie das Atatgar-Gebiet und die Bordson-
Gobi, stärker gegen Süden geneigt, dorthin offen und gehen ohne Unterbrechung in die zentralen Gobi-Gebiete der chinesischen Provinz Ninghsia
über. Auch die Saire verlaufen in dieser Richtung.

Über die Flora der Transaltai-Gobi ist bereits alles Notwendige gesagt worden, und auch zur Hydrographie ist kaum noch etwas hinzu-
zufügen. Aber der *Tierwelt* müssen noch einige Ausführungen gewidmet
werden, da sie in dieser Beziehung einige Besonderheiten aufweist, die erwähnenswert sind. So hat sich am Bulugun als Relikt aus alter Vergangenheit der Biber bis zur Gegenwart erhalten. Es ist die einzige Stelle,
wo dieser seltene Nager in der MVR vorkommt. Im Raum der Gebirge
Ata- und Zagan-Bogdo und weiter nördlich bis zum Dsachoi-Kessel hat
man noch kleine Herden des wilden Kamels festgestellt. Man hielt es
zeitweilig im Raum der MVR für ausgestorben, aber *Mursajew* konnte
noch 1943 zwei Gruppen dieser scheuen Tiere beobachten (196/440). Es
handelt sich hierbei um das zweihöckrige Kamel (Camelus bactrianus L.),
das früher eine weit größere Verbreitung hatte. Bei den gegenwärtig noch
vorhandenen Herden scheint es sich um kümmerliche Restbestände zu
handeln. Seine außerordentliche Genügsamkeit macht es dem wilden
Kamel möglich, sein Leben selbst in den ödesten Wüsten der Transaltai-
Gobi zu fristen. Es nährt sich hauptsächlich von Wüstensträuchern, muß
aber täglich 25 bis 30 km zurücklegen, um sich sättigen zu können. Im
Sommer lebt es vor allem in den Sairen, steigt aber auch auf die Berge und

wurde schon in 2000 m Höhe gesichtet. Im Winter hält es sich gern in den Oasen auf, wenn diese nicht von Menschen besetzt sind. Dadurch, daß die Oasen und auch die sonst offenen Wasserstellen immer häufiger von Menschen besucht oder als Aufenthaltsorte für längere Zeit gewählt werden, wird es für das Kamel um so schwerer, Wasser zu finden. Das wilde Kamel ist kleiner als das vom Menschen gepflegte Haustier. Es lebt in kleinen Herden, die stets von einem männlichen Leitkamel geführt werden. Die Jagd auf das wilde Kamel ist langwierig, sehr anstrengend und bei der Wasserlosigkeit überaus schwierig. *Bannikow* widmet dem wilden Kamel und seiner Lebensweise viele Seiten (28/178 ff.). Die Mongolen glauben, wie *Mursajew* berichtet (196/485), daß wilde Kamelhengste die Stuten von Hauskamelen entführen. Die letzten ergänzen somit die Nachkommenschaft der wilden Kamelherden. Die Frage, ob es sich bei den wilden Kamelen tatsächlich um eine Urform oder um verwilderte Nachkommen des Hauskamels handelt, ist bis jetzt noch nicht endgültig geklärt. Auch das Prshewalskij-Wildpferd kommt in der Transaltai-Gobi vor, und zwar nur in ihrem westlichsten Teil bis zum Adshi-Bogdo in den hügeligen Vorgebirgsländern. 1944 wurden eingefangene junge Tiere nach Ulan-Bator gebracht, wo sie sich sehr rasch an die neuen Verhältnisse gewöhnten und so zahm wurden, daß sie sich streicheln ließen und Brot und Zucker aus der Hand fraßen (196/440). Sehr selten ist der Gobi-Bär, dessen Verbreitungsgebiet sich auf den Zagan-Bogdo beschränkt. Er ist kleiner als der braune Waldbär, ist jedoch sehr beweglich und erklettert mit erstaunlicher Geschwindigkeit steile mit Schutt bedeckte Hänge. Er hat sich dem Leben in der Wüste vollkommen angepaßt und ernährt sich zum Großteil von Pflanzenwurzeln. *Mursajew* berichtet sehr spannend über eine Begegnung mit ihm (196/442). Als interessante Tatsache sei noch erwähnt, daß in den größeren Oasen das Wildschwein vorkommt, das sonst in anderen Landschaften der Transaltei-Gobi fehlt. Die Avifauna ist nicht sehr zahlreich und artenarm. Erwähnung verdienen der mongolische Saksaul-Häher, die bunte Trappe, der Wüstensperling und der Saksaul-Sperling. Die Oasen beherbergen zahlreiche Fledermäuse.

Dem Menschen bietet die Transaltai-Gobi im allgemeinen kaum eine Lebensexistenz. Doch trifft man auch in diesen abgelegenen und öden Gegenden auf kleine Gruppen mongolischer Voll- oder Halbnomaden, die auch die geringsten Möglichkeiten wirtschaftlich ausnutzen. Sie halten sich zumeist an den Fuß der Gebirge, wo die Vegetation etwas reicher ist und sich Wasserquellen finden. Ihre Hauptstützpunkte jedoch sind die schon oft genannten Oasen. Sie haben sich an solchen Stellen gebildet, wo das Grundwasser zutage tritt, und zwar zumeist an ausstreichenden Gebirgstälern und in Sairen. Die Größe der Oasen ist sehr verschieden. Manche nehmen beträchtliche Flächen ein und enthalten auch ausgedehnte Haine von Pappeln (Populus diversifolia Schrenk), die im Westen durch die Krüppelulme (Ulmus pumila L.) abgelöst werden, ferner weite Tamariskenbestände. Schilfrohrdickichte sind fast allen Oasen eigen.

Die Ostmongolische Gobi

Diese sehr umfangreiche Landschaft umfaßt den ganzen Südosten der MVR. Im Westen schließt sie sich an das Tal der Seen an, wobei als Grenze eine Linie angenommen werden kann, die östlich des Ongin-Gol und Ulan-Nur in nordsüdlicher Richtung verläuft. Den südlichen Teil der Westgrenze bilden die Gebirgs- und Höhenzüge des Gurban-Saichan und Churchu. Die Festlegung der nördlichen Begrenzung ist schwieriger, da hier besondere morphologische Merkmale fehlen. Darum muß hier die Vegetation als Hilfe herangezogen werden, und zwar derart, daß die Nordgrenze der Landschaft mit der Nordgrenze der Wüstensteppe zusammenfällt. Damit ist auch schon ein wesentliches Charakteristikum der Ostmongolischen Gobi gegeben. Sie wird zum größten Teil von Wüstensteppe eingenommen, während im Süden, etwa auf einem Drittel der Gesamtfläche, die Wüste vorherrscht.

Das Relief der Landschaft wird durch das Überwiegen flachwelliger Ebenen und durch das Auftreten größerer und kleinerer, langgezogener Einsenkungen in der Form von Talungen und Becken bestimmt, die zumeist in sich abgeschlossen sind. Zwischen den Vertiefungen ziehen sich lange, flache Wälle oder auch leicht hügeliges Gelände hin. Bemerkenswert ist hierbei, daß alle diese langgezogenen Relieflformen, wie schon früher gesagt wurde, sich in der gleichen Richtung erstrecken, und zwar im westlichen Teil von West nach Ost, um dann in einem Bogen allmählich zur nordöstlichen Richtung einzuschwenken. Sie folgen also den orographischen Hauptlinien, die betont dargestellt werden durch die zahlreich auftretenden felsigen Berg- und Hügelketten, die zum Teil schroff aus der allgemeinen Ebenheit heraustreten. Manchmal nehmen sie auch die Form kleiner Gebirgsketten an, zumeist aber sind es nur aus dem Untergrund herausragende Felsen, die immerhin in langen Reihen auftreten und so die orographischen Grundlagen in ihrer Hauptrichtung demonstrieren, wie sie auf der dieser Arbeit beigegebenen Karte „Das orographische Schema der MVR" dargestellt sind. Als drittes typisches Merkmal der Landschaft ist die weite Verbreitung von Sanden zu erwähnen, wodurch verschiedene Relieflformen bedingt sind.

Die Aufgliederung der Ostmongolischen Gobi in drei Teillandschaften wird durch eine breite Senke ermöglicht, die südlich des Churchu-Rückens schon auf chinesischem Gebiet beginnt und sich nach Nordosten weit über Sain-Schanda hinaus erstreckt. Es ist die Ostgobi-Senke als eine Teillandschaft, der gegenüber der Norden und der Südteil als weitere Einzellandschaften behandelt werden sollen. Diese Dreigliederung tritt auch klar in der Darstellung der Höhenschichten hervor, wie sie von der sowjetischen Kartographie zumeist verwendet wird. Der Nordteil hat überall eine Höhenlage von mehr als 1000 m und erreicht an einzelnen Stellen sogar 1600 m. Die Ostgobi-Senke wird etwa durch die 1000-m-Isohypse begrenzt und sinkt in einzelnen Teilen bis auf 700 m ab, während der

Süden sich wiederum auf eine absolute mittlere Höhe von 1000 bis 1200 m erhebt, in einzelnen Gegenden sogar auf 1400 m ansteigt.

Der Nordteil nimmt den größten Raum der Gesamtlandschaft in Anspruch. Für ihn treffen die oben geschilderten allgemeinen Merkmale am stärksten zu. Es überwiegen weiche Reliefformen mit weiten Wellen und flachen Hügeln. Die Höhenunterschiede zwischen den Hohl- und Vollformen sind gering. Nichtsdestoweniger zeigt sich eine Zerfurchung des Geländes durch das abfließende Niederschlagswasser in der Richtung auf die eingesenkten Talkessel und Becken, die besonders am Rande der letzteren so schroff, tief und breit sein kann, daß eine Überquerung mit Kraftwagen oder Karren erhebliche Schwierigkeiten bereitet. Der Grund hierfür ist vor allem in der Art der Niederschläge zu sehen, die vielfach als starke Regengüsse niedergehen und darum trotz der jährlich sehr geringen Niederschlagsmengen eine starke Erosionswirkung haben. Die zumeist aus weitem Umkreis zusammenfließenden Wassermengen füllen dann manchmal den Grund der Senken und bilden kleine, flache Seen, die aber nach kurzer Zeit wieder verschwinden. In der Regel werden die tiefsten Bodenstellen der Einsenkungen von Salzpfannen und Takyren eingenommen. Gelegentlich finden sich in ihnen auch Sande, doch ist ihre Ausbreitung räumlich beschränkt und kein besonderes Merkmal dieser Teillandschaft.

Bemerkenswert tritt die westöstliche Ausrichtung der Reliefformen hervor, die dem Reisenden besonders auffällig wird, wenn er die Landschaft von Norden nach Süden durchquert. Der Weg von Mandal-Gobi, dem Hauptort des Aimaks Mittel-Gobi, nach Dalan-Dsadagad folgt dieser Richtung und wird von allen Reisenden als ein fortlaufendes Auf und Ab geschildert.

Dieses Charakteristikum erscheint hier auch deshalb besonders augenfällig, weil diese Landschaft durch das zahlreiche Vorkommen von kleinen Gebirgszügen, felsigen Bergen und auftauchendem Grundgestein besonders ausgezeichnet ist. Das betrifft besonders den westlichen Teil, der dem Changai und Gobi-Altai nahe liegt. Hier treten Erhebungen auf, die gebirgsartigen Charakter tragen und auch eigene Namen haben. Hierher gehören der Delger-Changai, ostwärts des Unterlaufes des Ongin-Gol, von dem einige tief eingegrabene Saire nach Süden verlaufen, und die Gebirgsrücken des Schara-Chadsar, Schanchai, Chatschig und andere, die sich ostwärts des Gurban-Saichan erstrecken. Alle diese Erhebungen sind weitgehend kahl, stark zerfallen und gegenüber der sonstigen Landschaft mehr wüstenhaft. In der Regel sind sie von einer Zone von Kleinhügeln umgeben, die nichts anderes als eine Art Restlingsrelief darstellen, in denen der Grundkörper vollkommen durch Geröll und Schutt verdeckt wird. Nicht selten treten Zusammenballungen derartiger Hügel auch allein auf, ohne daß sich ein Bergrücken besonders heraushebt. Wesentlich für alle diese Erscheinungen ist, daß die Gebirgszüge und Bergrücken zumeist aus den buntgefärbten, lockeren Gobi-Ablagerungen bestehen, in denen Tone, Sande und feinkörnige Konglomerate vorherrschen, die leicht zerfallen. Alles dieses trifft auch für die Erhebungen in den beiden anderen Teillandschaften zu. Kristalline Aufragungen finden sich selten, kommen dagegen mehr im Osten außerhalb dieser Landschaft vor.

Die Ostgobi-Senke durchquert in einer Breite von 50 bis 100 km die ganze Landschaft. Sie zeigt kein einheitliches Gefälle, sondern gliedert sich in mehrere für sich abgeschlossene Vertiefungen, die von den Mongolen einzeln mit besonderen Namen bezeichnet werden, wie z. B. Dalan-Turugin-Gobi, Dulan-Charin-Gobi, Zegen-Toirim (196/423) und Dsag-Sutschin-Gobi. Am bekanntesten ist wohl die südlichste, schon an China grenzende Galbain-Gobi.

Die Böden in den Zentren der Senken sind größtenteils flach. Hier zeigen sich alle Erscheinungen, die schon bei den kleinen Becken und Senken im Nordteil genannt wurden, wie Salzpfannen, Solontschake, Takyre, nur daß sie hier einen außerordentlich weiten Umfang erreichen. An den tiefsten Stellen sind sogar kleine Seen festgestellt worden. Der Großteil der zentralen Bodenfläche ist vollständig kahl, nur nach dem Rande zu und wo Sande entwickelt sind, finden sich flachwachsendes Saksaulgesträuch und Salzpflanzen ein. Gelegentlich treten auch innerhalb der Senken kleinkuppige Geländeformen und Zusammenballungen von Restlingshügeln auf. Die Hänge, die zu den Kesseln hinabführen, sind in der Regel flach, jedoch von vielen Schluchten zerrissen, die stark versandet sind. Den Rand ihres Bodens begleitet Saksaulgesträuch. An Stellen, wo das Grundwasser der Oberfläche nahe kommt, kann man auch Einzelexemplare oder sogar kleine Haine der Wüstenulme (Ulmus pumila L.) antreffen. Doch auf den Hängen und in der Umgebung der Senken kommt, besonders im Süden, schon die volle Wüste zur Geltung, wobei Baglur- und Borbudurgan-Wüsten vorherrschen.

Die südliche Teillandschaft beginnt bei Dsamyn-Ude, der Grenzstation der MVR an der Transmongolischen Bahn, und zieht sich von hier entlang der Grenze nach Südwesten hin. *Mursajew* bezeichnet diese Teillandschaft als Dsamyn-Ude-Fastebene (196/423). Es herrschen zerfurchte und zergliederte, wellige Ebenen vor, die nach Osten zu geschlossener werden, so daß der Kalgan-Weg und auch die neue Eisenbahnlinie hier durch fast vollkommen ebenes Land führen. Daneben sind kleinkuppige Hügelländer weit verbreitet. Bemerkenswert ist auch ein langgestreckter Bergrücken, der in mehrere Teile zerfällt. Vielfach treten Felsen hervor, jedoch sind die Hänge wenig steil, die Erhebungen stark zerstört und denudiert. Immerhin bilden diese Bergrücken ein charakteristisches Merkmal der Landschaft. Gewöhnlich sind sie von einzelnen Sandstrecken umsäumt. Während in der Gegend von Dsamyn-Ude und südlich davon kiesige Böden vorherrschen, die eine Wüstensteppenflora tragen, gewinnt mit der Entfernung nach Südwesten die Wüste die Oberhand. Steinige Böden mit Geröll- und Schuttpanzer herrschen hier vor, in die Salzpfannen oder auch gelegentlich kleine Sandflächen eingelagert sind.

Eine relativ weite Verbreitung haben in den beiden letztbehandelten Teillandschaften die Sande. Nächst der Senke der Großen Seen haben sie im Rahmen der MVR hier die weiteste Ausdehnung. Ihre Verbreitung ist in der Regel mit Talkesseln oder mit Erhebungen verbunden, woraus sich Schlüsse auf ihre Herkunft ziehen lassen. Bewegliche Sande sind jedoch auch hier sehr selten. Zumeist bilden sie ein hügeliges oder haufenförmiges Relief und sind mit Sträuchern und Grasvegetation befestigt. Das Hauptsandgebiet zieht sich als schmales Band in ostwestlicher Richtung etwa 50 km südlich des 44. Breitengrades über eine Länge von mehr als 170 km hin. Nach dem nördlich dieses Sandstreifens gelegenen Somon Chubsugul werden sie als Chubsugul-Sande bezeichnet. Sie bedecken insgesamt 1068 qkm. Etwas nördlich dieses Sandstreifens erstreckt sich südlich des Somons Ulan-Badarchu eine parallel ausgerichtete Sandzone, die eine Fläche von 602 qkm einnimmt. Auch südöstlich von Sain-Schanda bzw. südwestlich von Dsamyn-Ude liegen bedeutende Sandmassen. Es sind dies die Burid-Sume- und Argalant-Ulan-Schire-Sande, deren Fläche mit 1216 qkm angegeben wird. Alle übrigen Sande sind nach ihrer Ausdehnung unbedeutend. Wenn die vorher genannten Größen auch beachtlich erscheinen mögen, so bilden sie innerhalb der Gesamtlandschaft doch nur einen Anteil von etwa einem Prozent.

Die Wüstenhaftigkeit der ganzen Landschaft bedingt eine geringe Besiedlung. Die Aimake Ost- und Süd-Gobi gehören zu denen, die die geringste Bevölkerungsdichte in der MVR aufweisen. Fast alle Gegenden werden jedoch zur Viehweide ausgenutzt. Weniger der Mangel an Vegetation ist es, der einen stärkeren Viehbesatz ausschließt, als das Fehlen des Wassers. Dabei ist nach den bisherigen Forschungen geeignetes Grundwasser wohl vorhanden. Es tritt in der Regel am Rande der Talsenken und Becken in erreichbarer Tiefe auf. Die einfachen Brunnen der Mongolen sind gewöhnlich nicht in der Lage, eine ausreichende Wassermenge zu fördern. Moderne Anlagen, die in größere Tiefen gehen und mit mechanischen Hebevorrichtungen versehen sind, haben den Nachweis erbracht, daß selbst Wasser für künstliche Bewässerung zur Verfügung gestellt werden kann. Derartige Brunnenanlagen stehen bisher allerdings nur in geringer Zahl zur Verfügung.

Innerhalb der Viehzucht dieser Landschaft steht unter den Großtieren das Kamel im Vordergrund, während Pferde im Vergleich zu anderen Gegenden zurücktreten und Rinder am Nordrand nur einen sehr geringen Anteil haben, im Großteil der Landschaft jedoch überhaupt nicht vertreten sind.

Die wichtigsten Orte der Landschaft sind Sain-Schanda und Dsamyn-Ude. Beide werden von der Transmongolischen Bahn berührt. Bei Sain-Schanda (mong. = „Guter Brunnen") sind Kohlenlager vorhanden, die in einem 1939 bis 1941 errichteten Schacht abgebaut werden. Weiterhin sind im gleichen Raum der Ost-Gobi vor einigen Jahren Erdölfelder entdeckt worden. Mit Hilfe der Sowjetunion wurde die Förderung und

Verarbeitung an Ort und Stelle aufgenommen. Man hofft, die Förderung so weit steigern zu können, daß 50 Prozent des Bedarfes der MVR an Erdölprodukten aus eigenen Quellen gedeckt werden können (Mong. Sonin 27. 7. 1957). Verkehrsmäßig ist auch der Westteil durch die Straße, die von Ulan-Bator über Mandal-Gobi nach Dalan-Dsadagad führt, erschlossen, während das weite Gebiet zwischen dieser Straße im Westen und der Eisenbahn im Osten abseits liegt und nur von Karawanenrouten durchzogen wird.

Der Raum der Mongolei ist groß und zeigt in seinen Landschaften in vieler Beziehung ein eigenartiges und eindrucksvolles Bild. Vielleicht ist aber durch die Analyse der einzelnen Elemente der natürlichen Ausstattung nicht so recht zum Ausdruck gekommen, daß die Mongolei im allgemeinen nicht so öde ist, wie man sich dieses Land vielfach vorstellt. Wohl besitzt es wüstenhafte Landstriche, doch sind diese nicht die Regel und flächenmäßig in der Minderheit. Daneben stehen aber die Großlandschaften des Changai-Chentei mit ihren freundlichen Tälern und waldigen Bergen, die weiten Steppen des Ostens und die Gebirgsweiden des Mongolischen Altai, und auch die Wüstensteppen bedecken sich vom Frühjahr zum Sommer mit einem relativ dichten Grün. Selbst in den Randgegenden der wüstenhaften Gobiteile finden genügsame Tiere ausreichende Nahrung. So sind die sommerlichen Weideverhältnisse, falls nicht katastrophale Dürren auftreten, durchaus günstig. Der lange und strenge Winter mit seinen Stürmen und ungleichmäßigem Schneeausfall ist es, der der Vegetation Einhalt gebietet und Tier und Mensch das Leben erschwert. Darum hängt die weitere Entwicklung der Tierhaltung davon ab, ob es gelingt, die vielseitige Not der kalten Jahreszeit zu überwinden, die Pflege der Tiere zu verbessern und Krankheiten und Seuchen von ihnen abzuhalten. Manches wird auch noch zur Verbesserung der Weiden und der Wasserversorgung getan werden können. Im Hauptteil wird die Mongolische Volksrepublik ein Viehzuchtland bleiben.

Wenn man gegenwärtig dem Ackerbau stärkere Förderung angedeihen läßt, so sind auch hierfür die Aussichten in vielen Gegenden nicht ungünstig, besonders innerhalb des großen Changai-Chentei-Gebirgsbogens. Doch für die Ausweitung benötigt man Zeit. Das gleiche gilt für die Entwicklung der Industrie, wenn auch hier die Möglichkeiten gegenüber den anderen Zweigen der Wirtschaft mehr beschränkt sind, und die Industrie sich in erster Linie auf die Verarbeitung agrarischer und tierischer Rohstoffe wird einstellen müssen. Die ersten Schritte in dieser Richtung sind getan, auch wenn die Werke und ihre Leistungen dem Leser, der mit ganz anderen Maßstäben zu rechnen gewohnt ist, klein und unansehnlich erscheinen mögen. Doch darf bei der Beurteilung nicht übersehen werden, daß wir es hier wohl mit einem großen Land, aber mit einer geringen Bevölkerung zu tun haben, deren Zahl rund eine Million beträgt.

Damit tritt das Hauptproblem in unseren Blickpunkt. Eine Intensivierung der Viehzucht verlangt mehr Menschen, die Ausweitung des

Ackerbaues stellt die gleiche Anforderung, und die Industrieentwicklung ist ohne Zustrom von Arbeitern nicht möglich. Woher sollen diese Menschen kommen? Schon jetzt zeigt sich, daß die mongolischen Kräfte nicht ausreichen, daß man sowohl im agrarischen als auch im industriellen Sektor zusätzliche Arbeiter benötigt, die hauptsächlich von Chinesen gestellt werden, die in das Land kommen. Wie hoch ihr Anteil ist, kann nicht gesagt werden, aber die Tatsache ist bekannt und in der Arbeit belegt. Man wird hier langsamer vorgehen müssen, wenn nicht eine Überfremdung in diesen beiden wichtigen Zweigen der Wirtschaft eintreten soll. Sonst könnte die alte Frage der Chinesen in der Mongolei eines Tages wieder akut werden.

Außerdem bestehen zwischen China und der MVR noch ungelöste Fragen territorialer Art, denn ersteres hat zwar die Selbständigkeit der MVR anerkannt, betrachtet aber die Grenzziehung, wie aus amtlichen chinesischen Karten hervorgeht, noch nicht als endgültig festgelegt. Doch hat man bisher diese heikle Frage nicht zu berühren gewagt.

Gegenwärtig steht die Mongolische Volksrepublik zwischen der Sowjetunion und China und wird in ihrer Entwicklung von beiden Seiten gefördert. Die UdSSR hat unzweifelhaft sehr viel für die MVR getan. Die von ihr erbauten Eisenbahnen und sonstigen Verkehrseinrichtungen, wie auch zahlreiche Industrieanlagen wurden unentgeltlich der MVR überlassen. Darunter fallen auch die Investitionen für die Erdölindustrie („Mongolneft"), die mehr als 300 Mill. Rubel ausmachten. Darüber hinaus hat die Sowjetunion in den 10 Jahren bis einschließlich 1957 der MVR langfristige Kredite in Höhe von 900 Mill. Rubel gewährt, während für die Jahre 1958—1960 weitere Kredite in einer Höhe bis zu 200 Mill. Rubel vorgesehen sind. Ferner hat die UdSSR sich bereit erklärt, 50 Prozent aller Ausgaben der MVR für volksgesundheitliche Maßnahmen zu übernehmen. Im Vertrag zwischen der UdSSR und der MVR vom 15. Mai 1957 sind alle Leistungen im einzelnen aufgeführt (Sowr. Mongolija 1957, Nr. 3). Auch die Chinesische Volksrepublik will in ihrer Unterstützung der MVR nicht zurückstehen, wenn sie auch erst spät zum Zuge kam. Der erste Wirtschaftsvertrag zwischen den beiden Staaten wurde am 29. August 1956 abgeschlossen. Er sieht für die Jahre 1956—1959 unentgeltliche Hilfeleistungen Chinas in Form verschiedener Anlagen (Textil-, Glas-, Papierfabriken u. a.) im Werte von 160 Mill. Rubel vor (317/287). Vertiefung der wirtschaftlichen Beziehungen und weitere Unterstützung werden der Mongolei in Aussicht gestellt. So ist die MVR zum Pflegekind der beiden großen Nachbarn geworden, um das sich beide sorgsam bemühen und ihr großes Interesse bekunden. Unzweifelhaft bedeutet das Auftreten Chinas einen beginnenden Abbau der jahrzehntelangen Monopolstellung der Sowjetunion in der MVR. Wie die Entwicklung jedoch weiter verlaufen wird, kann heute kaum vorausgesehen werden. Sicher ist nur eines, was schon am Anfang dieser Arbeit gesagt worden ist, daß für das zukünftige Schicksal der MVR einzig und allein das Verhältnis der beiden Weltreiche zueinander entscheidend sein dürfte.

Nachtrag

Während der Drucklegung dieser Arbeit erschien in der Zeitschrift Sowremennaja Mongolija, Ulan Bator, 1957, Nr. 2, S. 23—32, ein Aufsatz von *N. Shagwaral,* mit dem Titel: Sozialnyj Charakter aratskich chosjajstw (Der soziale Charakter der Aratenwirtschaften), der auf amtlichen Angaben fußt und einen weiteren Einblick in den Stand der Sozialisierung der mongolischen Viehwirtschaft gestattet. Nach den Zählungen von 1956 gehörten 18 Prozent des gesamten Tierbestandes zum sozialistischen Sektor, wie dieses schon in der vorliegenden Arbeit angegeben wurde.

Im einzelnen gehörten in diesem Jahr

den freien Aratenwirtschaften	67,4%
zum persönlichen Eigentum der Mitglieder Landw. Produktionsvereinigungen	10,7%
zum persönlichen Eigentum von Arbeitern und Angestellten	3,9%
Freier Sektor	82,0%
zum gesellschaftlichen Eigentum der Landw. Produktionsvereinigungen	15,9%
zum staatlichen Eigentum (Staatsgüter)	2,1%
Sozialistischer Sektor	18,0%

Über die freien Aratenwirtschaften, von denen in der vorliegenden Arbeit gesagt wurde, daß der Mittelbesitz gegenwärtig vorherrscht, werden folgende Einzelangaben gebracht:

Besitzverhältnisse der freien Aratenwirtschaften 1956

Zahl der Tiere	Prozent der Wirtschaften
kein Vieh	3,2
1— 20	15,5
21— 50	18,5
51—100	23,7
101—200	23,8
201—400	12,5
401—700	2,4
mehr als 700	0,4

Zu der letzten Gruppe gehören, wie *N. Shagwaral* sagt, noch freie mongolische Aratenwirtschaften, die gegenwärtig (1956) Herden bis zu 10 000 Stück Vieh ihr eigen nennen.

VERFASSUNG

(Grundgesetz)

der Mongolischen Volksrepublik

Die erste Verfassung der MVR wurde durch den I. Großen Volkschural am 26. November 1924 beschlossen, die im wesentlichen die Grundrechte des mongolischen Volkes festlegte. Am 30. Juni 1940 schuf der VIII. Große Volkschural eine neue Verfassung. Diese erfuhr durch Beschlüsse vom 23. Februar 1949, 29. Februar 1952 und neuerdings vom 7. April 1957 einige Änderungen und Ergänzungen, die im nachstehenden Text alle berücksichtigt sind.

Abschnitt I

Gesellschaftlicher Aufbau

Art. 1. Die Mongolische Volksrepublik ist ein unabhängiger Staat der Werktätigen (Araten-Viehzüchter, Arbeiter und Intelligenz), die das imperialistische und feudale Joch vernichtet haben und den nichtkapitalistischen Weg der Entwicklung des Landes für den späteren Übergang zum Sozialismus gewährleisten.

Art. 2. Die politische Grundlage der MVR sind die Churale der Deputierten (Volksvertreter) der Werktätigen, hervorgegangen und erstarkt infolge des Sturzes der feudalen Ordnung und der Eroberung der politischen Macht durch das Volk, der Vernichtung der Privilegien und der Willkür, der politischen und ökonomischen Knechtung und Ausbeutung, die in bezug auf die breiten Massen der Araten von den Feudalen (Chanen, Wanen, Hunen, Tajdshen, Chutuchten, Chubilganen) begangen wurden.

Art. 3. Alle Macht in der MVR gehört den Werktätigen der Stadt und der Chudonen (ländliche Siedlungen, Anm. d. Verf.) in Gestalt der Churale der Deputierten der Werktätigen.

Art. 4. Die Entwicklung der MVR auf nichtkapitalistischem Wege und der spätere Übergang zum Sozialismus wird durch die Durchführung der Reorganisation des wirtschaftlichen, kulturellen und gesellschaftlichen Lebens der MVR auf Grund eines staatlichen Planes gewährleistet, und zwar: durch Mitwirkung des Staates bei einer allseitigen Entwicklung und Verbesserung der Arbeit und Wirtschaft der Araten, durch Hilfe des Staates an die freiwilligen und kollektiven Vereinigungen der werktätigen Araten, durch Entwicklung eines Netzes von Heumäh-Maschinenstationen mit Pferdebespannung, durch Entwicklung der Viehzucht, der Industrie, des Transportes und der Nachrichtenverbindungen im Lande.

Die volkswirtschaftliche Entwicklung der MVR wird im Interesse der Vergrößerung des gesellschaftlichen Reichtums, der unentwegten Hebung des materiellen Wohlstandes und des kulturellen Niveaus der Werktätigen, der Festigung der nationalen Unabhängigkeit und der Wehrfähigkeit des Landes durchgeführt.

Art. 5. Das ganze Land, seine Bodenschätze, Wälder, Gewässer und deren Reichtümer, Fabriken, Betriebe, Schächte, Bergwerke, Goldgewinnung, Eisenbahn-, Automobil-, Wasser-, Luftverkehr, Nachrichtenmittel, Banken, Heumäh-Maschinenstationen, staatliche Wirtschaften sind Eigentum des Staates, d. h. Besitz des ganzen Volkes. Private Eigentumsansprüche auf sie gibt es nicht.

Art. 6. Das Recht persönlichen Eigentums der Bürger auf Vieh, landwirtschaftliches Gerät und andere Produktionsgeräte, Rohmaterial, Selbsterzeugnisse, Wohn- und Hofgebäude, Jurten und die Gegenstände der Hauswirtschaft, Arbeitseinkünfte und Ersparnisse, sowie das Recht der Vererbung persönlichen Eigentums werden durch das Gesetz geschützt.

Art. 7. Die gesellschaftlichen Unternehmungen in den Kooperativ-Organisationen und Araten-Vereinigungen mit der gesamten Ausrüstung und dem Inventar, sowie die von ihnen erzeugten Güter, ebenso das freiwillig vergesellschaftete Eigentum: Vieh, landwirtschaftliches Gerät und gesellschaftliche Bauten stellen gesellschaftliches Eigentum dieser Kooperativ-Organisationen und Araten-Vereinigungen dar.

Art. 8. Das Land als Staatseigentum, d. h. als Besitz des ganzen Volkes, wird den Bürgern sowie den freiwilligen Vereinigungen der Werktätigen als Weideplätze oder landwirtschaftliche Grundstücke zur kostenlosen Nutzung überlassen.

Art. 9. Die ehrliche und gewissenhafte Arbeit ist die Grundlage der Entwicklung der Volkswirtschaft, der Festigung der Wehrfähigkeit und des zukünftigen Wachstums des Wohlstandes der Werktätigen der MVR und ist Ehrenpflicht jedes arbeitsfähigen Bürgers.

Abschnitt II

Staatlicher Aufbau

Art. 10. Der Leitung der MVR in der Person ihrer höchsten Machtorgane und der Organe der staatlichen Verwaltung unterstehen:

a) die Vertretung der MVR in den internationalen Beziehungen, die Abschließung und Ratifizierung von Verträgen mit anderen Staaten:

b) die allgemeine Leitung der Innenpolitik der MVR und der Entfaltung ihres wirtschaftlichen und kulturellen Lebens;

c) die Organisation der Verteidigung, die Führung der Streitkräfte und die Sicherung der Unabhängigkeit der MVR;

d) die Festlegung und Änderung der Staatsgrenzen;

e) die Fragen des Krieges und des Friedens;

f) die Festlegung der Konstitution der MVR und die Kontrolle ihrer Erfüllung;

g) die Festlegung der administrativen Einteilung der Republik:

h) die Gewährleistung der politischen, wirtschaftlichen und kulturellen Entwicklung der Nationalitäten, die die MVR bewohnen, in Übereinstimmung mit ihren nationalen Eigentümlichkeiten;

i) der Außenhandel auf der Grundlage des Staatsmonopols und die Leitung des Innenhandelssystems;

j) der Schutz der staatlichen Sicherheit und Ordnung, sowie der Rechte der Bürger;

k) die Bestätigung des volkswirtschaftlichen Planes;

l) die Leitung des Geld- und Kreditsystems, die Bestätigung des Staatshaushaltes und die Festlegung der Steuern, Abgaben und Einkünfte;

m) die Verwaltung der Staatsbanken, der industriellen, landwirtschaftlichen und Handelsunternehmungen und deren Behörden;

n) die Organisation der staatlichen wie auch der sozialen Versicherungen;

o) der Abschluß und die Bestätigung äußerer und die Ausgabe innerer Anleihen;

458

p) die Leitung des Transports und der Nachrichtenorgane;

r) die Organisation des Schutzes und der Ausbeutung der natürlichen Reichtümer des Landes und die Festlegung einer Nutzungsordnung der Ländereien, Weideplätze, Wälder, Gewässer und ihrer Reichtümer;

s) die Organisation und Leitung der Entfaltung der Viehzucht und des Ackerbaues;

t) die Festlegung des Systems der Maße und Gewichte;

u) die Organisation der staatlichen Berechnungen, Abrechnungen und Statistik;

v) die Leitung der Wohnungs- und Kommunalwirtschaft, deren Bauwirtschaft, sowie des Städtebaus und des Wegebaus des Landes;

w) die Leitung des Werkes der Volksbildung und Kultur, des Gesundheitsschutzes, der wissenschaftlichen und sportlichen Organisationen;

x) die Organisation der Gerichts- und der Staatsanwaltschaftsorgane;

y) die Stiftung von Orden und Medaillen und die Auszeichnung mit ihnen, sowie die Auszeichnung mit Ehrenurkunden und Verleihung von Ehrenbezeichnungen der MVR;

z) die Gesetzgebung über die Staatsbürgerschaft der MVR;

ch) die Herausgabe von Verordnungen über Amnestie und Begnadigung.

Art. 11. Die MVR besteht aus den Aimaken: Zentral, Chentei, Tschoibalsan, Ost-Gobi, Süd-Gobi, Süd-Changai, Nord-Changai, Dsabchan, Kobdo, Chubsugul, Bulgan, Ubsa-Nur, Gobi-Altai, Bajan-Ulegei, Suche-Bator, Mittel-Gobi, Bajan-Chongor und der Stadt Ulan-Bator.

Art. 12. Die Aimaken werden in administrativer Hinsicht in Somone eingeteilt, die Somone ihrerseits in Bage.

Die Stadt Ulan-Bator wird in Chorone eingeteilt, die Chorone in Chorine.

Abschnitt III

Der Große Volkschural

Art. 13. Das höchste Organ der staatlichen Macht der MVR ist der Große Volkschural.

Art. 14. Der Große Volkschural wird von den Bürgern der MVR nach Wahlkreisen gewählt, wobei ein Deputierter auf 3500 Einwohner entfällt.

Art. 15. Der Große Volkschural wird auf die Dauer von drei Jahren gewählt.

Art. 16. Die Wahl eines neuen Großen Volkschurals muß vom Präsidium des Großen Volkschurals der MVR spätestens innerhalb von zwei Monaten, vom Tag des Ablaufes der Vollmachten des Großen Volkschurals der MVR gerechnet, ausgeschrieben werden.

Art. 17. Der neugewählte Große Volkschural wird vom Präsidium des vorhergehenden Volkschurals spätestens zwei Monate nach dem Tag der Wahlen einberufen.

Außerordentliche Sitzungen des Großen Volkschurals können sowohl auf Initiative des Präsidiums des Großen Volkschurals als auch auf Verlangen von mindestens einem Drittel der Deputierten einberufen werden.

Art. 19. Der Große Volkschural wählt den Vorsitzenden des Großen Volkschurals und seine beiden Stellvertreter. Der Vorsitzende leitet die Sitzungen des Großen Volkschurals und verwaltet dessen innere Angelegenheiten.

Art. 20. Der Große Volkschural wählt eine Mandatskommission, die die Vollmachten der Deputierten des Großen Volkschurals der MVR überprüft.

Art. 21. Der Große Volkschural wählt das Präsidium des Großen Volkschurals, bestehend aus dem Vorsitzenden des Präsidiums des Großen Volkschurals, einem Stellvertreter, einem Sekretär und vier Mitgliedern des Präsidiums des Großen Volkschurals.

Art. 22. Die legislative Gewalt in der MVR wird ausschließlich durch den Großen Volkschural ausgeübt.

Art. 23. Der Große Volkschural der MVR nimmt alle Rechte wahr, die der Mongolischen Volksrepublik nach Art. 10 dieser Konstitution zustehen und — laut Konstitution — nicht in den Kompetenzbereich der dem Großen Volkschural verantwortlichen Organe der staatlichen Macht und der staatlichen Verwaltung fallen. Im einzelnen unterliegen der Leitung des Großen Volkschurals:

a) die Bestätigung und Änderung der Konstitution (Grundgesetz) der MVR;

b) die Festlegung der grundsätzlichen Prinzipien und Maßnahmen auf dem Gebiet der Außen- und Innenpolitik;

c) die Wahl des Präsidiums des Großen Volkschurals;

d) die Bildung des Ministerrates, die Bestätigung neugebildeter oder die Reorganisierung bestehender Ministerien und der zentralen Organe der staatlichen Verwaltung;

e) die Bestätigung der Erlasse, die vom Präsidium des Großen Volkschurals in der Periode zwischen den Sitzungen des Großen Volkschurals angenommen werden und der Bestätigung durch den Großen Volkschural bedürfen;

f) Der Erlaß von Amnestieakten;

g) die Überprüfung und Bestätigung des volkswirtschaftlichen Planes der Republik;

h) die Bestätigung des Staatshaushaltes und der Rechenschaftsberichte über seine Erfüllung.

Art. 24. Ein Gesetz gilt als bestätigt, wenn es vom Großen Volkschural der MVR mit einfacher Stimmenmehrheit angenommen ist.

Art. 25. Die Gesetze, die vom Großen Volkschural der MVR angenommen sind, werden nach Unterzeichnung durch den Vorsitzenden des Präsidiums und den Sekretär des Präsidiums des Großen Volkschurals der MVR veröffentlicht.

Art. 26. Der Große Volkschural der MVR bestimmt, wenn er es für notwendig erachtet, Untersuchungs- und Revisionskommissionen für jede beliebige Frage.

Alle Behörden und Amtspersonen sind verpflichtet, die Forderungen dieser Kommissionen zu erfüllen und ihnen die erforderlichen Materialien und Dokumente vorzulegen.

Art. 27. Auf die Anfrage eines Deputierten des Großen Volkschurals, die an Amtspersonen gerichtet ist, muß die Antwort spätestens innerhalb einer fünftägigen Frist, und auf eine Anfrage, die eine Untersuchung erfordert, spätestens innerhalb eines Monats erfolgen.

Abschnitt IV

Das Präsidium des Großen Volkschurals

Art. 28. Das Präsidium des Großen Volkschurals ist während der Periode zwischen den Sitzungen des Großen Volkschurals das oberste Organ der staatlichen Macht.

Art. 29. Das Präsidium des Großen Volkschurals

a) nimmt die Kontrolle über die Durchführung der Konstitution und der Gesetze der MVR wahr;

b) bestimmt die Wahlen in den Großen Volkschural;

c) beruft die Sitzungen des Großen Volkschurals ein;

d) erläutert die bestehenden Gesetze, gibt Erlasse heraus, deren nachträgliche Bestätigung, falls nötig, durch den Großen Volkschural erfolgt;

e) führt die Volksbefragung (Referendum) durch;

f) ändert die Beschlüsse und Verfügungen des Ministerrates der MVR und der örtlichen Churale der Deputierten der Werktätigen, falls sie dem Gesetz widersprechen;

g) entbindet von ihrer Amtspflicht und ernennt Minister auf Vorschlag des Premierministers mit nachfolgender Bestätigung durch die Sitzung des Großen Volkschurals;

h) nimmt das Recht der Begnadigung wahr;

i) stiftet Orden und Medaillen der MVR und bestimmt die militärischen und andere Ehrentitel der MVR;

j) zeichnet mit Orden und Medaillen der MVR aus und verleiht die Ehrentitel der MVR auf Vorschlag des Ministerrates der MVR;

k) nimmt die Beglaubigungs- und Abberufungsschreiben der bei ihm akkreditierten diplomatischen Vertreter ausländischer Staaten entgegen;

l) bestimmt und beruft die bevollmächtigten Vertreter der MVR bei ausländischen Regierungen ab;

m) ratifiziert Verträge und Übereinkommen mit anderen Staaten;

n) erklärt in den Perioden zwischen den Sitzungen des Großen Volkschurals den Kriegszustand im Falle eines kriegerischen Überfalles auf die MVR und auch im Falle der Notwendigkeit der Erfüllung internationaler Bündnisverpflichtungen in Betreff gegenseitiger Verteidigung gegen Überfälle;

o) erklärt die allgemeine oder teilweise Mobilisierung;

p) vollzieht die Verleihung der Staatsbürgerschaft der MVR.

Art. 30. Nach Ablauf der Vollmachten des Großen Volkschurals der MVR behält das Präsidium des Großen Volkschurals seine Vollmachten bei bis zur Neubildung des Präsidiums des Großen Volkschurals durch den neugewählten Großen Volkschural der MVR.

Art. 31. Das Präsidium des Großen Volkschurals ist dem Großen Volkschural in seiner ganzen Tätigkeit verantwortlich.

Art. 32. Ein Deputierter des Großen Volkschurals kann ohne Zustimmung des Großen Volkschurals nicht zur gerichtlichen Verantwortung gezogen oder verhaftet werden, und in der Periode zwischen den Sitzungen des Großen Volkschurals nicht ohne Zustimmung seines Präsidiums.

Abschnitt V

Der Ministerrat der Mongolischen Volksrepublik

Art. 33. Das höchste vollziehende und verfügende Organ der staatlichen Macht der MVR ist der Ministerrat der MVR.

Art. 34. Der Ministerrat der MVR ist in seiner Tätigkeit dem Großen Volkschural verantwortlich und rechenschaftspflichtig, in der Periode zwischen den Sessionen des letzteren dem Präsidium des Großen Volkschurals.

Art. 35. Der Ministerrat der MVR erläßt Bestimmungen und Verfügungen auf Grund und in Erfüllung der bestehenden Gesetze und kontrolliert deren Durchführung.

Art. 36. Die Verordnungen und Verfügungen des Ministerrates der MVR sind für das gesamte Territorium der MVR rechtsverbindlich.

Art. 37. Der Ministerrat der MVR

a) vereinheitlicht und ordnet die Tätigkeit der Ministerien der MVR und der anderen ihm untergeordneten Behörden;

b) trifft Maßnahmen zur Durchführung des volkswirtschaftlichen Planes, des staatlichen und der örtlichen Haushalte, des Steuer- und Kreditsystems;

c) nimmt die allgemeine Führung auf dem Gebiet der Beziehungen mit anderen Staaten wahr;

d) nimmt die allgemeine Leitung der Verteidigung und des Aufbaues der Streitkräfte des Landes wahr und bestimmt auch das Kontingent der Bürger, die alljährlich zum aktiven Wehrdienst eingezogen werden;

e) trifft Maßnahmen zur Sicherung der allgemeinen Ordnung, zum Schutz der Interessen des Staates und zur Wahrung der persönlichen und Vermögensrechte der Bürger;

f) leitet unmittelbar und lenkt die Arbeit der Vollzugsverwaltungen der Aimake, der Stadt Ulan Bator und der anderen örtlichen Churale der Deputierten der Werktätigen;

g) ändert und annulliert Instruktionen und Befehle der dem Ministerrat unmittelbar unterstehenden Behörden, Ministerien und anderer Verwaltungsorgane;

h) bildet im Bedarfsfall beim Ministerrat der MVR zentrale Verwaltungen und Komitees in Angelegenheiten des wirtschaftlichen und kulturellen Aufbaues;

i) bestätigt Warenmuster und gibt die Erlaubnis zur Herstellung des staatlichen Wappensiegels für die Organe und Behörden der staatlichen Macht.

Art. 38. Der Ministerrat der MVR wird durch den Großen Volkschural gebildet und setzt sich zusammen aus:

dem Ministerpräsidenten der MVR;
den Stellvertretern des Ministerpräsidenten der MVR;
dem Vorsitzenden der staatlichen Planungskommission;
dem Vorsitzenden der staatlichen Kontrollkommission;
den Ministern der MVR und
dem Vorsitzenden des Staatsbankdirektoriums.

Art. 39. In der MVR sind folgende Ministerien tätig:

Ministerium für militärische Angelegenheiten und allgemeine Sicherheit,
Ministerium des Auswärtigen,
Ministerium für Viehzucht,
Ministerium für Industrie,
Ministerium für Nahrungsmittelindustrie,
Ministerium für Verkehr,
Ministerium für Handel,
Ministerium der Finanzen,
Ministerium der Justiz,
Ministerium für Erziehungs- und Bildungswesen,
Ministerium für Gesundheitswesen,
Ministerium für Nachrichtenwesen,
Ministerium für Kultur.

Art. 40. In unmittelbarer Abhängigkeit vom Ministerrat der MVR befinden sich:

das Komitee der Wissenschaften,
die Staatsuniversität,
das Komitee für Leibesübungen und Sport,
die Staatsdruckerei,
das Komitee für Radiofizierung und Rundfunkwesen,

die Hauptverwaltung für Literatur und Verlagswesen,
die Hauptverwaltung für Bauwesen,
das Büro des hydrometeorologischen Dienstes.

Art. 41. Die Minister und Leiter der zentralen Behörden der MVR leiten die entsprechenden Zweige der staatlichen Verwaltung und tragen vor dem Ministerrat die volle Verantwortung für deren Zustand und Tätigkeit.

Art. 42. Die Minister der MVR und die Leiter der zentralen staatlichen Behörden erlassen in ihrem Kompetenzbereich Befehle und Instruktionen und kontrollieren auch deren Durchführung. Die Befehle und Instruktionen werden auf Grund und zur Erfüllung der geltenden Gesetze sowie der Beschlüsse und Verfügungen des Ministerrates der MVR erlassen.

Abschnitt VI

Die örtlichen Organe der staatlichen Macht

Art. 43. Die Organe der staatlichen Macht in den Aimaken, der Stadt Ulan-Bator, den Somonen, Choronen, Chorinen und Bagen sind die Churale der Deputierten der Werktätigen.

Art. 44. In den Aimaken, Städten, Somonen, Choronen, Bagen und Chorinen werden die Churale der Deputierten der Werktätigen entsprechend durch die Werktätigen des Aimak, der Stadt, des Somon, des Choron, des Bag und Chorin auf die Dauer von zwei Jahren gewählt.

Art. 45. Die Aimak-Churale der Deputierten der Werktätigen werden aus den Deputierten der Werktätigen nach folgender Norm gebildet:

In Aimaken mit einer Bevölkerung bis zu 30 000 Einwohnern — 50 Deputierte, in Aimaken und Städten mit einer Bevölkerung von über 30 000 Einwohnern — ein Deputierter auf je 600 Einwohner.

Der Stadt-Chural der Deputierten der Werktätigen der Stadt Ulan-Bator wird aus den Deputierten der Werktätigen nach der Norm: ein Deputierter auf 375 Einwohner gebildet.

Die Churale der Werktätigen in den Somonen, Choronen und in den Städten, die eine eigene administrative Einheit bilden, werden aus den Deputierten der Werktätigen gebildet, die nach folgendem Maßstab gewählt werden:

In den Somonen und Choronen mit einer Bevölkerung von weniger als 3000 Einwohnern — 30 Deputierte, in den Somonen und Choronen mit einer Bevölkerung von mehr als 3000 Einwohnern ein Deputierter auf je 100 Einwohner, wobei die Gesamtzahl der Deputierten 50 nicht überschreiten darf.

Die Bag- und Chorin-Churale der Deputierten der Werktätigen werden aus den Deputierten der Werktätigen nach folgender Norm gebildet:

In Bagen und Chorinen mit einer Bevölkerung bis zu 400 Einwohnern — 7 Deputierte, in Bagen und Chorinen mit einer Bevölkerung von über 400 Menschen — ein Deputierter auf je 50 Einwohner.

Art. 46. Die ordentlichen Sitzungen der Aimak-Churale und des Stadt-Churals der Stadt Ulan-Bator der Deputierten der Werktätigen werden von ihren Vollzugsverwaltungen mindestens zweimal jährlich einberufen.

Die Sitzungen der Somon- oder Choron-Churale der Deputierten der Werktätigen werden von ihren Vollzugsverwaltungen mindestens dreimal jährlich einberufen.

Die Sitzungen der Bag- oder Chorin-Churale der Deputierten der Werktätigen werden vom Vorsitzenden des Bag oder des Chorin mindestens zehnmal jährlich einberufen.

Die Sitzungen der Bag- oder Chorin-Churale der Deputierten der Werktätigen leitet der Vorsitzende des Bag oder des Chorin.

Außerordentliche Sitzungen der örtlichen Churale der Deputierten der Werktätigen werden auf Verlangen von mindestens der Hälfte der Deputierten des Churals oder auf Initiative der Vollzugsverwaltung, aber auch auf Weisung des Präsidiums des Großen Volkschurals einberufen.

Art. 47. Für die Leitung der Sitzungen wählen die Aimak-, Stadt-, Somon-, Choron-Churale der Deputierten der Werktätigen für die Dauer der Sitzungen einen Vorsitzenden und einen Sekretär.

Art. 48. Für die laufenden Arbeiten wählen die Aimak-Churale und der Stadt-Chural der Stadt Ulan-Bator der Deputierten der Werktätigen aus der Zahl ihrer Deputierten als ihr Vollzugs- und Verfügungsorgan die Vollzugsverwaltungen, die aus 7 bis 9 Personen bestehen und sich wie folgt zusammensetzen:

ein Vorsitzender, ein Stellvertreter des Vorsitzenden, ein verantwortlicher Sekretär und Mitglieder.

Art. 49. Die Vollzugs- und Verfügungsorgane der Somon- und Choron-Churale der Deputierten der Werktätigen sind die Vollzugsverwaltungen, die von ihnen in einer Stärke von 5 bis 7 Personen gewählt werden und sich wie folgt zusammensetzen:

ein Vorsitzender, ein Stellvertreter des Vorsitzenden, ein Sekretär und Mitglieder.

Die Vorsitzenden der Vollzugsverwaltungen leiten die gesamte Arbeit, berufen die Sitzungen der Vollzugsverwaltung ein und führen dort den Vorsitz.

Art. 50. Das Vollzugs- und Verfügungsorgan der Chorin- und Bag-Churale der Deputierten der Werktätigen sind die von ihnen gewählten Vollzugsverwaltungen, bestehend aus dem Vorsitzenden, dem Stellvertreter des Vorsitzenden und dem Sekretär.

Art. 51. Nach Ablauf der Vollmachten der Aimak- und Stadt-, Somon- und Choron-, Bag- und Chorin-Churale der Deputierten der Werktätigen behalten deren Vollzugs- und Verfügungsorgane ihre Vollmachten bis zu der durch die neugewählten Churale erfolgten Bildung der neuen Vollzugs- und Verfügungsorgane bei.

Art. 52. Die Aimak- und Stadt-, Somon- und Choron-, Bag- und Chorin-Churale der Deputierten der Werktätigen

a) leiten den kulturell-politischen und wirtschaftlichen Aufbau auf ihrem Territorium;

b) bestimmen den örtlichen Haushalt;

c) leiten die Tätigkeit der ihnen unterstehenden Verwaltungsorgane;

d) sorgen für die Aufrechterhaltung der staatlichen Ordnung, die Befolgung der Gesetze und die Wahrung der Bürgerrechte.

Art. 53. Die übergeordneten Vollzugsverwaltungen der Churale der Deputierten der Werktätigen haben das Recht, Entscheidungen und Verfügungen der untergeordneten Vollzugsverwaltungen aufzuheben und Entscheidungen der untergeordneten Churale der Deputierten der Werktätigen auszusetzen.

Art. 54. Die übergeordneten Churale der Deputierten der Werktätigen haben das Recht, Entscheidungen und Verfügungen der untergeordneten Churale der Deputierten der Werktätigen und ihrer Vollzugsverwaltungen aufzuheben.

Art. 55. Die örtlichen Churale der Deputierten der Werktätigen treffen ihre Entscheidungen im Rahmen der ihnen durch die Gesetze der MVR zugebilligten Befugnisse.

Art. 56. Die Vollzugsverwaltungen der örtlichen Churale der Deputierten der Werktätigen unterstehen unmittelbar sowohl dem Chural der Deputierten der Werktätigen, der sie gewählt hat, als auch dem Vollzugsorgan des übergeordneten Churals der Deputierten der Werktätigen.

Art. 57. Die Vollzugsverwaltungen der Aimak- und des Stadt-Churals der Stadt Ulan-Bator haben folgende Abteilungen:

        1. Viehzucht,
        2. Plankommission,
        3. Finanzen,
        4. Gesundheitsschutz,
        5. Volksbildung,
        6. Militärisches,
        7. Allgemeines.

Art. 58. Die Abteilungen der Vollzugsverwaltungen bei den Aimaken und in der Stadt Ulan-Bator unterstehen in ihrer Tätigkeit sowohl der Vollzugsverwaltung des jeweiligen Aimak- und Stadt-Churals der Deputierten der Werktätigen als auch dem entsprechenden Ministerium der MVR.

Abschnitt VII

Gericht und Staatsanwaltschaft

Art. 59. Die Rechtspflege in der MVR wird durch das Oberste Gericht der Republik, die Aimak- und Stadtgerichte, die besonderen Gerichte der MVR, die vom Großen Volkschural gebildet werden, und durch Volksgerichte wahrgenommen.

Art. 60. Die Untersuchung jedes Strafverfahrens wird bei allen Gerichten durch ständige Richter unter Beteiligung von Beisitzern aus dem Volke durchgeführt, abgesehen von Fällen, die durch das Gesetz speziell vorgesehen sind.

Art. 61. Das Oberste Gericht der MVR ist das höchste Gerichtsorgan. Dem Obersten Gericht wird die Aufsicht über die gerichtliche Tätigkeit aller Gerichtsorgane der MVR übertragen.

Art. 62. Das Oberste Gericht der MVR wird vom Großen Volkschural auf die Dauer von vier Jahren gewählt.

Art. 63. Die Stadt- und Aimakgerichte werden von den Stadt- und Aimak-Churalen der Deputierten der Werktätigen auf die Dauer von drei Jahren gewählt.

Art. 64. Die Volksgerichte werden von den Bürgern des betreffenden Aimak, Somon, Stadt, Choron (in Ulan-Bator) auf Grund des allgemeinen, direkten und gleichen Wahlrechtes bei geheimer Abstimmung auf die Dauer von drei Jahren gewählt. Als Richter und Beisitzer aus dem Volk können alle Bürger gewählt werden, die das 23. Lebensjahr erreicht haben, das Wahlrecht besitzen und nicht vorbestraft sind.

Art. 65. Das Gerichtsverfahren wird in mongolischer Sprache geführt, wobei gewährleistet sein muß, daß sich Personen, die diese Sprache nicht beherrschen, durch einen Dolmetscher mit den Einzelheiten des Prozesses voll vertraut machen können und das Recht haben, vor Gericht auch in ihrer Muttersprache aufzutreten.

Art. 66. Die Verfahren werden vor allen Gerichten offen geführt, wobei dem Angeklagten das Recht auf Verteidigung zugesichert wird. Geschlossene Gerichtsverhandlungen werden in Fällen zugelassen, die durch das Gesetz speziell vorgesehen sind.

Art. 67. Die Richter sind unabhängig und unterstehen nur dem Gesetz.

Art. 68. Die oberste Kontrolle über die genaue Durchführung der Gesetze durch alle Ministerien, Zentralorgane und die ihnen unterstehenden Behörden sowie durch die Amtspersonen und Bürger der MVR obliegt dem Staatsanwalt der Republik.

Art. 69. Der Staatsanwalt der MVR wird vom Großen Volkschural auf die Dauer von fünf Jahren bestimmt.

Art. 70. Die Staatsanwaltschaft im Bereich der Stadt und in den Aimaken obliegt den Stadt- und Aimak-Staatsanwälten, die vom Staatsanwalt der MVR auf die Dauer von vier Jahren ernannt werden.

Art. 71. Die örtlichen Staatsanwälte nehmen ihre Funktionen unabhängig von allen und jeglichen örtlichen Organen wahr und unterstehen nur dem Staatsanwalt der Republik.

Abschnitt VIII

Das Budget der MVR

Art. 72. Die ganze Finanzpolitik der MVR ist auf die Verbesserung des Lebens und die Wohlfahrt der breiten Massen der Werktätigen ausgerichtet, auf eine entschlossene Einschränkung und Verdrängung der ausbeuterischen Elemente und damit auf eine gleichmäßige Festigung der Macht der Werktätigen, der Unabhängigkeit und Wehrfähigkeit des Landes.

Art. 73. Die Staatseinnahmen und -ausgaben der MVR werden im Gesamtstaatsbudget zusammengefaßt.

Art. 74. Der Staatshaushalt wird vom Ministerium der Finanzen aufgestellt und vom Ministerrat geprüft. Der vom Ministerrat gutgeheißene Staatshaushalt wird dem Großen Volkschural der MVR zur Bestätigung vorgelegt.

Art. 75. Der Große Volkschural wählt eine Haushaltskommission, die dem Großen Volkschural ihren Beschluß über den Staatshaushalt der MVR vorlegt.

Art. 76. Keine Ausgabe aus staatlichen Mitteln kann gemacht werden, wenn sie nicht im Staatshaushalt vorgesehen ist oder wenn über die Verwendung einer solchen Ausgabe kein besonderer Beschluß des Präsidiums des Großen Volkschurals oder des Ministerrates vorliegt. Die Ausgabe der im Staatshaushalt vorgesehenen Mittel wird nur nach ihrer direkten Bestimmung und im Bereich des festgelegten Kostenanschlages vorgenommen.

Art. 77. Der Große Volkschural führt die Verteilung der Einnahmen zwischen dem staatlichen Haushalt und den örtlichen Haushalten durch.

Art. 78. Die Haushalte der Somonen, Aimaken und der Städte werden von den Somon-, Aimak- und Stadt-Churalen der Deputierten der Werktätigen geprüft und bestätigt.

Art. 79. Der Bericht über die Erfüllung des Staatshaushaltes wird durch den Ministerrat der MVR dem Großen Volkschural zur Prüfung und Bestätigung vorgelegt.

Abschnitt IX

Das Wahlsystem der MVR

Art. 80. Die Wahl der Deputierten in alle Churale der Deputierten der Werktätigen, den Großen Volkschural der MVR, die Aimak-, Stadt-, Somon-, Choron-, Bag- und Chorin-Churale der Deputierten der Werktätigen werden von den Wählern auf Grund des allgemeinen, gleichen und direkten Wahlrechtes in geheimer Abstimmung gewählt.

Art. 81. Die Wahlen der Deputierten sind allgemein. An den Wahlen beteiligen sich und können gewählt werden alle Bürger der MVR, die das 18. Lebensjahr erreicht haben, unabhängig von Geschlecht, Rasse, Nationalität, Glaubensbekenntnis, Bildung, nomadisierender oder seßhafter Lebensweise, Vermögenslage und sozialer Herkunft, abgesehen von Personen, die von einem Gericht mit dem Verlust der Wahlrechte bestraft wurden, und solchen Personen, die in der vorgeschriebenen gesetzlichen Weise als geistesgestört erklärt wurden.

Art. 82. Die Wahlen der Deputierten sind gleich. Jeder Wähler hat eine Stimme. Alle Bürger nehmen an den Wahlen unter den gleichen Bedingungen teil. Die Militärpersonen genießen das gleiche Wahlrecht wie alle übrigen Bürger.

Art. 83. Die Frauen genießen das gleiche Recht zu wählen und gewählt zu werden wie die Männer.

Art. 84. Die Wahlen der Deputierten sind direkt. Die Wahlen in alle Churale der Deputierten der Werktätigen, angefangen vom Bag- und Chorin-Chural der Deputierten der Werktätigen bis zum Großen Volkschural der MVR, werden von den Bürgern unmittelbar auf dem Wege direkter Wahlen durchgeführt.

Art. 85. Bei den Wahlen in alle Churale der Deputierten der Werktätigen ist die geheime Abstimmung festgelegt.

Art. 86. Die Kandidaten werden bei den Wahlen nach Wahlkreisen aufgestellt. Das Recht der Aufstellung von Kandidaten wird den gesellschaftlichen Organisationen und Vereinigungen der Werktätigen zugesichert: den Organisationen der volksrevolutionären Partei, den Kooperativen, den Berufsverbänden und den Jugendorganisationen, den Araten-Vereinigungen und den kulturellen Verbänden.

Art. 87. Jeder Deputierte ist verpflichtet, den Wählern über seine Arbeit und die Arbeit des Churals der Deputierten der Werktätigen Rechenschaft abzulegen, und kann jederzeit auf Beschluß der Wählermehrheit in der gesetzlich festgelegten Weise abberufen werden.

Abschnitt X

Die Grundrechte und die Grundpflichten der Bürger

Art. 88. Die Konstitution der MVR sichert das vom Volke erkämpfte Recht auf kostenlose Nutzung der Weideplätze mit dem Ziele der größtmöglichen Entwicklung der Viehzucht, ebenso das Recht der Anwendung aller durch die Bürger erworbenen Fähigkeiten und ihrer Arbeit in allen Zweigen des staatlichen, wirtschaftlichen und kulturellen Aufbaues.

Art. 89. Die Bürger der MVR haben das Recht auf Erholung. Dieses Recht wird durch die Beschränkung des Arbeitstages für die Angestellten und Arbeiter auf acht Stunden, die Festsetzung eines jährlichen Urlaubs für die Arbeiter und Angestellten bei Weiterzahlung des Arbeitslohnes und die Überlassung von Theatern, Klubs, Sanatorien und Erholungsheimen zur Benützung durch die Werktätigen sichergestellt.

Art. 90. Die Bürger der MVR haben das Recht auf Bildung. Dieses Recht wird durch kostenlosen Unterricht, die Entwicklung eines Netzes von Schulen, technischen Lehranstalten, höheren Lehranstalten, Unterricht in der Muttersprache und ein System staatlicher Stipendien für die höheren Schulen sichergestellt.

Art. 91. Die Bürger der MVR, die im Lohnverhältnis arbeiten, haben das Recht auf materielle Hilfe im Alter sowie im Krankheitsfalle und bei Verlust der Arbeitsfähigkeit. Dieses Recht wird durch ein Sozialversicherungssystem für die Arbeiter und Angestellten auf Kosten des Staates oder des Arbeitgebers, durch unentgeltliche medizinische Hilfe für die Werktätigen und die Entwicklung eines Netzes von Heilstätten gesichert.

Art. 92. Alle Bürger der MVR haben, unabhängig von ihrer Nationalität, auf allen Gebieten des staatlichen, wirtschaftlichen, kulturellen und gesellschaftlich-politischen Lebens des Landes die gleichen Rechte. Jegliche direkte oder indirekte Beschränkung der Bürgerrechte, Äußerung großmachtlichen Chauvinismus, Diskriminierung und nationalistische Propaganda werden durch das Gesetz bestraft.

Art. 93. Der Frau werden in der MVR auf allen Gebieten des wirtschaftlichen, staatlichen, kulturellen und gesellschaftlich-politischen Lebens die gleichen Rechte eingeräumt wie dem Mann. Die Möglichkeit der Verwirklichung dieser Rechte wird der Frau durch die Einräumung der gleichen Arbeits-, Erholungs-, Sozialversicherungs- und Bildungsbedingungen wie beim Mann und den staatlichen Schutz von Mutter und Kind, die Gewährung von Urlaub bei Schwangerschaft, samt der Weiterbezahlung des vollen Arbeitslohnes bei solchen, die im Lohnverhältnis arbeiten, gewährleistet.

Hintertreibungen der Entsklavung und der Gleichberechtigung der Frau, als da sind: Freigabe minderjähriger Mädchen zur Verheiratung, Eheschließung mit solchen, Zahlung oder Annahme von Kaufgeld für die Braut, Vielweiberei, Abhaltung vom Schulbesuch, von der Beteiligung am wirtschaftlichen, staatlichen, kulturellen und gesellschaftlich-politischen Leben usw. werden durch das Gesetz bestraft.

Art. 94. In der MVR ist die Religion vom Staat und der Schule getrennt. Den Bürgern der MVR wird die Freiheit des Glaubensbekenntnisses und der antireligiösen Propaganda eingeräumt.

Art. 95. In Übereinstimmung mit den Interessen der Werktätigen und den Zielen hinsichtlich der Entwicklung organisatorischer Selbständigkeit und politischer Aktivität der werktätigen Massen wird den Bürgern der MVR das Recht des Zusammenschlusses zu gesellschaftlichen Organisationen, Berufsverbänden, Wehrorganisationen, kulturellen, technischen und wissenschaftlichen Vereinigungen zugesichert. Die aktivsten und bewußtesten Bürger aus den Reihen der Arbeiter, der werktätigen Araten und der Intelligenz jedoch schließen sich in der Mongolischen Volksrevolutionären Partei zusammen, die der vorderste Stoßtrupp der Werktätigen in ihrem Kampf um die Festigung und Entwicklung des Landes auf nichtkapitalistischem Wege ist, in der Partei, die den führenden Kern aller Organisationen der Werktätigen, sowohl der gesellschaftlichen wie der staatlichen darstellt.

Art. 96. Jeder Bürger der MVR hat das Recht des freien Berichts und der Eingabe schriftlicher und mündlicher Klagen oder Anzeigen über ungesetzliche Handlungen der Machtorgane oder einzelner Amtspersonen an die entsprechenden Organe der staatlichen Macht und Verwaltung, einschließlich der höchsten. Alle Organe der Macht und die Amtspersonen sind verpflichtet, die eingereichten Anzeigen und Klagen unverzüglich zu prüfen und dem Berichterstatter in Betreff der Anzeige oder Klage Antwort zu geben.

Art. 97. Alle Bürger der MVR haben das Recht der persönlichen Bewegungsfreiheit und der Wahl des Wohnsitzes.

Art. 98. In Übereinstimmung mit dem Interesse der Werktätigen und mit dem Ziel der Entwicklung und Festigung der staatlichen Ordnung der MVR wird den Bürgern der MVR gesetzlich garantiert:

1. Freiheit des Wortes,
2. Freiheit der Presse,
3. Freiheit der Versammlungen und Meetings,
4. Freiheit der Straßendemonstrationen und Umzüge.

468

Art. 99. Den Bürgern der MVR wird die Unantastbarkeit der Person verbürgt. Niemand kann einer Haft anders unterworfen werden als durch Gerichtsbeschluß oder mit der Sanktion des Staatsanwaltes.

Art. 100. Die Unverletzlichkeit der Wohnung der Bürger und das Briefgeheimnis sind durch das Gesetz geschützt.

Art. 101. Die MVR gewährt ausländischen Bürgern, die wegen der Verfechtung der Interessen der Werktätigen oder des nationalen Freiheitskampfes verfolgt werden, das Asylrecht.

Art. 102. Jeder Bürger der MVR ist verpflichtet, die Konstitution (Grundgesetz) der MVR zu befolgen, die Gesetze zu erfüllen, die Arbeitsdisziplin zu wahren, in jeder Hinsicht den wirtschaftlichen und kulturell-politischen Pflichten ehrenhaft nachzukommen, das gesellschaftliche und staatliche Eigentum zu schonen und zu vermehren.

Art. 103. Die Militärpflicht ist Gesetz. Der Militärdienst in der mongolischen volksrevolutionären Armee ist Ehrenpflicht der Bürger der MVR.

Art. 104. Die Verteidigung des Vaterlandes ist die heilige Pflicht eines jeden Bürgers der MVR. Vaterlandsverrat, wie Verletzung des Eides, Übergang auf die Seite des Feindes, Untergrabung der militärischen Macht des Staates, Spionage, wird als das schwerste Verbrechen bestraft.

Abschnitt XI

Wappen, Flagge, Hauptstadt

Art. 105. Das Staatswappen der MVR besteht aus einem Kreis, in dessen Mitte ein Arat mit einer Uraga in den Händen abgebildet ist, der auf einem Reitpferd der Sonne entgegengaloppiert.

Innerhalb des Kreises ist eine für die MVR typische Landschaft (Waldsteppe, Wüste, Berge) abgebildet.

An den Rändern des Kreises, der mit Grün verbrämt ist, sind auf beiden Seiten in kleinen Kreisen die Köpfe eines Schafes, einer Kuh, eines Kamels und einer Ziege abgebildet. An der Peripherie des Kreises ist das Ornament „Alcha" in einer Reihe angebracht.

Im Zentrum des oberen Teiles des Kreises ist ein fünfzackiger Stern abgebildet. Auf der Basis des Kreises werden die Büschel des Grüns von einem Band mit der Aufschrift „Mongolische Volksrepublik" zusammengehalten.

Art. 106. Die Staatsflagge der MVR besteht aus einem Fahnentuch in roter und blauer Farbe, das in drei gleiche Teile geteilt ist, von denen der mittlere Teil von himmelblauer Farbe ist, und die zwei anderen, seitlich davon gelegenen, von roter Farbe sind.

Im oberen Teil des roten Tuches, das am Fahnenmast befestigt wird, befindet sich ein fünfzackiger, goldfarbiger Stern, unter dem sich das ebenfalls goldfarbige Zeichen „Sojombo" ohne Lotosblume befindet. Das Verhältnis der Breite zur Länge ist 1:2.

Art. 107. Die Hauptstadt der MVR ist die Stadt Ulan-Bator.

Abschnitt XII

Die Ordnung der Verfassungsänderung der MVR

Art. 108. Eine Änderung der Verfassung der MVR kann nur auf Beschluß des Großen Volkschurals vorgenommen werden, der mit einer Mehrheit von mindestens zwei Dritteln der Stimmen angenommen sein muß.

LITERATURVERZEICHNIS

Um die Benutzung des Literaturverzeichnisses zu erleichtern, sind die Verfassernamen nach den Transkriptionsanweisungen des internationalen Bibliothekswesens in Klammern beigefügt.

Abkürzungen

1. Iswestija AW Iswestija der Akademie der Wissenschaften der UdSSR.
2. Doklady AW Doklady der Akademie der Wissenschaften der UdSSR.
3. Trudy MK Trudy Mongolskoj Komissii Akademie der Wissenschaften der UdSSR.
4. Trudy GI Trudy des Geographischen Institutes der Akademie der Wissenschaften der UdSSR.
5. Iswestija RG Iswestija der Russischen bzw. Allsowjetischen Geographischen Gesellschaft.

I. Bibliographien

Bibliography of Books and Articles on Mongolia. Compiled by *M. Chang Chih-Yi*. Journal of the Royal Central Asian Society London 1950.
Mongolskaja Narodnaja *Respublika*. Bibliographie der Buch- und Zeitschriftenliteratur in russischer Sprache. Jahre 1935—1950. Trudy MK Bd 42. Moskau 1953.

II. Nachschlagewerke

BSE Bolschaja Sowjetskaja *Enziklopedija*. 2. Aufl., Moskau 1950 ff.
SSE Sibirskaja Sowjetskaja *Enziklopedija*. Moskau 1929—1933.

III. Sammelwerke verschiedener Verfasser

1. Chosjajstwennoje *raswitije* stran Narodnoj Demokratii (Die wirtschaftliche Entwicklung der Länder der Volksdemokratien). Moskau 1954.
2. *Istorija* Mongolskoj Narodnoj Respubliki (Geschichte der MVR). AW Moskau 1954.
3. *Konstituzija* i osnownyje sakonodatelnyje akty Mong. Narodn. Respubliki (Verfassung und grundlegende gesetzgebende Akten der MVR). Moskau 1952.
4. *Konstituzija* (Osnownoj Sakon) Mongolskoj Narodnoj Respubliki (Verfassung [Grundgesetz] der MVR). Moskau 1952.
5. *Mantschshurija*. Ekonomitschesko-geografitscheskoje opissanije (Mandschurei, Wirtschaftsgeographische Beschreibung). Harbin 1934.
6. Mongolskaja Narodnaja *Respublika*. Sbornik statej (Die MVR, Sammelarbeit). Moskau 1952.
7. Moskowskaja torgowaja *ekspedizija* (Die Moskauer Handelsexpedition). St. Petersburg 1912.
8. *Planirowanije* narodnogo chosjajstwa Mongolii (Die Planung der Volkswirtschaft in der Mongolei). Moskau 1951.

9. *Problemy* Burjat-Mongolskoj ASSR (Probleme der Burjato-Mongolischen ASSR). Bd 1—2. Moskau 1935 und 1936.

10. *Produktiwnostj* mongolskich porod shiwotnych. Sbornik eksperimentalnych rabot (Die Produktivität der mongolischen Tierrassen. Sammelwerk experimenteller Arbeiten). Trudy MK Bd 66. Moskau 1954.

11. *Raswitije* ekonomiki stran Narodnoj Demokratii Asii (Die wirtschaftliche Entwicklung der Länder der Volksdemokratien Asiens). Moskau 1956.

12. *Rost* i produktiwnostj shiwotnych pri kruglogodowom pastbischtschom sodershanii (Wachstum und Produktivität der Tiere bei ganzjähriger Weidehaltung). Trudy MK Bd 69. Moskau 1956.

13. *Sbornik* rabot po paleontologii Mongolskoj Narodnoj Respubliki (Sammelwerk von Arbeiten über die Paläontologie der MVR). Trudy MK Bd 59. Moskau 1954.

14. Sewernaja *Mongolija* (Die Nord-Mongolei). Berichte der Koslow-Expedition. Bd 1—3. Leningrad 1926, 1927, 1928.

15. *Sputnik* Agitatora (Vademecum des Agitators). 1945, 23.

16. Uspeschnoje *raswitije* MNR (Die erfolgreiche Entwicklung der MVR). Wneschnjaja torgowlja 1953, 6. S. 39—44. Moskau.

17. Utschenyje *Sapiski* Mongolskogo Gossudarstwennogo Uniwersiteta (Wissenschaftliche Notizen der Mongolischen Staatsuniversität). Bd 1. Ulan-Bator 1946.

IV. *Werke und Arbeiten einzelner Autoren*

18. *Aitchen, K. Wu:* China and the Soviet Union. London 1950.

19. *Alekin, O. A.:* Gidrochimitscheskaja klassifikazija rek SSSR (Hydrochemische Klassifikation der Flüsse der UdSSR). Trudy d. Staatl. Hydrolog. Inst. 1948, 4. Moskau.

20. *Alissow, B. P. (Alisov, B. P.)* [u. a.]: Kurs klimatologii (Lehrgang der Klimatologie). Moskau 1940.

20 a. *Alissow, B. P.:* Klimatitscheskije oblasti sarubjeshnych stran (Die Klimagebiete fremder Länder). Moskau 1950.

21. *Andrejew, S. I. (Andreev, S. I.):* Potschwy delty reki Bujantu i Kobdoskoje ajmatschnoje chosjajstwo (Die Böden des Deltas des Flusses Bujantu und die Wirtschaft des Aimaks Kobdo). Trudy MK Bd 16. Moskau 1935.

22. *Andrejew, S. I.:* Materialy k charakteristike potschw jugo-sapadnoj tschasti Mong. Narodn. Respubliki (Materialien zur Charakteristik der Böden des südwestlichen Teils der MVR). Trudy MK Bd 17. Moskau 1935.

23. *Andrews, R. C.:* The New Conquest of Central Asia. Natural History of Central Asia Bd 1. New York 1932.

24. *Bannikow, A. G. (Bannikov, A. G.), Mursajew, E. M. (Murzaev, E. M.), Junatow, A. A. (Junatov, A. A.):* Otscherk prirody Saaltajskoj Gobi w predelach MNR (Skizze der Natur der Transaltai-Gobi im Gebiete der MVR). Iswestija RG 1945, 3. Leningrad.

25. *Bannikow A. G.:* Materialy po biologii i geografitscheskomu rasprostraneniju dikogo werbljuda (Materialien zur Biologie und geographischen Verbreitung des Wildkamels). Zoolog. Zeitschrift, Bd 24. Moskau 1945.

26. *Bannikow, A. G.:* Nowyj wid sajgi is Mongolii (Eine neue Art der Saiga aus der Mongolei). Doklady AW Bd 51, 5. Moskau 1946.

27. *Bannikow, A. G.:* O faunistitscheskich granizach Gobi w Mongolii (Über die faunistischen Grenzen der Gobi in der Mongolei). Doklady AW Bd 55, 7. Moskau 1947.

28. *Bannikow, A. G.:* Opredelitelj mlekopitajuschtschich MNR (Bestimmungsbuch der Säugetiere der MVR). Trudy MK Bd 51. Moskau 1953.

29. *Bannikow, A. G.:* Mlekopitajuschtschije MNR (Die Säugetiere der MVR). Trudy MK Bd 53. Moskau 1954.

30. *Baranow, W. I. ((Baranov, V. I.):* K isutscheniju stepej jugo-wostotschnogo Altaja (Zur Erforschung der Steppen des südöstlichen Altai). Iswestija d. Sibir. Landwirtsch. Akademie, Bd V, 1925.

31. *Baranow, W. I.:* Semledeltscheskije rajony na juge Kobdoskogo ajmaka Sapadnoj Mongolii (Die landwirtschaftlichen Bezirke im Süden des Aimaks Kobdo in der westlichen Mongolei). Trudy MK Bd 4. Moskau 1932.

32. *Baranow, W. I.:* Beresy Sapadnoj Mongolii (Die Birken der Westmongolei). Trudy MK Bd 14. Moskau 1934.

33. *Beljajewa, E. I. (Beljaeva, E. I.):* Materialy k charakteristike werchnetretitschnoj fauny mlekopitajuschtschich Sew.-Sap. Mongolii (Materialien zur Charakteristik der Obertertiär-Fauna der Säugetiere der Nordwestmongolei). Trudy MK Bd 33. Moskau 1937.

34. *Beloff, M.:* Soviet Policy in the Far East 1944—1951. London, New York, Toronto (Oxford University Press) 1953.

35. *Berg, L. S.:* Wyssychajet li Srednjaja Asija? (Trocknet Mittelasien aus?) Iswestija RG Bd 41. St. Petersburg 1905.

36. *Berg, L. S.:* Osnowy klimatologii (Die Grundlagen der Klimatologie). Leningrad 1938.

37. *Berg, L. S.:* Klimat i shisnj (Klima und Leben). Moskau 1947.

38. *Berg, L. S.:* Ryby presnych wod SSSR i sopredelnych stran (Die Süßwasserfische der UdSSR und der angrenzenden Länder). Bd 3. Moskau 1949.

39. *Berg, L. S.:* O problematitschnom ussychanii stepej i pustynj (Über die problematische Austrocknung der Steppen und Wüsten). Iswestija AW. Serija geografitscheskaja 1953, 3. Moskau.

40. *Berkey, Ch. P. und Morris, F. K.:* Structural Elements of the Oldrock Floor of the Gobi Region. Americ. Museum Novitates, 135. New York 1924.

41. *Berkey, Ch. P. und Morris, F. K.:* The Peneplanes of Mongolia. Americ. Museum Novitates, 136. New York 1924.

42. *Berkey, Ch. P. und Morris, F. K.:* Basin Structure in Mongolia. Bull. d. American Museum of Natural History. New York 1924.

43. *Berkey, Ch. P. und Morris, F. K.:* The Great Batholit of Central Mongolia. Americ. Museum Novitates, 119. New York 1927.

44. *Berkey, Ch. P. und Morris, F. K.:* Geology of Mongolia. Natural History of Central Asia. Vol. 2. New York 1927.

45. *Bernatzik, H. A.:* Die Große Völkerkunde. Bd 2: Asien. Leipzig 1939.

46. *Bespalow, N. D. (Bespalov, N. D.):* Potschwy Mongolskoj Narodnoj Respubliki (Die Böden der MVR). Trudy MK Bd 41. Moskau 1951.

47. *Bira, Sch.:* Narodnoje obrasowanije w MNR (Die Volksbildung in der MVR). Sowremennaja Mongolija 1957, 1. Ulan-Bator.

48. *Blagowestschenskij, M. (Blagoveščenskij, M.):* Die Mongolische Volksrepublik. Berlin 1951.

49. *Bogolepow, M. I. (Bogolepov, M. I.) und Sobolew, M. N. (Sobolev, M. N.):* Otscherki russkoj-mongolskoj torgowli (Abriß des russisch-mongolischen Handels). Tomsk 1911.

50. *Bolodon, N. B.:* K woprossu powyschenija uroshajnosti kormowych ugodij w lessostepnoj tschasti MNR (Zur Frage der Erhöhung der Ergiebigkeit der Weideflächen im Waldsteppenteil der MVR). Sowremennaja Mongolija 1939, 1—2. Ulan-Bator.

51. *Bosshard, W.:* Kühles Grasland Mongolei. Frankfurt a. M. 1950.

52. *Carruthers, D.:* Unknown Mongolia. London (Hutchinson) 1913.

53. *Chromow, S. P. (Chromov, S. P.):* Musson kak geografitscheskaja realnostj (Der Monsun als geographische Realität). Iswestija RG Bd 82, 2, 1950 Leningrad.

54. *Chromow, S. P.:* Geografitscheskoje rasmeschtschenije klimatologitscheskich frontow (Die geographische Verteilung der klimatischen Fronten). Iswestija RG Bd 82, 2, 1950. Leningrad.

55. *Cleinow, G.:* Neu-Sibirien. Berlin 1928.

56. *Consten, H.:* Weideplätze der Mongolen. Bd 1—2. Berlin 1919 und 1920.

57. *Cressey, G. B.:* China's Geographic Foundation. New York-London (Mc Graw-Hill Book C.) 1934.

58. *Dallin, D. J.:* Soviet Russia and the Far East. New Haven (Yale University Press) 1948.

59. *Demidow, S. S. (Demidov, S. S.):* Mongolskaja Narodnaja Respublika (Die Mongolische Volksrepublik). Moskau 1952.

60. *Denissow, N. I. (Denisov, N. I.):* Shiwotnowodstwo MNR (Die Viehzucht der MVR). Ulan-Bator 1946.

61. *Desjatkin, N. L.:* Materialy k charakteristike sornopolewoj rastitelnosti Sew.-Mongolii (Materialien zur Charakteristik der Unkrautvegetation der Nordmongolei). Trudy MK Bd 21. Moskau 1936.

62. *Desjatkin, N. L.:* Lugowyje ugodja pri slijanii rek Orchona i Selengi w predelach MNR (Die Wiesenflächen am Zusammenfluß der Flüsse Orchon und Selenga im Gebiet der MVR). Trudy MK Bd 23. Moskau 1936.

63. *Dylykow, S. D. (Dylykov, S. D.):* Demokratitscheskoje dwishenije Mongolskogo naroda w Kitaje (Die demokratische Bewegung des mongolischen Volkes in China). AW Moskau 1953.

64. *Fedorowitsch, B. A. (Fedorovič, B. A):* Woprossy paleogeografii rawnin Srednej Asii (Fragen der Paläogeographie der Ebenen Mittelasiens). Trudy GI 37. Moskau 1946.

65. *Findeisen, H.:* Zur Landeskunde der Mongolei. Koloniale Rundschau 1927, H. 4 u. 5. Berlin.

66. *Forbath, L.:* The New Mongolia. Übersetzung aus dem Ungarischen. London 1936.

67. *Formosow, A. N. (Formosov, A. N):* W Mongolii (In der Mongolei). Reise der zoolog. Abteilung d. Mongol. Expedition der AW. Moskau — Leningrad 1918.

68. *Formosow, A. N.:* Mlekopitajuschtschije Sew. Mongolii po sboram ekspedizii 1926 g. (Die Säugetiere der Nordmongolei nach den Sammlungen der Expedition des Jahres 1926.) Materialien der Kommission zur Erforschung d. Mongolischen und Tannu-Tuwinischen Volksrepublik usw. Nr. 3. Leningrad 1929.

69. *Friters, G. M.:* Outer Mongolia and its International Position. London (George Allen & Unwin) 1951.

70. *Gauthier, H.:* La Température en Chine et à quelques Stations voisines d'après des Observations quotidiennes. Shanghai 1918.

473

71. *Gedroiz, A. (Gedrojc, A.):* Geologitscheskije issledowanija w jugowostotschnoj tschasti Sabajkalskoj oblasti w 1897 g. (Geologische Forschungen im Südostteil des Transbaikal-Gebietes im Jahre 1897). St. Petersburg 1899.

72. *Genning-Michelis, E. W.:* W sewernoj Mongolii (In der Nordmongolei). Iswestija RG, Ostsibir. Abteilung, Bd. 29, 3. Irkutsk 1898.

73. *Gerassimow, I. P. (Gerasimov, I. P.):* Osnownyje tscherty raswitija sowremennoj powerchnosti Turana (Grundzüge der Entwicklung der gegenwärtigen Oberfläche Turans). Trudy GI 25. Moskau 1937.

74. *Gerassimow, I. P.* und *Lawrenko, E. M. (Lavrenko, E. M.):* Osnownyje tscherty prirody MNR (Grundzüge der Natur der MVR). Iswestija AW. Serija geografitscheskaja 1952, 1. S. 27—48. Moskau.

75. *Gerassimow, I. P.:* Tscherty schodstwa i raslitschija w prirode pustynj (Ähnlichkeiten und Unterschiede in der Natur der Wüsten). Priroda 1954, 2. Moskau.

76. *Gherzi, E.:* Climatological Atlas of East Asia. Shanghai 1944.

77. *Granö, J. G.:* Beiträge zur Kenntnis der Eiszeit in der nordwestlichen Mongolei und einiger ihrer südsibirischen Grenzgebirge. Fennia 28, 5, 1910. Helsingfors.

78. *Granö, J. G.:* Die Nordwest-Mongolei. Ztschr. d. Ges. f. Erdkunde zu Berlin. 1912, 8.

79. *Granö, J. G.:* Mongolische Landschaften und Örtlichkeiten. Helsinki 1941.

80. *Granö, J. G.:* Das Formengebäude des nordöstlichen Altai. Turku 1945.

81. *Gratschew, W. A. (Gračev, V. A.):* Narodnoje obrasowanije w MNR (Die Volksbildung in der MVR). Sowj. Pedagogika 1953, 7. S. 94-101. Moskau.

82. *Grenard, F.:* La Mongolie. In: „Geographie Universelle", Bd 8, 1929. Paris.

83. *Grubow, W. I. (Grubov, V. I.):* Konspekt flory MNR (Verzeichnis der Flora der MVR). Trudy MK Bd 67. Moskau 1955.

84. *Grum-Grshimajlo, G. E. (Grum-Gržimajlo, G. E.):* Sapadnaja Mongolija i Urjanchajskij kraj (Die westliche Mongolei und das Gebiet von Urjanchaj). Bd 1, St. Petersburg 1914; Bd 2, Leningrad 1926.

85. *Haenisch, E.:* Die geheime Geschichte der Mongolen. 2. Aufl. Leipzig 1948.

86. *Heissig, W.:* Der mongolische Kulturwandel in den Hsingan-Provinzen Mandschukuos. Asien-Berichte 1941—1942, H. 9—14. Wien.

87. *Heissig, W.:* Das gelbe Vorfeld. Heidelberg 1941.

88. *Huszar, G. B. de:* Soviet Power and Policy. New York (Thomas Y. Crowell Company) 1955.

89. *Ikonnikow-Galizkij, N. P. (Ikonnikov-Galickij, N. P.):* W Mongolii (In der Mongolei). Botanische Expedition A W. Moskau 1932.

90. *Ismailskij, A. A. (Izmail'skij, A. A.):* Kak wyssochla nascha stepj (Wie unsere Steppe austrocknete). Selchosgis Moskau 1938.

91. *Iwanow, A. Ch. (Ivanov, A. Ch.):* Ob oledenenijach sewero-wostotschnoj tschasti Mongolskogo Altaja (Über die Vereisungen des nordöstlichen Teils des Mongolischen Altai). Trudy MK, Bd 38. Moskau 1949.

92. *Iwanow, A. T. (Ivanov, A. T.)* und *Kusnecow, N. T. (Kuznecov, N. T):* Chimism rek Mongolskoj Narodnoj Respubliki (Der Chemismus der Flüsse der MVR). Iswestija AW. Serija geografitscheskaja 1951, 4, S. 28—38. Moskau.

93. *Jakimow, A. T.:* Mongolskaja narodno-rewoljuzionnaja partija — organisator i wdochnowitelj pobed mongolskogo naroda (Die mongolische volksrevolutionäre Partei — Organisator und Inspirator der Siege des mongo-

lischen Volkes). In: Mongolskaja Narodnaja Respublika, S. 56—100. Moskau 1952.

94. *Jakimow, A. T.:* Wtoroj pjatiletnij plan raswitija narodnogo chosjajstwa i kultury Mongolskoj Narodnoj Respubliki (Der zweite Fünfjahrplan zur Entwicklung der Volkswirtschaft und Kultur der MVR). Sowjetskoje Wostokowedenije 1955, 2. Moskau.

95. *Jakimow, A. T. (Jakimov, A. T.):* Mongolskaja Narodnaja Respublika na puti k sozialismu (Die MVR auf dem Wege zum Sozialismus). Woprossy ekonomiki 1951, 5. Moskau.

96. *Jakimow, A. T.:* Uspechi mongolskogo naroda na puti sozialisma (Die Erfolge des mongolischen Volkes auf dem Wege zum Sozialismus). Woprossy ekonomiki 1954, 12. Moskau.

97. *Jakimowa, T. A. (Jakimova, T. A.):* Mongolskaja Narodnaja Respublika (Die Mongolische Volksrepublik). Wneschtorgisdat Moskau 1956.

98. *Janowskaja, N. M. (Janovskaja, N. M.):* Nowyj titanoterij w Mongolii (Ein neuer Titanoterier in der Mongolei). Priroda 1953, 8. Moskau.

99. *Jefremow, I. A. (Efremov, I. A.):* Perwaja Mongolskaja paleontologitscheskaja ekspedizija (Die erste mongolische paläontologische Expedition). Westnik der Akademie d. Wissenschaften d. UdSSR 1948, 1. Moskau.

100. *Jefremow, I. A.:* Predwaritelnyje resultaty rabot I Mongolskoj paleontogitscheskoj ekspedizii AN SSSR (Vorläufige Ergebnisse der Arbeiten der I. mongolischen paläontologischen Expedition der Akademie der Wissenschaften der UdSSR). Trudy MK Bd 38. Moskau 1949.

101. *Jefremow, I. A.:* Tafonomija i geologitscheskaja letopisj (Die Taphonomie und die geologische Geschichtsschreibung). Trudy Paleontologitscheskogo Instituta d. Akad. d. Wiss. d. UdSSR, Bd 24 1950. Moskau.

102. *Jefromow, I. A.:* Voprossy isutschenija dinosawrow (Fragen der Erforschung der Dinosaurier). Priroda 1953, 6. Moskau.

103. *Jefromow, I. A.:* Paleontologitscheskije issledowanija w MNR (Paläontologische Forschungen in der MVR). Trudy MK Bd 59. Moskau 1954.

104. *Jelpatjewskij, W. S. (Elpat'evskij, V. S.):* Is ekspedizij na os. Kossogol (Expeditionen an den See Chubsugul). Iswestija RG Bd 39, 3, 1905. St. Petersburg.

105. *Junatow, A. A. (Junatov, A. A.):* O sonalno-pojasnom rastschlenenii rastitelnogo pokrowa MNR (Über die zonal-regionale Aufgliederung der Pflanzendecke der MVR). Iswestija RG Bd 80, 4. Leningrad 1948.

106. *Junatow, A. A.:* Osnownyje tscherty rastitelnogo pokrowa MNR (Grundzüge der Pflanzendecke der MVR). Trudy MK Bd 39. Moskau 1950.

107. *Junatow, A. A.:* Kormowyje rastenija pastbischtsch i senokossow MNR (Die Futterpflanzen der Weiden und Heuschläge der MVR). Trudy MK Bd 56. Moskau 1954.

108. *Jurjew, I. G. (Jufev, I. G.):* Gossudarstwennaja i kooperatiwnaja promyschlennostj (Die staatliche und kooperative Industrie). In: Mongolskaja Narodnaja Respublika, S. 135—176. Moskau 1952.

109. *Kalesnik, S. W. (Kalesnik, St. V.):* Gornyje lednikowyje rajony SSSR (Die Gebirgsvereisungsgebiete der UdSSR). Moskau 1937.

110. *Kalinina, A. W. (Kalinina, A. V.):* Stazionarnyje issledowanija pastbischtsch MNR (Stationäre Erforschung der Weiden in der MVR). Trudy MK Bd 60. Moskau 1954.

111. *Kaminskij A. A.:* Nekotoryje ossobennosti klimata Sewero-Sapadnoj Mongolii (Einige Eigenarten des Klimas der Nordwest-Mongolei). Geophysikalisches Sammelwerk, Bd 2. Petrograd 1915.

112. *Kaschin, N. (Kašin, N.):* Neskolko slow ob Arguni i ob istinnom istoke etoj reki (Einige Worte über den Argun und über die wirklichen Quellen dieses Flusses). Iswestija RG, Sibir. Abteilung, Bd 6, 1, 1863. Irkutsk.

113. *Klemenz, D. A. (Klemenc, D. A.):* Kratkij otscherk o puteschestwii po Mongolii sa 1894 g. (Kurzer Abriß über eine Reise durch die Mongolei im Jahre 1894). Iswestija AW, Serie V, Bd 3, 1895.

114. *Klemenz, D. A.:* O lednikach Mongolii. Soobtscheno w obschtschem sobranii tschlenow Troizkossawsko-Kjachtinskogo otd. Russk. geogr. obschtsch. 2 aprela 1896 g. (Über die Gletscher der Mongolei. Mitgeteilt von der Mitgliederversammlung d. Troizkossawsko-Kjachtinsker Abt. der Russ. Geogr. Ges. am 2. April 1896). Moskau 1897.

115. *Kolarz, W.:* Russia and her Colonies. London (George Philip & Son) 1953.

116. *Kolarz, W.:* The peoples of the Soviet Far East. London (George Philip & Son) 1954.

117. *Kolarz, W.:* Rußland und seine asiatischen Völker. Frankfurt a. M. 1956.

118. *Komarow, W. L. (Komarov, V. L.):* Wwedenije k floram Kitaja i Mongolii (Einführung in die Flora Chinas und der Mongolei). Trudy d. Botan. Gartens, Bd 29, 1 und 2. St. Petersburg 1908.

119. *Komroff, M.:* The Travels of Marco Polo. New York (Liverigth Publ. Corp.) 1930.

120. *Kondratjew, S. A. (Kondrat'ev, S. A.):* Telmin-Nor i sapadnaja okraina Changajskogo nagorja (Der Telmin-Nor und das westliche Randgebiet des Changai-Berglandes). Chosjajstwo Mongolii 18, 1929. Ulan-Bator.

121. *Kondratjew, S. A.:* O klimate i reljefa Changaja (Über Klima und Relief des Changai). Krajewedenije 1931, 3. Moskau.

122. *Koslow, P. K. (Kozlov, P. K.):* Tri goda po Mongolii i mertwyj gorod Chara-choto (Drei Jahre in der Mongolei und die tote Stadt Chara-choto). Moskau, Leningrad 1927.

123. *Koslow, P. K.:* Mongolija i Kam (Die Mongolei und Kham). Moskau 1947.

124. *Koslow, P. K.:* Mongolija i Amdo i mertwyj gorod Chara-choto (Die Mongolei, Amdo und die tote Stadt Chara-choto). Moskau 1947.

125. *Koslow, P. K.:* Puteschestwije w Mongoliju 1923—1926 (Reisen in die Mongolei 1923—1926). Iswestija RG Bd 7, 1949. Moskau.

126. *Koslowa, E. W. (Kozlova, E. V.):* Ptizy jugo-sapadnogo Sabajkalja, sew. Mongolii i Zentralnoj Gobi (Die Vögel des südwestlichen Transbaikalien, der Nordmongolei und der Zentralgobi). Materialien der Komm. zur Erforschung der Mongol. u. Tannu-Tuwinischen Volksrep. usw., Nr. 12. Leningrad 1930.

127. *Koslowa, E. W.:* Ptizy wyssokogornogo Changaja (Die Vögel des Hochgebirgs-Changai). Trudy MK Bd 3. Leningrad 1932.

128. *Koslowa-Puschkarewa, E. W. (Kozlova-Puškareva, E. V.):* Ptizy i promyslowyje mlekopitajuschtschije wostotschnogo Kenteja (Die Vögel und das Wild des Ost-Chentei). Trudy MK Bd 10. Leningrad 1933.

129. *Krämer, W.:* Die Mongolische Volksrepublik. Ztschr. f. d. Erdkunde-Unterricht 1950, 3. Berlin.

130. *Krascheninnikow, B. B. (Krašeninnikov, B. B.):* Nowyje sloshnozwetnyje Asii (Neue Korbblütler Asiens). Flora und System der höheren Pflanzen Bd 3. Moskau 1936.

131. *Krischtofowitsch, A. N. (Krištofovič, A. N.):* Geologitscheskij obsor stran Dalnego Wostoka (Geologische Übersicht der Länder des Fernen Ostens). Moskau 1932.

132. *Krischtofowitsch, A. N.:* Raswitije botaniko-geografitscheskich provinzij Sewernogo poluscharija s konza melowogo perioda (Die Entwicklung der botanisch-geographischen Provinzen auf der Nordhalbkugel seit dem Ende der Kreidezeit). Sowjetbotanik 3. Moskau 1936.

132a. *Krylow, P. N. (Krylov, P. N.):* Putewyje sapiski ob Urjanchajskoj semle (Reisenotizen über das Urjanchai-Land). Sapiski Russ. Geogr. Ges. Bd 34, 2, 1903. St. Petersburg.

133. *Kuminowa, A. W. (Kuminova, A. V.):* Stepi Sabajkalja i jich mesto w botaniko-geografitschesk. rajonirowanii Daurii (Die Steppen Transbaikaliens und ihre Stellung in der pflanzengeographischen Rayonierung Dauriens). Trudy d. Biolog. Inst. d. Tomsker Universität, Bd 5, 1938.

134. *Kuplettskij, B. M. (Kupletskij, B. M.):* K geologii Wostotschnoj Mongolii (Zur Geologie der Ostmongolei). In: Die Nordmongolei Bd 1. Leningrad 1926.

135. *Kusnezow, N. T. (Kuznecov, N. T.):* O wodoobmene meshdu oserami zentralnoj gruppy w Kotlowine Bolschich Oser Mongolii (Über den Wasseraustausch zwischen den Seen der zentralen Gruppe im Becken der Großen Seen der Mongolei). Iswestija AW. Serija geografitscheskaja 1951, 5. Moskau.

136. *Kusnezow, N. T.:* Lednikowyje otloshenija w Mongolskom Altaje i ich wlijanije na sowremennuju gidrografiju rek (Die eiszeitlichen Ablagerungen im Mongolischen Altai und ihr Einfluß auf die gegenwärtige Hydrographie der Flüsse). Iswestija AW. Serija geografitscheskaja 3, 1952. Moskau.

137. *Kusnezow, N. T.:* Paleogeografitscheskaja sagadka reki Bulgan-Gol (Das paläogeographische Rätsel des Flusses Bulgan-Gol). Woprossy Geografii Bd 35, 1954. Moskau.

138. *Kusnezow, N. T.:* Sakonomernosti pitanija i stoka rek w MNR (Die Gesetzmäßigkeiten der Speisung und Wasserführung der Flüsse in der MVR). Iswestija AW. Serija geografičeskaja 1955, 1. S. 46—53. Moskau.

139. *Kusnezow, N. T.:* Reki Mongolkoj Narodnoj Respubliki (Die Flüsse der MVR). Priroda 1955, 3. Moskau.

140. *Kusnezow, N. T.:* Nekotoryje dannyje o nowejschej tektonike w Mongolii (Einige Angaben über die neuere Tektonik in der Mongolei). Woprossy geomorfologii i paleogeografii Asii. Moskau 1955.

141. *Kutscheruk, W. W. (Kučeruk, V. V.):* Faunistitscheskije gruppirowki mlekopitajuschtschich wostotschnoj tschasti MNR (Die faunistische Gruppierung der Säugetiere im Ostteil der MVR). Bull. d. Moskauer Ges. der Naturforscher 1950, 5.

142. *Larson, F. A.:* Die Mongolei und mein Leben mit den Mongolen. Berlin 1936.

143. *Lattimore, O.:* The Mongols of Manchuria. New York 1934.

144. *Lattimore, O.:* Pivot of Asia. Boston 1950.

145. *Lattimore, O.:* The New Political Geography of Inner Asia. Geogr. Journal 1953, 1. London.

146. *Lattimore, O.:* Nationalism and Revolution in Mongolia. Leiden (E. J. Brill) 1955.

147. *Lawrenko, E. M. (Lavrenko, E. M.):* O florogenetitscheskich elementach i zentrach raswitija flory Jewrasiatskoj stepnoj oblasti (Über die florogenetischen Elemente und Entwicklungszentren der Flora des Steppengebietes Eurasiens). Sowjet-Botanik 1942, 1—2. Moskau.

148. *Lawrenko, E. M.:* O prowinzialnom rastschlenenii Jewrasiatskoj stepnoj oblasti (Über die regionale Aufgliederung des eurasiatischen Steppengebietes) Botan. Journal d. UdSSR, 6, 1942. Moskau.

149. *Lawrenko, E. M.:* Geobotanitscheskoje rajonirowanije SSSR (Geobotanische Rayonierung der UdSSR). Trudy d. Kommission zur naturwissenschaftl. Rayonierung der UdSSR Bd 2, 1947, Moskau.

150. *Lebedewa, S. A. (Lebedeva, S. A.):* Geologitscheskije issledowanija wostotschnoj okrainy Charchirinskogo massiwa Sewero-Sapadnoj Mongolii (Geologische Untersuchungen des Ostrandes des Charchir-Massivs in der Nordwest-Mongolei) In: Die Nordmongolei, Bd 1. Leningrad 1926.

151. *Lebedewa, S. A.:* K. geologii gornoj gruppy Gurban-Sajchan w Gobijskom Altaje (Zur Geologie der Gebirgsgruppe Gurban-Saichan im Gobi-Altai). Trudy MK Bd 18. Leningrad 1934.

152. *Lebedewa, S. A.:* Osnownyje tscherty geologii Tuwy (Grundzüge der Geologie von Tuwa). Trudy MK Bd 26. Moskau 1938.

153. *Lebedinskij, S. I.:* Ob eksportnych wosmoshnostjach MNR (Über die Exportmöglichkeiten der MVR). Sowremennaja Mongolija 1935, 1. S. 78 bis 91. Ulan-Bator.

154. *Leimbach, W.:* Landeskunde von Tuwa. Pet. Mitt. Ergänzungsheft Nr. 222. Gotha 1936.

155. *Leuchs, K.:* Ordos und seine Randketten. Ein Beitrag zur tektonischen Entwicklung Ostasiens. Ztschr. d. Dt. Geolog. Ges. 1929, H. 9.

156. *Leuchs, K.:* Geologie von Asien. Berlin 1935.

157. *Litowtschenko, G. R. (Litovčenko, G. R.):* Owzewodstwo MNR (Die Schafzucht in der MVR). Ulan-Bator 1946.

158. *Litowtschenko, G. R.:* Woprossy owzewodstwa MNR (Fragen der Schafzucht der MVR). Trudy MK Bd 43. Moskau 1935.

159. *Lus, J. J. (Lus, Ja. Ja.):* Domaschniie shiwotnyje Mongolii (Die Haustiere der Mongolei). Trudy MK Bd 22. Moskau 1936.

160. *Ma Ho-tien:* Chinese Agent in Mongolia. Baltimore (John Hopkins Press) 1949.

161. *Machatschek, F.:* Das Relief der Erde. Bd 1. 2. Aufl. Berlin-Nikolassee 1955.

162. *Machnenko, A. Ch.:* Gossudarstwennvj stroj MNR (Der staatliche Aufbau der MVR). Gossud. isdat. juriditsch. literatury Moskau 1955.

163. *Majdar, D.:* Pomoschtschj naschich drusej w raswitii promyschlennosti i stroitelstwa (Die Hilfe unserer Freunde in der Entwicklung der Industrie und des Bauwesens). Sowremennaja Mongolija 1957, 1. Ulan-Bator.

164. *Majskij, I.:* Sowremennaja Mongolija (Die heutige Mongolei). Irkutsk 1921.

165. *Makkawejew, A. A. (Makkaveev, A. A.):* Gidrologitscheskije nabljudenija w kotlowine Baischintu Gobijskogo Altaja (Hydrologische Beobachtungen im Becken Baischintu im Gobi-Altai). Sbornik der Hydro- und Ingenieurgeologie, Bd 2, Moskau, Leningrad 1936.

166. *Maksimowitsch, G. A. (Maksimovič, G. A.):* Gidrochimitscheskije fazii retschnych wod i ich sonalnostj (Hydrochemische Fazies der Flußwässer und ihre Zonalität). Iswestija RG Bd 75, 1, 1943.

167. *Malejew, E. A. (Maleev, E. A.):* Nowyj tscherepachoobrasnyj jaschtscher w Mongolii (Eine neue schildkrötenähnliche Eidechse in der Mongolei). Priroda 1954, 3. Moskau.

168. *Malejew, E. A.:* Chischtschnyje dinosawry Mongolii (Raubdinosaurier in der Mongolei). Priroda 1955, 6. Moskau.

169. *Marinow, N. A. (Marinov, N. A.):* K woprossu o genesisse nishnemelowych wod Wostotschnoj Mongolii (Zur Frage der Genesis der Gewässer der Unteren Kreide in der Ostmongolei). Sowjet-Geologie Bd 24. Moskau 1947.

170. *Marinow, N. A. (Marinov, N. A.)* und *Chassin, R. A. (Chasin, R. A.):* Nishnemelowyje otloshenija Wostotschnoj Mongolii (Unterkreide-Ablagerungen in der Ostmongolei). Sowjet-Geologie Bd 24, 1947. Moskau.

171. *Marinow, N. A.* und *Chassin, R. A.:* O tretitschnych otloshenijach wostotschoj tschasti MNR (Über die tertiären Ablagerungen im Ostteil der MVR). Sowjet-Geologie, Bd 24, 1947. Moskau.

172. *Marinow, N. A.* und *Chassin, R. A.:* Nekotoryje woprossy geomorfologii wostotschnoj Mongolii (Einige Fragen der Geomorphologie der Ostmongolei). Woprossy geografii Bd 35, 1954. Moskau.

173. *Marinow, N. A.:* Drewneje oledenenije Mongolii (Die alten Vereisungen der Mongolei). Iswestija AW. Serija geografitscheskaja 1954, 6. Moskau.

174. *Markow, K. K. (Markov, K. K.):* Paleografija. Istoritscheskoje semlewedenije (Paläogeographie. Historische Erdkunde). Moskau 1951.

175. *Markow, K. K.:* Wyssychajet-li Srednjaja i Zentralnaja Asija? (Trocknet Mittel- und Zentralasien aus?) Woprossy Geografii Bd 24, 1951. Moskau.

176. *Martinson, G. G.:* Osernyje bassejny geolog. proschlogo Asii i ich fauna (Die Seebecken der geologischen Vergangenheit Asiens und ihre Fauna). Priroda 1955, 4. Moskau.

177. *Maslennikow, W. (Maslennikov, V.):* Mongolskaja Narodnaja Respublika na puti k sozialismu (Die MVR auf dem Wege zum Sozialismus). Moskau 1951.

178. *Maslennikow, W.:* Mongolskaja Narodnaja Respublika (Die Mongolische Volksrepublik). Gossud. isdat. polit. literatury Moskau 1955.

179. *Maslow, W. P. (Maslov, V. P.):* Proischoshdenije i wosrast chrebta Tannu-Ola i Ubsanurskoj kotlowiny (Entstehung und Alter des Gebirges Tannu-Ola und des Ubsa-Nur-Beckens). Semlewedenije Bd 42, 1948. Moskau.

180. *Merisuo, K. A.:* Itinerarien und Landschaftsprofile aus Uranchai und der Nordmongolei. Acta Geographica 6, 1938. Helsinki.

181. *Michajlow, G. I. (Michajlov, G. I.):* Sowremennaja chudoshestwennaja literatura (Die schöne Literatur der Gegenwart). In: Mong. Narodnaja Respublika, S. 297—346. Moskau 1952.

182. *Michajlow, G. I.:* Otscherk istorii sowremennoj mongolskoj literatury (Abriß der Geschichte der gegenwärtigen mongolischen Literatur). Moskau 1955.

183. *Michajlow, G. I.:* Raswitije kultury w Mongolskoj Narodnoj Respublike (Die Entwicklung der Kultur der MVR). Sowjetskoje Wostokowedenije 1955, 6. Moskau.

184. *Michno, P. S.:* Putewoj dnewnik Kossogolskoj ekskursii (Reisetagebuch der Chubsugul-Exkursion). Trudy Troizkossawsko-Kjachtinskogo otd. Russk. geogr. obschtsch. Bd 8, 3, 1906. St. Petersburg.

185. *Miller P. A.:* Ob obschtschedostupnom spossobe profilaktiki i letschenija zyngi w MNR (Über eine allgemein zugängliche Methode der Vorbeugung und Heilung des Skorbut in der MVR). Sowremennaja Mongolija 1937, 1. S. 83—91. Ulan-Bator.

186. *Moltschanow, I. A. (Molčanov, I. A.):* Materialy k woprossu o drewnem oledenenii sew.-wost. Mongolii (Materialien zur Frage der alten Vereisung der Nordost-Mongolei). Iswestija RG Bd 54, 1, 1918. Leningrad.

187. *Montagu, I.:* Land of Blue Sky. A Portrait of Modern Mongolia. London (Dennis Dobson) 1956.

188. *Mursajew, E. M. (Murzaev, É. M.):* Fisiko-geografitscheskije issledowanija w MNR (Physisch-grographische Forschungen in der MVR). Iswestija RG 5, 1945. Moskau.

189. *Mursajew, E. M.:* Osnownyje problemy fisiko-geografitscheskogo isutschenija MNR (Grundprobleme der physisch-geographischen Erforschung der MVR). Problemy fisitscheskoj geografii Bd 12, 1946. Moskau.

190. *Mursajew, E. M.: Peski MNR* (Die Sande der MVR). Iswestija RG 1947, 1. Leningrad.

191. *Mursajew, E. M.:* Osero Chara-Nur Chungujskij (Der See Chara-Nur im Chungui-Gebiet). Woprossy geografii Bd 3, 1947. Moskau.

192. *Mursajew, E. M.:* Kotlowina Bolschich oser v sapadnoj Mongolii i proischoshdenije jeje landschaftow (Das Becken der Großen Seen in der Westmongolei und die Entstehung seiner Landschaften). Trudy d 2. allsowj. Geogr. Kongresses, Tl. 1. Moskau 1948.

193. *Mursajew, E. M.:* K fisiko-geogr. rajonirowaniju MNR (Zur physisch-geographischen Gliederung der MVR). Problemy fisitscheskoj geografii Bd 13, 1948. Moskau.

194. *Mursajew, E. M.:* K paleogeografii Sewernoj Gobi (Zur Paläogeographie der Nord-Gubi). Trudy MK Bd 38. Moskau 1949.

195. *Mursajew, E. M.:* Geomorfologitscheskije nabljudenija w Wostotschnoj Mongolii (Geomorphologische Beobachtungen in der Ostmongolei). Problemy fisitscheskoj geografii Bd 14, 1949. Moskau.

196. *Mursajew, E. M.:* Mongolskaja Narodnaja Respublika. Fisiko-geografitscheskoje opisanie (Die MVR, physisch-geographische Beschreibung.) Moskau 1952.

197. *Murzaev, E. M.:* Die Mongolische Volksrepublik (Übersetzung von Nr. 196). Gotha 1954.

198. *Muschketow, I. W. (Mušketov, I. V.):* Geolog. sametki o Wostotschnoj Mongolii (Geologische Bemerkungen über die Ostmongolei). Sapiski d. Russ. Geogr. Ges. Bd 39, 1, 1910. Moskau.

199. *Nejburg, M. F.:* Raboty 1924 w Sew.-Sap. Mongolii, Rayon r. Tes i Telgur-Murin (Arbeiten 1924 in der Nordwest-Mongolei, Gebiet der Flüsse Tes und Telgur-Murin). Otschet d. Akad. d. Wiss. d. UdSSR für 1924, Moskau.

200. *Nejburg M. F.:* Geolog. issledowanija w rajone chrebta Batyr-chajrchan w 1926 g. (Geologische Forschungen im Gebiet des Gebirges Batyr-Chairchan im Jahre 1926). Materialy d. Komm. z. Erforsch. d. Mong. u. Tannu-Tuw. Rep. usw. 7. Leningrad 1930.

201. *Nowizkij, W. F. (Novickij, V. F.):* Puteschestwije po Mongolii w predelach Tuschetuchanowskogo i Zezenchanowskogo aimakow Chalchi, Schilingolskogo tschigulana i semel tschacharow, sowerschennoje w 1906 g. (Reisen durch die Mongolei in den Aimaken Tuschetuchan und Zezenchan der Chalcha, des Tschigulan Silingol und der Länder der Tschachar im Jahre 1906). St. Petersburg 1911.

202. *Nowoshilow, N. I. (Novožilov, N. I.):* Mestonachoshdenija mlekopitajuschtschich nishnego Eozena i werchnego Paleogena Mongolii (Fundorte von Säugetieren des unteren Eozäns und oberen Paläogens in der Mongolei). Trudy MK Bd 59, S. 33—46. Moskau 1954.

203. *Obrutschew, W. A. (Obručev, V. A.):* Orografitscheskij i geologitscheskij otscherk Zentralnoj Mongolii, Ordossa, Wostotschnoj Gansu i Sewernoj Schensi (Orographischer und geologischer Abriß der Zentralmongolei, des Ordos, von Ost-Kansu und Nord-Schensi). Iswestija RG Bd 30, 2, St. Petersburg 1894.

204. *Obrutschew, W. A.:* Zentralnaja Asija, Sewernoj Kitaj i Nan-Schan (Zentralasien, Nordchina und der Nan-Schan). 2 Bde. St. Petersburg 1900 u. 1901.

205. *Obrutschew, W. A.:* Kutschewyje peski kak ossobyj tip pestschanych skoplenij (Haufensande als besonderer Typ der Sandansammlungen). Sammelband z. 70. Geburtstag von D. N. Anutschin (D. N. Anučin). Moskau 1913.

206. *Obrutschew, W. A.:* Junyje dwishenija na drewnem temeni Asii (Junge Bewegungen auf dem alten Scheitel Asiens). Priroda 1922, 8-9. Moskau.

207. *Obrutschew, W. A.:* Prisnaki lednikowogo perioda w Sewernoj i Zentralnoj Asii (Merkmale der Eiszeit in Nord- und Zentralasien). Bulletin d. Komm. zum Studium der Quartärperiode. Nr. 3. Leningrad 1931.

208. *Obrutschew, W. A.:* Raswitije reljefa Wostotschnogo Sajana (Entwicklung des Reliefs des Ost-Sajans). Trudy GI Bd 37. Moskau 1946.

209. *Obrutschew, W. A.:* Ot Kjachta do Kuldshi (Von Kjachta nach Kuldsha). Moskau 1940.

210. *Obrutschew, W. A.:* O nekotorych osnownych woprossach geologii zentralnoj Asii (Über gewisse Grundfragen der Geologie Zentralasiens). In: Fragen der Geologie Sibiriens. Bd 1. Moskau — Leningrad 1945.

211. *Obrutschew, W. A.:* Nowyje dannyje po fisitscheskoj geografii Wostotschnoj Mongolii (Neue Angaben zur physischen Geographie der Ostmongolei). Priroda 1945, 5. Moskau.

212. *Obrutschew, W. A.:* Wostotschnaja Mongolija (Die Ostmongolei). Moskau, Leningrad 1947.

213. *Obrutschew, W. A.:* Wpadiny Zentralnoj Asii i ich nautschnyje sokrowischtscha oshidajuschtschije isutschenija (Die Senken Zentralasiens und ihre wissenschaftlichen, der Erforschung harrenden Schatzkammern). Iswestija AW. Serie Geologie 5, 1947. Moskau.

214. *Obrutschew, W. A.:* W debrjach zentralnoj Asii (In der Wildnis Zentralasiens). Moskau 1951.

215. *Oknowa, T. M. (Oknova, T. M.):* K petrografii basaltow Mongolii i Tuwy (Zur Petrographie der Basalte in der Mongolei und Tuwa). Trudy MK 37, 1940. Moskau.

216. *Orlow, J. A. (Orlov, Ju. A.):* Raboty sowjetskich paleontologow w zentralnoj Asii (Die Arbeiten der sowjetischen Paläontologen in Zentralasien). Priroda 1952, 6. Moskau.

217. *Owdijenko, I. Ch. (Ovdienko, I. Ch.):* Wnutrennaja Mongolija (Die Innere Mongolei). Moskau 1954.

218. *Palibin, I. W.:* Predwaritelnyj otschet o pojesdke w Wostotschnuju Mongoliju i sastennyje tschasti Kitaja (Vorläufiger Bericht über die Fahrt in die Ostmongolei und die hinter der Mauer gelegenen Teile Chinas). Iswestija RG Bd 37, 1901, 1903. St. Petersburg.

219. *Pawlow, N. W.:* Otscherk istorii geologitscheskich snanij (Abriß der Geschichte des geolog. Wissens). Moskau 1921.

220. *Pawlow, N. W. (Pavlov, N. V.):* Changaj i Sewernaja Gobi (Der Changai und die nördliche Gobi). Iswestija RG Bd 57, 1, 1925 (Vorläufiger Bericht).

221. *Pawlow, N. W.:* Wweenije w rastitelnyj pokrow Changajskoj gornoj strany (Einführung in die Vegetationsdecke des Changai-Gebirgslandes). Mat. der Komm. z. Erforsch. d. Mongolei, Tannu-Tuwas usw. Bd 2. Moskau 1929.

222. *Pawlow, N. W.:* Tipy i proiswoditelnostj kormowych ploschtschadej (Typen und Produktivität der Futterflächen). Iswestija RG Bd 57, 1, 1925. Leningrad.

223. *Peretoltschin, S. P. (Peretolčin, S. P.):* Woschoshdenije na Munku-Sardyk letom 1896 g. (Besteigung des Munku-Sardyk im Sommer 1896). Iswestija RG, Sibir. Abt. Bd 28, 4, 1897 Irkutsk.

224. *Peretoltschin, S. P.:* Fisiko-geografitscheskij otscherk os. Kossogol (Physisch-geographische Skizze des Sees Chubsugul). Arbeiten d. Ges. d. Naturforscher an der Univ. Kasan. Bd 37, 6, 1903 Kasan.

225. *Peretoltschin, S. P.:* Ledniki chreb. Munku-Sardyk (Die Gletscher des Munku-Sardyk). Iswestija d. Tomsker Technolog. Inst. Tomsk 1908.

226. *Perlin, B.:* Mongolskaja Narodnaja Respublika (Die MVR). Moskau 1941.

227. *Pewzow, M. W. (Pevcov, M. V.):* Otscherk puteschestwija po Mongolii i sew. prowinzijam Wnutrennogo Kitaja (Skizzen von Reisen durch die Mongolei und die nördlichen Provinzen des Inneren China). Omsk 1883, 2. Aufl. Moskau 1951.

228. *Pewzow, M. W.:* Puteschestwija po Kitaju i Mongolii (Reisen durch China und die Mongolei). 2. Aufl. Moskau 1951.

229. *Plaetschke, B.:* Landeskundliche Wesenszüge der östlichen Gobi. In: Wissenschaftl. Veröffentl. d. Dt. Museums f. Länderkunde. Leipzig 1939.

230. *Polynow, B. B. (Polynov, B. B.):* Issledowanije potschw (Die Erforschung der Böden). Kurze Berichte der Expedition zur Erforschung der Nordmongolei. Leningrad 1925.

231. *Polynow, B. B.* und *Krascheninnikow, I. M. (Krašeninnikov, I. M.):* Fisiko-geografitscheskije i potschwennobotanitscheskije issledowanija w oblasti bassejna r. Uber-Dshargalante i werchowjew Ara-Dshargalante (Physisch-geographische und bodenbotanische Forschungen im Gebiet des Bekkens des Uber-Dshargalante und des Oberlaufs des Ara-Dshargalante). In: Die Nordmongolei. Bd 1, Leningrad 1925.

232. *Polynow, B. B.* und *Lissowskij, W. I. (Lisovskij, V. I.):* Rekogniszirowotschnyje issledowanije w obl. Sew. Gobi (Orientierende Forschungen im Gebiet der Nordgobi). Mat. d. Komm. z. Erforsch. d. Mongolei usw. Nr. 9. Moskau 1930.

233. *Polynow, B. B.:* Geochimitscheskije landschafty (Geochemische Landschaften). In: Geogr. Raboty. Moskau 1952.

234. *Pomus, M. I.:* Burjat-Mongolskaja ASSR (Die Burjato-Mongolische ASSR). Moskau 1937.

235. *Pond, A. W.:* Climate and Weather in the Central Gobi of Mongolia. Maxwell, Al. (Air University) 1954.

235a. *Popow, M. G. (Popov, M. G.):* Meshdu Mongolijej i Iranom (Zwischen Mongolei und Iran). Leningrad 1931.

236. *Posdnejew, A. M. (Pozdneev, A. M.):* Mongolija i Mongoly (Die Mongolei und die Mongolen). Bd 1, 2. St.Petersburg 1896—1898.

237. *Posdnjakow, W. S. (Pozdnjakov, V. S.):* Grashdanskoje sakonodatelstwo MNR (Die Bürgerliche Gesetzgebung der MVR). Sowjetskoje gossudarstwo i prawo. 1954, 2, S. 36—39. Moskau.

238. *Potanin, G. N.:* Tangutsko-tibetskaja okraina Kitaja i Zentralnaja Mongolija (Das tangutisch-tibet. Randgebiet Chinas und die Zentral-Mongolei). Bd 1. St. Petersburg 1893.

239. *Potanin, G. N.:* Otscherki Sewero-Sapadnoj Mongolii (Skizzen der Nordwest-Mongolei). Bd 1—3. St. Petersburg 1881—1883.

239a. *Potanin, G. N.:* Pojesdka w srednjuju tschastj Bolschogo Chingana letom 1899 g. (Reise in den mittleren Teil des Großen Chingan im Sommer 1899). Iswestija RG Bd 37, Leningrad 1901.

240. *Prassolow, L. I. (Prasolov, L. I.):* Jushnoje Sabajkalje. Potschwenno-geografitscheskij otscherk (Das südliche Transbaikalien. Bodenkundlich-geographische Skizze). Leningrad 1927.

241. *Prawdin, M. (Pravdin, M.):* Tschingis-Chan und sein Erbe. Stuttgart 1950.

242. *Promptow, J. (Promptov, Ju.):* W zentre asiatskogo materika (Im Zentrum des asiatischen Kontinents). Moskau 1950.

243. *Prshewalskij, N. M. (Prževaľskij, N. M.):* Is Sajssana tscheres Chami w Tibet i na werchowja Sheltoj reki (Von Saissan über Chami nach Tibet und an den Oberlauf des Gelben Flusses). St. Petersburg 1883.

244. *Prshewalskij, N. M.:* Ot Kjachty na istoki Sheltoj reki, issledowanije sew. okr. Tibeta i putj tscheres Lob-nor po bassejnu Tarima (Von Kjachta an die Quellen des Gelben Flusses, Erforschung des Nordrandes Tibets und der Weg über den Lob-nor durch das Tarimbecken). St. Petersburg 1888.

245. *Prshewalskij, N. M.:* Mongolija i strana Tangutow (Die Mongolei und das Land der Tanguten). St. Petersburg 1875; 2. Aufl. Moskau 1946.

246. *Radde, G. I.:* Dauro-mongolskaja graniza Sabajkalja (Die dauro-mongolische Grenze Transbaikaliens). Iswestija RG 1858, Tl. 22, 2.

247. *Rasumowskaja, E. E. (Razumovskaja, E. E.):* K stratigrafii Mongolskogo Altaja (Zur Stratigraphie des Mongolischen Altai). Iswestija AW. Serie Geologie 5, 1946 Moskau.

248. *Ratschkowskij, I. P. (Račkovskij, I. P.):* Geologitscheskij otrjad w Mongolii (Die geologische Abteilung in der Mongolei). Expeditionen der Akad. d. Wiss. d. UdSSR. Moskau, Leningrad 1933.

249. *Raupach, Fr.:* Stratigraphische und tektonische Entwicklung des russischen Ostens, der Mandschurei und der zentralen Mongolei. Diss. Leipzig 1934.

250. *Resnitschenko, W. W. (Rezničenko, V. V.):* Jushnyj Altaj i ego olednenenije (Der südliche Altai und seine Vereisung). Iswestija RG Bd 50, 1—2, 1914 St. Petersburg.

251. *Richthofen, F. v.:* China. Bd 1: Einleitender Teil. Berlin 1877; Bd 2: Das nördliche China. Berlin 1882.

252. *Roshdestwenskij, A. K. (Roždestvenskij, A. K.):* Mestonachoshdenija werchnetretitschnych mlekopitajuschtschich na sapade MNR (Fundorte obertertiärer Säugetiere in der MVR). Trudy MK Bd 59. S. 47—53, 1954. Moskau.

253. *Roshdestwenskij, A. K.:* Na poiskach Dinosawrow w Gobi (Auf den Spuren der Dinosaurier in der Gobi). Akad. d. Wiss. d. UdSSR Moskau 1954.

254. *Rotlejder, M. A.:* Rabota akzionernogo obschtschestwa „Stormong" 1929—1930 g. (Die Arbeit der Aktiengesellschaft „Stormong" 1929—1930). Chosjajstwo Mongolii 1930, 1. Ulan-Bator.

255. *Rupen, R. A.:* Notes on Mongolia since 1945. Pacific Affairs 1955, 1. New York.

256. *Ryshik, J. (Ryžik, J.):* Chosjajstwennoje i kulturnoje stroitelstwo Mongolskoj Narodnoj Respubliki (Der wirtschaftliche und kulturelle Aufbau der MVR). Planowoje Chosjajstwo 1936, 6. S. 169—190. Moskau.

257. *Sakirow, K. S. (Sakirov, K. S.):* Flora i rastitelnostj bassejna Seraftschana (Flora und Pflanzenwelt des Serafschan-Beckens). Leningrad 1951.

258. *Saposhnikow, W. W. (Sapožnikov, V. V.):* Mongolskij Altaj w istokach Irtyscha i Kobdo (Der Mongolische Altai an den Quellen des Irtysch und Kobdo). Tomsk 1911.

258a. *Shelubowskij, J. S. (Želubovskij, Ju. S.):* O wulkanach Mongolii (Über die Vulkane der Mongolei). In: Nauka 9, 1945. Ulan-Bator.

259. *Sinizyn, W. M. (Sinicyn, V. M.):* Tektonitscheskij faktor w ismenenii klimata Zentralnoj Asii (Der tektonische Faktor bei der Veränderung des Klimas Zentralasiens). Bulletin d. Moskauer Ges. d. Naturforscher, Abt. Geologie Bd 24, 1949. Moskau.

260. *Slatkin, I. J. (Zlatkin, I. Ja.):* Die Mongolische Volksrepublik. Geschichtlicher Abriß. (Übersetzung a. d. Russ.) Berlin 1954.

261. *Smirnow, W. A. (Smirnov, V. A.):* Ottschet o rabotach gidrochimitscheskogo otrjada Mongolskoj ekspedizii 1926 g. (Bericht über die Arbeiten der hydrochemischen Abteilung d. Mongolischen Expedition 1926). Trudy MK 1—2. Leningrad 1932.

262. *Smirnow, W. A.:* Arschany Mongolii (Die Arschane der Mongolei). Trudy MK 5. Leningrad 1932.

263. *Sueß, E.:* Das Antlitz der Erde. Bd. 3. Wien, Leipzig 1901.

264. *Suschkin, P. P. (Suškin, P. P.):* Pojesdka w jugo-wostotschnuju tschastj Russkogo Altaja i Sewero-Sapadnuju Mongoliju i sametki o ptizach etoj mestnosti (Fahrt in den südöstlichen und südlichen Teil des Russischen Altai und in die Nordwest-Mongolei und Aufzeichnungen über die Vögel dieses Gebietes). Ornitolog. Westnik Bd 4. Moskau 1915.

265. *Suschkin, P. P.:* Ptizy russkogo Altaja (Die Vögel des Russischen Altai). Akad. d. Wiss. d. UdSSR. Moskau 1938.

266. *Schipulin, F. K. (Šipulin, F. K.):* Osnownyje tscherty geologitscheskogo strojenija Mongolii (Grundzüge des geologischen Baues der Mongolei). Sowjet-Geologie Bd 24, 1947. Moskau.

267. *Schirendyb, B. (Širendyb, B.):* Borba sa obrasowanije MNR (Der Kampf um die Bildung der MVR). Woprossy Istorii. 1954, 11. S. 23—24.

268. *Schischkin, S. N. (Šiškin, S. N.):* Chalkin Gol (Der Chalchin-Gol). Moskau 1954.

269. *Schostakowitsch, W. B. (Šostakovič, V. B.):* Neobchodimostj i blishajschije sadatschi klimatischeskogo isutschenija Mongolii (Die Notwendigkeit und die nächsten Aufgaben der klimatischen Erforschung der Mongolei). Chosjajstwo Mongolii, Ausg. 6. Ulan-Bator 1926.

269a. *Schostakowitsch, W. B.:* Temperaturnaja inversija i rolj wetra dlja klimata wostotschnoj Sibiri (Die Temperaturumkehr und die Rolle des Windes im Klima Ostsibiriens). Trudy d. Irkutsker Magnet- und Meteorolog. Observatoriums H. 2—3. Irkutsk 1928.

270. *Schubin, W. F. (Šubin, V. F.):* Semledeljschtscheskoje owojenije Mongolskoj Gobi (Landwirtschaftliche Anpassung in der Mongolischen Gobi). Priroda 1953, 4. S. 55, Moskau.

271. *Schubin, W. F.:* Semledelije MNR (Der Ackerbau der MVR). Trudy MK Bd 52. Moskau 1954.

272. *Schulshenko, I. F. (Šul'ženko, I. F.):* Powyschenije produktiwnosti c.-ch. shiwotnych Burj.-Mong. ASSR (Die Hebung der Produktivität der landwirtschaftl. Tiere in der Burjato-Mongolischen ASSR). In: Problemy Burjat-Mong. ASSR. Bd 2. Moskau 1936.

273. *Schulshenko, I. F.:* Shiwotowodstwo MNR (Die Viehzucht der MVR). Trudy MK Bd 61. Moskau 1954.

274. *Schuyler Cammann:* The Land of the Camel. New York (The Ronald Press Comp) 1951.

275. *Schtschetinin, G. I. (Ščetinin, G. I.):* Predstawitelnaja sistema w Narodn.-demokr. gossudarstwach Asii (Das Volksvertretungssystem in den Volksdemokratien Asiens). Sowjetskoje gossudarstwo i prawo. 1955, 2. S. 33 bis 41.

276. *Tarassow, P. P. (Tarasov, P. P.):* K ekologii mongolskoj pischtschuchi (Zur Ökologie des mongolischen Pfeifhasen). Bull. d. Moskauer Ges. d. Naturforscher 1950, 6.

277. *Tarassow, P. P.:* Elementy tajeshnoj fauny jushnogo Changaja (Elemente der Taiga-Fauna im südlichen Changai). Bull. d. Moskauer Ges. d. Naturforscher 1952, 2.

278. *Thiel, E.:* Verkehrsgeographie von Russisch-Asien. Königsberg, Berlin 1934.

278a. *Thiel, E.* Die Schafzucht in der Mandschurei. Zeitschr. f. Schafzucht 1940, 15/16 u. 17/18.

279. *Thiel, E.:* Die Grundwasserverhältnisse Turkmeniens und ihre Beziehungen zur Morphologie und Geologie des Landes. Pet. Mitt. 1951, 1. Gotha.

280. *Tolstichin, N. I.:* Kratkij predwaritelnyj ottschet o geologitscheskich dannych, sobrannych w pojesdku letom 1919 g. po Mongolii w bassejne r. Selengi (Kurzer vorläufiger Bericht über die geologischen Daten, gesammelt während der Reise im Sommer 1919 durch die Mongolei im Becken der Selenga). Berichte über die Arbeiten d. Mongol. Expedition, Irkusk 1920.

281. *Troeger:* Die Mongolische Volksrepublik: Verwaltungseinteilung und Verkehrswege. Ztschr. f. d. Erdkundeunterricht 1953, 4. Berlin.

282. *Tronow, M. W. (Tronov, M. V.):* Opyt analisa fisiko-geograf. uslowij sowremennogo oledenenija Altaja (Versuch einer Analyse der physisch-geographischen Bedingungen der heutigen Vereisung des Altai). Iswestija RG 1947, 2. Leningrad.

283. *Tronow, M. W.:* Sowremennoje olednenije Altaja (Die gegenwärtige Vereisung des Altai). Trudy d. 2. allsowjetischen Geographentages Bd 2. Moskau 1948.

284. *Tronow, M. W.:* Otscherki oledenenija Altaja (Skizzen über die Vereisung des Altai). Sapiski d. allsowjet. Geograph. Ges., Neue Serie Bd 9. Moskau 1949.

285. *Trutnewa, W. W. (Trutneva, V. V.)* und *Karamyschew, E. D. (Karamyšev, E. D.):* Resultaty aerologitscheskich nabljudenij w Mongolii (Resultate aerologischer Beobachtungen in der Mongolei). Trudy d. Irkutsker Magnet- und meteoroligischen Observatoriums 2—3. Irkutsk 1928.

286. *Tschaikowskij, W. K. (Čajkovskij, V. K.):* Nowyje dannyje o geologii zentralnoj tschasti MNR (Neue Angaben über die Geologie des zentralen Teiles der MVR). Problemy sowj. Geologii 1, 1935. Moskau.

287. *Tschernow, A. A. (Černov, A. A.):* Ot Kjachty do Urgi (Von Kjachta nach Urga). Iswestija RG Bd 44, 4, 1908. St. Petersburg.

288. *Tschernow, A. A.:* Ot Urgi do massiwa Gurban-sajchan (Von Urga zum Massiv Gurban-Saichan). Iswestija RG Bd 44, 4, 1908. St. Petersburg.

289. *Tschernow, A. A.:* Ot Gurban-sajchana tscheres nisowja Edsin-gola w Dynjaunin (Vom Gurban-Saichan über die Niederung des Edsin-Gol nach Dynjaunin). Iswestija RG Bd 45, 1, 1909. St. Petersburg.

290. *Tschernow, A. A.:* Relief Gobi i ego genesis (Das Relief der Gobi und seine Entstehung). Semlewedenije 1, 1910. Moskau.

291. *Tscherskij, I. D. (Čerskij, I. D.):* K woprossu o sledach drewnich lednikow w Wostotschnoj Sibiri (Zur Frage der Spuren alter Gletscher in Ostsibirien). Iswestija RG, Ostsibir. Abteilung, Bd 12, 4—5. Irkutsk 1811.

292. *Tschoibalsan, Ch. (Čojbalsan, Ch.):* Kratkij otscherk istorii mongol. narodn. rewoljuzii (Kurzer Abriß der Geschichte der mongolischen Volksrevolution). Moskau 1952.

293. *Tschoibalsan, H.* und *Zedenbal, J. (Cedenbal, Ju.):* Die mongolische Volksrevolution und das Lebenswerk des Marschalls Tschoibalsan (Übers. a. d. Russ.). Berlin 1954.

294. *Tugarinow, A. J. (Tugarinov, A. J.),* Sewernaja Mongolija i ptizy etoj strany (Die Nordmongolei und die Vögel dieses Landes). Leningrad 1929.

295. *Tugarinow, A. J.:* Ptizy Wostotschnoj Mongolii po nabljudeniju ekspedizii 1928 g. (Die Vögel der Ostmongolei nach Beobachtungen der Expedition des Jahres 1928). Trudy MK 1. Leningrad 1932.

296. *Tumur-Otschir, D.:* K woprossu o klassach i klassowoj borbe w MNR (Zur Frage der Klassen und des Klassenkampfes in der MVR). Sowremennaja Mongolija 1957, 1. Ulan-Bator.

297. *Ustjunshaninow, I. N. (Ustjunžaninov, I. N.):* Kultura mongolskogo naroda (Die Kultur des mongolischen Volkes). In: Mongol. Narodn. Respublika, S. 238—296. Moskau 1952.

298. *Vernadsky, G.:* History of Russia. Bd 3: The Mongols and Russia. London (Oxford University Press) 1953.

299. *Vinacke, H. M.:* A History of the Far East in Modern Times. Madison (S. F. Crofts & Co) 1941.

300. *Wagner, W.:* Die chinesische Landwirtschaft. Berlin 1926.

301. *Wargin, N. (Vargin, N.):* Mongolskaja Narodnaja Respublika (Die MVR). Moskau 1949.

302. *Wargin, N. T.:* Finanzy (Die Finanzen). In: Mongolskaja Narodnaja Respublika, S. 220—237. Moskau 1952.

304. *Wargin, N. T.:* Torgowlja (Der Handel). In: Mongolskaja Narodnaja Respublika, S. 193—219. Moskau 1952.

305. *Wassiljew, J. J. (Vasil'ev, J. J.):* O nowoj „Karte rastitelnosti SSSR" (Über die neue „Vegetationskarte" der UdSSR). Sowjet-Botanik Bd 3. Moskau 1940.

306. *Weiske, F.:* Die wirtschaftlichen Verhältnisse in der Äußeren Mongolei. Osteuropa 1928, S. 149—167. Berlin, Königsberg/Pr.

307. *Wiljams, W. R. (Vil'jams, V. R.):* Potschwowedenije (Bodenkunde). Moskau 1939.

308. *Wipper P. B. (Vipper, P. B.):* Lessa jugo-sapadnogo Chenteja (Die Wälder des südwestlichen Chentei). Trudy MK Bd 54. Moskau 1953.

309. *Wladimirzow, B. J. (Vladimircov, B. Ja.):* Obschtschestwennyj stroj Mongolow (Die Gesellschaftsordnung der Mongolen). Leningrad 1934.

310. *Wojejkow, A. I. (Voejkov, A. I.):* Klimatitscheskije uslowija lednikowych jawlenij proschedschich i nastojaschtschich (Die klimatischen Bedingungen der vergangenen und gegenwärtigen Vereisungserscheinungen). Sap. mineral. obschtsch., Serie 2, Bd 16. St. Petersburg 1881.

310a. *Wojejkow, A. I.:* Klimat Korei, Jushnoj Mandschurii i Sewero-Wostotschnogo Kitaja (Das Klima Koreas, der südlichen Mandschurei und Nordost-Chinas). Meteorolog. Westnik Bd 4. St. Petersburg 1895.

311. *Yakhontow, W. A.:* Russia and the Soviet Union in the Far East. New York 1931.

311a. *Zapkin, N. W. (Capkin, N. V.):* Mongolskaja Narodnaja Respublika (Die MVR). Moskau 1948.

312. *Zaplin, F. S. (Caplin, F. S.):* Selskoje chosjajstwo (Die Landwirtschaft). In: Mongolskaja Narodnaja Respublika, S. 101—134. Moskau 1952.

313. *Zaplin, F. S.:* Transport i swjasj (Transport und Verkehr). In: Mongolskaja Narodnaja Respublika, S. 177—192. Moskau 1952.

314. *Zazenkin, I. A.:* K ustanowleniju geogr. poloshenija i ponjatija pustyni Gobi (Zur Feststellung der geographischen Lage und des Begriffes der Wüste Gobi). Iswestija RG 1947, 2. Leningrad.

315. *Zigmit, Sch.:* Chentejskaja strana w Mongolii (Das Chentei-Gebiet der Mongolei). Woprossy Geografii. Bd 35, 1945. Moskau.

316. *Zigmit, Sch.:* Is proschlogo „Dolin Oser" w Mongolskoj Gobi (Aus der Vergangenheit der „Täler der Seen" in der mongolischen Gobi). Priroda 1955, 8. Moskau.

317. Raswitije ekonomiki stran Narodnoj Demokratii Asii. Obsor sa 1956g. (Die Wirtschaftsentwicklung in den Volksdemokratien Asiens. Überblick für das Jahr 1956). Moskau 1957.

V. Sonstige Periodika

1) Mongolyn Sonin, Zeitung, Ulan-Bator.

2) Sowremennaja Mongolija, Zweimonats-Zeitschrift, Ulan-Bator.

3) Prawda, Tageszeitung, Moskau.

4) Iswestija, Tageszeitung, Moskau.

Verzeichnis mongolischer Wörter,
die oft in geographischen Namen auftreten.

aimak	Gebiet, größte administrative Einheit in der MVR
altan	golden
ar	rückwärts, Norden
aral	Insel
arschan	Mineralquellen, heiße oder warme Quellen
bag	Ort, kleinste administrative Einheit der MVR
barum	Westen, rechts
barun-choit	Nordwesten
barun-urd	Südwesten
bel	geneigte Ebene, die die unteren Teile der Gebirgshänge umgibt
bogdo	heilig
boro	Regen
bulak	Quelle
bulun	Flußniederung, Bucht, wörtlich: Winkel
chairchan	lieb, liebenswert, ehrfurchtsvolle Bezeichnung von Gebirgen
chalun	heiß
chamar	Vorgebirge, Vorsprung zwischen zwei Tälern, wörtlich: Winkel
changai	Berge mittl. Höhe mit gut entwickelter Pflanzendecke, guten Weiden und viel Wasser, dicht besiedelt und reichem Viehbestand
chara	schwarz
chere	Öde, unbesiedelte Gegend
chira	niedriges, stark zerstörtes Gebirgsmassiv, Restgebirge
cholai	Durchfluß, Verbindung zwischen Seen, enges Tal zwischen Bergen, wörtlich: Kehle
chudshir	Salzboden, Solontschak, Solonez
chuduk	Brunnen
chuitun	kalt, wörtlich: nördlich
chural	R t, Versammlung

chure	großes Kloster
churen	braun
daba	hoher Bergpaß
dalai	Meer, großer See, wörtlich: groß, ausgedehnt
delger	weiträumig
dsam	Weg
dsadagai	sprudelnde Quelle, Bach
dshibchalantu	großartig, prächtig
dshirgalantu	glücklich
dsun	Osten, links
dsun-modo	Wäldchen, Hain, wörtlich: hundert Bäume
dsun-urd	Südosten
elis	Sand
ergi, ereg	steiles Ufer, Abhang
ganga	Schlucht, steiles Flußufer
gobi	ebenes, flaches Gelände mit spärlicher Vegetation (Halbwüste, Wüste) und Mangel an Wasser
gol	Fluß, oft auch trockenes Flußbett
iche	groß, erhaben
manchan	Barchan, Sicheldüne
muren	Fluß, meistens wasserreich
nam gadsar	Niederung, tief gelegene Stelle
nam	niedrig
namag	Sumpf
narin	dünn, schmal
nur	See
nuru	Gebirgszug, wörtlich: Rückgrat
obo	einsamer Gipfel, Steinhaufen auf Bergen und Pässen, von Buddhisten als heiliges Mal, oft auch den Berggeistern errichtet
olom	Furt
sain	gut
sair	trockene Schlucht, Wasserrinne, die sich bei Regen mit Wasser füllt
sardik	kahle Felsspitze, Schneegipfel

schala	fester, toniger Grund ohne Pflanzen, Takyr
schanda	kleiner Brunnen, Wasserloch
schara	gelb
somon	Bezirk, mittlere Verwaltungseinheit in der MVR
sume	Kloster
tal	Ebene
toirim	Kessel mit festem Tonboden, ohne Pflanzen (Takyr)
tologoi	Hügel, Gipfel, wörtlich: Kopf
tom	groß
ubur	vordere Seite, Süden
ul, ol	Berg
ulan	rot
umnu, urd	vordere Seite, Süden
us, ussu	Wasser
zas	Schnee
zagan	weiß
zastu	schneeig
zezerleg	Blumengarten

Verzeichnis der Karten und graphischen Darstellungen

491

Register geographischer Namen

Häufiger vorkommende Stichworte sind nur an den wesentlichen Stellen mit den Seitenzahlen angegeben.

Die in Klammern beigefügten Buchstaben bedeuten:

(O) = Ort   (L) = Landschaft   (G) = Gebirge, Berg
(F) = Fluß   (S) = See

Adagin-Zagan (S) 38, 109, 405
Adsargin-Nuru (G) 372
Adshi-Bogdo (G) 45, 298, 375
Airik-Nur (S) 398
Aka-Baschi (L) 397
Alak-Nur (S) 376
Altai (G) 25, 48, 82, 90
Altan (G) 384
Altan-Bulak (O) 188, 332, 423
Altan-Chuchei (G) 375, 377, 379
Altyn-Nuru (G) 25
Arbai-Chere (O) 424
Argalintu-Ude (G) 396
Arguin-Gol (S) 39
Arza-Bogdo (G) 383
Assaraltu (G) 31, 112, 416
Ata-Bogdo (G) 445
Atas (G) 40
Atschitu-Becken (L) 117
Atschitu-Nur (S) 117, 377, 379

Baga-Bogdo (G) 383
Baga-Chentei (G) 112, 416
Baga-Nurin-Urdu (L) 397
Baidarik (F) 114, 298, 408
Baitag-Bogdo (G) 40
Bajan (G) 30, 438
Bajan-Chairchan (G) 373
Bajan-Chongor (O) 424
Bajan-Chuduk (G) 432
Bajan-Tumen (O) 35
Bajan-Undur (G) 384
Bajan-Zagan (G) 383, 436
Bajtak-Bogdo (G) 442
Barun-Nuru (G) 374
Barun-Saichan (G) 384
Barun-Turu (F) 296
Batyr-Chairchan (G) 118
Batyr-Nuru (G) 374
Beger-Kessel (L) 405
Beger-Nur (S) 55, 405
Bon-Zagan (S) 38, 109, 402, 405
Bija (F) 26

Bodomtschi (F) 40, 143, 297
Bogdo-Ula (G) 33, 299, 417, 432
Bolnai (G) 24, 109, 115, 414
Bon-Zagan-Gebiet (L) 405
Buche-Muren (F) 376, 379
Buchsai (F) 104
Buir-Nur (S) 19, 430, 438
Bujantu (F) 26, 296, 372, 395
Bulgan (L) 272
Bulgan (O) 33
Bulugun (F) 40, 143, 297, 300, 443
Bumbatu-Chairchan (G) 375
Burin-Chan (G) 30

Chabtagaju (S) 426
Chadchal (O) 80, 185, 332, 429
Chalchin-Gol (F) 85, 136, 298, 439
Chamar-Daban-Scholle (G) 44
Chanui (F) 420
Chan-Chuchei (G) 29, 36, 69, 115, 392, 413
Chancha-Gol (F) 110
Changin-Daba (G) 113
Chara (O) 64, 311
Chara (F) 420
Chara-Jamata (G) 432
Chara-Nur (S) 37, 397
Chara-Ussu (S) 37, 89, 293, 296
Chara-Ussu-Nur (S) 51, 397
Charchira (F) 296, 391
Charchira-Gebirge (G) 36, 120, 377
Chardyl-Sardyk (G) 30
Chassaktu (G) 375, 401
Chatschig (G) 384, 451
Chingan (G) 59, 62
Chirgis-Nur (S) 26, 106, 394, 398
Cholai-Kessel (L) 385
Cholutu (O) 253
Chubsugul (S) 79, 426
Chubsugul (L) 272, 317, 424
Chubtschin-Nuru (G) 375
Chuchschin-Orchon (F) 415

Berichtigung:

Auf S. 175, Z. 16 v. u. muß es heißen: „russische Vertrag von Nertschinsk 1689 und der von Kjachta 1727 auch die Nordgrenze festgelegt."

Auf S. 196, Z. 2 v. o. muß es heißen: „je 10 qkm"

Veröffentlichungen des Osteuropa-Instituts München

ISAR VERLAG MÜNCHEN